手の外科

私のアプローチ

北海道大学名誉教授
三浪明男

中外医学社

手術風景写真

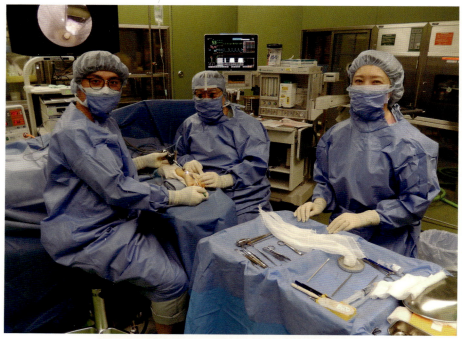

手根管症候群に対して鏡視下手根管開放術を行っているところです．

　私はこれまで行った1つ1つの手術に関する資料（主に機能解剖・関連論文や手術記事など）をクリアファイルにひとまとめにして番号を振って控えています．手術前には必ず，これらの資料を引き出して読んで再確認することとしております．今ではこれらの資料の数は1,200に達しております．

　参考になるか判りませんが，私は手術をするに当たっては以下のような事を励行することとしています．

- 予定した手術部位の機能解剖を解剖書を見て確認する．
- 予定した手術の前回の手術記事を見てチェックする．
- 予定した手術の皮膚切開から閉創までを最初から最後まで頭の中でシミュレーションする．
- その際に可能性のある術中のトラブル・問題点をピックアップし，これらの対処方法を予め検討しておく．
- 助手の先生に予定した手術に関する資料（手術記事や文献など）を予め渡しておく．
- 手術に必要な手術機器，内固定材，創外固定などの周到な準備を行う．例えば各種のプレート，プレートの長さ，スクリューの本数などを十分に準備する．

　これらの術前プランニングはとくに慣れている手術において重要であると感じています．難易度の高い手術は周到な準備を行うのは当然ですが，ややもするといつも行っている手術は安易に考え，予期せぬ落し穴に陥ることがあるからです．禁煙は当然のことですが，手術前日の深酒も慎むべきです．老手の外科医の戯言と思い気に留めておいていただければ幸いです．

著者記す

改訂にあたって

　まずもって，前の本の序文にも記載していますが，私の手外科の恩師であります石井清一札幌医大名誉教授が本改訂版執筆中にご逝去されました．先生には北海道大学整形外科上肢班のチーフとして本当に公私ともに大変お世話になりました．また北大整形外科教授に就任したときには大変喜んでくださり，立派なフクロウの木彫像を送っていただきました．今でも居間にどっしりと飾っています．慎んで先生のご冥福をお祈りいたします．

　さて2016年に「手の外科: 私のアプローチ」初版を刊行させていただきました．初版の序文にも記載させていただきましたが，ほぼ手・肘の外科および整形外科領域で扱うマイクロサージャリー手術全般が網羅されていると思います．その後，改めてチェックすると前回，かなり注意したつもりですが，字句や表現の間違いなどが多数あることに気付きました．また，各項目毎に実際の症例をもっと加えた方が分かりやすいのではないかとも考えました．そこで出版社の担当者と相談し，初版から5年しか経過しておりませんが，改訂することを決心しました．字句の修正や加筆および症例供覧の追加などはほぼ全項目にわたり行いました．またせっかくの機会ですので，ずっと加えたいと思っていた40項目程度を新しく項目立てして入れさせていただきました．そのため，非常に分厚くなりましたが充実した本になったのではないかと自負しております．

　今回の改訂にあたり初版刊行以降の手術症例を中心に採用していますが，北大時代や関連病院の症例も一部採用しています．手術症例提供にあたり，北海道せき損センター整形外科部長　東條泰明先生，整形外科部長　神谷行宣先生，産業医科大学整形外科　宇都宮祥弘先生，王子総合病院（苫小牧市）整形外科部長　鈴木克憲先生，帯広厚生病院整形外科部長　本宮　真先生，新潟手の外科研究所病院院長　坪川直人先生はじめ各病院の手術場のスタッフの皆様に心より感謝致します．

　自分のわがままを許してくださり改訂版刊行をご快諾いただいた中外医学社編集部の秀島悟氏，輿石祐輝氏，小川孝志氏に改めてお礼を申し上げたいと思います．また今回の原稿投稿，編集にあたって，前回もお願いした北海道せき損センター医局秘書　篠原美智留さんに心よりお礼を申し上げます．

　本書が手外科・マイクロサージャリー手術を行うにあたって多くの先生の診断や治療の指針になれば望外の喜びです．手術などに関しては私の考え方や手術方法を中心に記述しましたので，一人よがりのところがあると思いますが，お許しください．

2021年10月

著者　三浪明男記す

序　文

　1972年（昭和47年）に卒業して北海道大学整形外科学教室に入局し，整形外科疾患全般の診断と治療を学びました．大学そして関連研修病院でgeneral orthopaedicsを学ぶうちに手の外科に興味を抱くようになりました．当時の手の外科（上肢）班のチーフは石井清一先生（札幌医大名誉教授）でした．手の班のdiscussionは基本的にはエンドレスであり，夜遅くまでdiscussionすることも少なくありませんでした．非常に自由闊達な雰囲気で経験の浅い（というよりもほとんど経験がなく，教科書の上でしか理解していない）医師の発言も真剣に聞いてくれるもので，他の班とは一味違うものでした．

　5年目から専門を手の外科として以来，一貫して，というよりも他の班のことは耳学問だけで済ませて手の外科に浸ってほぼ40年近くになりました．手の外科班と腫瘍班に入ってから石井先生に外来で臨床のご指導を受けながら屈筋腱損傷に関する基礎的研究のお手伝いをさせていただきました．当時は腱そのものにintrinsic healing potentialがあることが実験的に明らかとなり脚光を浴びている時代でした．その後，3年半にわたり北大医学部附属癌研究施設（現遺伝子病制御研究所）病理部門で腫瘍免疫の基礎研究を当時の小林博教授のご指導のもと，行い，学位を取得しました．整形外科教室に戻り9年目のときにMayo Clinicへ留学し，臨床はLinscheid先生，Dobyns先生，Cooney先生，Wood先生から，そして基礎研究は当時のBiomechanical LaboratoryのChao先生，An先生からご指導を受け，とくに手根不安定症を中心とする手関節外科に興味・醍醐味が湧き，この分野で頑張っていこうというモチベーションを持って北大に帰ってまいりました．Linscheid先生とDobyns先生は最近相次いでお亡くなりになられ，追悼文なども書かせていただきましたが，本当に哀しく残念です．

　帰国したときには石井先生は札幌医大整形外科教授として異動されており，手の班チーフは薄井正道先生（元札幌医大整形外科助教授），荻野利彦先生（前山形大学整形外科教授．大変残念ですが，昨年，急逝されました）と変わられました．お二人とも札幌医大に異動され，私が手の班チーフを任されました．その後，2000年（平成12年）に北大整形外科教授に就任し，2012年（平成24年）に退職，現在の北海道中央労災病院せき損センター［追記: 現北海道せき損センター］に勤務しております．

　2007年（平成19年）に今回も出版元をお引き受けいただきました中外医学社から「カラーアトラス　手・肘の外科」という単行本を主に北大整形外科同門の手の外科医の先生とともに発刊させていただきました．この本では手術の説明に特化した手術書として，手術のイラストとその説明のみを記載することと考えていましたが，結果的には手の外科の教科書のようになり，当初の目的（趣旨）を半分くらいしか叶うことができませんでした．北大退職後も幸いにして多くの手・肘の外科手術，マイクロサージャリー手術を経験させていただいております．前書で果たせなかったことを達成すべく，日常診療で比較的遭遇する疾患を中心に取り上げて，その病態，手術解剖，手術適応，手術治療について記述することとしました．また整形外科で扱うマイクロサージャリーの代表的ないくつかの手術を新たに加えました．重要な部位における疾患について，とくに機能解剖と診断手順については独立した項目としました．手術治療については多くのイラストと術中写真を駆使して組み合わせて，順序立てて詳述するように努めました．この際，手術の留意点や強調し

たい点などについて"コツ"として記載していますので是非，参考にしていただきたいと思います．手の外科の基本的な知識のある先生であれば，本書を読まれて手術を行っていただければ手術の成功の可能性は高いと確信しておりますが，出来れば機能解剖書と一緒に読んでいただければより確実と思います．ただし，私のやり方，手術方法について記載しているのでいわゆる常道と違うところがあるかも知れません．そのような場合にはなるべく付記するようにはしておりますが，標準的な手術書も参考にすると違いがわかり面白いかも知れません．私が今でもよく行う手術については多くの記述をしてしまう傾向がありますことはお許しください．

　北大を退職してからの症例を中心に採用していますが，北大時代の症例も多く含まれています．手術を順序立てて，所々で手術を中断し，術中写真を撮影したために，本書を完成させるにあたり，手術症例を快く提供していただいた多くの先生に深く感謝申し上げます．とくに本書を完成するにあたり，北海道中央労災病院せき損センター［追記: 現北海道せき損センター］整形外科部長　東條泰明先生，札幌徳洲会病院　藤田勝久先生，産業医大整形外科　神谷宣行先生，北斗病院（帯広市）整形外科副院長　石田直樹先生，清水智先生，王子総合病院（苫小牧市）整形外科部長　鈴木克憲先生，岩見沢市立総合病院整形外科部長　田崎悌史先生，帯広厚生病院整形外科部長　本宮真先生，帯広協立病院　佐藤幸宏院長はじめ各病院の手術場のスタッフの皆様に心より感謝致します．また一部については「カラーアトラス　手・肘の外科」から記述および図などを使わせていただいております．快く転載をご承諾いただきました執筆者の先生にも感謝申し上げます．

　本書に改めて目を通してみますと，ほぼ手・肘の外科および整形外科領域で扱うマイクロサージャリー手術全般を網羅していると思います．しかし，比較的日常診療で遭遇することが多い疾患を考えて，その手術方法を順序立てて記載しましたので，各分野が満遍なく書かれているものではないこと，また私の比較的得意としている一部の項目はそれほど日常的に診ることが多いものではない症例もあること，また各項目毎に出来るだけ完結したいということもあり記述がかなり重複していることもあることをご了承ください．

　最後に本書を刊行するにあたり何回も面倒な推敲に応じていただき，絶大なご協力をいただいた中外医学社編集部の小川孝志，歌川まどか氏，そして投稿原稿作成にあたり多くの時間を割いてご協力いただいた北海道中央労災病院せき損センター［追記: 現北海道せき損センター］医局秘書の篠原美智留さん，清野良子さん，三上麻里奈さんに心よりお礼を申し上げます．

　　2016年6月吉日

　　　　　　　　　　　　　　　　　　　　　　　　　　　著者　三浪明男記す

目 次

Chapter 1 総論

1. 手指手術に対する麻酔手技 ……………………………… 1
2. 更年期女性における手外科変性疾患に対する
   イソフラボン代謝産物補充療法 ……………………… 5

Chapter 2 肘関節

3. 肘関節の機能解剖と肘関節疾患に対する診断手順 …………… 7

骨折

4. 上腕骨顆上骨折に対する徒手整復＋経皮的K鋼線固定術　17
5. 上腕骨外側顆骨折に対する観血的整復＋K鋼線固定術 …… 31
6. 上腕骨遠位端骨折（成人）に対する治療 ……………… 40
7. 肘頭骨折に対する骨接合術
   （Tension Band Wiring法）……………………………… 51
8. 橈骨頭部・頚部骨折に対する観血的整復術・内固定術
   （Open Reduction and Internal Fixation: ORIF）……… 60
9. Monteggia骨折に対する治療 …………………………… 69
10. Essex-Lopresti骨折に対する治療 ……………………… 76

OA・RAほか

11. 変形性肘関節症に対する関節形成術 …………………… 81
12. 人工肘関節置換術 ………………………………………… 90
13. 上腕骨外側上顆炎に対する手術治療 …………………… 101
14. 上腕骨内側上顆炎に対する手術治療 …………………… 105

機能再建

15. Steindler屈筋形成術 …………………………………… 109
16. 前腕回内位拘縮に対する円回内筋Rerouting手術 ……… 113
17. 前腕回外位拘縮に対する矯正術（Zancolli法）………… 116

靱帯損傷

18. 新鮮外傷性肘関節靱帯損傷に対する手術 ……………… 118
19. 肘関節後外側回旋不安定症の治療 ……………………… 122
20. 肘関節陳旧性内側側副靱帯損傷に対する靱帯再建術 …… 126
21. 陳旧性肘後外側回旋不安定症に対する靱帯再建術 ……… 129
22. Complex Elbow Instabilityに対する手術治療 ………… 131

腫瘍

23. 肘窩部軟部腫瘍に対する切除術 ………………………… 138

Chapter 3
手関節

24. 手関節疾患における診断手順 …………………………… 141

橈・尺骨骨折
25. 橈骨遠位端骨折に対する掌側ロッキングプレート固定術 … 144
26. 橈骨遠位端骨折変形治癒に対する矯正骨切り術 ………… 155
27. 尺骨遠位端（茎状突起骨折を含む）に対する骨接合術 …… 159
28. 前腕骨骨幹部骨折に対する骨接合術 ……………………… 162

OA
29. 橈骨茎状突起切除術 ………………………………………… 170
30. SLAC Wrist に対する橈骨楔状骨切り術 ………………… 172
31. SLAC（SNAC）Wrist に対する Four-Corner Fusion … 175
32. 近位手根列切除術
    （Proximal Row Carpectomy: PRC）……………………… 180

手関節固定術
33. 橈骨・月状骨間固定術 ……………………………………… 183
34. 舟状骨・大菱形骨・小菱形骨固定術
    （Scaphotrapeziotrapezoidal: STT Fusion）…………… 190
35. 全手関節固定術 ……………………………………………… 197

Kienböck 病
36. Kienböck 病の手術治療（総論）…………………………… 204
37. Kienböck 病に対する橈骨短縮骨切り術 ………………… 206
38. Kienböck 病に対する月状骨摘出術および
    長掌筋腱挿入術 ……………………………………………… 212
39. Kienböck 病に対する背側遠位橈骨からの
    有茎血管柄付き骨移植術（第 4・5ECA を用いた）……… 216
40. 第 2 中手骨基部を利用した血管柄付き骨移植術 ………… 220

手根不安定症
41. 新鮮月状骨（周囲）脱臼骨折に対する観血的整復術と
    靭帯修復術 …………………………………………………… 225
42. 舟状月状骨間解離に対する舟状月状骨間靭帯修復術および
    背側関節包固定術 …………………………………………… 231
43. 橈側手根屈筋（FCR）腱を用いた
    舟状月状骨間靭帯再建術 …………………………………… 236
44. 月状三角骨間解離に対する月状三角骨間靭帯
    （Lunotriquetral Interosseous Ligament: LTIL）
    再建術 ………………………………………………………… 239

舟状骨骨折・偽関節
45. 舟状骨骨折（総論）………………………………………… 242
46. 舟状骨骨折に対する背側からの経皮的内固定術 ………… 247
47. 舟状骨骨折に対する骨接合術（観血的整復術＋内固定術
    Open Reduction and Internal Fixation: ORIF）……… 252

48. 舟状骨偽関節に対する遠位橈骨からの
血管柄付き骨移植術 ………………………………… 256
49. 舟状骨偽関節に対する大腿骨内顆からの
血管柄付き骨弁移植術 ……………………………… 261

TFCC

50. TFCC 損傷（総論）……………………………………… 263
51. 手関節鏡手技 …………………………………………… 266
52. TFCC（class 1B）断裂に対する Open Repair 法 ……… 271
53. TFCC（class 1B）断裂に対する鏡視下修復術 ………… 276
54. 尺骨短縮術 ……………………………………………… 278
55. MINI-PLATE を用いた尺骨遠位での尺骨短縮骨切り術 … 283
56. 尺骨短縮術後抜釘術 …………………………………… 290

Denervation・ガングリオン

57. 手関節の Denervation 手術（除神経術）……………… 294
58. 手関節に発生したガングリオン切除術 ……………… 297

有鉤骨鉤骨折

59. 有鉤骨鉤骨折に対する骨接合術および鉤切除術 …… 300

豆状三角関節障害

60. 豆状三角関節障害に対する豆状骨摘出術 …………… 303

DRUJ

61. 遠位橈尺関節障害に対する診断手順 ………………… 306
62. Sauvé-Kapandji 手術 …………………………………… 313
63. Hemiresection-Interposition Arthroplasty（HIA）法 318
64. 不安定尺骨遠位端に対して尺側手根伸筋腱および
尺側手根屈筋腱を用いた安定化術（Breen 法）……… 322
65. 手関節偽痛風 …………………………………………… 327

Chapter 4 母指

CM 関節

66. 母指 CM 関節変形性関節症に対する手術（総論）…… 329
67. 母指 CM 関節変形性関節症に対する関節固定術 …… 331
68. 母指 CM 関節亜脱臼に対する靭帯再建術（Eaton 法）…… 336
69. 母指 CM 関節変形性関節症に対する
第 1 中手骨基部楔状骨切り術 ………………………… 338
70. 母指 CM 関節変形性関節症に対する関節形成術 …… 342
71. 母指 CM 関節変形性関節症に対する
CMC Mini Tightrope を用いた関節形成術
（Ligament Reconstruction Suspension Arthroplasty）… 350

骨折

72. Bennett 骨折に対する経皮的鋼線固定術 ……………… 356
73. Roland 骨折に対する観血的整復術＋内固定術 ……… 359

MP 関節

74. 母指 MP 関節ロッキングに対する治療（手術を含む）…… 362
75. 母指 MP 関節尺側側副靱帯損傷（Gamekeeper's Thumb）に対する治療 …………………………………………………… 365
76. 陳旧性母指 MP 関節橈側側副靱帯損傷に対する手術治療 … 371

腫瘍

77. 母指球部に発生した軟部腫瘍に対する切除術 ………………… 374

Chapter 5　手指

78. 手指の解剖と機能 ……………………………………………… 377
79. 手の新鮮外傷に対する初期治療—治療原則— ……………… 387

骨折

80. 中手骨・指節骨骨折骨接合術（関節固定術を含む）
    —Two Dimensional Intraosseous Wiring テクニック— …… 389

CM 関節

81. 尺側列 CM 関節脱臼骨折に対する手術 ……………………… 398

MP 関節

82. 手指 MP 関節伸筋腱脱臼に対する手術 ……………………… 401
83. 手指 MP 関節ロッキングに対する手術 ……………………… 405

PIP 関節

84. 手指 PIP 関節過伸展による掌側関節囊断裂に対する修復術 ……………………………………………………………… 409
85. 手指 PIP 関節脱臼骨折に対する観血的整復術・内固定術（Open Reduction and Internal Fixation: ORIF）……… 415
86. PIP 関節における掌側板関節形成術 …………………………… 420
87. PIP 関節人工指関節置換術 ……………………………………… 424

DIP 関節

88. マレット骨折に対する石黒法 …………………………………… 428
89. 粘液囊腫（Mucous Cyst）切除術 ……………………………… 433
90. Degloving Injury（手袋状皮膚剝脱創）の治療 ……………… 436
91. 指尖損傷の治療 ………………………………………………… 437
92. 爪損傷の治療 …………………………………………………… 440

腫瘍

93. 内軟骨腫に対する手術 ………………………………………… 442
94. 手指 Retinacular Ganglion 切除術 …………………………… 445
95. Glomus（グロムス）腫瘍切除術 ……………………………… 447

Dupuytren 拘縮

96. Dupuytren 拘縮に対する手術 ………………………………… 450
97. Dupuytren 拘縮に対する酵素注射療法 ……………………… 457

Sympathectomy

98. 指動脈交感神経切除術 ……………………………… 462

感染

99. 指感染に対する切開法と排液法 ……………………… 465

切断

100. 指切断術 ……………………………………………… 468

Chapter 6 腱

腱（鞘）炎

101. ばね指（指屈筋腱腱鞘炎）手術 ……………………… 471
102. ド・ケルバン病（de Quervain Disease）に対する腱鞘切開術（腱鞘滑膜切除術） ……………………… 475
103. 舟状骨結節部における腱付着部症 …………………… 479
104. 尺側手根伸筋腱脱臼・亜脱臼の治療 ………………… 481
105. 腱交差症候群（Intersection Syndrome）に対する治療 … 484

腱断裂

106. 手関節部での長母指屈筋腱断裂に対する腱形成術 ………… 486
107. 長母指伸筋腱断裂に対する固有示指伸筋腱移行術 ………… 490
108. 遠位橈尺関節変形性関節症およびリウマチ性手関節症による手指伸筋腱断裂に対する腱移行術および腱移植術 …… 494
109. 手指伸筋腱皮下断裂に対する減張位超早期運動療法（石黒法） ……………………… 499
110. ZoneⅡにおける新鮮屈筋腱損傷に対する修復術 ………… 503
111. 陳旧性屈筋腱損傷に対する遊離腱移植術，腱剝離術 ……… 510
112. ZoneⅠ深指屈筋腱avulsionに対する腱前進術 …………… 514
113. ZoneⅠ深指屈筋腱断裂に対する腱固定術 ………………… 517
114. Transverse Interosseous Loop Technique
―屈筋腱末梢断端の骨への固定法― ……………………… 520

腱移行

115. 末梢神経麻痺に対する腱移行術の治療原則 ……………… 523
116. 低位および高位正中神経麻痺に対する腱移行術 ………… 525
117. 低位および高位尺骨神経麻痺に対する腱移行術 ………… 530
118. 尺骨神経麻痺に対する腱移行術 ………………………… 535
119. 長母指外転筋移行による示指橈側外転再建術 …………… 540
120. 低位および高位正中神経・尺骨神経合併麻痺に対する腱移行術 ………………………………………………… 542
121. 高位橈骨神経麻痺に対する腱移行術 …………………… 548

Chapter 7
神経

- 122. 神経剝離術，神経縫合術，神経移植術 ················ 553
- 123. 血管柄付き腓腹神経移植術（腓骨皮弁を含む）········ 558

肩関節周囲における末梢神経障害
- 124. 肩関節周囲における末梢神経障害の診断と治療 ········ 561

腕神経叢
- 125. 腕神経叢麻痺（総論）································ 571
- 126. 腕神経叢に対する手術侵入法 ························ 579
- 127. 腕神経叢麻痺（引き抜き損傷）に対する
  肋間神経移行術による肘屈曲再建術 ·················· 584
- 128. 全型腕神経叢麻痺（引き抜き損傷）に対する
  Double Muscle Transfer 法 ························· 587
- 129. 上位型腕神経叢麻痺の肘屈曲再建における
  部分尺骨神経・筋皮神経交叉縫合術（Oberlin 法）····· 589

尺骨神経
- 130. 肘部管症候群に対する尺骨神経前方移行（所）術 ······ 592
- 131. Guyon 管（尺骨神経管）症候群に対する手術 ········ 597

橈骨神経
- 132. 橈骨神経管開放術 ··································· 601

手根管症候群
- 133. 手根管症候群の診断・治療 ·························· 604
- 134. 手根管症候群に対する鏡視下手根管開放術 ············ 608
- 135. 手根管症候群に対する開放的手根管開放術 ············ 614
- 136. 手根管症候群に対するOCTR＋母指対立機能再建術
  （Camitz 法）······································ 617

神経くびれ
- 137. 神経束のくびれによる神経麻痺 ······················ 620
- 138. 前骨間神経麻痺に対する手術（神経束間神経剝離術）····· 622

腫瘍
- 139. 神経鞘腫（Schwannoma）切除術 ··················· 625
- 140. 手に発生した断端神経腫に対する外科治療 ············ 628

知覚神経移行術
- 141. 知覚神経移行術 ···································· 631

神経再生
- 142. 神経再生誘導チューブを用いた神経再建術 ············ 635

Chapter 8 関節リウマチ

手関節
143. リウマチ性手関節の手術治療体系 ······ 639
144. 手関節滑膜切除術 ······ 641
145. リウマチ性手関節における伸筋腱滑膜切除術と尺骨遠位端切除術（Darrach 手術） ······ 648
146. 人工手関節置換術 ······ 653

母指
147. リウマチ母指ボタン穴変形に対するMP関節形成術（Swanson Implant による） ······ 662
148. リウマチ母指スワンネック変形に対する手術治療 ······ 666

MP 関節
149. 手指MP関節インプラント関節形成術 ······ 670

PIP 関節
150. 手指ボタン穴変形に対する横支靭帯を用いた中央索再建術 ······ 677
151. リウマチ手指における白鳥の頚変形に対する手術 ······ 681

Chapter 9 先天異常

152. 手の先天異常（総論） ······ 685

先天性橈尺骨癒合症
153. 先天性橈尺骨癒合症に対する前腕の骨折回旋矯正術と回旋矯正骨切り術 ······ 687
154. 先天性橈尺骨癒合症に対する血管柄付き筋膜脂肪弁移植と橈骨骨切り術を用いた授動術 ······ 692

母指
155. 橈側列形成不全に対する中央化術 ······ 697
156. 母指低形成に対する示指の母指化術 ······ 701
157. 母指形成不全に対して遊離足趾関節移植術＋Huber-Littler 法を用いた母指対立機能再建術 ······ 706
158. 母指多指症矯正手術 ······ 713

手指
159. 合指症分離手術 ······ 721
160. 裂手症手術 ······ 726
161. 先天性絞扼輪症候群に対する矯正術 ······ 730

Chapter 10
血管柄付き骨・(筋)皮弁 (マイクロサージャリー)

162. Microsurgery を用いた遊離組織移植術の術前・術後のプランニング ……… 733

切断指
163. 切断指・肢の再接着術 ……… 736

骨移植
164. 血管柄付き腓骨移植術（血管柄付き骨のドナー選択を含む）……… 742
165. 血管柄付き腸骨移植術（深腸骨回旋動脈を血管茎とする）……… 754
166. Angular Branch を利用した血管柄付き肩甲骨移植術 …… 762

筋皮弁
167. 浅腸骨回旋動静脈を血管茎とした Groin Flap ……… 771
168. 薄筋皮弁 ……… 775
169. 前外側大腿皮弁 ……… 779
170. 足背皮弁 ……… 782
171. 肩甲皮弁 ……… 787
172. 広背筋皮弁移植術 ……… 790
173. 上腕外側皮弁移植術 ……… 796
174. 橈側前腕皮弁移植術 ……… 800
175. （逆行性）後骨間動脈皮弁 ……… 806
176. 側頭筋膜弁 ……… 808
177. 静脈皮弁（Venous Flap）……… 814
178. VAF & V-NAF Flaps ……… 818

足指移植
179. 遊離足指および足指骨・軟部組織移植術 ……… 823
180. 血管柄付き関節移植術 ……… 836

区画症候群
181. 上肢区画症候群（Compartment Syndrome）に対する筋膜切開術 ……… 844

索 引 ……… 849

本書製作にあたって

本書内の図・シェーマ等につき，それぞれ各項の参考文献中の図・シェーマを参考の上，新たに書き起こして作成しております．　　中外医学社編集部

CHAPTER 1: 総論

1 手指手術に対する麻酔手技

最近は上肢の外科領域では超音波計（エコー）を用いて斜角筋ブロック scalene block，鎖骨上窩ブロック Kulenkamph block，腋窩ブロック axillary block などが盛んに行われており，長時間の手術も可能となってきた．したがって，手関節以下の手術のために用いる全身麻酔は比較的限られた適応となっている傾向にある．

> **Tips コツ**
>
> 腱移行術の移行腱の縫合 tension を決定することは全麻下ではきわめて困難であり，どちらかというと術者の経験則に頼っているのが現状である．手くびブロックであれば例えば長母指伸筋（EPL）腱断裂に対する示指固有伸筋（EIP）腱移行術などの腱縫合緊張を決定する際に有効である．新潟手の外科研究所吉津孝衛先生は局所麻酔を用いて手術を行うことにより移行腱の縫合 tension が決定でき良好な成績を報告されておられる．

▶ ブロックの適応

手くびブロックの適応は，①腋窩ブロックなど近位のブロックで麻酔が不完全な状態を補う目的，②腱剥離術や腱移行術のように術中に患者の自発的・自動的な指の運動を評価することにより腱癒着の剥離状態を術中に把握できることや腱移行術の場合，移行腱の緊張度合の調整が術中可能となるなどの目的，③術後疼痛の軽減目的であり，指ブロックは基節骨以降の指の手術目的のために用いる．

▶ 手術解剖

1. 正中神経

母指を小指に対立させて，手関節を軽度屈曲すると長掌筋（PL）腱を容易に確認可能である．PL 腱の少し橈側に手関節を掌屈すると橈側手根屈筋（FCR）腱を触れることができる．手関節部では，正中神経は屈筋支帯の下で PL 腱と FCR 腱の間に位置している 図1．

2. 尺骨神経

尺側手根屈筋（FCU）腱は手関節を軽度尺屈すると手関節の尺側部に容易に触知可能である．尺骨神経は手関節レベルで FCU 腱の少し橈側，深部に位置している 図2．この部で尺骨神経をブロックするが，尺骨動脈が尺骨神経の少し橈側に位置しているので，薬液を注入する際に，必ず注射器を吸引しなければならない．尺骨神経の背側皮枝は手関節近位約 7 cm の部で掌側から背側に分岐しているので，尺側手指背側の麻酔を要する場合には，局所麻酔薬を背尺側への浸潤によりブロックすることが可能である．

3. 橈骨神経

橈骨茎状突起は解剖学的たばこ窩において長母指伸筋（EPL）腱と長母指外転筋（Abd PL）腱の間に触れる．

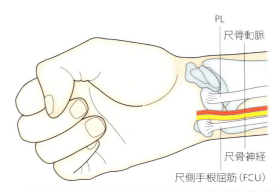

図2 手関節部での尺骨神経の解剖学的位置

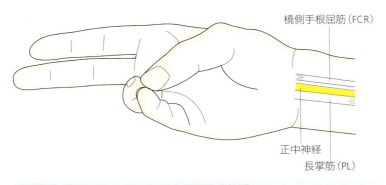

図1 手関節部での正中神経の解剖学的位置

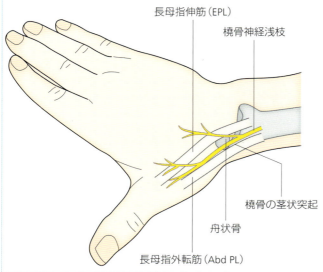

図3　手関節部での橈骨神経浅枝の解剖学的位置

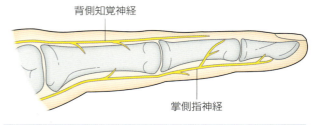

図5　指背側皮膚の神経支配

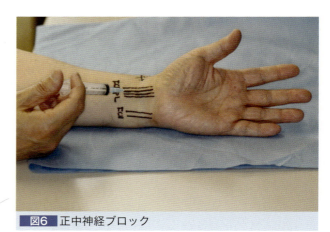

図6　正中神経ブロック

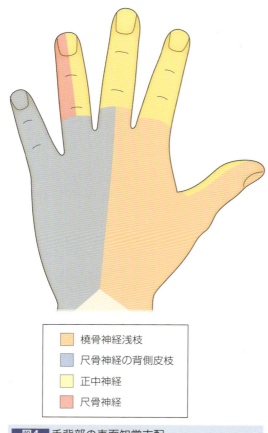

図4　手背部の表面知覚支配

橈骨神経浅枝は橈骨茎状突起のレベルの皮下脂肪の中でいくつかの枝に分かれているので，皮下で伸筋支帯上に局麻剤を万遍なく注入することにより麻酔を得ることができる　図3．

図4に手関節〜手指背側面の各神経の表面知覚支配を示す．

手指

総指神経は遠位手掌皮線のレベルで2つに分かれ各指への掌側指神経となる．したがって，遠位手掌皮線は指ブロックを行った時の針の刺入部のレベルである．

指の知覚は掌側指神経が総指神経から分岐して隣接指の橈側・尺側を支配する．これらは主に指の掌側面の知覚を支配する．一方，掌側指神経の背側枝と背側知覚神経が指の背側皮膚の知覚を支配している　図5．

経腱鞘指ブロックを行う場合には近位指皮線上に指屈筋腱鞘が存在しているのでこのレベルで針を刺入する．

麻酔手技

▶手くびブロック

1．正中神経ブロック

近位手くび皮線の2-3 cm近位のPL腱とFCR腱の間のくぼみに針を刺入する．針の方向は近位から遠位に向かって斜めに刺入する．針先が前腕筋膜を貫いた感触を得た後に，2％リドカイン5 mL程度を注入する．神経への直接刺入は避ける　図6．

> **Tips コツ**
> 私は皮膚への切れは悪くなるが，神経への針の直接的な刺入を避けるためにNo. 21の翼状針の先をモスキート鉗子あるいは攝子などのギザギザな把持部分に当てて，先を鈍とするようにしている．

> **Tips コツ**
> 母指球基部は正中神経掌側枝が支配しているので，同部は手くびでの正中神経のブロックでは麻酔は得られない．

2. 尺骨神経ブロック

FCU 腱の橈側に尺骨動脈が位置しているので，同動脈への血管内注射の可能性が高くなる．したがって，FCU 腱の尺側から尺骨神経を目指したアプローチが好んで用いられている　図7．

尺骨遠位のレベルで，針を FCU 腱の尺側に刺入して背側（奥）へと進める．このアプローチで針は尺骨神経に当たるので，ここで 2％リドカイン 5 mL 程度を注入する．

> **Tips コツ**
> 手関節の背尺側部（尺骨頭の遠位）に針を刺入して皮下浸潤を 2％リドカイン 5 mL 程度を注入して尺骨神経の背側皮枝をブロックする．

3. 橈骨神経浅枝ブロック

2％リドカイン 5 mL を橈骨茎状突起のレベルで皮下の伸筋腱上で，第1-第3区画の皮下に注射することにより橈骨神経の何本かの浅枝をブロックする　図8．

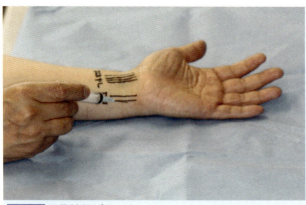

図7　尺骨神経ブロック

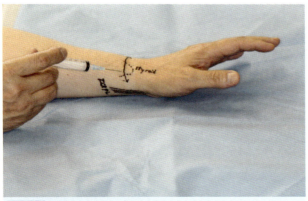

図8　橈骨神経浅枝ブロック

▶ 指神経ブロック

1. 皮下ブロック

遠位手掌皮線上で屈筋腱腱鞘の両側に針を垂直に刺入し，2％リドカイン 5 mL 程度をそれぞれの部位（指の手術の場合は両側）に注射する．深さとしては屈筋腱腱鞘の表面より少し深部を目指す　図9．

2. 経腱鞘ブロック

近位掌側指皮線の少し近位のレベルで A1 pully の屈筋腱腱鞘は容易に触知可能である．注射針を屈筋腱を通して骨に触れるまで刺入する．針の先が骨に到達したら，シリンジに軽く圧を加えながら針をゆっくりと引き抜き，針先が骨膜と屈筋腱の間隙にあることがわかった

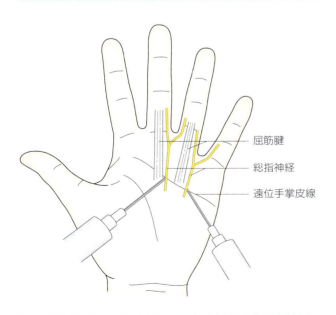

図9　指神経ブロック

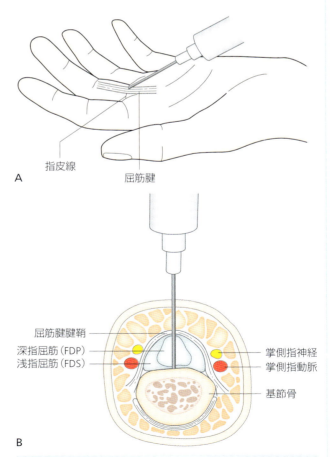

図10　経腱鞘神経ブロック
A: 注射針を屈筋腱へ刺入する　B: 横断面での針の位置

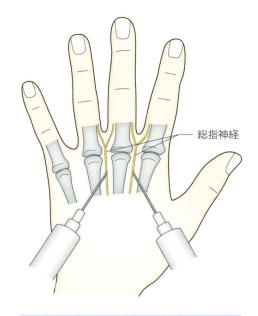

図11 経中手骨神経ブロック

総指神経

ら，局所麻酔液をこの間隙に注入する 図10A, B．

Tips コツ
指の麻酔には2％リドカイン2 mL程度は必要である．

3．経中手骨ブロック
掌側のMP関節の近位で遠位手掌皮線の背側に相当するレベルで，注射針を背側の薄い皮膚から刺入し，中手骨間の掌側の皮膚の方へ進め，掌側を走行する総指神経をブロックするものであり，2％リドカイン2 mLを中手骨頚部の両側で注射する 図11．

■ 文献

1) Bas H, Kleinert JM. Anatomic variations in sensory innervation of the hand and digits. J Hand Surg［Am］. 1999; 24: 1171-84.
2) Hung VS, Bodavula VKR, Dubin NH. Digital anesthesia: comparison of the efficacy and pain associated with three digital block techniques. J Hand Surg［Br］. 2005; 30: 581-4.
3) Mackinnon SE, Dellon L. The overlap pattern of the lateral antebrachial cutaneous nerve and the superficial branch of the radial nerve. J Hand Surg［Am］. 1985; 10: 522-6.
4) Ramamurathy S, Hickey R. Anesthesia. In: Green D（ed）. Operative Hand Surgery, 3rd ed. New York, NY: Churchill Livingstone; 1993. p.4.
5) Whezel TP, Mabourakh S, Barkhordar R. Modified transthecal digital block. J Hand Surg［Am］. 1997; 22: 361-3.
6) Wilhelm BJ, Blackwell SJ, Miller JM, et al. Do not use epinephrine in digital blocks: myth or truth? Plast Reconstr Surg. 2001; 107: 393-7.

CHAPTER 1: 総論

2 更年期女性における手外科変性疾患に対するイソフラボン代謝産物補充療法

最近，更年期女性における手外科変性疾患に対してイソフラボン代謝産物（エクオール）を服用し，良好な臨床成績が得られているという結果が報告されている．手外科学会においても頻繁に報告されている．

問題点

将来的（本書が発刊されるころ）にはわからないが大豆イソフラボン（ダイゼイン）代謝産物（エクオール）は医薬品ではなく，サプリメントとして販売されている．したがって，医師が外来で処方するのではなく，薬局等での購入を当該患者に勧めることが若干，問題ではないかと考える．

▶更年期女性における手外科変性疾患

更年期女性に好発する手外科領域の変性疾患としては手指の変形性関節症（OA）: Heberden結節，Bouchard結節，母指CM関節OA，腱鞘炎: ばね指やドケルバン病，手根管症候群などが代表的であり，頻度もきわめて高い．これらの疾患で特徴的なことは①90％以上は女性に発症していること，また②そのうちの90％は更年期から更年期以降の女性に発生していることである．

問題点

手外科変性疾患を訴えて受診した更年期女性に対して，私を含めた医師は有効な治療法が限られ，かつ自己制御可能な症状であることも相俟って「年のせいですね」とか「仕方がないですね」と伝えることが少なくないのが現状である．

▶女性ホルモンと滑膜の関係

卵巣から分泌される女性ホルモンには卵胞ホルモンであるエストロゲンと黄体ホルモンであるプロゲステロンの2種類である．そのうちエストロゲンは生理が終わってから排卵期までが分泌が多いときで「卵胞期」と呼ばれている 図1 ．

エストロゲンはエストロゲン受容体と結合し，はじめて効果を発揮するが，エストロゲン受容体は子宮内膜にはもちろんのこと，乳腺，血管，気道そして滑膜などに存在している．エストロゲン受容体にはα，βの2種類が存在している．エストロゲン受容体が活性化しなければエストロゲンの効果は出ない．α受容体は主に子宮，卵巣などの生殖器や副腎，腎臓などに存在し，β受容体は主に骨，脳，肝臓などの他，手外科領域では「滑膜」

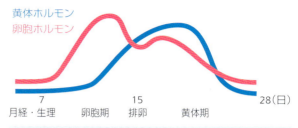

図1 生理周期と女性ホルモンの変化

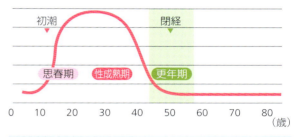

図2 エストロゲン量の変化

に存在しており，このことが手外科領域では極めて重要であると考えられている．エストロゲンが欠乏すると，これらの臓器に関連した「更年期から閉経後」の様々な症状・疾患が出現することとなる．

生理周期との関係でみるとエストロゲンが減少すると滑膜は著明に肥厚することがわかっており，滑膜の肥厚により腱や関節の腫脹が発生する．エストロゲン量は性成熟期では上昇するが，更年期に差しかかる40歳から50歳代にかけて急速に減少し，その結果，滑膜の肥厚が著明となる 図2 ．

▶手外科疾患と女性ホルモンの関係

更年期女性に好発する手外科変性疾患と女性ホルモンとの変化の関係を検討する．

更年期になるとエストロゲンが急激に減少することにより，腱・腱鞘が腫大しばね指・ドケルバン病に代表される腱鞘炎が発症する．腱・腱鞘炎により手関節部での手根管内圧が上昇し，正中神経を圧迫して手根管症候群を発症することになる．また，腱鞘炎によりPIP関節は慢性的に牽引され関節軟骨の磨耗・関節の腫脹が起こりBouchard結節が発生する．一方，エストロゲン分泌の

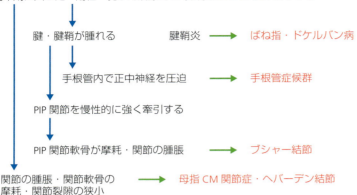

図3 手外科変性疾患と女性ホルモンの関係

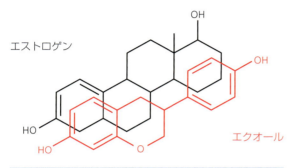

図4 大豆イソフラボン（ダイゼイン）の代謝産物＝エクオールとエストロゲンの化学式

減少による関節の腫脹・関節軟骨の磨耗によりHeberden結節や母指CM関節OAが発生すると考えられる．つまり，更年期女性に好発する手外科変性疾患の多くはいずれも更年期におけるエストロゲンの急激な低下が原因の1つと推察することが可能と考える 図3．

問題点

もちろん更年期女性における手外科変性疾患のすべての原因がエストロゲンの分泌減少により説明される訳ではない．遺伝的要因や仕事などの環境因子も極めて重要である．

▶エクオール

エクオールは大豆イソフラボン（ダイゼイン）の代謝産物であり，化学式がエストロゲンと酷似していることからエストロゲン類似作用を有している 図4．エクオールの作用機序は独特であり，閉経前，つまりエストロゲン過剰状態では抗エストロゲン作用（アンタゴニストとして働く）を有している一方，閉経後，つまりエストロゲン欠乏状態ではエストロゲン作用（アゴニスト）としての作用を示すことになる．

Tips コツ

エクオールはエストロゲン分泌量により2つの全く異なった作用を有している．

エクオールは各個人により産生可能な場合と産生ができない場合があり，本邦の報告では中高年女性では約半数が産生可能であるとされている．今までの報告ではエクオールの作用機序と期待される効果は先にも示したエストロゲン作用と相反する抗エストロゲン作用により生じる更年期障害による多様な症状の抑制である．

▶エクオール含有大豆発酵食品服用によるBouchard結節患者への効果

平瀬らが自身のクリニックを受診したBouchard結節患者へのエクオール含有大豆発酵食品1日4粒（10 mg）を毎日3カ月間摂取した効果について検証している．ケナコルト®（ステロイド剤）を投与した例もある．検討の説明について割愛し結果の要約をまとめると①手指の不定愁訴，Bouchard結節軽症例において疼痛緩和にエクオールは有効であった．②Bouchard結節軽度例から中等度例ではステロイド関節内局注とエクオール内服の併用が効果的であった．③Bouchard結節高度進行例ではエクオール内服の効果は少なかったとしている．まとめると更年期症状のBouchard結節の変形進行の予防，疼痛の緩和に対してエクオールの効果が期待できるとしている．

結論として，更年期および更年期以降の手外科変性疾患を有する女性患者にはエクオール製剤は10 mg/日の摂取を勧める価値があると考える．ただし，できれば病期進行例ではなく初期例の方が効果が期待できる．

意見

更年期女性に発症した手外科変性疾患の軽症例には外来にて具体的なADL上の注意事項の説明などは行うが，本質的に疾患を治癒させるということはきわめて難しいのが現状であろうと考える．この様な場合，エクオール服用は試みる価値のある1つの有力な手段ではないかと考えている．

■ 文献

1) Adam NK, Danielli JF, Haslewood GA, et al. Surface films of oestrin derivatives. Biochem J. 1932; 26: 1233-41.
2) 麻生武志, 内藤成人. ウィメンズヘルスケアにおけるサプリメント: 大豆イソフラボン代謝産物エクオールの役割. 日本女性医学学会雑誌. 2012; 20: 313-32.
3) Axelson M, Kirk DN, Farrant RD, et al. The identification of the weak oestrogen equol [7-hydroxy-3-(4'-hydroxyphenyl)chroman] in human urine. Biochem J. 1982; 201: 353-7.
4) 平瀬雄一. 女性疾患としての手の痛み 私の手はなぜ痛いのか しびれるのか. 日本女性医学学会雑誌. 2018: 25: 307-11.
5) 内山成人. 大豆由来の新規成分"エクオール"の最新知見. 日本食品化学工学会誌. 2015; 62: 356-63.

CHAPTER 2: 肘関節

3 肘関節の機能解剖と肘関節疾患に対する診断手順

　肘関節は上腕と前腕を連結する重要な関節である．肩関節～上腕のリーチ機能と前腕の方向指示機能を結合させるものである．重大な肘関節疾患により肘関節の屈伸運動と前腕の回旋運動という複合的な機能に破綻をきたすと，日常生活（ADL）上の disability は少なくない．

　肘関節疾患を正しく理解するためには肘関節の機能（手術）解剖を熟知しておくことが重要である．ここではまず肘関節の機能解剖について記述し，次いで肘関節疾患の診断手順について記載する．ただし，個別の肘関節疾患に対する診断に関しては各項目に詳細に記載しているのでそれらを参考にしてもらいたい．

▶機能解剖

1. 骨格

①上腕骨：肘関節を形成している上腕骨の遠位部は扇状に拡がっており，前方橈側には上腕骨小頭，内（尺）側には滑車が存在している 図1．滑車は肘関節の屈伸軸の回転中心であり，肘関節の可動域を規定している．小頭と滑車橈側縁間には小頭滑車間溝が存在し，腕橈関節と腕尺関節を区分している．

　関節面の近位尺側には内側上顆，橈側には外側上顆が骨隆起として存在し，重要なランドマークとなっている．内側上顆は前腕屈筋・回内筋群のほとんどおよび内側側副靱帯の起始部となっている．後面下部には尺骨神経が走行する尺骨神経溝が存在する．肘関節を屈曲すると尺骨神経が内側上顆に乗り上げて神経症状（尺骨神経麻痺）を呈する場合もある．外側上顆は内側上顆の逆で前腕・手関節の回外筋・伸展筋群および外側側副靱帯の起始部となっている．

　上腕骨下端前方中央には尺骨鉤状突起を受けるための鉤突窩と橈骨頭を受け入れるための橈骨窩，後方中央には肘頭が入り込むための肘頭窩が存在している 図2．これらの部分はさまざまな原因で発生する変形性関節症（OA）の際に骨棘あるいは骨堤などを形成し，疼痛および可動域制限の原因となる

②前腕骨：上腕骨滑車を受ける尺骨の滑車切痕と上腕骨小頭に対応する橈骨の橈骨頭が存在し，上腕骨と腕尺関節，腕橈関節を形成している 図2．また尺骨と橈骨間も近位橈尺関節として関節を形成している．尺骨近位端の肘頭は尺骨長軸に対して約4°外反位を呈している．滑車切痕の遠位には鉤状突起が存在してい

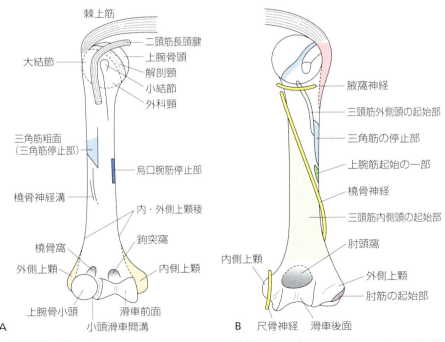

図1　上腕骨の解剖
A: 前面　B: 後面

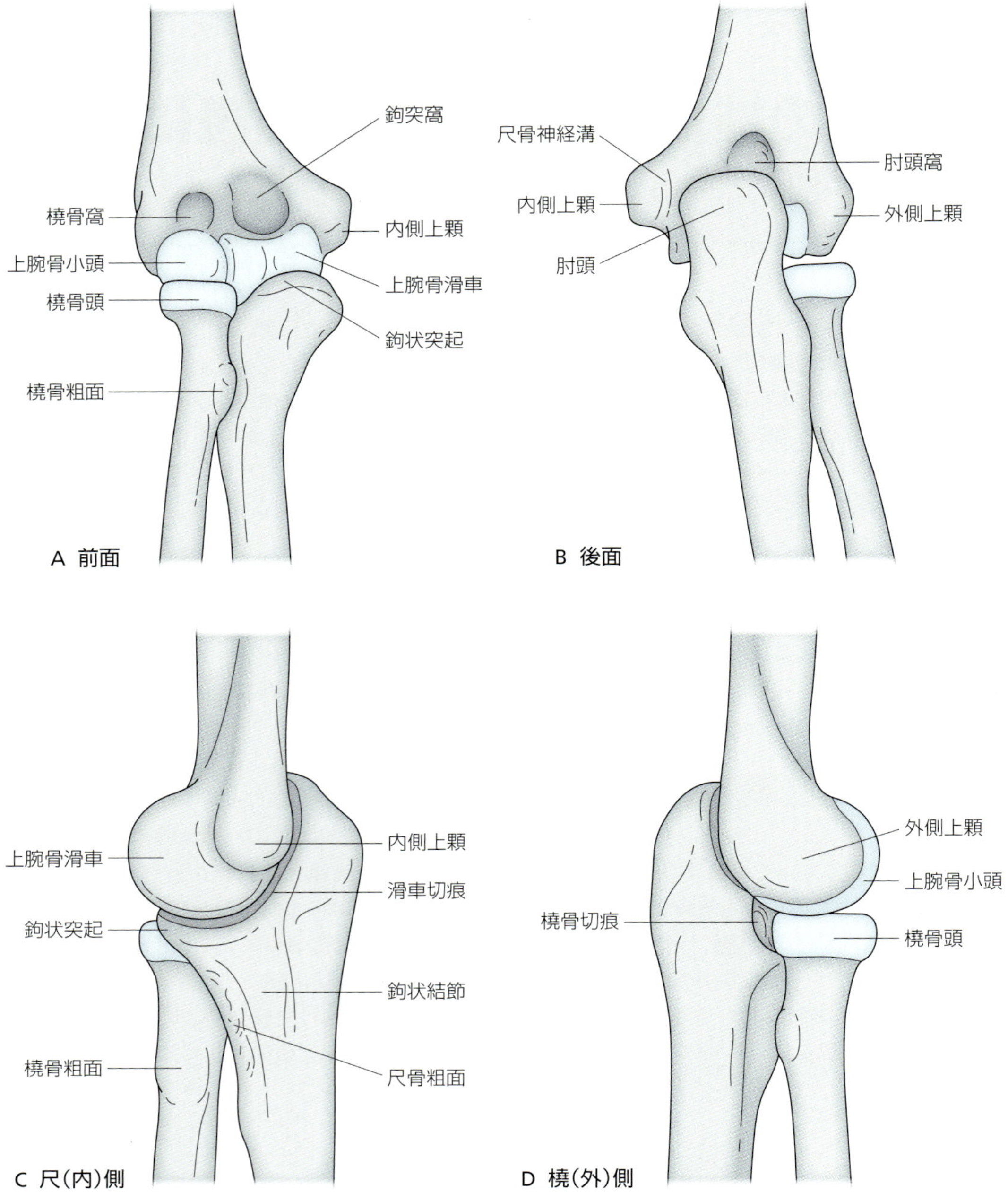

A 前面
- 橈骨窩
- 上腕骨小頭
- 橈骨頭
- 橈骨粗面
- 鉤突窩
- 内側上顆
- 上腕骨滑車
- 鉤状突起

B 後面
- 尺骨神経溝
- 内側上顆
- 肘頭
- 肘頭窩
- 外側上顆

C 尺(内)側
- 上腕骨滑車
- 鉤状突起
- 橈骨粗面
- 内側上顆
- 滑車切痕
- 鉤状結節
- 尺骨粗面

D 橈(外)側
- 橈骨切痕
- 外側上顆
- 上腕骨小頭
- 橈骨頭

図2　肘関節の骨格

る．同突起には上腕筋が停止する尺骨粗面があり，基部橈側には橈骨頭に対応する橈骨切痕が存在する．橈骨切痕の後縁から遠位に回外筋の停止部である回外筋稜があり，この近位には肘関節後外側回旋不安定症（posterolateral rotatory instability: PLRI）の際に重要な外側尺側側副靱帯（LUCL）が停止している．鉤状突起内側の骨隆起は鉤状結節であり，内側不安定性に重要な内側側副靱帯前斜走靱帯が停止する．

　橈骨頭は尺骨の橈骨切痕に大部分接しているが，接しない部分は中間位で1時半-4時半までが相当し safe zone とよばれ，橈骨頸部骨折の内固定の設置位置となる（詳細については橈骨頭部・頸部骨折の項目を参照のこと）．

2. 肘関節

　上腕骨遠位関節面は前後面で滑車・小頭の回転中心軸と内側・外側上顆を結ぶ線は約6°外反し 図3 ，また遠位方向から見ると5-7°内旋している 図4 ．

　側面では上腕骨遠位端は上腕骨骨軸に対して30-45°前方に位置し 図5 ，約30-45°後方に傾斜している尺骨滑車切痕にちょうど対応していることとなる 図6 ．

　滑車切痕を側面から見ると，約190°の凹面の関節面を呈する 図7 ．近位橈尺関節は円周の約1/6の凹面の関節をもつ尺骨の橈骨切痕と橈骨頭の厚い部分との間で関節を形成している 図8 ．手関節部の遠位橈尺関節とともに前腕の回旋運動を担っている．

3. 靱帯

　肘関節の骨性支持性は伸展位に限られるために，肘関

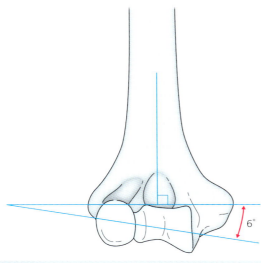

図3 上腕骨遠位関節面の形態（前後面）

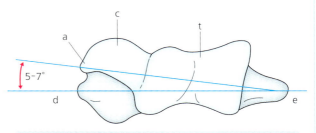

図4 上腕骨遠位関節面の形態（遠位方向から）
a: 小頭関節面外側端，c: 上腕骨小頭
d: 内側上顆，e: 外側上顆，t: 滑車

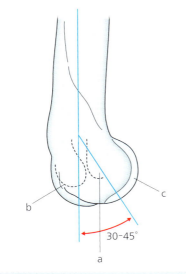

図5 上腕骨遠位関節面の形態（側面）
a: 小頭関節面外側端，b: 内側上顆下縁，c: 上腕骨小頭

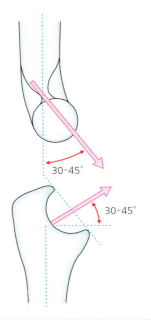

図6 肘関節関節面（側面）

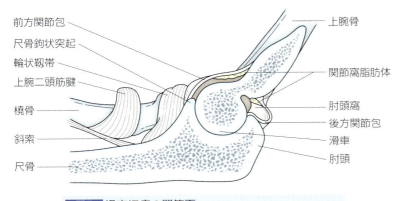

図7 滑車切痕の関節面

節の安定性にとって軟部組織の支持性，とりわけ靭帯による支持性はきわめて重要なものとなる．

① 内側（尺側）側副靭帯〔M(U)CL〕

肘関節には労働あるいはスポーツなどにより，常に外反ストレスが加わっているためにその制動作用を有するMCLはきわめて重要であり，後ほど記載する外側側副靭帯（LCL）よりも強靭である．

MCLは最も強靭で肘関節支持性にきわめて重要な役割を演じている前斜走靭帯（AOL），その後方に位置して手指でいえば副靭帯に相当する後斜走靭帯（POL）および尺骨内を横走している（上腕骨との間に連絡のない）横走靭帯（TL）からなっている 図9 ．AOLは幅約10 mm，厚さ約2.5-3 mmと強靭で外反ストレスに対して最も重要な支持性を供与している．屈伸での長さの変化は少ない．一方，POLはAOLと比べると圧倒的に薄く，関節包より少し厚い程度であるが，屈伸による長さの変化はAOLと比べて大きいため，POLの瘢痕化は肘関節の屈曲制限の原因となり，OAなどによる屈曲制限に対してPOL解離術は屈曲角度の改善に効果がある．TLはその臨床的意義についてはあまり知られていないが，大きな意義はないと考えられている．

② 外側側副靭帯複合体（LCLC）

肘関節の外側支持性に重要なLCLはMCLとは異なり

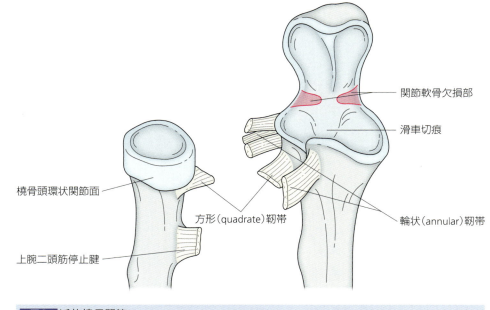

図8 近位橈尺関節

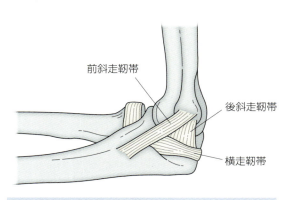

図9 肘関節内側側副靱帯

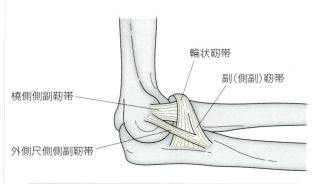

図10 肘関節外側側副靱帯複合体

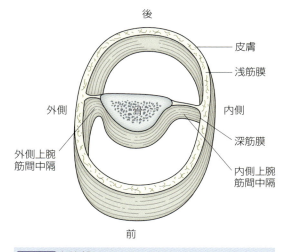

図11 上腕部のコンパートメント

個人差も大きく複雑な構造を呈しているため，LCLC といわれている．尺骨の橈骨切痕前縁と後縁に付着して橈骨頭を含む形態の輪状靱帯（AnL）が存在している **図10**．外側側副靱帯（LCL）は外側上顆から起始して，扇状に AnL の線維に合流する．

LUCL は外側上顆後下方から尺骨回外筋稜に付着している．PLRI（別項目，参照のこと）の発症に本靱帯は重要な役割を演じていることが O'Driscoll らにより力説されているところであるが，本靱帯の発達には非常に個人差が大きいため，私は PLRI の発生には LULC の弛緩のみではなく LUCL 全体および外側・後方関節包の弛緩の存在も重要ではないかと考えている．

③方形靱帯

AnL 下縁から尺骨の橈骨切痕に停止する靱帯である **図8**．橈骨頭の（亜）脱臼を制御すると考えられるがこの臨床的意義は大きくないと考えられる．

4．筋肉

上腕骨の橈尺両端から深筋膜に繋がっている外側・内側上腕筋間中隔により前後のコンパートメントに分けられている **図11**．コンパートメント症候群を理解する上で重要な解剖学的事項である．

①肘関節屈筋群 **図12**

a．上腕二頭筋：肩甲骨関節窩上縁と烏口突起から起始

した上腕二頭筋は途中で合流して橈骨粗面に停止し，肘関節屈筋とともに回外筋の筋力の大部分を提供している大きな筋肉である．肘関節前面遠位では二頭筋遠位の筋腱移行部尺側から前腕屈筋・回内筋群筋膜に移行する分厚い二頭筋筋膜が存在している．筋皮神経により支配されている．

b. 上腕筋: 上腕骨遠位前面から起始し尺骨鉤状突起の少し遠位に停止している．肘関節屈筋の補助筋として作用している．筋皮神経により支配されている．

c. 腕橈骨筋: 上腕骨外側上顆稜の近位前面から起始し，橈骨茎状突起橈側に付着する長大な筋肉である．前腕中間位での肘関節屈筋として働き，筋肉の緊張を触れる．橈骨神経により支配されている．

② 前腕屈筋・回内筋群 図12

a. 円回内筋: 上腕骨内側上顆から前腕屈筋・回内筋群のうち，最も橈側に位置し橈骨骨幹中央部に停止している．回内筋力の大部分を供与している．正中神経支配である．

b. 橈側手根屈筋: 内側上顆から起始して第2中手骨基部掌側に停止する．強力な手関節屈筋として働く．正中神経支配である．

c. 長掌筋: 内側上顆から起始して手関節掌側から手掌腱膜に移行し，移植腱のドナーとして利用される．正中神経支配である．

d. 浅指屈筋: 上腕骨内側上顆から橈骨前斜粗線に沿って起始し，手根管内を通過して示～小指の中節骨基部掌側に2つに分岐して停止する．PIP関節と手関節屈筋として働く 図13．正中神経支配である．

e. 尺側手根屈筋: 尺側手根屈筋は上腕頭と尺骨頭の2つの起始をもち，前腕尺側を下降して第5中手骨基部掌側に付着する．手関節の掌尺屈のprime moverであり，肘内側の安定性にきわめて重要な筋肉である．尺骨神経支配である．

③ 肘関節伸展筋群 図14

a. 上腕三頭筋: 肩甲骨関節窩下部からの長頭，上腕骨後面からの内側頭と上腕骨近位後面からの外側頭の3つの頭からなる．統合された腱の停止部は肘頭である 図15．橈骨神経支配である．

b. 肘筋: 上腕骨外側上顆後方から起始し尺骨近位橈側へ停止する筋である．発生学的には興味ある筋肉である．橈骨神経支配である．

④ 前腕回外筋・伸展筋群

いずれも橈骨神経支配である．

a. 回外筋: 教科書的には回外筋は外側上顆から起始する上腕頭と尺骨の回外筋稜から起始する2層になって起始するとされているが，多くは1頭のみで上腕頭がないものが多い．起始部は回外筋稜と関節包であり，橈骨近位の前橈側部へ停止する．回外筋の前縁部はFrohse's arcadeで，腱性成分が橈骨神経深枝（後骨間神経）の入口に相当し，圧迫されること

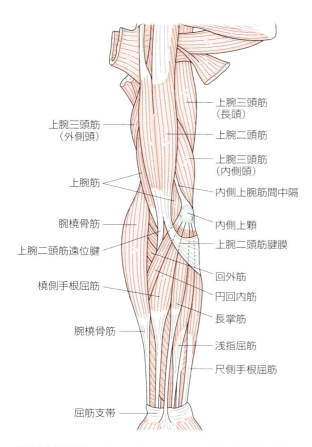

図12 上腕・前腕の筋（前面）

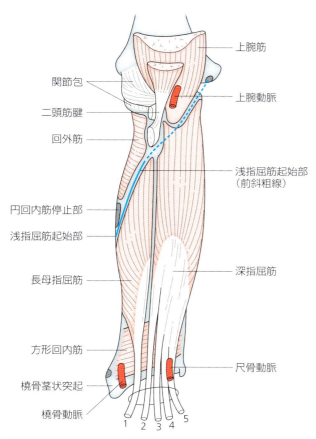

図13 前腕前面の筋（深層）

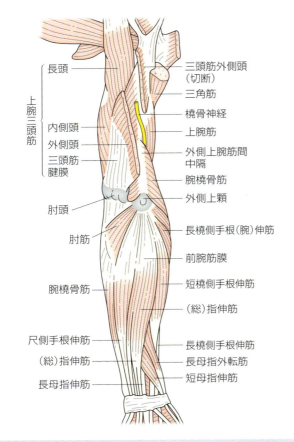

図14 上腕・前腕の筋（後面）

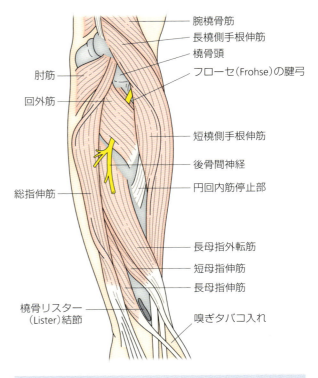

図16 回外筋とFrohse's arcade入口部での橈骨神経の圧迫部位

がある 図16 .

b. 長橈側手根伸筋: 起始は上腕骨外側上顆稜前面で腕橈骨筋の遠位部で第2中手骨基部背橈側に停止する．

c. 短橈側手根伸筋: 長橈側手根伸筋の遠位深部の外側上顆から起始して第3中手骨基部背側に停止している．長橈側手根伸筋とともに手関節の背屈を司る．外側上顆での本腱起始部での付着部炎が上腕骨外側上顆炎（テニス肘）の病態と考えられている（別項目，参照のこと）．

d. 総指伸筋: 長橈側手根伸筋の尺側（深部）から起始し，各指（2-5指）のMP関節背側での中央索へ繋がっており，指（MP関節）伸展を行う機能を有している．

e. 長母指外転筋: 短母指伸筋とともに第1区画を形成し，母指外転と伸展としての2つの役割を担っている．

f. 長母指伸筋: 総指伸筋の深層から起こり，母指末節骨基部背側に停止し，母指伸展を司る．

g. 短母指伸筋: 総指伸筋の深層から起こり，母指基節骨基部背側に停止し，母指MP関節の伸展を司る．

5. 神経

①外側前腕皮神経: 筋皮神経の終枝（感覚枝）である．肘窩部で二頭筋の橈側後面から皮下を前腕橈側方向へ走行する 図17 .

②橈骨神経: 肘窩部橈側深部で橈骨神経は上腕筋と腕橈骨筋間を下降し，運動枝（深枝＝後骨間神経）と手背橈側の感覚を支配する浅枝に分岐する．近位では上腕

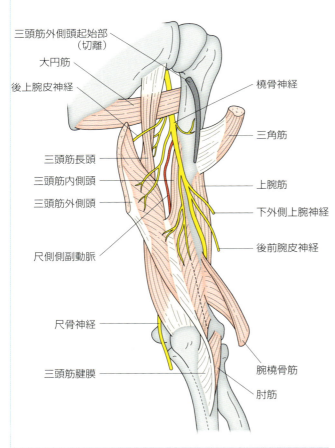

図15 上腕の肘関節伸展筋群と神経

三頭筋外側頭の近位起始部の下を通過し，内側頭・外側頭の橈側，上腕骨後面を遠位橈側へ下降する 図15．外側上腕筋間中隔を通って，上腕筋の橈側を下降し，前腕伸展筋・回外筋へ枝を出す．先に記載したように肘関節部で浅枝（感覚枝）と深枝（運動枝）に分離する．深枝は後骨間神経と呼称される．回外筋の二頭筋間を通過する際に圧迫され回外筋症候群を呈することがある 図16．

③**正中神経**: 上腕二頭筋の尺側で上腕動脈が正中神経と並んで走行する．正中神経は円回内筋の上腕頭（humeral head）と尺骨頭（ulnar head）の2頭筋間を走行し，前腕遠位へ下降する．円回内筋入口部で円回内筋症候群を呈することがある 図18．

④**尺骨神経**: 上腕三頭筋の前方，上腕内側筋間中隔の後方を下降し，肘関節の内側上顆後方に存在する尺骨神経溝内を走り，尺側手根屈筋の二頭筋間を通過して前腕を下降する．尺骨神経溝と尺側手根屈筋の二頭筋間腱膜で圧迫を受け肘部管症候群を呈することがある 図19．

6. 血管

上腕深動脈は上腕後面から橈側を下降する 図20．

上腕尺側では上腕中央やや遠位部で上腕動脈から分かれた上尺側側副動脈が下尺側側副動脈と吻合して尺骨神経と伴走する．

肘関節の前面には上腕動脈が二頭筋の尺側，上腕筋の表層を正中神経とともに下降する．上腕動脈は肘関節裂隙のやや遠位で橈骨・尺骨動脈に分かれ，橈骨動脈は腕橈骨筋の尺側深部を遠位へ走行する．橈骨動脈は分岐後に橈側反回動脈が分かれ，回外筋上を上行し，腕橈骨筋と上腕筋の間を通って前橈側側副動脈と吻合する．

尺骨動脈は浅指屈筋起始部の腱弓の下を尺側に向かって，尺側手根屈筋の深部を手関節部まで下降する 図18．

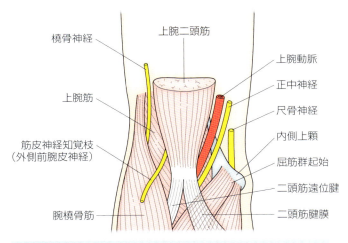

図17 外側前腕皮神経の位置

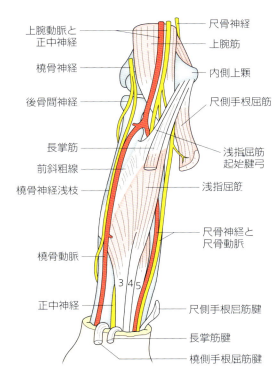

図18 前腕前面の神経と血管

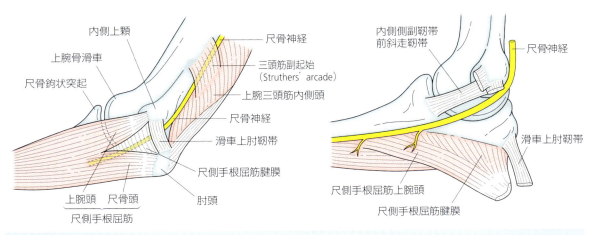

図19 肘部管の構造

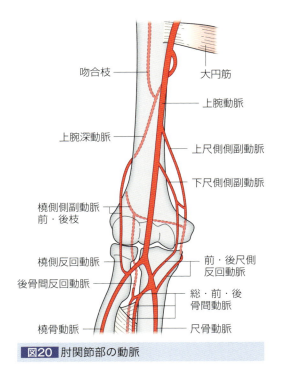

図20 肘関節部の動脈

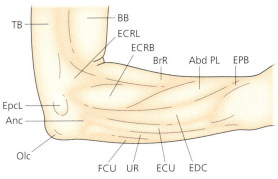

TB: 上腕三頭筋，EpcL: 外側上顆，Anc: 肘筋，Olc: 肘頭，
FCU: 尺側手根屈筋，UR: 尺骨稜，ECU: 尺側手根伸筋，
EDC: 総指伸筋，BB: 上腕二頭筋，ECRL: 長橈側手根伸筋，
ECRB: 短橈側手根伸筋，BrR: 腕橈骨筋，Abd PL: 長母指外転筋，EPB: 短母指伸筋

図21 肘前腕の表面解剖

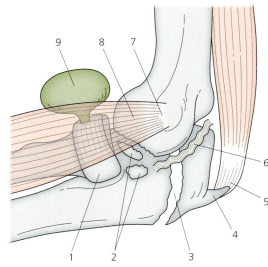

1: 橈骨頭，2: 上腕骨小頭の離断性骨軟骨炎病巣から脱落した骨軟骨片，3: 肘頭骨端離開，4: 肘頭の骨棘，5: 三頭筋腱付着部炎，6: 後外側滑膜ひだ，7: 外側上顆，8: 短橈側手根伸筋起始部，9: ガングリオン

図22 肘関節外側部の診断

▶運動（キネマッチクス）

肘関節は屈伸運動と回旋運動を行う関節である．

1．屈伸運動

上腕骨小頭と滑車の中心を結ぶ線が回転軸である．ほぼ単軸運動を行う．正常の肘関節可動域は 0-145°である．

2．回旋運動

前腕の回旋運動軸は両前腕骨の独特な形態ゆえに，橈骨頭小窩の中心と尺骨遠位端の茎状突起基部の小窩を結ぶ線である．尺骨の周りを橈骨が180°前後の回旋可動域で回旋運動を司っている．前腕の正常回旋可動域は回外90°，回内80°程度である．

▶診断手順

1．問診

全ての整形外科疾患の臨床診断を行う上で，最も重要なことは問診である．肘関節疾患の場合も同様であり，約80%の疾患は問診のみでほぼ診断可能であろう．聴取すべき項目としては以下の通りである．
①外傷歴・受傷機転
②職業・スポーツ歴
③痛みの部位・肢位・経過・因子
④既往歴
⑤そのほか

2．視診・触診

肘関節の表面解剖を 図21 に示す．必ず健側と比較検討する．まず，外側では上腕骨の下端外側に骨突出を触れる 図22 ．これが外側上顆であり，その遠位は腕橈関節に相当するが，前腕を回内外して橈骨頭が回転することにより触れ，その近位が腕橈関節となる．筋肉が発達している場合には外側上顆および付近から起始している前面から腕橈骨筋から長橈側手根伸筋，短橈側手根伸筋，総指伸筋，尺側手根伸筋，尺側手根屈筋へと後面まで筋腹を触れる．

内側では外側上顆と対応する部分に内側上顆が存在し，内側上顆から 図23 のように前腕屈筋・回内筋群が遠位方向に走行している．内側上顆の後方には尺骨神経溝が存在し，この部に尺骨神経が走行している 図24 ．

肘関節変形は肘を伸展し，両側を比較して内反肘，外反肘の存在をチェックする．上腕骨外側上顆骨折後の外反肘はもちろん，上腕骨顆上骨折後の内反肘により遅発性尺骨神経麻痺を将来することも少なくないので，尺骨神経の評価を行うべきである（肘部管症候群の項目参照

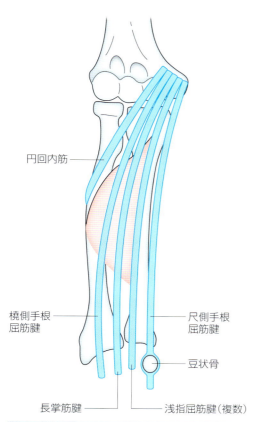

図23 前腕屈筋・回内筋群の走行

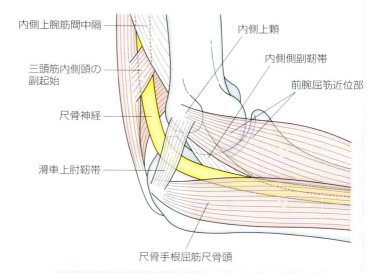

図24 肘関節内側部の診断

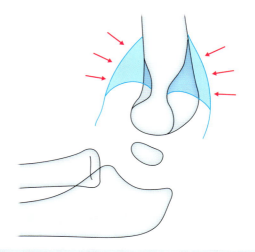

図25 Displaced fat pad sign

のこと).

　肘関節離断性骨軟骨炎では上腕骨小頭部に圧痛とともに肥大した橈骨頭を触れることができる.

　肘関節外側の疼痛で最も多いのは上腕骨外側上顆炎（テニス肘）である（別項目，参照のこと）. Thomsen test, Middle finger (extension) test, Chair testなど特異的検査が有用である. 滑膜ひだの存在も肘関節後方外側部痛を訴えることが多い.

　内側上顆部の痛みであれば上腕骨内側上顆炎（野球肘）が多い. 内側上顆から内側側副靱帯に圧痛が存在し，かつ外反ストレスを加えると肘関節内側部痛を訴える.

　骨折・脱臼により転位が存在している場合には変形は明らかである. どうしてもX線検査で骨折のみに目を奪われ，骨折に合併した脱臼（Monteggia骨折の場合の橈骨頭脱臼など）を見過ごすことがあるので注意を要する.

3. 可動域検査

　肘関節屈曲・伸展，回内・回外角度を測定する. この際，どの肢位で痛みがあるのか，あるいは最大屈曲・伸展位で痛みが出現するのかにより疾患を特定することが可能となる.

4. 誘発テスト

①外側上顆炎の誘発テスト: Thomsen test, Middle finger test, Chair testなど）（別項目，参照のこと）.

②PLRIに対するlateral pivot-shift test（別項目，参照のこと）.

③外反・内反ストレステスト: 肘関節を30°屈曲位として外反・内反ストレスを用手的に加える. 臨床的にはストレスによりend pointが存在するかどうかが重要であり，X線学的に関節裂隙が開存しているかどうかは補助的な検査といえる.

5. 画像診断

①単純X線撮影: 正確な正面・側面像を撮影することが重要である. そのほか，骨折，関節内血腫，水腫の存在を示唆するdisplaced fat pad signは有名である 図25 .

特殊な撮影法としては以下のようなものがある.

　a. 肘部管撮影: 肘関節屈曲位として軸射を撮影し，尺骨神経溝を描出可能となる. 同部の骨棘形成などの存在を知ることができる.

　b. 上腕骨小頭接線撮影: 肘関節45°屈曲位として前腕にカセットをつけ，カセットに垂直にX線を照射する 図26 . 上腕骨小頭の前下方部に発生する離断性骨軟骨炎の描出に有用である.

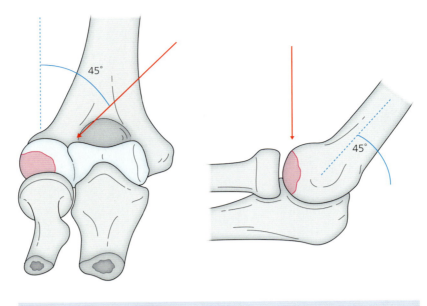

図26 上腕骨小頭接線撮影

　　c. 斜側面撮影: 肘関節伸展位で尺側から45°の方向から撮影する．肘頭先端の骨棘，肘頭窩の遊離体描出に有用である．
② ストレスX線撮影: 肘関節内反・外反ストレステスト時のX線撮影である．内側および外側側副靱帯損傷が疑われる場合に有用である．30°屈曲位で前腕をカセットに付け回旋を防止しながら徒手的あるいは重錘を加えて撮影する．左右で比較するが，内側側副靱帯損傷の場合，内側関節裂隙の開大差が2 mm以上あれば靱帯損傷は確実と考えられる．外側側副靱帯複合体の損傷では内反ストレスで3 mm以上の開大差があれば損傷は確実である．
③ 関節造影: 以前は盛んに行われてきたが，MRが頻用されるようになってから機会が少なくなってきた．
④ X線CT撮影: 骨折の場合，骨折線の走行，骨片の転位方向などを正確にCTにより把持することが可能である．そのほか，骨病変がある場合にも有用である．
⑤ MR像検査: 早期段階の離断性骨軟骨炎，靱帯損傷，RAの滑膜増殖，骨・軟部腫瘍などの病態把握にきわめて有用である．
⑥ Echo検査: 非侵襲的であり，動態撮影が可能であることが特徴的であり，離断性骨軟骨炎や内側側副靱帯損傷の診断に有用である．

■ 文献

1) 阿部宗昭．内反肘に伴う肘後外側不安定症の病態と治療．整・災外．2003; 46: 237-45.
2) Caputo AE, Mazzocca AD, Santoro VM. The nonarticulating portion of the radial head: anatomic and clinical correlations for internal fixation. J Hand Surg [Am]. 1998; 23: 1082-90.
3) Erak S, Day R, Wang A. The role of supinator in the pathogenesis of chronic lateral elbow pain: a biomechanical study. J Hand Surg [Br]. 2004; 29: 461-4.
4) 今谷潤也，宇都義明，小倉丘，他．外傷性肘関節脱臼に伴う靱帯損傷例の手術成績の検討．日肘研会誌．2002; 9: 23-4.
5) 伊藤恵康，鵜飼康二，綾部敬生，他．上肢のスポーツ障害．小児科診療．2000; 63: 1129-35.
6) 伊藤恵康．上腕・肘関節．In: 長野昭編．整形外科手術のための解剖学: 上肢，東京: メジカルビュー社; 2004: p105-178.
7) 伊藤恵康．総括的事項．In: 冨士川泰輔，他編．骨折・脱臼．第2版，東京: 南山堂; 2005．p.376-87.
8) 伊藤恵康．教育研修講座 肘関節のスポーツ障害．日整会誌．2008; 82: 45-58.
9) Morrey BF, Askew LJ, Chao EY. A biomechanical study of normal functional elbow motion. J Bone Joint Surg [Am]. 1981; 63: 872-7.
10) Morrey BF. Anatomy of the elbow joint. In: Morrey BF, editor. The Elbow and Its Disorders, 3rd ed. Philadelphia: WB Saunders; 2000. p12-42.
11) O'Driscoll SW, Bell DF, Morrey BF. Posterolateral rotatory instability of the elbow. J Bone Joint Surg [Am]. 1991; 73: 440-6.
12) O'Driscoll SW, Spinner JR, McKee MD, et al. Tardy posterolateral rotatory instability of the elbow due to cubitus varus. J Bone Joint Surg [Am]. 2001; 83: 1358-69.
13) 小倉丘，越智信夫，西田圭一郎，他．肘関節内側側副靱帯の機能解剖．整・災外．2003; 46: 189-95.
14) Seki A, Olsen BS, Jensen SL, et al. Functional anatomy of the lateral collateral ligament complex of the elbow: configuration of Y and its role. J Shoulder Elbow Surg. 2002; 11: 53-9.

CHAPTER 2: 肘関節―骨折

4 上腕骨顆上骨折に対する徒手整復＋経皮的K鋼線固定術

　上腕骨顆上骨折は上腕骨の内側・外側上顆を結ぶ線より近位の骨折である．本骨折は幼稚園児〜小学校低学年児が高所から転落し，肘関節伸展位で手をついた場合に発症することが多い．幼児期〜学童期の上腕骨遠位端骨折の中では一番多い骨折である（小児肘関節周辺骨折の中で約60％である）．多くは肘関節伸展位で受傷する伸展骨折（上腕骨顆上部で前方遠位から後方近位に骨折線が走り，近位骨片が屈側に転位する）であるが，肘関節屈曲位で肘頭から地面に着いて受傷する屈曲骨折も5％未満程度，存在している ．伸展骨折の骨片は内反・内旋・伸展に転位する 図2．

　上腕骨顆上骨折の治療において重要なことは，①上腕骨顆上部の解剖学的形態特徴で正面から見た幅は広いが，側面での厚みが薄いため整復後の安定性が悪いこと 図3，②早期合併症として近位骨片による上腕動脈の圧迫により前腕筋の阻血性壊死が発生する危険性があること，③晩期合併症として骨癒合後の内反肘変形，肘関節可動域制限，尺骨神経麻痺の出現である．

　とくに前腕屈筋の阻血性壊死（Volkmann拘縮）の発生は絶対に避けなければならない 図4．

> **Tips コツ**
> Volkmann拘縮の発生が疑われた場合にはgolden hour（6時間）以内に，早急に上腕動脈への圧迫除去（要すれば血行再建を）と前腕屈筋の筋膜切開術を行うべきである．

> **Tips コツ**
> Volkmann拘縮の5P（pain, pallor, pulselessness, paralysis, paresthesia）は有名であるが，罹患児の年齢が低いために，これらの5Pの存在を他覚的にチェックすることは容易ではない．指を他動的に優しく伸展すると前腕屈側に強い疼痛を訴える試験（passive finger extension test）がきわめて有用である．これも最初の文字が"P"であるので6Pとすることもある．

▶臨床症状・所見

　肘関節周囲の著明な腫脹，強い安静時痛・運動時痛，可動域制限などが存在している．この時点でVolkmann拘縮の存在を疑い，先に示した各徴候のチェックを慎重に丁寧に行う．

▶画像診断

　伸展型の上腕骨顆上骨折の診断に肘関節の正面・側面・両斜位単純X線写真は必須である． に小児肘関節の正常X線像を示す．側面X線像で外側顆はtear dropとしてみえ，上腕骨長軸と外側顆長軸の角度は約40°であり，上腕骨前縁の延長線は外側顆中央を通過する．鉤状突起の上縁をなぞると外側顆前縁になめらかに連続する．これらが乱れている場合には骨折を疑う．脂肪が持ち上がって生じるfat pad signは有名であるが，すべての症例に出現するわけではない 図6．顆上骨

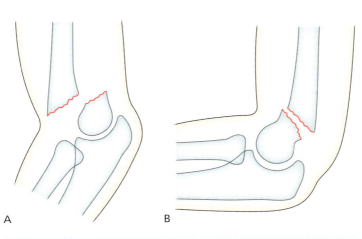

図1 上腕骨顆上骨折の分類
A: 伸展型骨折　B: 屈曲型骨折

A: 典型的な骨折転位（骨片の内反，内旋，伸展）
B: 骨片の内反
C: 骨片の内旋
D: 骨片の伸展

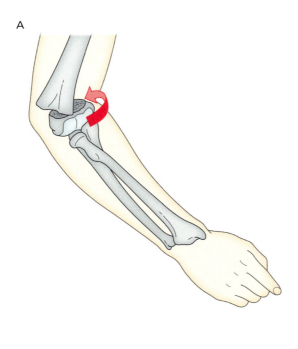
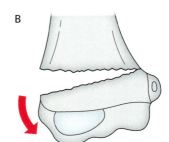
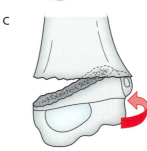
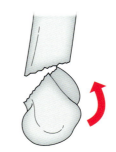

図2 上腕骨顆上骨折（伸展骨折）の転位方向

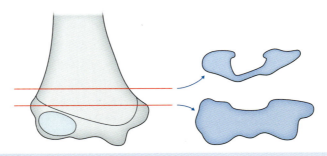

図3 上腕骨顆上部の形態

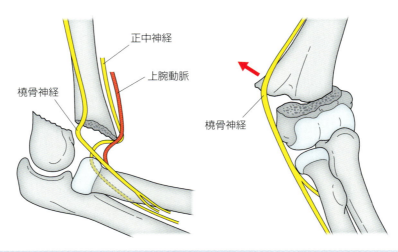

図4 上腕骨顆上骨折による神経血管損傷

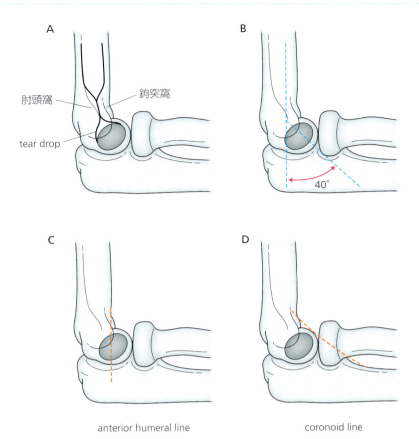

A: 外顆は tear drop としてみえる．
B: 上腕骨長軸と外側顆長軸のなす角は 40°前後である．
C: 上腕骨の前縁の延長線は上腕骨小頭骨端核の中央を通る．
D: 鉤状突起の延長線は外側顆前縁につながる．

図5 小児肘関節の X 線像

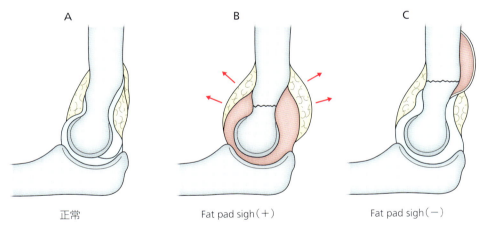

A: 正常
B: Fat pad sign 陽性．関節内骨折の場合
C: Fat pad sign 陰性．顆上骨折の多くは関節外にまたがるため陰性のことが多い．

図6 Fat pad sign

折の多くは関節外骨折のことが多く，fat pad sign は現れないことが多い．

 コツ

痛みを訴えている年少児の肘関節の正確な方向の X 線写真を撮像することは意外と難しいことを認識すべきである．とくに 1 方向の X-P で骨折部の転位が少ないようにみえても違う方向からの撮像では思ったよりも大きな転位を認めることはよくあることである．

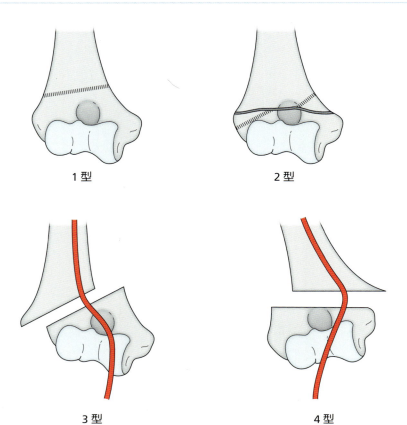

図7 上腕骨顆上骨折の El-Ahwany 分類

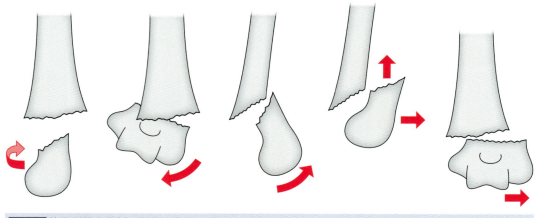

図8 伸展型顆上骨折の転位方向

El-Ahwany は顆上部の横骨折を4つの型に分けた 図7．1型: high transverse fracture, 2型: short oblique fracture, 3型: pro-varus steep transverse fracture, 4型: pro-varus steep oblique fracture である．このうち3型では内反肘が，4型では神経血管束損傷が起こりやすいとされている．

X線写真では以下の方向の転位の程度をチェックすべきである 図8．
①近位骨片が前方，下方に転位している
②遠位骨片が近位骨片の後方に位置し，過伸展位を呈している
③遠位骨片は内反位に転位している
④遠位骨片は回内位に転位している
⑤遠位骨片は外側方向に転位している

これらのうち，内反肘の発生において最も重要な転位方向は遠位骨片の内旋と内反である．

 コツ

CT撮像は骨折の部位（関節内骨折の有無），骨片の位置，骨折の程度についての有力な情報が得られるが，放射線量のことを考えると止むを得ない場合以外には私は撮像することは控えている．

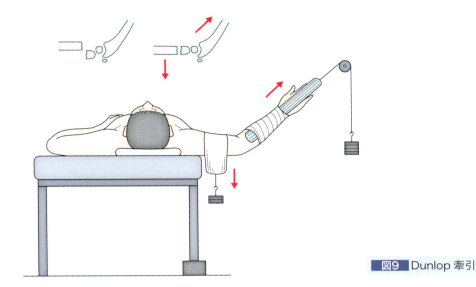

図9 Dunlop 牽引

▶鑑別診断

(1) 肘関節後方脱臼: 小児では脱臼はきわめてまれであり, 古典的な Hüter 線, Hüter 三角の触知が重要である.
(2) 上腕骨外側顆骨折: 転位がない場合には鑑別が必要であるが, 腫脹や圧痛部位が明らかに異なる.
(3) 遠位骨端線離開: 発症年齢が2歳以下と低く, むしろ顆上骨折の鑑別より外側顆骨折との鑑別が重要なことが多い.

▶手術適応

上腕骨顆上骨折の不全骨折, 徒手整復後の骨折の安定性がきわめて良好である以外の上腕骨顆上骨折の全てが手術適応と考える. したがって, ほとんどの症例に手術が必要となる.

以前, 骨折治療において持続垂直牽引などで整復位を得ておき, 自然矯正力に期待するとの考えがあったが, 本治療は最近ではほとんど行われていない. 受傷後早期の徒手整復＋経皮的K鋼線固定術が gold standard の治療であろうと私は考えている.

牽引方法（持続的牽引方法）には肘関節を伸展位で牽引する垂直牽引法と屈曲位での屈曲位牽引法 図9 があるが, 他の報告者と同じように私も今はほとんど用いていない.

▶徒手整復

全麻下に腹臥位として患肢を手術台の端から肘関節を出して下垂する. 整復台に肘を乗せ前腕を下垂すると自然に三枝のゼロポジションを取る利点がある[7]. 助手の手が多くある場合には, 仰臥位で行うことも可能である. X線透視下で骨折部の正確な正面・側面像の撮像が可能であること, および骨折の転位方向を再度確認する

ことを整復操作前にチェックする.

助手に患肢の腋窩部を持って貰いカウンタートラクションを加え, 整復操作に移る.

Tips コツ
助手には腋窩部での局所的な圧迫を避けるように保持してもらうことも重要である.

短期入院, 確実な治療成績の点から, 受傷当日を含めた2〜3日以内に手術を行うことが理想的である. 児童が来院したら, 前述のごとく, 診察とX線撮影を行う. 骨折部の転位が大きく, 循環障害を伴っている場合は, 無麻酔でも愛護的牽引を行っておおまかな徒手整復を行う. この操作で急性循環障害の多くを回避することができる. 腫脹が軽度ならばシーネ固定, 腫脹が強く神経麻痺があれば肘伸展位でスピードトラクションを行って待機する. 重力による自然整復が期待できるため伸展型の場合は腹臥位か側臥位, 屈曲型の場合は仰臥位の方が手術を行いやすい. また腹臥位で透視可能な肘枕を準備して整復を容易かつ確実にする方法もある. しかし腹臥位は挿管を要し, スタッフの数を要する欠点がある. 最も多い伸展・内反・内旋転位した上腕骨顆上骨折の整復手順を述べる 図10 . イメージを入れて, 骨折部を2方向から透視できることを確認する. 整復位を損なわないため, 肘を動かさないで透視装置を回旋させて2方向から透視する方法が望ましい. 助手が対抗牽引し肘伸展位で, 術者は前腕を把持して末梢に牽引し, 短縮を防ぐ 図10A . 次に内外反と内旋転位を整復する 図10B . ここでイメージを90°回転させ肘関節側面を透視する. 肘頭を母指で後方より押さえ, 伸展変形を矯正しながら, 肘を屈曲させて骨折部を安定させる 図10C, D . 整復操作は愛護的に行う. 整復困難な場合は橈骨遠位端骨折で用いられる intrafocal pinning の要領で, 先端を鈍にした直径2-3 mmのK鋼線を経皮的に後方から刺入して, 骨折部に刺入し"てこ"の要領で閉鎖性に整復を行う方法が有効である 図11 .

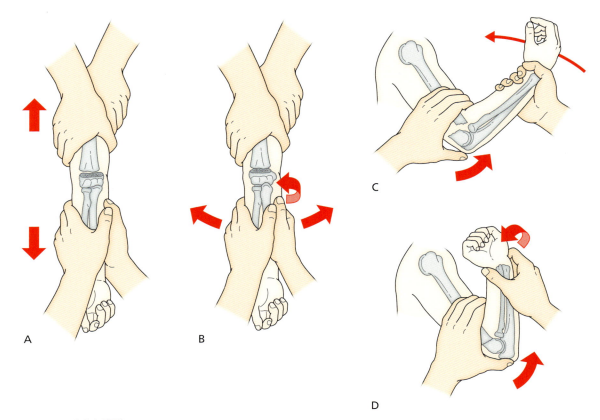

A: 十分な牽引
B: Baumann angle 20°を目安に内反，外反転位を整復し次いで内旋転位を整復する．
C: 伸展転位は肘屈曲位として肘頭を後方から押しつけて整復する．
D: 前腕回内位にする方が安定する．

図10 徒手整復

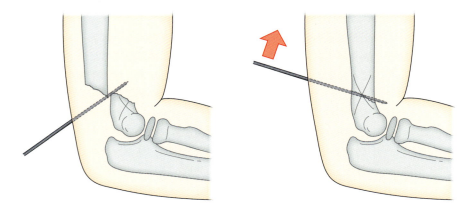

後方から骨折部に刺入したφ2 mmのK鋼線をてこにして整復する．

図11 経皮的K鋼線を用いた整復法

 コツ

肘関節を屈曲位で固定すると前方の上腕動脈を圧迫する危険も高くなるので，とくにVolkmann拘縮の発生に留意すべきである．

 コツ

整復操作を何回も行うと肘関節の腫脹は高度となり，神経・血管などを圧迫することとなるので，留意する．とにかく，整復操作を行う前に時間を掛けて遠位方向に牽引することが重要である．

腫脹の消退を待ちギプスに変更するが，すぐ緩むため1-2週に1回のギプス交換と密なX線チェックが必要である．経過観察には，肘を正面・側面X線写真のBau-

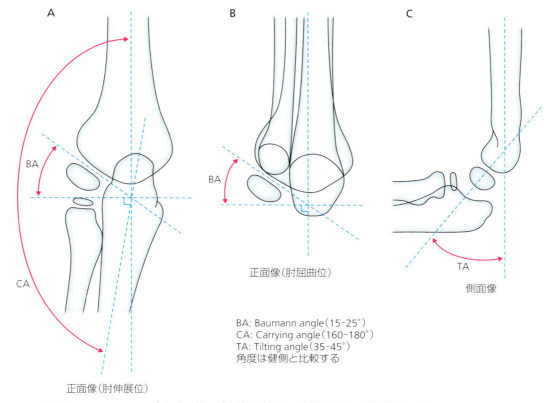

BA: Baumann angle (15-25°)
CA: Carrying angle (160-180°)
TA: Tilting angle (35-45°)
角度は健側と比較する

A, B: Baumann angle　上腕骨長軸の垂直線と外側顆骨端軟骨板に平行な線がなす角
A: Carrying angle　上腕骨長軸と尺骨長軸のなす角
C: Tilting angle　上腕骨長軸と外側顆骨端核のなす角

図12 Baumann angle, Carrying angle, Tilting angle の計測法

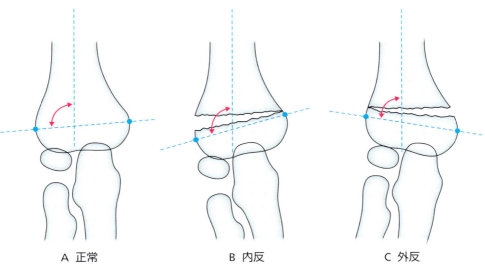

A 正常　　　　　B 内反　　　　　C 外反

骨片の外側と内側の頂点を結び，上腕骨の長軸となす角度を左右比較する．

図13 内外反の判定（簡便法）

mann angle と Tilting angle を計測し，アライメントの目安とする **図12**．Baumann angle は正面 X 線像で上腕骨長軸と外側顆骨端核の中央を通る線のなす角度で，正常は 20°であるが，個人差があるため健側を指標とする．幼少であれば外側顆骨端核は丸くなって線を引くことが難しい．そこで骨片の外側と内側との頂点を結び，上腕骨長軸となす角度を左右比較する方法が簡便で現実的である **図13**．Tilting angle は側面 X 線像で上腕骨長軸と外側顆骨端核のなす角度で経過観察中の肘の屈曲・伸展角度とよく相関する．Tilting angle は自然矯正が期待できるのに対して，Baumann angle は長期経過でも矯正されることはない．

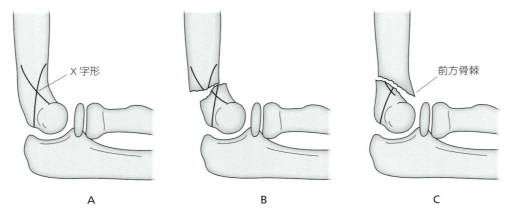

A: 正常．X字形が明瞭
B: X字形がずれ，前後への転位がある．
C: X字形は不明瞭．前方骨棘の存在は回旋転位を示す．

図14 X線側面像での整復位の確認

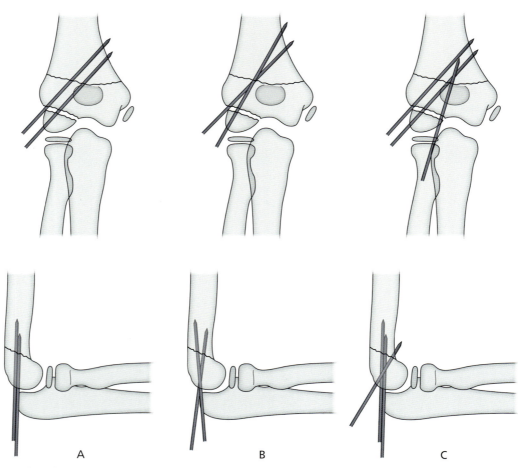

A: 平行に刺入
B: 交叉刺入（回旋の固定性が弱い）
C: 3本目の鋼線を肘頭の外側から刺入し後方から前方骨皮質を貫く（2本で安定しない場合）

図15 経皮K鋼線固定

▶K鋼線刺入・固定

　正確な整復を確認するためには，側面像で肘頭窩と鈎突窩によって形作られるX字形を指標にするとよい 図14A ．X字形がずれている場合には前後方向への転位が残っていることを示し 図14B ，X字形が不明瞭で，前方骨棘がみえているなら回旋転位が残存していることを示す 図14C ．整復位が確認できたら外側上顆から 1.5-1.8 mm K鋼線を2-3本刺入し固定する 図15 ．基本的には2本平行に刺入固定するが 図15A ，それで

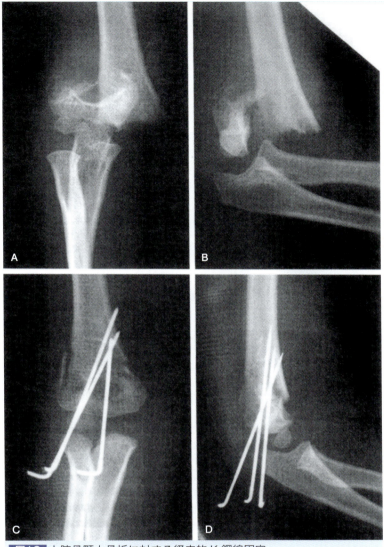

図16 上腕骨顆上骨折に対する経皮的K鋼線固定
A, B: 粉砕を伴う転位の著しい上腕骨顆上骨折
C, D: 外側から2本，後方から1本の鋼線で固定した．

も安定性が得られないときは，2本のK鋼線を用いた交叉刺入 図15B ，あるいは3本目を後方から前方皮質骨を貫く方法がよい 図15C, 16 ．骨端線を避ける方が望ましいが，何度も差し替えない限り，骨端線に与える影響はほとんどないと考えてよい．外側のみの鋼線刺入で十分な固定性が得られないときは，内上顆に1cmの皮切を加え，尺骨神経を指で確認の上，内上顆から1本のK鋼線を使用して内側外側からの交叉刺入固定とする．透視下で骨折部の安定性を確認できたら，手術を終了して上腕から手指MP関節までのシーネ固定を行う．ギプス作成や麻酔覚醒時にあばれてワイヤーが抜けることがあるため，術後X線撮影を必ず行い整復状態やピンの長さを評価する．

Tips コツ
内側からのK鋼線刺入に際しては尺骨神経溝に存在する尺骨神経を触れながら損傷しないように十分注意して刺入することが重要である．

▶観血的整復固定術

徒手整復不能，高度な神経麻痺や循環障害が存在する場合に適応となる．X線では上腕骨の近位骨片がスパイク状になって，転位が大きいものはスパイクの先端が骨膜外に逸脱しており，整復困難な例が多い 図7 ．徒手整復が不可能なら，骨折部を展開し，前述の鋼線固定を行う．アプローチは外側が第一選択であるが，重篤な神経血管の損傷が疑われるときは前内側アプローチで神経血管束を確認することが必要である．

Tips コツ
とくにVolkmann拘縮が疑われる場合には前方を走行する上腕動脈の閉塞状態をチェックするべきである．閉塞が存在していれば何らかの方法（血栓除去術，血流再建術など）で血流再建を施行すべきである．

▶後療法

術後，肘関節の屈曲を100°程度として長上肢ギプス

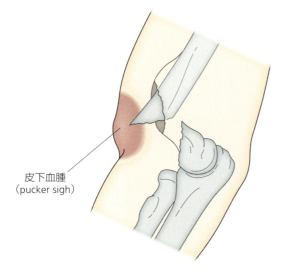

上腕骨骨折部がスパイク状になって皮下血腫を作る(pucker sign).骨片が骨膜外にとびだしている証拠であり,整復も困難なことが多い.

図17 Puker sign

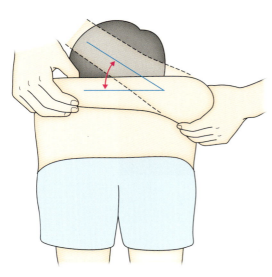

山元テスト
内旋変形の程度を判断する.
肩伸展位で内旋を強制し,左右差を内旋変形とする.

図18 上腕骨内旋変形の測定

副子固定を行い,抜糸後2週間ギプス固定として,4週でfree motionとする.とくに術後リハビリテーションは不要であることが多い.

▶合併症

先にも記載したが上腕骨顆上骨折は小児骨折の中で最も合併症の多い骨折である.以下に代表的な合併症について記載する.

内反肘

顆上骨折後の内反肘の発生率は0〜60%と大きな差があるが,約10%内外は発生すると考えられる.

成長障害により発生する二次発生説は数%以下であり,ほとんどは骨癒合時の変形がそのまま残存するという一次発生説が有力である.

内反変形および伸展変形は肘関節正面像および側面像で計測可能であるが,遠位骨片の内旋変形の計測は難しい.私たちの教室のYamamoto(山元)はきわめて簡便な内旋変形の計測方法 図18 を報告しているので参考にしてもらいたい.最近ではCT reconstruction画像により内旋変形の計測も可能となっている.

内反肘変形矯正術(骨切り術)を行うべきかどうかの判断は簡単ではない.以前は主に整容上の問題のみとされてきたが,外側側副靱帯複合体の弛緩による後外側回旋不安定症(別項目,参照のこと)の発生や遅発性尺骨神経麻痺もあり,整容のみの問題ではないと考えられている.一般的に15°を超える内反角を呈する例には骨切りを行うべきと考える.

手術時年齢としては骨癒合のことも考え,手術は5〜12歳の間に行うこととしている.

> **Tips コツ**
> 年長者に対する矯正骨切り術は技術的に難しい

いろいろな手術方法についての報告があるが,屈曲障害,内反変形および回内変形を三次元的に矯正する方法が主に行われており 図19 ,固定はK鋼線固定と軟鋼線締結固定法を併用している 図20 が,創外固定で固定する方法も一法である.

神経損傷

上腕骨顆上骨折による正中神経,橈骨神経麻痺が多く,尺骨神経麻痺は比較的まれである.骨片の転位方向と麻痺する神経との間には関連がある.神経断裂例はきわめてまれである.

Tinel兆候が伸長しなければ神経を展開し,神経への圧迫状態あるいは断裂の有無について直視下に観察する.

Volkmann拘縮

Volkmann拘縮の症状・所見である5Pについては先に示している.前腕筋膜内圧が40 mmHg以上であれば筋膜切開を要すると考えられる.

治療方法については別項を参照されたい.

異所性骨化

暴力的な徒手矯正による小出血の繰り返しの結果生じた瘢痕組織が骨化したものが大部分である.

異所性骨化が疑われる場合には,ただちに徒手矯正を中止し,自動運動のみとする.局所の熱感が消失し,X線像で可動域を制限している骨化の輪郭が鮮明となれば骨化を手術的に除去する.

徒手矯正を中止させてから3-6カ月後には摘出術を行う.血液ALP値は手術時期決定とは成り難い.

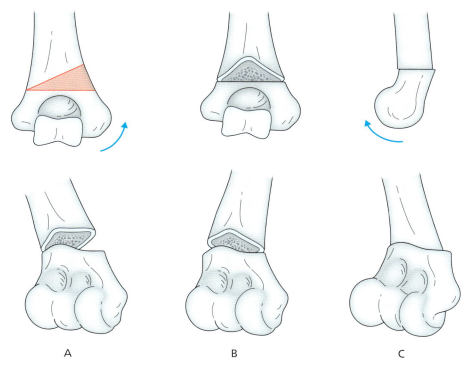

A: 先に外側基底の closed wedge osteotomy を行う.
B: 前方傾斜の減少分だけ前方基底の骨切りを行う.
C: 骨切り面を合わせて内固定を行う.

図19 屈曲障害を伴う内反肘に対する三次元矯正骨切り術

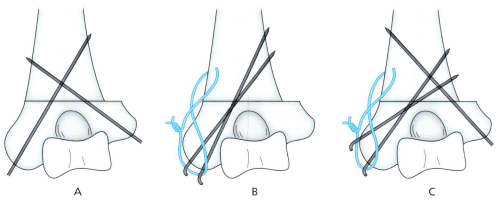

A: Kirschner 鋼線による交叉鋼線刺入法.
B: Kirschner 鋼線と圧迫鋼線による固定.
C: 成人や年長児に対する内・外両側からの Kirschner 鋼線と圧迫鋼線による固定. 成人では plate 固定がよい.

図20 内反肘矯正骨切り術の内固定術

▶症例供覧

症例1 8歳, 女児. 上腕骨顆上骨折例.
術前 X-P **図21A, B**

健側肘関節 X-P **図22A, B**
術後 X-P **図23A, B**. 伸展変形10°, 内旋変形6°残存した.

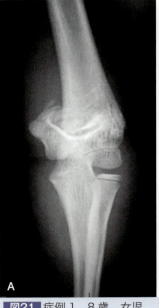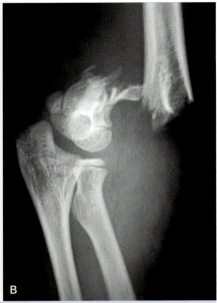

図21 症例1．8歳，女児，上腕骨顆上骨折例．術前 X-P
A: 正面像　B: 側面像

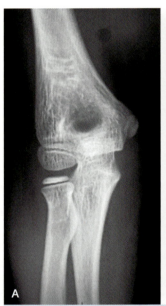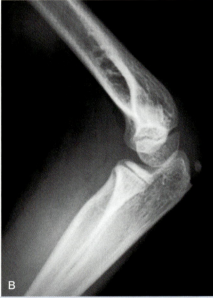

図22 健側肘関節 X-P　　A: 正面像　B: 側面像

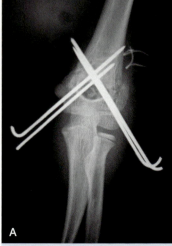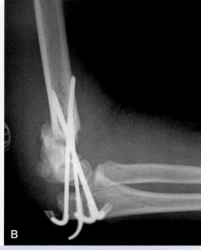

図23 徒手整復＋K 鋼線固定術後．伸展変形10°，内旋変形6°残存した．
A: 正面像　B: 側面像

症例2 8歳，男児．上腕骨顆上骨折例．術前，正中神経症状が存在していた．

術前 X-P 図24A, B
術直後 X-P 図25A, B
手術2週後 X-P 図26A, B

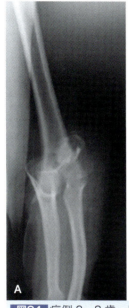
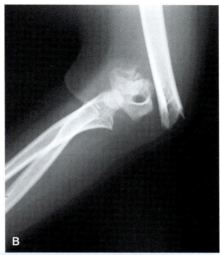

図24 症例2．8歳，男児，上腕骨顆上骨折例．術前 X-P
A: 正面像　B: 側面像

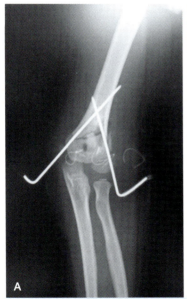
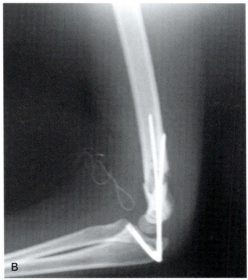

図25 術直後 X-P　　A: 正面像　B: 側面像

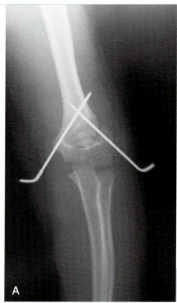
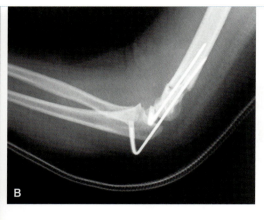

図26 術後 2 週 X-P
A: 正面像　B: 側面像

■ 文献

1) Aronson DD, Prager BI. Supracondylar fractures of the humerus in children. A modified technique for closed pinning. Clin Orthop Relat Res. 1987; 219: 174–84.
2) Georgiadis AG, Settecerri JJ. Safe cross-pinning of pediatric supracondylar humerus fractures with a flexion-extension-external rotation technique. Am J Orthop. 2014; 43: 411–5.
3) 平地一彦．上腕骨顆上骨折（小児）．In: 三浪明男編．手・肘の外科: カラーアトラス．東京: 中外医学社; 2007．p.16–28.
4) 伊藤恵康，佐々木 孝，堀内行雄．肘周辺骨折の治療と合併症．In: 三浦幸雄編．整形外科MOOK 56: 整形外科治療における合併症とその対策．東京: 金原出版; 1989．p.224–37.
5) Keskin D, Sen H. The comparative evaluation of treatment outcomes in pediatric displaced supracondylar fractures managed with either open or closed reduction and percutaneous pinning. Acta Chir Orthop Traumatol Tech. 2014; 8: 380–6.
6) Nacht JL, Ecker MI, Chung SM, et al. Supracondylar fractures of the humerus in children treated by closed reduction and percutaneous pinning. Clin Orthop Relat Res. 1983; 177: 203–9.
7) 三枝憲成，難波健二，伊藤恵康，他．上腕骨顆上骨折の保存療法．In: 整形外科MOOK 53: 関節の変形．東京: 金原出版; 1988．p.65–77.
8) Sahu RL. Percutaneous K-wire fixation in pediatric supracondylar fractures of humerus-A prospective study-. Niger Med J. 2013; 54: 329–34.

CHAPTER 2: 肘関節—骨折

5 上腕骨外側顆骨折に対する観血的整復＋K鋼線固定術

上腕骨外側顆骨折は成人にも発生することもあるが，幼児期～低学年学童期（3-12歳）に発生することが圧倒的に多い．高所から肘関節伸展位，前腕回外位で強い外反力がかかった場合に発生することが多い．小児期の肘関節周辺骨折の中では上腕骨顆上骨折に次いで2番目に多く，10-15％程度の割合を占める．

上腕骨外側顆骨折が顆上骨折と異なるところは骨折線が骨端成長帯を損傷しており，関節面の1/2から外側2/3まで及ぶ巨大な骨軟骨片を形成することである 図1 ．このことは骨折線は骨端線損傷に対するSalter-Harrisの分類でType IVであるので正確な整復がなされなければ，成長障害は必発ということとなる．したがって，重要なことは①外側顆骨折部を正確に整復しないと将来的に偽関節や外反肘変形が発生する危険性がきわめて高いこと，②外反肘変形を招来すると高率に遅発性尺骨神経麻痺が発生することである．これらのことより顆上骨折と比べて手術治療が選択されることが圧倒的に多い．

> **Tips コツ**
> 上腕骨顆上骨折も最近では手術治療が選択されることが多い．

▶受傷機転による分類

受傷機転により以下の2型に分類する 図1 ．
(1) Push-off型: 肘関節軽度屈曲位で手を着き，手掌からの反発力により橈骨頭が上腕骨小頭滑車間溝に衝突する，あるいは肘伸展位で外反位となると，長軸の力が橈骨頭を介し，同じように小頭滑車間溝に力が集中して，外側顆骨端核の約2/3を含んで骨折する．
(2) Pull-off型: 肘関節伸展位で内反が強制されて，尺骨近位端が支点となって外側顆に起始する回外・伸筋群の牽引力により滑車中央溝から骨折する．Pull-off型が多い．

▶臨床症状・所見

肘関節外側顆を中心とした著明な腫脹，強い安静時痛・運動時痛，可動域制限が存在している．上腕骨顆上骨折と異なり，Volkmann拘縮の発生頻度はそれほど高くないがやはり前腕屈筋の阻血性変化には留意すべきである．

▶画像診断

上腕骨外側顆骨折の発生する年齢の肘関節単純X線像は，成長に伴って骨端線や骨端核が変化するため，骨折の有無，骨折転位の判別がむずかしい．したがって骨端核の出現する年齢と成長期特有の解剖を知ることが大切である 図2 ．

肘関節4方向の単純X線写真の撮影は必須である．肘

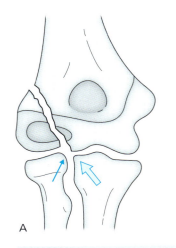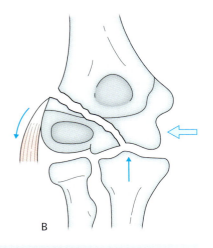

図1 上腕骨外側顆骨折の受傷機転と骨片部位によるMilch分類
A: Push-off型損傷　B: Pull-off型損傷

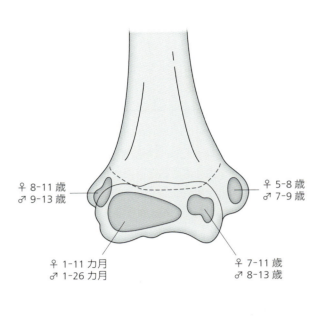
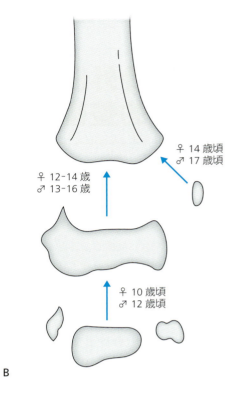

A: 骨端核の部位と平均出現年齢．性差がある．
B: 骨端核閉鎖年齢．外側上顆，外側顆，滑車は10〜12歳で1つの骨となり，12-16歳で骨幹部と連結する．
内側上顆は14-17歳で外側顆とは別個に連結する．
骨端核の出現する順番．1．上腕骨外側顆，2．上腕骨内側上顆，3．滑車，4．上腕骨外側上顆

図2 上腕骨遠位端骨端核の骨化時期

関節伸展位で外側45°からX線を撮影する（internal oblique X-P）と，わずかな骨片転位を検出することができる．外側顆部は骨核およびその周囲で外側顆を形成する関節軟骨，上腕骨遠位端（骨）により形成されている．骨折線が完全に軟骨内にとどまって発生した場合には単純X線写真での診断はきわめて難しい．したがって，診断は骨核の形態を健側と比較することやわずかな骨片（上腕骨遠位端の骨性部分）の存在位置など（collar sign，Thurston-Holland sign）を慎重に判断し，外側顆骨折の有無，想定される骨折線の位置，末梢骨片（外側顆部）の転位方向と程度について術前に知ることも重要である．

神中整形外科学中で上腕骨外側顆骨折の骨折線とX線写真の関係をわかりやすく示しており，これを参考に骨折線を想定することが重要である **図3**．

上腕骨外側顆骨折の多くは骨端核と上腕骨骨幹端遠位の薄い線状の骨を含む **図4**．初診時には転位がなくとも，骨片には前腕伸筋群が付着しているため，経時的に転位することが多く，遷延治癒となりやすいのがこの骨折の特徴である **図5**．

> **Tips コツ**
> 単純X線写真は健側も撮像し，患側と比較検討することも必須である．

肘関節の側面X線像で関節内前方の脂肪が持ち上がって生じる fat pad sign **図6** があれば，関節内骨折による関節内の血腫を疑う．しかし受傷直後では血腫形成は少なく，X線撮影条件にも左右されるため，実際にはすべての症例にみえるわけではない．

CT撮像やMR撮像を要することもあるが，後述するが，多くの症例に観血的整復が必要となるので無理して撮像することはない．とくにMR撮影は年齢を考えると施行しずらい．

▶外側顆骨折の転位による分類

阿部の分類がわかりやすいので記載する．Ⅰ型は転位のほとんどないもの（fat pad signが陽性である），Ⅱ型は2mm以上の側方転位を示すもの，Ⅲ型は回旋転位を示すもの，Ⅳ型は後方脱臼を伴うものである **図7**．

他の分類としてFowlersは上腕骨外側顆骨折を転位の程度から3つに分類している **図8**．

▶治療

X線による上腕骨外側顆骨折の不安定性の判断基準についてFinnbogasonが記載している **図9**．これを参考に保存療法が奏効するかどうかの判断が可能となると考えている．

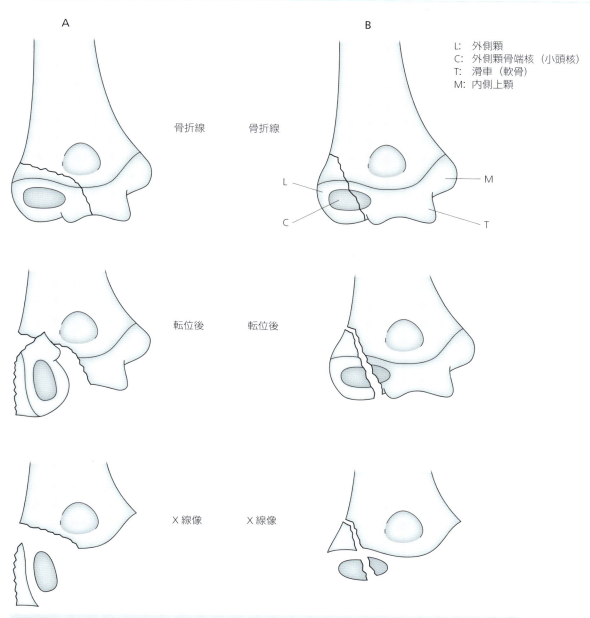

L: 外側顆
C: 外側顆骨端核（小頭核）
T: 滑車（軟骨）
M: 内側上顆

図3 上腕骨外側顆骨折の骨折線の走行とX線像
A: 神中のⅠ型（Milch TypeⅡ）　B: 神中のⅡ型（Milch TypeⅠ）

上腕骨外側顆骨端核と上腕骨骨幹端遠位の薄い線状の骨を含む．Milch分類のtypeⅡでSalter HarrisⅡ型の骨折である．転位の方向と程度は健側と比較しないと判断できない．

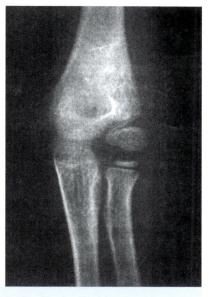

図4 典型的な上腕骨外側顆骨折

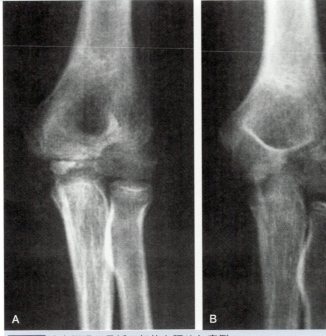

図5 途中経過で骨折の転位を認めた症例
A: Milch type Ⅱ で，転位がない上腕骨外側顆骨折
B: 受傷後3日目．上腕骨外側顆の回旋と外側への転位を認める

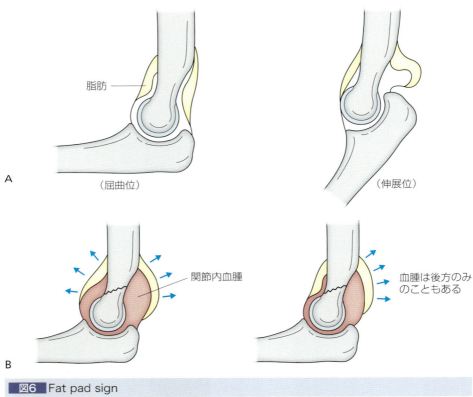

図6 Fat pad sign
A: 正常像
B: Fat pad sign 陽性．関節内血腫によって，関節滑膜外にある脂肪が持ちあげられて側面X線で描出される．

▶保存療法

　阿部の分類でⅠ，Ⅱ型の外側顆骨折例に保存治療の適応がある．三頭筋腱膜による後方からの圧迫と，前方からの橈骨頭，外側から外側側副靱帯複合体により骨片は圧着され，安定化する 図10．整復後，肘関節屈曲120°，最大回内位でギプス副子固定を5〜6週行う．

▶手術適応

　単純X線写真で骨折部の転位が少ないようにみえても多くの場合，大きな転位が存在していることはよく経験する．1本の筋状に骨折線がみえ，骨折の転位がない場合以外のほとんどすべての上腕骨外側顆骨折例に手術が必要となると考える．

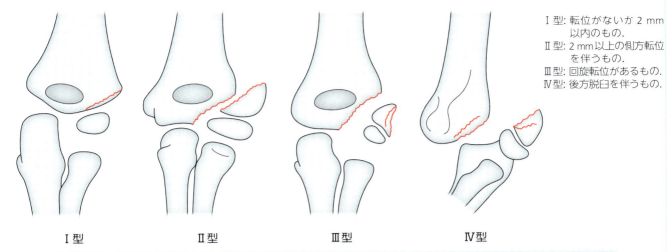

Ⅰ型: 転位がないか 2 mm 以内のもの．
Ⅱ型: 2 mm 以上の側方転位を伴うもの．
Ⅲ型: 回旋転位があるもの．
Ⅳ型: 後方脱臼を伴うもの．

図7 上腕骨外側顆骨折に対する阿部の分類

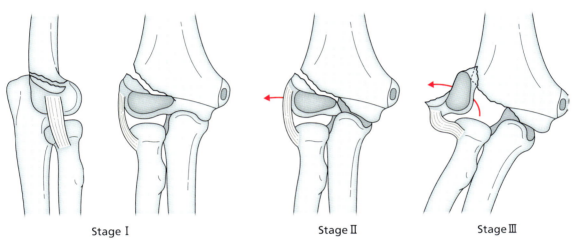

StageⅠ: 転位なし
StageⅡ: 中程度の転位
StageⅢ: 完全転位もしくは回旋転位

図8 上腕骨外側顆骨折の分類（Fowlers）

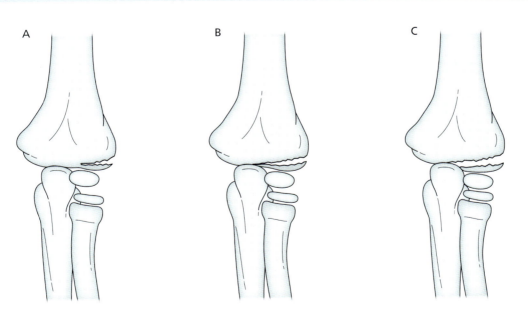

A: 外側のみの間隙．安定型
B: 上腕骨外側顆から骨端軟骨に達する幅の狭い間隙．転位のリスクは予測困難
C: 内側も外側も幅広い間隙があり，不安定で転位のリスクは高い

図9 上腕骨外側顆骨折の不安定症の判断基準（Finnbogason）

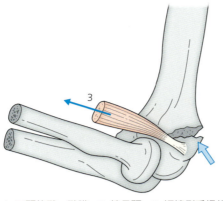
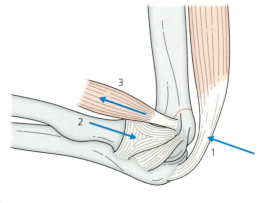

1: 三頭筋腱・腱膜，2: 橈骨頭，3: 短橈側手根伸筋

図10 徒手整復法　操作法については本文参照のこと

観血整復

皮切

上腕骨外側顆を中心に Kocher approach（別項目を参照のこと）の遠位方向をカットした皮切を加える．

展開

皮切を加えると大量の凝血塊が存在しており，これを丁寧に排出するが，血塊の中に骨片が存在していることがあるので廃棄することなく保存して，後ほど骨欠損の補填に利用する．外側顆関節面と外側上腕筋間隔を展開して，上腕骨遠位骨幹端の前後面を展開する．これにより骨折部が露出する．

遠位骨片（上腕骨外側顆部）には伸筋・回外筋の付着部が存在しているため，骨片は遠位・回外方向に転位している．上腕骨の遠位端の骨折部の骨膜をわずか（必要最小限）に剥離した後に伸筋・回外筋の付着部が付いて転位しているが外側顆骨片の近位骨膜を同じようにわずかに剥離して骨片を完全に剥くことなく，先の鋭な骨鉗子で伸筋・回外筋を付けたまま骨片を把持して最大回内，鋭角屈曲位で保持して外側の骨折線を合わせる．外側骨折部分とともにとくに前方・内側部分をぴったりと整復するとほぼ完璧な整復が得られたこととなる．横走する成長帯がぴったり合っていることも確認する．

> **Tips コツ**
> 重要なことは外側顆部に付いている伸筋・回外筋を完全に剥離することは厳に避けるべきである．外側顆部への血行が障害され，壊死となるおそれがある．

K 鋼線内固定

整復位を保持したまま，1.2-1.6 mm 径の K 鋼線を外側上顆から骨折部を通して上腕骨近位内側骨皮質方向に向かって刺入し，骨皮質を貫く．一般的には 2-3 本使用する．K 鋼線は皮下で切断し，先端を少し曲げて皮下に埋没する 図11．

> **Tips コツ**
> K 鋼線はできれば平行ではなく，cross pinning のように刺入した方が固定性が良好である．

K 鋼線の固定のみでは転位するおそれがあるので，0.6-0.8 mm の軟鋼線を用いた tension band wiring を行った方がよいと思う 図12．

X 線透視下で良好な整復位が獲得されていること，および K 鋼線の位置を確認する．剥離した骨膜を丁寧に閉鎖して手術を終える．

閉創

創を洗浄し，皮膚を閉鎖する．

▶後療法

肘関節 90°屈曲位，前腕最大回内位にて長上肢ギプス副子固定を行い，抜糸後 2 週間ギプス固定として，4 週で free motion とする．とくに術後リハビリテーションは不要であることが多い．

▶合併症

上腕骨顆上骨折と同様に上腕骨外側顆骨折もいくつかの重大な合併症が認められる．

(1) 外側顆偽関節

偽関節部のみを修復する方法 図13 と上腕骨遠位端の矯正骨切り術に偽関節部を修復するという方法 図14 がある．

(2) 骨端線早期閉鎖・無腐性壊死，上腕骨の fish tail 変形 図15

(3) 遅発性尺骨神経麻痺

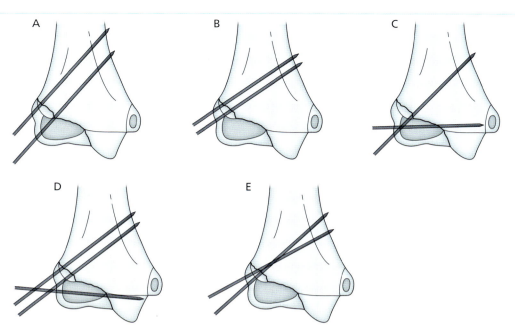

A: 2本を平行に刺入
B: 骨端核を避けて2本を平行に刺入
C: 2本を交叉して刺入する.
D: 3本を平行,交叉して立体的に刺入.年長児や体格の大きな場合に用いる.
E: 2本を交叉して入れるが,骨折部で近接するため固定性が悪い.

図11 上腕骨外側顆骨折に対するK鋼線刺入固定方法

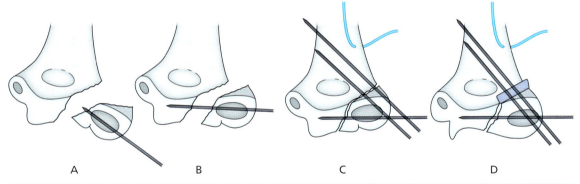

図12 上腕骨外側顆骨折に対するORIF

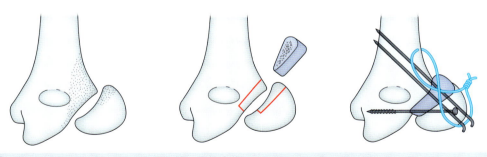

図13 上腕骨外側顆偽関節に対する骨移植・骨接合術

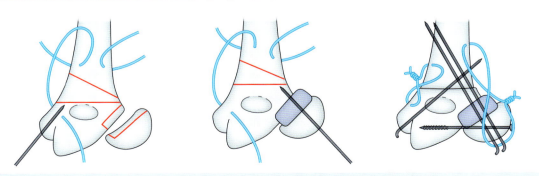

図14 上腕骨外側顆偽関節に対して骨移植術と顆上部での内反骨切り術を合併する方法

▶症例供覧

症例1 9歳，男児．上腕骨外側顆骨折例．
受傷時 X-P 図16．
転位が極めて少ないと判断して保存療法にて治療を行うこととした．
6週後 X-P 図17．骨折部の転位が明らかである．
6カ月後 X-P 図18．骨癒合は得られているが変形治癒している．

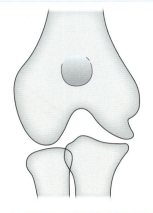

受傷時の影響で滑車の形成不全が生じると魚の尾のような変形となる．

図15 Fish tail deformity

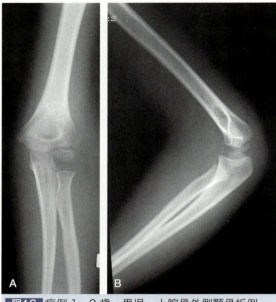

図16 症例1．9歳，男児．上腕骨外側顆骨折例．受傷時 X-P
A: 正面像　B: 側面像

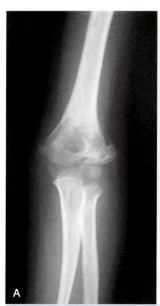
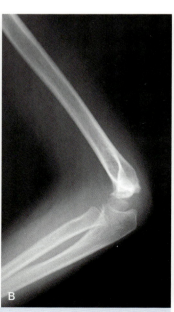

図17 6週後 X-P
A: 正面像　B: 側面像

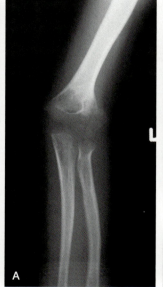
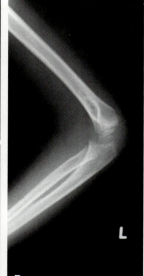

図18 6カ月後 X-P
A: 正面像　B: 側面像

症例2 9歳，男児．上腕骨外側顆骨折例．
術前 X-P　図19　　術直後 X-P　図20

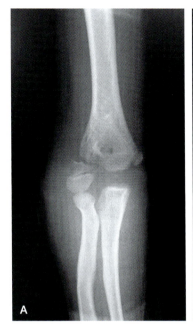
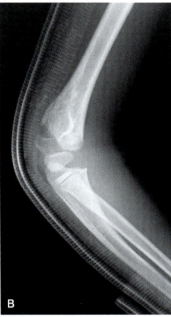

図19 症例2．9歳，男児．
上腕骨外側顆骨折例
術前 X-P
A: 正面像　B: 側面像

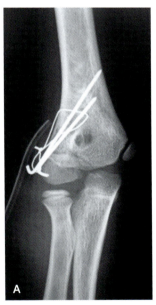
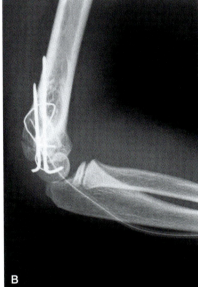

図20 術直後 X-P
A: 正面像　B: 側面像

■ 文献

1) 阿部宗昭．上腕骨外顆骨折．In: 高岸憲二他編．最新整形外科学大系 14: 上腕・肘関節・前腕．東京: 中山書店; 2008. p.183-94.
2) 平地一彦．上腕骨外顆骨折．In: 三浪明男編．手・肘の外科: カラーアトラス．東京: 中外医学社; 2007．p.29-37.
3) 河野佐宙．肘関節．In: 天児民和他編．神中整形外科学．第 16 版．東京: 南江堂; 1967．p.597.
4) Minatzer CM, Waters PM, Brown DJ, et al. Percutaneous pinning in the treatment of displaced lateral condyle fractures. J Pediatr Orthop. 1994; 14: 462-5.
5) Sawaizumi T, Takayama A, Ito H. Surgical technique for supracondylar fracture of the humerus with percutaneous leverage pinning. J Shoulder Elbow Surg. 2003; 12: 603-6.
6) Song KS, Waters PM. Lateral condylar humerus fractures: which ones should we fix? J Paediatr Orthop. 2012; 32: suppl 1: S5-9.

CHAPTER 2: 肘関節—骨折

6 上腕骨遠位端骨折（成人）に対する治療

　上腕骨遠位端骨折のうち上腕骨顆部骨折の治療は比較的単純で予後も良好であるが，関節内で粉砕を伴う上腕骨遠位端骨折は強固な内固定が困難で，機能的予後も悪い．高齢者では転位の少ない上腕骨通顆骨折を受傷し，保存治療の結果，偽関節となる例が多い．

　肘関節外傷には関節拘縮，疼痛，変形治癒，神経麻痺などの合併症が生じやすい．これら合併症によるADL障害は強く，難治性であり，治療も長期化する．良好な結果を得るためには，①骨折の正確な整復，②強固な内固定，③早期自動運動による治療が重要である．

▶手術解剖

　上腕骨遠位の形態は糸巻きリボンを母指と示指でつまんだような三角形である 図1 ．糸巻きリボンは上腕骨滑車に該当し，母指と示指にあたるものは上腕骨外側上顆骨稜，上腕骨内側上顆骨稜であり，糸巻きリボンの近位には肘関節が十分屈曲・伸展できるように窩部が存在する．5方向から眺めた上腕骨遠位端の形態を示す 図2 ．中央部にある上腕骨滑車は蝶番関節の腕尺関節の土台にあたる 図2A, B ．前方には滑車と上腕骨小頭の関節面がある．後方では滑車の関節面がある 図2B ．下から眺めた図では滑車は中央部が浅く，内側では厚みがある 図2C ．側面において回旋中心は肘関節に特有であるが，上腕骨の骨軸延長線上よりやや前方に存在している 図2D, E ．上腕骨滑車の近位には前方に鉤突窩，後方に肘頭窩があり，この上腕骨通顆部は厚みがほとんどない 図3 ．高齢者では骨粗鬆症があるため，この部の骨折はわずかな回旋転位でも骨折部の接触断面積が小さくなり偽関節となりやすい．

▶診断

　上腕骨遠位端骨折の損傷形態と程度はさまざまである．診断には正確な2方向の肘関節X線写真が必須である．必要に応じて斜位像を撮影する．X線写真だけでは骨折や不安定性を見落とす可能性があれば，断層撮影，三次元CTやストレス撮影を追加して，損傷部位と程度を把握する．健側X線写真は術前計画に有用である．

　上腕骨遠位端骨折のAO分類を示す 図4 ．A型は関節外骨折である．A1型は顆部の剥離骨折，A2型は骨

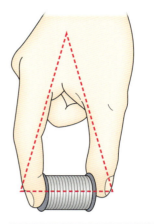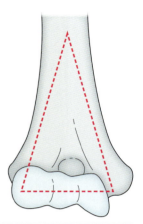

図1 上腕骨遠位端の解剖
糸巻きリボンを母指と示指でつまんだ三角形の構造をしている

幹端の単純骨折，A3型は同部の粉砕骨折である．B型は関節面の部分的な骨折である．B1型は外側顆骨折，B2型は内側顆骨折，B3型は前額面の関節内骨折である．C型は関節内の完全骨折である．C1型は関節内および骨幹端の単純な骨折，C2型では骨幹端は粉砕骨折だが関節内は単純な骨折，C3型は関節内が多骨片に粉砕した骨折である．

　術前に神経血管損傷の有無を必ず評価する．閉鎖性骨折では神経血管束の直接損傷はほとんどないが，絞扼や牽引による神経麻痺は比較的頻度が高い．疼痛を軽減させたうえで注意深く診察し，指の動きと知覚を調べる．骨折転位や腫脹が著しい場合は，肘近傍の水疱形成，疼痛，しびれ，手指蒼白，脈拍消失，他動伸展による疼痛誘発などの症状を伴う．これらコンパートメント症候群の兆候が進行性の場合は，ためらわず減張切開を行う（別項目参照のこと）．早期に観血的整復と内固定を行って，止血とドレナージがなされればこれらの問題の大部分は回避可能である．

▶治療

　転位が少なく安定した骨折型なら保存治療を選択する．しかし，多くが関節内骨折であるため内固定と早期可動域（ROM）訓練が望ましいため手術になることが圧倒的に多い．転位が大きく不安定な骨折，関節面の転位が2mm以上の骨折は観血的整復術の絶対適応である．

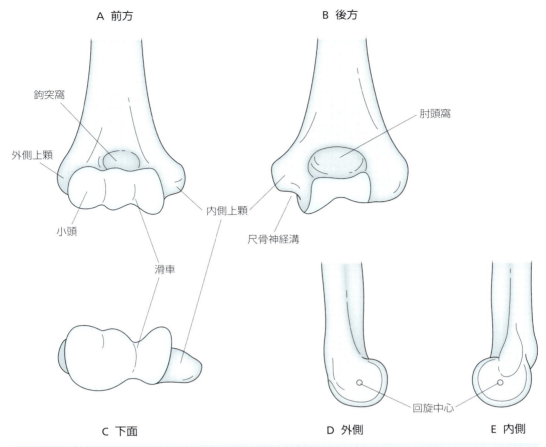

図2 上腕骨遠位端の各方向からの形態

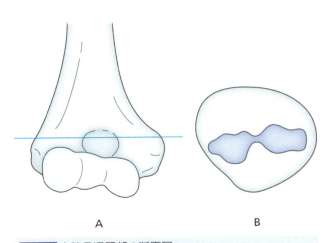

図3 上腕骨通顆部の断面図
鉤突窩のレベルでの上腕骨は前後方向へ厚みがない．高齢者の通顆骨折では回旋転位によって接触する面積が小さくなり，偽関節となりやすい

ここでは実際に手術する機会が多いAO分類のC型の治療について述べる．治療のポイントは，①関節面の正確な解剖学的修復，②強固な内固定，③早期のROM訓練である．内固定金属の選択は重要で，術中のあらゆる可能性を考えて術前に手術器具を準備する．プレート（3.5 mm，4.0 mmのスクリューとリコンストラクションプレートのセット），プレートベンダー，Herbertタイプスクリュー（ミニサイズも含む），キュルシュナー（K）鋼線，締結用ワイヤー，薄刃のボーンソー，腸骨移植の準備を行う．イメージ透視もしくは術中X線コントロール撮影を行う．上腕が太く短い場合はトニケットを滅菌しておく．健側の肘関節の正面と側面のX線写真を用いて作図を行って，プレートの位置やスクリューの長さを決定しておく．

内固定材料の選択

肘関節は皮下組織が薄く，外側顆や内側顆では骨表面の金属が疼痛やROM制限をきたすことがある．したがって骨表面から突出しない薄い内固定材料を選択する必要がある．また，骨折から関節面までは距離が短く，遠位骨片を固定するスクリューは1-3本と少ないため，スクリュー穴が密接していることが望ましい．主に基本として用いるものは小型リコンストラクションプレートと4.0 mm海綿骨スクリューと3.5 mm皮質骨スクリューのセットである．プレートは5-7穴を用いることが多い．チタン製品の方が曲げやねじりを加えやすい．プレートは薄く曲げやすく，しなやかな強度を有しているプレートが理想的である．きめ細やかな曲がりとひねりをつけるためには縦・横にも曲げることができるプレートベンダーがあれば便利である．最近では上腕骨遠位端骨折用の解剖学的プレートが相次いで開発されている（Zimmer社 Periarticular System, Acumed社のMayo Clinic Congruent Elbow Plate Systemなど）．

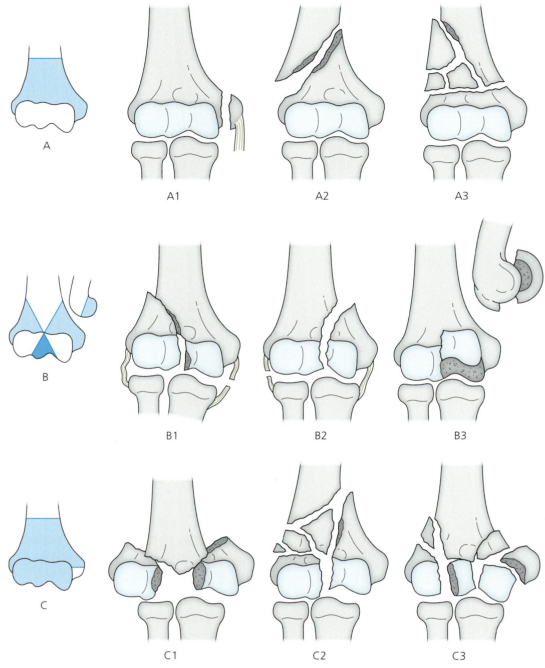

A 型は関節外骨折．A1 型は顆部の剥離骨折，A2 型は骨幹端の単純骨折，A3 型は同部の粉砕骨折．
B 型は関節面の部分的な骨折．B1 型は外側顆骨折，B2 型は内側顆骨折，B3 型は前額面に生じた関節内骨折．
C 型は関節内の完全骨折．C1 型は関節内および骨幹端の単純な骨折，C2 型では骨幹端は粉砕骨折だが関節内は単純な骨折，C3 型は関節内が多骨片に粉砕した骨折．

図4 上腕骨遠位端骨折の AO 分類

また，ロッキングプレートも開発されている．1/3 プレートは骨稜によく適合するが，曲げると折損する危険があり推奨できない．

▶手術

麻酔と手術体位

気管内挿管した全身麻酔が望ましい．肘関節後方アプローチのためには患側を上とした側臥位とすることが多い 図5A ．術中に術者や助手の体が不用意に挿管チューブに触れることがないよう，上腕を支える手台は支柱を頭側に設置する．

 コツ

私は術中，敷布の下で手台が挿管チューブを圧迫していることがあった経験があり，麻酔医にもその旨を伝えた方が安全と考えている．

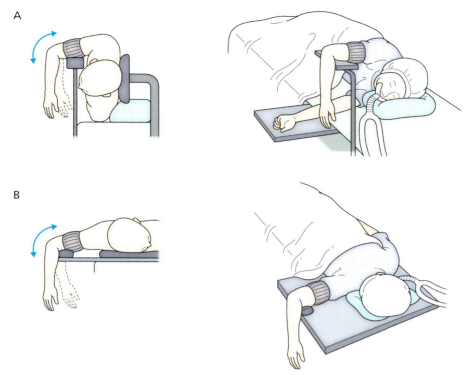

A: 側臥位．手台で上腕を支える．肘を曲げて前腕を下垂する．支柱は頭側に設置し，顔と挿管チューブを保護する．
B: 腹臥位．手台もしくは体の下に敷いた板で上腕を支えて，前腕を下垂する．

図5 手術体位

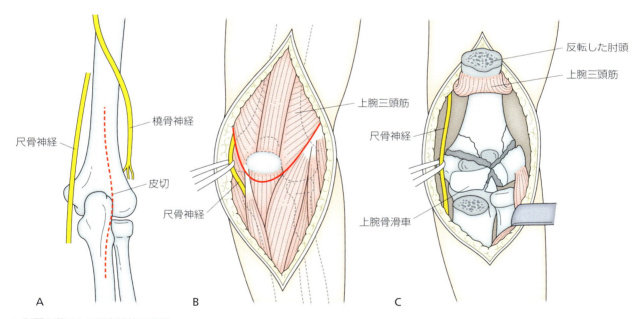

A: 肘頭を避けたほぼ直線状の皮切．
B: 尺骨神経を同定し，上腕三頭筋の両側縁にそって切離する．
C: 肘頭を骨切りして上腕三頭筋と一緒に近位に反転し，上腕骨遠位端を展開する．

図6 手術進入路（後方進入路）

手台に上腕遠位をのせて前腕を下垂位で肘が90°屈曲位となるようにする．空気止血帯は綿を薄くして，コンパクトに巻いておくと肘の自由度が大きい．腹臥位として肘を屈曲して前腕を下垂する方法もある 図5B．

手術進入路

上腕骨遠位端の広い視野が得られるのは後方進入路であり，私は好んで用いている 図6．肘頭を避けた直線状の縦切開とする 図6A．メスで筋膜直上まで到達して，左右の皮膚は皮弁のように挙上すると創のトラブル

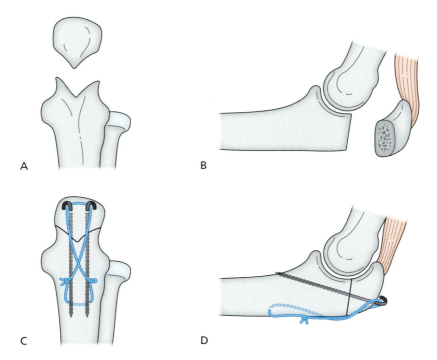

A, B: Chevron 骨切り
C, D: Tension band wiring で修復

図7 肘頭の骨切りと修復

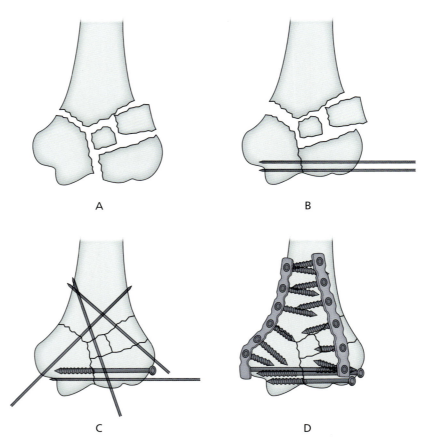

A: AO 分類 C2 型.
B: はじめに関節顆部の整復を 1.5 mm 程度の K 鋼線で整復する.
C: 側面から 4.0 mm 海綿骨スクリューで顆部を固定する．骨幹部の粉砕骨片をジグソーパズルを組み立てるように合わせ，数本の 1.0〜1.5 mm の K 鋼線で串刺しする.
D: 内側と外側の両面からプレート固定する（dual plate）.

図8 観血的整復と内固定

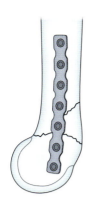 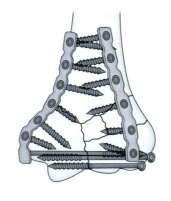 

A 内側　　　　　　　　B 後方　　　　　　　　C 外側

プレート設置は健側X線写真を参考に作図し，プレートの位置，スクリューの長さをあらかじめ決定しておくと手術が容易である．
A: 内側　プレートは内上顆の骨稜の直上から設置する．プレートの最遠位は内上顆をやや越えた位置として，最遠位のスクリューは40～50 mmの海綿骨スクリューをラグスクリューとして使用する．
B: 後方　肘頭窩や鉤突窩に金属を突出させない．外側は後方からプレートを設置する．
C: 外側　上腕骨小頭の関節面に少しかかる程度までプレートをできるだけ遠位に設置する．顆部を固定する海綿骨スクリューはプレート設置に邪魔にならないよう初めから計画して刺入する．

図9 プレート設置

が少ない 図6B．内側で尺骨神経を同定して，近位はarcade of Struthers，遠位はdeep pronator flexor fasciaまで十分剝離し，尺骨神経を皮下前方移行ができるようにテープで避けておく．上腕三頭筋の両側縁に沿って切離して 図6B，肘関節の展開をよくするためには肘頭の骨切りを行って，骨切りした肘頭と上腕三頭筋を近位へ反転して上腕骨遠位端を広く展開する 図6C．図7に肘頭のChevron骨切りと修復を示す．この方法は骨切り部の強固な固定と骨癒合の点で有利である．

骨折整復と内固定

整復操作は困難なことが多いので術者が解剖に精通し，豊富な経験をもっている必要がある．関節面の整復は大きな骨片から整復する．いくら小さな骨片で遊離したものとはいえ，正確な整復を達成するために廃棄してはならない 図8A．はじめに関節面の整復を行い1.5 mm程度のK鋼線で仮固定する 図8B．これをガイドワイヤーとして側面から4.0 mm海綿骨スクリューで固定する．その後，骨幹部の粉砕骨片をジグソーパズルを組み立てるようにあわせ，数本の1.0-1.5 mmのK鋼線で仮固定して整復位を得る 図8C．術中コントロールX線を撮影し，整復位と肘のアライメントを確認後，内側と外側の両方からプレート固定を行う 図8D．上腕骨遠位の解剖学的特徴からプレートを当てる方向と位置は 図9 のようにおのずと決定されている．固定性を高めるためにはこの2枚のプレートは互いに直交し，外側には後方もしくは後外側から，内側は側方内側上顆骨稜から固定する必要がある．通常のリコンストラク

ションプレートでは，遠位骨片に多くても3本のスクリューしか入れることができない．しかし，スクリューによる固定性は期待できなくても，プレートの面で骨折部を支えるため，予想以上の固定性が得られる．内側では内側上顆骨稜の上にプレートを設置する．末梢骨片に入れるスクリューを2本以上確保するためには，プレートをより末梢に設置する必要がある．この目的のためには内側側副靱帯起始部を縦切し，内側上顆を越えた部位までプレートを設置する．縦方向の靱帯切離によって術後靱帯の機能不全による動揺性が問題になることはない．プレートの最遠位に入れる1本のスクリューは40-50 mmの海綿骨スクリューをラグスクリューとして使用する．外側には後方もしくは後外側から外側顆の立体的形状にあわせて，プレートにひねりと曲げを加える．上腕骨小頭の関節面に少しかかる程度までプレート固定を行う．

初期治療であっても骨欠損による骨癒合遅延や不安定性が考えられる場合には積極的に骨移植を行う．関節面の小さな骨片はHerbertタイプのスクリューで固定し，それでも固定できないようなものは間隙に自家海綿骨や人工骨を充填し安定性を高める．最後に，骨切りした肘頭を1.5-1.8 mm K鋼線2本と径1 mm前後の巻きワイヤーでtension band wiringを行って固定する 図7．このK鋼線は早期運動によって逸脱する可能性が高いため，K鋼線は鉤状突起より末梢で前方の皮質骨を貫くこととしている．最後に他動運動で関節面の適合性と無理なく動かせるROMを確認して，閉創する．最終的に術中コントロールX線撮影を行い，整復，スクリュー突出

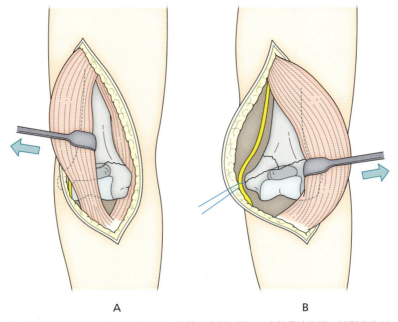

A: 上腕三頭筋の外側縁を切離して，筋鉤で内側に引くと上腕骨遠位端の外側半分が観察できる．
B: 上腕三頭筋の内側縁を切離して，尺骨神経を前方へ避ければ上腕骨遠位端の内側半分が観察できる．
上腕三頭筋を内側，外側交互に避けることにより，上腕骨遠位端全容が観察できる．

図10 肘頭を骨切りしないアプローチ

の有無を確認する．

肘頭を骨切りしない展開（関節面の骨折が単純な場合）

　関節面の整復は正確かつ確実に行うことが望ましいため，前述のように広く展開するのが基本である．しかし過度の剝離は癒着を生じ拘縮を残す．関節内骨折が単純な場合（AO分類C1かC2）は，肘頭を骨切りしないで骨接合を行うことも可能である 図10 ．侵襲が少なく，時間短縮と術後の可動域訓練がスムーズに進む．尺骨神経を剝離して前方へよけておく．内側は内側上顆から近位へ側方の骨稜に沿って電気メスで剝離して，上腕三頭筋を上腕骨から挙上する．外側では外側窩から近位へ，上腕三頭筋の外側縁を上腕骨から剝離して筋鉤で上腕三頭筋を吊り上げて，骨折部を展開する．上腕三頭筋を内側・外側交互によけることによって上腕骨遠位端の全容を確認できる．関節内の骨折はイメージを併用し，整復する．K鋼線を顆部に刺入して，ジョイスティックにして，骨折部の整復を行い内顆と外顆をK鋼線を用いて仮固定してイメージで確認する．関節面の正確な整復が得られれば，中空の海綿骨スクリュー1–2本で固定する．このスクリューは後で設置するプレートを避けて刺入する．その後，前述のプレート設置（dual plate）を行う 図11 ．

　症例は75歳，女性に発生した上腕骨遠位端骨折例である．大きな上腕骨小頭骨折に通顆骨折を伴った骨折である 図12A, B ． 図13A, B, C, D, E はCT像であるが，上腕骨小頭は回転して上方に転位し，上腕骨遠位端は強く粉砕している．外側侵入のみにてORIFをAcutrak® screwを用いて行った 図14A, B ．

▶高齢者の上腕骨通顆骨折と偽関節

　高齢者は軽微な外傷で，転位が軽度の上腕骨通顆骨折を受傷する．上腕骨通顆のレベルの骨は前後に著しく薄い 図3 ，したがって，わずかな回旋や内反転位によって，骨折部の接触断面積がなくなるため高率に偽関節に陥りやすい 図15 ．最近は，転位がわずかでも積極的に手術を行う傾向にある．骨膜を損傷しないでテンションバンドワイヤリングで内側，外側両方から固定する方法や前述した2枚のプレート固定を行う方法がある．後療法は成人例に比べて遅れる傾向にある．認知症を有する高齢者に対して，後療法を簡略化できる人工肘関節置換をする方法もあるが，人工関節置換はあくまで再建手術と考えるべきである．

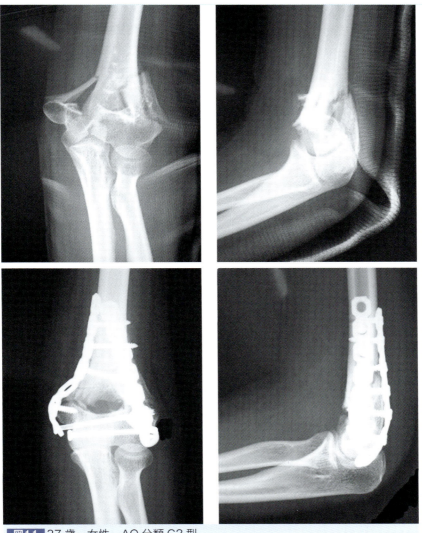

図11 37歳，女性．AO分類C2型
骨幹端は粉砕しているが，関節面の骨折は単純な骨折である．肘頭を骨切りしないで，上腕骨遠位端を展開して，dual plateで強固な内固定が可能であった．

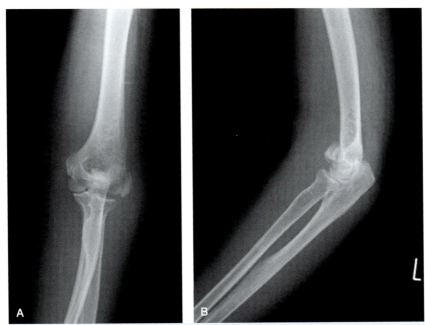

図12 75歳，女性．大きな上腕骨小頭骨折に通顆骨折を伴った骨折である
A: 正面像
B: 側面像

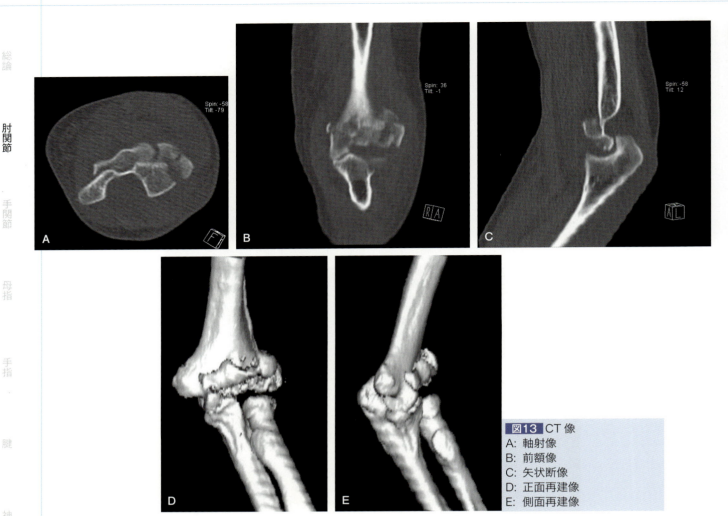

図13 CT像
A: 軸射像
B: 前額像
C: 矢状断像
D: 正面再建像
E: 側面再建像

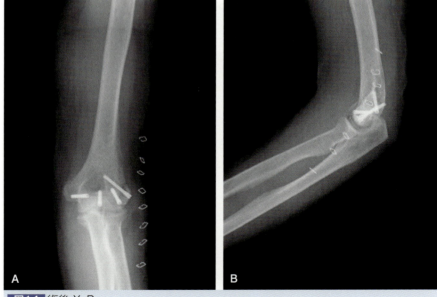

図14 術後X-P
A: 正面像
B: 側面像

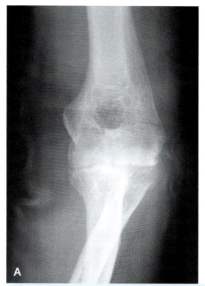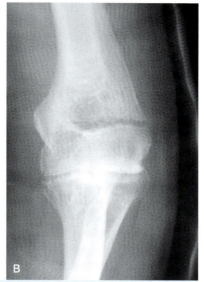

図15 高齢者の上腕骨通顆偽関節. 68歳男性
A: 転位のない上腕骨通顆骨折でギプス治療による保存治療を行った.
B: 本例では8週間のギプス治療によっても骨癒合が得られていない.

▶後療法

　術後, 肘関節屈曲90°, 回内外中間位で上腕から手指MP関節までシーネ固定を数日間行う. 翌日から手指と肩関節の運動を推奨する. シーネは可及的早期に除去するが, 病識欠落の患者には支柱付き装具を作成する. 術後数日で三角巾のみとして, 自動運動と介助自動運動を奨励する. CPMもしくは理学療法士による愛護的な介助他動運動も追加する. 運動の開始は術後1～2日目に開始する. 疼痛・腫脹などが生じるが, 機能予後は良好である. ドレーンは50 mL以下になった時点で除去する. 4週ぐらいまでは疼痛自制内で角度を徐々に拡大してゆく. 患者の疼痛を無視した他動運動は, 疼痛, 患者の意欲低下, 異所性骨化の危険があり, 行うべきではない. 最終ROMの目標は若年では健側同様を目指すべきであるが, わずかな伸展制限が残ることが多い. これは抜釘の際に関節授動術を行うことにより修正が可能である. しかし高齢者は, 機能的ROMである屈曲120°, 伸展-30°程度をゴールに設定する方が現実的である.

▶合併症

　手術では強固な固定性を目標にするが, 骨片の粉砕・骨粗鬆によって実際には, その固定性に限界がある. そのため, 外固定期間が長くなり, 自動運動の開始期間が遅れる結果, 肘関節拘縮が生じる. その一方, 早期のROM獲得を期待するあまり, 性急なリハビリを行うと遷延治癒や偽関節を生じるジレンマがある. 暴力的関節授動術は異所性骨化のリスクがあり行うべきではない. 開放骨折であっても感染はまれである. Gustilo分類のⅠ型のピンホール状の開放骨折は初期洗浄を行えば, 感染のリスクは少ない. 受診時に伴う神経不全麻痺のほとんどが保存的観察で改善する. 内側にプレートを置いた際は尺骨神経麻痺をきたす可能性があり, 尺骨神経の皮下前方移行を行った方がよい.

▶症例供覧

症例 31歳, 女性. 上腕骨遠位端粉砕骨折 図16, 17, 18

術前X-P 図16A, B, C
術前CT像 図17A, B
術直後X-P 図18A, B

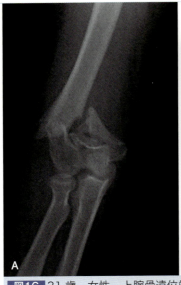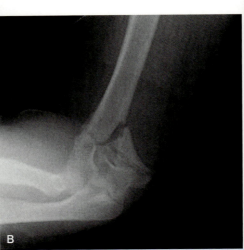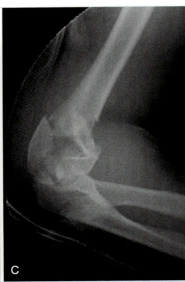

図16 31歳，女性．上腕骨遠位端粉砕骨折
A: 正面像
B: 斜位像
C: 側面像

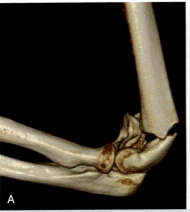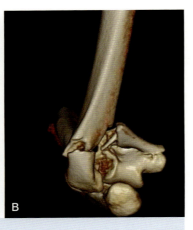

図17 CT像（reconstruction像）
A: 側面像
B: 後面像

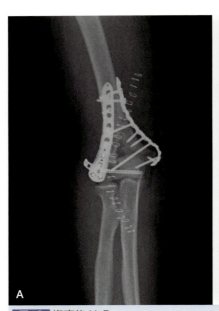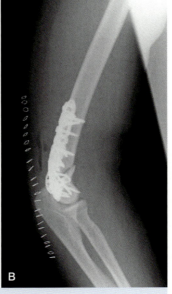

図18 術直後 X-P
A: 正面像
B: 側面像

■ 文献

1) 平地一彦．上腕骨遠位端骨折（成人）．In: 三浪明男編．手・肘の外科: カラーアトラス．東京: 中外医学社; 2007. p.2-15.
2) 今谷潤也．上腕骨遠位端骨折の治療・新鮮例（AO分類C型を中心に）．MB Orthop. 2008; 21: 35-43.
3) Lee SK, Kim KJ, Park KH, et al. A comparison between orthogonal and parallel plating methods for distal humerus fractures: a prospective randomized trial. Eur J Orthop Surg Traumatol. 2014; 24: 1123-31.
4) 森 愛，野口雅夫，辻 正二，他．成人の上腕骨遠位端骨折における治療成績の検討．整・災外．2009; 58: 634-8.
5) Saragaglia D, Rouchy RC, Mercier N. Fractures of the distal humerus operated on using the Lambda® plate: report of 75 cases at 9.5 years follow-up. Orthop Traumatol Surg Res. 2013; 99: 707-12.

CHAPTER 2: 肘関節—骨折

7 肘頭骨折に対する骨接合術
（Tension Band Wiring 法）

肘頭骨折は転倒・転落などの肘への直達外力で生じる．関節内骨折であり，上腕三頭筋の牽引によって骨折部の離開が生じやすいため，そのほとんどが手術適応となる．

肘頭骨折はそれほどまれではなく，ドイツの統計によれば成人骨折患者の7％，全肘関節骨折例の38％と報告されている．肘頭骨折は単独骨折より他の肘関節周囲の損傷に合併して発生することが多い．橈骨頸部骨折を肘頭骨折の10％に合併し，Jeffery 型損傷である．また，Bado TypeⅢ の Monteggia 骨折なども高頻度に合併する．

肘頭骨折において一番重要なことは上腕骨滑車に対する軸受けとしての肘頭の滑車切痕，つまり関節面の曲率を正確に修復・再建し，術後の肘関節のスムーズな屈伸運動を可能とすることと，できるだけ関節面の骨軟骨欠損を作らないようにすることである．これらにより将来的な変形性関節症の発症を予防することが可能となる．また，強固な内固定を行い，早期から運動を開始することにより有用な可動域の獲得を目指すべきである．したがって，肘頭骨折治療の基本としては以下のような項目となる．

▶肘頭骨折治療の基本

1. 関節面の正確な整復と強固な内固定
2. 尺骨の長さの確保（短縮の防止）
3. 合併損傷（上腕骨内側上顆骨折，橈骨頭部・頸部骨折，鉤状突起骨折，側副靱帯損傷など）の正確な修復
4. 早期自動運動，愛護的他動運動の開始である．

▶手術適応

骨折部の離開が認められるものはすべて手術適応である．骨折部の転位が 2 mm 以下で，肘を 90°以上屈曲しても骨折部に離開が生じないものは肘伸展位固定による保存治療でよい．小児の場合，多くは保存療法となる．

▶手術解剖

尺骨を背側，橈側，掌側からみた解剖図を示す 図1A～C．関節面の中央部ではウエストのようなくびれがあり 図1C，この部位に上腕骨滑車の剪断力がかかって骨折が生じる．

▶分類

Colton 分類
Group 1: 裂離骨折；骨折線は横走し，高齢者に多く発生する．

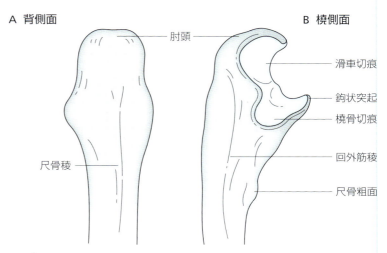

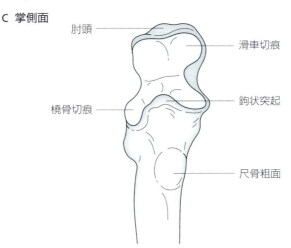

図1 尺骨近位の解剖
関節面の中央にくびれがある．この部位に上腕骨滑車の剪断力がかかると骨折する．

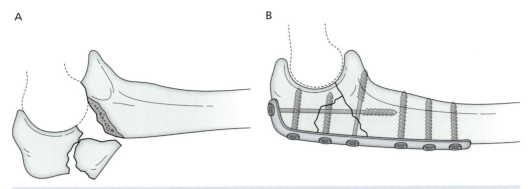

図2 プレート固定
A: 粉砕し，亜脱臼を伴う場合は不安定である
B: 3.5 mm のリコンストラクションプレートを肘頭の形状にあわせて折り曲げ固定する

Group 2: 斜骨折; 滑車切痕の最深部から背側に向かう骨折．4つの stage に再分類されている．
  Stage a: 転位のない単純な斜骨折．
  Stage b: stage a に転位のない第 3 骨片を伴う．
  Stage c: stage b に転位のあるもの．
  Stage d: stage c の第 3 骨片が粉砕しているもの．
Group 3: Monteggia 骨折型脱臼骨折
Group 4: 分類不能型: 多くは骨片は粉砕され，肘頭に加えて，前腕骨骨幹部，上腕骨遠位端部の骨折を合併することが多い．

Mayo Clinic の分類

Type I: 転位のない単純骨折．
Type II: 骨折部に転位があるが近位橈尺関節が安定しているもの．
Type III: 近位橈尺関節の適合が乱れているもの．
各 Type それぞれを非粉砕型（a）と粉砕型（b）に再分類している．

　いずれの分類でも成人に多い粉砕型は粉砕の程度や転位の程度がさまざまであるので，実際の症例をこれらの分類で全て網羅することはできない．

 コツ
これらの分類の不安定型は肘関節の脱臼を伴い，内側側副靭帯が損傷されていることを示している．

▶ 種々の手術治療とその選択

1. 髄内スクリュー固定法
　髄内スクリューでは髄腔内のスクリューの効きが期待できないため十分な固定力が得られないので私は用いたことはない．

2. Bicortical screw 法
　肘頭遠位部の単純な横骨折や近位骨片背側方向への斜骨折には有用である．AO malleolar screw, K 鋼線が通る guide hole をもつ Herbert の大型スクリューが便利である．

コツ
私はこれらの方法より以下の 3 および 4 の方法を好んで用いている．

3. プレート固定
　粉砕骨折や骨欠損があり，tension band wiring 固定による圧迫力で骨折部の短縮が生じることが予想される場合はプレート固定を選択する 図2 ．尺骨近位部の形状に折り曲げた 3.5 mm のリコンストラクションプレートで内固定を行う．最も近位のスクリューは海綿骨スクリューを用い，遠位のスクリューと直交するように刺入すると固定性を高めることができる．1/3 プレートは薄くて曲げやすいが損傷する可能性が高く推奨できない．実際の症例を示す 図3 ．

4. Tension band wiring（引き寄せ鋼線締結）法
　私が最も好んで用いている方法である．三頭筋による骨片背側の離開力をワイヤーを用いて締結することにより，屈曲すればするほど圧迫力に変える優れた固定法である．
　2 本の K 鋼線を平行に髄内に刺入し，遠位骨片に通したワイヤーを K 鋼線近位端に掛けて，尺骨背側に 8 字型に回して締結するものである 図4A, B ．最近では K 鋼線にかえて先に締結用のワイヤーを通す穴を有しているリングピンが好んで用いられている．2 種類の太さと 3 種類の長さのものが市販されている．
　注意点としては
1. K 鋼線はできるだけ平行に刺入すること．
2. 単純な骨折はもちろん，粉砕骨折例でも小骨片などを鋼線固定しながらあるいは移植骨片などを固定しながらこの方法も利用可能である．
3. 圧迫用 soft wire（suture wire）の締結は骨折部を均等に圧迫するために橈尺両側で締結（締め上げる）することとする．

手術方法
　体位は仰臥位で前腕を胸に乗せて行うか，側臥位で点滴台をセットしてこの上に上腕遠位（肘関節の屈側）を

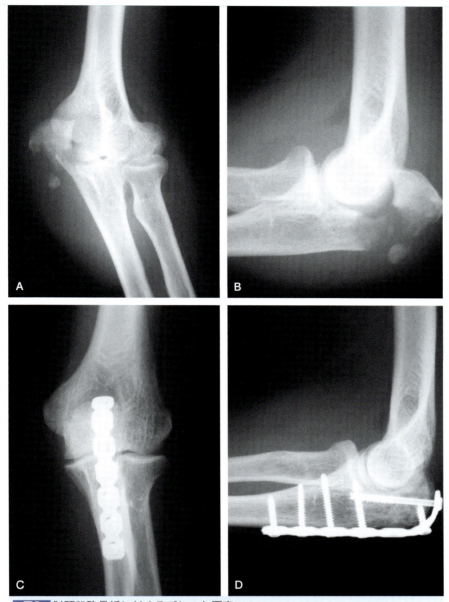

図3 肘頭粉砕骨折に対するプレート固定
A: 術前 X-P（正面像）　B: 術前 X-P（側面像）
C: 術後 X-P（正面像）　D: 術後 X-P（側面像）

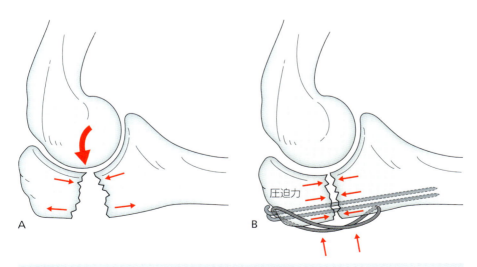

図4 Tension band wiring 法
A: 肘頭骨折部は尺骨背側で離開する
B: 背側に支点をおいた tension band wiring をかけることによって骨折部に均等に圧迫力がかかる

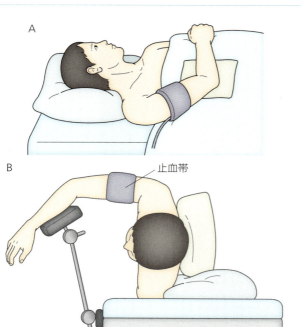

図5 体位
A: 仰臥位　B: 側臥位

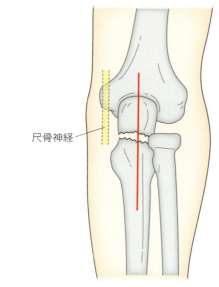

図6 皮切

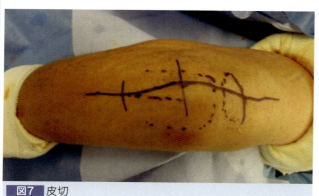

図7 皮切

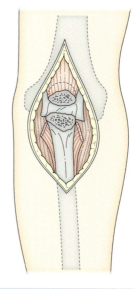

図8 骨折部の展開

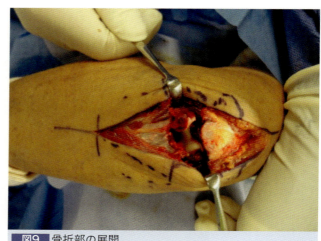

図9 骨折部の展開

乗せて行うこととしているが，助手の手が空くので私は後者を好んで用いている 図5 ．

皮切

肘関節の後方縦切開であるが，肘頭の先端部分は外側に少し弯曲する．肘関節後方部分（伸側）は皮下組織が非常に薄いので，皮下組織を剝離せず皮膚に筋膜を付けた筋膜皮弁として展開する 図6, 7 ．

展開

骨折部の骨膜の剝離は骨折の整復に最小限必要な範囲に限局して行うべきである．遠位の尺骨骨幹部の骨膜剝離は締結用ワイヤーを刺入する必要があるのである程度，骨膜を剝離することは止むを得ない．小さな骨片も骨片への血行温存および整復を容易にする意味から骨膜および軟部組織の剝離は最小限とすべきである．

骨折部を後方から観察すると，奥には上腕骨滑車面の軟骨を見ることができる．滑車関節面の損傷の有無を観察する．次いで肘頭滑車切痕の関節軟骨の損傷状態を観察する 図8, 9 ．一般的には2つの大骨片の間に2-数個の粉砕した骨片が存在し，これらの骨片には滑車切痕の

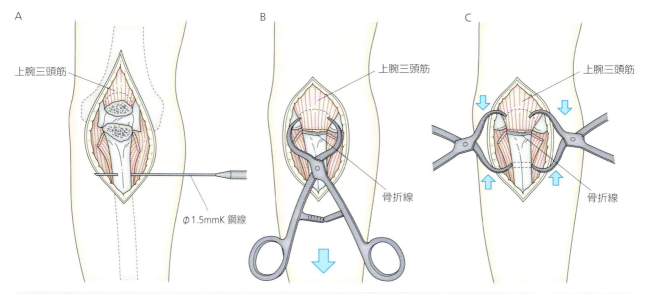

図10 骨折部の整復
A: 骨孔の作成　B: 骨折部の整復　C: 整復の保持

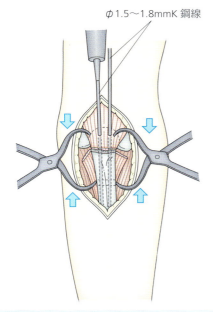

図11 K鋼線を2本平行に刺入する

関節軟骨を含んでいることが多い．小骨片を関節軟骨面を整復するようにして細めのK鋼線で小骨片を大骨片に固定して完全な内固定を行うまで整復位の保持を行う．必ずしも小骨片（関節軟骨を含む）を全て固定できるとは限らない．そのような場合には尺骨長を維持するために腸骨から骨皮質を含んだ骨片を移植することもある 図10A, B, C．

内固定

尺骨近位端先端の三頭筋腱腱膜の深部からリングピンを骨折部を越えて長軸上に平行に2本刺入する．0.9mmの締結用ワイヤーを骨折部の遠位に横に刺入した骨孔に通して，背側で交叉して2本のリングピンの先端に刺入する 図11．ついで三頭筋腱腱膜の奥深くの一部にスリットを開けるようにしてリングピンを深く刺入した後に締結用ワイヤーを締め上げるようにする．先にも記載したが，橈側と尺側で均一にワイヤーが緊張するように締め上げる 図12, 13．

> **Tips コツ**
> したがってリングピン刺入部や締結用ワイヤーの骨孔部の位置に留意して cheese cut を防ぐことが重要である．特に骨粗鬆症が存在している患者の場合は注意する．

▶後療法

創が治癒するまでは肘関節を60°程度の屈曲位で長上肢ギプスシーネ固定を行う．その後，自動屈曲・伸展運動，愛護的他動屈伸運動を行う．骨癒合後は積極的な理学療法をすすめる．

▶合併症

1. 偽関節形成，滑車切痕の曲率異常による変形性関節症が発生する可能性が高い．
2. 肘頭の偽関節によりまれではあるが尺骨神経の絞扼が生じることもある．
3. 関節の可動域の制限も起こり得る．

▶症例供覧

症例1　肘頭骨折例．Tension band wiring法を用いて骨接合を行った．

- 図14A, B　術前 X-P
- 図15A, B　術中 X-P
- 図16A, B　術後 X-P

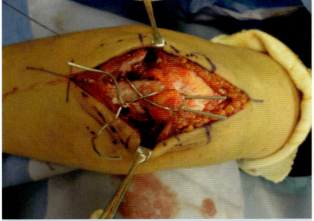

図12 Tension bandを締め上げる

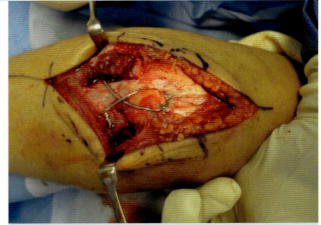

図13 Tension band wiringを終えたところである

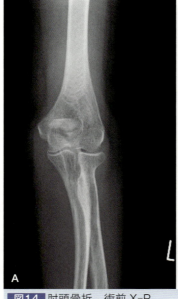

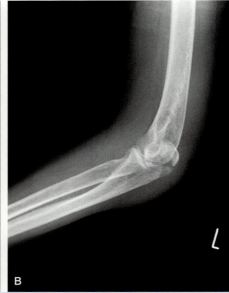

図14 肘頭骨折．術前X-P
A: 正面像　B: 側面像

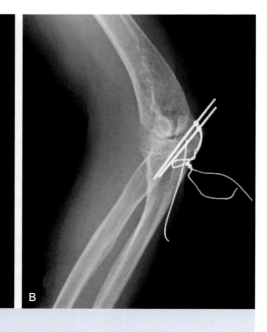

図15 術中X-P
A: 正面像　B: 側面像

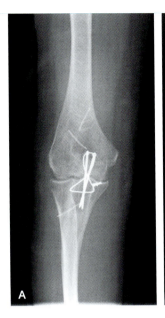
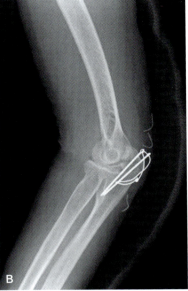

図16 術後 X-P
A: 正面像　B: 側面像

図17 は別の症例である．
A．術前 X-P（側面像）
B．術後 X-P（正面像）
C．術後 X-P（側面像）．肘頭から刺入した K 鋼線を尺骨前方骨皮質を通した．
プレート固定例と Tension-band wiring 例を示す

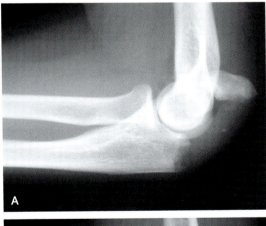
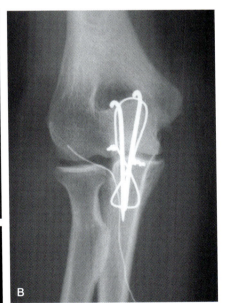
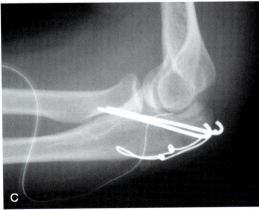

図17 別の tension band wiring 法を行った肘頭骨折例である
A: 術前 X-P（側面像）
B: 術後 X-P（正面像）
C: 術後 X-P（側面像）

症例2 44歳，女性．肘頭骨折　プレート固定例　図18A〜D

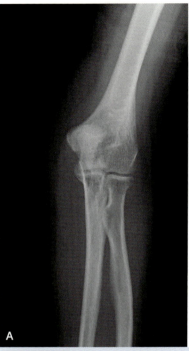
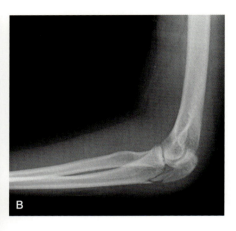

図18A, B 術前 X-P
A: 正面像　B: 側面像

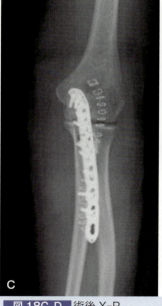
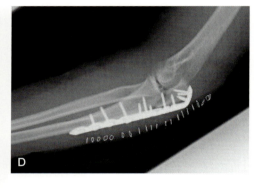

図18C, D 術後 X-P
C: 正面像　D: 側面像

症例3 83歳，男性．肘頭骨折　Tension-band wring 例　図19A〜D

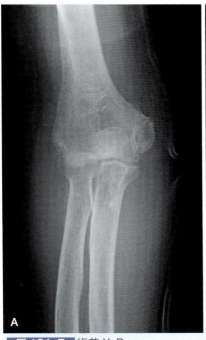
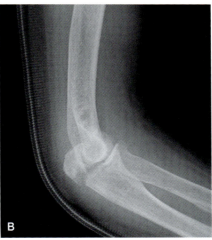

図 19A, B 術前 X-P
A: 正面像　B: 側面像

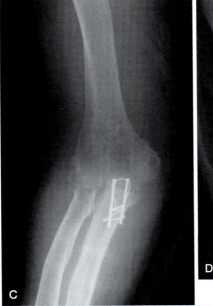
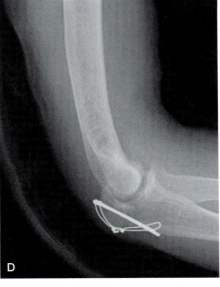

図 19C, D 術後 X-P
C: 正面像　D: 側面像

■ 文献

1) Adams JE, Steinmann SP. Fracture of the olecranon In: Morrey EF, ed. The Elbow and Its Disorders, Philadelphia: WB Saunders, 2000. p.365-79.
2) Colton CL. Fractures of the olecranon in adults: classification and management. Injury. 1973; 5: 121-9
3) 藤田隆生, 岡田陽生. 肘頭骨折. In: 榊田喜三郎編. 骨折・外傷シリーズ　5: 関節部骨折その2. 東京: 南江堂; 1987. p.79-86.
4) 平地一彦. 肘頭骨折. In: 三浪明男編. 手・肘の外科: カラーアトラス. 東京: 中外医学社; 2007. p.49-61.
5) 伊藤恵康. 肘頭骨折. In: 平澤泰介編. 新図説臨床整形外科講座, 第5巻: 肩・上肢・肘. 東京: メジカルビュー社; 1994. p.270-5.
6) Pauwels F. Uber der Bedeutung einer Zuggrurtung fur die Beanspruchung des Rohren knochens und ihre Verwendung gur Druckosteosynthese. Verh Dtsch Orthop Ges. 1965; 52: 231-57.

CHAPTER 2: 肘関節—骨折

8 橈骨頭部・頚部骨折に対する観血的整復術・内固定術
(Open Reduction and Internal Fixation: ORIF)

橈骨近位部，つまり橈骨頭部・頚部骨折は転落・転倒などの際，肘関節にかかる軸圧や外反力によって生じる．手関節背屈位，肘関節軽度屈曲位，前腕回内位での肢位（outstretched hand）で受傷することが多い 図1．橈骨頭部および頚部骨折のみが単独で発生することもあるが，いわゆる terrible triard に代表されるような多発骨折や複合靭帯損傷の一部分症として骨折を認める場合も少なくない（Essex-Lopresti 骨折については別項目を参照してもらいたい）．

一般的には橈骨近位部骨折のうち小児では橈骨頚部骨端線損傷が多いが，成人には橈骨頭部骨折が発生する．本項では成人に発生した橈骨頭部・頚部骨折に対するORIF について記述する．

▶手術解剖

橈骨近位の解剖を示す 図2．橈骨頭の腕橈関節面は陥凹しており，近位橈尺関節面も含め関節軟骨で覆われている．橈骨頚部は骨幹部と約 15°の傾斜を有している．また骨幹部に橈骨粗面があり，上腕二頭筋腱が付着している．

Safe zone

橈骨頭部・頚部骨折用の小プレート（内固定材料）が開発されてから ORIF が行われることが多くなってきた．Safe zone とは前腕を回旋しても橈骨頭の環状関節面が尺骨の橈骨切痕に接しない部分で，橈骨頭の約 1/3 周を占める．つまりこの部へのプレート固定は近位橈尺関節を障害しないということで safe zone ということとなる 図3．

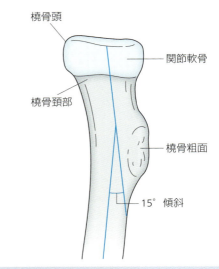

図2 橈骨近位の解剖

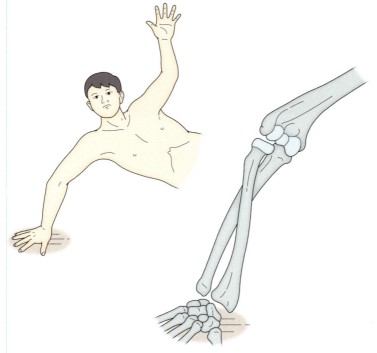

図1 受傷機転（outstreched hand）

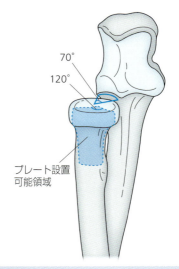

図3 Safe zone
前腕の回旋制限をきたさず，橈骨頭にプレートを設置できる範囲は約 120°の領域である

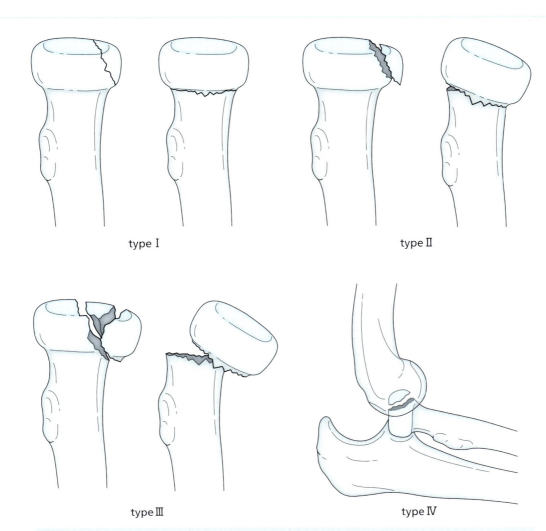

図4 橈骨頭・頚部骨折の分類（Mason-Morrey）
type I 　転位のない橈骨辺縁部骨折あるいは橈骨頚部骨折
type II 　転位のある橈骨辺縁部骨折あるいは橈骨頚部骨折
type III 　橈骨頭全体におよぶ粉砕骨折あるいは大きな転位を有する頚部骨折
type IV 　肘関節脱臼に合併した橈骨頭骨折あるいは橈骨頚部骨折

▶分類

橈骨頭骨折には種々の分類があるが，Masonの分類が最も使われている．最近では脱臼を伴う場合のTypeIVを加えたMason-Morrey分類が広く用いられている 図4 ．これらの分類の中で一番多いのがⅠ型であり2/3を占める．

▶診断

診断時にとくに重要なことは，①受傷時の脱臼の有無，②尺骨神経麻痺の有無，③肘関節内側部の圧痛の有無，④肘関節不安定性の有無，などである．

X線学的には，一般的な正面・側面撮影のほか，肘関節90°屈曲位での側面撮影の肢位で管球を上腕骨長軸延長上で遠位から40°近位側に向けて撮影するradial head-capitellum viewが有用である．しかし，最近はCTが頻用されるのであまり使われなくなってきた．

CTは骨折の正確な部位，転位程度を把握可能であり，保存的に治療をすすめるか，手術治療を行うかの判断にはほぼ必須ということができる．

▶治療方針

手術適応に必ずしもコンセンサスは得られていない．とくに肘周辺部に発生した多発骨折や複合靭帯損傷の一部分症として発生した橈骨頭部・頚部骨折の場合，本骨折の治療を積極的に行うべきか否かについては，さらに議論の分かれるところであろう．

Mason-Morreyの分類に従って治療方針について記載する．

Type I： 2週間程度の長上肢ギプス副子後，cylinder cast（肘の屈伸は制限するが，前腕の回旋は許可する）で2-3週間固定する．
Type II： ORIFを行うのが一般的である．

> **雑談**
> 私の教室では代々，橈骨頭部・頚部骨折に対する手術適応については"3秒ルール"をまねて，①30°以上の傾斜転位，②3 mm以上のstep-off，③1/3以上の骨頭面積の骨折が存在している場合，ORIFを行うべきであるとされていた．私の知る限り，このようなことを明確に記載したものがないので，独自の手術適応であるのかと考えている．ただし，Morreyはこれらの条件の骨折に対しては部分的橈骨頭切除を行うべきと述べている．

TypeⅢ： TypeⅢに対する治療に関しては最も議論の分かれるところである．TypeⅢの骨折に対して，以前は橈骨頭切除や人工骨頭置換術を行うべきとされ，骨接合は行われない傾向にあった．後述するが橈骨頭と頚部を連結するプレートが開発されたことから，最近では何とか橈骨頭を温存することによる前腕における橈骨長の維持に努めるべきであるとされている 図5 ．とくに多発骨折，靱帯損傷あるいはEssex-Lopresti骨折などの場合は橈骨頭を切除することは禁忌というべきであろう．どうしても切除しなければならない場合には人工骨頭置換術を行うべきである．

TypeⅣ： 肘関節脱臼を整復後，骨折型に準じて治療する．

粉砕骨折で骨接合が困難なものには，橈骨頭切除や，人工骨頭置換術を行うが，内固定材料の進歩によって骨接合の適応が急速に拡大している．

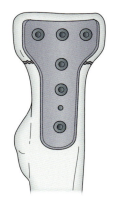
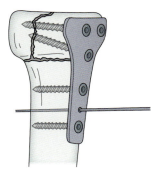

図5 プレート固定

▶観血的整復術＋内固定術（ORIF）

皮切
Kocherの外側侵入路を用いる（Kocherの外側侵入路については関節形成術の項，参照のこと）．上腕骨外側上顆から，尺骨稜に向かう約5-7 cmの切開を加える 図6 ．

展開
尺側手根伸筋と肘筋の間を鋭的に切離して，関節包を展開する 図7 ．

関節包の切開
骨折の位置によって橈側側副靱帯（RCL）の前縁 図8中のa か後縁 図8中のb で関節包を縦切する．より大きな展開が必要な時は，RCLの中央を切離し，近位では関節包や靱帯付着部を骨膜下に剥離し，遠位では輪状靱帯をいったん切離すると大きな視野が得られる 図9 ．

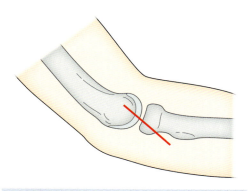

図6 皮切

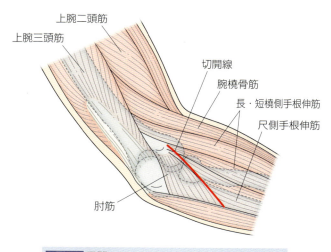

図7 展開

Tips コツ

橈骨頸部から遠位の方への展開は橈骨神経深枝に近くなるので，神経を損傷しないように十分に注意する必要がある．

骨折部の展開

関節包を切開すると，上腕骨小頭，橈骨頭，輪状靱帯がみえる．橈骨頭の全容は前腕の回旋運動によって確認する 図9 ．

骨接合

骨折部の整復．骨折部に径 1.5 mm 程度の K 鋼線を刺入し，骨片をわずかに浮かせ，遠位から近位へスライドさせて整復する．整復後はガイドワイヤーで骨折部を仮止めし，中空型の Herbert screw で固定する 図10 ．

いろいろな種類の圧迫固定用スクリューが開発されているので，術者の使い慣れているものを使うことで構わない．骨折整復後に軟骨下海綿骨に大きな欠損が認められる場合には，肘頭から採取した海綿骨を移植することもある．

橈骨頭骨折に頸部骨折を合併している場合，まず頭部と頸部の両者をロッキングプレートで固定した後に橈骨頭をスクリューで固定するのが一般的方法である 図5 ．実際の症例を示す 図11A, B, C ．

骨頭粉砕例ではスクリュー固定は難しいことが少なくない．1.2 mm 径の K 鋼線なども適宜使いながら，何とか粉砕した骨頭を再建するように努めるべきであろう 図12A, B, C ．このことは口で言うのは簡単であるが，実際はきわめて難しいことも多い．

橈骨頭部の粉砕骨折の実際例である 図13A, B, C ．

輪状靱帯の縫合

プレート固定後に切離した輪状靱帯を縫合・修復することは難しいので，輪状靱帯のみではなく表層の後ろの筋層にも糸を掛けて靱帯と一塊として縫合する．

骨頭切除術

私が医者になった頃には橈骨頭切除はいわゆる routine の手術であったが，現在では骨頭骨折の修復術が進歩しており，切除のみは絶対に避けるべきである．先にも記載しているが，最低でも人工橈骨頭置換術を行うべきである．

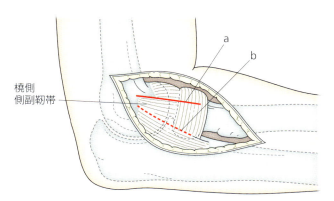

図8 橈側側副靱帯の前縁か後縁で関節包を縦切する

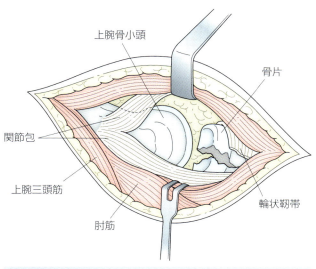

図9 骨折部の展開

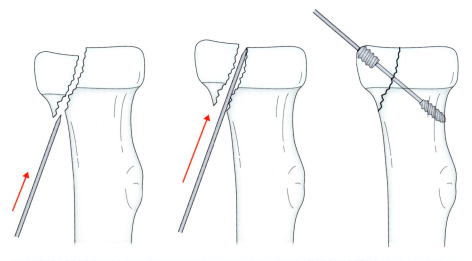

図10 Herbert screw による内固定

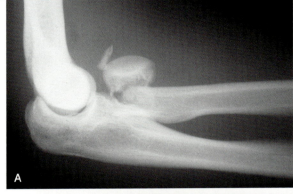
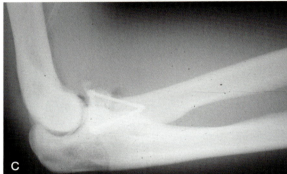
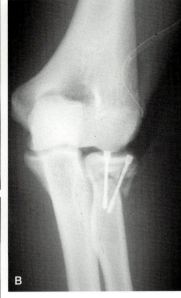

図11 橈骨頭部・頸部骨折
A: 術前 X-P（側面像）
B: 術後 X-P（正面像）
C: 術後 X-P（側面像）

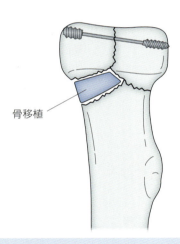
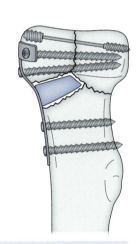

骨移植

図12 粉砕骨折の固定術

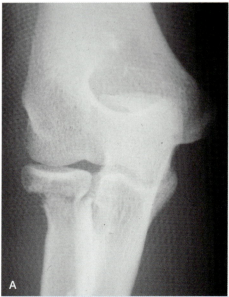
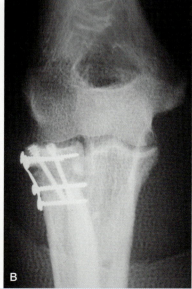
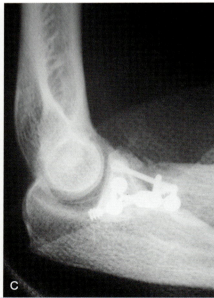

図13 橈骨頭部の粉砕骨折に対する内固定・骨移植を行い，Herbert screw と T 字型プレートで固定した
A: 術前 X-P（正面像）　B: 術後 X-P（正面像）　C: 術後 X-P（側面像）

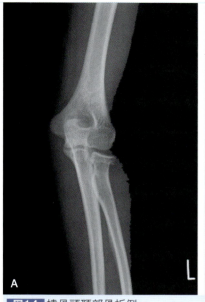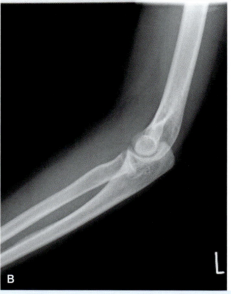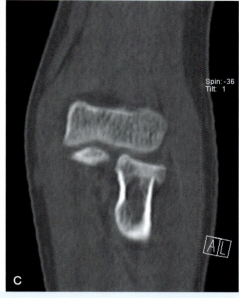

図14 橈骨頭頸部骨折例
X-P では頸部でわずかに外側前方に転位しているが保存治療で対処した
A: 正面像　B: 側面像　C: CT 像

人工橈骨頭置換術

　橈骨頭の粉砕がきわめて高度でやむを得ず橈骨頭切除を行った場合には人工橈骨頭置換術が行われる．従来は Swanson の silicone rubber implant が使用されていたが，silicone synovitis の出現が問題となった．私は Judet のチタン製人工橈骨頭置換の経験しかない（別項目，参照のこと）．しかし，長期成績については問題があろうと考える．ほかに手段がないというところが正直なところである．

▶後療法

　輪状靭帯修復に不安があれば3週間，長上肢ギプス副子固定を行った後に，肘関節の自動屈伸，回旋運動を行い，6週後より他動運動を徐々に加えることとする．
　もし靭帯修復に問題がなければ，術後，1～2週から徐々に自動運動を開始する．

▶症例供覧

症例1　16歳，女性．橈骨頭頸部骨折である**図14A, B**．**図14C** は CT 像である．

症例2　38歳，男性．橈骨頭部・頸部合併骨折例である．
　図15A～C は術前 X-P，**図15D～G** はその CT 像である．
　図15H, I は ORIF 後の X-P である．

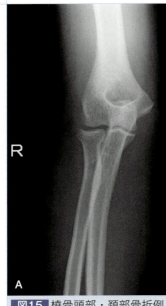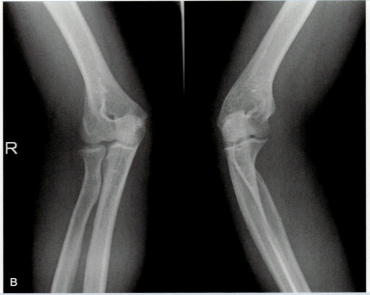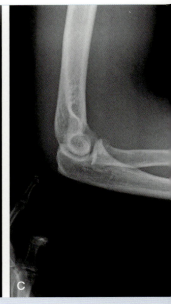

図15 橈骨頭部・頚部骨折例
A, B, C: X-P では頭部と頚部の両方の骨折を認め, きわめて不安定であった
A: 正面像　B: 斜位像　C: 側面像

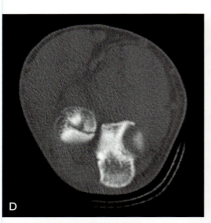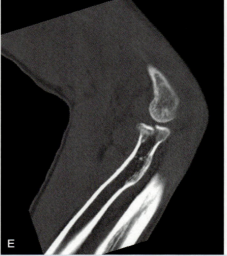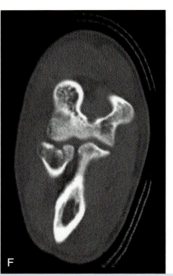

D, E, F, G: CT 像とその再建像である. 骨頭は少なくとも 3 つに分かれている
D: Axial view　E: Sagittal view　F: Frontal view　G: CT reconstruction 像

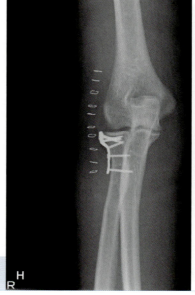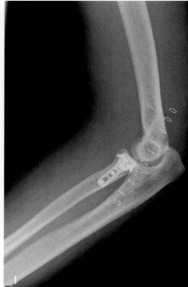

H, I: ORIF 後 X-P. プレートを用いている
H: 正面像　I: 側面像

症例3 49歳，女性．ステロイド性骨粗鬆症例．粉砕した橈骨頭骨折（尺骨近位端骨折を合併している）
図16A〜D．

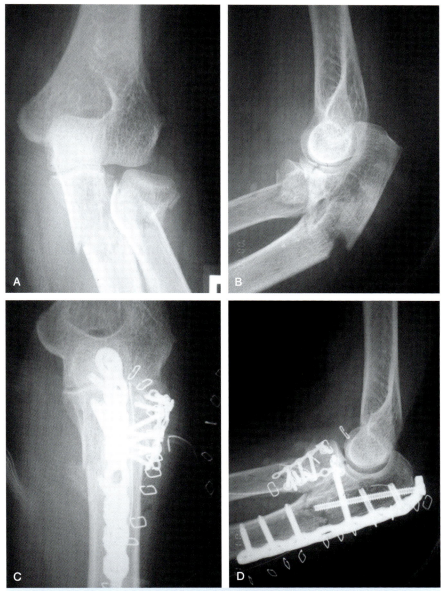

図16 強度に粉砕した橈骨頭骨折例（尺骨近位端骨折を合併している）
A: 術前 X-P（正面像） B: 術前 X-P（側面像）
C: 術後 X-P（正面像） D: 術後 X-P（側面像）

症例4 75歳，女性．橈骨頭頚部骨折である．図17A〜D

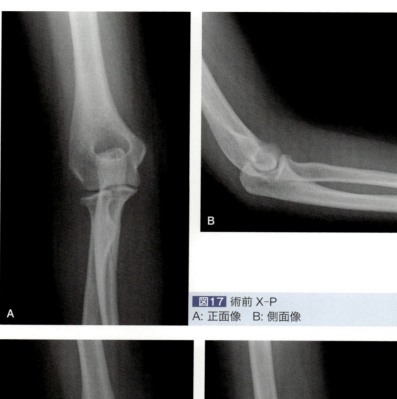

図17 術前 X-P
A: 正面像　B: 側面像

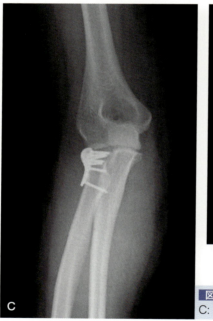

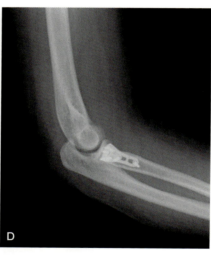

図17 術後 X-P
C: 正面像　D: 側面像

■ 文献

1) Caputo AE, Mazzocca AD, Santoro UM. The nonarticulating portion of the radial head: anatomic and clinical correlations for internal fixation. J Hand Surg [Am]. 1998; 23: 1082-90.
2) Greenspan A, Norman A, Rosen H. Radial head-capitellum view in elbow trauma: clinical application and radiographic-anatomic correlation. AJR Am J Roentgenol. 1984; 143: 355-9.
3) 平地一彦，橈骨頭・橈骨頚部骨折．In: 三浪明男編．手・肘の外科: カラーアトラス．東京: 中外医学社; 2007. p.62-76.
4) Hotchkiss RN. Fractures of the radial head and related instability and contracture of the forearm. Instr Course Lect. 1988; 47: 173-7.
5) 伊藤恵康，宇沢充圭，根本孝一，他．前腕骨（肘頭，鉤状突起，橈骨頭）骨折を合併した肘関節脱臼骨折の治療．MB Orthop. 1993; 6: 1-14.
6) Judet T. The importance of rotation of radial-head prostheses in achieving valgus stability of the elbow. J Bone Joint Surg [Am]. 2002; 84: 2102.
7) Mason ML. Some observations on fractures of the head of the radius with a review of one hundred cases. Br J Surg. 1954; 42: 123-32.
8) Mikie ZD, Vukadinovic SM. Late results in fractures of the radial head treated by excision. Clin Orthop Relat Res. 1983; 181: 220-8.
9) 西岡達夫，遠藤寿男，辺見達彦，他．橈骨頭骨折の治療．整形外科と災害外科．1989; 38: 251-4.
10) Smith GR, HotchKiss RN. Radial head and neck fractures: anatomic guidelines for proper placement of internal fixation. J Shoulder Elbow Surg. 1996; 5: 113-7.

CHAPTER 2: 肘関節―骨折

9 Monteggia 骨折に対する治療

　1814年，Monteggia は子供に発生した尺骨近位 1/3 部の骨折と橈骨頭の前方脱臼を伴った症例を初めて報告した．以後，彼の名前がついて Monteggia 骨折と呼称されている．Malgaigne は近位のみではなくどのレベルの尺骨骨折でも橈骨頭脱臼を伴うものであれば Monteggia 骨折の範疇に含まれるとした．1962年，Bado は橈骨頭脱臼の方向により 4 型に分類した 図1 ．以後，解釈は拡大し，尺骨骨折と橈骨頭脱臼したもののみならず，橈骨頭の単独脱臼（例えば尺骨の plastic bowing），橈骨頸部の骨端線離開例なども含めて，Monteggia equivalent lesion として包括されている．

▶診断

　尺骨骨折のみに目がいって橈骨頭の脱臼を見逃さないことが重要である．橈骨あるいは尺骨のみに骨折を認めた場合には骨折部に近い肘関節もしくは手関節になんらかの脱臼などの損傷がないかどうかを考えて，隣接関節の X-P 撮影を行う．成人に発生した場合には見過ごすことが少ないが，小児に発生した Monteggia 骨折は見過ごされやすい．比較的軽微な外傷で発症し，肘関節周辺の疼痛や腫脹も少なく，とくに 5 歳以下の小児では橈骨頭の骨端核が出現しないこともあって橈骨頭の（亜）脱臼が見過ごされがちである．正確な診断には肘関節および前腕骨全長の正面・側面の X 線撮影が必要である．X 線像を読影する上で重要なことは肘関節側面像では肘が屈曲位でも伸展位であっても橈骨の長軸は上腕骨小頭中心に向かうことを認識すべきことである 図2 ．これを満たさない場合は橈骨頭の（亜）脱臼を強く示唆する．

　最近，注目されているが，初診時に橈骨頭脱臼がなくとも，尺骨の若木骨折や急性可塑性変形（acute plastic bowing）による尺骨の変形が進行し，経過観察中に橈骨頭が脱臼する場合があり注意が必要である．これらの多くは尺骨の掌側凸変形と橈骨頭の前方脱臼を示す 図3A, B ．若年者においては橈骨頭の単独脱臼に見えても，前腕全長を X 線撮影すると尺骨の軽微な前方凸の彎曲が見過ごされていることが多い．これを見逃さないためには前腕側面の全長 X 線尺骨背側縁に沿って肘頭か

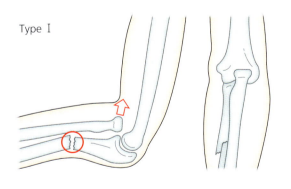
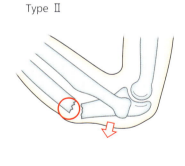
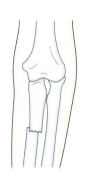
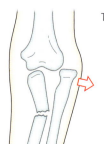
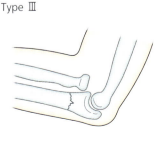
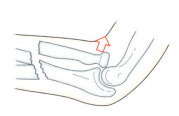

図1　Monteggia 骨折の Bado 分類

ら尺骨の遠位骨幹端まで直線を引き，尺骨の骨幹部からの最大垂直距離を測定する．1 mm 以上の場合は ulnar bow sign 陽性であり，前腕の変形が存在する 図4A，B．

▶分類

Bado 分類が一般的に用いられている 図1．TypeⅠは尺骨が前方凸の骨折で橈骨頭が前方に脱臼したもので約70％と最も頻度が高い．TypeⅡは尺骨が後方凸の骨折で橈骨頭が後方へ脱臼したもので比較的まれである．TypeⅢは尺骨が橈側凸の骨折で橈骨頭が外側へ脱臼したもので2番目に頻度が高い．TypeⅣは橈骨，尺骨の骨幹部骨折に橈骨頭の前方脱臼を合併したものできわめてまれである．それ以外にも，①橈骨頭の単独脱臼 図5A，②橈骨頸部骨折を伴う尺骨近位骨幹部骨折 図5B，尺骨の塑性変形に伴う橈骨頭脱臼なども Monteggia equivalent lesion として同じ疾患概念に含まれる．

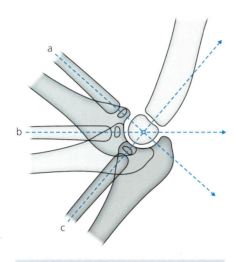

図2 橈骨の長軸と上腕骨小頭の関係

▶合併症

橈骨神経の部分麻痺である後骨間神経麻痺が10％程度の頻度で認められる．成人では多いが，小児では少ない．橈骨頭の前面には Frohse のアーケードがあり，脱臼した橈骨頭により神経が絞扼されて麻痺を生じやすい 図6．知覚障害はなく運動麻痺であることに加え，不全麻痺や部分麻痺のことが多く臨床像は多彩である 図7．したがって外傷に伴う後骨間神経麻痺は見逃されることが多い．橈骨頭を整復すれば神経麻痺の自然回復が十分期待できる．しかし，尺骨の解剖学的整復に

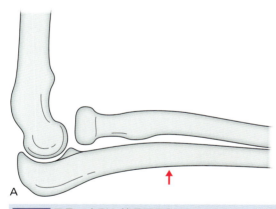
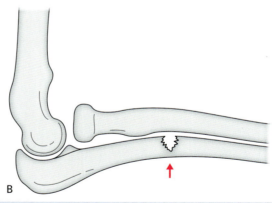

図3 尺骨の変形と橈骨頭亜脱臼
A: 塑性変形による尺骨の前方凸変形と橈骨頭前方亜脱臼
B: 若木骨折による尺骨の前方凸変形と橈骨頭前方亜脱臼

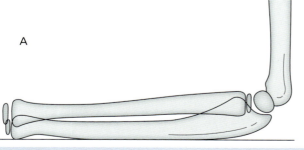
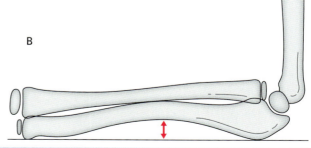

図4 Ulnar bow sign
A: 正常な尺骨背側骨稜は直線である．
B: 尺骨の微小な前方凸弯曲（ulnar bow sign）と橈骨頭亜脱臼

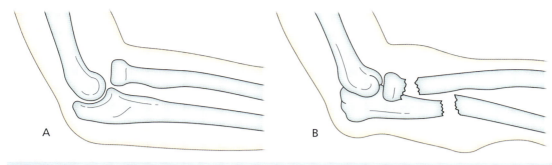

図5 Monteggia equivalent lesion
A: 橈骨頭の単独脱臼　B: 橈骨頸部骨折と尺骨骨幹部骨折（橈骨頭は脱臼していない）

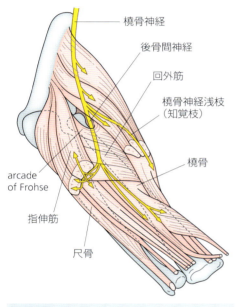

図6 橈骨神経の解剖図

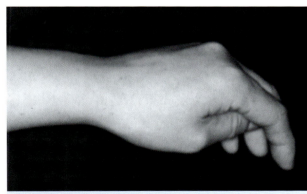

図7 後骨間神経麻痺の臨床像

よっても橈骨頭の整復が得られない場合は腕橈関節に後骨間神経が陥頓している場合があり，早急に腕橈関節を展開し，神経を確認する必要がある．

▶治療

成人新鮮例

尺骨骨幹部の観血的整復固定術が必要である．多くの場合は尺骨を解剖学的に整復すれば，橈骨頭は自然に整復される．尺骨内固定後，術中X線透視で橈骨頭の上腕骨小頭との関係で整復位を確認し，前腕を回内外しても橈骨頭が安定しているかチェックする．橈骨頭が整復位になければ尺骨の整復位が不十分か，腕橈関節に介在物があると考えた方がよい．

成人陳旧例

偶然に発見されることが多い．肘のだるさや重苦感といった軽微な愁訴が多い．痛みを訴えることは少なく，あってもそれほどでもない．外反肘による遅発性尺骨神経麻痺か橈骨神経麻痺による手の使いづらさが愁訴の場合もある．3年以上経過した陳旧性のMonteggia骨折に対する橈骨頭の整復は容易ではなく，その成績も悪い．したがって，橈骨頭脱臼を無理に整復する必要はない．尺骨神経麻痺に対しては尺骨神経の前方移行術を行い，橈骨頭の前方脱臼に伴う橈骨神経麻痺ならば橈骨頭切除による神経の除圧を考慮する．30年以上放置した39歳男性の陳旧性Monteggia骨折で橈骨頭脱臼が遺残した症例を示す 図8A〜C．脱臼放置例のなかには症状が少ない例が存在するが，図8Cに示すように橈骨頭亜脱臼による手関節障害（尺骨突き上げ症候群など）を訴える例も少なくない．

小児新鮮例

尺骨骨折のほとんどは徒手整復が可能で，橈骨頭脱臼も自然に整復されるため保存治療が可能である 図9A, B．図9Cに徒手整復法の実際を示す．橈骨頭の整復が得られない場合は腕橈関節内に関節包，神経，輪状靭帯が介在している可能性があり，観血的整復術を要する．整復後の外固定はBado I型の橈骨頭前方脱臼では，肘関節90°屈曲，前腕回外位で行い，Bado II型の橈骨頭の後方脱臼では肘関節90°屈曲，前腕回内位で行う．外固定期間は約4-6週間とする．頻度が少なく，診断と治療に迷うのがMonteggia equivalent lesionである．その多くは尺骨の前方凸変形を伴った橈骨頭の前

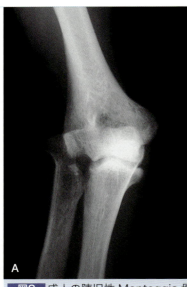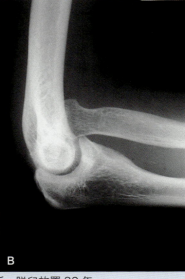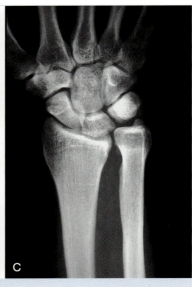

図8 成人の陳旧性 Monteggia 骨折，脱臼放置 30 年
A: 肘関節 X-P（正面像）．橈骨頭が前外側へ脱臼している　B: 肘関節 X-P（側面像）．橈骨頭は前方に脱臼している．　C: 手関節 X-P（正面像）．尺骨は強いプラスバリアントを呈している

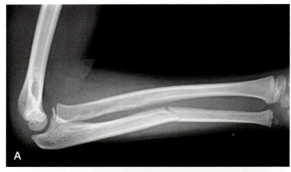
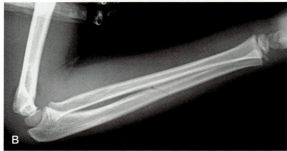
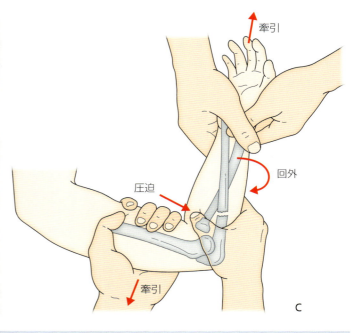

図9 小児 Monteggia 骨折の保存治療例．8 歳　男児
A: 受傷時肘関節 X-P（Bado type I の Monteggia 骨折）．橈骨の長軸が上腕骨小頭になく，尺骨中央部の前方凸変形を認める
B: 整復後肘関節 X-P．橈骨頭は容易に整復され，尺骨の変形も消失した
C: 徒手整復法の実際．手を末梢に牽引して前腕を回外して，橈骨頭を前面から押さえる

方亜脱臼である．尺骨の若木骨折や前方凸変形があれば，全麻下に整復後，尺骨に経皮髄内鋼線固定を行ったほうが遅発性の橈骨頭再脱臼を避けるうえで賢明である 図10A, B．観血的治療を要する場合は，Kocher の外側アプローチを用いる．橈尺骨癒合などの合併症を避けるため，剝離・展開は最小限に行う．腕橈関節内の介在物を確認して摘出し，腕橈関節を整復する．輪状靱帯が介在しているなら，Z 状にいったん切離して，橈骨頭を整復後，輪状靱帯を縫合する．

Tips コツ

かつては橈骨頭の整復維持のために，腕橈関節もしくは近位橈尺関節を K 鋼線で仮固定していたが，鋼線が折損する危険があるので行うべきではない．K 鋼線で橈骨頭の整復位を維持することは不可能であり，鋼線に頼るような状況ならば尺骨のアライメントが不良でないか点検すべきである．

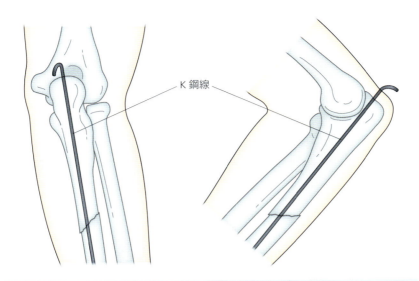

図10 尺骨の矯正維持が困難な場合の尺骨内固定の実際
直径1.8 mm以上のK鋼線で肘頭から，尺骨遠位骨端線近位まで経皮髄内固定を行う．

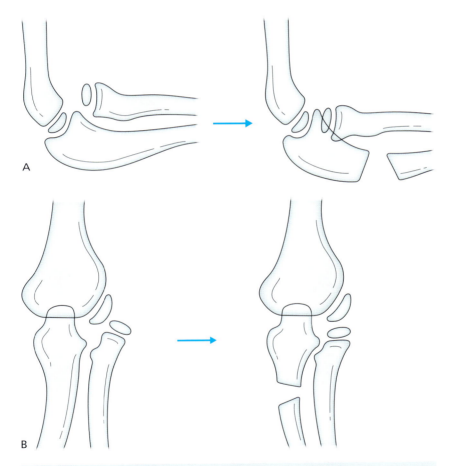

図11 尺骨矯正・延長骨切り術
橈骨頭の前方脱臼に対しては，尺骨を後方凸の骨切りを行い（A），外側脱臼に対しては，尺骨の尺側凸の骨切りを行う（B）．

小児陳旧例

小児例においては陳旧化した橈骨頭脱臼を観血的に整復すべきか否かは，今なお一致した見解がない．脱臼放置によって生じる将来の変形性関節症，ROM制限，外反肘変形，遅発性尺骨神経麻痺などの合併症を避けるためには観血的脱臼整復が望ましい．しかし脱臼放置期間が長いほど整復は困難で，無理な整復による弊害も知られている．その半面，脱臼を放置しても日常生活にはほ

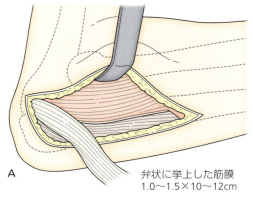
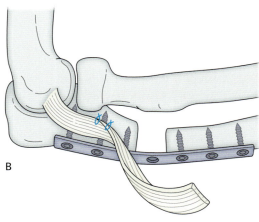
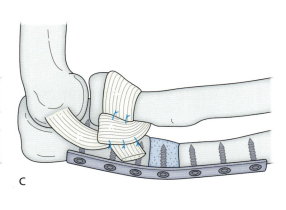

図12 尺骨矯正・延長骨切り術と輪状靭帯再建
A: 前腕筋膜の採取
B: 尺骨を矯正・骨切り＋橈骨頭整復
C: 輪状靭帯再建

筋膜採取部
弁状に挙上した筋膜
1.0〜1.5×10〜12cm

とんど支障がない症例が存在する 図8 ．したがって，手術適応は患者の年齢，脱臼放置期間，腕橈関節の適合性を総合的に判断して慎重に決定すべきである．以前は陳旧性の橈骨頭脱臼に対して，骨格が成長するまで放置し，成長終了時に橈骨頭の切除が行われていた．Speedらは年長児では問題がない治療であると報告しているが，15例中3例に遠位橈尺関節の異常を認めており，推奨できる手術ではない．観血的整復術は尺骨の矯正骨切り術，輪状靭帯再建術，橈骨骨切り術などが報告されているが，現在広く行われているのは尺骨矯正・延長骨切り術である 図11 ．Bell TawseやHirayamaなどが観血的整復術の有効性を報告しているが，脱臼後1年以上経過した場合では整復位が維持できず，陳旧性の橈骨頭脱臼に対する観血的整復術の限界を示している．尺骨の骨切り術の手技は容易ではなく，脱臼の整復に成功したとしても，変形性関節症の出現や前腕回旋制限や疼痛出現が懸念される．自験例22例の長期成績（平均10年）を調べたところ，脱臼した橈骨頭に変形がない場合は脱臼後4年未満なら安定した結果が得られていた．

▶尺骨矯正・延長骨切り術
＋輪状靭帯再建術

皮切
Kocherの外側アプローチで侵入する（他項目，参照のこと）．

展開・矯正骨切り術
幅1cm×長さ8cm以上の前腕筋膜を短冊状に有茎で挙上し，生食ガーゼで包んでおく 図12A ．肘筋と尺側手根伸筋腱の間から腕橈関節を展開し，腕橈関節に介在する瘢痕を切除する．輪状靭帯が遺残していれば，温存する．次に尺骨骨稜を展開し，イメージ下にプレートを当てて骨切り位置を確認する．プレート近位のスクリューを鉤状突起のレベルに合わせ，骨切りは尺骨の近位1/3から1/4のレベルで行う．プレート中央部で骨切りを行い，脊椎用スプレッダーで骨切り部の延長を行う．多くは6本以上のスクリューで固定する．矯正角度は後方凸15-20°の角度で延長は5-15mm程度である 図12B ．

橈骨頭整復・靭帯再建
内固定はプレートで強固に固定し，骨欠損には腸骨移植を行っている．尺骨の内固定が終了した時点で橈骨頭の整復と前腕回旋位での安定性を確認する．輪状靭帯の再建はSpeedとBoydの方法を応用し，前腕筋膜を一度尺骨骨幹部の回外筋稜に縫着し，橈骨頸部を一周するように巻き付け橈骨頭をくるむように靭帯を再建する 図12C ．最近は輪状靭帯の遺残を利用して橈側のみの欠損を前腕筋膜や長掌筋で補填して，より解剖学的な靭帯修復を心掛けている．

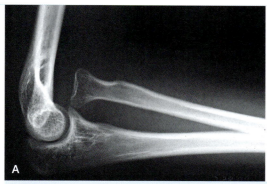
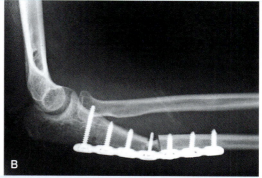

図13 12歳, 女児. 5年前受傷の陳旧性 Monteggia 骨折
A: 術前 X-P　B: 術後 X-P

▶後療法

術後は肘90°屈曲, 軽度回外位で上腕から手指 MP 関節までの外固定を 4-6 週行い, のちに自動可動域訓練を行う.

▶症例供覧

症例　12歳, 女児. 5年前受傷の陳旧性 Monteggia 骨折 図13 .
A. 術前 X-P
B. 尺骨矯正・延長骨切り＋輪状靭帯再建術後 X-P

 コツ

最近では尺骨骨切り後の背側凸の延長を創外固定器を用いて仮骨延長術を行い, 橈骨頭を整復する手技が行われている. 経時的に橈骨頭整復が得られ, 移植骨も不要であり, 有効な方法と考える.

■文献

1) Bado JL. The Monteggia lesion. Clin Orthop Rel Res. 1957; 50: 7-86.
2) Hirachi K, Kato H, Minami A, et al. Clinical features and management of traumatic posterior interosseous nerve palsy. J Hand Surg [Br]. 1998; 23: 413-7.
3) 平地一彦. Monteggia 骨折. In: 三浪明男編. 手・肘の外科: カラーアトラス. 東京: 中外医学社; 2007. p.88-96.
4) Hirayama T, Takemitsu Y, Yagihara K, et al. Operation for chronic dislocation of the radial head in children. Reduction by osteotomy of the ulna. J Bone Joint Surg [Br]. 1987; 69: 639-42.
5) Letts M, Locht R, Wien SJ. Monteggia fracture-dislocations in children. J Bone Joint Surg [Br]. 1985; 67: 724-7.
6) Lincoln TL, Mubarak SJ. "isolated" traumatic redaila-head dislocation.. J Pediatr Orthop. 1994; 14: 454-7.
7) Smith FM. Children's elbow injuries: fractures and dislocations. Clin Orthop Rel Res. 1967; 50: 7-30.

CHAPTER 2: 肘関節—骨折

10 Essex-Lopresti 骨折に対する治療

　Essex-Lopresti 骨折は高所からの転落などによって受傷し，前腕長軸方向への軸圧と前腕の強い回内強制によって，橈骨頭骨折に遠位橈尺関節（DRUJ）脱臼が合併し，さらに前腕骨間膜の破綻によって橈骨が近位へ移動する外傷である 図1．治療は多くの場合，きわめて難しく，前腕の回旋制限および肘・手関節の疼痛などの障害を残し，予後はきわめて不良であることが少なくない．最近は肘関節と手関節に同時に脱臼や骨折が生じた損傷を前腕双極損傷 bipolar injury と総称している．

▶発生機序

　Essex-Lopresti 骨折は高所から転落し，肘を伸展位，前腕回内位，手関節背屈位で受傷する 図2．手関節背屈位で手掌に橈骨長軸方向に一致した強力な衝撃力が加わると，DRUJ では橈骨が近位へ転位して長軸脱臼が生じる．その際，前腕の回内が強制されれば尺骨頭は背側に脱臼する．DRUJ 脱臼によって橈骨長軸方向の外力は尺骨に分散することなく，橈骨を近位へ移動させる．そして上腕骨小頭と衝突した結果，橈骨頭は粉砕骨折を生じることとなる 図3A, B, C．
　Hotchkiss らは橈骨と尺骨が長軸方向に解離する

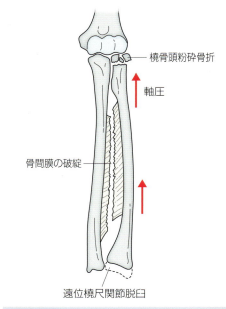

図1 Essex-Lopresti 骨折
橈骨頭骨折に遠位橈尺関節脱臼が合併し，さらに前腕骨間膜の破綻によって橈骨が近位へ移動する

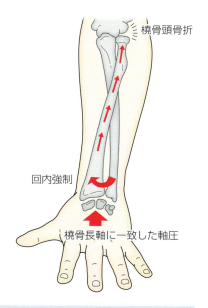

図2 Essex-Lopresti 骨折の受傷肢位
高所から転落し，肘を伸展位，前腕回内位，手関節背屈位で受傷することが多い

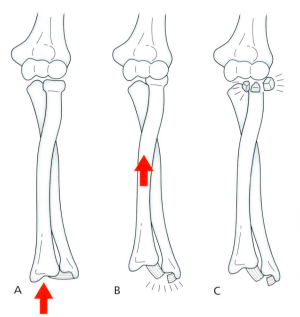

図3 Essex-Lopresti 骨折の発生機転
A. 橈骨長軸に一致した衝撃力，前腕回内と手関節背屈位の強制
B. DRUJ の脱臼
C. 橈骨の中枢方向への転位，橈骨頭の粉砕骨折

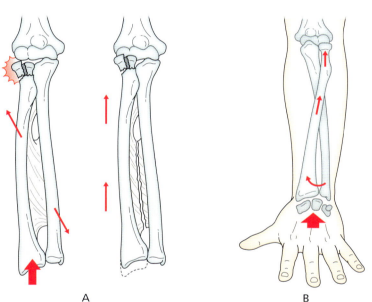

図4 ALRUD の分類（中村）
A. TypeⅠ．長軸力優位型．橈骨頭の粉砕骨折と骨間膜損傷により橈骨が近位方向に移動する
B. TypeⅡ．回旋力優位型．回旋力が優位に働くことで DRUJ の背側脱臼，亜脱臼が生じ，橈骨に加わる長軸力が増大して橈骨頭に線状骨折が発生する

acute longitudinal radioulnar dissociation（ALRUD）の概念を提唱し，Essex-Lopresti 骨折の発生機序を説明している．その後，中村は ALRUD を 図4 のように TypeⅠと TypeⅡに分類し，受傷機転の相違を明確にした．TypeⅠは長軸力優位型であり，橈骨頭の粉砕骨折と骨間膜損傷により橈骨が近位方向に移動するものである．TypeⅡは回旋力優位型であり，回旋力が優位に働くことで，DRUJ の背側亜脱臼・脱臼が生じ，橈骨に加わる長軸力が増大して橈骨頭に線状骨折が発生する．これらのうち，TypeⅠ長軸力優位型では橈骨頭の粉砕と骨間膜の損傷なども加わり，治療はきわめて難しいこととなる．

▶治療（具体的な個々の手術方法は各項目を参照のこと）

本外傷の治療原則は，①橈骨の全長を維持し橈骨の近位への移動を予防することと，②DRUJ を整復し安定化させることの2つである．

Edwards は TypeⅠALRUD をさらに3つの subtype に分類し，治療方針について記載している．それによれば，SubtypeⅠは大きな骨片を伴う橈骨頭骨折で，

観血的整復・内固定（ORIF）を行う．背側脱臼した尺骨頭は圧迫回外位で徒手整復し，DRUJ 間を K 鋼線で固定する．SubtypeⅡは橈骨頭の粉砕を伴うもので ORIF は困難であることが多いので，人工橈骨頭を挿入して橈骨長の維持を図る．SubtypeⅢは陳旧例で，橈骨は近位方向へ移動し尺骨頭は遠位背側へ突出している．本タイプの治療は非常に難しく，安易に橈骨頭を切除することは厳に戒めるべきである．尺骨に骨延長装置を装着して延長して橈骨頭に人工骨頭を挿入するスペースを確保することを行うが，どうしてもスペースが狭くなるので治療はきわめて難しい．私は最良の方法とは思っていないが，橈骨頭を切除し，人工橈骨頭置換術を行い，尺骨については尺骨短縮術を行うこととしているがそれほど奏効していないことも多い．最近は本骨折の治療を本質的に困難としている骨間膜を修復・再建した方が望ましいと考えられている．残念ながら私にその経験はない．

▶症例供覧

症例1 46 歳，男性．Essex-Lopresti 骨折

肘関節 X-P 図5

受傷時 X-P

A．正面像: Mason-Morrey 3 型の転位した橈骨頭骨折を認める．

B．側面像: 橈骨頭は後方へ転位している．

術後 X-P

C．正面像: 橈骨頭の観血的整復術を行って吸収性スクリューで固定し橈骨頭を整復した

D．側面像

手関節 X-P 図6

術後 6 週の X-P

A．正面像: 手関節痛を訴えたため手関節の X-P 撮影を行った．尺骨はプラスバリアントを示し，DRUJ の離開を認める．

B．側面像: 尺骨頭は背側に脱臼しており，この時点で初めて Essex-Lopresti 骨折であることが判明した．

再手術後 X-P

C．正面像: 尺骨頭の観血的整復術を行い，DRUJ に経皮 K 鋼線を 4 週間行ったあと可動域訓練を開始した．

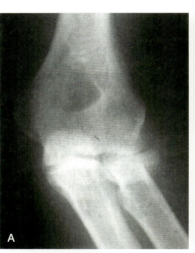
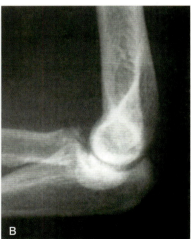
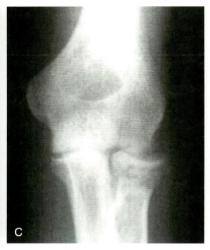
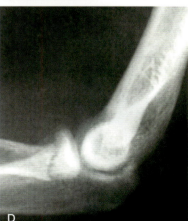

図5 症例 1．46 歳，男性．Essex-Lopresti 骨折
肘関節
A: 受傷時 X-P（正面像）．Mason-Morrey 3 型の転位した橈骨頭骨折
B: 受傷時 X-P（側面像）．橈骨頭は後方へ転位している
C: 術後 X-P（正面像）．橈骨頭の観血的整復術を行って吸収性スクリューで固定した
D: 術後 X-P（側面像）

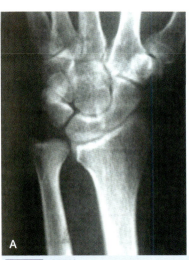
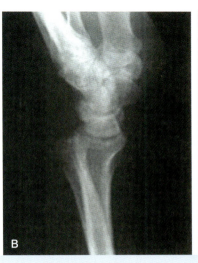
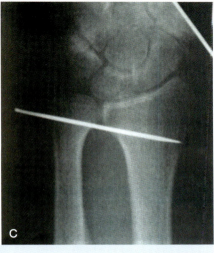

図6 手関節
A: 術後6週のX-P（正面像）．術後6週で手関節X-Pでは，尺骨はプラスバリアントを示し，DRUJの離開を認める
B: 術後6週のX-P（側面像）．尺骨頭は背側に脱臼している．ここで初めてEssex-Lopresti骨折であることが判明した．
C: 再手術後X-P（正面像）．ただちに尺骨頭の観血的整復術を行い，DRUJの経皮K鋼線固定を4週間行ったあと可動域訓練を開始した．

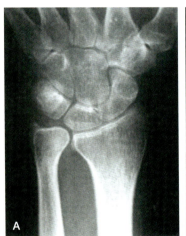
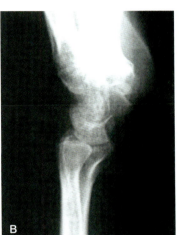
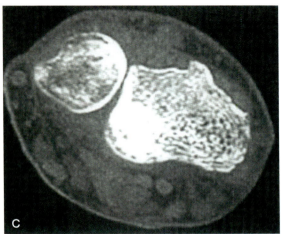
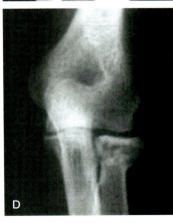

図7 再手術後1年 X-P
A: 手関節 X-P（正画像）尺骨のプラスバリアントは残存している．
B: 手関節 X-P（側面像）尺骨頭がわずかに背側亜脱臼している
C: DRUJ-CT（軸射像）尺骨頭の背側亜脱臼が残存している．前腕回旋時の手関節痛があり，ROMは肘関節伸展−30°，屈曲120°，回内60°，回外40°，手関節背屈60°，掌屈60°であった．
D: 橈骨頭は正常位置に整復されている．

再手術後1年 X-P **図7**

A. 手関節 X-P（正面像）：尺骨のプラスバリアントは残存している．
B. 手関節 X-P（側面像）：尺骨頭がわずかに背側亜脱臼している．
C. DRUJ-CT像（軸写像）：尺骨頭の背側亜脱臼が残存している．前腕回旋時の手関節痛があり，ROMは肘関節伸展−30°，屈曲120°，回内60°，回外40°，手関節背屈60°，掌屈60°であった．
D. 肘関節 X-P（正面像）：橈骨頭は正常位置に整復されている．

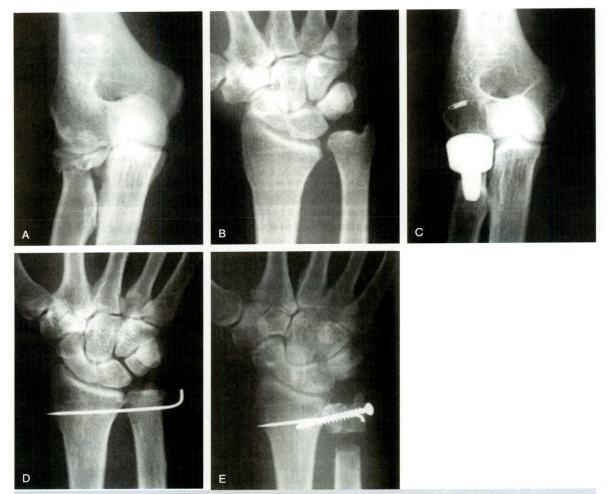

図8 症例2．62歳，男性．Essex-Lopresti 骨折
A: 受傷時肘関節 X-P（正面像）．橈骨頭の粉砕骨折（Mason-Morrey 3型）
B: 受傷時手関節 X-P（正面像）．7 mm の尺骨プラスバリアントを呈している．
C: 術後肘関節 X-P（正面像）．骨頭の粉砕が著しく骨接合を断念し，人工骨頭置換術を行った．術後4週で肘関節屈曲と伸展の運動を開始した．
D: 術後手関節 X-P（正面像）．尺骨頭は徒手整復を行い，DRUJ の K 鋼線固定を6週間行った．
E: 受傷後10カ月の手関節 X-P（正面像）．
ROM 訓練を継続したが，前腕の回内は0°，回外は90°，手関節背屈40°，掌屈45°，手関節痛が改善しないため Sauvé-Kapandj 手術を行った．受傷後3年経過し，ROM は肘伸展0°，屈曲125°，前腕回内10°，回外90°，手関節背屈80°，掌屈70°であった．前腕の回旋障害は改善が認められず，自転車のハンドルが握りづらい，爪が切りづらいなどの愁訴が残存した．

症例2 62歳，男性．Essex-Lopresti 骨折 **図8**

A. 受傷時肘関節 X-P（正面像）: 橈骨頭の粉砕骨折（Mason-Morrey 3型）．
B. 受傷時手関節 X-P（正面像）: 7 mm の尺骨プラスバリアントを呈している．
C. 術後肘関節 X-P（正面像）: 橈骨頭に対して人工橈骨頭置換術を行った．
D. 術後手関節 X-P（正面像）: 尺骨頭に対して徒手整復術を行い，DRUJ の仮固定を行った．
E. 受傷後10カ月の手関節 X-P（正面像）: 手関節痛が継続したため，最終的に Sauvé-Kapandj 手術を行った．

■ **文献**

1) Edwards GS Jr, Jupiter JB. Radial head fractures with acute radioulnar dissociation. Essex-Lopresti revisited. Clin Orthop Rel Res. 1988; 234: 61-9.
2) 平地一彦．Essex-Lopresti 骨折．In: 三浪明男編．手・肘の外科: カラーアトラス．東京: 中外医学社．2007; p.97-104.
3) Hotchkiss RN, An KN, Sowa DT, et al. An anatomic and mechanical study of the interosseous membrane of the forearm: pathomechanics of proximal migration of the radius. J Hand Surg ［Am］. 1989; 14: 256-61.
4) 村井哲平，酒井昭典，大茂壽久，他．Essex-Lopresti 骨折に対する生体内吸収性骨接合剤（super FIXSORB-MX）を用いて治療した1例．整形外科と災害外科．2012; 61: 414-8.
5) 中村俊康．Essex-Lopresti 骨折の治療戦略．MB Orthop. 2008; 21: 85-92.

CHAPTER 2: 肘関節— OA・RA ほか

11 変形性肘関節症に対する関節形成術

変形性肘関節症はいったん変性に陥った関節軟骨がその後の使用によりさらに摩耗が進行する．その結果，骨の突出部分に一致して骨棘・骨堤が形成され，臨床症状として疼痛，可動域制限をきたす．

▶病態

肘関節変形性関節症（OA）の病態について，伊藤は発生原因を以下のように分類し，多くの因子が多様に組み合わさって関節が破壊される終末像であるとしている．
① 加齢変化
② 労働，スポーツによる過度の使用
③ 関節内骨折（変形治癒，偽関節），脱臼による関節面不適合
④ 靱帯損傷による不安定性
⑤ 炎症による関節軟骨の変性・消失
⑥ 多発性関節症，Werner 症候群など特殊な疾患
⑦ 先天異常（滑車形成不全，橈骨頭脱臼など）などである．

▶手術適応

1) 疼痛: 安静時痛であることは少なく，運動時痛であることが多い．とくに労働やスポーツに際して痛みのために活動が制限されている．
2) 可動域制限: 個人により可動域は異なるが，ADL上洗顔，化粧などができない，あるいは hygiene の障害などがある場合である．一般的に肘関節の可動域として屈曲 120°，伸展 −50°〜−40°位であれば ADL を行う上でほとんど不自由はない．したがって，手術適応となるのはこれ以下の屈曲，これ以上の伸展制限であるということとなる．
3) OA の存在により発生する遅発性尺骨神経麻痺の合併がある場合である．

> **Tips コツ**
> 本邦では肘 OA に合併した遅発性尺骨神経麻痺例はきわめて多発する．とくに尺骨神経の急激な麻痺が発症した場合，肘 OA により内側の尺骨神経溝にガングリオンが発生することが知られている．

▶保存治療

肘 OA に対する保存治療は，肘関節痛の急性増悪に対する治療と慢性関節痛に対する治療の 2 つに分けることができる．前者の原因は労働・スポーツ活動による過度の使用や関節内遊離体の嵌頓による急性滑膜炎である．

> **豆知識**
> 私が学生の試験問題によく出す問題であるが，関節内遊離体をきたす原因疾患は以下の 4 つである．① 離断性骨軟骨炎，② 滑膜性骨軟骨腫症，③ 変形性関節症，④ Charcot 関節症（神経病性関節症）

保存療法の基本は局所安静である．腫脹が著しければ関節穿刺，ステロイド剤の関節内注射を行い 4-5 日間の長上肢副子固定を行う．基本的に保存治療は確立した肘 OA に対する治療としてはきわめて姑息的な方法であり，先ほどの手術適応の項でも記載したが，保存療法が奏効せず症状が持続する場合には手術治療となる．

▶手術治療

治療目的は疼痛の軽減，可動域の改善，遅発性尺骨神経麻痺の回復である．

> **コツ**
> 膝 OA では骨棘の切除を行っても疼痛の軽減は得られないが，肘 OA では可動域制限の原因となっている骨棘・骨堤を切除することにより可動域の改善と除痛が得られる．この理由として，伊藤は肘 OA の痛みのかなりの部分は，関節窩の骨堤と肘頭先端あるいは鉤状突起先端の骨棘が上腕骨前方のそれぞれに対応する窩へ衝突を繰り返すことによる物理的・生物学的炎症の発生によるものと示唆しており，これらの骨棘を切除することで可動域の改善と疼痛の軽減効果が得られると考えられるとしている．

手術方法としては滑膜切除術，遊離体切除術，外側顆楔状骨切り術，骨・軟骨柱移植術，骨棘・骨堤切除を中心とした切除関節形成術，人工関節置換術などがある．広範に摩耗した関節軟骨に対しては現状として残念ながら手術的な対処方法は限定される．嵌頓を繰り返す小さな遊離体の切除や肘関節の屈曲・伸展時での肘頭-肘頭窩，鉤状突起-鉤突窩の切除は，関節軟骨の摩耗の進展，物理的炎症の発生予防に有効である．

上腕骨小頭部の離断性骨軟骨炎において，とくに関節軟骨摩耗が高度な腕橈関節には，吉津の上腕骨外側顆楔状骨切り術の適応があると考えている．骨切りによる小頭部への血行改善は変形性股関節症の骨切り術でも証明されているところである．

　高度に破壊されたOA，とくに外側顆偽関節後の動揺性が高度な症例では人工肘関節置換術を行う．

▶関節鏡視下手術

　鏡視下手術が流行しており主流になるような傾向があるが，私自身は限界があり何がなんでも鏡視下手術という風潮には杵を刺したい．伊藤も指摘しているが，鏡視下手術により肘頭周囲の骨棘，関節内遊離体，滑膜ひだなどの切除は可能であるが，術者の経験・技術に大きく左右される．滑車，肘頭内側の骨棘切除は尺骨神経を損傷する危険が高いので，この部分のみは小切開を加えて行う方がよいと考えられる．

▶直視下関節デブリドマン

　疼痛および可動域制限を示す肘OA，鏡視下手術後の成績不良例，遅発性尺骨神経麻痺を伴う例に適応があると考える．

　デブリドマンを行う適応患者の多くは肉体労働者やスポーツ選手などが多いので関節リウマチ患者に用いられる津下の後外側アプローチ，肘人工関節置換術に用いられるCampbell approach（後方アプローチ）や後内側アプローチ［triceps-reflecting approach (Bryan)］は術後肘伸展力の低下が危惧されるのであまり用いていない．津下はOAに対しても後外側アプローチにより良好な成績を報告しているが，どうしても三頭筋腱の肘頭付着部の剝離が技術的に難しく，切断したり，骨への再縫合が不成功に終わるなどをよく経験する．

　高頻度に発生する主な骨棘部位を図に示す 図1 ．切除すべき骨棘・骨堤は，肘頭内側，肘頭後外側，後方，外側，滑車の内側縁，尺骨鈎状突起，鈎突窩，肘頭窩，橈骨窩などに発生したものである．

　筋起始部，靱帯などの軟部支持組織を温存して骨棘，遊離体，滑膜ひだなどを切除するには，必要に応じて内側，前方，後外側から進入するのがよい．

　代表的な3つの進入路について記載する．

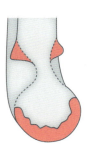 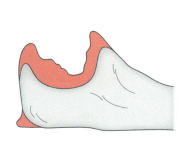 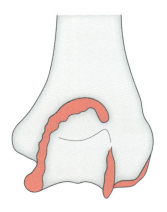

A: 上腕骨内側面　　B: 尺骨内側面　　C: 上腕骨後面

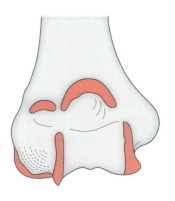 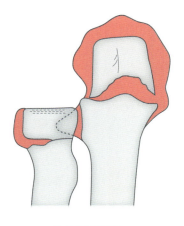

D: 上腕骨前面　　E: 前腕骨前面

図1 肘OAの骨棘・骨堤発生部位

▶内側進入路

皮切

内側上顆（実際は少し前側の方がよい）を中心に近位は内側筋膜中隔（上腕三頭筋の前側）に沿って，遠位は内側上顆と尺骨頭を結んだ線に向かって皮切を加える（図2）．

まず尺骨神経を同定し（図3），伴走血管とともに近位・遠位まで十分に剝離して（図4），ペンローズドレインを用いて前方または後方へ保護する（図5）．肘部管の床面は内側側副靱帯後斜走靱帯であるが，尺骨神経の伴走血管（下尺側に副動静脈）からの分枝が数本存在している．この部は血管網が発達しているので尺骨神経を剝離する際に丁寧に止血し，術後の血腫形成を防ぐ．

三頭筋内側頭の上腕骨への付着部を切離して，この内側頭と上腕骨後面との間にエレバトリウムまたはレトラクターを挿入して三頭筋を後方へ引く（図6）．

> **Tips コツ**
> 内側上顆近位端の高位で内側上腕筋間中隔を穿通する上・下尺側側副動静脈の吻合枝が存在しているので，これらを処理すると後の操作が容易となる．

関節拘縮例では内側側副靱帯後斜走靱帯や関節包が肥厚，瘢痕化している．内側側副靱帯後方の後斜走靱帯と後方関節包を切除すれば肘頭内側・後方の骨棘，滑車内側の骨棘，肘頭窩の骨堤切除を行うことが容易となる．

腕尺関節の内側縁の骨棘切除は一番難しいところである．滑車内側縁に沿った半月板状の骨棘は手ノミで滑車のカーブに沿って切除する．このときに表面に存在する内側側副靱帯を損傷しないように十分留意する必要がある．

後方の骨棘・遊離体が広範囲でなければ内側上顆後面を骨膜下に尺骨神経・三頭筋を一塊として剝離すれば，肘関節後内側の関節包が現れる．これを切除すれば肘頭内側および後方の骨棘を切除できる．

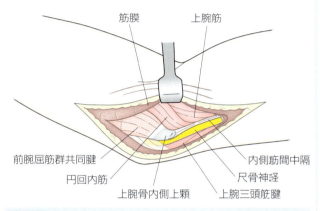

図4 尺骨神経の剝離

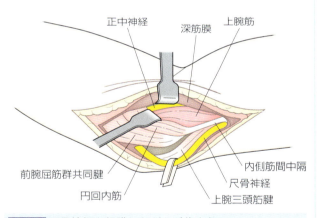

図5 尺骨神経を保護しながら手術を行う

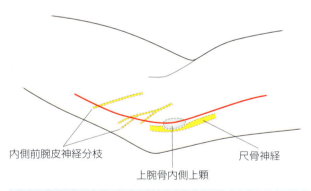

図2 内側進入路の皮切

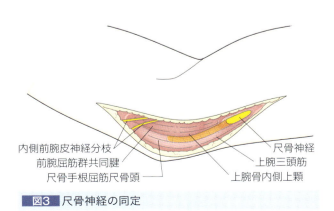

図3 尺骨神経の同定

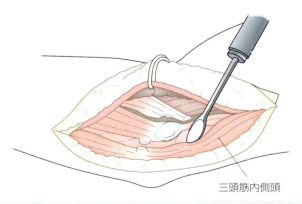

図6 上腕三頭筋の付着部を骨膜下に剝離して後方へ引く

> **Tips コツ**
> 肘関節を伸展位に保持して，エレバトリウムを用いて三頭筋，尺骨神経を後方へ引けば尺骨神経を牽引されることはない．

肘頭窩の遊離体，骨堤，肘頭先端の骨棘を切除する．

▶前方進入路

肘関節前方の骨棘・遊離体などを切除する場合は肘関節前方を近位内側から肘窩部を横切し，遠位は橈側（外側）に走る皮切を加える　図7 ．

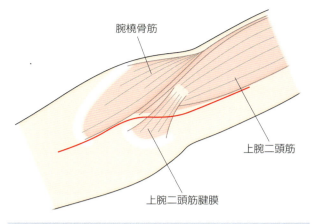

図7　前方進入路の皮切

> **Tips コツ**
> 肘窩前方のみの横切開を加えてもよいが私は正中神経，橈骨神経，上腕動脈などを同定しやすいので上記したゆるいS字状皮切を好んで用いている．

皮膚を翻転し，上腕二頭筋腱膜を切離して上腕二頭筋腱を尺側に引くと上腕動脈，正中神経が露出する　図8 ．上腕筋を露出し，正中で鈍的に分けると前方関節包が露出する．関節包表面の血管を凝固した後に関節包を楕円形に切開する　図9 ．

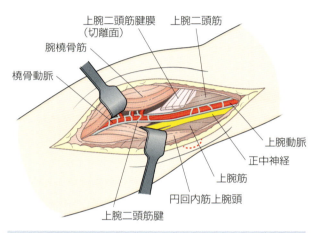

図8　上腕二頭筋腱膜を切離して上腕二頭筋腱を尺側に引くと上腕動脈，正中神経が露出する

> **Tips コツ**
> 血管神経束は上腕筋とともに牽引・翻転されているので損傷の危険はない．

その後，丸ノミで鉤突窩の骨棘・骨堤を切除，巨大化した尺骨鉤状突起窩の切除が可能となる．しかし，この前方の鉤突窩および橈骨窩の骨堤・骨棘切除は内側および外側からも同じように可能であり，前方進入はOAのみの治療にはほとんど用いられていない．

▶外側進入路（Kocher法）

上腕骨外側上顆を中心に近位は上腕骨外側稜に沿って，遠位は肘筋と尺側手根伸筋間に相当する部位を走行し，尺骨の皮下に触れる後縁までJ字状に皮切を加える　図10 ．

まず上腕骨外側上顆の前縁に沿って上腕骨の腕橈骨筋の起始部の遠位を剝離する　図11 ．私は電メスを用いて剝離することにより出血を制御することとしている．外側側副靱帯のmain restraintであるanterior oblique fiber（intermediate fiber）の前縁を同定する．上腕骨外側上顆から橈骨頭の前縁を触れた部分がほぼintermediate fiberの前縁である．安全のため少し前方の方が望ましい．この靱帯の走行に沿って切開すると上腕骨前方部分，腕橈関節，橈骨頭を展開することができる．さらに内側にかけて前方の関節包の上腕骨付着部を剝離して，橈骨窩および鉤突窩の骨堤切除と深堀り，鉤状突起の骨棘切除を行う．

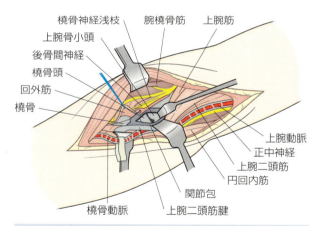

図9　上腕筋を鈍的に分けて前方関節包を切開する

> **Tips コツ**
> 鉤状突起はかなり深い部分に位置している．尺側側副靱帯および尺骨神経がさらに奥に存在するので，エレバトリウムを上腕骨尺側縁に掛けてこれら組織を保護する．

次いで外後方の進入は外側側副靱帯のintermediate fiberの後縁で関節包を縦切する　図12 ．後縁は腕頭関節の後方に該当し，橈骨頭の後方となる．近位では肘筋

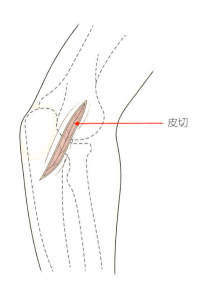

図10 外側進入路の切開

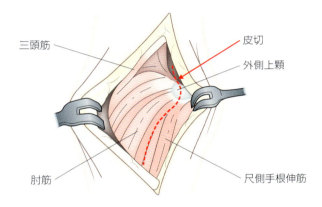

図11 上腕骨外側上顆の前縁に沿って腕橈骨筋の起始部の遠位を剝離する．遠位は肘筋と尺側手根伸筋間を分けて剝離する．

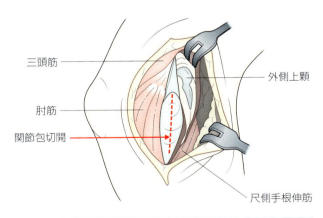

図12 外側側副靱帯の後縁で関節包を縦切する

の起始部を剝離し腕尺関節の外側関節包を切離する．この部から上腕骨小頭後縁と肘頭窩外側の骨堤切除と肘頭の骨棘切除を行う．

橈骨頭は可動域制限の原因になっている場合のみ切除することとしている．

Tips コツ

以前は橈骨頭切除を行っていたが，最近では切除することはほとんどない．

ここで肘関節を屈曲・伸展しぶつかって可動域制限の原因となっている取り残した骨棘・骨堤などをさらに切除していく．最終的に術中の可動域を計測しておき，リハビリテーションの最終目標とする．滅菌トニケットを降して出血点をしっかりバイポーラ凝血器を用いて丁寧に止血を行う．

最終的に関節包を縫合する必要はないが，剝離・翻転した筋膜を縫合し，SB tube を関節内の前方および後方に挿入する．肘関節 90°屈曲位，前腕中間位にて長上肢副子固定を行う．

▶後療法

術後 24-36 時間で SB tube を抜去した後，靱帯を温存した場合には午前および午後 30 分-1 時間程度，自動屈曲・伸展運動そして前腕回旋運動を行うこととし，7-10 日目くらいより自動運動に加えて愛護的他動運動も行う．ここまでは夜間副子固定はつづける．その後，次第に可動域訓練とともに筋力増強訓練を行い，3 カ月後より日常生活に復帰することとしている．

豆知識

肘頭に付着する三頭筋腱を中央で split（切離）して，肘頭先端と肘頭窩の骨棘・骨堤を切除して肘関節の可動域を改善する手術（Outerbridge-Kashiwagi 法）を好んで行っている術者もいる．

▶症例供覧

症例1 60 歳，男性．肘 OA である．
術前 X-P **図13A, B**
A: 正面像
B: 側面像
術前 CT **図14A, B, C, D**
A: Frontal view（1）
B: Frontal view（2）
C: Sagittal view（1）
D: Sagittal view（2）

術前の肘関節 ROM は屈曲 95° **図15A**，伸展 −45° **図15B** であった．Kocher のアプローチ（外側進入路）を加えた **図16**．前方の鉤突窩に遊離体を認め，これを切除した **図17**．前方および後方の骨棘・骨堤・遊離体を切除し **図18A, B**，術中 ROM は屈曲 125° **図19A**，伸展 −10° **図19B** まで改善した．術後 X-P でも骨棘・遊離体などは切除されている **図20A, B**．

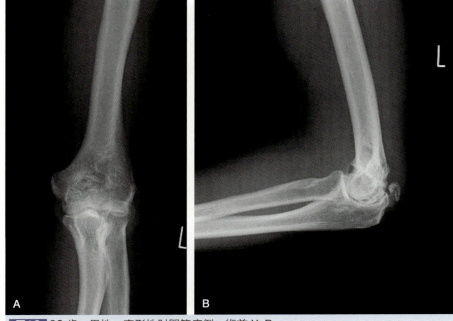

図13 60歳，男性．変形性肘関節症例．術前 X-P
A: 正面像　B: 側面像

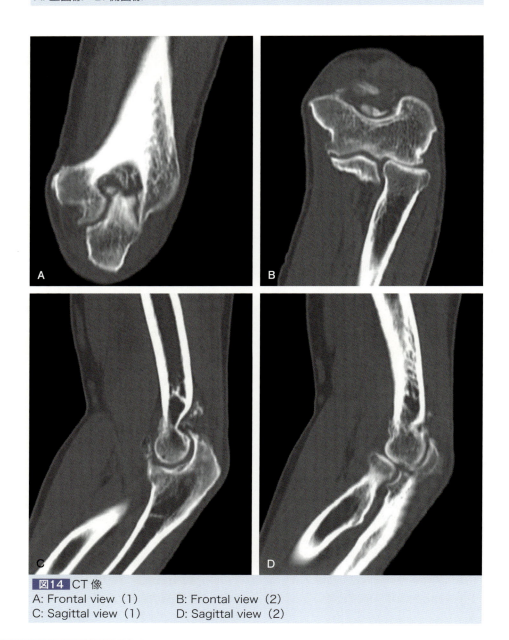

図14 CT像
A: Frontal view（1）　　B: Frontal view（2）
C: Sagittal view（1）　　D: Sagittal view（2）

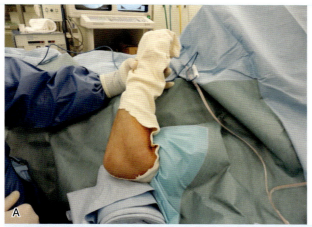
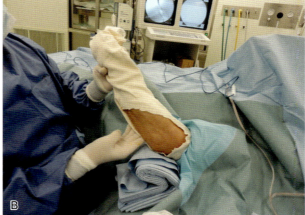

図15 術前 ROM
A: 屈曲　B: 伸展

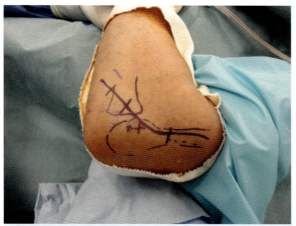

図16 外側進入（Kocher のアプローチ）を加えた

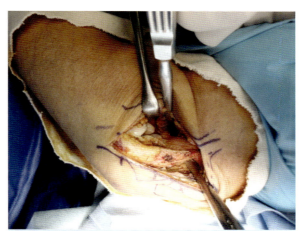

図17 前方の鉤突窩に遊離体を認めた

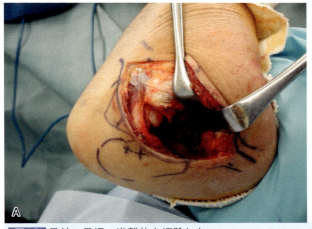
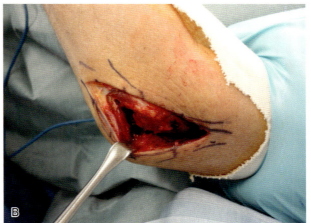

図18 骨棘・骨堤・遊離体を切除した
A: 前方　B: 後方

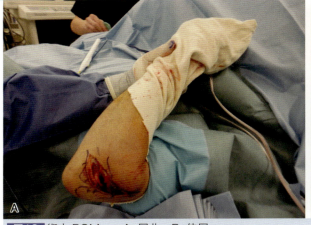
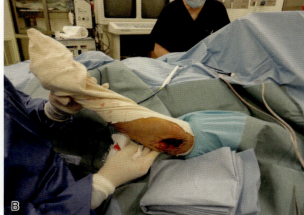

図19 術中ROM　　A: 屈曲　B: 伸展

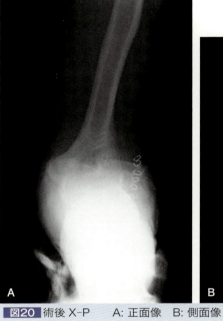
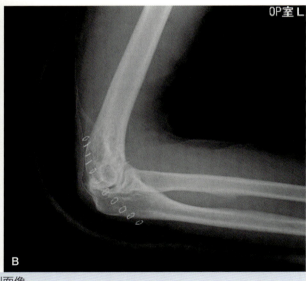

図20 術後X-P　　A: 正面像　B: 側面像

症例2 65歳，男性．肘OAである．　図21〜24

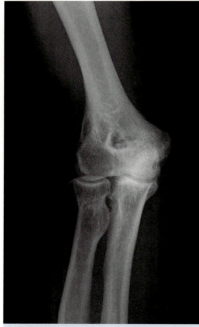
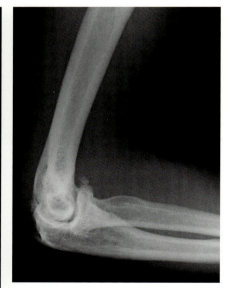

図21 術前X-P　　A: 正面像　B: 側面像

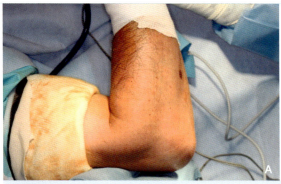
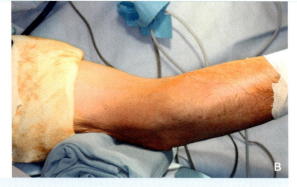

図22 術中　A: 屈曲　B: 伸展

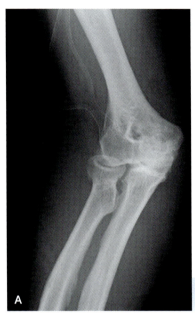
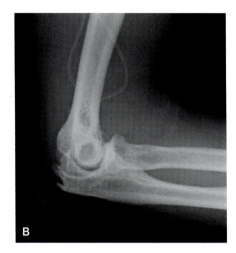

図23 術後 X-P
A: 正面像　B: 側面像

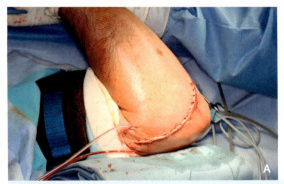
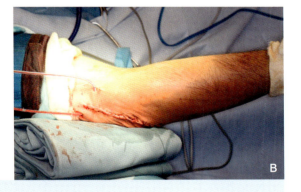

図24 術後　A: 屈曲　B: 伸展

■文献

1) 伊藤恵康．肘関節拘縮，変形性肘関節症．In: 玉井和哉，二ノ宮節夫編．整形外科手術 3: 肩・肘関節の手術．東京: 中山書店; 1994. p.139-51.
2) 伊藤恵康．教育研修講座　肘関節のスポーツ障害．日整会誌．2008; 82: 45-58.
3) 加藤貞利．変形性肘関節症．In: 三浪明男編．手・肘の外科: カラーアトラス．東京: 中外医学社．2007. p.340-5.
4) 牧　裕，吉津孝衛，坪川直人，他．変形性肘関節症に対する上腕骨外顆楔状骨切り術の経験．日肘会誌．2004; 11: 55-6.
5) 三浪三千男．変形性肘関節症のX線学的研究．日整会誌．1977; 51: 1221-36.
6) Minami M, Kato S, Kashiwagi O. Outerbridge-Kashiwagi's method for arthroplasty of osteoarthritis of the elbow-44 elbows followed for 8-16 years. J Orthop Sci. 1996; 1: 11-5.
7) 辻野昭人，伊藤恵康．手関節・肘関節　鏡視下肘関節滑膜ヒダ・骨棘切除術．臨スポーツ医．2006; 23 (臨増): 258-63.
8) 辻野昭人，伊藤恵康．変形性肘関節症に対する肘関節鏡．整・災外．2008; 51: 1567-75.
9) 山崎哲也，蜂谷将史，山田勝久．投球動作に起因した変形性肘関節症に対する鏡視下手術．日整形外スポーツ医会誌．2004; 24: 227-32.
10) 吉津孝衛．肘離断性骨軟骨炎の治療　上腕骨外顆楔状骨切り術およびその変法．関節外科．1992; 11: 613-29.

CHAPTER 2: 肘関節—OA・RA ほか

12 人工肘関節置換術

▶歴史

人工肘関節の歴史的変遷と現状について加藤は，日整会誌に投稿しているので是非参考にしてもらいたい．

人工肘関節開発の歴史は人工股関節や人工膝関節のそれと比べるとかなり遅れているが，その分，最近では急ピッチに新たな人工肘関節の機種が開発されている．当初は軸付人工関節（関節にゆとりがない），いわゆるlinked-typeであった．他の部位の軸付人工関節がそうであったように早期からルーズニングという合併症によって惨々たる結果となり，linked-typeの人工肘関節は悪性腫瘍などの広範切除後など特殊な条件下でのみ用いられている．したがって最近ではnon-linked typeあるいはsemi-linked typeの人工肘関節が用いられている．

> **Tips コツ**
> これらは以前はnon-constrained typeあるいはsemi-constrained typeと表現していたが，今はnon-linked type, semi-linked typeと呼ばれている．

私自身は1例しか行わなかった例も含めるといろいろな機種の人工肘関節を経験しているが，non-linked type（表面置換型）としてはKudo elbow を，semi-linked type としてはCoonrad-Morrey type を好んで用いている．ここでは semi-linked type の代表的な人工肘関節として Coonrad-Morrey type の人工肘関節置換術（TEA）について詳述する．

▶手術適応

TEA の適応に関しては工藤によるものが現在でも最も実用的と考えている．

肘関節が painful stiffness, painful instability, ankylosis に陥っている3つが絶対的手術適応である．具体的には臨床的に強い運動痛と機能障害をもつリウマチ性肘関節症が適応と考えている．多くの整形外科医が強調しているが伸展制限はそれほどADL上問題は少ないが，最大屈曲角度が100°以下であると洗顔，化粧などを行う上で不自由度が高い．また強い伸展制限についてもhygieneの処理などに不自由があるので手術適応があると考えている．屈曲角度制限の次の手術適応は疼痛である．最後の手術適応は疼痛や可動域そのものに問題が少なくとも，強い不安定性が存在している場合である．X線所見ではSteinbrocker Stage III以上のものがよい適応と考えているが，とくにX線学的に腕尺関節の高度な破壊が認められる症例が最もよい手術適応となる．

TEAの禁忌は，①当該関節に感染の既往がある，②肘関節周囲，とくに肘頭部の皮膚の状態が不良であるなどである．その他，若年性・労働者への人工肘関節置換術も慎重であるべきと考えている．

> **Tips コツ**
> 私は関節リウマチ例が適応と考えているが，欧米では変形性肘関節症も重要な適応の1つとしている．

> **Tips コツ**
> 最近は modular type の人工肘関節の機種が多数開発されている．特徴的なことは橈骨頭の置換を同時に行うこととなっていることである．

▶術前準備

Coonrad-Morrey（C-M）型人工肘関節を用いたTEAについて述べることとする．C-M型人工肘関節には左右別と大きさにより extra-small, small, regular type の3種類が存在する．等尺大の肘関節の正・側のX線写真を準備し，人工肘関節のテンプレートを用いてどの大きさのインプラントの挿入が可能であるかを調べておき，予め作図しておく．また人工関節置換に際していろいろな種類の手術器具およびトライアルなども必要とするので準備をぬかりなく行うことも重要である．とくに必要とする道具（手術器具を含めた）としては，トライアル人工肘関節，電動鋸，エアードリル，骨具一式，骨接合のための準備などである．

▶手術

手術の体位

多くの術者は手術側を上にして45°の半側臥位として，肘関節を胸の上に乗せて手術を行うとしている．しかし私はこの場合，助手の一人が上腕を支える必要があることから完全側臥位として上肢を手台の上に乗せて肘関節後面を上にして手術を行うこととしている．この場合，長時間にわたり手台に上腕部を乗せることとなるの

で手台が腕の重みで落ちてしまうことによる局所的な圧迫の有無を術前および術中にチェックして神経麻痺の発生を防止することとする.

コツ

術者は敷布の下で何か起こっているのかを把握することはできないので，術前に麻酔医に術中の局所的な圧迫の有無のチェックを依頼しておくことが重要である．

内側皮切と展開

C-M型人工肘関節の開発者であるMorreyによれば皮切は肘頭の内側寄りに肘頭を中心に中枢側，末梢側にそれぞれ7-8 cm加え，上腕骨三頭筋の内側面で尺骨神経を分離する 図1 ．その後，尺骨の内側面上を切開して，前腕筋膜沿いに尺骨骨膜を剝離し，さらに肘頭への三頭筋腱付着部を剝離し，尺骨近位端から三頭筋を剝離する 図2 ．肘筋をはじめとする伸筋構造を外側に更に反転させて 図3 ，上腕骨遠位端，尺骨近位端および橈骨骨頭の完全露出を可能とするとしている 図4 ．しかし，本法は肘頭部から三頭筋腱付着部の剝離に技術を要することと，安易に肘関節を屈曲するとこれらの腱骨膜弁が切断されてしまうことがあるので私は原法での展開方法は採用していない．

後方皮切

私はCampbellのposterior approachを採用している．肘頭を中心にして後方正中縦切開を行う．肘頭を中心に中枢側，末梢側それぞれ7-8 cmの皮切の長さとす

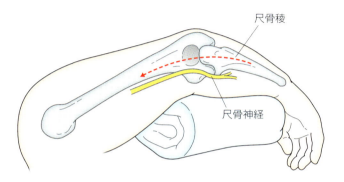

図1 皮切

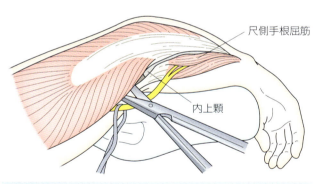

図2 尺骨骨膜および上腕骨内側部を切離し三頭筋を剝離する

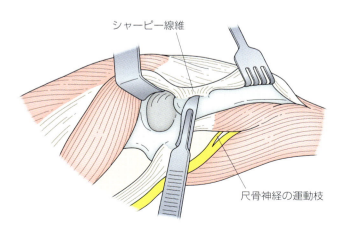

図3 三頭筋を肘頭付着部から剝離する

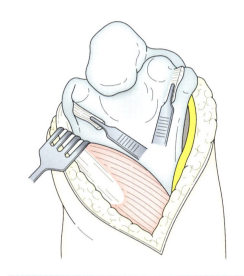

図4 三頭筋を外側に翻転し，肘関節後面を完全に露出する

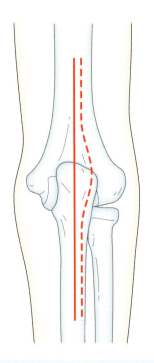

図5 Campbellの後方縦皮切

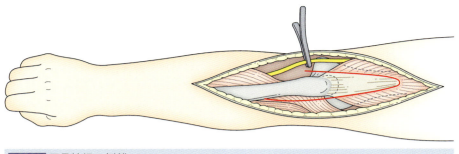

図6 尺骨神経の剝離

る．肘頭後面の皮膚はきわめて薄いので zig-zag 状皮切あるいはＳ字状皮切では創縁の一部が壊死に陥るので注意を要する．しかし肘頭直上は皮下組織が非常に薄いので，同部でわずかに橈側に曲げることもよく行う皮切である ．

展開

皮切に合わせて筋膜上まで切離を一気に加えた．前にも記載したが，皮膚がきわめて薄い（特にRA患者ではステロイドなどを服用しており皮膚の菲薄化が著明である例が多い）ので筋膜上まで皮下脂肪を皮弁の方に付けたままで皮膚を翻転することが術後の皮膚の壊死を回避する意味で重要である．皮下の剝離は内・外側上顆に至るまで十分に行う．

三頭筋の内側縁を同定し，皮下組織を十分にそこまで翻転して三頭筋の内側前方近位部で尺骨神経を同定する．

> **Tips コツ**
> この際，肘関節を内反するように上腕を内旋すると尺骨神経が見やすい．

尺骨神経を確認後，神経に幅広のペンローズドレインをかけて，これを遠位にずらしながら神経剝離を進める．

> **Tips コツ**
> 一般的な尺骨神経剝離術を行う場合，血管柄は神経とともに前方移行することが多いが，尺骨神経に伴走している尺側側副血管は神経剝離の際に出血が多くなるので本法の場合，血管柄付きなどとはしていないことが多い．

肘関節内側で肘部管を開放する．尺側手根屈筋の二頭筋の間に存在する Osborne 靭帯を切離して尺骨神経を十分に遠位まで剝離して尺骨寄りに走行し筋膜内に入っている筋枝を温存して，肘部管から 3-4 cm 遠位まで尺骨神経を free とする 図6．

> **Tips コツ**
> 尺側手根屈筋への筋枝への確認の前に関節枝は切離する．術中操作に際しては尺骨神経の位置を絶えず確認して保護に努めることはきわめて重要である．

内外側の三頭筋腱膜が筋内へと移行する部分を確認して，将来的に腱膜を縫合することを考慮して，三頭筋腱膜を逆Ｖ字状またはＵ字状に切離する 図7．外側部

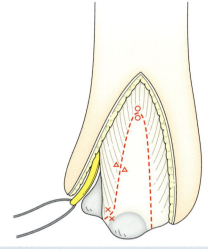

図7 三頭筋腱膜を三角弁状に遠位を有茎として切離する

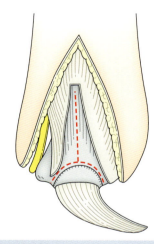

図8 三頭筋腱膜を肘頭から十分に剝離する

分を深く進めていくと橈骨頭が露出する．内側の腱膜は薄く，外側の腱膜は切離方向と交叉していることに注意を要する．

橈骨頭を約 1.5 cm 長，切離した後に，近位橈尺関節周囲の増殖滑膜を切除する．

この後の外側の剝離は肘筋の骨膜下剝離までにとどめておく．内側で遠位に戻し先の内側切開に連絡する．腱膜内側と下層の筋肉とを慎重に分けて最終的に肘頭先端につけたままＵ字状の腱膜弁を作り翻転する 図8．

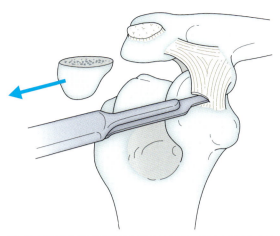

図9 肘頭先端を切離してMCLとLCLを上腕骨付着部から切離する

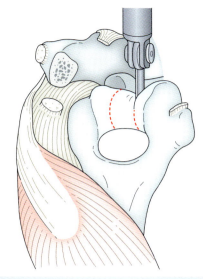

図11 ボーンソーを用いて上腕骨滑車の中央部を切除する

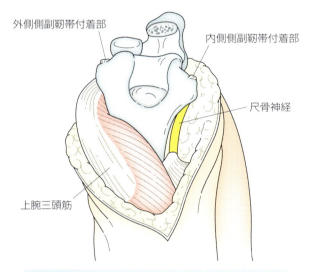

図10 肘を屈曲して，前腕を外旋する

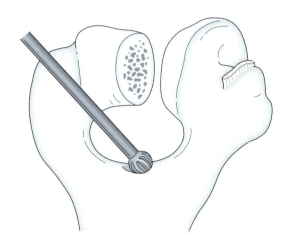

図12 肘頭窩のルーフにドリルバーで小さな穴をあける

尺骨コンポーネント挿入のための操作として肘頭先端を長く露出する必要がある．このために三頭筋膜の付着部を切離しないように慎重にシャーピー線維を剥離する．

Tips コツ

前にも記述しているが，内側は外側と違い三頭筋の筋腱膜移行部でしかも筋肉は意外に薄い．筋肉がボロボロにならないように切離しなければならない．

Tips コツ

筋腱膜弁の先端に3号絹糸をかけて反転して尺骨の筋膜に一次的に縫い付けておくと，視野が広くなり有効である．

この際に，腱膜弁を肘頭に付着したまま損傷しないように留意する．

後方の関節包は肘頭の両側縁と中央の縦の切開でT字型に開く 図8 ．内側の関節包も関節裂隙にそって切開して，内側側副靭帯は上腕骨の付着部の骨に沿いながら前方に切離していく．

▶関節の脱臼

以上の操作の後，肘関節を屈曲し前腕を回外すると肘関節を脱臼することができる．脱臼できないときは内側の解離が不十分のことが多いので切離をさらに進める．単鋭鉤で尺骨を背外側に持ち上げると関節は広く展開する．この状態で徹底的に滑膜切除もでき，とくに橈尺関節内の滑膜も十分に切除できる．さらに鉤状突起，肘頭，尺骨切痕，尺骨外側の骨棘を切除する．また，このときに橈骨頭を切除してもよい．

まずは肘頭先端を切除して，内側側副靭帯（MCL）と外側側副靭帯（LCL）を上腕骨付着部から切離する 図9 ．肘を屈曲し上腕骨から近位橈尺関節を分離して，前腕を外旋する 図10 ．

上腕骨の処置

電動鋸で上腕骨滑車の中央部を切除し，上腕骨への髄

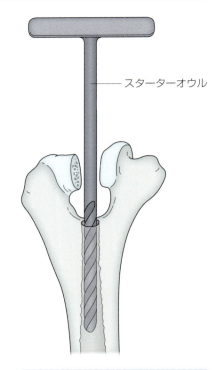

図13 スターターオウルを上腕骨髄腔内に挿入する

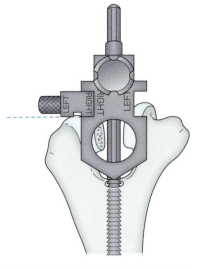

図14 カッティングガイドを上腕骨に装着する

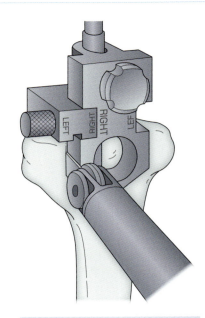

図16 上腕骨をソーを用いてカッティングガイドに沿って切除する

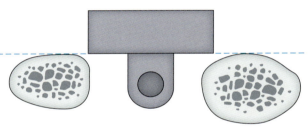

 上腕骨内側　　　　　上腕骨外側

図15 カッティングガイドを正しく接着する

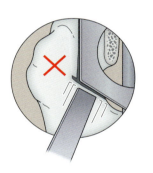 

図17 ボーンソーで上腕骨遠位部を切除する際に上腕骨顆部骨折を起こさないように注意する

腔へのアクセスを容易とする 図11．

> **Tips コツ**
> 切除した骨は，上腕骨インプラント挿入時の前方フランジ部分への骨移植に使用するので破棄しない．

　ドリルバーで肘頭窩のルーフに小さな穴をあけ，髄腔を確認する 図12．次にスターターオウルを上腕骨髄腔内へ挿入する 図13．
　Tハンドルを上腕骨アライメントガイドに装着し，ガイドを上腕骨髄腔へ挿入する．サイズの選択をした上腕骨カッティングガイドのサイドアームを上腕骨カッティングガイドの橈骨側に装着する．この時，サイドアームの"Right"または"Left"表示は，カッティングガイドの"Right"または"Left"表示に隣り合うように設置し，固定ネジを締める．

> **Tips コツ**
> RA肘の場合，多くは内側上顆は強く吸収されているが，外側上顆は比較的残存していることが多い．

　Tハンドルを上腕骨アライメントガイドから取り除き，カッティングガイドをアライメントガイドに取り付け，適切な切断深さを得るため，アームは上腕骨小頭で止める 図14．
　上腕骨遠位端内側と外側の後方皮質によって形成される面を利用して，上腕骨切除の回旋方向を決定する．カッティングガイドはこの面に平行でなければならないことに留意する．カッティングガイドが正しく設置されていることを確認して，固定ネジを締める 図15．
　上腕骨カッティングガイドの幅は，選択サイズの上腕骨コンポーネントと一致し，上腕骨遠位端の関節面を正確に切除することとする．オシレーティングソー（繊細な）を用いて，まずカッティングガイドの内側面と外側面に沿って 図16，次に近位面に沿って切断して，残っ

ている上腕骨滑車部分を切除する．

> **コツ**
> このとき，内外側の顆部を損傷しないように注意する．損傷すると，この部分のストレスが高まり，結果的に顆部骨折に至る可能性がある 図17．

普通は，ガイドの両側に皮質骨がintactの状態で残る．カッティングガイドとアライメントガイドを取り除き，肘頭窩のルーフまでの切除を終了し，破片を取り除く．

> **コツ**
> オシレーティングソーを用いるとどうしても切除部分より深い部分を傷つける傾向が強いのでビオクタニンで上腕骨アライメントガイドの切除部分を描き，少し少な目に骨切除を行った方が安全のときもある．

スターターラスプで上腕骨髄腔のラスピングを開始する．

> **コツ**
> 必要に応じて，髄腔をさらに拡大するために，ラスプを軽く捻る．

エクストラスモールの上腕骨コンポーネントを選択する場合，スターターラスプが最終ラスプとなる．次に，選択した上腕骨コンポーネントのサイズと一致する上腕骨ラスプを使用する 図18．

> **コツ**
> 日本人のRA患者の多くはエクストラスモールを選択することが多い．

上腕骨コンポーネントの前方フランジ部へ移植骨の準備を行う．上腕骨遠位端の前面から関節包前方を切離し，12-20 mmの骨のみ（曲がり）を用いて上腕骨前面の骨皮質を露出する 図19．

▶尺骨の処置

この処置がきわめて難しい処置である．
まず最初に肘頭先端をソーを用いて切除する 図9．
ドリルバー（サージアトーム）を用いて鉤状突起基部の軟骨下骨に穴を開け，尺骨の髄腔を確認する 図20．

> **コツ**
> 鉤状突起に作製する穴を前方過ぎると尻上がりに挿入され，後方（背面）より過ぎると背側骨皮質を穿通することとなるので注意する．

オウルリーマーを髄腔内に挿入できるように，肘頭先端をさらに切除するか，あるいは刻み目を入れる 図21．この操作は最も方向性を決める上で重要である．髄腔を確認し，さらに拡大するために，オウルリー

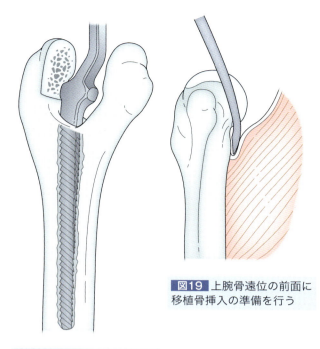

図19 上腕骨遠位の前面に移植骨挿入の準備を行う

図18 上腕骨コンポーネントと同じサイズで上腕骨ラスプを使用する

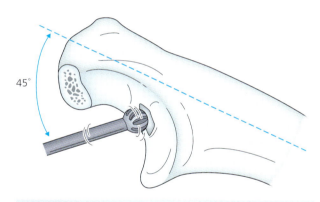

図20 尺骨鉤状突起基部にドリルバーを用いて穴を開ける

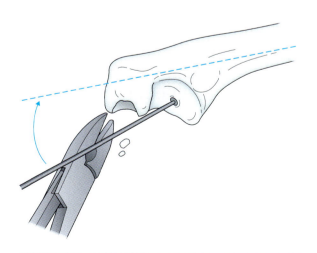

図21 肘頭先端を切除，あるいは刻み目を入れてオウルリーマーを髄腔内に水平に挿入する

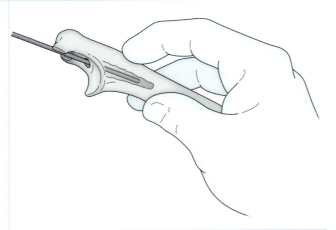

図22 尺骨近位背面上に指を置き，尺骨の髄腔を損傷しないように注意する

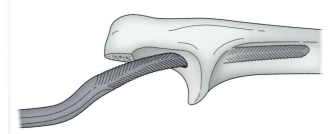

図23 尺骨髄腔を拡大する

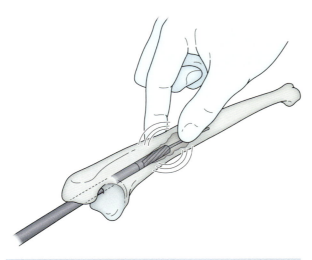

図24 尺骨髄腔の拡大を更に行う

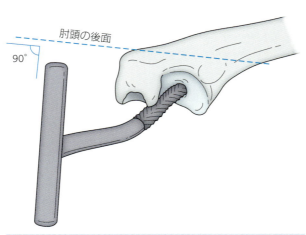

図25 ラスプの尺骨への挿入方向の決定

マーを軽く捻じりながら使用する．

Tips コツ
この時，露出させた尺骨近位上に指を置いて，後方骨皮質を損傷しないように注意する 図22．

パイロットラスプを用いて，さらに髄腔を拡大する．次に，右または左のスターターラスプを使用する．エクストラスモールの尺骨コンポーネントを選択する場合，スターターラスプが最終のラスプとなる．この場合，スターターラスプでラスピングした後，さらにスタインマンピン等で遠位の髄腔形成を行う．スモールまたはレギュラーの尺骨コンポーネントを選択する場合，スターターラスプを軽く捻じりながら，髄腔をさらに拡大し，続いて，スモールラスプを使用する 図23．スモールサイズのコンポーネントを挿入して髄腔が十分に広ければ，スモールラスプに続いてレギュラーラスプを用いて，インプラント周囲に大きなセメント層が得られるようにする．

Tips コツ
この操作が最もむずかしい．とくに鉤状突起にインプラントを挿入するために幅広く鉤状突起部の骨皮質を切除しなければインプラントを遠位まで挿入できない．髄腔が狭い場合は，スタインマンピンなどを用いて髄腔を形成することも可能であるが，エアドリルで慎重に骨皮質を損傷しないように行うこととしている 図24．

ラスプをハンドルが肘頭の面に対して垂直になるように髄腔に挿入し，インプラントの最終方向を決定する 図25．

適切なサイズの尺骨トライアルと上腕骨トライアルを挿入し，2つのトライアルを組合せ，ピントライアルを用いて連結する．トライアルを連結した後に整復を行い，可動域を確認する．この際に屈曲・伸展の障害となる骨棘・骨堤などがあれば切除する．その後，トライアルを切除して，上腕骨と尺骨双方の髄腔をパルス洗浄システムを用いて大量の生食水で十分に洗浄し，完全に乾燥される．ボスミン加生食水含生食ガーゼを両骨に挿入しておく．

セメントを狭い尺骨髄腔に適切な長さにしたフレキシブルノズルを使用して注入する 図26．

Tips コツ
ノズルが細いので高い抵抗が掛かるため，重合プロセスの早い段階でセメントを注入する．

Tips コツ
尺骨と上腕骨の両髄腔内に一緒にセメントを注入する方法もあるが，両インプラントの連結操作や前方フランジへの骨片の挿入などの操作を必要とするので，私は時間はかかるが尺骨と上腕骨に別々にセメントを注入して連結することとしている．

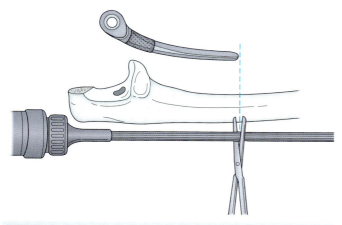

図26 フレキシブルノズルを適切な長さに切断する

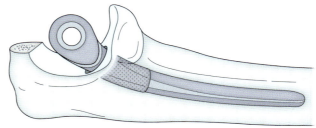

図27 尺骨へのコンポーネントを挿入する

　尺骨コンポーネントを上腕骨コンポーネントとのジョイント部が鉤状突起付近にくるように，できるだけ遠位に挿入する．尺骨コンポーネントの中心を，滑車切痕の隆起の中心に合わせるように尺骨コンポーネントを挿入する 図27．

> **コツ**
> 尺骨コンポーネントの挿入にあたっては肘頭の平らな部分と平行でなければならない．

　セメントが硬化し，尺骨コンポーネント周囲から余分のセメントを除去した後，同様の手順で上腕骨髄腔にセメントを注入する．エクストラスモールの上腕骨コンポーネントを挿入の場合，髄内プラグの挿入はできないので，必要に応じて，移植骨片を髄腔プラグの代わりに使用する．骨片挿入部位までの長さにノズルを切断し，通常の方法で髄腔へセメントを注入する 図28．

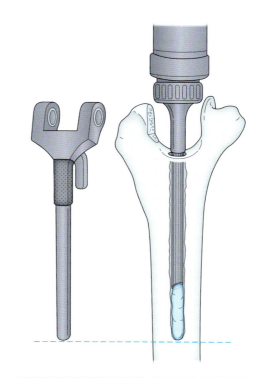

図28 上腕骨髄腔へセメントを挿入する

　上腕骨前面への移植骨は切除した上腕骨滑車を利用する．移植骨は厚さ 2-3 mm，長さ 15 mm，幅 10 mm 程度に形成し，上腕骨にセメントを注入後，移植骨の長さ約1/2を上腕骨遠位端の前方皮質骨の上に乗せ，残り1/2を上腕骨遠位端の切除した部分に露出する．上腕骨コンポーネントを上腕骨の内・外側顆の遠位端より遠位部分まで挿入した後に 図29 上腕骨コンポーネントと尺骨コンポーネントを接合し，この2つのコンポーネントに中空のアウターピンを挿入し，次にインナーピンで，これを固定する 図30．

> **コツ**
> 2本のピンが連結すると，クリック音がする．クリック音がしなければ，軟部組織がピンの完全なかみ合わせを阻害していると考えられる．

> **コツ**
> アウターピンを内側あるいは外側から挿入するのは意外と手間が掛かることが多い．上腕骨と尺骨を連結している穴がきっちりと合っていなければアウターピンが中に挿入できずあせってしまうことも少なくない．

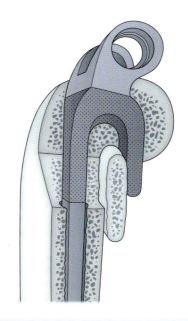

図29 前方フランジ部への骨移植

2つのコンポーネントを連結した後に上腕骨インパクターを用いて，上腕骨コンポーネントを髄腔へ挿入して，セメントが重合することを待つ 図31 .

　上腕骨および尺骨のコンポーネントを連結した後に，肘を屈曲・伸展させて骨とのインピンジメントがないかを確認し，動きを阻害している骨・セメントがあれば骨鉗子や無鉤攝子で切除する．

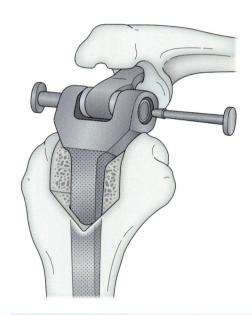

図30 2つのコンポーネントを特殊なピンで固定する

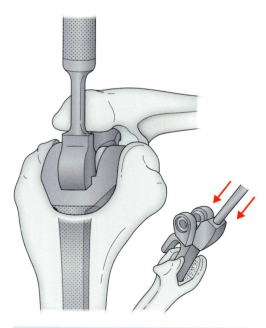

図31 上腕骨コンポーネントを深く挿入する

▶筋（腱）膜の再建

　駆血帯（滅菌トニケット）を外し十分に止血する．肘関節を90°屈曲位に保持し，V字型（U字型）に切離した腱膜を縫合していく．多くは元来の位置より1cm程延長した状態で非吸収糸を用いて丁寧に密に縫合する．内側は外側に比して脆いため，肘関節を少し伸展させて縫合する 図32 .

　非吸収糸（2-0 Ticron糸）を用いて三頭筋筋（腱）膜を縫合する際は，縫合結節が腱膜下に位置するように縫合する．

結節が腱膜上に存在すると，皮下に結節を触れ刺激となり特に密に縫合するので疼痛を訴えることがある．

内側側副靭帯を再建する必要はない．

▶尺骨神経の処置

　尺骨神経の前方の皮下の筋膜，内側筋間中隔を切離して皮下に空隙を作製し，下（背側）に落ちないように前面の皮下脂肪を有茎にして尺骨神経を吊り上げておくこととする．

最初に剥離した尺骨神経をそのままにしておくと，神経は内側筋膜の縫合部を走行することとなり，また縫合が十分にできないときは人工関節そのものに触れることになる．

▶皮膚の閉鎖

　最後に肘関節を軽く屈曲・伸展して，動きが滑らかであることを確認する．また屈曲したときどの位の屈曲角度で三頭筋筋膜に緊張がどの位かかるのかを確めて，記

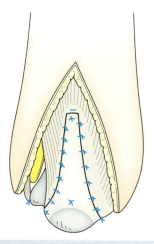

図32 三頭筋腱の縫合

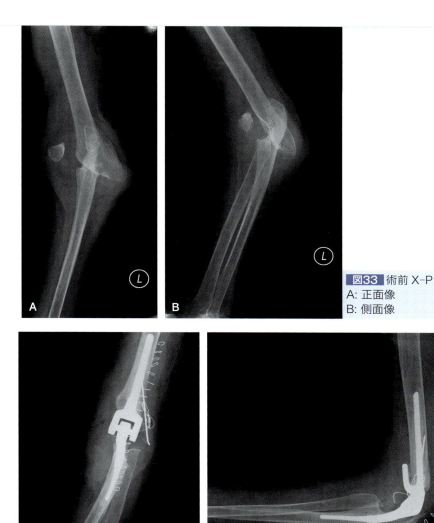

図33 術前 X-P
A: 正面像
B: 側面像

図34 TEA 後 X-P
A: 正面像　B: 側面像

録し，術後可動域訓練のときの目安とする．

外固定

術後は肘関節70°屈曲位で長上肢ギプス副子固定をする．

> **Tips コツ**
> 創が菲薄化しているときは皮膚への圧迫を避ける目的で肘関節の後面ではなく前面に副子固定することもある．

▶術後管理

吸引チューブは術後24-48時間で抜去し，術後2日目から三頭筋筋（腱）膜の縫合状態にもよるが，無理のない程度の屈曲と伸展を許可し，2週目からはほぼfreeとしており，一般的に特別な理学療法は必要としない．

患者には術後3カ月間は0.5 kg以上の物を持ち上げることはしないように指示し，その以後は手術側では2.5 kg以上は持ち上げないよう勧めている．

▶症例供覧

症例1 72歳，女性．RA，ムテランス型のリウマチ性肘関節であり内顆骨折を合併している **図33A, B**．**図34A, B** は C-M 型 TEA（エクストラスモール型）施行直後の X-P である．術中，外顆骨折が発生したので tension band wiring 法にて固定した．

症例2 61歳，女性．リウマチ性肘関節症 **図35, 36**

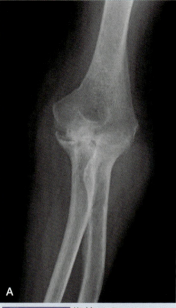
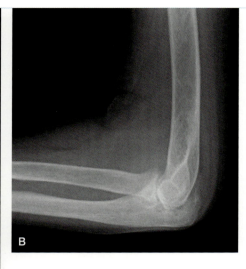

図35A，B 術前 X-P
A: 正面像　B: 側面像

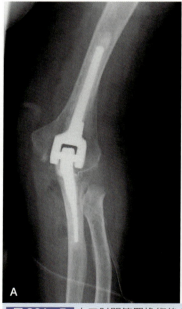
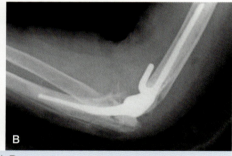

図36A，B 人工肘関節置換術後 X-P
A: 正面像　B: 側面像

■ 文献

1) Aldridge JM, III, Lightdale NR, Mallon WJ, et al. Total elbow arthroplasty with the Coonrad/Coonrad-Morrey prosthesis. A 10-to 31-year survival analysis. J Bone Joint Surg [Br]. 2006; 88: 509-14.
2) Ewald FC, Simmons ED Jr, Sullivan JA, et al. Capitellocondylar total elbow replacement in rheumatoid arthritis. Long-term results. J Bone Joint Surg [Am]. 1993; 75: 498-507.
3) 加藤博之. 人工肘関節の歴史的変遷と現状. 日整会誌. 2010; 84: 875-81.
4) Kudo H, Iwano K, Watanabe S. Total replacement of the rheumatoid elbow with a hingeless prosthesis. J Bone Joint Surg [Am]. 1980; 62: 277-85.
5) 工藤 洋. 非蝶番型人工肘関節の長期成績と問題点. 整・災外. 1982; 25: 1197-205.
6) 工藤 洋. 非蝶番型人工肘関節. In: 松崎昭夫編. OS NOW 12: 人工関節置換術と関節形成術. 東京: メジカルビュー社; 1993. p.42-51.
7) Kudo H, Non-constrained elbow arthroplasty for mutilans deformity in rheumatoid arthritis: A report of six cases. J Bone Joint Surg [Br]. 1998; 80: 234-9.
8) 三浪三千男. 肘関節リウマチ. 人工関節置換術. In: 三浪明男編. 手・肘の外科: カラーアトラス. 東京: 中外医学社; 2007. p.440-57.
9) 水関隆也. 関節リウマチの整形外科手術6. 関節リウマチでの人工肘関節の適応と問題点. 整形外科. 2008; 59: 988-94.
10) Morrey BF, Adams RA. Semiconstrained arthroplasty for the treatment of rheumatoid arthritis of the elbow. J Bone Joint Surg [Am]. 1992; 74: 479-90.
11) Schemitsch EH, Ewald FC, Thornhill TS. Results of total elbow arthroplasty after excision of the radial head and synovectomy in patients who had rheumatoid arthritis. J Bone Joint Surg [Am]. 1996; 78: 1541-7.

CHAPTER 2: 肘関節—OA・RA ほか

13 上腕骨外側上顆炎に対する手術治療

▶概念

Lateral elbow pain syndrome という名称は肘関節の外側周辺の多因子により発生する有痛性症状を呈する一連の症候群に対して用いられている．上腕骨外側上顆炎は上腕骨外側上顆部およびその遠位にかけて疼痛を訴え，特に前腕を回外したり，手関節を背屈したりして手に力を入れる動作時に疼痛が増強する疾患名である．明らかな外傷のない肘痛を訴える患者のほとんどがこの疾患であるほど高頻度にみられる．

一般的に上腕骨外側上顆炎は必ずしもテニスのようなスポーツ愛好者にのみ発症するものではないがテニス肘と同義語になっている．病因としては種々の因子があげられているが，私は必ずしも単独の原因ではなく，種々の原因による複合因子が発症の原因であろうと考えており，多くの研究者もほぼ同様の意見である．

▶病態

テニス肘の病態に関しては未だ議論が多い．Coonrad と Hooper は手関節伸筋腱と総指伸筋腱は上腕骨外側顆付着部で腱板を形成しており，この部に無理な運動負荷が加わることによって生じた microrupture がテニス肘の病態と提唱している．

上腕骨外側上顆炎に代表される肘関節外側部痛を訴える lateral elbow pain syndrome を考えるとき関節外病変と関節内病変とに分けることができる．関節外病変は短橈側手根伸筋（ECRB）腱の上腕骨外側上顆付着部の enthesopathy（腱付着部症）であり，代表的な関節内病変は滑膜ヒダ，輪状靱帯，関節症変化が存在している．別府らは滑膜ヒダによる関節内病変が存在する場合，難治性に陥る可能性が高いことを示している．またこれらとは別に橈骨神経管症候群（別項目，参照のこと）も lateral elbow pain syndrome の1つと考えられている．

▶診断

診断はそれほど困難ではない．肘外側を中心とする自発痛と前腕・手関節に力を入れる動作時の疼痛の増強があり，外側上顆部およびそのやや遠位部の圧痛，手関節の抵抗下の背屈運動による疼痛の誘発試験（Thomsen test）陽性もある．これ以外に，腕橈関節部（とくに後方）の圧痛の有無，橈骨神経浅枝の走行部・腕橈骨筋の前縁部の圧痛の有無，橈骨神経支配域の知覚鈍麻の有無についてもチェックする．また肘関節を回内位で伸展位にしたときに腕橈関節の痛みを訴える fringe impingement test として術前に検査すべきとの報告もある．

単純 X 線上，一般的には異常所見は少ないが，上腕骨外側上顆部の小さな骨棘，石灰化像，関節症変化などを認めることもある．

MR 像では上腕骨外側上顆部に T1 強調像で低信号域，T2 強調像で高信号域を示すことが多い．また腕橈関節に存在する滑膜ヒダ（synovial fringe）が三角形の低信号域として認めることもある．関節内に滑膜炎による水腫を認めることも少なくない 図1．

関節外病変の診断では局麻剤を ECRB 腱部に注射し，関節内病変の存在を診断するためには腕橈関節を通して関節内に局麻剤を注射することにより診断可能であるとされている．つまり ECRB 腱起始部の病変が主とするいわゆる狭義の上腕骨外側上顆炎であり，これでも疼痛が残存する場合には骨膜ヒダを中心とする関節内病変が

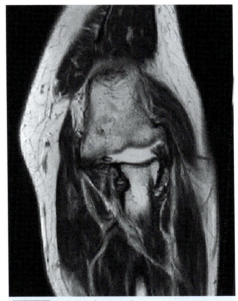

図1 MR 像（T1W1）
上腕骨外側上顆部に低信号域を認め，滑膜ヒダを思わせる三角形の像および関節内水腫も認める．

関与していると考えられる．

▶治療

ほとんどの症例は保存療法で軽快し，手術に至る症例はそれほど多くはない．保存療法としてはNSAIDsなどの鎮痛剤の内服，外用薬，ステロイド剤の局所注射，エルボーバンドの装着，理学療法（温熱療法，ストレッチングなど）などである．

これらの系統だった保存治療が3-6カ月以上行われたにもかかわらず症状の改善が得られないで患者のADL上の不自由度が高く，手術を希望している例を難治性上腕骨外側上顆炎として手術治療の対象としている．しかし，別府らによればほとんどの例は保存療法で治癒し，手術に至る例はきわめて少数であるとしている．

▶手術治療

今まで大きく分けて3つの手術方法が報告されている．1) Nirschl法，2) Boyd法，3) 橈骨神経除圧術である．ここでは私が好んで行っているNirschl法について詳述する．

皮切

皮切は外側上顆を中心に6-8 cmのほぼ直線上に皮切を加える 図2 ．外側上顆直上ではなく，少し背側に加える．外側上顆の近位2-3 cm，遠位5 cmとしている．

> **Tips コツ**
> 副島らは上腕骨外側上顆上に非常に小さな皮切を加えての直視下手術を推奨している．

展開

皮下脂肪組織を十分につけて皮切を前・後方に翻転して筋膜を露出する 図3 ．筋膜を皮切と同様のlineで切離して，皮膚と同様に前方，後方に愛護的に引き，伸筋腱群を露出する 図4 ．外側上顆を触れて同定して，外側上顆から上腕骨外側のridgeから筋成分を見ることができ，その下（後方）に筋成分を有する伸筋腱腱板を見ることを可能とする．この筋成分を示す部分が長橈側手根伸筋（ECRL）であり 図5 ，この筋と接して後方に存在しているのが総指伸筋を含む伸筋腱腱板である．

> **Tips コツ**
> この両筋の接するinterfaceを同定することが重要である．

短橈側手根伸筋（ECRB）腱の同定

先に記載したinterfaceを同定した後に伸筋腱板の前方部分の筋成分であるECRL筋を上腕骨上顆から橈骨頭にかけて剝離を行い，前方まで剝離すると，下にECRB腱の起始部が露出する 図6 ．

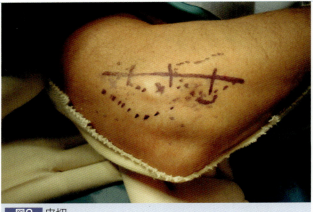

図2 皮切

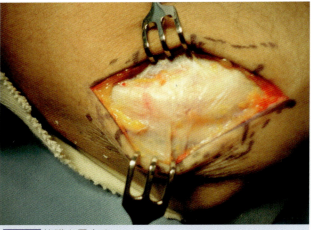

図3 筋膜を露出する

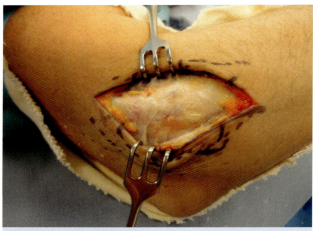

図4 伸筋腱群を露出する

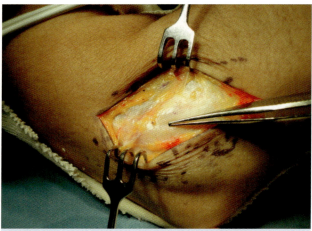

図5 ECRL腱の同定とECRL腱・伸筋腱腱板のinterfaceの同定

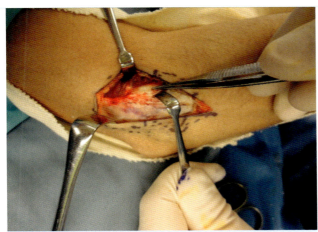

図6 ECRB腱の起始部を露出する

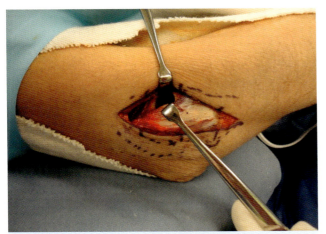

図7 ECRB腱起始部を切除し関節内の検索を行う

> **Tips コツ**
> 上腕骨外上顆炎の病変の中心であるECRB腱の上腕骨外上顆部の付着部は外表面から可視することはできずECRLの上腕骨外上顆付着部への筋成分の付着部を切離して伸筋腱板を露出しなければECRB腱は可視することができない.

普通ECRB腱の表面が肉眼的に正常外観を呈していないことが多い.この部の腱の裏面(関節面側)にいろいろな程度の断裂が存在していることが多い.断裂は滑膜における欠損を通して肘の関節内へ貫通している像を見ることも多い.時には,ECRB腱の付着は弱く,腱の裏面は輝いており,淡黄色を呈し浮腫性組織により被覆されている.上腕骨外側上顆部に付着している起始部を含めアメ色に変性した腱成分を切除する.ECRB腱の前縁を切離してめくるように裏面(関節面)を観察する.ECRB腱が侵されており,前縁から変性している全ての線維性肉芽組織を切除する.変性している組織を切除すると関節内の外側部分を観察することができる 図7 .Nirschlはほとんど所見を認めないと力説しているが腕橈関節に滑膜ヒダsynovial fringeが存在しており,これが関節内の主因と考えている説もある.

難治性上腕骨外側上顆炎のMR像では滑膜ヒダは腕橈関節に存在しており,三角形の低信号域として認められることが多い.滑膜ヒダは腕橈関節の後側方から前側方に存在しており,前腕を回内して伸展すると窮屈な腕橈関節にはまり込むことにより症状が出現すると考えられている.この肢位での痛みが出現した場合をfringe test陽性とした.

橈骨頭から頸部にかけて輪状靱帯が変性して前腕を回旋すると頭部に陥入してsnappingを起こすことがある場合には輪状靱帯の近位を輪状に切除することもある.しかし,輪状靱帯の陥入部分の所見はそれほど認めないことが多い.

異常な肉芽組織の完全な切除によりECRB腱の起始部の75%位が切除されたこととなる.ECRB腱の残存部位はECRL腱と密接に筋膜の癒着があるので翻転することはしない.

ECRB腱起始部の切除部の後方にあるEDC腱起始部あるいは前方に存在するECRL腱が変性に陥っている場合はECRB腱起始部とともに切除する.

> **Tips コツ**
> EDC腱およびECRL腱の変性はそれほど多くはない.

血行を導入するため,骨髄間葉系細胞を惹起するために露出した上腕骨外側上顆部の小さな部分の骨皮質を切除したりドリルで数カ所穴をあける.

伊藤は広範囲切除を要した場合は外側上顆部の変性部分が付着していた範囲に一致して小ミノで薄く骨を切除し,この部分に3 mmのsuture anchorを1-2本打ち込み,この縫合糸を用いて残存した前後の筋群と外側側副靱帯複合体を一塊として縫合することを提唱している.先に外側側副靱帯複合体とECRB腱を骨に縫合し,糸を切らずにsplitした筋群起始部を靴ひも状に縫着する.ECRB腱全体の変性が著しい場合は,残った近位端を隣のEDC筋起始部付近に縫合する.縫合糸の結び目の違和感を防ぐため,先に剝離した筋膜で丁寧に覆い縫合する.私にこの経験はない.

閉鎖

Nirschlは修復・閉鎖はきわめて単純と記載している.ECRB腱起始部は翻転せず,縫合は必要としていない.ECRB腱起始部をそのままとしてECRL筋と伸筋腱板の前縁の間を修復する.その後,皮下と皮膚を閉鎖する.

▶後療法

術後,肘関節90°屈曲位,前腕中間位として手関節以下をfreeとして上腕から前腕まで後方ギプス副子を10日間装用する.その後副子を外して肘の可動域訓練を行う.17日目までつづける.この頃から前腕伸筋の等張性,等尺性運動を行い,さらに温熱療法,筋緊張をとる

ことも，次第に負荷を加え筋力増強訓練を行う．テニスプレーは6週から徐々に行い，4カ月過ぎると通常の日常生活を許可する．

最近は内視鏡下に滑膜ヒダを切除し，関節内からECRB腱起始部の変性組織を切除するようになった．私の施設でも最近行われるようになっているが，私には経験がない．「関節内から外側側副靭帯複合体を損傷せずにその前方にあるECRB腱の変性部のみを切除するのは難しいのではないかと心配している」と肘関節外科に造詣が深い伊藤恵康先生は記載しており，私も同感である．関節包に破綻があれば変性したECRB腱を見ることはできる．しかし，滑膜ヒダの切除に関節鏡はきわめて有用である．

Tips コツ

これも私には経験はないが，手関節近位背側でECRB腱を同定して延長術を行う方法を好んで用いている手の外科医もいる．

■ 文献

1) Ando R, Arai T, Beppu M, et al. Anatomical study of arthroscopic surgery for lateral epicondylitis. Hand Surg. 2008; 13: 85-91.
2) Boyd HB, McLeod AC Jr. Tennis elbow. J Bone Joint Surg [Am]. 1973; 55: 1183-7.
3) Capener N. The vulnerability of the posterior interosseous nerve of the forearm. A case report and an anatomical study. J Bone Joint Surg [Br]. 1966; 48: 770-3.
4) Coonrad RW, Hooper WR. Tennis elbow. Its course, natural history, conservative and surgical management. J Bone Joint Surg [Am]. 1973; 55: 1177-82.
5) 石井清一, 中下 健. 後骨間神経の絞扼性神経炎―上腕骨外上顆炎との関係について―. 整形外科 MOOK. 1988; 54: 224-32.
6) 加藤貞利. 上腕骨外側上顆炎. In: 三浪明男編. 手・肘の外科: カラーアトラス. 東京: 中外医学社; 2007. p.332-6.
7) 近藤 真, 長汐 亮, 藤田美悧. 難治性上腕骨外上顆炎の観血的治療. 日肘会誌. 2001; 8: 25-6.
8) Minami M, Yamazaki J, Kato S. Lateral elbow pain syndrome and entrapment of the radial nerve. J Jap Orthop Ass. 1992; 66: 222-7.
9) 森谷浩治, 坪川直人, 土屋潤平, 他. 上腕骨外側上顆炎に対する短橈側手根伸筋腱延長術において注意を要した2例. 整災外. 2019; 62: 1033-6.
10) Nirschl RP, Ashman ES. Elbow tendinopathy: tennis elbow. Clin Sports Med. 2003; 22: 813-36.
11) 副島修. 上腕骨外側上顆炎（内側上顆炎）. In: 今谷潤也編. 肘関節手術のすべて. 東京: メジカルビュー社; 2015. p.202-15.
12) 薄井正道. テニス肘の診断と治療. MBO. 2003; 16: 35-41.

CHAPTER 2: 肘関節—OA・RA ほか

14 上腕骨内側上顆炎に対する手術治療

上腕骨外側上顆炎［別項目　参照のこと］と比べて内側上顆炎の発症は少なく，その頻度は 1/10 と報告されている．ほとんどは保存治療に反応する．

▶診断

診断は，上腕骨内側上顆近傍の前腕回内・屈筋群の起始部上の局所的に限局した疼痛・圧痛が主体である．それに加えて肘関節を伸展位で前腕を回内し手関節を屈曲した肢位で抵抗を加えたことにより誘発される疼痛の増強により診断は確定的となる．多くの例で健側と比較して握力低下を認める．また内側上顆炎の場合，肘部管症候群を合併していることが少なくないことも特徴的な所見である．

Tips コツ

内側上顆炎に合併する肘部管症候群の場合，尺骨神経経炎の症状（肘関節内側部の尺骨神経溝での Tinel 兆候，尺骨神経支配領域での知覚低下・シビレなど）のことが多く，筋力低下などの運動麻痺を呈することはほとんどない．

単純 X 線上，一般的には異常所見はそれほど多くはないが，小さな骨棘，石灰化像，関節症変化などを認めることもある .

MRI 像では，上腕骨内側上顆部に T1 強調像で低信号域，T2 強調像で高信号域を示すことが多い 図2.

▶手術適応

一般的には，一定期間（最低でも 6 カ月）の安静・外固定，数回のステロイド（局麻剤加）注射，非ステロイド性消炎鎮痛剤服用，理学療法［ストレッチング，局所温熱療法，マッサージ（軽擦）］などを系統だって行い，効果がない場合，つまり保存療法抵抗性の難治性上腕骨内側上顆炎が手術治療の適応となる．

▶手術療法

今までに大きく分けて 4 つの手術方法が報告されている．

1) 筋膜を切開して前腕回内・屈筋群を線維方向へ縦割し，内側上顆付着部の腱変性組織や肉芽・瘢痕組織を掻爬切除する．
2) 腱付着部の decortication と数カ所の骨穿孔術．
3) 尺骨神経の剥離術（Osborne band の切開と尺骨神経の剥離）
4) 内側上顆の部分切除術（Medical epicondylectomy）

これらの方法を単独で行うことは稀でいくつかの方法を組み合わせて行うのが一般的であるが，ここでは一応，全てを行う場合の手順について記述する．

皮切

全身麻酔下に滅菌トニケを可及的上腕の近位に装着する．内側上顆を中心に尺骨神経走行に沿って弓状切開を

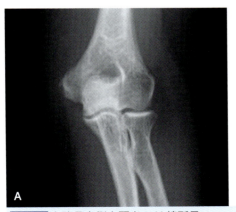
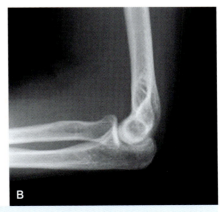

図1 上腕骨内側上顆炎の X 線所見
上腕骨内側上顆部に点状の石灰沈着を認める．

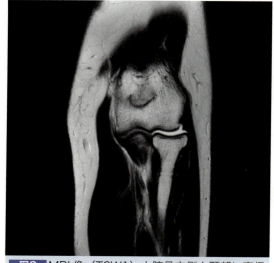

図2 MRI像（T2W1）上腕骨内側上顆部に高信号域を認め，前腕回内・屈筋群付着部での炎症の存在を示す．

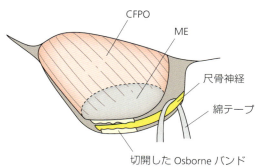

CFPO: 回内屈筋群起始部
（Common flexer-pronator origin）
ME: 上腕骨内側上顆

図3 尺骨神経の剥離
遠位の Osborne band まで，近位は内側上顆の近位の上腕三頭筋後方の内側筋間中隔後方まで剥離して確保しておく．

加える（尺骨神経前方移行術とほぼ同様の皮切である）．

尺骨神経剥離術

　尺骨神経を同定して遠位で尺側手根屈筋腱の両腱間に張っている Osborne 靱帯の切開と尺骨神経を丁寧に剥離してペンローズドレーンで避け，術中，損傷することなく保護する．

> **Tips コツ**
> 手術最後に尺骨神経を前方移行することもあるが，多くは神経剥離のみで終えることが多い．

回内屈筋群起始部の切除

　筋膜を切開して前腕回内・屈筋群を線維方向へ縦割し，内側上顆付着部の腱変性組織や肉芽・瘢痕組織を掻爬切除する 図4．明らかな異常所見が確認されない場合も，術前の圧痛部位を参考としながら腱付着部に同様な掻爬を加える．

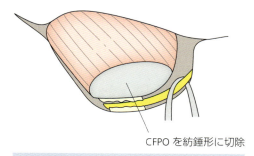

図4 内側上顆部の腱変性組織や肉芽・瘢痕組織の切除
筋膜を切開して，前腕回内・屈筋群を線維方向へ縦割し，内側上顆付着部の腱変性組織や肉芽・瘢痕組織を切除する．

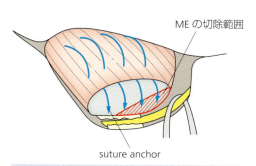

図5 内側上顆の部分切除後に suture anchor を挿入
骨膜を剥離して内側上顆の後上方を部分切除し，骨膜を修復し，suture anchor を挿入する．

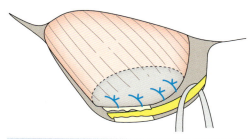

図6 回内・屈筋群内側上顆への再縫着
剥離翻転した前腕回内・屈筋群を suture anchor を用いて内側上顆へ強固に再縫着する．

Decortication＋骨穿孔術，内側上顆部分切除術，回内・屈筋群修復

　前腕回内・屈筋群付着部の腱変性組織や肉芽・瘢痕組織を切除した後に内側上顆の骨膜を前腕回内・屈筋群を剥離して内側上顆の部分切除を行う．あるいは内側上顆部分切除を行わない場合には同部の decortication と骨穿孔術を加える．その後，直視下に Jugger knot Suture anchor® を内側上顆の部分切除面に挿入する 図5．剥離した筋群を内側上顆に再縫着し，骨膜で部分切除部を cover して可及的に修復する 図6．最後にドレーンを挿入し，切離した筋膜を丁寧に修復する．

▶後療法

肘関節90°屈曲位，前腕中間位で2週間のギプスシーネ固定後に肘関節および手関節の自動運動より開始して，徐々に他動運動や前腕回内筋や屈筋のストレッチング・筋力強化訓練を追加していき，術後約1カ月で日常軽作業を許可，術後2〜3カ月での仕事やスポーツ復帰を目指してリハビリテーションを継続する．

▶症例供覧

症例 50歳，女性．上腕骨内側上顆炎 図7-9．

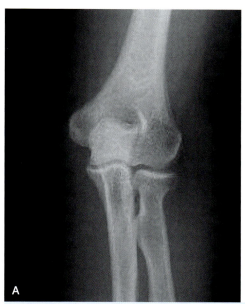
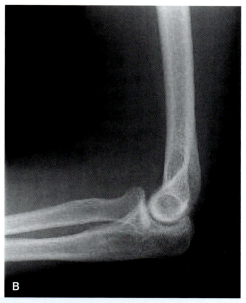

図7 術前 X-P
A: 正面像　本例は明らかな石灰沈着などは認めないが，内側上顆部に骨膿腫を疑わせる所見がある．
B: 側面像　異常を認めない

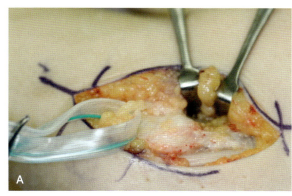
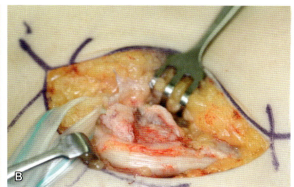
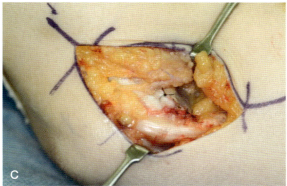

図8 術中所見
A: 尺骨　神経の同定　上腕骨内側上顆部に付着する前腕回内・屈筋腱部に肉芽組織を認めた．
B: 内側上顆の回内・屈筋群を剝離翻転して内側上顆を露出して腱変性部分や肉芽・瘢痕組織を切除した．同時に部分的内側上顆切除も加えた．
C: 回内・屈筋群を縫合閉鎖した．

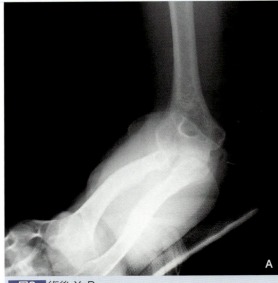 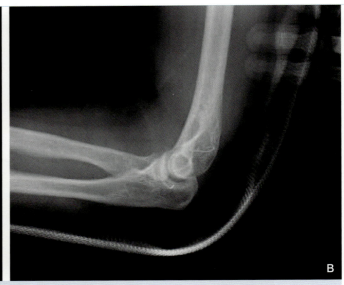

図9 術後 X-P
A: 正面像　内側上顆の部分切除を行った．
B: 側面像

■ 文献

1) Amin NH, Kumar NS, Schickendantz MS. Medial Epicondylitis: Evaluation and management. J Am Acad Orthop Surg. 2015; 23: 348-55.
2) Gabel GT. Medial epicondylitis. In Morrey BF, ed. The Elbow and Its Disoders, ed 4. Saunders, Philadelphia. 2009; 23: 348-55.
3) Kurvers Ct, Verhaar J. The results of operative treatment of medial epicondylitis. J Bone Joint Surg［Am］1995; 77-A: 1374-9.
4) 齋藤　豊, 岩堀裕介, 梶田幸広, 他. 保存療法に抵抗する上腕骨内側上顆炎に対し手術治療を行った3例. 日肘会誌. 2015; 22: 364-8.
5) 副島　修, 村岡邦秀, 松永　渉. 難治性上腕骨内側上顆炎の手術成績. 日肘会誌. 2016; 15: 1025-30.
6) Vangsness CT Jr, Jobe FW. Surgical treatment of medial epicondylitis. Results in 35 elbows. J Bone Joint Surg［Br］1991; 73: 409-11.

CHAPTER 2: 肘関節—機能再建

15 Steindler 屈筋形成術

Steindler's flexor plasty（屈筋形成術）は肘関節の屈曲が不能な症例に対して，前腕屈側に存在する手関節・手指屈筋や回内筋群が2関節筋であることを利用して，それらの起始部をより上腕骨近位へ移動して肘関節屈曲を再建するものである．他の方法（主に Oberlin 法．別項目を参照のこと）が用いられることが多くなり，最近ではほとんど行われなくなってきている傾向にある．

▶手術適応

肘関節の屈曲が回復できない上神経幹の腕神経叢麻痺例（C5-6，C5-7）と，先天性多発性関節拘縮症で肘関節屈曲不能例が手術適応である．

前者については手関節および手指の屈筋が良好な機能を有している場合は，有茎広背筋移行術または遊離機能的筋肉移植術よりも Steindler 屈筋形成術の方が好んで行われる傾向にある．

手関節屈筋の筋力が弱い場合には有茎広背筋移行術や遊離機能的筋肉移植術を考慮すべきである．また，先にも記載しているが，最近は Oberlin 法を行うことも多い．尺骨神経支配域の筋力が有効である場合，尺骨神経の一部の神経束を近位有茎として剝離して上腕二頭筋への筋枝である筋皮神経へ end-to-end（端端）縫合する方が好んで行われる傾向にある．したがって，最近では Steindler 屈筋形成術が行われることはほとんどなくなったと言える．

> **雑感**
> 私は本手術は手の外科領域で最も高度な手の外科学の知識と技術を必要とする手術の1つと考えている．

臨床的に前腕の屈筋・回内筋群が筋力テストで最低でも4以上に効いていることが，本手術を行うに当たっての必須条件である．屈筋・回内筋群の中でも橈側手根屈筋（FCR）と尺側手根屈筋（FCU）の手関節屈筋が効いていることが望ましい．また，術後はどうしても手関節は掌屈位をとる傾向となるので，これに対抗し得る手関節背屈筋も有効に機能していることも重要である．

> **Tips コツ**
> 肘関節の術前の拘縮を除去しておくことは当然である．

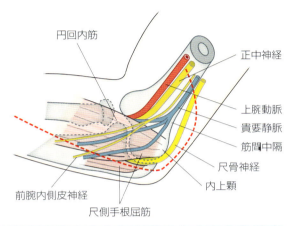

図1 手術解剖および皮切

▶手術解剖

前腕の屈筋・回内筋群は内側上顆に起始しており，Steindler 屈筋形成術では円回内筋（PT），FCR，長掌筋（PL），浅指屈筋（FDS），FCU をこれらの筋の起始部の内側上顆から挙上して近位へ移動することとなる．FDS はそのままとする．

尺骨神経および正中神経は本手術を行うにあたって絶えず保護することとし，筋層下あるいは支配している筋（FCU および PT）とともに前方に移動することとする．

肘関節の内側（尺側）側副靱帯は術中，損傷しないように注意する．内側側副靱帯は内側上顆の後方で遠位部分から起始しており，尺骨の鉤状突起の基部の内側に付着している 図1 ．肘関節の安定性にとって最も重要な内側側副靱帯前方束は最上側に位置しているので特に損傷しないように留意すべきである．

手術体位

仰臥位で全麻下に手術を行うが，肘関節近位の上腕骨を露出する必要があるので滅菌トニケを用いてできるだけ近位に装着するようにしている．

皮切・展開

内側上顆を中心に 10-12 cm 長の皮切を内側に加える．近位および遠位ともに屈側中央部方向にゆるく曲げる必要がある 図1 ．近位は上腕骨前面を，遠位は正中神経が PT の2筋に入っていることがわかるようにする必要がある．皮弁を主に前方に翻転することとなるが，この際，多くは内側上顆の遠位で創を斜め（外側近位か

ら内側遠位方向へ）に走る内側前腕皮神経が存在するので術中損傷しないように留意する．皮弁を外側方向に屈筋・回内筋群の筋腹上で剥離して翻転するとPTの上縁（外側縁）からFCUが内側上顆に付着しているのがわかる．

次いで皮弁の内側上顆の内側（後方）部分を剥離してFCUの尺骨頭を尺骨神経を保護しながら剥離して全貌を露出する．私は太めのペンローズドレーンを用いて尺骨神経を愛護的に牽引しながら手術を行うこととしている．屈筋・円回内筋群の外側でほとんど並行している上腕動脈と正中神経が筋層内および筋層下に入っていくのを確認する　図2．

FCUの尺骨頭を尺骨から丁寧に尺骨神経を損傷しないように注意して切離・剥離する．正中神経と屈筋・回内筋群全体の間に術者の示指を挿入して用手的に剥離する．

骨切り

尺骨神経と正中神経を損傷しないように十分注意して骨ノミを用いて内側上顆の骨切りを屈筋・円回内筋群を付着させたまま行う．骨片の大きさは 2×2×1 cm くらいで十分である　図2．

 コツ
注意すべきはこの骨切りした骨片に屈筋・回内筋群起始部を付けたまま挿入することである．

その後，骨片およびそれに付着している屈筋・回内筋群起始部を持ち上げるようにして，これら起始部は肘関節の前方表面から十分に遠位まで剥離する　図3．この際，尺骨神経はFCUの尺骨頭を遠位まで尺骨から剥離することと正中神経は前骨間神経を同定して，これら2つの神経を損傷しないようにすることが重要である．

上腕骨側の処置（骨穴作成と骨片の固定）

骨切りした内側上顆を固定するために上腕骨前面に骨穴を作成する．以前はそのまま尺側に骨穴を開窓していたが，術後の重大な合併症である回内位変形の矯正のため，できるだけ外側，つまり上腕筋をスプリットして上腕骨前外側面に骨窓を作成することとしている．

屈筋・回内筋群の新しい起始部は肘関節の裂隙から 5-7 cm くらい近位とする．可及的近位ということとすると屈筋・回内筋群の剥離の程度を考えるとせいぜい 5-7 cm くらい近位が最大限となる．

上腕骨の開窓は内側上顆が入るような大きさとすべきで，四辺形の角と骨切りの部を 1.0-1.2 mm 径の K 鋼線にて道筋を付けて（骨折が発生しないように）骨ノミで

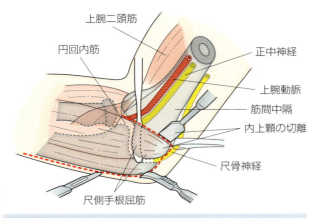

図2 前腕屈筋群・円回内筋付着部の切離

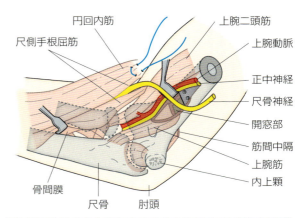

図3 前腕屈筋群の剥離と固定用の骨穴の作成

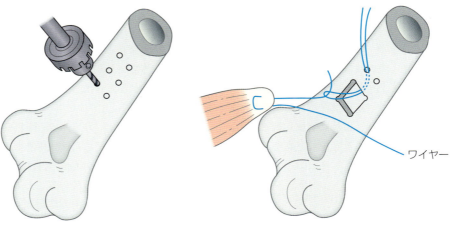

図4 内側上顆固定用の骨穴作成

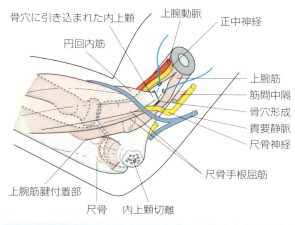

図5 内側上顆の固定

骨切りを行う 図4 ．開窓された近位の骨皮質にK鋼線を用いてsuture wire（0.8mm径程度）が入る骨孔を2個あけて，この一方の骨孔を近位から骨窓部に返して内側上顆の骨に通して開窓部から他方の骨孔にsuture wireを通して開窓部に内側上顆を引き入れて，近位にて強く縫合して固定することとしている．

Tips コツ
スクリューを用いて固定する方法もあるが骨片が割れたり，上腕骨の骨折の恐れもあるため上記したように軟鋼線を用いた方が有利ではと考えている．

内側上顆を上腕骨開窓部に固定後，FCUの上腕頭と尺骨頭の近位を閉鎖して尺骨神経を前方に移行する．筋は本来の内側上顆の上で縫合閉鎖する 図5 ．

Tips コツ
肘関節をfreeとして伸展させると屈曲拘縮50〜60°発生するのが普通であり，かえってこれくらいでなければ十分な屈曲は得られないと考えている．

閉鎖
移動した屈筋・回内筋群の裏側（深部）には明らかなdead spaceが存在しているので，十分に創を洗浄し，ドレーンを挿入して創を閉鎖する．

▶後療法
本手術の術後合併症は前腕の回内位変形と肘関節の屈曲拘縮であるが，これらの合併症は手術の性格上ある程度不可避と考える．

上腕骨と内側上顆の骨癒合が認められる6週までは肘関節を90°屈曲位，前腕を回外位（回内位変形が必発であるので）にて固定する．手指の運動は許可する．6週後から徐々に肘関節の屈曲運動を開始して12週後から抵抗運動を許可する．

▶症例供覧

症例 20歳，男性．腕神経叢麻痺（上位型）

術前 図6
術中 図7
術後 図8
術後 図9

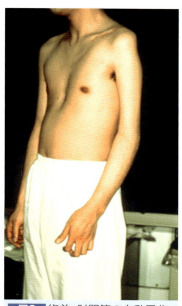

図6 術前：肘関節の自動屈曲は得られていない

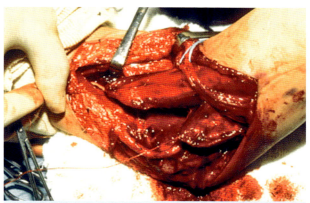

図7 術中：円回内筋・前腕屈筋群を近位へ剥離・移動・固定した（左側が近位である）

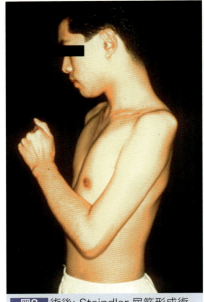

図8 術後: Steindler 屈筋形成術後．肘関節の良好な屈曲が得られた

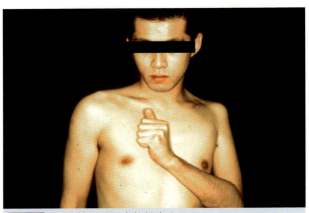

図9 術後: 前腕は回内位傾向を示している

■ 文献

1) Al-Qatton. Elbow flexion reconstruction by Steindler flexorplasty in obstetric brachial plexus plasty. J Hand Surg [Br]. 2005; 30: 424-7.
2) Chen WS. Restoration of elbow flexion by modified Steindler flexorplasty. Int Orthop. 2000; 24: 43-6.
3) Dutton RD, Dawson EG. Elbow flexorplasty: an analysis of long-term results. J Bone Joint Surg [Am]. 1981; 63: 1064-9.
4) Goldfarb CA, Burke MS, Strecker WB, et al. The Steindler flexorplasty for the arthrogrypotic elbow. J Hand Surg [Am]. 2004; 29: 462-9.
5) Lin TK, Yang RS, Sun JS. Long-term results of the Steindler flexorplasty. Clin Orthop Relat Res. 1993; 296: 104-8.
6) Monreal R. Steindler flexorplasty to restore elbow flexion in C6-C6-C7 brachial plexus palsy type. J Brachial plex Peripher Nerve Inj. 2007; 2: 15-8.
7) 津下健哉，本山豪霊，稲垣正治．腕神経叢麻痺に対する機能再建．整形外科と災害外科．1966; 15: 66-8

CHAPTER 2: 肘関節—機能再建

16 前腕回内位拘縮に対する円回内筋 Rerouting 手術

前腕の回内位拘縮に対する機能再建術として有用な手術である．しかし，最近は当該適応疾患の減少のためか，私自身も本手術の機会は非常に少なくなっている．

▶手術適応

脳性麻痺や分娩麻痺例で自動的には回外できないが，他動回外は良好である中等度の回内位変形が最も良い適応である．

中等度の回内位変形で手を中間位まで自動的に回外可能な場合には手術適応とならない．能動的に回外できるが中間位まで持っていくことができない場合には，円回内筋の剥離と前腕の屈筋・回内筋のスライド手術が適応と考える．

円回内筋 rerouting 手術は能動的に回外できないが他動的に完全に回外できる場合に適応となる．

 コツ

> 手術の適応を考える上で，最も迷うのは術前の回内位拘縮と他動的回外角度の評価，つまり拘縮の程度の評価である．私は中等度の回内位拘縮であっても手術は積極的に行うべきであると考えている．回内位拘縮が固定化されている場合には方形回内筋の剥離，前腕屈筋-回内筋のスライディング（前進術），骨間膜の剥離，前腕の中間位への矯正骨切り術を要する場合もある．

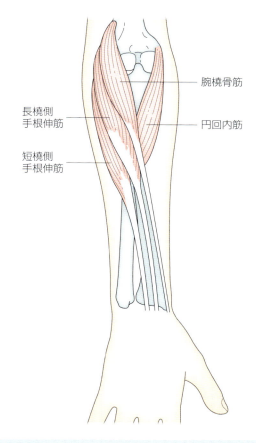

図1 円回内筋の手術解剖

▶理学所見

回内位変形の分類は以下の通りである．この分類を基本に手術の有効性について検討すべきである．

軽度: 重力を外すと自動および他動運動として回外位をなんとか取ることが可能である．

中等度: 自動あるいは他動運動が保たれているが，前腕は完全に回内位を呈している．

重度: 自動および他動的に動きはなく前腕は完全に回内位を呈している．

術前評価

前腕が他動的に良好に回外可能であることと方形回内筋が有効な筋力を有していることを評価することが重要である．

▶手術解剖

図1 は手術のために必要な解剖である．円回内筋（PT）は上腕骨内側上顆から起始し，広い筋膜の付着部を通して橈骨の中 1/3 部の掌側に付着している．PT の付着部は腕橈骨筋（BR）の下であり，BR の下には橈骨神経浅枝が存在している．

円回内筋を走行を変えて回外筋として作用させるものである 図2．

▶手術

皮切

前腕中央部の掌側橈側面上に 6 cm 長の縦切開を加える 図3．短橈側手根伸筋（ECRB）と長橈側手根伸筋

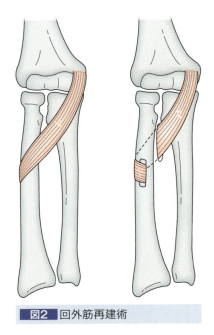

図2 回外筋再建術

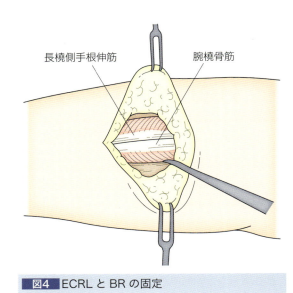

図4 ECRL と BR の固定

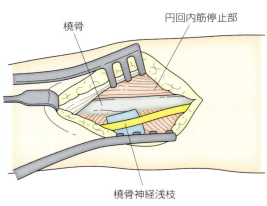

図3 皮切

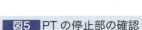

図5 PT の停止部の確認

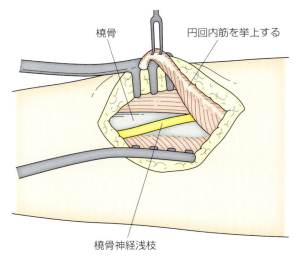

図6 PT の剝離

（ECRL）の筋膜移行部上に皮切を加える．

展開

前腕筋膜を切離して，ECRB と ECRL 腱を同定したあとに，BR を同定して，ECRL 腱に沿って橈骨骨膜を切離して ECRL 腱を尺側に翻転する 図4 ．

> **Tips コツ**
> ここで BR の下を走行する橈骨神経浅枝を同定し，術中，保護することとする．

最終的に PT の停止部の全容を見ることが可能となる 図5 ．

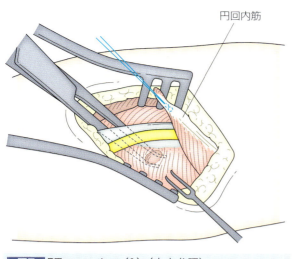

図7 PT rerouting（1）（本文参照）

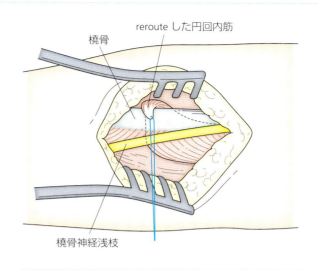

図8 PT rerouting（2）（本文参照）

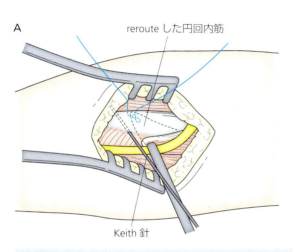
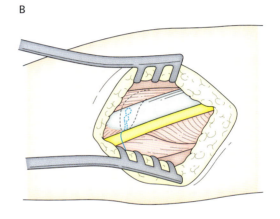

図9 PT rerouting（3）（本文参照）．Reroute した円回内筋をきつく縫合した

▶PT の剝離

橈骨への PT の停止部を剝がす．この際，できるだけ長く橈骨の骨膜を付けて遠位まで PT に付けることが重要である．PT 筋膜を近位に向かって十分 excursion があるように剝離する．Excursion の獲得の障害となっている周囲組織から PT を剝離する 図6 ．

Rerouting

3-0 Ethibond 縫合糸を用いて PT の筋膜・腱構造に対して Bunnell 法にて縫合する．骨間膜の付着部を PT 停止部のレベルで 3 cm 長にわたり切離する．直角に曲がった鉗子を PT の Bunnell 縫合を橈骨の掌側面に出すために骨間膜に開けた穴を通して橈骨の背側面に通す 図7 ．

Bunnell 縫合を行った切離した PT 腱を先ほど刺入した鉗子を橈骨の背側面に通す．PT 停止部の rerouting を掌側から背側に行い，前腕の回外を行うこととする 図8 ．

PT を橈骨に付着する．PT の骨への付着部は最近では Mitek mini 骨アンカーを橈骨背側に挿入し，縫合を行う．あるいは Keith 針を用いて橈骨への2つの穴を通して反対側の骨皮質に縫合することもよく行われる 図9 ．縫合の緊張度は前腕を中間位に保ちきつく縫合する．

▶後療法

前腕を十分に回外位として長上肢ギプス固定を 6 週間行う．6 週後，徐々にリハビリテーションを行う．

■文献

1) Gschwind C, Tonkin M. Surgery for cerebral palsy. Part 1: classification and operative procedures for pronation deformity. J Hand Surg [Am]. 1992; 17: 391-5.
2) Sakellarides HT, Mital MA, Lenzi WD. Treatment of pronation contractures of the forearm in cerebral palsy by changing the insertion of the pronator radii teres. J Bone Joint Surg [Am]. 1981; 63: 645-52.
3) Strecker WB, Emanuel JP, Daily L, Manske PR. Comparison of pronator tenotomy and pronator re-routing in children with spastic cerebral palsy. J Hand Surg [Am]. 1988; 13: 540-3.

CHAPTER 2: 肘関節—機能再建

17 前腕回外位拘縮に対する矯正術（Zancolli 法）

前腕の回外位拘縮に対して回内機能を再建する手段として有用な手術である．しかし，最近は当該適応疾患の減少のため，本手術の機会は非常に少なくなっている．前腕の回外位変形は，ちょうど"頂戴"をしている格好なので，非常に目立ちやすく，また手の使用（とくに最近はコンピューターのキーボードを打つなど）にも不便なので中間位から回内位に矯正すべきであろう 図1．多くの場合，橈骨頭は脱臼している．

▶手術適応

脳性麻痺や分娩麻痺例で能動的に回内できないが，他動回内は良好である中等度の回外位変形が最もよい適応である．円回内筋 rerouting の手術の項も参照していただきたい．

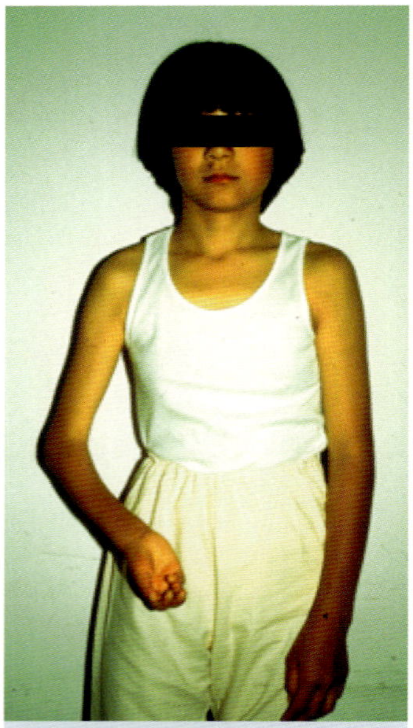

皮切（1）

まず，図2 のように上腕骨外側顆の少し後方から始め肘筋の線維方向に沿って後方に向かい，尺骨の尺骨稜に沿って前腕遠位の尺骨頭の 5 cm 近位まで長大な縦切開を加える．

前腕を回内位へ矯正

肘筋（An）および尺側手根伸筋（ECU）・小指固有伸筋（EDM）・総指伸筋（EDC）を尺骨から骨膜下に剥離，橈側方向に拳上・翻転し，前腕骨間膜を露出する．この際に，橈骨神経からの枝である後骨間神経を損傷しないように留意する．

後骨間神経の存在に注意しながら骨間膜（橈骨中枢から尺骨末梢へ張っている）を尺骨全長にわたり切離する．この結果，前腕を回内位へ矯正可能となる．2 本の K 鋼線を尺骨から橈骨へ刺入して回内位を保持する 図3．

> **Tips コツ**
> 骨間膜を切離しても，前腕を回内位に矯正できない場合には尺骨骨切り術を要することもある．

皮切（2）

次いで，2 本目の皮切として，肘窩部に 図4 のように上腕骨内側上顆の近位尺側から肘窩を横走し，橈骨頭部，つまり橈側へ S 字状皮切を加える．

展開

皮下の肘正中静脈を同定してこれを保護する．腕橈骨筋と上腕筋の間で橈骨神経を同定する．上腕二頭筋腱膜を切離して上腕筋の尺側で上腕二頭筋腱が露出され，これを橈骨結節まで十分に遠位まで露出する．この尺側には正中神経が存在しており，損傷しないように注意する 図4．

図1 分娩麻痺による前腕回外位拘縮

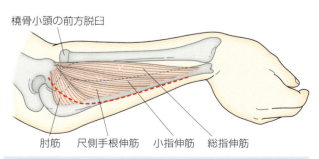

図2 皮切

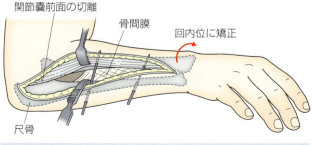

図3 展開

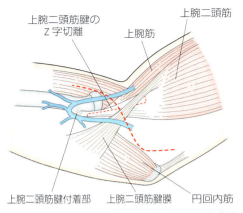

図4 肘窩部の皮切と上腕二頭筋腱の切離

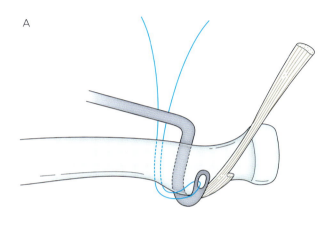

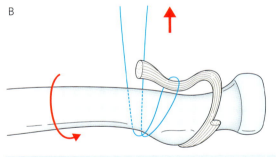

図5 上腕二頭筋腱の rerouting

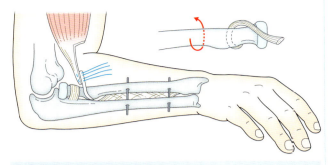

図6 上腕二頭筋腱の縫合

上腕二頭筋腱の反転

上腕二頭筋腱を 図4 のように十分な長さを有するように腱成分をZ字状に切離する．次いで，図5A, B のように遠位上腕二頭筋腱を橈骨を橈側から裏側（背側）そして尺側に一周させて，近位に引くと橈骨は回内方向へと引っ張られ，本来，回外筋である二頭筋を回内筋とすることができる．

> **Tips コツ**
>
> 上腕二頭筋腱の遠位半切腱を rerouting するのはそれほど容易ではないが，曲がった穴付きゾンデを用いて行うと比較的容易である 図5A．

縫合

最後に翻転した二頭筋腱と切離した近位の二頭筋腱を強く縫合する 図6．

> **Tips コツ**
>
> 橈骨神経運動枝を損傷しないように注意する．腱縫合に無理があれば腱移植を付加することもある．

▶後療法

肘90°屈曲位，前腕回内位で5-6週間，上肢ギプス固定を行う．K鋼線を抜釘し，以後運動を開始する．

■文献

1) Zancolli EA. Surgery of the hand in infantile spastic hemiplegia. In: Structural and Dynamic Bases of Hand Surgery. 2nd ed., Philadelphia: Lippincott; 1976.
2) Zancolli EA, Goloner LJ, Swanson AB. Surgery of the spastic hand in cerebral palsy: report of the committee on spastic hand evaluation. J Hand Surg [Am]. 1983; 8: 766-72

CHAPTER 2: 肘関節—靭帯損傷

18 新鮮外傷性肘関節靭帯損傷に対する手術

　関節の安定性に寄与するものとして骨性支持性が最も重要である．しかし，肘関節の骨性支持性は屈曲位では腕尺関節で強く制動されるが，伸展位ではそれほどでもない．このことが肘関節の脱臼が主に伸展位で手を着いた時に発生することが多い理由となる．

　また肘関節における安定性に重要な軟部組織としては内反，外反を制動する内側側副靭帯と外側側副靭帯の静的支持のみならず，その表層に存在する筋・筋膜構造による動的支持がその安定性（支持性）に大きく貢献している．

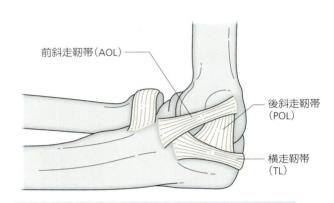

図1 内側側副靭帯の解剖

▶手術解剖 （肘関節の機能解剖の項，参照のこと）

　内側側副靭帯（medial collateral ligament: MCL）は上腕骨内側上顆に起始し，尺骨鉤状突起内側面に終止する前斜走靭帯（anterior oblique ligament: AOL），同じく上腕骨内側上顆に起始し，尺骨肘頭内側面に終止する後斜走靭帯（posterior oblique ligament: POL），尺骨鉤状突起と肘頭を結ぶ横走靭帯（transverse ligament: TL）からなっている **図1**．これらのうち，肘関節のMCLで最も重要なprimary stabilizerはAOLである．これらの靭帯構造の表層側にさらに上腕骨内側上顆から起始している円回内筋および前腕屈筋群が存在しており，肘関節内側の安定性に大きく寄与している．これら内側安定性に寄与する靭帯と筋-筋膜組織を総称して最近は内側側副靭帯複合体と呼称する場合もある．

　他方，上腕骨外側上顆から起始し輪状靭帯に終止する外側側副靭帯複合体は橈側側副靭帯（radial collateral ligament: RCL），橈骨頭の周囲を取り巻くように存在する輪状靭帯（annular ligament: AL），上腕骨外側上顆から起始し尺骨近位端外側の骨稜に停止する外側尺側側副靭帯（lateral ulnar collateral ligament: LUCL）の3つから構成されており **図2**，この表層には肘筋および手関節・手指伸筋群が存在している．

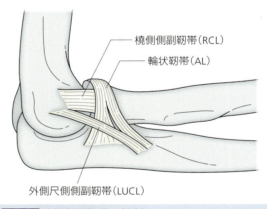

図2 外側側副靭帯の解剖

▶診断

臨床診断

　強い靭帯損傷をきたした場合，臨床的には肘関節全体に強い腫脹，圧痛，安静時・運動時痛，可動域制限，不安定性，皮下出血などが著しい．重度な靭帯損傷では肘関節不安定性に起因する尺骨神経を中心とする神経や上腕動脈などの損傷の存在に注視する必要がある．

画像診断

　画像診断では単純X-P（上腕骨および尺骨の正面像，肘関節屈曲位と伸展位の側面像，斜位像）で上腕骨内側上顆，外側上顆，鉤状突起部の剥離骨片の有無について，とくに注意して観察する．特殊検査として肘関節造影がある．腕橈関節の関節裂隙（後外側穿刺法）から造影剤を注入する．側副靭帯のみの損傷であることは珍しいが，その場合，表層の筋・筋膜組織は無傷であるので造影剤の漏出は限定的であることがある．多くは造影剤は表層まで漏出することとなる．内・外反ストレステストは肘関節を軽度屈曲位で上腕骨の回旋に注意して肘関節正面像を撮影する．側副靭帯の断裂が疑われる場合には上腕骨が回旋しないように注意して肘関節軽度屈曲位（20-30°）で肘関節正面像での評価を行う．しかし，健

側との比較が重要である．

これら上記の検査は疼痛が存在していると正しい評価が難しいことより，客観的評価が困難となるので麻酔下での評価を原則としている．

特殊検査

後外側回旋不安定性テスト（posterolateral rotatory instability test: PLRI テスト）は LUCL 損傷例で陽性となる重要な検査である．前腕回外位で外反ストレスを加えながら肘関節を屈曲すると軽度屈曲位で腕尺関節の外側部分（尺骨頭と橈骨頭）の脱臼を誘発できるものである 図3．橈骨頭近位部に陥凹（dimple）が明らかとなるが，40°以上，屈曲すると突然クリックとともに整復される．上腕骨を固定することが重要であるので，仰臥位で上腕を屈曲挙上位として肩関節を固定してテストを行う．PLRI テストは pivot shift test とも呼称する．今谷らは，関節造影検査所見から造影剤の漏出量の目安として内側側副靭帯部漏出部分の縦径（M1）と横径（M2）（それぞれ mm）の積を M 値として算出し，同時に行う外反ストレス検査では外反関節角: β 角を計測する 図4A, B．また，外側では外側側副靭帯部漏出のそれを L 値として算出し，内反ストレス検査では内反関節角: α 角を計測する 図5A, B（PLRI 項目も参照のこと）．これらの結果から，今谷らは MCL 損傷については，MCL 単独損傷（M1）群，MCL 損傷および屈筋・回内筋群不全損傷（M2）群，MCL 損傷および屈筋群完全損傷（M3）群の 3 群に分類し，LCL については，単独損傷（L1）群，LCL 損傷および伸筋群完全損傷（L2）群の 2 群に分類している．

単純 X-P では得られない骨性要素のさらなる精査が必要と思われる症例には CT 撮影を行う．MR は急性期の診断には不向きなことが多い．

Tips コツ

本疾患に対する CT 撮影は必須の検査と考えている．剥離骨折を伴う靭帯損傷の把握が可能となる．

▶外側側副靭帯修復術

手術適応

術前 PLRI テスト陽性で LCL 複合体の高度損傷例（L2 群: 関節造影のストレス X 線検査において L 値≧100，α 角≧10°）で，①不安定性が著明で整復位保持が困難な例，②元来，内反肘が存在していた例，③重労働者やスポーツ選手などが靭帯修復術の手術適応と考えている．

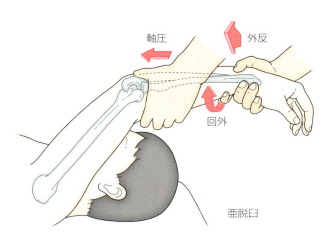

PLRI テスト．仰臥位にて肩関節前方挙上位で，肘関節伸展位から前腕回外位で外反を強制しながら軸圧を加えて屈曲していくと，約 20°-40°屈曲位で（亜）脱臼を誘発できる

図3 PLRI テスト

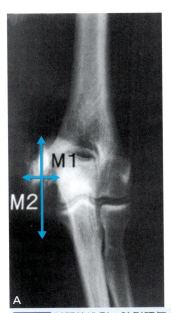
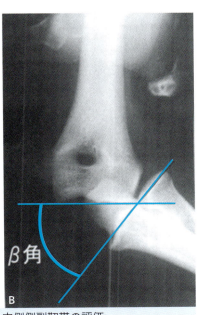

図4 肘関節造影の読影評価: 内側側副靭帯の評価:
A: 造影剤の漏出量の目安として MCL 部漏出部分の縦径（M1）と横径（M2）の積を M 値として算出．
B: 外反ストレスによる外反関節角を β 角として計測．

（今谷潤也．臨床スポーツ医学．2009 より引用）

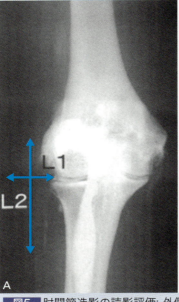
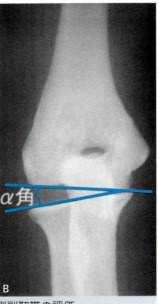

図5 肘関節造影の読影評価: 外側側副靱帯の評価
A: LCL 漏出部分の縦径（L1）と横径（L2）の積を L 値として算出.
B: 内反ストレスによる内反関節角をα角として計測.
（今谷潤也. 臨床スポーツ医学. 2009 より引用）

手術方法

上腕骨外側上顆を中心に約 8 cm 長にわたり皮膚切開を加える．Kocher アプローチとほぼ同様である．皮下を剥離し，深筋膜を切開すると直ちに伸筋群の断裂部をみることができる．伸筋群・肘筋は深層に存在する外側靱帯（LCL および LUCL）とともに一塊として外側上顆起始部より完全に剝脱し，外側上顆部は骨が露出したようになっているのが観察できる 図6 ．Suture anchor（Mitek GII anchor）を用いて外側上顆靱帯起始部とそのやや近位の伸筋群付着部の 2 カ所に刺入し，靱帯起始部の anchor の糸を関節腔側から LUCL および LCL にかけ，伸筋群付着部の方の糸は靱帯の表層に存在する伸筋群に掛けて強く縫合する 図7 ．ドレーンを留置して創閉鎖する．

後療法

術後，シーネ固定とし，術後 1 週より内外反ストレスがかからないように肘関節の自動屈伸運動を回内位で行う．術後 3-4 週頃より理学療法士の監視下での自動屈伸運動および愛護的他動運動を行い，6 週より自動回外運動を追加する．

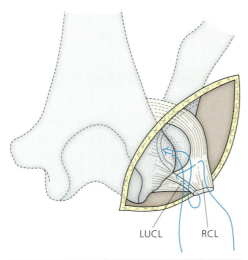

図6 LCL および LUCL ともに一塊として外側上顆起始部より完全に離脱している

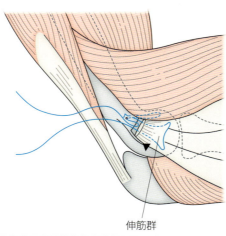

図7 靱帯起始部を外側上顆に suture anchor を用いて強く縫合する

▶内側側副靱帯修復術

手術適応

今谷の stage 分類で M3 群（MCL 損傷，屈筋・回内筋群完全損傷）は靱帯修復術の絶対適応である．M2 群（MCL 損傷および屈筋・回内筋群不全損傷）は比較的手術適応と考えている．

手術方法

仰臥位で肩関節を 90°外転し，外旋して上腕骨内側上顆を中心に約 6 cm の皮膚切開を加える．MCL 損傷に加

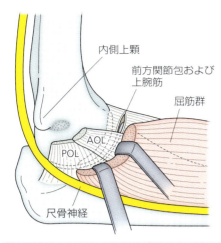

図8 MCLの損傷状態の観察

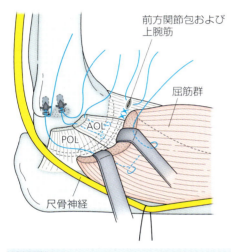

図9 MCLの内側上顆への縫合固定

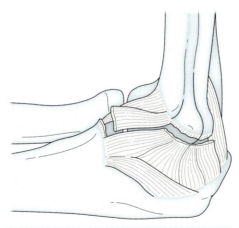

図10 AOLの後方部分とPOLが近位付着部で断裂するZ状断裂

M2群では内側上顆に付着した断裂を免れた屈筋・回内筋群を線維方向に切開するとその深層で部分的に断裂した屈筋・回内筋群とMCLを展開し，suture anchorを内側上顆部の靱帯起始部に刺入し，この糸をAOLにかけて強く修復縫合する．M3群ではM2群でのsuture anchorに加えてもう1個のsuture anchorを浅層側に刺入し，表層の存在する断裂した屈筋・回内筋群にこの糸を掛け縫合固定する ．

AOLの断裂部の多くは近位の上腕骨内側上顆であることが多いが，AOLの前方部分が遠位付着部で断裂した場合やPOLが近位付着部で断裂したZ状断裂症例 図10 では，これら両側の付着部で各々にsuture anchorを挿入して修復する．ドレーンを留置して創閉鎖する．

Tips コツ

手術の過程で，尺骨神経の損傷には十分に留意する．

▶後療法

Anchorを用いた術中の固定性にもよるが，LCLの場合と同様にできるだけ早期から運動療法を開始することが重要である．術後，肘関節の自動屈伸運動を中間位で行い，内外反のストレスを避けるようにすべきである．術後2週以降，前腕の自動回内外運動を開始する．6週より自動回旋運動を追加する．

■文献

1) Imatani J, Ogura T, Morito Y, et al. Anatomical and hstological studies of lateral collateral ligament complex of the elbow joint. J Shoulder Elbow Surg. 1999; 8: 625-27.
2) 今谷潤也, 守都義明, 小倉 丘, 他. 肘内側靱帯損傷例の関節造影・ストレス検査所見と損傷形態. 日肘研誌. 2000; 7: 29-30.
3) 今谷潤也, 守都義明, 小倉 丘, 他. 外傷性肘関節脱臼に伴う靱帯損傷例の手術成績の検討. 日肘研誌. 2002; 9: 23-4.
4) 今谷潤也, 守都義明, 橋詰博行, 他. 肘関節内・外側側副靱帯損傷の手術的治療成績の検討. 中部整災誌. 2004; 47: 91-92.
5) 今谷潤也. 新鮮外傷性肘関節靱帯損傷の診断と治療. 臨床スポーツ医学. 2009; 26: 523-32.
6) Josefsson PO, Gentz CF, Johnell O, et al. Surgical versus non-surgical treatment of ligamentous injuries following dislocation of the elbow in the adult. J Bone Joint Surg [Am]. 1987; 69: 605-8.
7) 加藤博之. 肘関節靱帯損傷. In: 三浪明男編. 手・肘の外科: カラーアトラス. 東京; 中外医学社; 2007. p.38-48.
8) Mehlhoff TL, Noble PC, Bennett JB, et al. Simple dislocation of the elbow in the adult. J Bone Joint Surg [Am]. 1988; 70: 244-9.
9) Morrey BF, An K. Functional anatomy of the ligaments of the elbow. Clin Orthop Rel Res. 1985; 201: 84-90.
10) Richard MJ, Aldridge JM 3rd, Wiesler ER, et al. Traumatic valgus instability of the elbow: pathoanatomy and the results of direct repair. J Bone Joint Surg [Am]. 2008; 90: 2416-22.

えて屈筋・回内筋群完全損傷であるM3群では皮下を剝離すると，断裂したMCLおよび屈筋・回内筋群断裂部から大量の血腫が排出される．血腫を洗浄して排出後，MCLと屈筋・回内筋断裂部と上腕筋および前方関節包の内側部分が露出可能となる 図8 ．

CHAPTER 2: 肘関節—靭帯損傷

19 肘関節後外側回旋不安定症の治療

　肘関節後外側回旋不安定症（posterolateral rotatory instability: PLRI）という新しい概念を1991年O'Driscollらが初めて提唱し，病因として外側側副靭帯（LCL）の構成体の1つである外側尺側側副靭帯（lateral ulnar collateral ligament: LUCL）の機能喪失により発生すると報告した．以来，多くのLUCLの解剖学的研究がなされている．一方，PLRIが内反肘の患者に発生することが指摘され，このことに関する研究および臨床報告がなされている．

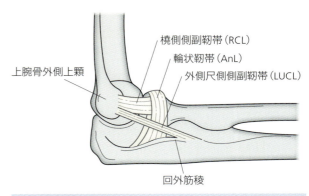

図1　LCL複合体の解剖

▶機能解剖
（肘関節の機能解剖の項，参照のこと）

　LUCLの存在は文献によりかなりばらつきがある 図1．必ず存在しているという報告から1/4の症例にのみしか存在していないとの報告がある．今谷らはLUCLの位置および線維方向の詳細な組織学的検討を行い，以下のように報告している．

①LUCLはLCLの後方に存在しており，細い索状物として認識される場合もあるが，細いながらも全例に存在している．

②LUCLは尺側手根伸筋と肘筋の筋膜，各起始腱および腱膜と強く癒合して明瞭に分離することが難しい．

③尺骨に停止するLUCLの線維束が近位方向に向かって，一部は輪状靭帯（AnL）の外側下方に，また一部はLCLの後方部分と一緒になっている．

④LUCLのみではなくLCLもAnLの最外側の中間層部分に停止し，AnLを介して最終的には尺骨に停止している．

▶新鮮および陳旧性PLRI例の検討とPLRIの制御機構について

　今谷らによれば彼らの施設で新鮮肘関節靭帯損傷として加療された症例のうち，PLRIを呈した症例は11％としている．これら新鮮例における手術時の一般的所見は，LCLおよびLUCLは伸筋・回外筋群とともに外側上顆より一塊として剥離していたことであったと報告している．

　陳旧例の多くは肘外反角（carrying angle）は0°あるいは0°以下であり，生理的外反が消失していることが特徴的である．

内反肘変形との関連

　私たちが治療した陳旧性PLRIのうち8割の例が内反肘あるいは生理的外反が失われた肘関節に発生していた．今谷の報告でも新鮮PLRI例であっても7例中6例（85.7％）が内反肘変形を呈していた．

　内反肘変形とPLRI発症の関連についていろいろな説が提唱されているが，このような症例では肘関節に，より内反ストレスが加わり，結果的にPLRIを呈する新鮮LCL損傷が陳旧性PLRIへ移行する可能性が高いと考えられる．また，Abeらは私たちを含めたmulticenter studyの結果から，内反肘ではmechanical axisが内側に偏位するため，肘関節に軸圧が加わるとLCLのtensile stressが増加し，LCLの緩みが生じやすいとし，これらに加えて，上腕三頭筋が内反肘では内方に偏位するため肘頭に外旋トルクが加わることも，LCLの緩みを生じやすくする要因の一つと報告している．

PLRIの制御機構

　今谷らは，基礎的・臨床的検討からPLRIの制御機構については，①生理的外反肘に基づく骨性支持，②伸筋群および肘筋による動的制御機構，③LCLの静的制御機構の3つが重要と指摘している．

　生体力学的検討では，PLRIの発症にはO'Driscollらおよび堀井らは先に記載したLUCLが重要であるとしている．一方，Cohenら，Olsenら，SekiらはLUCLのみではなくLCLと伸筋群が全体的に外側の支持機構として機能しているとしており，今後の更なる検討を要すると考えている．

> **オピニオン**
>
> それほど強靭ではない LUCL のみが PLRI の責任靭帯と考えるよりは，LCL と伸筋群を含めた外側支持機構が重要な役割を演じていると考えた方が合理的と考える．

▶肘関節後方脱臼の発生メカニズム

O'Driscoll らは PLRI 発症において有名な circle concept を提唱している 図2,3．つまり肘関節に外反・外旋・軸圧が加わることにより，初期段階として LUCL を含む関節包・LCL 複合体が断裂して PLRI が生じ，さらに外力が加わると第 2 段階として前方および後方関節包が損傷され，最終段階として内側側副靭帯（MCL）が断裂することにより肘関節が脱臼するとしている．

この考え方に対して，つまり肘関節後方脱臼がこの circle concept により多くが発生するのではないかという考え方に対して，今谷らは以下の理由により異なったメカニズムによる肘関節脱臼が発生することとしている．

その理由としては，①肘関節脱臼例の所見として MCL の損傷は全例にみられるのに対して，LCL の損傷は程度の強い症例にのみ認められる．②脱臼の転位方向は後外側脱臼が多い．③正常肘は肘外反角であるため外側から損傷されることは少ない．④解剖学的にも MCL の方が LCL よりも明らかに強靭である，などである．

すなわち肘関節伸展位で手をついた際，手から前腕が地面に固定され，肘関節に軸圧が作用し，過伸展外力に加え肘関節の生理的外反により外反力が働く．これにより前方関節包および MCL の断裂が起こり，上腕骨が前方に押し出され，肘関節後方脱臼が起こるものと考えていると今谷は記載しており，私も完全に同意する．

▶PLRI の診断

肘関節靭帯損傷が疑われる症例には麻酔下に関節造影とストレス X 線検査（内反・外反ストレス，PLRI テスト 図4 ）を行い，MCL，LCL および表層の屈筋・伸筋群の損傷状態を詳細に把握する．MR 撮像で事足りる

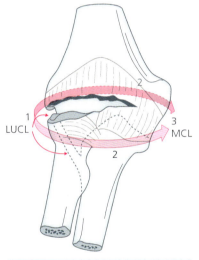

図2 Circle concept

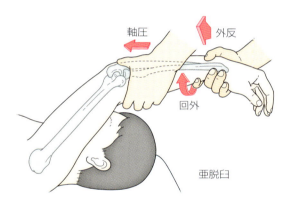

PLRI テスト．仰臥位にて肩関節前方挙上位で，肘関節伸展位から前腕回外位で外反を強制しながら軸圧を加えて屈曲していくと，約20°-40°屈曲位で（亜）脱臼を誘発できる．

図4 PLRI テスト

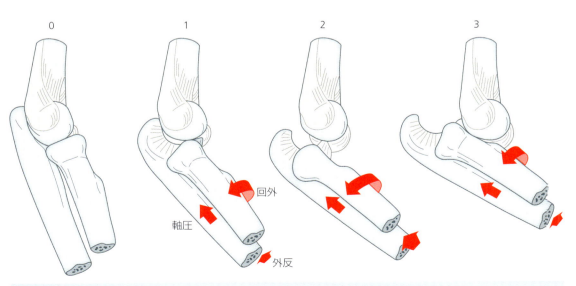

図3 肘関節亜脱臼から脱臼へのスペクトラム

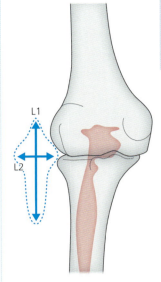

図5 関節造影検査によるL値の計測（今谷潤也．別冊整形外科，2004より）
関節造影検査，肘関節X線正面像によりL値＝L1（造影剤の漏出部分の縦径）×L2（造影剤の漏出部分の横径）を計測

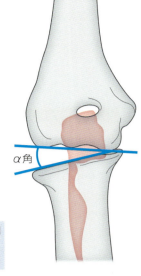

図6 内反ストレス下の肘関節α角計測（今谷潤也．別冊整形外科，2004より）
内反ストレス下の肘関節X線正面像によりα角を計測

表1 新鮮肘関節靱帯損傷例の手術適応，治療方針

MCL・屈筋群	LCL・伸筋群
MA群：MCL損傷のみ （M値＜100，β角＜10°） →保存的治療	LA群：LCL損傷のみ （L値＜100，α角＜10°） →保存的治療
MB群：MCL＋屈筋群部分断裂 （β角：10°〜25°，end point＋） →多くは靱帯修復（重労働者，スポーツ愛好者など）	LB群：LCL＋伸筋群完全断裂 （L値≧100，α角≧10°） →多くは靱帯修復（内反肘，重労働者など）
MC群：MCL＋屈筋群完全断裂 （M値≧600，end point−） →靱帯修復の絶対適応	

（β角：外反ストレス下の外反関節角である）

との報告もあるが，詳細な評価は関節造影下ストレスX線検査の方が有用ではないかと考えている．

▶手術治療

新鮮例

今谷らは以下のような手術適応を提案している．術前，PLRI陽性で，伸筋群を含めて外側靱帯複合体の高度損傷〔関節造影・ストレスX線検査において造影剤の漏出部分の程度（L値≧100）　図5 ，内反ストレス下の肘関節の内反角（α角≧10°）　図6 〕を呈している症例のうち，①スポーツ選手・重労働者，②内反肘の症例，③不安定性が著しく整復位保持が困難な例を手術適応としている．

今谷らが提唱している新鮮肘関節靱帯損傷例の手術適応と治療方針を　表1 に示す．

▶手術方法

皮切

上腕骨外側上顆を中心に約8cm長の皮膚切開を加える．

展開

皮下を十分に剥離し深筋膜を切開すると，ただちに伸筋・回外筋群の断裂部をみることができ，中に多量の凝血塊が存在していることが多い．伸筋群・肘筋は深層に存在するLUCLを含むLCLとともに外側上顆起始部より剥脱しており，外側上顆部はずるむけとなり骨が露出したようになっている　図7 ．

修復

Suture anchorを外側上顆の靱帯起始部とそのやや近位の伸筋・回外筋群付着部の2カ所に刺入する．外側上顆靱帯起始部の糸を関節腔側よりLUCLおよびLCLにかけ，その近位のanchorの糸は伸筋群に掛け強く縫合固着する　図8 ．ドレーンを留置し創を閉鎖する．

▶後療法

術後は長上肢ギプスシーネ固定とし，術後1週目より肘関節に内外反ストレスがかからないように自動屈曲伸展運動を回内位で行う．術後3週を過ぎると三角巾固定として介助下の自動屈曲伸展運動を行う．6週から本格

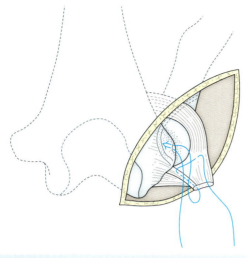

図7 断裂している LCL の展開
外側側副靱帯（RCL および LUCL）および伸筋群・肘筋は一塊として外側上顆起始部より剥奪し，外側上顆部は骨が露出したようになっている．関節腔側より LUCL および RCL に非吸収糸をかけ，外側上顆靱帯起始部に挿入した suture anchor を用いて修復する．

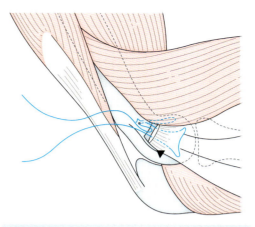

図8 靱帯修復術
外側側副靱帯構造の表層側に存在する伸筋群についても同様に非吸収糸をかけ，前述の anchor 挿入部のやや近位の伸筋群付着部に刺入した suture anchor を用いて縫合する．

的な自動回外運動を追加する．この頃より他動運動も徐々に加え，1 kg 程度の重さの重量物を持つことを許可し負荷を強めていく．

▶陳旧性 PLRI 例の治療

再建方法は Nestor らが提案した長掌筋腱を用いた LCL 再建術が一般的である．私たちは長掌筋腱ではかなり弱いので膝前十字靱帯などの再建に用いる膝屈筋群を用いることとしている．再建術については別項に記載する．

■文献

1) Abe M, Ishizu T, Morikawa J, et al. Posterolateral rotatory instability of the elbow after posttraumatic cubitus varus. J Shoulder Elbow Surg. 1997; 6: 405–9.
2) Cohen MS, Hastings H II. Rotatory instability of the elbow: the anatomy and role of the lateral stabilizer. J Bone Joint Surg [Am]. 1997; 79: 225–33.
3) 堀井恵美子, 中村蓼吾, 渡辺健太郎, 他. 肘関節回旋不安定症―症例報告と外側側副靱帯の解剖学的考察. 日整会誌. 1993; 67: 34–9.
4) 今谷潤也, 宇都義明, 小倉 丘, 他. 肘関節外側回旋不安定症の発生病理について. 日整会誌. 1999; 73: S217.
5) 今谷潤也, 宇都義明, 小倉 丘, 他. 肘内側靱帯損傷例の関節造影・ストレス検査所見と損傷形態. 日肘研誌. 2000; 7: 29–30.
6) 今谷潤也, 宇都義明, 小倉 丘, 他. 外傷性肘関節脱臼に伴う靱帯損傷例の手術成績の検討. 日肘研誌. 2002; 9: 23–4.
7) 今谷潤也. 肘関節後外側回旋不安定症の病態および診断・治療. 別冊整形外科 2004; No. 46: 28–37.
8) 加藤博之. 後外側回旋不安定症に対する靱帯再建術. In: 三浪明男編. 手・肘の外科: カラーアトラス. 東京: 中外医学社; 2007; p.48.
9) Nestor BJ, O'Driscoll W, Morrey BF, et al. Ligamentous reconstruction for posterolateral rotatory instability of the elbow. J Bone Joint Surg [Am]. 1992; 74: 1235–41.
10) O'Driscoll SW, Morrey BF. Posteroateral rotatory instability of the elbow. J Bone Joint Surg [Am]. 1991; 73: 440–6.
11) O'Driscoll SW, Spinner RJ, McKee HD, et al. Tardy posterolateral rotatory instability of the elbow due to cubitus varus. J Bone Joint Surg [Am]. 2001; 83: 1358–69.
12) Olsen BS, Sojbjerg JD, Dalstra M, et al. Lateral collateral ligament of the elbow joint. J Shoulder Elbow Surg 1996; 5: 103–12.
13) Seki A, Olsen BP, Jenson SL, et al. Functional anatomy of the lateral collateral ligament complex of the elbow; configuration of Y and its role. J Shoulder Elbow Surg. 2002; 11: 53–9.

CHAPTER 2: 肘関節―靱帯損傷

20 肘関節陳旧性内側側副靱帯損傷に対する靱帯再建術

肘関節陳旧性内側側副靱帯（MCL）損傷は新鮮 MCL 完全断裂例で，断裂を見過されたり不適切な初期治療を受けた場合に生じる．また投球動作の加速期 acceleration phase に繰り返し生じる肘外反ストレスによって MCL 前方成分の靱帯不全に陥る場合もある．

▶診断

投球動作などにより生じたMCLの靱帯不全の診断上のポイントは，全力投球をすると1球目より acceleration phase に生じる肘内側部痛の存在，肘 60°屈曲位で MCL の上腕骨起始部に限局した圧痛，肘 30°屈曲位での外反ストレスで誘発される肘内側部の疼痛 図1 などがある．超音波検査による内側腕尺関節間隙，MCL 像の観察も有用である．X 線像では肘 30°屈曲位での gravity ストレステストが動揺性の指標として用いられる 図2 ．患側上肢の自重力ではなく一定の負荷を加えた同一肢位でのストレステストなども利用されている．MRI では，MCL の靱帯断裂，MCL 起始部の剥離骨折，MCL の瘢痕形成などの像が抽出される．尺骨神経麻痺，屈筋回内筋群の起始部の損傷，離断性骨軟骨炎，肘頭疲労骨折，肘頭後方インピジメント，肘関節内遊離体，変形性肘関節症などを合併する場合があり，診断には十分注意を要する．

▶靱帯再建術

投球操作を行う運動選手では保存治療の効果はあまり期待できない．遊離移植による MCL 再建術が唯一有効な治療方法とされている．MCL 再建術としては Jobe 法が良く知られている．しかし Jobe 法には，①屈筋回内群を剥離するため侵襲が大きく，②移植腱の走行が非生

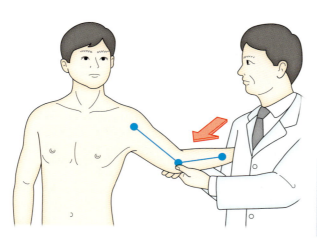

図1 陳旧性 MCL 損傷に対する肘外反ストレステスト
座位にて肩関節を最大外旋し，肘 30°屈曲位で外反ストレスをかける．母指にて腕尺関節の間隙拡大を触知する（図中では検者の左母指）か，疼痛の再現が得られれば陽性である．

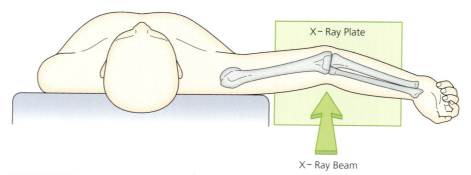

図2 Gravity ストレステスト
仰臥位にて上腕を最大外旋し，肘関節 30°屈曲位にて上肢の自重力による肘外反ストレスをかけて肘関節正面の X 線像を撮影する．

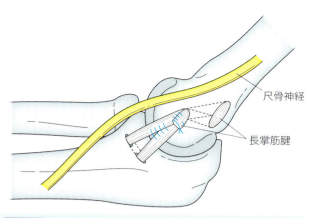

図3 MCL再建術．Azar法（Jobe法に準じた靱帯再建であるが尺骨神経は皮下前方移動する）．

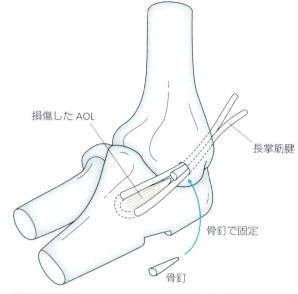

図4 MCL再建術．伊藤法（骨釘固定術）．

理的であり，③尺骨神経の筋層下前方移行を要する，などの問題点がある 図3 ．近年は，尺側手根屈筋を線維方向に分け，UCL の前斜走靱帯（AOL）成分のみを再建し，尺骨神経の前方移行を行わない再建術式が本邦で行われている 図4, 5 ．

MCL 再建術では移植腱を元の付着部に緊張をかけて確実に固定する必要がある． 図5 に示した Tendon Junction（Interference）スクリューによる再建法においては，まず上腕骨内上顆を中心に弓状切開で進入後，前腕内側皮神経を確認してこれを保護する．尺側手根屈筋群の表層の筋膜を切開し，同筋の付着部を温存し筋を線維方向に分けて進入する．損傷を受けている MCL の AOL を確認する 図5A ．同側の長掌筋腱を採取し，2つ折りとする 図5B ．この移植腱の太さに応じた骨孔をAOLの上腕骨起始部と尺骨停止部に開ける．その際に AOL は靱帯の線維方向に縦切りする．内顆部より厚

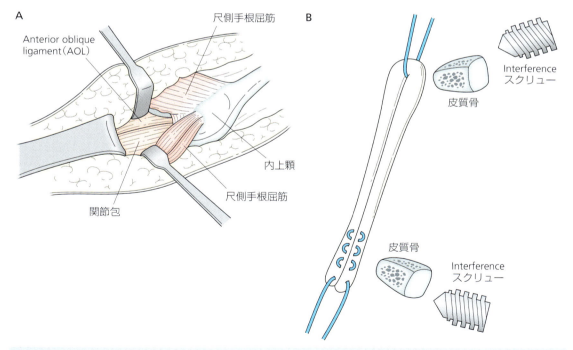

図5 MCL再建術．Tendon Junction（Interference）スクリューによる固定法．
(Tanaka J. Tech Hand Up Ext Surg. 2001 より)

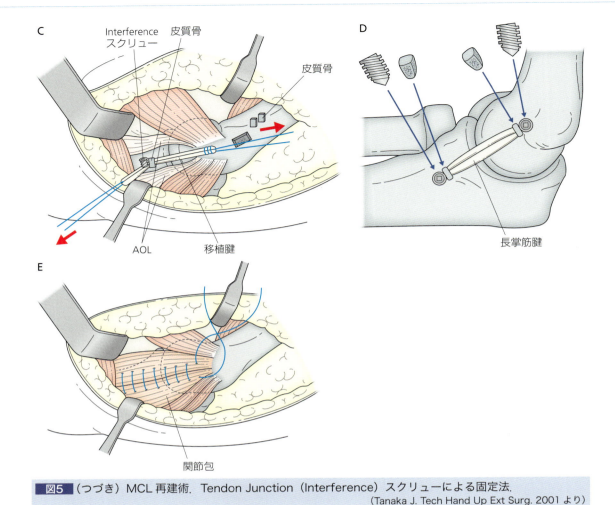

図5 （つづき）MCL再建術．Tendon Junction（Interference）スクリューによる固定法．
(Tanaka J. Tech Hand Up Ext Surg. 2001 より)

さ1mm前後の皮質骨を2個採取する．固定はまず尺骨側より行い移植腱の端を骨孔内に引き込み反対側に引き抜きInterferenceスクリューで固定する 図5C ．次に上腕骨の骨孔に移植腱の端を引き込み，十分な緊張をかけてInterferenceスクリューで固定する 図5D ．固定後は縦切りしたAOLで包み込むように縫合する 図5E ．

▶後療法

術後3〜4週より支柱付き肘装具にて自動屈曲伸展運動を開始する．術後6カ月で投球動作などのスポーツに完全復帰を目標とする．

■ 文献

1) Azar FM, Andrews JR, Wilk KE, et al. Operative treatment of ulnar collateral ligament injuries of the elbow in athletes. Am J Sports Med. 2000; 28: 16-23.
2) 伊藤恵康: 教育研修講座　肘関節のスポーツ障害．日整会誌．2008; 82: 45-58.
3) Jobe FW, Stark H, Lombardo SJ. Reconstruction of the ulnar collateral ligament in athletes. J Bone Joint Surg ［Am］. 1986; 68: 1158-63.
4) 加藤博之．尺側側副靱帯（UCL）損傷．陳旧性UCL損傷の診断，治療（靱帯再建術）. In, 三浪明男著．手・肘の外科: カラーアトラス．東京: 中外医学社; 2007: P40-3.
5) Tanaka J, Yanagida H. Reconstruction of the ligament using an interference screw（tendon junction screw）. Tech Hand Up Extrem Surg. 2001; 5: 57-62.

CHAPTER 2: 肘関節—靭帯損傷

21 陳旧性肘後外側回旋不安定症に対する靭帯再建術

肘外側回旋不安定症（posterolateral rotatory instability: PLRI）の病態などについてはすでに別項に記載してあるので，本項では陳旧性 PLRI 症例に対する靭帯再建術について記載する．

▶手術治療

皮切

Kaplan の modified extensile lateral approach よりも尺骨の少し後方部分を露出する Kocher の modified lateral approach の方がより有用と考える 図1 ．Kaplan と近位の皮切は同様であるが，外側上顆の遠位では尺側手根伸筋（ECU）と肘筋（An）の間より侵入する（別項目，参照のこと）．

展開

上腕骨外側上顆部で橈側手根伸筋（ECR）を含む伸筋の共同起始部を鋭的に切離して外側側副靭帯複合体（LCLC）の起始部を露出する 図2 ．遠位では An を後方に ECU を前方に翻転する．An の起始部を上腕三頭筋筋膜の外側面へ剥離を進めると，LCLC 全長を露出することができる．尺骨の外側部の回外筋稜を同定する．

LCLC の LUCL（外側尺側側副靭帯）が弛緩しているのがわかる．靭帯の異常な部分は輪状靭帯の近位に存在している．また，pivot-shift（別項目参照のこと）の操作を行うと橈骨頭の前方関節包と腕橈関節の後方関節包も緩いことが判明する．関節の亜脱臼により明らかにLCLC の尺側部分が伸長していることが明らかとなる．また，関節内に遊離体が存在していたり，関節表面の軟骨欠損などが見られることがある．

LCLC が無傷であれば，起始部から伸長していたり剥脱されている場合には Bunnell 縫合手技で LCLC を重層縫合し前進させて縫合する 図3 ．

> **Tips コツ**
> このとき，LCLC の橈・尺側部の両方ともに重層縫合することが重要である．

靭帯の上腕骨の解剖学的起始部に作製した骨孔を通して前進縫合する 図4 ．

再建術

LCL の状態が悪ければ，LCL の尺側部分を長掌筋（PL）腱などの自家腱を用いて再建する．腱は回外筋稜

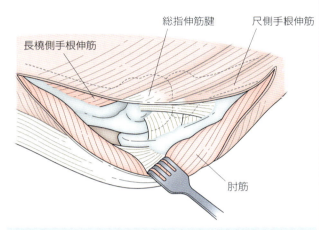

図1 Kocher の modified lateral approach

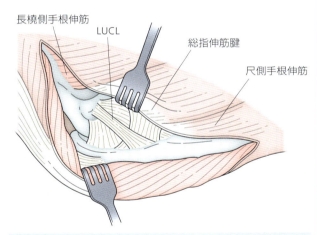

図2 LCLC の起始部を露出する

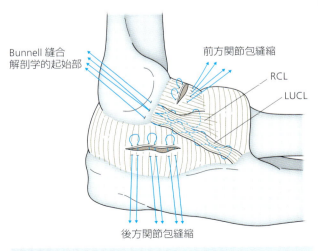

図3 LUCL の前方・後方関節包が弛緩している

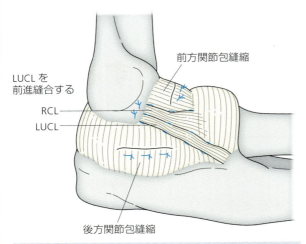

図4 LUCLの前進術と前方・後方関節包の縫縮術

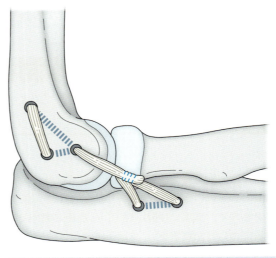

図6 LUCLを長掌筋腱を用いて再建する

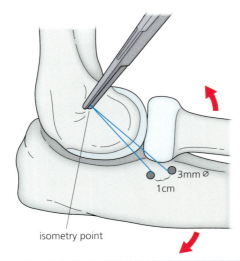

図5 LUCLのisometry pointを決定する

の結節の後方部に小さなドリルを用いて骨性トンネルを通す．刺入口（entry hole）は骨トンネルの屋根が破壊されないように7mm位離す．腱は靱帯の起始部となるように上腕骨トンネルを通す．

上腕骨の骨トンネルの部位，つまりisometry pointを決定するために，尺骨に作製したトンネルに仮止めし，肘関節を動かして上腕骨に対して縫合の断端を把持して決定する 図5．移植腱を反転してそれ自身に縫合する 図6．

 コツ

原著は移植腱としてPL腱を用いているが，私はPL腱では細く貧弱でありストレスに抗しきれないと考え，膝前十字靱帯の再建に用いる膝屈筋群を用いることとしている．

最終的に関節包の前方および後方部分を強く重層縫合する 図4．全ての縫合は肘30°屈曲位，前腕最大回内位で行う．再建が終了後，肘関節に対してPLRIの所見が消失したかどうかを試験する．肘筋と上腕三頭筋を縫合し，肘筋とECUを非吸収糸にて閉鎖縫合する．

▶後療法

肘関節90°屈曲位，前腕最大回内位で4週間固定する．その後，6週間は肘関節の伸展を−30°までとした蝶番付き副子を装用する．さらに伸展制限ブロックを外して4-6週間にわたり副子を装用し，6カ月後には正常の活動に復帰する．

■ 文献

1) Abe M, Ishizu T, Morikawa J. Posterolateral rotary instability of the elbow after posttraumatic cubitus varus. J Shoulder Elbow Surg. 1997; 6: 405–9.
2) Hassmann GC, Brunn F, M, Neer CS II. Recurrent dislocation of the elbow. J Bone Joint Surg［Am］. 1975; 57: 1080–4.
3) 加藤博之．後外側回旋不安定症に対する靱帯再建術．In: 三浪明男編．手・肘の外科: カラーアトラス．東京: 中外医学社; 2007. p.48.
4) Kocher T. Text-Book of Operative Surgery. ed. 3, translated by Stiles HJ and Paul CB. London: Adam and Charles Black; 1985.
5) Majima M, Horii E, Nakamura R. Treatment of chronically dislocated elbows: a report of three cases. J Shoulder Elbow Surg. 2007; 16: e1–4.
6) Morrey BF, An KN. Articular and ligamentous contributions to the stability of the elbow joint. Am J Sports Med. 1983; 11: 315–9.
7) Morrey BF, An KN. Functional anatomy of the ligaments of the elbow. Clin Orthop Rel Res. 1985; 201: 84–90.
8) Nestor BJ, O'Driscoll SW, Morrey BF. Ligamentous reconstruction for posterolateral rotatory instability of the elbow. J Bone Joint Surg［Am］. 1992; 74: 1235–41.
9) O'Driscoll SW, Bell DF, Morrey BF. Posterolateral rotatory instability of the elbow. J Bone Joint Surg［Am］. 1991; 73: 440–6.
10) Wood MB. Elbow instability. In: Evants CM. ed. Surgery of the Musculoskeletal System, vol. 2. New York: Churchill Livingstone; 1983. p.233–8.

CHAPTER 2: 肘関節—靭帯損傷

22 Complex Elbow Instability に対する手術治療

　高度な肘関節の不安定症を呈する complex elbow instability は骨性要素と靭帯を含む軟部組織性要素の全ての破綻をきたした病態である．これらの病態の根幹には尺骨鉤状突起骨折があると考えられている．本項では，complex elbow instability の中で最も治療が難しい terrible triad（肘関節後方脱臼，尺骨鉤状突起骨折，橈骨頭頚部骨折の合併）に対する手術手技を今谷の方法に従って記載する．

▶尺骨鉤状突起骨折の分類

　鉤状突起骨折を O'Driscoll は tip fracture の Type Ⅰ から coronoid body と base の骨折の Type Ⅲ までに分類している　図1　．

▶手術方法

　基本的に Kaplan extensile lateral approach を用いている．とくに比較的骨片の小さな O'Driscoll 分類の Type Ⅰ（tip fracture），もしくは Type Ⅱ（前内側部の鉤状突起骨折）の subtype 1 と 2 においては本アプローチはきわめて有用である．

皮切

　外側上顆を中心に近位 6 cm，遠位 4 cm の皮切を加える　図2の赤線　．近位は上腕骨外側縁で前方は腕橈骨筋，長・短橈側手根伸筋（ECRL・B）であり後方は上腕三頭筋となる．遠位は Kaplan の lateral approach を少し延長するように ECRL・B と総指伸筋（EDC）の間より侵入することとなる　図2の青線　．Kaplan の approach は Kocher の approach の遠位が尺側手根伸筋と肘筋の間より侵入するのに比べて前方部分からの侵入となり，鉤状突起の露出が容易となる．

展開

　上腕骨外側上顆の遠位は ECRL・B と EDC の間より入る．近位では ECRL・B の一部を一塊として上腕骨付着部より剝離して前方部分に進み，関節包を切離する．遠位では術野から後骨間神経を内方に遠ざけるために前腕回内位として損傷を避ける．外側側副靭帯（LCL）の前縁から輪状靭帯までを切離する．輪状靭帯は後で縫合しやすいように Z 状に切離する．上腕骨滑車部の内側壁

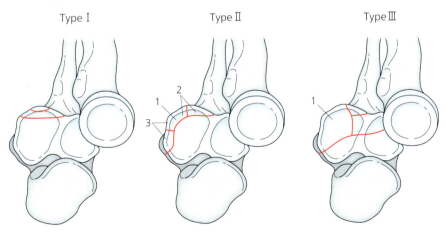

Type: fracture	subtype	description
1: tip	1	<2mm of coronoid bony height
	2	>2mm of coronoid height
2: anteromedial	1	anteromedial rim
	2	anteromedial rim＋tip
	3	anteromedial rim＋sublime tubercle
3: basal	1	coronoid body and base
	2	transolecranon basal coronoid fracture

図1　鉤状突起骨折の O'Driscoll 分類

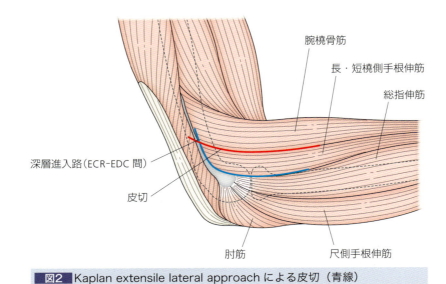

図2 Kaplan extensile lateral approach による皮切（青線）

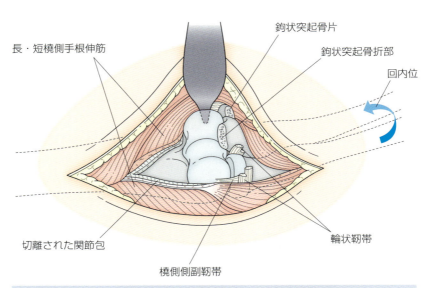

図3 Kaplan extensile lateral approach による深層の展開

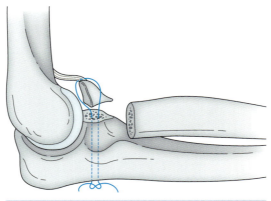

図4 軟鋼線あるいは非吸収糸により鉤状突起骨折を整復固定する

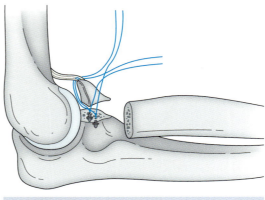

図5 Suture anchor を用いて骨折を整復固定する

にHohmann鉤あるいは長筋鉤を挿入すると上腕骨小頭から滑車部，橈骨頭頸部，鉤状突起部，つまり肘関節の前方部分を広く展開することが可能となる 図3 ．

▶内固定および靱帯修復

尺骨鉤状突起骨折の内固定

Garriguesらによって報告された"lasso" technique

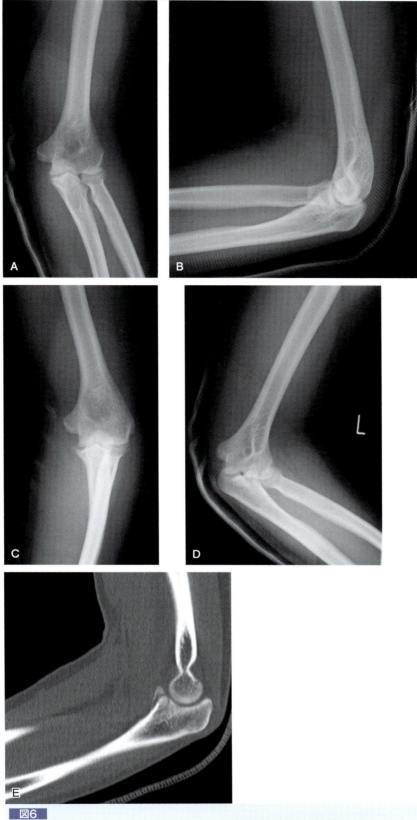

図6
A: 正面像　B: 側面像　C: 斜位像（1）　D: 斜位像（2）　E: 術前CT像

に準じ，鉤状突起骨片および関節包など前方構成要素を一塊として，軟鋼線あるいは非吸収糸を掛け，尺骨後方へpull throughして縫合する　図4．以前はこのようにしていたが，今は鉤状突起骨折基部にsuture anchorを挿入し，縫合糸を骨片および前方関節包に掛けて縫合する　図5．こちらの方が手技的には容易であるので，最近はもっぱら用いている．

図6は16歳，男子の尺骨鉤状突起骨折に対して骨接合術を行った症例である．

16歳，男性．尺骨鉤状突起骨折　図6A〜G

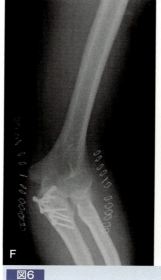
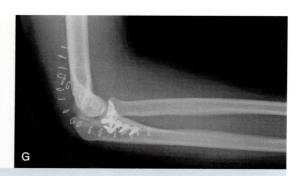

図6
F: 正面像　G: 側面像

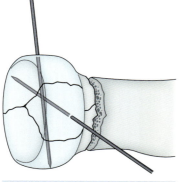

図7　橈骨頭頸部骨折の観血整復と仮固定

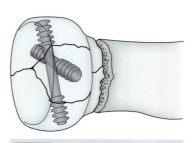

図8　骨頭部分を一塊として固定する

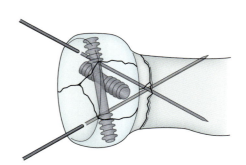

図9　Headless screw用ガイドピンで斜め方向仮止めする

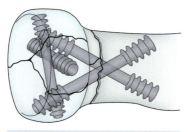

図10　Headless screwを用いて内固定する

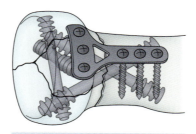

図11　専用のロッキングプレートを用いて橈骨骨頭と頸部の骨接合を行う

術前X-P: 図6A〜D
プレートを用いた骨接合術後X-P　図6F, G

橈骨頭頸部の内固定

　橈骨頭頸部骨折では，骨頭部分を直視下に観察して関節面を解剖学的に整復し，headless screwのminiタイプ（DTJ miniscrewなど）用ガイドピンで仮固定 図7 して順次DTJ miniscrewを用いて内固定していく．これで骨頭部分を何とか再建できたこととなる 図8 ．バラバラとなり一部関節軟骨を修復できないこともあるが，ある程度止むを得ない．Mini screwを入れることができない場合には細いC-wireを用いて固定する．

　橈骨骨頭部の整復後，橈骨頸部の固定を行う．ここでは可能な限り骨膜性の連続性を保つように注意する．大きい骨頭骨片の中央部分から先のheadless screwと干渉しない方向で，mini screwを用いて斜め方向仮止めし 図9 ，mini screwを用いて内固定する 図10 ．橈骨骨頭と頸部の固定は通常スクリュー2本で内固定可能である．

　橈骨長がどうしても短縮している場合には骨移植を用いて，橈骨骨頭・頸部を固定する専用のロッキングプレートを用いて骨接合術を行い，短縮を極力防止する 図11 ．万一，橈骨頭・頸部にプレート固定を行う場合

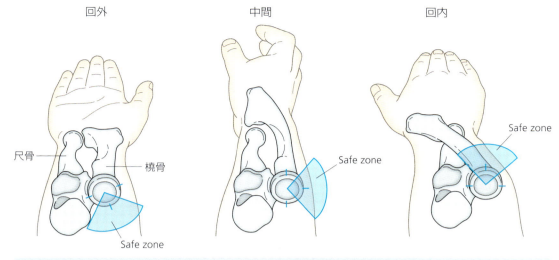

図12 Smith らによる"safe zone"

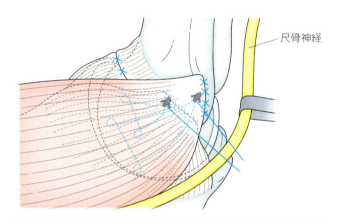

図13 suture anchor を用いて MCL 複合体を修復する

には前腕回旋時に近位橈尺関節障害を起こさない領域"safe zone"に設置することが勧められている 図12．

どうしても橈骨頭部・頚部の十分な初期固定性が得られない場合は，橈骨長の確保による肘関節安定性維持のために人工骨頭置換術が考慮される．

靱帯修復

最終的に一塊として剥離した関節包，ECRL・B，輪状靱帯を丁寧に修復・縫合する．ECRL・B を含めた伸筋・回外筋群の外側上顆への修復は suture anchor を挿入して修復することとしている．

内側側副靱帯（MCL）複合体の修復を要する場合には，内側上顆部分に尺骨神経前方移行と同様の皮切を加える．尺骨神経は術中，保護して行う．断裂した MCL を展開し，内側上顆基部に LCL の場合と同様に suture anchor を挿入し，MCL および同時に損傷された屈筋群にも糸を掛け修復する 図13．上腕筋および前方関節包も可及的に修復する．

▶後療法

術後，肘関節 90°屈曲位，前腕中間位で長上肢ギプスシーネ固定する．原則的には固定性にもよるが早期から，できれば1週以内に自動可動域（ROM）運動および他動 ROM 運動を開始する．術後3週までは伸展−20°までの制限を付けることが多い．

▶症例供覧

症例 73歳，女性．肘関節脱臼骨折後人工肘関節置換術例 図14-17

受傷時 X-P 図14A, B
ORIF 後 X-P 図15A, B
肘関節術後亜脱臼 X-P 図16A, B
人工肘関節置換術後 X-P 図17A, B

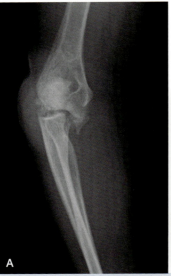
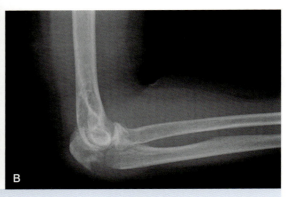

図14　A: 正面像　B: 側面像

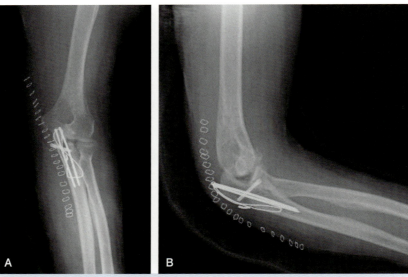

図15　A: 正面像　B: 側面像

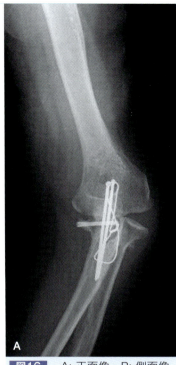
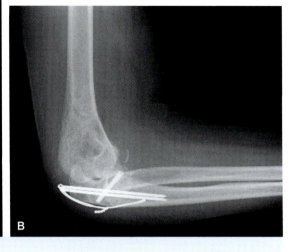

図16　A: 正面像　B: 側面像

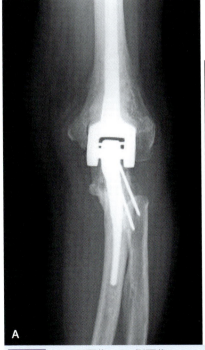
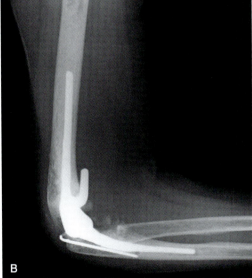

図17　A: 正面像　B: 側面像

■ 文献

1) Garrigues GE, Wray III WH, Lindenhovius AL, et al. Fixation of the coronoid process in elbow fracture-dislocations. J Bone Joint Surg [Am]. 2011; 93: 1873-81.
2) 今谷潤也. 新鮮外傷性肘関節靱帯損傷の診断と治療; 上肢スポーツ損傷の診断と治療. 臨床スポーツ医学. 2009; 26: 523-32.
3) O'Driscoll SW, Jupiter JB, Cohen MS, et al. Difficult elbow fractures: Pearls and pitfalls. Instr Course Lect. 2003; 52: 113-34.
4) Smith GR, Hotchkiss RN. Radial head and neck fractures: anatomic guidelines for proper placement of internal fixation. J Shoulder Elbow Surg. 1996; 5: 113-7.

CHAPTER 2: 肘関節―腫瘍

23 肘窩部軟部腫瘍に対する切除術

　肘窩部は神経（正中神経と橈骨神経），血管（上腕動脈から橈骨動脈と尺骨動脈へ分岐する），肘関節屈筋・回内筋群（起始部および停止部は腱組織）などが互いに錯綜しており，きわめて複雑な構造を呈している．

　また，肘窩部は軟部腫瘍の好発部位である．脂肪腫やガングリオンなどが多く，これらの存在により橈骨神経深枝（後骨間神経）麻痺が発生することがある．

▶手術適応

　腫瘍により神経麻痺（軽度～完全麻痺）が発生している場合，腫瘍が最近増大傾向にある場合，腫瘍自体に痛みを伴う場合，MR像で均一な信号域ではなく濃淡を認めるような場合などは切除術の適応と考える．

▶手術

皮切
　肘関節肘窩部の近位・外側 4-5 cm（上腕二頭筋筋腹の外側）から前腕近位は腕橈骨筋（BR）尺側に皮切を加える．肘関節のレベルで外側にわずかにカーブして肘関節の二次的な屈曲拘縮の発生を避ける 図1 ．

展開
　BR 尺側の深部筋膜を切離し 図2, 3 ，BR を外側へ引くと橈骨神経が BR と上腕筋（Br）の間に走行しているのを見ることができる．その後，神経を遠位まで追求していくと知覚神経（浅枝）は Br の下をそのまま遠位まで走行するが，深枝（後骨間神経）は回外筋に入り，背側へと走行する．回外筋腱弓（arcade of Frohse）の中へ入っていく 図4 ．上腕二頭筋（Biceps）腱の橈骨結節への停止部のレベルに反回橈骨動脈が尺側から橈側へ走行しており，多くの場合，この動脈は結紮する．

　内側には Biceps 腱があり，その内側には上腕動脈およびさらに内側には正中神経が存在しており，内側の方への展開が必要な場合はこれらの組織を同定する必要がある 図5 ．

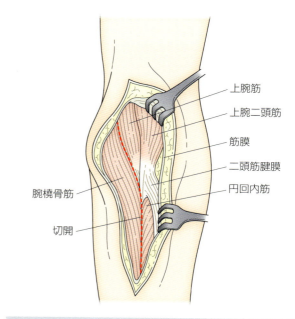

図2 腕橈骨筋筋腹内（尺）側を切離する

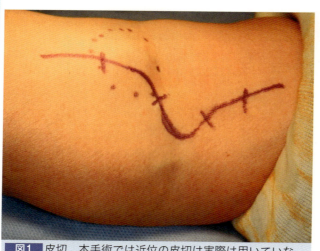

図1 皮切．本手術では近位の皮切は実際は用いていない．点線部分に腫瘍が存在している

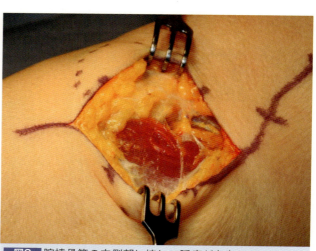

図3 腕橈骨筋の内側部に接して腫瘍が存在している

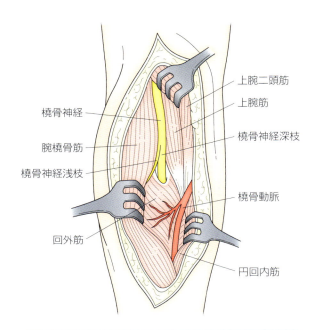

図4 橈骨神経深枝（後骨間神経が回外筋腱弓の中に入っていく）

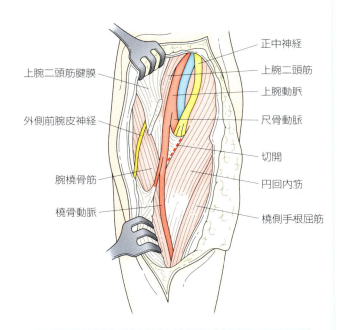

図5 内側（上腕二頭筋腱，上腕筋腱，正中神経）の展開

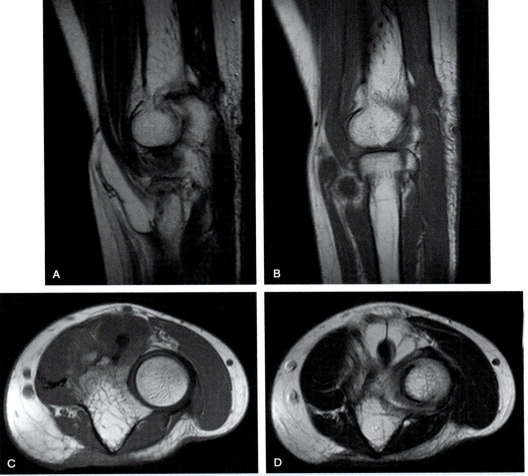

図6 MR像：橈骨の前面に存在しており，MR像ではT1 low，T2 highであった．
A: sagittal view（T1） B: sagittal view（T2） C: axial view（T1） D: axial view（T2）

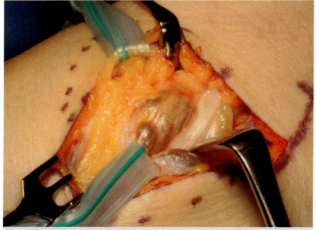

図7 腫瘍は二頭筋腱により2つに分かれて存在している．外側のテープにかけたのは前腕外側皮神経である

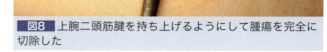

図8 上腕二頭筋腱を持ち上げるようにして腫瘍を完全に切除した

切除

本症例ではBiceps腱を挟んで内側と外側に分かれて（底部は連絡されている）腫瘍が存在していた 図6A～D ， 図7 ．この腫瘍は上腕筋の停止部から発生したガングリオン様腫瘍と思われ，上腕筋の上に存在しており完全に切除した 図8 ．

創閉鎖

止血を十分に行い，創を閉鎖する．

■文献

1) Banks SW, Laufman H. An Atlas of Surgical Exposures of the Extremities. London: WB Saunders; 1987. p.104-7.
2) Erol B, Cakir T, Kose O, et al. Radial nerve entrapment caused by a ganglion cyst at the elbow: treatment with ultrasound-guided aspiration. Am J Phys Med Rehabil. 2014; 93: 96-7.
3) McFarlene J, Trehan R, Olivera M, et al. A ganglion cyst at the elbow causing superficial radial nerve compression: a case report. J Med Case Rep. 2008; 25: 122.
4) 竹花努，森本兼人，奥野誠，他．軟部腫瘍と鑑別を要した四肢動脈瘤の3例．整形外科と災害外科．1989; 37: 1243-6.

CHAPTER 3: 手関節

24 手関節疾患における診断手順

手関節（手くび）・手指は身体の他の部位と異なって，顔面・頭部とともに常に露出している部分であるがゆえに，それだけ外的な力（外傷）に遭遇することが多いということになる．したがって，手関節からその末梢に存在する手指にかけては単純な擦り傷などを含め多くの外傷を受ける．また，手指は繊細な動作（巧緻運動）が要求され手関節部の腱鞘炎なども発生しやすい．

手関節は手指の巧緻運動機能と前腕の方向指示機能を結びつける要め石の役割を演じているきわめて重要な関節であり，そのために手関節に重大な疾患が発生すると，ADL上のdisabilityはきわめて強くなる．

手関節といってもどの部位を指すのかは必ずしも一般の医師あるいは患者さんの間で一致している訳ではない．橈骨手根関節がいわゆる狭義の手関節であるが，これ以外に手根中央関節，遠位橈尺関節（DRUJ），尺骨手根関節，手根骨間関節，手根中手関節（CM関節）を含めて広義の手関節となる．この中で尺骨手根関節は正確な意味では関節ではなく間隙ということができるが，最近は関節と呼称する傾向にある．このように他の主要な関節とは異なり，単純な球状あるいは蝶番関節ではなく橈骨，尺骨，7個の手根骨（豆状骨は尺側手根屈筋（FCU）腱の種子骨であるので除外する場合が多い），5本の中手骨からなるきわめて複雑な構造とそれに伴う繊細なkinematicsを有している関節ということができる．このことは手関節疾患の診断を困難としている1つの原因ということができる．

一方，手関節の診断に有利な点も少なくない．第1にほとんどの例で両側が存在していることである．つまり健側が反対側にあり，患側との比較が容易にできることである．第2は皮下組織が少なく骨・腱などを直接触れることができることである．とくに背側は掌側に比べて筋など肉厚な組織が少ないので骨・腱組織を触知しやすい．重要なランドマーク（陸標）の位置を触診により確認し，頭の中に各骨・腱・神経・血管を思い浮べて罹患部位を特定することが可能となる．

▶症状

診察の前に詳細な現病歴・既往歴の聴取を行うのは当然のことである．手関節疾患の症状としては，手関節痛（自発痛，運動時痛），運動制限（手関節掌背屈，前腕回内外），腫脹，握力低下などであり，これら自体はそれほど特異的な症状ではないことが多い．

▶手関節周辺のランドマークからみた診断のアルゴリズム

手関節に発生する疾患は骨・関節，軟部組織（筋肉，腱，靱帯，神経，血管など）が侵される全てが属しており，きわめて広範である．まず手関節周辺のランドマークを同定しながら診断手順について記述することとする．ここに記載した疾患のうち代表的なものについての詳細な診断法（理学所見・画像診断）や治療法（保存療法・手術療法）については各々の項目を参照していただきたい．表1-4に手関節の部位別疼痛からみた代表的疾患を示したので参考としてもらいたい．

背側手関節痛をきたす疾患

背側では橈骨手根関節で橈骨遠位端のちょうど中央部に明確な骨性隆起を触れる．これがLister結節である．この尺側を長母指伸筋（EPL）腱が走行しており，この部でEPL腱は走行を45°変えて橈側の母指末節骨基部背側へと付着する．このEPL腱走行の変曲点が転位の少ない橈骨遠位端骨折の場合にEPL腱が断裂する理由の1つとされている．Lister結節の橈側を第2区画の長・短

表1 橈側手関節痛をきたす疾患
- 橈骨遠位端骨折
- de Quervain病
- Wartenberg's cheiralgia
- Intersection syndrome
- 舟状骨骨折・偽関節
- Radial styloid impingement syndrome

表2 尺側手関節痛をきたす疾患
- 尺骨手根関節障害（TFCC損傷，Ulnocarpal impingement syndrome，尺骨茎状突起骨折）
- 遠位橈尺関節障害（橈骨・尺骨遠位端骨折後，尺骨頭不安定症，OA）
- 豆状三角関節障害（豆状骨・三角骨骨折，不安定症，OA）
- 有鉤骨鉤骨折

表3 背橈側手関節痛をきたす疾患
- 橈骨遠位端骨折
- 舟状月状骨間解離
- 月状骨骨折, Kienböck病
- Carpal boss
- 伸筋腱腱鞘炎
- Extensor manus brevis
- ガングリオン
- 腱断裂
- 後骨間神経炎

表4 掌尺側手関節痛をきたす疾患
- FCU腱腱鞘炎
- Midcarpal instability
- DRUJ障害
- 豆状三角関節障害
- Hypothenar hammer syndrome
- Guyon管症候群

橈側手根伸筋（ECRL・ECRB）腱が，尺側には第4区画の指伸筋（EC）腱，示指固有伸筋（EIP）腱が走行していることとなる．

また，Lister結節の遠位は舟状月状骨関節裂隙に一致している．舟状骨と月状骨を両手で把持して掌背側方向に移動して痛み・軋音が生じるかを検査することができる．疼痛や圧痛などが存在すると手根不安定症の中で一番発生頻度が高い舟状月状骨間解離 scapholunate dissociation の存在を疑う．また特異的な検査としてWatson test, scaphoid maneuver test がある．背側の舟状骨近位極と掌側の舟状骨結節を一方の手（母指と示指）で保持して手関節を橈尺屈すると舟状骨が強く掌屈することにより舟状骨近位極が橈骨背側関節縁にぶつかり，有痛性軋音を聴取あるいは触知できれば陽性ということができる．しかし，健側でも15-20%程度の症例で本テストは陽性を示すとの報告もあるので，必ず健側と比較検討することはきわめて重要である．

橈骨Lister結節を更に橈側へ進むと橈骨茎状突起を触れる．この茎状突起上に伸筋支帯の第1区画が存在し，この区画内の長母指外転筋（Abd PL）腱と短母指伸筋（EPB）腱により引き起こされる腱鞘炎が de Quervain病である．同部の硬結と強い圧痛とともに Finkelstein test の存在により診断はそれほど困難でないが，圧痛の部位が少し遠位にいくと舟状骨骨折や偽関節，母指CM関節変形性関節症（OA）があり，近位には交差点症候群 intersection syndrome（第1区画内の Abd PL 腱とEPB腱と第2区画内の ECRL 腱と ECRB 腱間の腱炎）が存在しているので，圧痛の部位と Finkelstein test の際の疼痛の部を正確に把握し，診断する必要がある．

母指を伸展するとEPL腱のレリーフを示指橈側にみることができ，その橈側にはEPB腱が存在している．これらの両腱に囲まれ，橈骨の遠位部に陥凹が存在する．この部は解剖学的嗅ぎたばこ入れ anatomical snuff box といい，同部の圧痛の存在は舟状骨骨折の診断に有用であることは有名である．

Lister結節から橈骨遠位端を尺側に触れていくと橈骨S状切痕（sigmoid notch），DRUJ，尺骨頭を触れる．DRUJでの圧痛が強かったり，尺骨頭を橈骨S状切痕に圧迫して疼痛がある場合はDRUJのOAの存在が疑われる．

Piano key sign が存在すると尺骨遠位端の不安定性の存在を示唆し，三角線維軟骨複合体 triangular fibrocartilage complex（TFCC）不全，損傷が疑われる．しかし，若い女性の場合，全身的な関節弛緩性（generalized joint hypermobility）が存在していることが多く，TFCC損傷が存在していなくても piano key signが存在することがあるので注意を要する．この場合，前腕を最大回外位にすると piano key sign は消失することが多いので，この肢位での piano key sign 陽性つまり不安定性の存在は強く TFCC 損傷を強く疑う根拠となる．TFCC損傷（断裂）の特異的な所見としては fovea sign がある．尺側手根屈筋（FCU）腱の尺側で豆状骨の近位部に圧痛が存在すると陽性と考える．この部は尺骨頭小窩，つまり TFCC の機能として最も重要な deep component の付着部に該当し，この部の圧痛の存在は TFCC class 1B を疑わせる．経験上，有用な所見と考える．

尺骨突き上げ症候群の存在も尺骨頭の不安定性を示す．DRUJのOAなどの所見に加えて，尺骨頭がより遠位に存在し，また尺骨手根関節裂隙に圧痛を認めることが多い．手関節尺側部痛を訴える疾患は多いので，理学所見，画像および関節鏡などの全てのデータを総合的に判断する必要がある．

尺骨頭の遠位では月状骨と三角骨が存在している．この部の手根不安定症つまり月状三角骨間解離 lunotriquetral dissociation の診断も必要となる．月状骨と三角骨の背側・掌側を両手でつまみ，掌背側に移動して局所的な疼痛が存在したり，軋音を手で触れたりすると lunotriquetral dissociation の存在が疑われる．この検査は lunotriquetral ballottment test と称する．

掌側手関節痛をきたす疾患

次いで掌側に移動する．手くび皮線上の橈側の骨隆起として舟状骨結節を触れる．舟状骨骨折の診断で snuff box の圧痛とともに舟状骨結節の圧痛の存在も診断的価値が高い．

舟状骨結節の骨隆起を更に尺側に移動すると結節のわずかに橈側に橈側手根屈筋（FCR）腱の腱レリーフを触れ，その更に尺側には長掌筋（PL）腱の腱レリーフを触れる．PL腱は母指と小指の指腹部を合わせ手関節を掌屈するとより腱レリーフを触れやすい．PL腱は遊離腱移植のドナーとしてよく用いられているが，10-15%位に欠損しているので注意を要する．さらに尺側に移ると小指球部基部に豆状骨の骨隆起を触れることができる．

豆状骨はFCU腱内に存在する種子骨であり，三角骨と関節を形成している．豆状三角関節OAが存在している場合は豆状骨を三角骨に押しつけてゴリゴリする検査（pisiform grinding test）で痛みを訴える．また豆状骨の橈側で尺骨神経麻痺や尺骨動脈閉塞などの症状を示すhypothenar hammer syndromeが存在する．

Guyon管（尺骨神経管）は豆状骨の橈側にあり三角形を呈している．尺側の壁は豆状骨で底面は横手根靱帯，背面は掌側手根靱帯により形成されている．尺骨神経は豆状骨のすぐ橈側を走行し，そのすぐ橈側に尺骨動脈が併走している．さらに末梢の有鈎骨鈎レベルでは尺側は小指外転筋（Abd DM），掌側は短掌筋（PB），背側は鈎に付着する横手根靱帯と豆鈎靱帯（pisohamate ligament）である．この部で神経が圧迫されるとGuyon管症候群を呈する．

豆状骨の遠位橈側の小指球部には有鈎骨鈎を触れることができるが，小指球が厚いのでかなりしつこく，慎重に触れなければわかりずらいので注意する．有鈎骨鈎骨折の場合には同部の圧痛が存在する．舟状骨結節と豆状骨を結んだ線は横手根靱帯つまり，手根管の近位縁に相当する．手根管の遠位縁は皮下に触れることができないが，大菱形骨結節と有鈎骨鈎（有鈎骨鈎は慎重に検索すれば触れることが可能である）を結んだ線が相当し，出口となる．この四辺形の中を正中神経はPL腱の少し橈側を走行していることとなり，手根管症候群が発生する．診断には正中神経支配領域の知覚障害，母指球筋（短母指外転筋が中心である）の筋萎縮，手根管入口部のTinel兆候，手関節を最大掌屈位で保持すると手指のシビレが増強するPhalen testなどが陽性となり，診断はそれほど困難ではない．正中神経の終末潜時を電気生理学的に検査することも有用である．

▶画像診断

一般医家においては手関節正面・側面の2方向単純X線写真が一般的である．これに加えて舟状骨骨折が疑われる場合には，手関節背屈・尺屈位で舟状骨長径をできるだけ長くして舟状骨骨幹部，近位端での骨折の有無を判断する．手根不安定症の診断では2方向の撮影に加えて，最大掌・背屈位側面像と最大橈・尺屈位正面像が有用である．とくに舟状月状骨間解離の診断では前腕回外位での正面像も有用であることが多い．舟状月状骨間解離では月状骨は強く背屈し，舟状骨は掌屈しており，側面での舟状骨長径と月状骨の近位および遠位弧の中点を結ぶ舟状月状骨角が70°以上を呈している．また正面像では舟状月状骨間裂隙（scapholunate gap）が3mm以上開大している像を呈し，アメリカの喜劇俳優の前歯の間が空いているところが似ていることからこれをTerry Thomas signと呼称している．また三角豆状骨関節OAの診断には手関節斜位像が有用である．有鈎骨鈎骨折の診断には手根管撮影が有用である．これらの診断ではCT撮像は必須である．

単純X線写真で診断できない場合，たとえば舟状骨の不顕性骨折や近位極骨折などの場合CT撮像も有用である．しかし，舟状骨は橈骨長軸に対して掌屈45°，橈屈45°に位置しているのでCT像の方向は長軸に一致して撮影すると診断がより確実となる．

またMR撮像も舟状骨の不顕性骨折や近位極骨折の早期診断やbone marrow edema syndromeの診断に欠くことができない場合も少なくない．また，MRIに初期のKienböck病，尺骨突き上げ症候群やTFCC損傷などの靱帯損傷などの診断にも有用である．

日常診療で手関節痛を訴える患者さんは非常に多い．手関節痛を訴える患者さんが外来受診した際に私が常に行っている診断手順について記述した．もちろん，これらの疾患以外にもまだまだ多くの外傷や疾患が存在するが，それらも念頭に入れながら症状，所見および画像診断を行い，見落としのないように診断を進めていくべきである．

■文献

1) 三浪明男. 手関節. In: 三浪明男編. 手・肘の外科: カラーアトラス. 東京: 中外医学社; 2007. p.119-24.

CHAPTER 3: 手関節—橈・尺骨骨折

25 橈骨遠位端骨折に対する掌側ロッキングプレート固定術

　高齢化社会が到来し，手をついて転倒することにより発生する橈骨遠位端骨折はますます増加している．以前は本骨折に対する治療としては保存治療が主流であり，ある程度の変形は臨床症状にあまり影響しない，つまり変形はacceptableであり，観血的整復＋内固定術（open reduction and internal fixation: ORIF）は不要であるとの意見が大勢であった．その後，橈骨遠位端骨折変形治癒の存在は臨床症状悪化の要因となることが明らかとなったことに加えて，良好な内固定金属と手術方法が開発されたことにより，早期にORIFを行い，早めに手関節を動かすことにより術後のdisabilityを少なくし，早期の機能獲得を図ることが可能となってきた．
　いろいろなタイプの掌側ロッキングプレートが開発され，橈骨遠位端骨折の内固定金属として最近非常に用いられることとなり，治療体系が根本的に変わったといっても過言ではない．
　ここでは，その掌側ロッキングプレートを用いた橈骨遠位端骨折の手術方法について記載する．

図1　Variable Angle LCP Two-Column Volar Distal Radius Plate™

▶手術適応

　ほぼ全ての橈骨遠位端骨折が適応と考えられる．関節内骨折，骨粗鬆症性骨折，背側または掌側骨皮質の粉砕骨折などである．徒手整復により良好な整復が得られ外固定により整復位が維持可能で再転位をきたすおそれの少ない橈骨遠位端骨折は適応を外れると考える．必ずしもコンセンサスが得られているわけではないがX線学的な指標として，①10°を越えるdorsal tilt（正常は平均11°のpalmar tilt），②10°未満のulnar inclination（正常は平均23°のulnar inclination），③2 mm以上の橈骨短縮（橈骨茎状突起先端から尺骨頭関節面の高さでradial lengthとし，平均12 mm），④2 mm以上の橈骨遠位端関節面のギャップまたはstep-offのいずれかが徒手整復後に残存する場合は手術適応と考える．

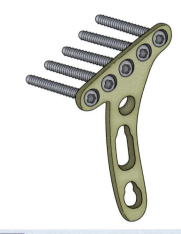

図2　Locking Distal Radius Plate 2.4™

▶使用するプレート

1. Variable Angle LCP Two-Column Volar Distal Radius Plate™（Synthes社）　図1

　橈骨遠位端掌側に設置した際に，関節包や腱，神経などの軟部組織への接触・刺激を最小限に抑える形状を有している．プレート遠位に挿入する2.4 mm径ロッキングスクリューは，通常はあらかじめ設定された固定角度モードで挿入するが，±15°の角度可変モードでも挿入可能であり，固定角度モードでは促えきれない骨片の固定の際に使用する．プレート近位の固定にもロッキングスクリューが使用可能であり，骨粗鬆症に陥っている骨の固定に有利である．ロッキングスクリューは一般的にスムースタイプを用いる．またプレートの先端部および中間部にK鋼線が刺入できる仮固定用の孔があり，プレートの仮固定が可能としてある．

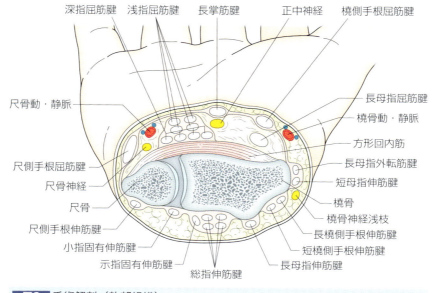

図3 手術解剖（軟部組織）

2. Locking Distal Radius Plate 2.4™（Synthes 社）
図2

遠位設置型のプレートであり，プレート遠位の2.4 mm径ロッキングスクリューはプレート面に対して5°近位側に向かうように設置されている．本プレートは骨折線が橈骨手根関節の近傍に存在する場合に使用する．

 コツ

上記の2つのプレートがベストとは思っていない．もっとlow profileのものやプレート遠位のスクリューが固定した角度のものとvariable angleのものとが組み合わさったhybridのものもでている．術者自身が慣れたもので骨折型ごとの適応を熟知していればプレートの選択は術者がよいと考えるものを使用することで問題ない．

▶ 手術解剖

橈骨遠位端周囲の軟部組織

掌側の橈側に橈骨動脈，尺側には尺骨動脈が存在している．橈骨動脈は橈側手根屈筋（FCR）腱の橈側に，尺骨動脈は尺側手根屈筋（FCU）腱の橈側に存在している．神経は橈背側に橈骨神経浅枝と背尺側に尺骨神経背側枝といずれも知覚枝が存在している．掌側には中央部に正中神経が，尺側には尺骨動脈の少し尺側に尺骨神経が存在している．正中神経は長掌筋（PL）腱のほぼ真下（掌側）に存在している．表層に存在する腱（橈側からFCR腱，PL腱，FCU腱）があり，FCR腱のほぼ真下の少し尺側に長母指屈筋（FPL）腱が存在している．そして正中神経と共に9つの腱［FPL腱，4本の浅指屈筋（FDS）腱，4本の深指屈筋（FDP）腱］が手根管内に存在している．背側には橈側から6つの区画に分かれた手関節および手指伸筋腱が存在している．橈骨の直上（背側）にはそれらのうち第1区画から第4区画までが存在しており，第5区画は遠位橈尺関節背側に，第6区画の尺側手根伸筋（ECU）腱は尺骨背側の切痕内に存在している．手関節部には筋肉は少なく橈骨掌側に張り付くように横走する方形回内筋（PQ）が存在している．また橈骨遠位端の掌側にはFPLの筋腹が深部に存在し，FDSとFDPの筋腹も存在している 図3 ．

骨折分類

橈骨遠位端骨折の分類はいろいろあるが，最近はもっぱらAO分類が用いられることが多い 図4 ．

橈骨遠位端の骨組織

橈骨関節面は他の関節とは大きく異なり独特の形態を呈しており，これにより手関節の複雑な運動が可能となっている．

橈骨関節面のpalmar tilt, ulnar inclination, radial lengthについてはすでに記載しているが，手術を行う場合に重要なランドマークとしては橈骨遠位端掌側の関節包の付着部の最も突出した部位を結んだ線をwatershed lineとよび，プレート設置の際にはプレートの掌側突出により術後の母指および手指屈筋腱断裂の発生予防のため，watershed lineより関節方向つまり遠位に設置しないように注意する．

▶ 診断

遠位橈骨を含めた手関節の4方向のX線写真は必須である 図5A-D ．Galeazzi骨折や前腕骨骨折などが存在するときには肘関節にも脱臼や骨折などを認めることがあるので，そのような場合には肘関節の正確なX線写真も必要となる．

単純X線写真に加えて，橈骨遠位端・関節内骨折の症例においてCT撮影により，関節内骨折の転位や粉砕の程度を評価して骨折型を決定して術前計画を立てること

Type A: 関節外骨折　　　Type B: 部分関節内骨折　　　Type C: 完全関節内骨折

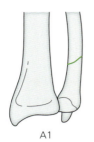
A1
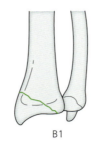
B1
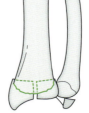
C1

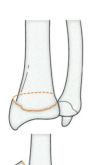
A2
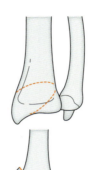
B2
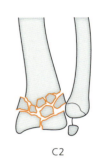
C2

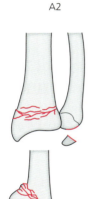
A3
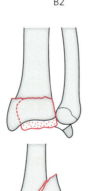
B3
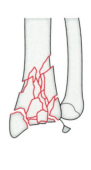
C3

図4　橈骨遠位端骨折のAO分類

はきわめて有用である 図6 ．最近はCT reconstruction像も立体的に骨折型を把握でき，私は術前の骨折型のイメージを知る上で好んで用いている．

術前準備

橈骨遠位端骨折の発生はほとんどが高齢者であるので，高血圧，糖尿病，高脂血症などの生活習慣病の存在や心膜症・脳卒中の既往により抗凝固剤などの内服の有無について，十分に把握しておくことが重要である．周術期の合併症発生予防のために麻酔科および当該診療科の主治医と連絡を密にしておくことも重要である．

麻酔・体位

鎖骨上窩腕神経叢あるいは腋窩部神経への伝達麻酔で上腕部に空気止血帯を用いて手術を行うことが多いが，全身麻酔でも手術は可能である．

体位は仰臥位で，患肢を透視可能な手台に乗せて行う．術者は患肢の頭側に座り，Cアームを用いる．術者がCアームの画面を見ることができるようにCアームは助手側に設置することとする 図7 ．

術前整復

手術を行うにあたりX線透視下に前腕長軸遠位方向に牽引を行いながら，遠位骨片を指で圧迫することにより整復する 図8 ．

> **Tips コツ**
> 徒手整復を繰り返し行うことは軟部組織の腫脹や骨折部位の粉砕を助長することとなるので厳に慎むことを銘記すべきである．

▶手術

皮切

皮切をFCR腱の直上に遠位手くび皮線から近位方向に8cm加える．いわゆるtrans FCR approachであ

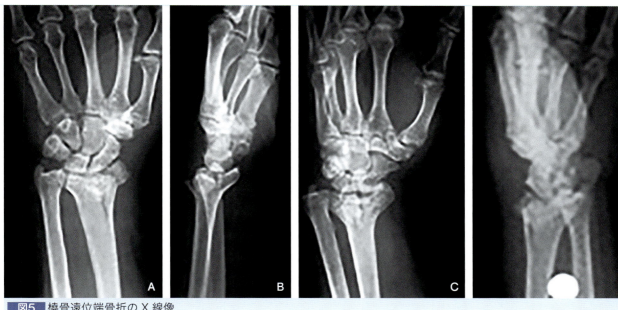

図5 橈骨遠位端骨折のX線像
A: 正面像　B: 側面像　C: 斜位像（1）　D: 斜位像（2）

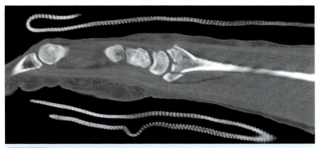

図6 橈骨遠位端骨折のCT像

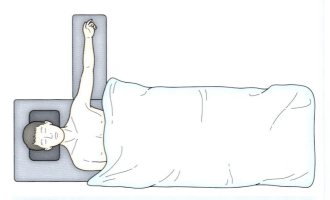

図7 手術体位

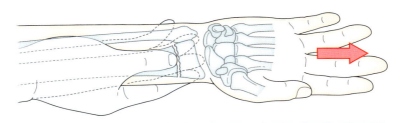

図8 術前整復手技

る．近位手くび皮線部は瘢痕拘縮の発生を防ぐために，V字型切開として伸延する．遠位切開は手掌部を横切るべきではないことに留意する **図9A,B** ．したがってジグザグ切開としている．

展開

FCR腱の腱鞘を切開し，FCR腱を尺側に引く．FCR腱の走行下で深部筋膜を切開しFPLを露出する **図10A,B** ．術者の示指を創内に入れて，FPLをFCR腱とともに尺側に寄せると，PQが露出される．PQを完全に露出させるために，FPL筋膜を橈骨から部分的に剥離することもある **図11** ．

橈骨掌側面を露出するために，L型切開を橈骨の橈側縁に沿って橈骨茎状突起上に加える **図12A,B** ．そしてエレバトリウムを用いてPQを橈骨から挙上する．これにより橈骨遠位部を展開し，全体の骨折線は十分に展開することができる．

> **Tips コツ**
>
> FCR腱の橈側には橈骨動・静脈，尺側には正中神経掌側枝が存在するため，橈骨遠位端展開時に損傷する可能性がある．これらを予防するために，前腕筋膜の切開もFCR腱の直下で行うのが，以前行っていた橈骨動脈とFCR腱の間に皮切を加える，いわゆるHenry approachよりも安全である．

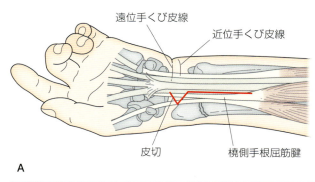

図9 Trans FCR approach による皮切
A: シェーマ　B: 皮切

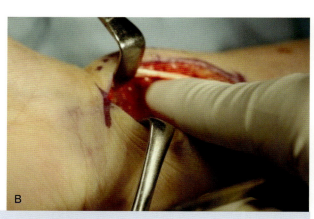

図10 FCR 腱を引いて FPL を露出する
A: シェーマ　B: FPL を露出する

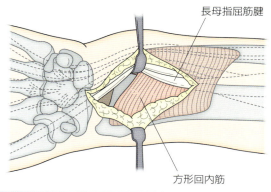

図11 FCR および FPL 腱を尺側へ引いて PQ を露出する

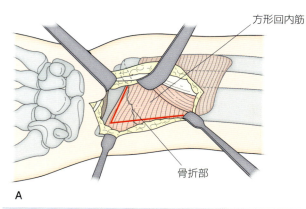
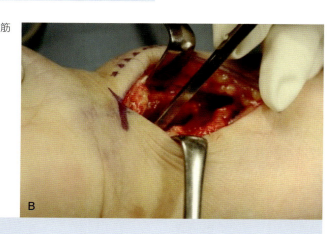

図12 PQ の切離し，橈骨掌側面を露出する
A: シェーマ　B: PQ を切離して橈骨を露出する

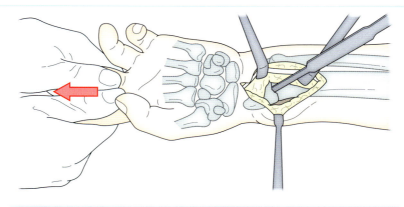

図13 骨折を整復する

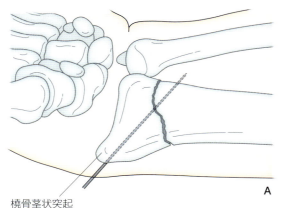
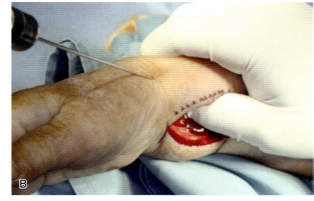

橈骨茎状突起

図14 K鋼線を用いた仮固定
A: シェーマ　B: 仮固定を行う

内固定

　エレバトリウムを骨折部の骨折線の方向へ挿入し，骨折を整復するためにてことして用いる．エレバトリウムを骨折線を通して背側骨皮質まで挿入する．この時に，助手に患者の示指と中指を持って遠位に牽引し，遠位骨片を強く押し込むことで整復が容易となる 図13．背側に転位している遠位骨片を整復するために，指の圧を背側骨皮質に加える．X線透視にて良好な整復位を確認し，橈骨茎状突起部からK鋼線を刺入して仮固定を行う 図14A, B．特に骨折が単純ではなく，骨折部が粉砕しており不安定で整復位の保持が難しい場合はK鋼線による仮固定は必須である．

> **コツ**
> 橈骨茎状突起骨折があり転位している場合，腕橈骨筋（BR）の付着部が同部であり，茎状突起の引っ張り力として働き，整復を妨げることがある．牽引力を少なくするためにBRの付着部の一部を遠位骨片から剥離する必要がある．BR付着部の剥離は茎状突起遠位の下からメスを入れて行う．

> **コツ**
> 関節内に陥没骨折が存在している場合，掌側の骨折部から先が鈍なK鋼線あるいはbone impactorなどを挿入してX線透視下に軟骨下骨を押し上げて整復する．

> **コツ**
> 関節内骨折の整復の確認はX線透視に加えて関節鏡を用いて確認しながら行うことも推奨されている．しかし長時間の関節鏡使用により骨折線を通して水が軟部組織に浸潤し，術後思わぬ腫脹に遭遇することもあるので注意する必要がある．

　橈骨遠位端から少し中枢まで橈骨掌側面をプレート全長の距離まで露出する．

プレート固定

　テンプレートを用いて適合するプレートサイズを決定する．プレートサイズ決定後，プレート遠位にカッティングブロックを装着し，最も近位のロッキングホールにネジ付きドリルガイドを装着してプレートの把持を容易とする 図15．

> **コツ**
> プレートを装着している間，助手は指を遠位方向へ牽引し，持続的に遠位骨片を強く押し込み，靭帯性整復を用いて骨折を整復する．

　透視下にプレートの設置位置を決定する．プレートを最適な位置に設置するために，近位または遠位に移動する．正面像でプレートの長軸と橈骨骨軸を合わせる．これにより遠位ロッキングスクリューを橈骨の橈側および

尺側コラムに挿入され，支持性が獲得される．

プレートの遠位がwatershed lineを越えない位置で，プレート近位の長方形の孔中央に皮質骨スクリューを挿入してプレートを圧迫固定する．最後のプレートの位置決めを行う．側面像でプレートの設置位置を確認し，プレートの移動を要すれば先の皮質骨スクリューを弛めてプレートを適宜移動する 図16 ．

次に，遠位ロッキングスクリューの挿入を行う 図16 ．2.0 mmドリルビットを用いて遠位骨孔にドリリングを行う．骨孔の長さをデプスゲージで測定してスムースロッキングスクリューを挿入する．ドリリングおよびスクリュー挿入において背側皮質骨を貫く必要はない．このためにデプスゲージで測定した長さよりも2 mm短いスクリューを挿入する．遠位ロッキングスクリューの全てを挿入する．この際にロッキングスクリューが背側や関節内に突出していないことをしっかりと確認する．その後，近位ロッキングスクリューを挿入し終えたら，再びX線透視で全てのスクリューの長さ，位置の最終確認を行う 図17 ．

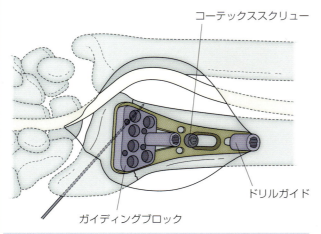

図15 カッティングブロックを装着する

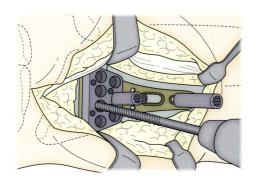

図16 ロッキングプレートの位置決めを行いドリルビットを用いて遠位骨孔にドリリングを行う

> **Tips コツ**
> 一般的にはスムースロッキングスクリューを用いるが，背側に大きな骨折がある場合には，この骨片に対して良好な把持力を得るためにネジ切りスクリューを用いることがある．

> **Tips コツ**
> 最初に刺入した皮質骨スクリューが長すぎる場合は，適切な長さのロッキングスクリューに入れ替える．

> **Tips コツ**
> スクリュー刺入で重要なことは遠位骨片に挿入したスクリューの先端が背側骨皮質を貫いて突出していないことと，手関節内へ突出していないことである．関節内へのスクリューの突出の有無は橈骨関節内の20°のulnar inclinationを考慮して約20°だけ手部を上に持ち上げて関節面を背側と掌側の骨皮質を重ね合わせて描出することで確認することが可能である．

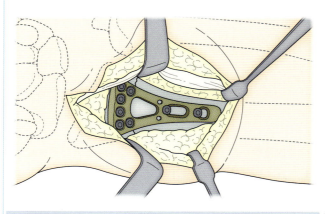

図17 近位ロッキングスクリューを挿入する

創閉鎖

創内を十分に洗浄した後に，L字状に切離した方形回内筋を編み上げ吸収糸を用いて再縫合し，プレートを完全に覆うように修復する 図18 ．創は止血を行った後に層ごとに閉鎖する．前腕筋膜の縫合は必要ない．皮下縫合後創を閉鎖する．一般的にドレーンは不要である．最終的に骨折が良好に整復されておりスクリューが適切な長さであることを再確認する．

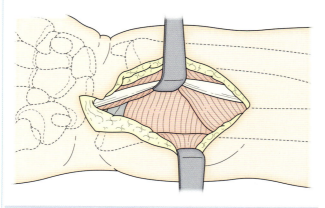

図18 PQを縫合閉鎖する

▶後療法

創の安静を図る目的で1週間，手関節を副子固定する．1週間〜10日後全抜糸を行い，自動的手関節運動を

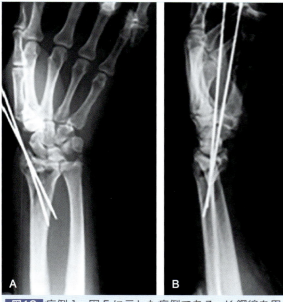

図19 症例1. 図5に示した症例である. K鋼線を用いて茎状突起を固定した
A: 正面像　B: 側面像

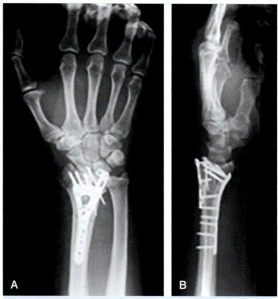

図20 最終的に掌側ロッキングプレートを用いて固定した
A: 正面像　B: 側面像

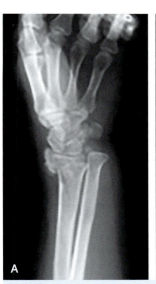
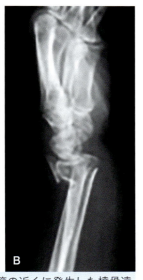

図21 症例2. 橈骨手根関節の近くに発生した橈骨遠位端骨折. 術前X-P
A: 正面像　B: 側面像

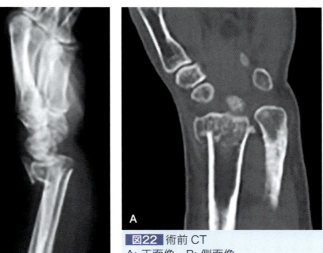

図22 術前CT
A: 正面像　B: 側面像

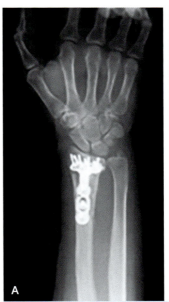
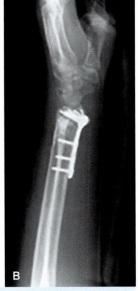

図23 術直後X-P. 骨欠損部に人工骨を充填した
A: 正面像　B: 側面像

開始する. 6週間は取り外し可能なオルソプラスト副子で固定する. 6週間後はfree motionとして次第に負荷を加え3カ月後となるとほとんど日常生活の制限を外す.

▶症例供覧

症例1　**図5**で示した症例に対してまず橈骨茎状突起をK鋼線を用いて整復後**図19A, B**，掌側ロッキングプレートを用いて整復・内固定を行った**図20A, B**.

症例2　骨折が橈骨手根関節近位で発生した橈骨遠位端骨折例である**図21A, B**. そのCT像である**図22A, B**. 掌側ロッキングプレートを用いて固定し

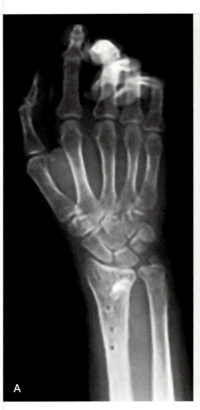
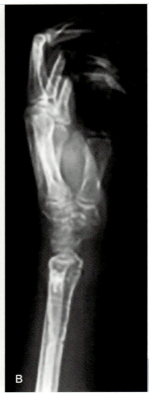

た 図23A, B．術後1年6カ月後の抜釘後のX-P である 図24A, B．

図24 術後 1.5 年の X-P
A: 正面像　B: 側面像

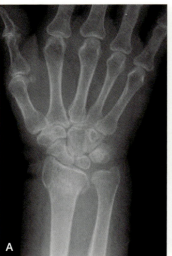
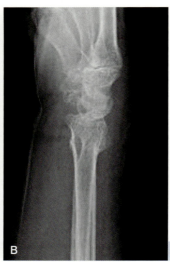

症例3　橈骨遠位端骨折（関節内骨折も合併している）
　術前 X-P 図25A, B
　術後 X-P 図26A, B

図25 術前 X-P．A: 正面像　B: 側面像

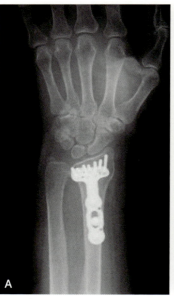
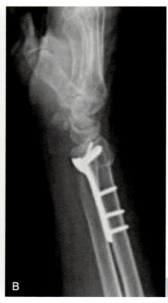

図26 術後 X-P．A: 正面像　B: 側面像

症例4 橈骨遠位端骨折（関節内 Smith 型骨折）
図27, 28

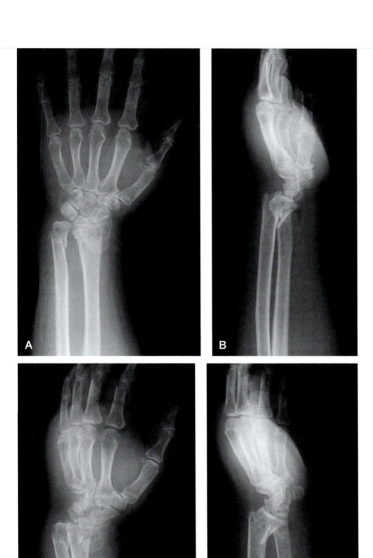

図27 術前 X-P
A: 正面像　B: 側面像　C: 斜位像（1）
D: 斜位像（2）

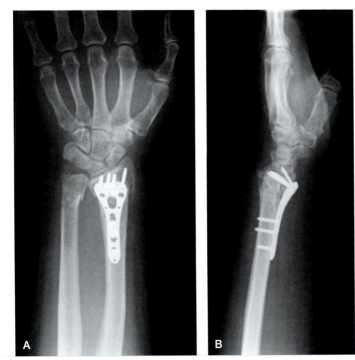

図28 術後 X-P
A: 正面像　B: 側面像

本項の図・シェーマにつきましては，河村健二・矢島弘嗣著「橈骨遠位端骨折」(『骨折プレート治療マイスター』，メジカルビュー社，2012年刊行) を参考として作成いたしました．

■ 文献

1) Abe Y, Tsubone T, Tominaga Y. Plate presetting arthroscopic reduction technique for the distal radius fractures. Tech Hand Up Extrem Surg. 2008; 12: 136-43.
2) Chung KC, Kotsis SV, Kim HM. Predictors of functional outcomes after surgical treatment of distal radius fractures. J Hand Surg [Am]. 2007; 32: 76-83.
3) Chung KC, Watt AJ, Kotsis SV, et al. Treatment of unstable distal radial fractures with the volar locking plating system. J Bone Joint Surg [Am]. 2006; 88: 2687-94.
4) 石川淳一. 橈骨遠位端骨折. In: 三浪明男編. 手・肘の外科: カラーアトラス. 東京: 中外医学社; 2007. p.125-41.
5) Kawamura K, Chung KC. Surgical procedures for the distal radius and distal radioulnar joint. In: Hand and Upper Extremity Reconstruction, Elsevier; 2009. p183-91.
6) Kotsis SV, Lau FH, Chung KC. Responsiveness of the Michigan Hand Outcomes Questionnaire and physical measurements in outcome studies of distal radius fracture treatment. J Hand Surg [Am]. 2007; 32: 84-90.
7) Muller ME. Distal radius. In: AO classification of fractures. Springer Verlag; 1987. p106-15.
8) Orbay JL. The treatment of unstable distal radius fractures with volar fixation. Hand Surg. 2000; 5: 103-12.
9) Orbay JL. Volar plate fixation of distal radius fractures. Hand Clin. 2005; 21: 347-54.
10) Soong M, Earp BE, Bishop G, et al. Volar locking plate implant prominence and flexor tendon rupture. J Bone Joint Surg [Am]. 2011; 93: 328-35.
11) 矢島弘嗣. 橈骨遠位端骨折. In: 外傷形成外科. 東京: 克誠堂出版; 2007. p.181-8.
12) 河村健二, 矢島弘嗣. 橈骨遠位端骨折. In: 骨折 プレート治療マイスター. 東京: メジカルビュー社; 2012.

CHAPTER 3: 手関節—橈・尺骨骨折

26 橈骨遠位端骨折変形治癒に対する矯正骨切り術

橈骨遠位端骨折後の変形治癒に対する矯正骨切り術を積極的に行う手の外科医もいれば，変形治癒と症状が直結しないので保存的に経過をみるべきであるとの考えもあり，必ずしも手術のコンセンサスは得られていない．

> **Tips コツ**
> 橈骨の変形治癒に対する直接的な手術は行わずに遠位橈尺関節形成術を行うことも多い．

▶術式の選択

橈骨遠位端骨折変形治癒が Smith 型であれば，矯正する場合には掌側楔状開き骨切り術（wedged open osteotomy），骨移植，掌側プレート固定術が一般的な手術法である．Colles 型骨折の変形治癒の場合，以前は背側からの背側楔状開き骨切り術が行われていた．しかし，背側橈骨へのプレート設置はプレート背側を通る手関節・手指伸筋腱断裂の発生が危惧されることもあり，Colles 型変形治癒に対する矯正骨切り術を掌側から行う背側楔状開き骨切り術を行い，掌側ロッキングプレートで固定する方法が最近では好んで行われており，これにより術後，腱への合併症を軽減することが可能となると考えられる．もちろん，掌側にも母指および手指屈筋腱が存在するのでプレート設置には細心の注意を払うのは当然である．

しかし，遠位橈骨の著明な短縮を伴った強い変形治癒や手関節周囲の軟部組織の強い拘縮がある場合には，腸骨からの楔状骨片移植や拘縮除去のための操作を要する場合がある．橈骨の長さを健側と同様とするのが困難であれば，遠位橈尺関節の適合性を得るため遠位尺骨の短縮を同時に行うこともある．

橈骨遠位端変形治癒により強い変形があったり，橈骨手根関節に変形性関節症（OA）が存在している場合には橈骨矯正骨切り術の適応よりも手関節固定術（部分的手関節固定術を含む）が適応となることも多い．

▶手術適応

必ずしもコンセンサスは得られていないが，矯正骨切り術の適応となるX線像の基準は
(1) 遠位橈骨関節面の 10-15° 以上の背側傾斜（正常：

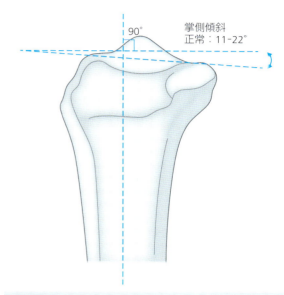

図1 遠位橈骨関節面の背側傾斜（dorsal tilt）

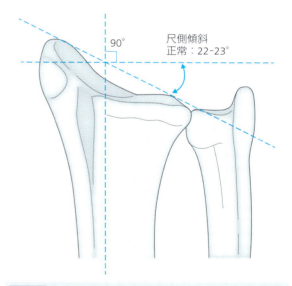

図2 遠位橈骨関節面の尺側傾斜（ulnar inclination）

11-22°掌側傾斜） 図1
(2) 遠位橈骨関節面の 10° 以下の尺側傾斜（正常：22-23°） 図2
(3) 10 mm 以下の橈骨高（正常：11-12 mm） 図3
(4) 2 mm 以上の尺骨プラス変異 図4

と考えられているが，手術適応を考える上ではこれらのX線学的指標のみではなく，臨床症状の存在がどの程度

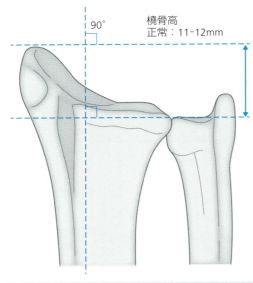

図3 遠位橈骨関節面の橈骨高（radial length）

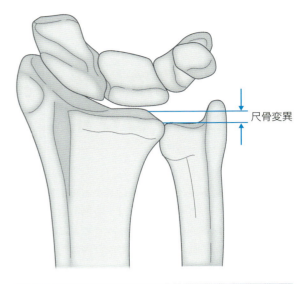

図4 遠位橈骨関節面の尺骨変異（ulnar variance）

ADL 上の disability にどの程度，影響しているのかが重要であることはいうまでもない．

橈骨遠位端骨折後の変形治癒により，一般的に遠位橈尺関節（DRUJ）の derangement が出現し，前腕の回旋時痛や尺骨突き上げ症候群に伴う症状が存在している場合には手術適応となる．

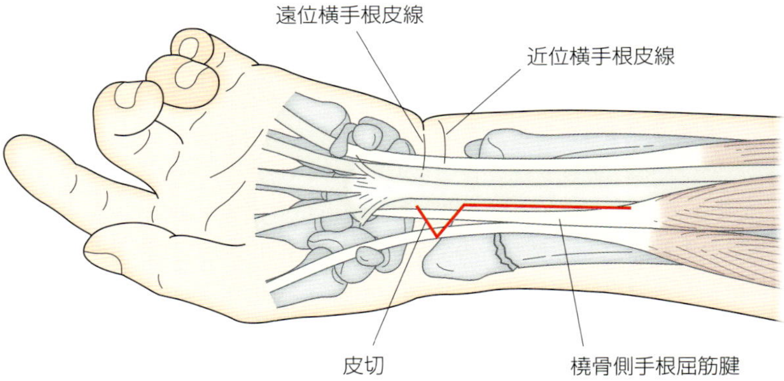

▶画像所見

(1) 正確な手関節の正面・側面 X 線写真は必須である．
(2) 手術による矯正角度を決定するために健側の遠位橈骨の掌側傾斜，尺側傾斜と尺骨遠位との関係を正確に測定し，できるだけ健側に合致させるように術前に作図を行う．
(3) 遠位橈骨の変形をさらに正確に把握するために CT 撮影と CT-reconstruction 像も有用である．

橈骨遠位端骨折変形治癒に対する矯正骨切り術の矯正目標の決定は健側の遠位橈骨をガイドとして矢状面，前額面，軸射面の3方向の要素を矯正することである．健側に合わせることが基本であるが，一般的には 11°の掌側傾斜，22°の尺側傾斜，10 mm の橈骨高，0 mm の尺骨変異を目標とする．

▶手術

皮切・展開（橈骨遠位端骨折の項目も参照のこと）

以前は橈骨手根屈筋（FCR）腱と橈骨動脈の間より侵入する，いわゆる Henry アプローチを好んで用いていたが，最近は橈骨動脈，橈骨神経，正中神経への損傷の可能性を軽減する意味で FCR 腱のほぼ直上に加える

図5 皮切

（trans-FCR approach） 図5 （橈骨遠位端骨折に対する掌側プレート固定術の項　参照のこと）．FCR 腱の腱鞘を開けて，FCR 腱を尺側に引いて FCR 腱の腱鞘下を切離する 図6 ．

直ちに長母指屈筋（FPL）腱が露出し，FPL 腱を尺側に翻転し，橈骨掌側部を露出するために FPL 腱の橈骨への付着部を部分的に切離して，FPL 腱をさらに尺側へ翻転することとなる．次いで横走している方形回内筋（PQ）を露出した後に橈骨を露出するように逆 L 字切開を加える 図7 ．

> **Tips コツ**
> 後ほど，PQ を縫合してプレートを被覆する意味から，橈骨に PQ の縫い代を残すようにする．PQ の縫合を容易に行うために PQ を筋腹の中央部で切離することもある．

橈骨をプレートの長さに合わせて骨膜を切離して，骨膜下に全長にわたり骨皮質を露出する．後ほどの内固定プレートの被覆のため骨膜縫合閉鎖に備えて縫い代を確保するために橈骨橈側縁に縦に加える．ラスパトリウムを用いて橈骨の掌側面を露出する．

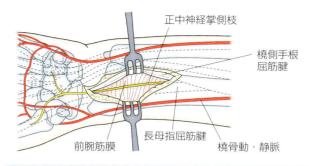

図6 FCR腱を尺側へ引いてFCR腱の腱鞘下を露出する

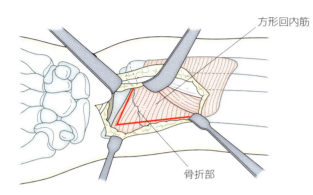

図7 PQを逆L字切開を加えることにより橈骨遠位端を露出する

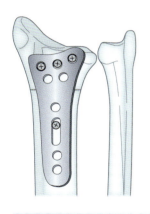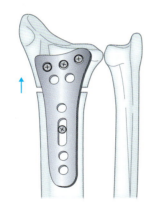

図8 骨切り部の固定

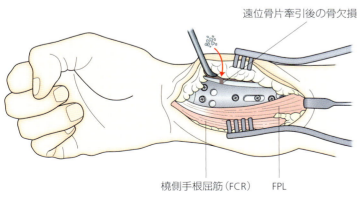

図9 移植骨の挿入

骨切り

骨切り予定部位の遠位に健側と同じとなるように矯正した背側傾斜角，尺側傾斜角を予め決定し，1本の1.2mm径のK鋼線を前額面，矢状面に橈骨背側面に矯正角を考慮して刺入する．もう1本は橈骨骨切り近位部に垂直に刺入する．つまり骨切りを行い，矯正した後には2本のK鋼線が並行になれば2方向の予定した矯正角が得られたこととなる．角度については予め設定した角度でブリキ板，あるいは厚紙（予定した角度計のプレートがあることもある）などを用いて刺入すると便利である．

> **Tips コツ**
> X線透視下に2本のK鋼線間の2方向の角度を計測し確認することも重要である．

骨切りをK鋼線の方向と平行に，掌側ロッキングプレート長を考えて骨切り部を決定する．

できれば骨切り部は骨折部と一致していることが望ましいが，橈骨遠位端骨折の場合と同様に掌側ロッキングプレートの設置により屈筋腱（特にFPL腱）断裂が起こらない，つまりロッキングプレートの遠位が橈骨掌側のwatershed lineを越えないようにすべきである．

骨切りは繊細な骨切りが可能な電動（骨）鋸を用いて行う．骨切り時には橈骨背側の骨皮質を骨膜下に剝離して骨レトラクターで背側の腱を損傷しないように保護することが重要である．骨切りを行って矯正すると刺入した2本のK鋼線が平行となる．

固定

骨切り後の遠位橈骨へのプレートのロッキングスクリューを挿入して，しっかりと固定する．遠位骨片を椎弓開張器（laminar spreader）を用いて開くことにより橈骨高を十分に確保する 図8．

> **Tips コツ**
> 橈骨高を健側と同様とする矯正は一番難しい操作と考えている．

次いで遠位骨片をしっかり合わせるために，刺入したスクリューを強く締めてから近位プレートにスクリューを全て挿入する．

骨移植

橈骨の骨欠損部には腸骨稜からの当該高さのtricortical ilium（三方向に骨皮質が存在する状態）を移植することが多いが，最近は人工骨を用いることが多くなってきている．橈骨欠損は背側が掌側よりも幅広いブロック状の移植骨を横（橈側）から1個あるいは2個挿入することとなる 図9．

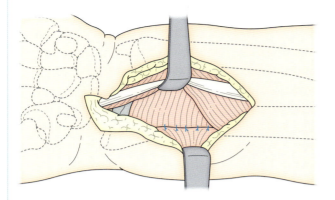

図10 PQ の閉鎖

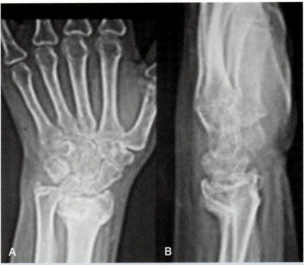

図11 橈骨遠位端骨折変形治癒例．術前 X-P
A: 正面像　B: 側面像

Tips コツ

骨片を移植してもいいが，骨切り部の安定性を強固にするために，ブロック状人工骨を移植することを好んで用いている．

閉鎖

固定性およびX線透視下でプレートの位置，スクリューの位置，およびスクリューが橈骨背側骨皮質から強く突出していないことを確認した後に創を十分に洗浄する．PQ筋を再縫着して可及的にプレートを被覆することとする 図10 ．創を閉鎖する．

▶外固定

固定性が良好な場合，術後，1週間，短上肢ギプスシーネ固定を行い，以後，外固定を除去し手関節および前腕の自動および愛護的他動運動は許可する．骨癒合後，完全に free moton とする．

▶症例供覧

 50歳，女性．6カ月前に橈骨遠位端骨折を起こした後の変形治癒例である
術前 X-P 図11A，B
術後 X-P 図12A，B 橈骨掌側ロッキングプレートではなく，本例では従来の背側プレートを用いた矯正骨切り術を行ったものである．

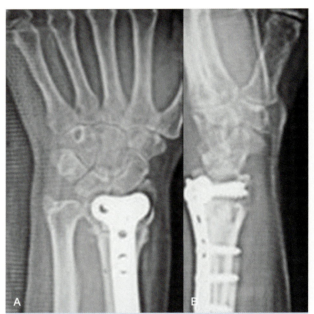

図12 矯正骨切り術後 X-P（背側プレートを用いた例）A: 正面像　B: 側面像

■文献

1) Fernandez DL. Correction of post-traumatic wrist deformity in adults by osteotomy, bone-grafting, and internal fixation. J Bone Joint Surg［Am］. 1982; 64: 1164-78.
2) 三浪明男, 吉岡千佳. 前腕骨末端部両骨骨折の治療. In: 荻野利彦編. MB Orthop. 前腕骨骨折の治療. 東京: 全日本病院出版会; 2000. p.15-20.
3) Sammer DM, Kawamura K, Chung KC. Outcomes using an internal osteotomy and distraction device for corrective osteotomy of distal radius malunions requiring correction in multiple planes. J Hand Surg［Am］. 2006; 31: 1567-77.
4) Wada T, Isoai S, Kanaya K, et al. Simultaneous radial closing wedge and ulnar shortening osteotomies for distal radius malunions. J Hand Surg［Am］. 2004; 29: 264-72.
5) 吉岡千佳, 三浪明男, 加藤博之, 他. 橈骨遠位端変形治癒骨折に対する矯正骨切り術の長期成績. 日手会誌. 1999; 16: 47-9.

CHAPTER 3: 手関節—橈・尺骨骨折

27 尺骨遠位端（茎状突起骨折を含む）に対する骨接合術

　尺骨茎状突起骨折が単独で発生することは少なく，橈骨遠位端骨折に合併して発生することが圧倒的に多い．統計によれば橈骨遠位端骨折例の40-60%に尺骨茎状突起骨折が合併していると報告されている．

▶手術適応

　橈骨遠位端骨折に尺骨茎状突起骨折を合併しており，遠位橈尺関節（DRUJ）の不安定性が存在している場合は尺骨茎状突起骨折に対する骨接合術を行うべきと考える．尺骨茎状突起の先端部の骨折では三角線維軟骨複合体（triangular fibrocartilage complex: TFCC）の表層部のみの断裂であるのでDRUJの不安定性は一般的には出現しないことが多い．したがって一般的には骨接合の必要性はない．しかし尺骨茎状突起基部に及ぶ骨折ではTFCCの深層（本体部分）も一緒に損傷されている可能性が高いので骨接合術の適応となることが多い．しかし，橈骨遠位端骨折に合併した尺骨茎状突起骨折に対する手術適応についてのコンセンサスは得られていない．前に記載したが教科書的には橈骨遠位端骨折に対してORIFを行った後に尺骨遠位端の不安定性が存在している場合には尺骨茎状突起骨折に対するORIFを行うべきであるとしている．

　それでは何をもって尺骨遠位端不安定性をどのように判断すべきかについてのコンセンサスは得られていない．よく学会等で尺骨頭のpiano key signの存在について議論されることがあるが，本signは正常手であっても存在が疑われることが多いので判断基準とはなり得ないと考える．

　善家，酒井らの産業医大のグループは橈骨遠位端骨折に合併した尺骨茎状突起骨折（basalあるいはtip fractureのいずれの場合であっても）について以下の検討を行った．橈骨遠位端骨折に対して整復し，掌側ロッキングプレートで内固定を行った後に尺骨茎状突起骨折に対して内固定を行った群と無処置群で臨床成績について検討したところ，両者間に差がなかったときわめて興味ある報告をしている．

手術

　前腕を中間位として肘屈曲で手指を垂直牽引して行う．尺骨遠位端で尺側手根伸筋（ECU）腱の少し尺側に縦切開を加える．ECU腱が属する第6区画を開放しECU腱を橈側に翻転して茎状突起を露出する．ECU腱が走行する切痕を避けて尺骨茎状突起のECU腱と尺側手根屈筋（FCU）腱の骨稜の骨膜を縦に切離した後に骨膜下に骨折部を露出して 図1 ，骨鉗子を用いて骨折部を適合し直径1.2 mmのK鋼線で骨を留めた後に直径0.3-0.4 mmの軟鋼線を用いて8字帯として締結固定を

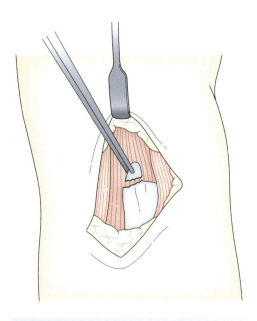

図1 骨折して剝離している茎状突起を露出する

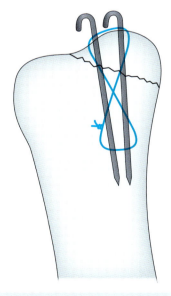

図2 軟鋼線を用いて8字帯として締結固定を行う

行う 図2 ．No. 18-16 ゲージの注射針をドリルチャックにつけて刺入して軟鋼線を挿入するとやりやすいと考える

　創を洗浄後骨膜，皮膚を閉鎖する

▶後療法

　術後の外固定は2週程度（主に橈骨遠位端骨折治療によるが）で十分である．

　尺骨遠位端骨折に対するプレートを用いた骨接合術を示す．

▶症例供覧

症例1　尺骨遠位端粉砕骨折．プレート固定 図3, 図4

　術前 X-P 図3A, B

　術後 X-P 図4A, B

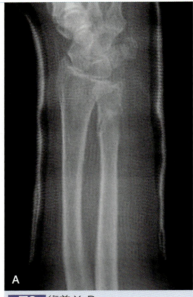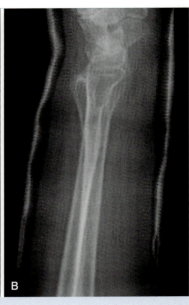

図3　術前 X-P
A: 正面像　B: 側面像

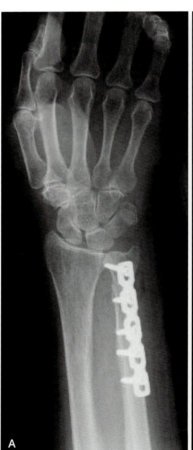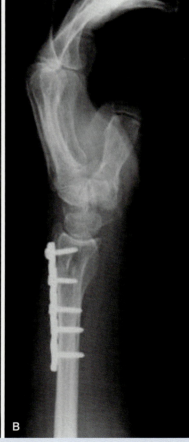

図4　術後 X-P
A: 正面像　B: 側面像

症例2 橈尺骨遠位端骨折．両骨に対してプレート固定 図5, 図6

術前 X-P 図5A, B

術後 X-P 図6A, B

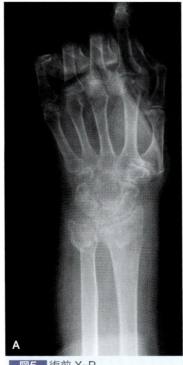
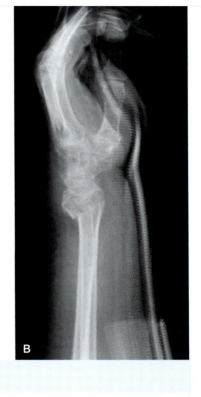

図5 術前 X-P
A: 正面像　B: 側面像

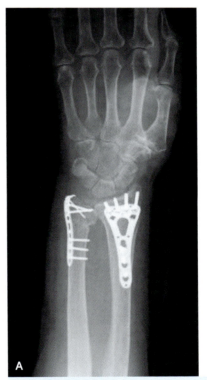
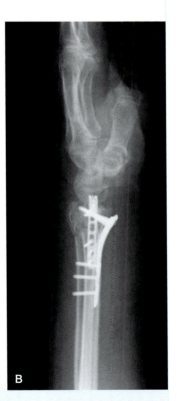

図6 術後 X-P
A: 正面像　B: 側面像

■ 文献

1) Belloti JC, Moraes VY, Albers MB, et al. Does an ulnar styloid fracture interfere with the results of a distal radius fracture? J Orthop Sci. 2010; 15: 216-22.
2) Kazemian GH, Bakhshi H, Lilley M, et al. DRUJ instability after distal radius fracture: a comparison between cases with and without ulnar styloid fracture. Int J Surg. 2011; 9: 648-51.
3) Zenke Y, Sakai A, Oshige T, et al. The effect of an associated ulnar styloid fracture on the outcome after fixation of a fracture of the distal radius. J Bone Joint Surg [Br]. 2009; 91: 102-7.
4) Zenke Y, Sakai A, Oshige T, et al. Treatment with or without internal fixation for ulnar styloid base fractures accompanied by distal radius fractures fixed with volar locking plate. Hand Surg. 2012; 17: 181-90.
5) Zyluk A, Mazur A, Puchalski P. A comparison of outcomes after K-wire fixation of distal radius fractures with and without associated ulnar styloid fracture. Handchir Mikrochir Plast Chir. 2014; 46: 7-11.

CHAPTER 3: 手関節—橈・尺骨骨折

28 前腕骨骨幹部骨折に対する骨接合術

転倒や転落などの外力，交通事故，労災事故などによって前腕骨骨幹部骨折が生じる．橈骨もしくは尺骨の単独骨折は比較的まれであるため，ここでは両前腕骨骨幹部骨折について述べる．前腕骨骨幹部骨折は前腕の回

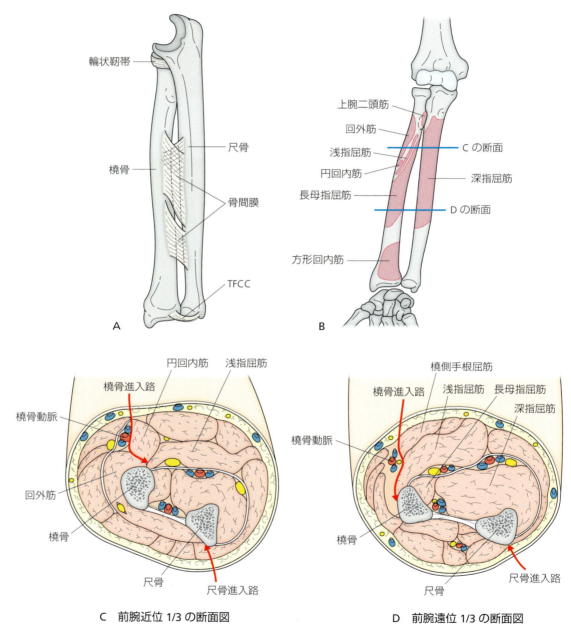

C 前腕近位1/3の断面図　　　　D 前腕遠位1/3の断面図

A: 前腕骨の側面．前腕の近位1/4から遠位1/4にかけて骨間膜が存在する．
B: 前腕骨の正面．尺骨は直線状であるが，橈骨には軽度の生理的弯曲が存在する．筋肉の付着部を示す．プレート設置面には，橈骨は近位から回外筋，浅指屈筋，円回内筋，長母指屈筋，方形回内筋が付着している．尺骨は掌側では尺側手根屈筋，深指屈筋が，背側では尺側手根伸筋が付着している．
C: 前腕近位1/3の断面図と進入路．
D: 前腕遠位1/3の断面図と進入路．

図1　前腕骨の解剖

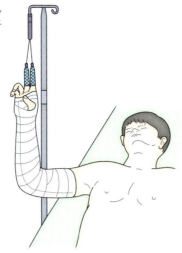

患側の示指と中指にフィンガートラップを装着して，点滴棒に患肢を牽引した状態で診察とシーネ固定を行う．

図2 フィンガートラップ牽引

旋運動・隣接関節の運動で骨折部は不安定なため，成人の場合はほぼ全例に手術適応がある．

Tips コツ

以前は回旋しない尺骨には髄内釘固定，橈骨にはプレート固定とされていたが，前記したように両前腕骨ともにプレート固定すべきと考えている．

手術は，①解剖学的整復，②プレートによる強固な内固定，③早期の可動域訓練（ROM）が重要である．しかし骨膜を剥離するため骨癒合が遷延する傾向が強く，手術では軟部組織の剥離を最小限とし，愛護的に扱う必要がある．

▶手術解剖

前腕骨の解剖を示す 図1 ．尺骨骨幹部は直線状であるが，橈骨骨幹部は軽度の生理的弯曲を有する 図1A, B ．橈骨と尺骨の間には骨間膜が存在し2本の前腕骨を連結している 図1A ．さらに，遠位では三角線維軟骨複合体（TFCC）により遠位橈尺関節（DRUJ）を形成し，近位では輪状靭帯によって連結され近位橈尺関節（PRUJ）を形成し，前腕の回旋安定性に寄与している．ともに長管骨で髄腔は狭く，断面積では海綿骨に比べ皮質骨が多い 図1C, D ．したがって骨膜を損傷すると骨癒合に不利になる．尺骨骨幹部はどのレベルでも三角柱の構造をしている．プレート設置面は尺骨稜，掌側面，背側面の3カ所があるが，金属による皮膚への刺激を避けるうえで尺骨稜の直上にプレート固定することは避けたほうがよい．橈骨骨幹部は近位では円柱構造で，遠位では三角柱の構造であり，掌側面にプレートを設置することが多い．

▶診断

骨折とともに同側上肢の合併損傷を見逃さないように注意する．私は，受傷してすぐ来院した患者に対しフィンガートラップ牽引を利用して，診察とシーネ固定を行っている 図2 ．骨折部の整復・安静が保たれ患者の疼痛が少なく，人手が少なくてよい利点がある．まず神経麻痺の有無を確認する．腫脹が著しい場合は前腕のコンパートメント症候群に注意する．疑わしい場合はコンパートメント内圧を測定する．橈骨のみ，もしくは尺骨のみの単独骨折の場合（両前腕骨が骨折している場合も）は肘関節や手関節での脱臼が潜在していることが多く，Monteggia骨折やGaleazzi骨折などの合併がないか，X線撮影の追加を行う．

Tips コツ

尺骨近位端あるいは橈骨遠位端が骨折している場合には，とくにMonteggia骨折やGaleazzi骨折がないかどうかに留意すべきである．

▶分類

前腕骨骨幹部骨折の分類にAO分類がある 図3 ．22-A：単純骨折（1；尺骨のみ，2；橈骨のみ，3；両骨），22-B：第3骨片を伴った楔状骨折（1；尺骨のみ 2；橈骨のみ，3；両骨，ただし一方が単純横骨折でも可），22-C：複雑骨折（1；尺骨のみ複雑で橈骨は骨折なしか単純骨折，2；橈骨のみ複雑で，尺骨は骨折なしか単純骨折，3；両骨）．

▶治療

成人例：AO分類にかかわらず，成人例では手術によ

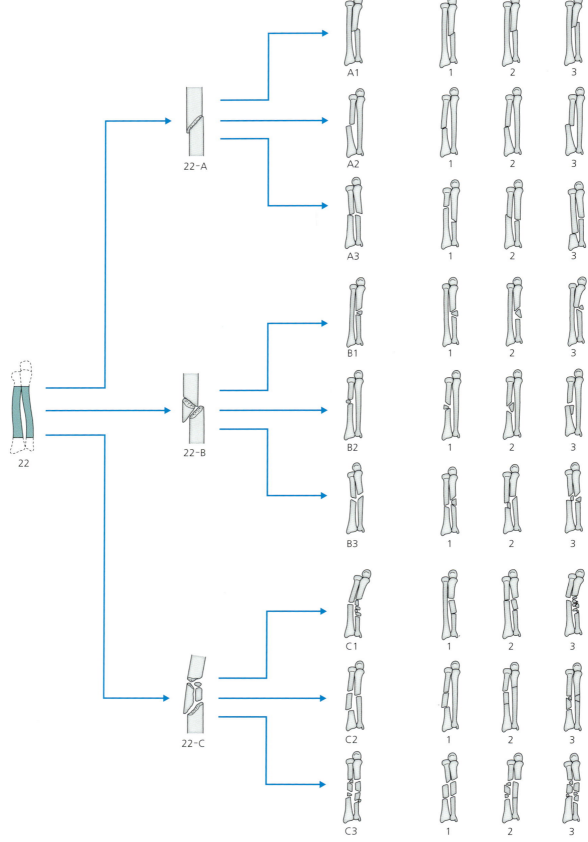

22-A: 単純骨折（1; 尺骨のみ，2; 橈骨のみ，3; 両骨）．
22-B: 第3骨片を伴った楔状骨折（1; 尺骨のみ，2; 橈骨のみ，3; 両骨，ただし一方が単純横骨折でも可）．
22-C: 複雑骨折（1; 尺骨のみ複雑で橈骨は骨折なしか単純骨折，2; 橈骨のみ複雑で尺骨は骨折なしか単純骨折，3; 両骨）．

図3 前腕骨骨幹部骨折の AO 分類

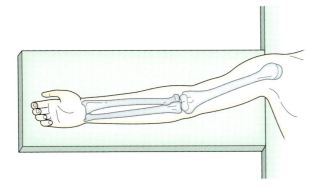

仰臥位にて，肩関節を外転し手台の上で手術を行う．
橈骨は肘関節を伸展，前腕回外位で行い，尺骨は肘関節を屈曲して手術を行う．

図4 手術体位

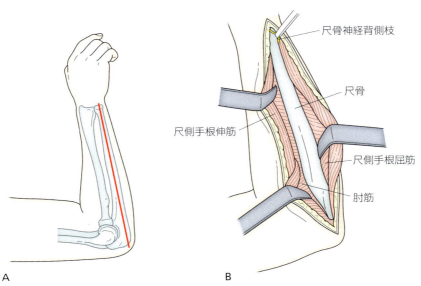

A: 皮切．肘頭から尺骨茎状突起を結ぶ直線上に必要分の皮切を加える．
B: 展開．尺側手根伸筋と尺側手根屈筋の筋間から進入する．

図5 尺骨への進入路

るプレート固定を第一選択とする．しかし 22-C の骨折型で広範囲に分節状に骨折があり短縮のリスクがないもの，皮膚の状態が悪くプレート設置が困難となるもの，整容上の配慮などでプレート固定を希望しない場合には髄内釘を考慮する．開放骨折で感染が懸念される場合は創外固定を行い，二期的にプレート固定を行う．

小児例: 徒手整復後，保存治療を第一選択とする．角状変形に対する許容は比較的大きいが，5 歳までは 20°以内，10 歳までは 15°以内を目安として整復する．小児例の外固定肢位は上腕から手指 MP 関節までとして，筋の付着部位との関係から前腕骨幹部中央以遠の骨折では前腕回旋中間位，前腕骨幹部近位の骨折ならば前腕回外位で固定する．徒手整復後も許容できない角状変形が残存した場合や，橈骨頭の脱臼（Monteggia 骨折），尺骨頭脱臼（Galeazzi 骨折）があれば全身麻酔下に骨折や脱臼を整復する必要がある．このような場合には骨折再転位・再脱臼を予防するために，骨幹部へ経皮髄内 K 鋼線固定を行うことが多い．

準備

空気止血帯，骨把持器，径 1.0-1.8 mm の K 鋼線，径 3.5 mm の皮質骨スクリューとプレート（圧迫プレートとリコンストラクションプレート）のセット，ワイヤーカッター，ペンチ，骨欠損がある場合は腸骨移植の準備を行う．同じような長さのスクリューを多数使用するため，両前腕骨骨折ではスクリューの数を多めに準備する．

小児の場合はイメージ透視，K 鋼線，先の尖った骨把持器を準備する．

麻酔と手術体位

麻酔は全身麻酔とする．手術体位は仰臥位にて，肩関節を外転して手台の上にのせて手術を行う **図4**．空気止血帯は上腕のできるだけ近位に設置し，ストッキネットと綿をアンダーラップとして巻く．はじめに尺骨を肘屈曲位で展開・内固定し，次に肘伸展位で橈骨を展開・内固定する．小児の場合はイメージ透視ができる状況にしておく．

手術進入路

橈骨・尺骨の両骨幹部骨折の場合は，基本的に尺骨の骨接合を先に行う．交差癒合（cross-union）のリスクがあるため進入路は別々にする．

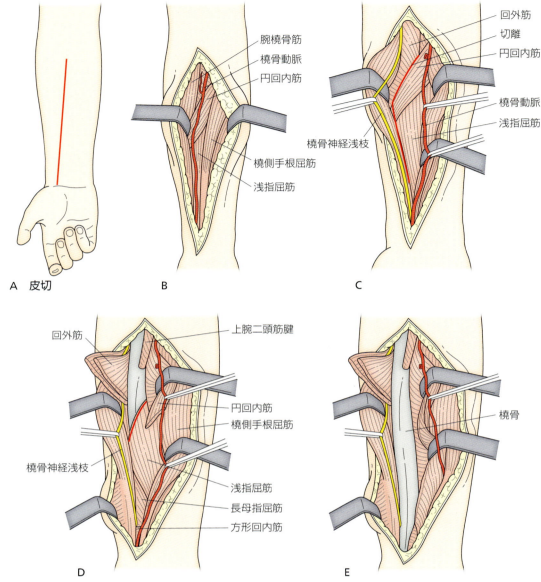

A: 遠位は橈側手根屈筋の橈側縁，近位は肘窩中央を結ぶ直線上に，骨折部を中心に皮切を加える．
B: 皮神経を温存し，橈側手根屈筋と腕橈骨筋の間を展開し橈骨動脈を同定する．
C: 腕橈骨筋の裏側には橈骨神経浅枝が走行しているので橈側へ避け，橈骨動脈を剝離して保護する．展開は遠位から近位へ進める．前腕遠位の方が腕橈骨筋と橈側手根屈筋の境界が明瞭で，橈骨動脈も表層を走行するため同定しやすい．
D: 近位では円回内筋と回外筋の間を切離し回外筋を反転する．遠位では円回内筋と浅指屈筋の橈側縁で切離する．
E: 橈骨骨幹部の展開．

図6 橈骨への進入路（Henry approach）

1．尺骨

肘を屈曲して手術を行う．骨折部を中心に，尺骨茎状突起と肘頭を結ぶ線上の尺骨骨稜にプレートの長さだけの皮切を加える 図5A ．最遠位では尺骨神経背側枝に注意する．尺側手根伸筋と尺側手根屈筋の間を展開する 図5B ．鋭的に筋間を切離し，骨膜はラスパトリウムで丁寧に必要最小限剝離する．骨膜剝離の範囲は骨折整復に必要最小限でよく，プレート全長にわたる骨膜剝離は行うべきではない．骨折部の整復が困難な場合は，内固定をあとまわしにして橈骨の展開・整復を行う．

2．橈骨

橈骨への進入路は Henry approach を用いる 図6 ．手台の上で肘を伸展して前腕回外位とする．遠位は橈側手根屈筋の橈側縁，近位は肘窩中央を結ぶ直線上に，皮切を加える 図6A ．外側前腕皮神経を温存し，橈側手根屈筋と腕橈骨筋の間を展開すると橈骨動脈が確認できる 図6B ．腕橈骨筋の裏側には橈骨神経浅枝が走行しているので橈側へ避け，橈骨動脈を剝離して保護する 図6C ．展開は遠位から近位へ進める．前腕遠位の方が腕橈骨筋と橈側手根屈筋の境界がわかりやすく，動脈が表層を走行するため同定しやすい．指で橈骨を確認

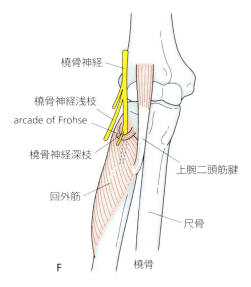
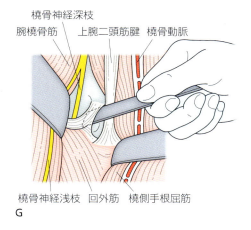

F: 橈骨の近位では橈骨神経深枝が走行している．
G: 橈骨近位の展開．前腕を最大回外位に保って橈骨神経を橈側へ移動させ，小ラスパを用いて回外筋の骨膜を遠位から近位へ丁寧に剝離する．

図6 橈骨への進入路（Henry approach）つづき

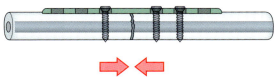

先に①と②の2本のスクリューを刺入しておき，骨折をまたいだスクリュー穴に偏心ドリルガイドを用いて③のスクリューを刺入して骨折部の圧迫をかける（穴の左端に刺入する）．残り④⑤⑥の3本のスクリューは穴の中央に刺入する．

図7 横骨折に対する固定

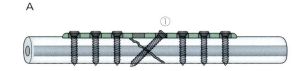

A: 斜骨折．固定力を増すために，骨折部へ①のスクリュー固定を先に行う．①の手前の皮質骨のドリル穴は少し大きめに作製し圧迫スクリューとすることが望ましい．
B: 楔状骨折．先に第3骨片を①と②の圧迫スクリューを用いて固定後，プレート固定する．

図8 斜骨折，楔状骨折に対する固定

し，遠位では浅指屈筋と円回内筋の橈側で骨膜を切離する **図6C**．近位では円回内筋と回外筋の間を切離して反転し展開する **図6D**．橈骨骨幹部のほぼ全長がこの進入路で展開できる **図6E**．橈骨の近位では橈骨神経深枝（後骨間神経）が走行している **図6F**．前腕を最大回外位に保って橈骨神経を橈側へ移動させ，小ラスパトリウムを用いて回外筋の骨膜を遠位から近位方向へ丁寧に剝離すると安全に展開できる **図6G**．

内固定

骨折部を洗浄して，凝血塊を除去する．骨片には骨膜と筋肉が付着しており完全に遊離していることは少ない．短縮や回旋転位を生じさせないためには，それらの軟部組織を温存したまま解剖学的整復を目指す．血行が保たれ骨癒合に有利である．しかし整復操作が困難な場合は，やむを得ず軟部組織を切離し骨片を遊離として解剖学的整復を行う．おおまかに整復できるが，いまひとつぴったりあわないときは骨折部を骨把持鉗子でゆるく把持しながら揺らしてみると完璧な整復位が得られることが多い．横骨折の場合を示す **図7**．これらの場合はいったん整復するとかみあって安定する場合が多い．骨折部を挟んで3本ずつスクリューが入る圧迫プレートを選択する．多くは6穴もしくは7穴プレートである．整復された骨折部をプレートごと骨把持器で保持する．さきに2本のスクリューを刺入しておき（**図7**の①，②のスクリュー），骨折部を挟んだ反対側のスクリュー穴に偏心ドリルガイドを用いて1本のスクリュー（**図7**の③のスクリュー）を刺入して骨折部に圧迫をかける．スクリューの最後の締めは骨折部の整復状況を確認しながら行う．あとのスクリューは穴の中央へ刺入する．骨折部をまたいで3本ずつの合計6本のスク

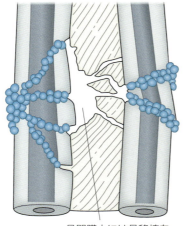

骨間膜上には骨移植を
控える

同レベルの両前腕骨骨折は，交差癒合の予防に骨間膜側には骨移植を控える．

図9 骨移植する際の注意

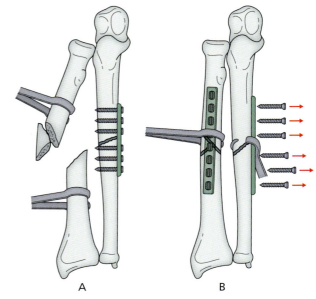

A　　　　　　　　　B

A: 通常，尺骨をプレート固定してから橈骨を固定するが，橈骨の整復が困難な場合がある．
B: そのような場合，尺骨のプレート固定をいったん除去し，橈骨を先に整復する．ともに仮固定してからプレート固定を行う．

図10 両前腕骨骨折の固定順序

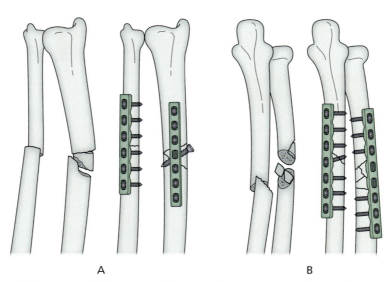

A　　　　　　　　　B

A: 分類22-B3．圧迫プレートを2枚用いて固定した．尺骨は6穴の圧迫プレートで固定し，橈骨は楔状骨片を先にラグスクリューで固定してから7穴プレートで固定した．
B: 分類22-C2．尺骨骨折を先に7穴のプレートで固定し，橈骨は8穴のプレートで粉砕した骨折部を挟んで3本ずつのスクリュー固定を行った．

図11 両前腕骨骨幹部骨折の固定

リュー固定を行うことが望ましい．長い斜骨折 図8A や楔状骨折で第3骨片が大きい場合 図8B を示す．骨折部の整復後，骨把持器で骨折部を固定し，ラグスクリューで骨折部を固定後，プレートをあわせ内固定する．整復操作中に骨折部が転位してしまうおそれがあれば，細いK鋼線で仮止めして固定性を高める．粉砕骨折や骨欠損を有する場合は骨短縮と回旋転位に注意する．愛護的操作を行えば骨欠損を生じないが，間隙が大きい場合には骨移植を行う．交差癒合を予防するために骨間膜側には骨移植を控える 図9．尺骨を整復・固定後，橈骨を整復するのが一般的であるが尺骨が粉砕骨折で，橈骨が単純骨折であれば橈骨を先に固定する．片方のプレート固定後，もう一方の整復操作が困難な場合はプレート固定をはずして，整復しやすいほうから固定する 図10．プレート対側の骨折間隙が開大する場合は，あらかじめプレートを骨接触面が凹となるようにわずかに

曲げておくと間隙なく解剖学的整復が得られる．橈骨の近位では生理的弯曲にあわせてプレートを曲げる必要がある．内固定後には肘関節，手関節，前腕回旋の他動運動を行ってROM制限がないか評価する．両前腕骨骨幹部骨折に対するプレート固定の実際を示す 図11 ．

閉創

切離した円回内筋，回外筋，浅指屈筋を可及的にもとの位置に簡単に縫合する．空気止血帯を開放し，止血してから吸引ドレーンを留置して閉創する．腫脹の強い例では閉創が困難な場合がある．そのような場合は一期的に分層植皮を行うか，筋層だけ縫合して腫脹消退を待ち，1週後に再度閉創するかの方法をとる．麻酔が覚醒したら，神経麻痺の有無を確認する．

▶後療法

術後は肘下から手指MP関節までのシーネ固定を行う．固定性に自信がなければ肘上からシーネ固定し，前腕の回旋を制限する．術後数日は挙上・冷却によって腫脹軽減に努め，術翌日から疼痛自制内で手指と肘・肩関節の自動ROM訓練を行う．術中の固定性によって術後1-4週でシーネ固定を除去する．日常生活で手をよく使うように指導する一方，骨癒合が得られるまで，重量物挙上や負荷のかかる動作を禁止する．前腕骨の金属抜去には再骨折のリスクがあるため1年以上経過してから抜去することが望ましい．また神経麻痺・橈骨動脈損傷のリスクがあるため，橈骨の金属抜去を安易に考えてはならない．

▶合併症

感染，神経麻痺，コンパートメント症候群，遷延治癒，前腕回旋可動域制限，創の肥厚性瘢痕などがある．開放骨折の場合は局所のデブリドマンを適切に行うこと，無理な閉創をさけることが感染予防に重要である．コンパートメント症候群は早期に内固定手術を行えば減張切開の効果もあり，腫脹はむしろ軽減する．神経麻痺は受傷時にはコンパートメント内圧上昇による正中神経麻痺が多い．術中は前腕掌側の皮神経や橈骨神経深枝の医原性損傷に注意する．手術時によけいな骨膜剥離を行わないこと，解剖学的な整復と強固な内固定によって遷延治癒を予防する．可動域制限は前腕回旋制限が多いが，解剖学的整復と早期ROM訓練によって予防できる．橈骨に対する前腕掌側Henryアプローチは創の肥厚性瘢痕を生じやすく，瘢痕予防の軟膏か内服を処方し，創部へのテーピング指導を6カ月以上行う．

■ 文献

1) Calder PR, Achan P, Barry M. Diaphyseal forearm fractures in children treated with intramedullary fixation: outcome of K-wire versus elastic stable intramedullary nail. Injury. 2003; 34: 278-82.
2) Duncan R, Geissler W, Freeland AE, et al. Immediate internal fixation of open fractures of the diaphysis of the forearm. J Orthop Trauma. 1992; 6: 25-31.
3) 平地一彦．前腕骨幹部骨折．In: 三浪明男編．手・肘の外科: カラーアトラス．東京: 中外医学社; 2007. p.77-87.
4) Wright RR, Schmeling GJ, Schwab JP. The necessity of acute bone grafting in diaphyseal forearm fractures: a retrospective review. J Orthop Trauma. 1997; 11: 288-94.

CHAPTER 3: 手関節─OA

29 橈骨茎状突起切除術

橈骨茎状突起切除術（radial styloidectomy）を単独で行うことはそれほど多いことではない．たとえばRogersとWatsonはSTT fusion（別項目を参照のこと）の際に舟状骨の掌屈位変形を矯正して固定を行うと，橈骨の茎状突起と舟状骨近位極との間のインピンジメント（radial styloid impingement）が発生する可能性があることから，予防的にradial styloidectomyを行うべきと報告している．

▶手術適応

手術適応はRadial styloid impingement症例，SLAC wrist（stage I）つまり橈骨茎状突起と舟状骨間のOA症例となる．しかし，SLAC wrist stage II，つまり橈骨舟状骨窩と舟状骨近位関節面全体のOAとなると本手術の適応があるかどうかは議論の分かれるところである．

手術

手関節背橈側，第1と第2区画の間に縦あるいはlazy "S" 皮切を加える．第1区画と第2区画の間より橈骨に到達する（橈骨楔状骨切り術の項，参照のこと） 図1 ．

> **Tips コツ**
> 橈骨神経浅枝を同定し，術中保護することはきわめて重要である．

第1区画の掌側の骨膜を鋭的に切離して橈骨の茎状突起部を骨膜下に剥離して露出する 図2 ．まずは背側で次いで橈側～掌側に剥離をすすめ茎状突起全体を露出

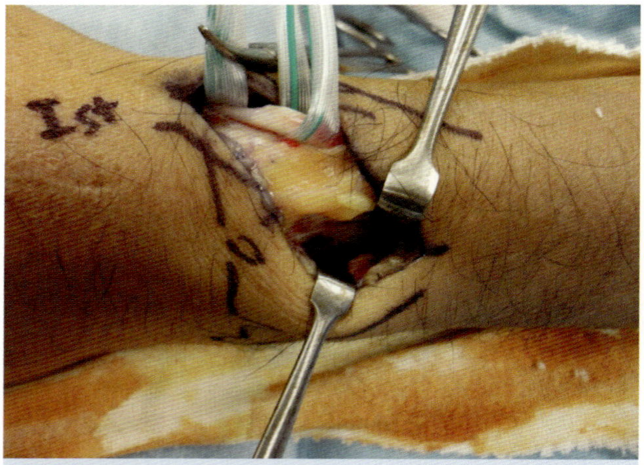

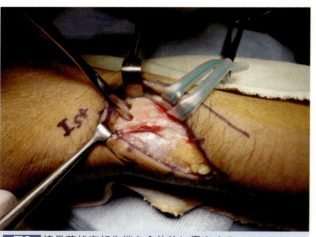

図1 皮切

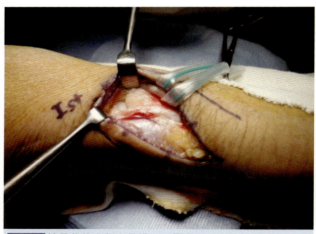

図2 橈骨茎状突起を骨膜下に露出する

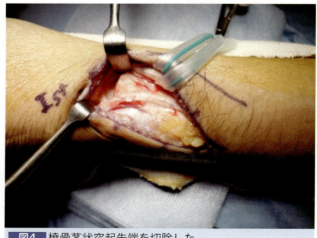

図3 橈骨茎状突起先端を全体的に露出する

図4 橈骨茎状突起先端を切除した

する 図3．しかし，この際に重要なことは橈骨舟状骨有頭骨靱帯の橈骨起始部を損傷しない程度に橈骨茎状突起を切除することが重要である 図4．

Tips コツ
橈骨舟状骨有頭骨靱帯を損傷すると手根骨全体が尺側偏位するおそれがある．

Watsonらによれば，5-8 mm長の橈骨茎状突起先端からの距離の切除で橈骨舟状骨間のimpingementは十分予防できるとしている．

また橈骨手根関節に何らかの手術操作を加える際，つまり橈骨関節面を遠位から可視できるときは茎状突起周囲の骨膜剥離は最小にして遠位から茎状突起を切除することも可能である．

私には経験がないが，関節鏡視下にradial styloidectomyを行う方法も報告されている．

骨膜を丁寧に閉鎖して創を閉じる．

▶後療法
術後1週の外固定のみで運動を許可している．

▶症例供覧
症例 53歳，男性．橈骨茎状突起インピンジメント症候群．
図5 術前X-P
図6 橈骨茎状突起切除術後X-P

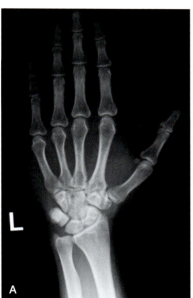
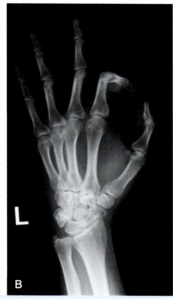

図5 53歳，男性．Radial styloid impingement症例である 術前X-P
A：正面像　B：斜位像

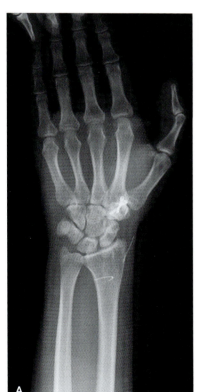
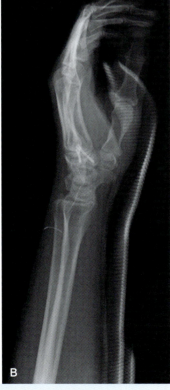

図6 術後X-P
A：正面像（ポータブル）　B：側面像（ポータブル）

■文献
1) Klausmeyer MA, Fernandez DL, Caloia M. Scaphocapitolunate arthrodesis and radial styloidectomy for posttraumatic degenerative wrist disease. J Wrist Surg. 2012; 1: 47-54.
2) 三浪明男．STT fusion/Radial styloidectomy．骨・関節・靱帯．1995; 8: 1023-31.
3) Nakamura T, Cooney WP 3rd, Lui WH, et al. Radial styloidectomy: a biomechanical study on stability of the wrist joint. J Hand Surg [Am]. 2001; 26: 85-93.
4) Rogers WD, Watson HK. Radial styloid impingement after triscaphe arthrodesis. J Hand Surg [Am]. 1989; 11: 297-301.
5) Yao J, Osterman AL. Arthroscopic techniques for wrist arthritis (radial styloidectomy and proximal pole hamate excisions). Hand Clin. 2005; 21: 519-26.

CHAPTER 3: 手関節— OA

30 SLAC Wrist に対する橈骨楔状骨切り術

SLAC (scapholunate advanced collapse) wrist は Watson らが提唱した手関節変形性関節症（OA）の概念である（別項目，参照のこと）．Stage 分類（別項目，参照のこと）しているが，特徴的なことは橈骨月状骨関節が Stage が進行しても intact に保たれるということである．

▶手術適応

Stage I である橈骨茎状突起と舟状骨との間の OA 例が橈骨楔状骨切り術の最もよい手術適応である．Stage II，つまり橈骨舟状骨窩と舟状骨近位関節面全体の間の OA に対しても適応があるとの考えもある．私は Stage II の初期に対しては手術適応があると考えているが，確立した Stage II に対しては無理があるのではと考えている．したがって本法と橈骨茎状突起切除術との間の手術適応を明確に分けることが難しい．

術前準備

手術前に橈骨楔状骨切り術の楔状角をどの位とするかを決定する．Shibata らは 10°が至適としているが，実際に作図をするとよくわかるが 10°の楔状角はかなり大きく，骨切り術後の橈骨橈側縁のギャップが少なくない．私は 8°の楔状角で十分と考えておりこれに合わせて作図する．楔状角の頂点を橈骨関節面の舟状骨窩と月状骨窩の間の骨頂とする 図1 ．骨切りをできるだけ近位とする，つまり橈骨長軸に対する角度を穏やかにした方が骨切り部の接触面が大きく有利と考えられる．

皮切

橈骨遠位端の背橈側に尺側凸のゆるい孤状切開を加える．第1・第2区画間を中心とする．

展開

この部の重要な組織としては橈骨神経浅枝と橈側皮静脈がある．皮下を伸筋支帯上まで皮下組織に神経および静脈を含めて広く剥離して，伸筋支帯を露出する．第1と第2区画間を橈骨まで切離して骨膜下に橈骨茎状突起部を広く露出する．この際，橈骨手根関節を開き橈骨舟状骨窩および舟状骨近位端の状態，つまり OA の進行程度について把握し，本法が適切であるかを最終的に判断する．橈骨茎状突起の露出は背側はもちろん掌側まで十分に露出する 図2 ．

> **Tips コツ**
> 橈骨茎状突起掌側面を骨膜下に剥離するのはそれほど容易ではないが丁寧に行う．

骨切り術

橈骨橈側縁にピオクタニンで骨切り部を予め作図したように印をつける．橈骨茎状突起先端からの距離の部分によく切れる歯科用ボーンソーを用いて先端が舟状骨窩および月状骨窩間の骨頂の皮質下まで骨切りを行う 図1 ．これにより楔状に骨切り角度を切除した後に骨頂部を不全骨折させるように骨切り橈側縁を合わせる．もちろん，これらの骨切りの操作は X 線透視下に行う．

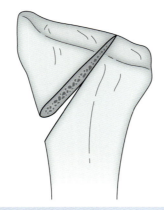

図1 橈骨楔状骨切り術

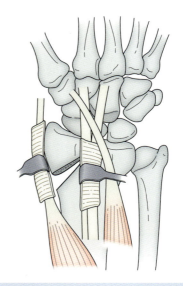

図2 展開

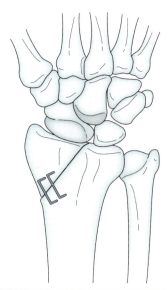

図3 骨切り部を固定する

> **Tips コツ**
> 骨切り面の接触が悪い場合には，骨切り部に骨片が残っていたりすることがあるので，慎重に操作する．

骨切り面の接触部に橈骨橈側面から骨切り部を固定するように2.8 mm径の海綿骨スクリュー2本で固定する．あるいは電動ステイプラーを用いてステープル固定を行うのもよい 図3．特に後者の場合はステープルが背側に飛び出して将来的に伸筋腱に刺激を及ぼすことがないように十分に深く刺入することが重要である．骨切部の固定性とスクリューなどの刺入方向などを最終的にX線透視下に確認する．

> **Tips コツ**
> 理論的には橈骨茎状突起部分切除術は不要であるが，茎状突起の骨棘が強い場合には一部切除術を行うこともある．

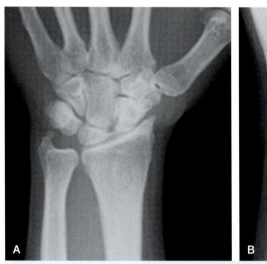

図4 50歳，男性．SLAC wrist stage Ⅰ～Ⅱ症例
術前X-P
A: 正面像　B: 側面像

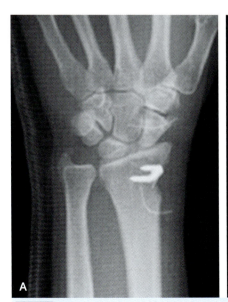
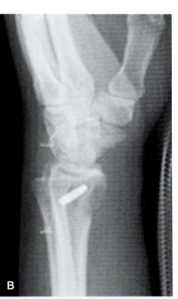

図5 術直後X-P
A: 正面像　B: 側面像

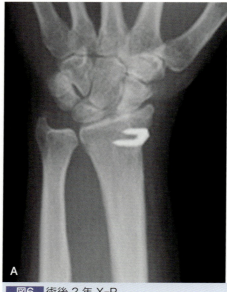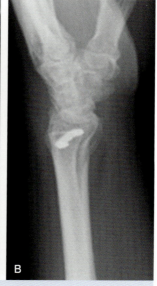

図6 術後 2 年 X-P
A: 正面像　B: 側面像

閉鎖
創を十分，洗浄後，骨膜を吸収糸で可及的に縫合閉鎖，皮下，皮膚縫合を行う．

▶後療法
術後，抜糸（10 日-2 週）までは長上肢ギプスシーネ固定，以後 ADL の軽作業での使用許可し，手関節の自動運動も許可する．骨癒合（6 週が一般的である）が得られた後に徐々に負荷を増大する．

▶症例供覧
症例 50 歳，男性．SLAC wrist stage Ⅰ～Ⅱ症例

術前 X-P **図4**
術後 X-P **図5**
術後 2 年 X-P **図6**

■文献
1) 三浪明男．SLAC Wrist．In: 三浪明男編．手・肘の外科: カラーアトラス．東京: 中外医学社; 2007. p.218-30.
2) Shibata M, Saito H, Hasegawa J, et al. Radial styloid wedge osteotomy for early SLAC wrist, nonunion of the scaphoid and for painful radial styloid impingement syndrome: A preliminary report. Wrist Disorders, Tokyo: Springer-Verlag; 1992. p.299-307.

CHAPTER 3: 手関節— OA

31 SLAC(SNAC)Wristに対する Four-Corner Fusion

　Watsonらは手関節に発生する変形性関節症（OA）の特徴として，OAが進行しても橈骨月状骨関節は最後まで温存されることを初めて記載した．そこで手関節OAをSLAC（scapholunate advanced collapse）wristと命名し，論文の中で 図1A のようにOAの進行に伴ってstage分類した．またCooneyらも舟状骨偽関節により発生した手関節OAをSNAC（scaphoid nonunion advanced collapse）wristと命名し，SNAC wristをSLAC wristと同様に 図1B のようにstage分類した．

　Four-corner fusionとは尺側手根骨の4つの骨（月状骨，三角骨，有頭骨，有鈎骨）を固定しintactな月状骨近位関節面と橈骨月状骨窩，つまり橈骨月状骨関節で可動域を維持するというものであり，SLAC reconstruction procedureと呼称されている．

▶手術適応

1. SLAC wrist, stage Ⅲ以上
2. SNAC wrist, stage Ⅲ以上
3. Radiocarpal arthrosis（ただし，橈骨月状骨関節にOAは存在していない）
4. Carpal instability patterns（Midcarpal arthrosis）舟状骨の掌屈，月状骨の背屈が著明である．
5. 軟部組織再建術の失敗例

　Four-corner fusionの手術適応については必ずしもコンセンサスが得られていない．

▶臨床症状・所見

　手関節の可動域制限，握力低下，運動時痛，圧痛，軋音，手関節背屈位ストレス試験での疼痛，Watsonのcarpal shift test，橈骨茎状突起部の圧痛などが症状・

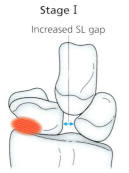
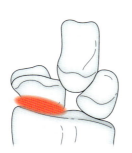
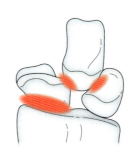
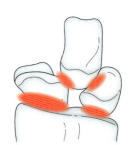

図1　A: SLAC wristのstage分類

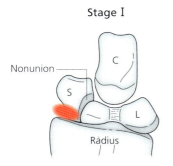
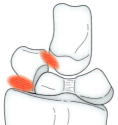
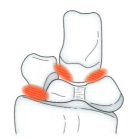
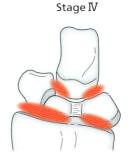

図1　B: SNAC wristのstage分類

所見である.

> **Tips コツ**
> Carpal shift test: 舟状骨の近位極および結節部を一方の手の母指および示指で触れ，手関節を橈・尺屈すると近位極が橈骨遠位端とぶつかり有痛性軋音を呈する検査である．Watson's maneuvor test とも呼称される．

> **留意点**
> 特異的な所見としての carpal shift test であるが，正常手関節においても 15% 程度は陽性であるので注意を要する．

▶画像診断

単純 X 線写真のみで診断は可能である．SLAC wrist stage Ⅲ の病態は，①舟状骨の異常回旋，②舟状月状骨解離（舟状月状骨間ギャップ），③橈骨舟状骨間および手根中央関節部の変形性関節症（OA）の存在である．CT は単純 X 線像の病像をより明確に示すことが可能である．とくに橈骨・月状骨間に OA 変化がないことを確認できる点で有用である．

▶Four-corner fusion

体位
仰臥位で肩関節を 90°外転し，前腕を回内位として手術台の上に乗せて，術者は患者の頭側に座り手術を行う．手術台は X 線透過性のある台とする．また X 線透視の TV 台は手台の少し尾側に位置として，術中，TV 台を見ながらの手術操作を可能とする．

皮切
中指中手骨の長軸ライン上で橈骨手根関節上を中心に 6 cm 長の背側縦皮切を加える（他の手関節背側部の手術操作を要する手術の項参照のこと）．皮膚に皮下組織を含めるように伸筋支帯まで露出するように剝離する．これにより皮下の橈骨神経浅枝および尺骨神経背側枝（知覚枝）を皮膚につけることとなり神経損傷を最小限とすることが可能となる．

展開
橈骨遠位の Lister 結節をメルクマールに第 3 区画の伸筋支帯を長母指伸筋（EPL）腱を損傷することなく開放する．第 4 区画の橈側中隔を切離して総指伸筋（EDC）腱を露出する．

> **Tips コツ**
> 女性の場合，EPL 腱が細く容易に損傷されるのでとくに注意を要する．

伸筋支帯を挙上して橈側は第 2 区画内の長・短橈側手根伸筋（ECRL・B）腱および尺側は第 5 区画の小指固有伸筋（EDM）腱まで露出して，EPL，EDC 腱を含めてこれらの全ての腱を両側に翻転して手関節背側の関節包を露出する．滑膜炎が存在していると関節包が破れ増生した滑膜を可視できることがある．

後骨間神経の Denervation
このときに EDC 腱と筋成分が豊富な示指固有伸筋（EIP）腱を尺側に翻転すると橈骨遠位のこれらの腱の骨溝上に走行する後骨間神経および同名動静脈を同定することが可能である．後骨間神経を含めて橈骨の骨膜を持ち上げるよう除神経術（denervation）を行うが，約 2 cm 長にわたり切除し中枢および遠位の断端を双極バイポーラにて止血をしっかり行う．

次いで背側関節包の関節包切開を行う．関節包靭帯構成体を含めて切離することとなるが，背側手根骨間靭帯と背側橈骨手根靭帯の間を三角骨の背側を頂点として V 字状に橈側を有茎として切離・翻転して橈骨手根関節と手根中央関節を露出する（他項目，参照のこと）．

関節内操作
最初に橈骨月状骨関節に変性が存在していないこと，つまり関節軟骨がほぼ正常であることを確認し，four-corner fusion が可能であることを再確認する．次いで掌側回旋している舟状骨に直径 1.5 mm の Kirschner 鋼線または Steinman ピンを刺入し，ジョイスティックとして保持しながら一塊として切除する．粉々の細片にして切除するという考えもあるが必ず一塊として切除する．時として月状骨と強靱な舟状月状骨間靭帯を切離して free として，大菱形骨と小菱形骨間の靭帯を切離して舟状骨を持ち上げながら，掌側の関節内靭帯構造を骨膜上に切離して一塊として舟状骨を切除する．

> **Tips コツ**
> 時として掌側関節包が破れ，長母指屈筋（FPL）腱，橈側手根屈筋（FCR）腱が露出しているが，損傷しないように留意する．

舟状骨を切除した後，橈骨茎状突起の橈側先端部を関節内から切除する．つまり，radial styloidectomy を行う．別項を参照していただきたいが，橈骨舟状骨有頭骨靭帯の橈骨付着部を損傷しないように留意する．この橈骨茎状突起切除術により露出した海綿骨部から骨移植に用いる大量の海綿骨を採取する．

次いで月状骨の背側近位から掌側遠位に向けて直径 1.2 mm の K 鋼線を刺入し，ジョイスティックの要領で K 鋼線を遠位に移動し強く背屈している月状骨を有頭骨に対して直線状の関係になるように整復する **図2**．

> **Tips コツ**
> 月状骨と有頭骨間の正常な解剖学的構築を得るためには本操作のみでは困難なことが多く，軟部組織の解離が必要となる．

関節固定
整復が得られた（月状骨を橈骨に対して正常位，つまり橈骨月状骨角が 0° となるように整復する）後，手根中央関節を露出して月状骨遠位と有頭骨近位の軟骨と軟骨

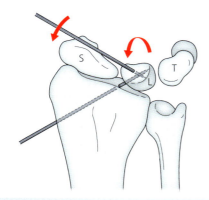

図2 月状骨の整復

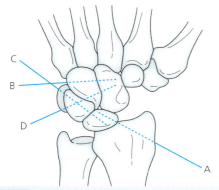

図3 関節固定（K鋼線あるいは cannulated screw の guide wire を刺入する）

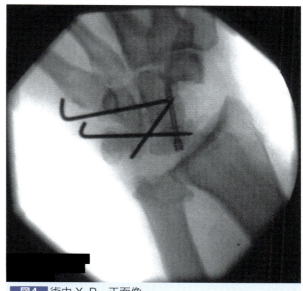

図4 術中 X-P　正面像

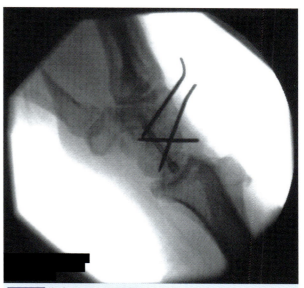

図5 術中 X-P　側面像

下骨を切除して海綿骨を露出する．この間に先ほど採取した海綿骨を充填移植して一時的にK鋼線により月状骨を有頭骨に対して整復保持する．

Tips コツ

月状骨の背屈が矯正され，有頭骨と正常な構築が得られたことを術中，X線透視により確認しながら行う．

次いで，同様に月状骨-三角骨間，三角骨-有鉤骨間，有頭骨-有鉤骨間の軟骨と軟骨下骨を切除し，海綿骨を露出する．これらの間に海綿骨を十分に充填する．三角骨から有頭骨まで一時的に固定する．

橈骨手根関節を屈曲し，cannulated screw のガイドワイヤーを月状骨・有頭骨軸の中央に X 線透視下に刺入し，手根中央関節を cannulated screw を刺入し圧迫固定する．2本目のスクリューは1本目のスクリューとは斜めに三角骨から有頭骨へ cannulated screw を刺入する．有鉤骨と有頭骨はほとんど可動性がないので固定する必要はないとの考えもあるが私は同様に有鉤骨から有頭骨まで，3本目のスクリューを用いて固定することとしている 図3 ．

術中透視の X-P イメージ 図4,5 のように月状骨から有頭骨までを cannulated screw で固定し，それ以外の骨間を三角骨・有頭骨，三角骨・月状骨，有鉤骨・有頭骨を固定した．これらの全ての操作はX線透視下に行う．

さらにこれらの関節裂隙に海綿骨をしっかり充填する．万一，橈骨遠位端のみからで不足の場合には腸骨から海綿骨を採取して移植することもある．

閉鎖

関節包を非吸収糸を用いて閉鎖する．EPL 腱も伸筋支帯の下に入れ，伸筋支帯を閉鎖する．皮膚を閉鎖する．Bulky dressing を行い，短上肢ギプス副子固定とする．

▶後療法

抜糸を術後10日-2週で行いギプス副子固定を2週行い，その後，短上肢ギプスを術後4-6週まで続ける．その後，ギプスを脱着可能なスプリント固定として午前・午後の一定時間（30分-1時間程度）スプリントを外して，自動手関節・手指運動，愛護的他動運動を行うこと

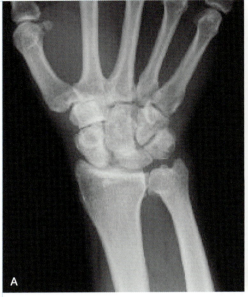
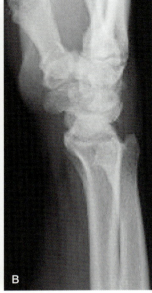

図6 SLAC wrist, stage III. 術前 X-P
A: 正面像　B: 側面像

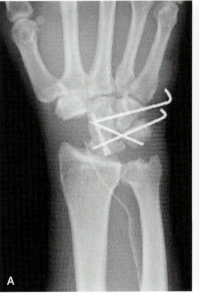
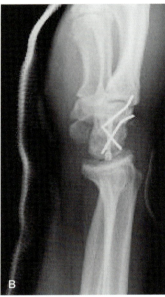

図7 Four-corner fusion. 術直後 X-P
A: 正面像　B: 側面像

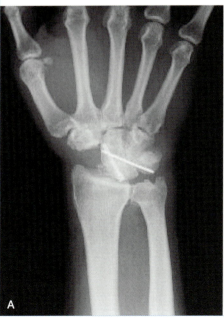
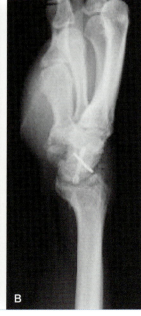

図8 術後24週の X-P. 骨癒合は得られている
A: 正面像　B: 側面像

とする．骨癒合が得られた後，積極的なリハビリテーションを行う．

私の経験では術後，正常手関節可動域の60～70％程度は維持できると考えている．

▶症例供覧

症例 52歳，男性．SLAC wrist, stage Ⅲ．
図6A, B 術前X-P
図7A, B Four-corner fusion直後X-P
図8A, B 術後24週のX-P．骨癒合は得られている．

■文献

1) Bain GI, Watts AC. The outcome of scaphoid excision and four-corner arthrodesis for advanced carpal collapse at a minimum of ten years. J Hand Surg [Am]. 2010; 35: 719-25.
2) Cohen MS, Kozin SH. Degenerative arthritis of the wrist: proximal row carpectomy versus scaphoid excision and four-corner arthrodesis. J Hand Surg [Am]. 2001; 26: 94-104.
3) Dacho AK, Baumeister S, Germann G, et al. Comparison of proximal row carpectomy and midcarpal arthrodesis for the treatment of scaphoid nonunion advanced collapse (SNAC-wrist) and scapholunate advanced collapse (SLAC-wrist) in stage Ⅱ. J Plast Reconstr Aesthet Surg. 2008; 61: 1210-8.
4) Giuseppa R, Michele B, Javer CI, et al. The advantages of Type Ⅲ scaphoid nonunion advanced collapse (SNAC) treatment with partial carpal arthrodesis in the dominant hand: Results of 5-year follow-up. Med Arch. 2018; 724: 253-6.
5) 三浪明男．SLAC Wrist. In: 三浪明男編．手・肘の外科: カラーアトラス．東京: 中外医学社; 2007．p.218-30.
6) Richards AA, Afifi AM, Moneim MS. Four-corner fusion and scaphoid excision using headless compression screws for SLAC and SNAC wrist deformities. Tech Hand Up Extrem Surg. 2011; 15: 99-103.
7) Vance MC, Hernandez JD, Didonna ML, et al. Complications and outcome of four-corner arthrodesis: circular plate fixation versus traditional techniques. J Hand Surg [Am]. 2005; 30: 1122-7.
8) Watson HK, Ballet FL. The SLAC wrist: scapholunate advanced collapse pattern of degenerative arthritis. J Hand Surg [Am]. 1984; 9: 358-65.

CHAPTER 3: 手関節— OA

32 近位手根列切除術 (Proximal Row Carpectomy: PRC)

　近位手根列切除術（proximal row carpectomy: PRC）は手根骨の近位列に属する舟状骨・月状骨・三角骨を切除し，新たに橈骨遠位端月状骨窩と手根中央関節有頭骨近位で関節を形成し，無痛性と可動性を得ようとするものである．ただし，橈骨月状骨窩および有頭骨近位の関節軟骨がintactに保たれている，あるいは変性が軽度であることが重要である．

Tips コツ
舟状骨については全切除する場合と近位半分を切除する場合がある．私はほぼ全切除を行っている．

▶手術適応
1) StageⅡ　舟状月状骨進行性圧潰（scapholunate advanced collapse: SLAC）手関節（特に有頭骨近位軟骨が正常あるいは変性がきわめて軽度である例）
2) StageⅡ　舟状骨偽関節進行性圧潰（scaphoid non-union advanced collapse: SNAC）手関節（SLAC wristと同様に有頭骨近位軟骨がintactである）
3) StageⅢBのKienböck病
4) 陳旧性月状骨周囲脱臼または月状骨脱臼

▶禁忌
1) 手術適応にも記載しているがPRC後に新たな関節を形成することになる橈骨月状骨窩と有頭骨近位軟骨が変性している場合
2) 関節リウマチまたは他の炎症性関節炎
3) 橈骨舟状有頭骨靱帯の損傷または弛緩例（この靱帯の支持性がないと，術後強い手関節の不安定性をきたす）

▶理学所見
　他の手関節疾患と同様でPRCの手術適応がある手関節疾患に特異的所見はない．手関節痛，手関節可動域制限，握力低下などである．

▶画像所見
1) 単純手関節X-P: 橈骨舟状骨関節の変形性関節症

（OA）の程度の評価と月状有頭骨関節の軟骨が保たれていることを確認する．
2) CT画像: 有頭骨近位軟骨に変性の存在が疑われる場合にはCTは月状有頭骨関節の評価に有用である．

▶治療法の選択
1) 橈骨月状骨関節がintactであるSLAC wristについては舟状骨を切除しfour-corner fusionつまり，有頭骨・月状骨・三角骨・有鉤骨関節固定術（本法については別項目参照のこと）が適応となる．
2) 橈手根関節にOAが限局していたり，あるいは隣り合う手根骨間にOAが限局している場合には，橈骨手根関節固定術（橈骨・月状骨間または橈骨・舟状骨・月状骨間固定術）あるいは手根骨間固定術の適応となる．
3) OAが橈骨手根関節や手根中央関節など広範に及んでいる場合は全手関節固定術（別項目参照のこと）または人工手関節置換術（別項目参照のこと）が適応となる．

▶手術解剖
1) 橈骨舟状有頭骨（RSC）靱帯は橈骨茎状突起掌側から起始して舟状骨体部を掌側から支え（一部，付着している），有頭骨体部掌側に終止している ．したがって本靱帯が損傷または弛緩している場合はPRC後に手関節の不安定性をきたすので術中，損傷しないように留意する．
2) RSC靱帯は掌側に存在している重要な靱帯であるが，背側では背側橈骨手根（DRC）靱帯（橈骨月状骨窩背側縁から三角骨を連結している）と背側手根骨間（DIC）靱帯（主なものは舟状骨背側遠位から三角骨橈側縁に走行している）は手関節背側で橈骨と手根骨間の安定性を保持する上で重要な靱帯 図2 であり，術中，これらの靱帯を損傷しないような切開を加えるように努めるべきである．

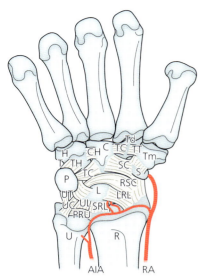

Tm：大菱形骨
Td：小菱形骨
C ：有頭骨
H ：有鈎骨
S ：舟状骨
L ：月状骨
T ：三角骨
P ：豆状骨
R ：橈骨
U ：尺骨
RA：橈骨動脈
AIA：前骨間動脈

RSC：橈骨舟状有頭骨靱帯

図1 手関節掌側部の靱帯構造

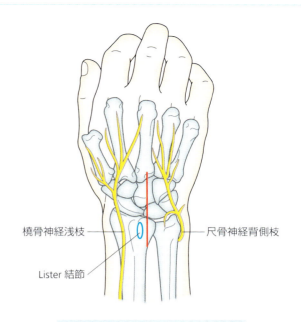

図3 皮切

橈骨神経浅枝　　尺骨神経背側枝
Lister 結節

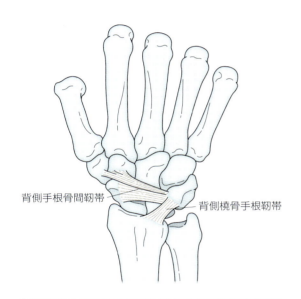

背側手根骨間靱帯　　背側橈骨手根靱帯

図2 手関節背側部の靱帯構造

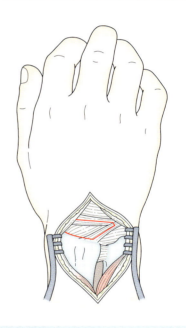

図4 靱帯温存関節包切開

▶手術手技

皮切
　Lister 結節の少し尺側で手関節背側に縦切開を加える．皮膚と皮下組織を剝離しないで皮膚に付けたまま鋭的に伸筋支帯に到達し，伸筋支帯上を円刃を用いて橈側から尺側に広く展開する **図3**．
　伸筋支帯を第3と第4伸筋区画の間で切開する．長母指伸筋（EPL）腱を展開し橈側へ翻転する．指伸筋腱は尺側へ翻転し背側関節包を露出する．

Denervation 操作
　別項目に詳細に記入しているが，第4伸筋区画の骨床上の後骨間神経を後骨間動静脈とともに確認し，これらの動静脈を含め 1-1.5 cm にわたり神経を切除する．

展開
　DRC 靱帯と DIC 靱帯を温存した関節包切開術を用いて近位手根列，有頭骨，橈骨を展開する **図4**．この展開は三角骨背側の両靱帯付着部を頂点となるように温存し，橈側を茎部として弁状に翻転して関節を展開する **図5**．理論的には長軸の手関節関節包切開と比較して，手関節の安定性をより温存することが可能となる．

PRC 手技
　関節包を切開して手関節内を観察する．まず一番最初に有頭骨近位の骨頭の軟骨の状態を観察する．軟骨が摩耗したり損傷している時は，PRC は行うことができず，他の手術方法に変更すべきである．軟骨が温存されていることを確認後，予定通り PRC を行うことに最終決定する．

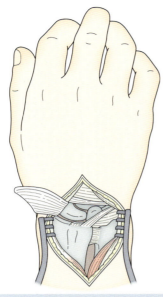

図5 関節包を切開・翻転し橈骨，近位手根列，有頭骨を露出する

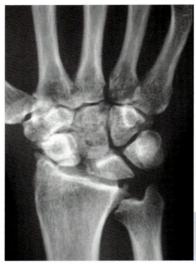

図6 52歳，男性．SLAC wrist StageⅡ．術前 X-P

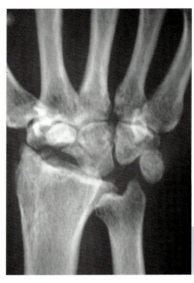

図7 PRC 術後 X-P．本例では舟状骨は全切除した

　太い K 鋼線または Steinmann ピンを切除する予定の舟状骨，三角骨，月状骨に背側から刺入し，切除する際のジョイスティックとして使用する．一般的には中央に位置する月状骨を最初に切除する．Kienböck 病の場合は分節化しているので切除は比較的容易なことが多い．切除は小さなエレバやメスなどを用いて行う．次いで，舟状骨と三角骨を一塊としてあるいは piece-by-piece で破骨鉗子を用いて切除する．

> **Tips コツ**
> この際に有頭骨近位軟骨の損傷または掌側橈骨手根靱帯の損傷を避けるように注意を払うべきである．

　有頭骨骨頭を橈骨月状骨窩に位置させる．橈骨茎状突起に骨棘が存在している場合にはこれを切除する．この際に掌側橈骨手根靱帯を損傷しないことに留意する．

閉創

　関節包靱帯弁を元に戻して 2-0 非吸収糸を用いて関節包を閉鎖する．駆血帯を開放して丁寧に止血を行う．切離した伸筋支帯を閉鎖する．この際 Lister 結節尺側が変曲点となり阻血性壊死を起こす危険があるので EPL 腱を伸筋支帯背側へ移動することとしている．他の EDC 腱は支帯内に収納する．皮下組織と皮膚を閉鎖し，短上肢掌側副子固定を行う．

▶後療法

　術後 4 週，短上肢副子またはギプスで手関節を保持する．その後，着脱可能な掌側副子に変えて，愛護的な自動可動域運動を行う．手術成績を左右するのは橈骨月状骨窩に有頭骨骨頭が位置していることである．

▶症例供覧

症例 52歳，男性．SLAC wrist StageⅡ．
術前 X-P　図6
PRC 術後 X-P　図7

■文献

1) Berger RA, Bishop AT, Bettinger PC. New dorsal capsulotomy for the surgical exposure of the wrist. Ann Plast Surg. 1995; 35: 54-9.
2) Cohen MS, Kozin SH. Degenerative arthritis of the wrist: proximal row carpectomy versus scaphoid excision and four-corner arthrodesis. J Hand Surg [Am]. 2001; 26: 94-104.
3) DiDonna ML, Kiefhaber TR, Stern PJ. Proximal row carpectomy: study with a minimum of ten years of follow-up. J Bone Joint Surg [Am]. 2004; 86: 2359-65.
4) Imbriglia JE, Broudy AS, Hagberg WC, et al. Proximal row carpectomy: clinical evaluation. J Hand Surg [Am]. 1990; 15: 426-30.
5) 三浪明男．SLAC wrist. In: 三浪明男編．手・肘の外科: カラーアトラス．東京: 中外医学社 2007; p.218-30.
6) Nakamura R, Horii E, Watanabe K, et al. Proximal row carpectomy versus limited wrist arthrodesis for advanced Kienböck's disease. J Hand Surg [Am]. 1998; 23: 1998.

CHAPTER 3: 手関節―手関節固定術

33 橈骨・月状骨間固定術

関節リウマチ（RA）手関節において手関節滑膜切除術および遠位橈尺関節（DRUJ）に対してDarrach手術（尺骨頭切除術）と合併して橈骨・月状骨間固定術を行うことは私の好んで行っている手術の1つである．しかし，橈骨・月状骨間固定術を単独に行うことはそれほど多くはない．以前Kienböck病に対して橈骨・月状骨間固定術が行われたといわれているが，私に経験はない．

本項では比較的稀な橈骨と月状骨に限局したOAに対する橈骨・月状骨間固定術を行った症例の手術の実際を中心に記載する．

▶症例の概要説明

16歳，男子．約半年前に40kg重のバーベルを持ち上げようとして右手関節の過背屈を強制されグキッと音がして以来，右手関節痛とともに腫脹が出現する．医療機関を受診せず自分で湿布などで様子をみていたが症状が改善せず，2カ月後に某整形外科医院を受診して4方向の手関節単純X線写真を撮影したが，明らかな骨傷などを指摘されず，とくに積極的な治療は受けていない．この時のX-Pが 図1 である．よくみると月状骨に骨折が存在しているように見えるが，少なくともKienböck病のような明らかな壊死像は認めていない．

症状（右手関節痛と腫脹）が持続するということで受傷から6カ月後に関連病院を受診した． 図2 がそのときのX-Pである．これらのX-Pでは橈骨月状骨窩とそれに対する月状骨関節間の裂隙の狭小化と，橈骨関節面には骨囊腫が存在しており，明らかな橈骨・月状骨間変形性関節症の診断であった．これらの所見はCT画像でより明らかである 図3 ． 図4 はCT再建像であるが手根骨全体が尺側に偏位し，月状骨は橈骨月状骨窩から尺側にはみ出したような像を呈している．

手術時には罹患手関節の可動域は背屈0°，掌屈30°と強く制限され，運動痛が著明であった．16歳と若年者であるが橈骨・月状骨間固定術の部分的手関節固定術を行うこととした．

皮切

皮切をどのように加えるかはきわめて重要である．本例は橈骨・月状骨間固定術ということで第5区画を開放する皮切とすることとした．以前は手関節を中心に緩いS字状の皮切としていたが尺側の角の部分の皮膚が壊死に陥ることがあり，最近はほぼ直線あるいは緩い斜切開を用いている．遠位橈尺関節（DRUJ）を中心に 図5 のような皮切を加えた．皮膚に皮下組織を含めて伸筋支帯上まで広く剝離する．この際，皮下の縦に走る静脈と，尺骨頭の遠位に存在する尺骨神経背側枝を温存するよう

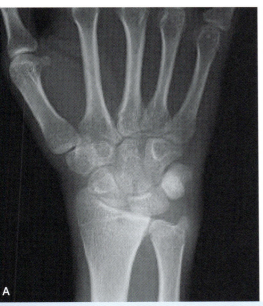
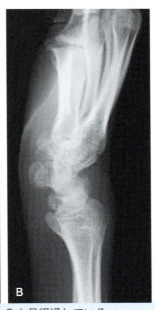
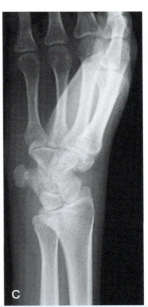
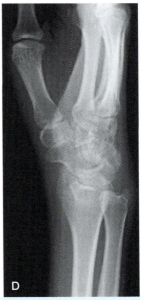

図1 16歳，男性，右手関節単純X-P．受傷から2カ月経過している．
A: 正面像　B: 側面像　C: 斜位像（1）　D: 斜位像（2）

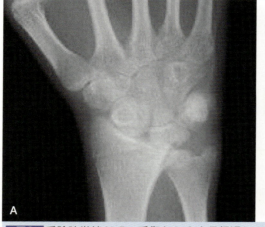
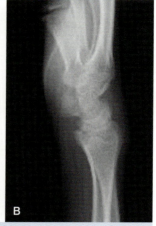

図2 受診時単純X-P. 受傷から6カ月経過している.
A: 正面像　B: 側面像

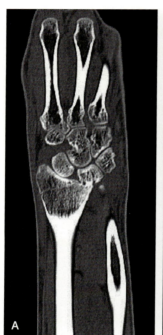
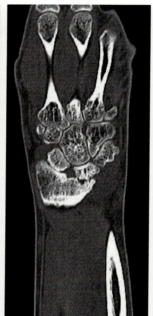
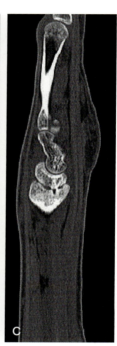
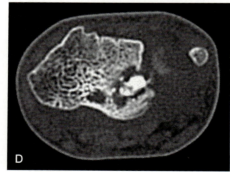

図3 CT像
A: Frontal view（1）
B: Frontal view（2）
C: Sagittal view
D: Axial view

に努める．

展開

　第5区画内の小指固有伸筋（EDM）腱を同定して，第5伸筋区画を開放してEDM腱にペンローズドレインを掛けて尺側へ翻転する 図6 ．伸筋区画は後ほど縫合閉鎖する必要があるので4-0ナイロン糸でstay sutureを掛けておく．今回はDRUJを開く必要がないので橈骨遠位端の橈骨月状骨窩から橈骨手根関節まで縦切開を加える 図7 ．本症例では橈骨月状骨関節の関節包を切離したところ充血性の滑膜炎が存在しており，丁寧な滑膜切除を行った．指を遠位方向に牽引して橈骨・月状骨関節をみると，関節軟骨が摩耗消失しており，一部骨皮質が露出していた 図8, 9 ．橈骨と月状骨間を開いて尺側に偏位した月状骨を橈骨月状骨窩に整復

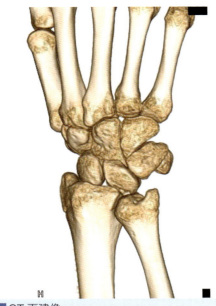

図4 CT再建像

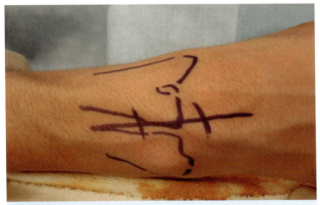

図5 皮切

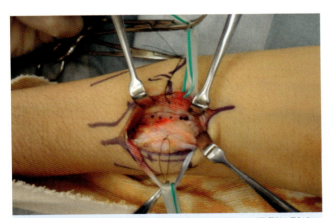

図6 EDM腱をペンローズドレインを用いて尺側に引く

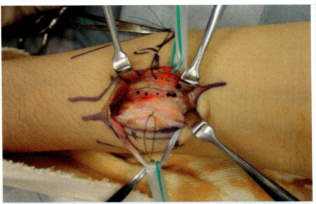

図7 関節包を橈骨月状骨窩から橈骨手根関節まで切離する（点線部分）

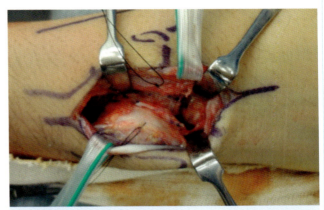

図8 橈骨月状骨関節を露出する

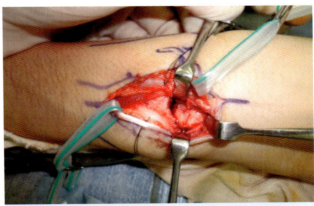

図9 橈骨月状骨関節の関節軟骨はほとんど存在していない

し，掌屈位を呈している月状骨を中間位に整復する．月状骨窩の関節軟骨および骨皮質を切除して海綿骨を露出し，月状骨窩に対応している月状骨近位の関節軟骨・骨皮質を切除して同じように海綿骨を露出する 図10．

骨移植

　Darrach手術を行った場合には尺骨遠位端を5-8 mm幅の円柱状として海綿骨面を橈骨月状骨窩と月状骨近位面に海綿骨小骨片とともに挿入する．本例ではDarrach手術を行う予定がなかったので腸骨からtri-cortical boneを採型して橈骨月状骨窩と月状骨近位面の間に8 mm長の高さとして挿入した 図11．この際，月状骨を少しでも遠位に持ち上げて橈骨月状骨関節を開大させることとしている．

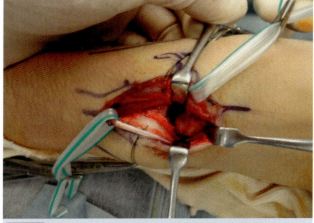

図10 橈骨月状骨窩および月状骨関節面の海綿骨を露出する

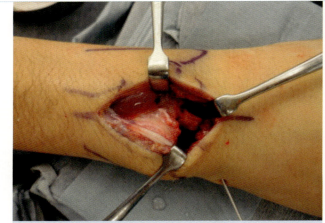

図11 橈骨月状骨関節間に腸骨片を挿入し，DTJ screw とK鋼線を用いて橈骨・移植骨・月状骨を固定する

Tips コツ

この操作はきわめて重要と考えている．この操作により当科の成績では橈骨・月状骨間固定術の術後可動域は他の報告と比べて良好であろうと考えている．

固定術

橈骨月状骨窩と整復した月状骨近位面の間に移植骨片を挿入した後に橈骨背側面から移植骨・そして月状骨掌側に向けて DTJ screw のガイドワイヤーを刺入する．月状骨の遠位を越えて有頭骨まで及ばないこととすることが重要である．この後にX線透視でガイドワイヤーの位置および深さが良好であることを確認し，デプスゲージで深さを決定する．測定した後にもう1本のスクリューを入れるのは困難なことが多いのでX線透視下に経皮的に三角骨尺側から月状骨・移植骨を通して橈骨へと直径 1.2-1.5 mm のK鋼線を刺入することとしている 図11 ．K鋼線は皮膚から出すことが多い． 図12 は術直後 X-P である．

最終的に橈骨・移植骨・月状骨間の固定性をチェックした後に手関節の掌背屈角度を測定し記録しておき，術後の関節可動域獲得の参考とする．

閉鎖

創洗浄後，DRUJ 関節包を閉鎖する．第5伸筋区画を閉鎖するが EDM 腱を含めるか，皮下とするかは術者の好みであるが，私は EDM 腱を含めて閉鎖することが多い．創閉鎖を行うなどは滑膜切除術の場合と同様である．

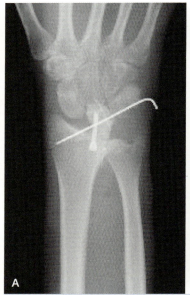
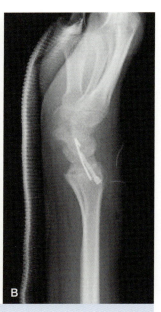

図12 術直後単純 X-P
A: 正面像　B: 側面像

▶後療法

手関節軽度背屈，前腕中間位として長上肢ギプス副子固定を行う．抜糸後，短上肢ギプス固定を術後4週まで行う．その後，着脱可能な装具を X-P で骨癒合が得られるまで続ける．

図13 は術後2カ月目の X-P であるが，骨癒合は得られている．

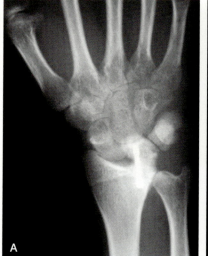
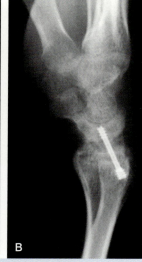

図13 術後2ヵ月の X-P である．骨癒合は得られている．
A: 正面像　B: 側面像

▶他の症例供覧

前述したように橈骨・月状骨間固定術はRA手関節症に対して行うことが多いので症例を提示する.

症例1 58歳, 女性. Larsen stage Ⅲ RA wrist
術前 X-P 図14A

術前 CT 図14B　橈骨・月状骨間の関節裂隙がほとんど消失, 橈骨に大きなパンヌスが形成されている.

術中写真 図14C　橈骨・月状骨固定術をK鋼線を用いて行った

術後 X-P 図14D

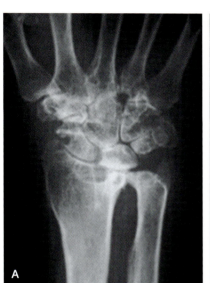
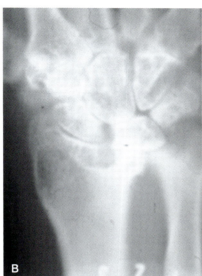
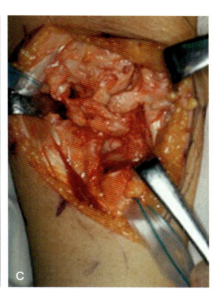
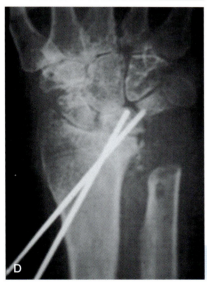

図14 症例1. 58歳, 女性. Larsen stage Ⅲ RA wrist
A: 術前X-P　B: 術前CT　C: 術中写真　D: 術後X-P

症例2 49歳，女性．Larsen stage Ⅱ RA wrist
術前 X-P 図15A, B
術直後 X-P 図15C, D
術後3年 X-P 図15E, F
術後3年の手関節 ROM 図15G, H

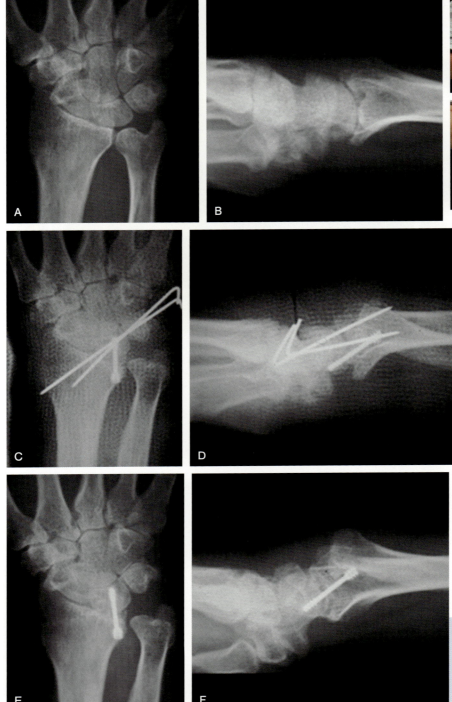

図15 症例2．49歳，女性．
Larsen stage Ⅱ RA wrist
A, B：術前 X-P
C, D：術直後 X-P
E, F：術後3年 X-P
G, H：術後3年の手関節 ROM

■ 文献

1) Ishikawa H, Murasawa A, Nakazono K. Long-term follow-up study of radiocarpal arthrodesis for the rheumatoid wrist. J Hand Surg [Am]. 2005; 30: 658-66.
2) Masuko T, Iwasaki N, Minami A, et al. Radiolunate fusion with distraction using corticocancellous bone graft for minimizing decrease of wrist motion in rheumatoid wrists. Hand Surg. 2009; 14: 15-21.
3) Minami A, Kato H, Iwasaki N, et al. Limited wrist fusions: comparison of results 22 and 89 months after surgery. J Hand Surg [Am]. 1999; 24: 133-7.
4) Minami A, Ogino T, Minami M. Limited wrist fusions. J Hand Surg [Am]. 1988; 13: 660-7.
5) Motomiya M, Iwasaki N, Minami A, et al. Clinical and radiological results of radiolunate arthrodesis for rheumatoid arthritis: 22 wrists followed for an average of 7 years. J Hand

症例3 55歳，女性．Larsen stage III RA wrist
術前 X-P 図16A, B
術直後 X-P 図16C, D
術後3年 X-P 図16E, F

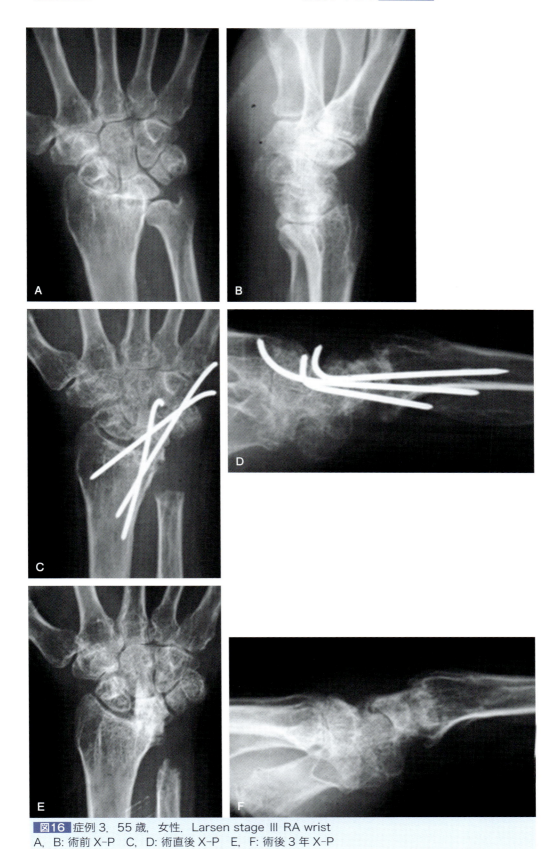

図16 症例3．55歳，女性．Larsen stage III RA wrist
A, B: 術前 X-P　C, D: 術直後 X-P　E, F: 術後3年 X-P

Surg [Am]. 2013; 38: 1484-91.
6) Raven EE, Ottink KD, Doets KC. Radiolunate and radioscapholunate arthrodeses as treatments for rheumatoid and psoriatic arthritis: long-term follow-up. J Hand Surg [Am]. 2012; 37: 55-62.

CHAPTER 3: 手関節—手関節固定術

34 舟状骨・大菱形骨・小菱形骨固定術
（Scaphotrapeziotrapezoidal: STT Fusion）

　手根骨の橈側を占める舟状骨・大菱形骨・小菱形骨はその解剖学的特徴から手の橈側支持性を付与する重要な構成体である．舟状骨・大菱形骨・小菱形骨（scaphotrapeziotrapezoidal: STT）関節は更に末梢では母指・示指へと連ながっている．

　手関節変形性関節症（OA）で一番頻度が高いのはscapholunate advanced collapse（SLAC）タイプであるが，STT関節のOAは2番目に多いタイプであり，比較的臨床上遭遇することが多いOAタイプである．手関節や母指の運動時痛がありADL上のdisabilitiesが強い場合にはSTT関節固定術（STT fusion）の適応となる．

▶手関節のキネマチックス

　手関節は縦軸方向では橈骨手根関節，手根中央関節，手根中手関節により構成されている．これらに横軸方向での遠位橈尺関節および近位と遠位手根列の手根骨同士の関節（手根骨間関節）を加えたものが広義の"手関節"ということができる．

　手関節の掌・背屈，橈・尺屈運動は橈骨手根関節および手根中央関節で担っている．手関節の掌・背屈におけるこれら両関節における可動域の割合（分配）については未だ諸説がある．現在のところ，両方向ともに橈骨手根関節と手根中央関節でほぼ50%ずつ，分担していると考えるのが妥当と思われる．

　重要な手根骨のキネマチックスとしては，手関節の橈屈運動において近位手根列（舟状骨，月状骨，三角骨）は掌屈し，遠位手根列（大菱形骨，小菱形骨，有頭骨，有鉤骨）は背屈する．尺屈するとその逆に近位手根列は背屈し，遠位手根列は掌屈する．このようにSTT fusionを代表する部分的手関節固定術を施行するにあたっては手関節の正常な運動における手根骨のキネマチックスを理解しておくことが，予想される術後の手関節可動域を知るうえできわめて重要である．

　理論的には部分的手関節固定術においては豆状骨を除くすべての隣接する手根骨間の組み合わせで部分的に固定することが可能であるが，基本的には橈骨を含めて固定するか，手根骨間での固定に留めるかである．後者でいえば，手根列を越えて固定するか，手根列同士の横の固定に留めるかが術後の可動域を中心とした成績を左右する．

▶STT fusion についての文献的考案

　STT fusion は舟状骨・大菱形骨・小菱形骨間でのOAに対して，古くから行われていた術式である．STT fusion がとくに注目を集めたのはWatsonらが舟状月状骨間解離（手根不安定症に中で最も頻度が高い）に対する治療法の一つと提唱してからである．

　さらにWatsonらはSTT fusionをKienböck病の治療にも応用している．彼らはKienböck病においてまず壊死に陥った月状骨を摘出してシリコンインプラント挿入術を行う．その後，シリコンインプラントによるsilicone synovitisの合併症があるということで摘出したままとしてSTT fusionを行い，良好な成績を報告している．STT fusionにより月状骨にかかる負荷を減少することが可能であるとした．

　以後，Voche らおよび私も追試を行っている．

　私は病期が進行し，手根骨collapseの著明なKienböck病に対して，壊死に陥った月状骨を摘出し，その後，長掌筋腱の腱球挿入術を行った成績を報告している．長期臨床成績は約半数の症例で不満足な成績が得られ，またX線学的にも舟状骨の掌屈変形の進行を防止することができなかった．したがって，STT fusion と月状骨を摘出後，長掌筋腱挿入術は進行したKienböck病に対してのみ行うこととしている．

▶手術方法

　STT fusion の手術方法はWatsonや私がすでに報告しているので，そちらも参照してもらいたい．

皮切
　WatsonとHemptonは手関節橈背側部での横皮切を推奨しているが，私は舟状骨・大菱形骨関節裂隙を中心にゆるいS字状皮切を加えることとしている 図1 ．

展開
　第1と第2伸筋腱区画の間より橈骨手根関節と舟状骨・大菱形骨・小菱形骨間の関節包を展開する 図2 ．この際，長母指伸筋腱，短母指伸筋腱，長母指外転筋腱も損傷しないように留意する．

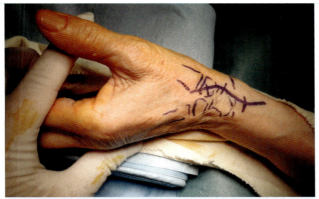

図1 皮切

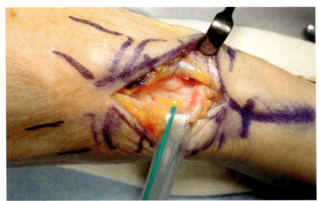

図2 舟状骨，大菱形骨，小菱形骨関節包を露出する

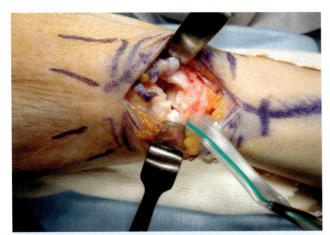

図3 舟状骨，大菱形骨，小菱形骨間関節を露出する

> **Tips コツ**
> 腱とともに橈骨神経浅枝と橈骨動脈を損傷しないように十分な注意を払うべきである．

STT関節部の関節包を切開する．舟状骨が強い掌屈位変形を呈している場合が多いが，舟状骨は掌屈し，それに伴って大菱形骨と小菱形骨が舟状骨の遠位部にover-rideするように背側に移動している．

STT関節部を観察する．OAの場合は同部に滑膜炎が著明で関節軟骨が欠損して骨皮質が露出している．次に舟状骨舟状骨遠位と大菱形骨・小菱形骨の近位部の関節面の関節軟骨，骨皮質を切除し，海綿骨を露出する

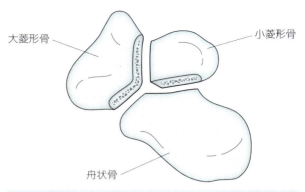

図4 舟状骨，大菱形骨，小菱形骨の関節面，関節軟骨，骨皮質を切除し，海綿骨を露出する

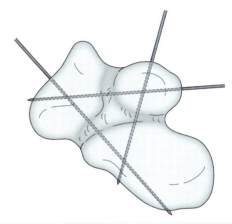

図5 舟状骨，大菱形骨，小菱形骨間をK鋼線で固定する

図3．ここでWatsonらが述べているように，曲がったケリーかモスキート鉗子などを用い舟状骨の遠位を背側に移動させ，舟状骨全体を掌屈位から少し背屈位とする．

> **Tips コツ**
> この際に，Watsonは舟状骨の長軸の掌屈角度45°程度に矯正してSTT関節を固定すべきとしているが，私は過矯正するべきではなくむしろin situ positionでの固定を行うべきと考えている．これにより術後の橈骨舟状骨関節のOAを防止できると考えている．

舟状骨遠位の大菱形骨，小菱形骨を整復し，K鋼線にて固定する．固定する関節間の間隙に橈骨の遠位端あるいは腸骨より採取した海綿骨をパックするように充填した 図4 ．

使用するK鋼線は原則として3本とした．1本は小菱形骨と舟状骨の間に，もう1本は小菱形骨と舟状骨の間に，最後の1本は大菱形骨と小菱形骨の間に刺入した 図5 ．これらの鋼線の先端はいずれもできるだけ皮下に埋没してギプス装用を可能とした 図6 ．

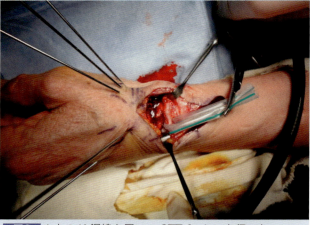

図6 4本のK鋼線を用いてSTT fusionを行った

 コツ

術中，何度かX-Pコントロールあるいはイメージ透視下でSTT関節部の整復状態（とくに舟状骨の位置）およびK鋼線の先端の位置（とくに舟状骨を貫いて橈骨へK鋼線を刺入するのは避けるべきである）を確認する．

創内を十分に洗浄した後，関節包を非吸収糸で閉鎖する．空気止血帯を解除して十分に止血を行い，皮膚を縫合する．創内にペンローズドレインを挿入する．

▶術後療法

術後，母指IP関節を含めてThumb-spica-castにて固定する．術中の固定性にもよるが，ギプスは4週で外して，以後は午前・午後それぞれ30分-1時間程度，水中浴にての自動運動と愛護的他動運動を行い，それ以外はthumb-spica-splint固定とする．6週で日中は完全にfreeとして積極的自動・他動運動を行う．X-Pで骨癒合が得られたならば完全にfreeとする．K鋼線は皮膚とのトラブルがなければ8週以降に抜釘することとしている．

▶症例供覧

症例1 51歳，女性．STT関節OA
術前X-P 図7
STT fusion 直後X-P 図8

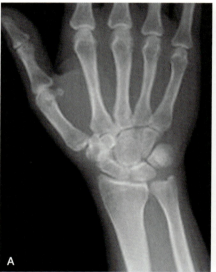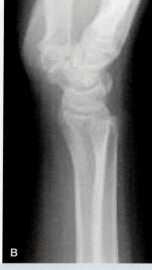

図7 51歳，女性．STT関節OA
A: 術前X-P（正面像）STT関節にOAが存在している．
B: 術前X-P（側面像）

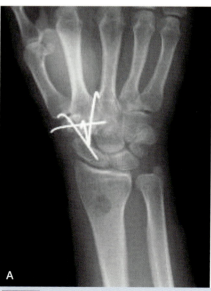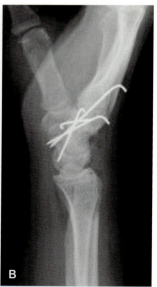

図8 STT fusion 直後X-P
A: STT fusion 術後X-P（正面像）橈骨遠位端から移植骨を採取した．
B: STT fusion 術後X-P（側面像）

症例2 58歳，男性．STT 関節 OA
術前 X-P　図9
術後 X-P　図10

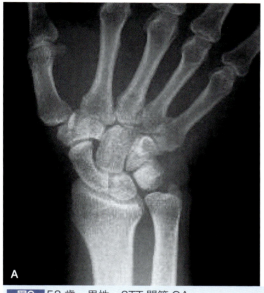
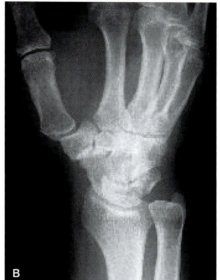

図9 58歳，男性．STT 関節 OA
A: 術前 X-P（正面像）
B: 術前 X-P（斜位像）

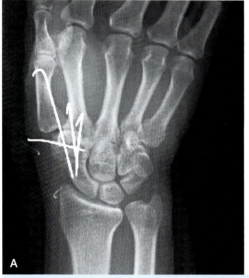
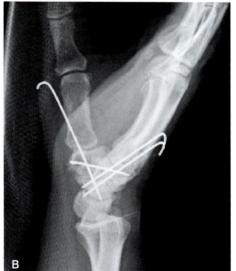

図10 STT fusion 直後 X-P．腸骨移植を行った
A: STT fusion 術後 X-P（正面像）
B: STT fusion 術後 X-P（側面像）

症例3 53歳，女性．STT関節OA
術前X-P 図11

STT fusion直後X-P 図12
STT fusion後1年4カ月X-P 図13

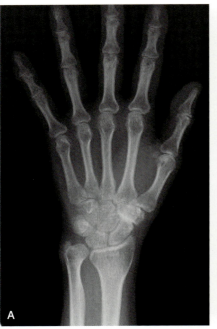
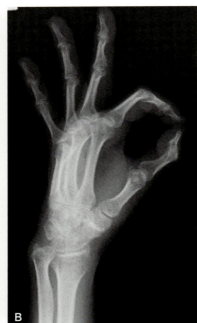

図11 53歳，女性．STT関節OA術前X-P
A: 正面像
B: 斜位像

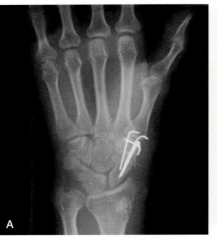
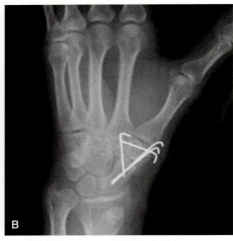

図12 STT fusion直後X-P
A: 正面像
B: 斜位像

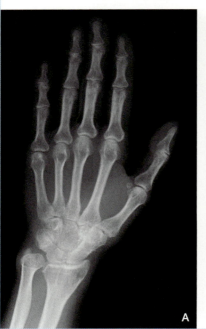
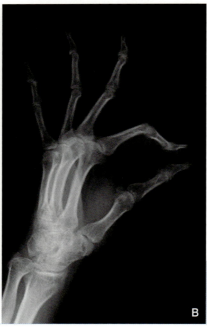

図13 STT fusion後1年4カ月X-P．骨癒合が得られている
A: 正面像
B: 斜位像

症例4 58歳，女性．STT 関節 OA
術前 X-P 図14

術後 X-P 図15
術後 8 カ月 X-P 図16

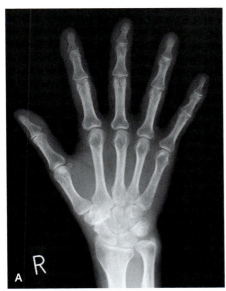

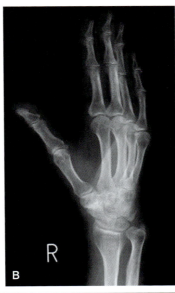

図14 58歳，女性．STT 関節 OA 術前 X-P
A: 正面像
B: 斜位像

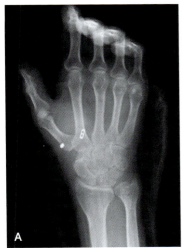

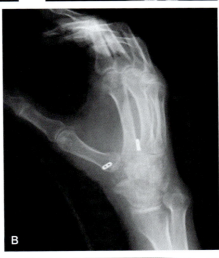

図15 大菱形骨切除＋Suture button を用いた靱帯形成術直後 X-P
A: 正面像
B: 斜位像

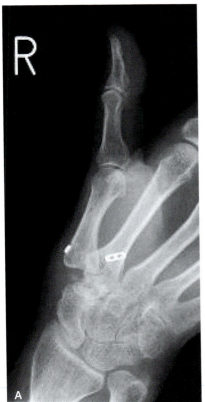

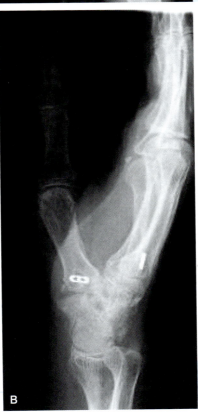

図16 術後 8 カ月 X-P
A: 正面像
B: 斜位像

> ⚠️ **留意点**
>
> STT 関節 OA に母指 CM 関節 OA を合併することはよく知られている．母指 CM 関節 OA の程度にもよるが，STT 関節固定術は一般的にはそのような場合は適応とならない．その場合，私は最近，母指 CM 関節 OA に対する手術，（大菱形骨切除＋長掌筋腱と Suture button を用いた靱帯再建術（別項目参照のこと）を好んで行っている．近年は母指 CM 関節 OA を合併していない STT 関節 OA 例に対しても上記手術を行っている．症例 4 はその手術例である．

■ 文献

1) Ambrose L, Posner MA, Green SM, et al. The effects of scaphoid intercarpal stabilizations on wrist mechanics: an experimental study. J Hand Surg [Am]. 1992; 17: 429-37.
2) Kato H, Usui M, Minami A. Long-term results of Kienböck's disease treated by excisional arthroplasty with a silicone implant or coiled palmaris longus tendon. J Hand Surg [Am]. 1986; 11: 645-53.
3) 三浪明男, 荻野利彦, 加藤博之. Kienböck 病に対する舟状骨・大菱形骨・小菱形骨固定術の経験. 整形外科. 1988; 39: 719-22.
4) Minami A, Ogino T, Minami M. Limited wrist fusions. J Hand Surg [Am]. 1988; 13: 680-7.
5) Minami A, Kimura T, Suzuki K. Long-term results of Kienböck's disease treated by triscaphe arthrodesis and excisional arthroplasty with a coiled palmaris longus tendon. J Hand Surg [Am]. 1994; 19: 219-28.
6) 三浪明男. STT fusion/Radial styloidectomy. 骨・関節・靱帯. 1995; 8: 1023-31.
7) Minami A, Kato H, Iwasaki N, et al. Limited wrist fusions: comparison of results 22 and 89 months often surgery. J Hand Surg [Am]. 1999; 24: 133-7.
8) Voche P, Bour C, Merle M. Scapho-trapezio-trapezoid arthrodesis in the treatment of Kienböck's disease. A study of 16 cases. J Hand Surg [Br]. 1992; 17: 5-11.
9) Watson HK, Hempton RF. Limited wrist arthrodeses. Ⅰ. The triscaphoid joint. J Hand Surg. 1980; 5: 320-7.
10) Watson HK, Goodman ML, Johnson TR. Limited wrist arthrodesis. Part Ⅱ: Intercarpal and radiocarpal combinations. J Hand Surg. 1981; 6: 223-33.
11) Watson HK, Ryu J, DiBella A. An approach to Kienböck's disease: triscaphe arthrodesis. J Hand Surg [Am]. 1985; 10: 179-87.

CHAPTER 3: 手関節—手関節固定術

35 全手関節固定術

全手関節固定術は手関節の変形性関節症（OA）や関節リウマチ（RA）などに対して関節形成術や部分的手関節固定術施行が不可能で疼痛，可動域制限，不安定性，変形などが強い場合に適応となる．具体的には①橈骨手根関節の破壊を伴った手関節の（亜）脱臼，②手関節の高度な屈曲拘縮，③手関節の有痛性屈曲拘縮，④強い運動制限と運動痛，⑤ムチランス型手関節である．図1 のリウマチ性手関節は手根骨全体が掌側に亜脱臼し強い痛みと可動域制限を認めており，全手関節固定術あるいは人工手関節置換術以外の治療法の option は考えられない．全手関節固定術そのものは確立した手術術式であり，手関節固定術により可動性は喪失するものの，安定性・無痛性が得られるきわめて有用・有効な手術方法ということができる．

> **留意点**
> 私達が開発した DARTS® 人工手関節を用いた人工関節置換術（別項目　参照のこと）の適応がリウマチ性手関節症に加えて変性による手関節症にも拡大されているので全手関節固定術に代わるものとして考慮してもらいたい．

全手関節固定術には多くの手術術式が提唱されている．以下にいくつかの手技上の問題点を列記するが，まだ一定のコンセンサスは得られていないのが現状である．①骨移植を行うべきか否か，②骨移植を行うとすれば，腸骨など遠隔部位から採取するか，あるいは局所骨を利用するか，③局所骨を利用する場合，橈骨および手根骨の切除した海綿骨を使用するか，あるいは橈骨遠位端をスライドあるいは回転して使用するか，④内固定金属を使用するか否か，⑤内固定金属としては比較的簡便な K 鋼線から特殊なデザインをしたプレートまで多くの種類のものが報告されており，どのような内固定金属がよいのかなどが問題点としてある．

本項では 2 つの手術手技について紹介したい．1 つは腸骨を用いるが K 鋼線を工夫して固定するものであり，もう 1 つは橈骨遠位端を移植骨として用いてスライドして使用しプレートで固定するものである．局所骨・腸骨の違いと K 鋼線・プレートの違いと両極端のものである．

▶術式 1: 腸骨移植＋K 鋼線固定術

皮切
手関節背側に直線的な縦切開を加える．第 2・第 3 中手骨基部から橈骨遠位端の Lister 結節を通り，その近位まで皮切を加える 図2 ．

展開
第 3 と第 4 区画間の伸筋支帯を皮切線と同様に切離する．総指伸筋（EDC）腱〔示指固有伸筋（EIP）腱を含む〕を尺側へ，長母指伸筋（EPL）腱を橈側に翻転して背側関節包靱帯構造を露出する．ここで第 2 区画内の長・短橈側手根伸筋（ECRL・ECRB）腱を橈側に引いて背側関節包を直線的に切離して，骨から剝離すると近

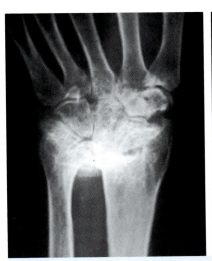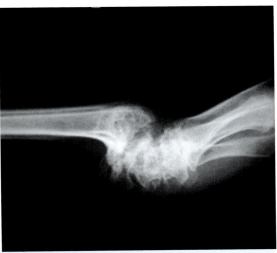

図1　62 歳，女性．RA 手関節．Larsen stage IV

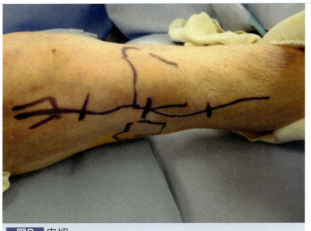

図2 皮切

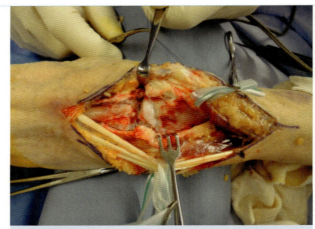

図3 背側関節包を切離して橈骨遠位端，手根骨および第2・3中手骨基部まで露出する

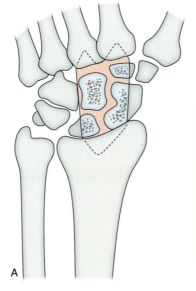

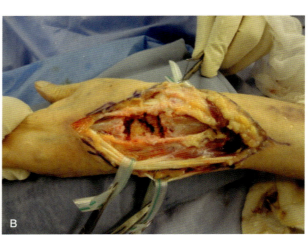

図4 腸骨を入れるためのスペースを確保するために，骨を切除する
A: シェーマ　B: 橈骨遠位端，手根骨および第2・3中手骨基部の背側部分を切除した

位から橈骨遠位端，手根骨（舟状骨，月状骨，有頭骨，小菱形骨）および第2・3中手骨基部まで広く露出する 図3 .

レシピエントの処置

Darrach手術を行う必要がある場合には本手術を施行する（別項目を参照のこと）．

手根骨（舟状骨，月状骨，有頭骨，小菱形骨）の背側部分を腸骨を挿入するスペースを確保できるように，電動バー，リュエル，鋭匙などを用いて切除する．次いで橈骨遠位端，第2・3中手骨基部の関節軟骨と骨皮質を切除して髄腔を開ける 図4A, B .

腸骨採取

反対側の腸骨稜から外側に骨皮質を有する骨皮質海綿骨（corticocancellous bone）を採取し，Carrollらの報告のように，遠位は第2・3中手骨基部髄腔へ挿入できるように，近位は橈骨遠位端髄腔へ挿入できるように，腸骨を採型する 図5 .

> **コツ**
> 図5のように腸骨をキツネの耳と顎のように採型する．

関節固定（K鋼線刺入）

採型した腸骨片を挿入する 図6A, B .

> **コツ**
> この際には手関節を遠位方向に牽引しながら屈曲すると移植骨の挿入が容易となる．

手関節を術前の予定していた角度（私は屈曲・伸展および橈屈・尺屈中間位）を保持することとし，橈骨手根関節，手根骨間関節，第2・3 CM関節の関節裂隙に海綿骨をパックして挿入する．

次いで，電動ドリルを用いて1.6 mmまたは1.8 mm径のK鋼線を腸骨片の背側面上で第3中手骨の髄腔内を遠位尺側方向へ刺入した後に，ドリルを鋼線の遠位端に

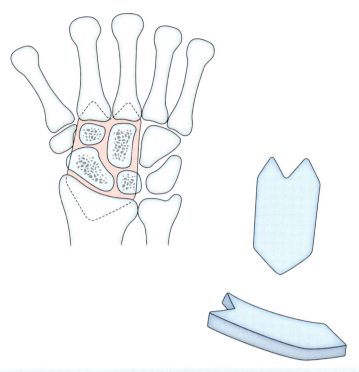

図5 腸骨をちょうどキツネの耳と顎のように採型する

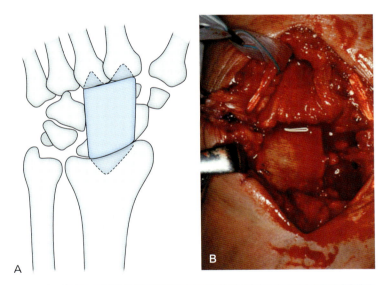

図6 腸骨片を橈骨遠位端から第2・3中手骨基部まで挿入する
A: シェーマ　B: 腸骨片を挿入する

付け直してから，鋼線を逆方向の近位橈側方向へ橈骨の橈側骨皮質を貫通するまで刺入する．この鋼線刺入中に，骨膜エレバトリウムを用いて鋼線を押して尺側へ曲げるようにすることが重要である 図7 ．

> **Tips コツ**
> この操作により，鋼線の弾性により橈尺側方向での鋼線の反発力（スプリングが元に戻る力）を供与することが可能となる．

2本目の鋼線を第2中手骨基部の髄腔内の遠位橈側方向に刺入する．その後，鋼線を逆方向の近位尺側方向へ刺入し，橈骨の尺側骨皮質を貫通するまで刺入する．この鋼線を刺入する際，1本目の鋼線の下（掌側）で腸骨骨皮質の背側を通すこととする．この鋼線は1本目の鋼線と交叉することとなり，橈側にカーブさせる 図8 ．

> **Tips コツ**
> 2本目の鋼線の反発力により橈尺側方向と背掌側方向に反発力がかかることとなる．また，交叉したK鋼線により腸骨を手根骨に対して押さえ込む圧迫力を供与することとなる．

必要であれば3本目のK鋼線を刺入することもある．

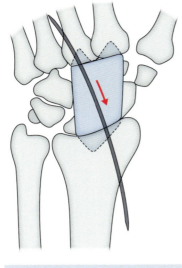

図7 1本目のK鋼線挿入

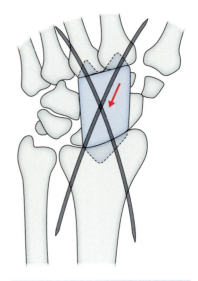

図8 2本目のK鋼線挿入

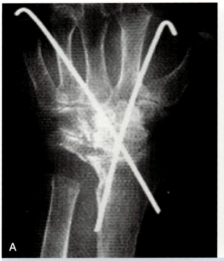
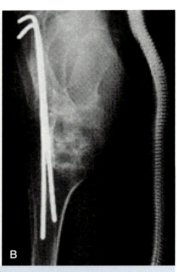

図9 術直後X-P
A: 正面像　B: 側面像

創閉鎖

その後，切離した関節包靭帯構造および伸筋支帯を縫合して，鋼線の先端は皮膚から出しておく．皮膚を丁寧に縫合閉鎖する．

▶後療法

基本的に外固定が不要なほど固定性が良好であるが，創の安静のために術後2週はギプス副子固定を行い，以後，骨癒合が得られるまで過激な運動は禁止するが，荷重のかからない日常生活は許可する．

▶術後合併症

鋼線によるpin tract infectionおよび神経・腱損傷などの可能性がある．

▶症例供覧

本法を施行した症例を提示する．
図9A, B は術直後のX-Pであり，**図10A, B** は術後1年のX-Pである．骨癒合は得られている．

▶術式2: 橈骨遠位端を移植骨としてプレート固定する方法（スライディング骨移植）

皮切

術式1とほぼ同様の直線的な縦切開を加えるが，第3中手骨および橈骨へのスクリュー固定が必要となるので，近位および遠位に皮切を延長する必要がある．

展開

その後は同様の操作で第3中手骨骨幹部から橈骨遠位

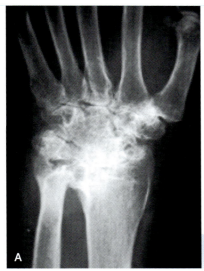
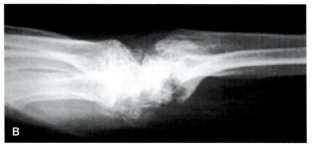

図10 術後1年 X-P
A: 正面像　B: 側面像

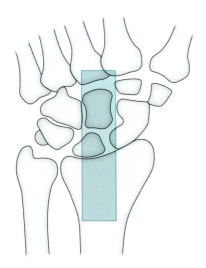

図11 橈骨遠位端背側から移植骨をプレート状に作成する

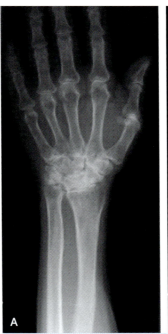
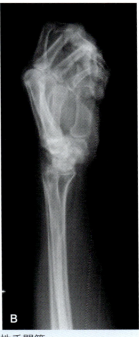

図13 70歳，女性．リウマチ性手関節 Larsen stage IV　術前 X-P
A: 正面像　B: 側面像

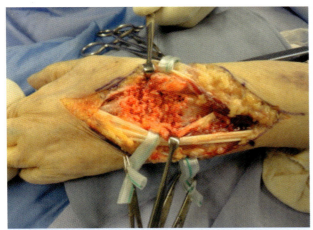

図12 局所から採取した骨を移植骨として十分に充填する

まで幅広く露出し，橈骨手根関節，手根中央関節，第3CM関節を切除する．プレートを伸筋腱の下に敷く可能性も考慮して伸筋支帯を尺側（第5区画）で切離して橈側方向に翻転することとしている．

橈骨遠位端からの移植骨の採取

この操作が特徴的であるが，橈骨遠位端を広く展開し（このときに伸筋腱などを損傷しないように留意する）電動鋸を用いて橈骨背側に橈骨手根関節から近位方向に幅1cm，長さ5cmの皮質海綿骨をプレート状に作製する．この骨製プレートが入る（収まる）ように手根骨および第3中手骨基部に骨溝を作製する 図11．骨溝採取により得られた骨は移植骨として利用するので保存しておく．骨製プレートを遠位に移動し橈骨から第3中手骨基部まで手根骨を橋渡しする．ここで先ほど採取した骨を細片し，骨欠損部（特に第3中手骨基部，手根骨部，橈骨手根関節部）に充填するとともに，またある場合には骨製プレートを作製した骨欠損部にも骨移植を行う 図12．

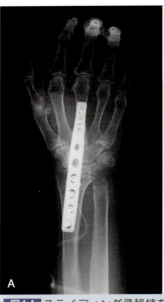
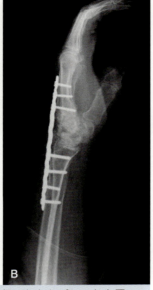

図14 スライディング骨移植を行ったあとプレートを用いて固定した術直後X-P
A: 正面像　B: 側面像

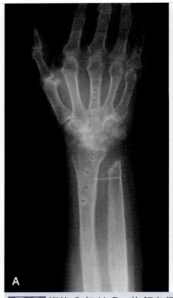
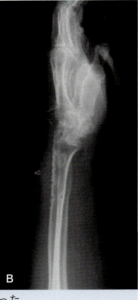

図15 術後2年X-P．抜釘を行った
A: 正面像　B: 側面像

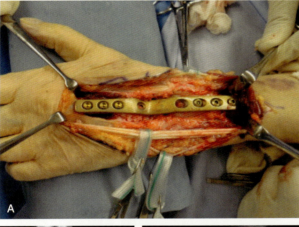

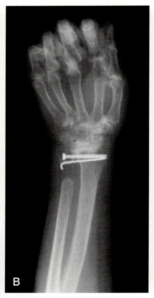
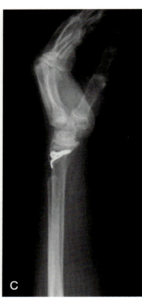

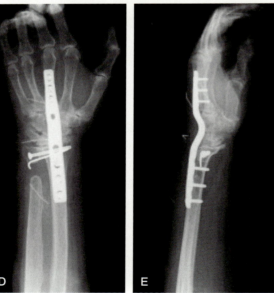

図16
A: プレート固定を行ったところである（別症例である）
B: 術前X-P（正面像）他医にてSauvé-Kapandji法が既に施行されている
C: 術前X-P（側面像）
D: 術後X-P（正面像）
E: 術後X-P（側面像）

　ふつう10穴の3.5mm A-O dynamic compression plateを用いて，第3中手骨と橈骨の移植骨を作製した部より近位にそれぞれ最低2本のスクリューを刺入す る．さらに移植骨を固定するために1-2本のスクリューを刺入する 図13, 14, 15．図16A-E は別の症例であるが手関節固定用プレートを用いて固定している．移植

による伸筋腱断裂を防止するためにも，プレートと伸筋腱が接触するのを防ぐことが重要である．尺側から橈側方向に翻転した伸筋支帯を近位と遠位弁の2枚おろしとして近位弁でプレートを被覆し，腱の上に遠位弁を乗せて縫合閉鎖することとしている．小指固有伸筋腱は支帯の上に置くことも多い 図18．

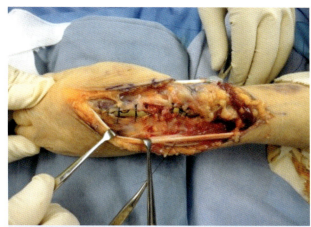

図17 関節包を用いて可及的にプレートを被覆する

▶後療法

術後2週程度は安静のためにshort arm splint固定を行うが，その後は骨癒合までは過激な運動を避けるようにして日常生活はfreeとする．

■ 文献

1) Carroll RE, Dick HM. Arthrodesis of the wri for rheumatoid arthritis. J Bone Joint Surg [Am]. 1971; 53: 1365–9.
2) Howard AC, Stanley D, Getty C. Wrist arthrodesis in rheumatoid arthritis. A comparison of two methods of fusion. J Hand Surg [Br]. 1993; 18: 377–80.
3) 岩崎倫政．手関節リウマチ．全手関節固定術．In: 三浪明男編．手・肘の外科：カラーアトラス．東京: 中外医学社; 2007．p.465–7.
4) Millender LH, Nalebuff EA. Arthrodesis of the rheumatoid wrist. An evaluation of sixty patients and a description of a different surgical technique. J Bone Joint Surg [Am]. 1973; 55: 1026–34.
5) Minami A, Kato H, Iwasaki N. Total wrist arthrodesis using bended cross K-wires. J Hand Surg [Br]. 1999; 24: 410–5.
6) 三浪明男．手関節固定術における術式の工夫—確実な骨癒合を得るために—．MB Orthop．2000; 13: 30–5.
7) O'Brien J, Boyer MI, Axelrod T. Wrist arthrodesis using a dynamic compression plate. J Bone Joint Surg [Br]. 1995; 77: 700–4.
8) Wood MB. Wrist arthrodesis using dorsal radial bone graft. J Hand Surg [Am]. 1987; 12: 208–12.

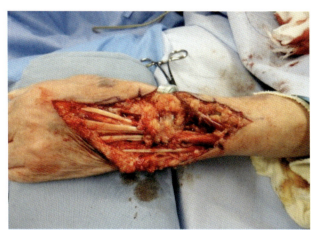

図18 伸筋支帯を本文で記述したように閉鎖した

骨としては局所骨を用いた．

閉鎖

可及的に関節包，骨膜を閉鎖するよう試みるが困難なことが多い 図17．重要な術後合併症であるプレート

CHAPTER 3: 手関節— Kienböck 病

36 Kienböck 病の手術治療（総論）

総論として Kienböck 病の画像診断・病期分類と手術術式について記載する．

▶画像所見

1．単純 X 線所見

尺骨マイナスバリアンスは Kienböck 病の病因として脚光を浴びた．欧米においては病因の重要な 1 つとして力説されているが，本邦においては尺骨バリアンスと Kienböck 病との間の関係はどちらかというと否定的である．

Kienböck 病の病期分類として Lichtman 分類が広く用いられているが，変法として Ståhl が修飾したものが今は一般的である 図1．それによると，

Stage 0: 単純 X 線写真では正常であるが，MR 所見を基とした Amadio の Lichtman Stage 分類変法によるが MR 所見として月状骨全体の濃度変化，浮腫または骨折を示す．

Stage I: Stage 0 と同様に X 線写真では正常であるが，骨スキャンまたは断層写真では，月状骨骨折を示す硬化した線が示される．時には単純 X 線写真でも，骨折と考えて矛盾しない不明瞭な線が見えることがある 図1A．

Stage II: 月状骨全体の濃度変化は明らかであるが，手根骨の構築学的アライメントは正常であり，月状骨の大きさ，形は保持されている 図1B．

Stage ⅢA: 月状骨の圧潰，分節化，転位を示す．正面と側面像で，月状骨の掌背側方向への延長を認めるが，静的手根骨圧潰がなく観察可能である 図1C．

Stage ⅢB: Stage ⅢA に加えて，月状骨の圧潰は舟

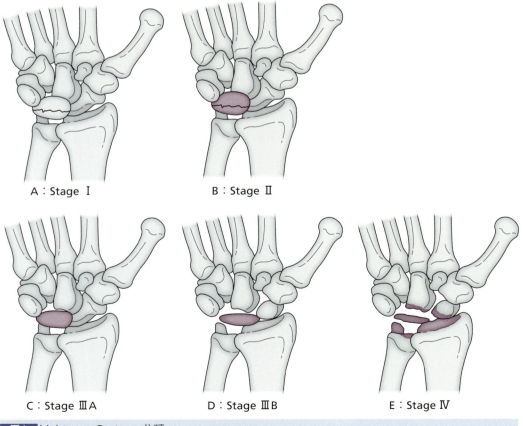

図1 Lichtman の stage 分類

状骨の固定した掌屈を伴った手根骨の圧潰を合併している．いわゆる舟状骨のmalrotationを伴っている 図1D．

Stage Ⅳ: Stage Ⅲの全ての所見に加えて，橈骨手根関節や手根骨間関節に関節症（OA）が存在する．いわゆるpanarthrosisを呈していることとなる 図1E．

2．CT所見

血管柄付き骨移植術（vascularized bone graft: VBG）が適応となるかを決定するためには，月状骨の骨性構築とその他の手根骨の状態を詳細に評価する必要があるのでそのためにCTはきわめて有用な診断手段である．

評価すべき事項は以下の通りである．
① 橈骨手根関節と手根中央関節に関節症変化が存在するか？
② 月状骨の圧潰，分節化は存在しているか？
③ 単純X線写真で月状骨の殻がほぼ正常である像を得た場合，CTスキャン像で軟骨性表面が侵されていないということを確認するために重要である．

3．MR所見

MRはKienböck病の鑑別診断および病期分類を判断する上で重要なツールの1つである．

先ほど記載したようにStage 0は，月状骨の浮腫がMR像のみにおいて見られたときに，提唱されている．MRは無血流・再血流の程度を示すことが可能である．このことは血管柄付き骨移植が施行可能かの判断を行う上で必須である．強く分節化・細片化している場合は血管柄付き骨移植を行うことは難しい．後でも記述するが，月状骨の分節化・細片化が少なく，全体的に無血流野であることを示している，あるいは分節化していても一方の骨片に血流を認めるような場合が血管柄付き骨移植術のよい適応と考えている．

MRは軸射面T2強調画像，冠状面画像，矢状面T1強調画像が有用である．

▶手術術式の選択

Kienböck病に対する手術方法には以下のようないろいろな方法が提唱されており，術者によりそれぞれ適応が異っており，またそれぞれほぼ満足すべき成績を報告していることが特徴的である．

1．月状骨除圧術
 a．橈骨短縮術
 b．橈骨楔状骨切り術
 c．尺骨延長術
 d．有頭骨短縮術
 e．手根骨間固定術〔舟状大菱形小菱形骨（STT）間固定術，舟状有頭骨（SC）間固定術〕
2．月状骨摘出＋スペーサー挿入術
 a．摘出のみ
 b．摘出＋腱球（骨核入り腱球）
 c．siliconeあるいはvitaliumスペーサー
3．血行再建術
 a．血管束移植術
 b．血管柄付き骨移植術
  ① 方形回内筋付き掌側遠位橈骨移植術
  ② 背側遠位橈骨
  ③ 第2中手骨基部
4．月状骨との部分的関節固定術
  ① 橈骨月状骨間固定
  ② 有頭骨月状骨間固定
  ③ 月状骨三角骨間固定
5．手根骨間固定術（Graner手術）
6．近位手根列摘出術
7．除神経術
8．全手関節固定術
9．全人工手関節置換術

■文献

1) Amadio PC, Hanssen AD, Berquist TH. The genesis of Kienböck's disease: evaluation of a case by magnetic resonance imaging. J Hand Surg [Am]. 1987; 12: 1044-9.
2) Hori Y, Tamai S, Okuda H, et al. Blood vessel transplantation to bone. J Hand Surg [Am]. 1979; 4: 23-33.
3) Horii E, Garcia-Elias M, Bishop AT, et al. Effect on force transmission across the carpus in procedures used to treat Kienböck's disease. J Hand Surg [Am]. 1990; 15: 393-400.
4) Lichtman DM, Degnan GG. Staging and its use in the determination of treatment modalities for Kienböck's disease. Hand Clin. 1993; 9: 409-16.
5) Minami A, Kimura T, Suzuki K. Long-term results of Kienböck's disease treated by triscaphe arthrodesis and excisional arthroplasty with a coiled palmaris longus tendon. J Hand Surg [Am]. 1994; 19: 219-28.
6) Minami A, Iwasaki N, Is there a role for radial osteotomy in advanced Kienböck's disease? Current Opinion in Orthopaedics. 2002; 13: 246-50.
7) Moran SL, Cooney WP, Berger RA, et al. The use of the 4+5 extensor compartmental vascularized bone graft for the treatment of Kienböck's disease. J Hand Surg [Am]. 2005; 30: 50-8.
8) Oishi SN, Muzaffar AR, Carter PR. Treatment of Kienbock's disease with capitohamate arthrodesis: pain relief with minimal morbidity. Plast Reconstr Surg. 2002; 109: 1293-300.
9) Palmer AK, Glisson RR, Werner FW. Relationship between ulnar variance and triangular fibrocartilage complex thickness. J Hand Surg [Am]. 1984; 9: 681-2.

CHAPTER 3: 手関節— Kienböck 病

37 Kienböck 病に対する橈骨短縮骨切り術

Kienböck 病に対する手術は保存治療から手術治療まで幅広い治療方法が提唱されている．特に手術治療としては前腕骨切り術（橈骨短縮術，尺骨延長術），月状骨摘出術（この空隙を補填しないこともあるが，腱球挿入あるいはインプラント置換術を行うこともある），月状骨除圧目的の部分的手根骨間固定術（舟状・大菱形・小菱形骨固定術や舟状有頭骨固定術など），salvage 手術として全手関節固定術，全人工手関節置換術，近位手根列切除術，除神経術を行うなどが報告されており，最近では橈骨遠位端や中手骨基部からの血管柄付き骨移植術も行われるようになっている（手術方法については別項も参照のこと）．しかし，Kienböck 病の病期（Lichtman 分類が一般的に使用されている）別にどのような治療法が有効であるかとの絶対的なコンセンサスは得られていないのが現状である．

私は Lichtman 分類で stage II-IV に対して橈骨短縮術を好んで行っており，比較的良好な成績を報告している．

▶手術適応

橈骨短縮術の絶対的な手術適応は尺骨マイナスバリアンスの Lichtman stage II-IIIA 期の Kienböck 病と考えている．本適応は手の外科医の多くは受け入れており，ほぼコンセンサスが得られていると考えているが，私はかなり病期が進んだ，つまり stage IIIB-IV 期であっても橈骨短縮骨切り術の適応と考えている．しかしこの考えは必ずしもコンセンサスが得られていない．

最終的な尺骨バリアンスは 0～+2 mm 程度を目標とするが，尺骨バリアンスがマイナスであれば橈骨だけの短縮でよいが，尺骨バリアンスが "0" または "プラス" の場合，橈骨のみの短縮骨切り術では尺骨突き上げ症候群をきたす恐れがあるので尺骨も同時あるいは追加して短縮骨切り術を行う必要がある．

オピニオン

私見であるが，以前尺骨がゼロあるいはプラスバリアンスの場合，橈骨外側を閉じる楔状骨切り術を行ったことがあるが，症状軽減の改善効果が低いことと，楔状骨切り角度が小さいにもかかわらず意外と術後の手関節の変形が目立ち，この変形を訴える患者が多いことと普通の橈骨短縮術と比べると成績が劣ると考えており，私は最近はほとんど行っていない．この点に関してもコンセンサスは得られていない．

▶術前準備

正確な手関節正面，側面 X 線写真を撮影し尺骨バリアンス値を計測する．前腕を回内位と回外位の正面 X 線写真での尺骨バリアンスは異なる．つまり回内位はプラスバリアンス傾向であり，回外位はマイナス傾向となるので，私はできれば最大回内位および回外位での手関節正面像から尺骨バリアンスを計測し，平均を術前の尺骨バリアンス値とするようにしている．

前にも記載しているが，術後の尺骨バリアンス値は必ずしも "0" を目指す必要はなく，0-+2 mm 位となればよいと考えている．使用するプレートは前腕圧迫プレート（5 穴あるいは 6 穴の LC-LCP スモールプレート）を好んで使用している．プレート中のスクリューのための穴に傾斜がついており骨切り部に圧迫が加わる仕組みとなっている．坪川，牧らは瑞穂社製前腕骨用 J プレート（チタン製）の 5 穴を好んで使用している．私に経験はないが回旋を防ぐこと，および正確な短縮量を得られることから有用なプレートであると思う．

Tips コツ

最近，橈骨遠位端骨折に対する各種の掌側ロッキングプレートが開発されており，内固定金属として用いることも可能である．

▶手術

体位，麻酔

全身麻酔下で空気止血帯を用いて手術を行う．骨切り術を行う前に手関節鏡を行い，関節内の状態（関節軟骨の状態）を把握するために行うべきとの考えもあるが，近年の CT，MR などの画像技術の進歩もあり術前診断のため，つまりは手術方法の選択のための関節鏡は必須のものとは考えていない．

皮切

前腕橈掌側の腕橈骨筋（BR）の尺側に縦切開を加える．7～8 cm 長の縦切開を，手首皮線から橈側手根屈筋（FCR）腱の橈側，BR の尺側皮膚に加える 図1A,B．

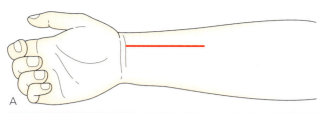
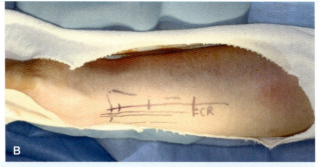

図1 皮切
A: シェーマ　B: FCR腱の橈側に皮切を加える

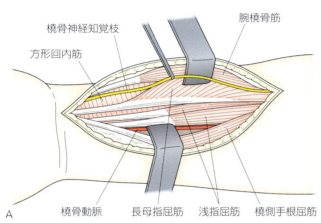
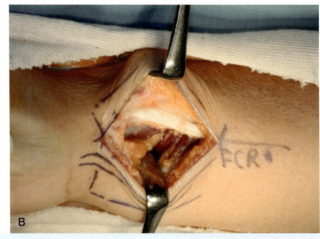

図2 方形回内筋を露出する
A: シェーマ　B: 方形回内筋を露出

 コツ

最近はいわゆるHenryのアプローチ，つまりFCR腱とBRの間より侵入すると，橈骨神経浅枝や正中神経掌側枝などの処置により術後知覚障害などの神経障害を発生する危険が高いのでtrans FCR approachを好んで用いている手の外科医も多い．

　私は前腕掌橈側に使用する予定の5-6穴の前腕圧迫プレートを当てて骨切りラインを皮膚線上にマーキングする 図1B ．橈骨遠位は橈骨遠位端骨折のプレート固定で問題となるwatershed lineの少し近位にプレートの遠位がなるようにすることが肝要である．そうして皮切の長さを決定する．

展開（この項は橈骨遠位端骨折に対する掌側ロッキングプレート固定術の項も参照のこと）

　次いで表層のFCR腱を尺側に翻転する．FCR腱とともに浅指屈筋腱と正中神経も尺側に翻転する．橈骨を方形回内筋（PQ）の下に触れ 図2A, B ，方形回内筋をL字状に橈骨の橈側縁に沿って一部の筋を残して縦に切離する 図3 ．これを橈骨の骨膜下にPQを翻転して橈骨を露出する．PQを翻転し近位へ剥離すると長母指屈筋（FPL）が露出する．PQとFPLを橈側から橈骨上を骨膜下に尺側へ挙上する．これにより橈骨の骨幹端部と骨幹部を露出する．つまり，方形回内筋の近位，長母指

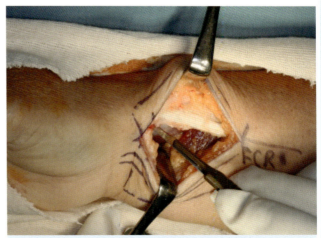

図3 方形回内筋を橈側付着部縁と遠位付着部縁で切離する

屈筋の遠位を骨膜下に剥離し橈骨掌側に至る 図4 ．

骨切り・内固定

　5穴または6穴のLC-LCPスモールプレートを橈骨掌側にあてる．遠位にプレートを置くとき掌側に傾斜しているのでプレートのベンダーを用いて少し傾斜に合わせて曲げて橈骨掌側面にぴったりと合うように造形する．

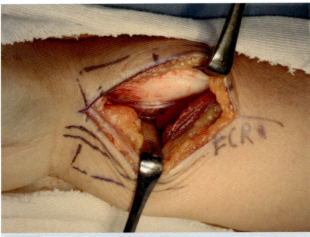

図4　橈骨掌側面を骨膜下に露出する

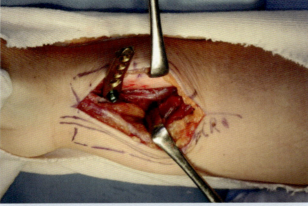

図5　プレートの一番遠位へスクリューを刺入し骨切りlineを出すために創外へ回転する

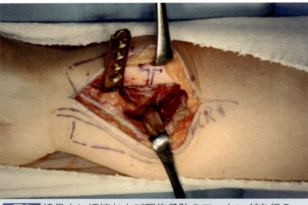

図6　橈骨上に短縮および回旋予防のマーキングを行う

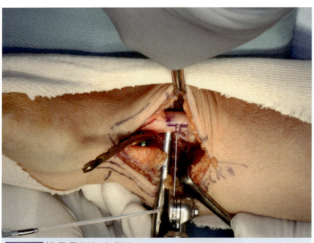

図7　橈骨骨切りを行う

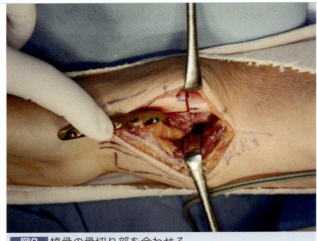

図8　橈骨の骨切り部を合わせる

> **Tips コツ**
> 前にも記載しているがプレートの遠位が watershed line を越えてはならないし，橈骨遠位端骨折のように最大限遠位にプレートを置くようにしなくても問題ない．

　プレートを置く位置を決定したら，プレートの一番遠位のスクリュー固定を行う．しかし完全に固定せずに遠位のスクリューを軸にプレートを回転させる 図5 ．骨切り line と短縮量を水平にピオクタニンで印を付けて，回旋を防止するために，プレートの設置位置とは別のよく見える部位に長軸上にやはりピオクタニンで印を付けて，ノミで印を付けて骨切り後も見えるようにしておく 図6 ．

　先に印を付けた骨切り線に沿って橈骨に垂直に繊細なボーンソーを用いて短縮骨切りを行う 図7 ．正確に骨切りができた場合には切除量に一致して円柱状となっていることを確認する．プレートを元に戻して骨切り部を回旋に注意して合わせる 図8 ．この時は手関節を軽く橈屈し，骨把持鉗子で骨切り部を合わせる．骨切り部より近位の橈骨のネジ穴にスクリューを用いて固定する．

　この際，スクリュー孔（楕円穴）は骨切り部の方向に傾斜しているのでできるだけネジ穴の近位にスクリューを刺入することにより，骨切り部に圧迫が加わることとなる．順次，回旋や骨切り部の合い具合に注意して同様に骨切り部より離れたネジ穴に遠位および近位のスクリューを刺入していく．スクリューはロッキングスクリューとコルチカールスクリューがあるが，私は遠位はロッキングスクリューを近位はコルチカールスクリューを用いることとしている．ロッキングスクリューは骨切り部に圧迫が加わらないので最も近位の楕円孔に刺入することとする．コルチカールスクリューは前にも記載しているが，圧迫力を加えることとする．これにより全てのスクリュー刺入が完了となる 図9 ．最終的に固定性をチェックして，X線透視を用いて骨切り部およびスクリューの長さをチェックして短かすぎたり長すぎた場

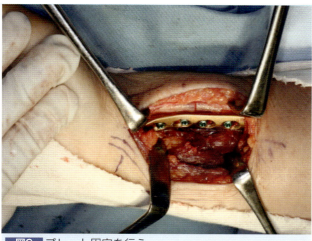

図9 プレート固定を行う

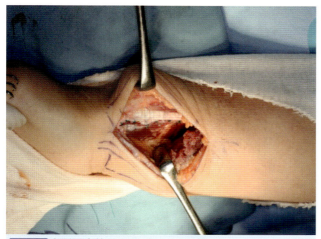

図10 方形回内筋によりプレートを覆う

合には入れ替える．遠位橈尺関節での尺骨バリアンスにより橈骨が正確に予定通り短縮していることを確認する．

閉創

吸収糸を用いて骨膜を縫合し，切離したPQとFPLを修復して，プレートから屈筋腱を保護する 図10．駆血帯を開放し，止血を慎重に行う．創を洗浄し，皮下組織を吸収糸で皮膚を非吸収糸で縫合して閉鎖を行う．念のためペンローズドレインやSB tubeを創内に挿入することもある．

▶後療法

前腕および手関節掌側に短上肢ギプス副子固定を行う．ペンローズドレインあるいはSB tubeは翌日あるいは術後2日目に抜去する．手指の運動は行わせる．術後2週で1日午前・午後の2回30分-1時間ギプスを除去し手指の運動に加えて手関節掌背屈，前腕回内外の自動運動を許可する．また痛みが少なければ愛護的他動運動も開始する．ギプス固定は多くの場合術後4週で完全に外し，重量物などの挙上以外の手の使用を許可する．

X線検査により骨癒合をチェックし，良好と判断したら次第に日常生活での使用を許可する．

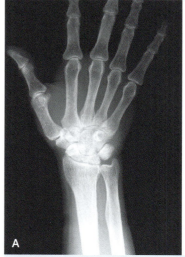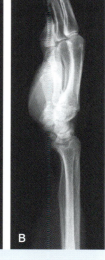

図11 術前X-P
Kienböck病．stage ⅢB．尺骨バリアンスはプラス1 mmである
A: 正面像　B: 側面像

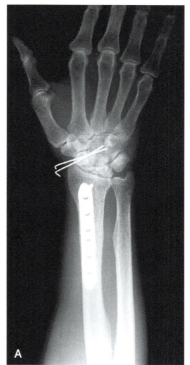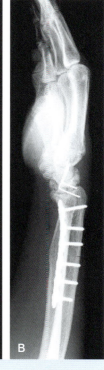

図12 術後8週のX-P
2 mmの橈骨短縮術とともに舟状骨の回旋を矯正して，一時的な舟状有頭骨固定術をK鋼線を用いて行った
A: 正面像　B: 側面像

▶症例供覧

症例1　47歳，男性．肉体労働者．Kienböck病stage ⅢB．
図11 術前X-P
図12 術後8週のX-P
図13 術後1年のX-P
図14 術後4年のX-P

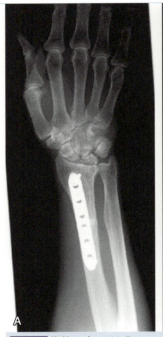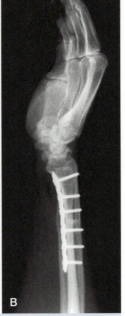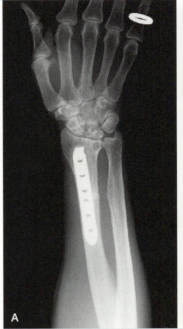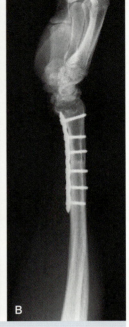

図13 術後1年のX-P
月状骨の扁平化は防止できていると考えているが、橈骨短縮によるものと思われるDRUJの変形性関節症（橈骨S状切痕部の骨嚢胞）が出現している
A: 正面像　B: 側面像

図14 術後4年のX-P
基本的にX-P上の変化の進行はなく、また臨床症状は良好で患者は手術に満足している
A: 正面像　B: 側面像

症例2　60歳、女性。主婦。Kienböck病　stage ⅢB.
図15 術前X-P
図16 術後X-P

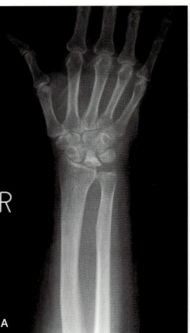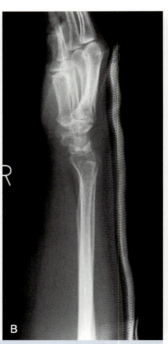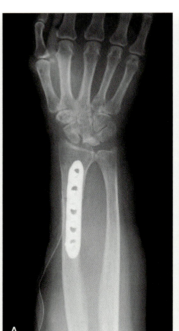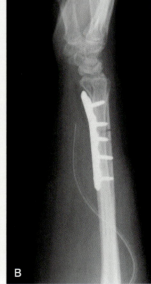

図15 術前X-P
Kienböck病。stage ⅢB。尺骨バリアンスはゼロである
A: 正面像
B: 側面像: 痛みが強く術前からギプス固定を行っていた

図16 橈骨短縮術直後X-P
A: 正面像　B: 側面像

■文献

1) 麻生邦一，多治見新造，多田勝利，他．Kienböck病に対する橈骨楔状骨切り術の長期成績．日手会誌．2002; 19: 479-82.
2) Iwasaki N, Minami A, Oizumi N, et al. Radial osteotomy for late-stage Kienböck's disease. Wedge osteotomy versus radial shortening. J Bone Joint Surg［Br］. 2002; 84: 673-7.
3) Iwasaki N, Minami A, Ishikawa J, et al. Radial osteotomies for teenager patients with Kienböck disease. Clin Orthop Rel Res. 2005; 439: 116-22.
4) Iwasaki N, Minami A, Oizumi N, et al. Predictors of clinical results of radial osteotomies for Kienböck's disease. Clin Orthop Rel Res. 2003; 415: 157-62.
5) 木村長三，三浪明男，高原政利，他．Kienböck病に対する橈骨短縮骨切り術の成績．日手会誌．1992; 9: 639-43.
6) Koh S, Nakamura R, Horii E, et al. Surgical outcome of radial osteotomy for Kienböck's disease-minimum 10 years of follow-up. J Hand Surg［Am］. 2003; 28: 910-6.
7) Matsui Y, Funakoshi T, Minami A, et al. Radial shortening osteotomy for Kienböck disease: minimum 10-year follow-up. J Hand Surg［Am］. 2014; 39: 679-85.
8) 三浪明男．Kienböck病．In: 三浪明男編．手・肘の外科: カラーアトラス．東京: 中外医学社; 2007. p.420-9.
9) Minami A, Iwasaki N. Is there a role for radial osteotomy in advanced Kienböck's disease? Current Opinion in Orthopaedics. 2002; 13: 246-50.
10) Nakamura R, Imaeda T, Miura T. Radial shortening for Kienböck's disease: factors affecting the operative result. J Hand Surg［Br］. 1990; 15: 40-5.
11) Quenzer DE, Dobyns JH, Linscheid RL, et al. Radial recession osteotomy for Kienböck's disease. J Hand Surg［Am］. 1997; 22: 386-95.
12) Rock MG, Roth JH, Martin L. Radial shortening osteotomy for treatment of Kienböck's disease. J Hand Surg［Am］. 1991; 16: 454-60.
13) Salmon J, Stanley JK, Trail IA. Kienböck's disease: conservative management versus radial shortening. J Bone Joint Surg［Br］. 2000; 82: 820-3.
14) 柴田 実．Kienböck病に対する前腕骨短縮骨切り術の臨床的ならびに実験的検討．日整会誌．1989; 63: 245-61.
15) 田島達也．Kienböck病に対する私たちの前腕骨短縮術の考え方とその成績．整形外科．1977; 28: 1560-5.
16) 善財慶治，柴田 実，城倉雅次．Kienböck病に対する橈(尺)骨短縮骨切り術後10年以上経過例の検討．日手会誌．2002; 19: 487-91.

CHAPTER 3: 手関節— Kienböck 病

38 Kienböck 病に対する月状骨摘出術および長掌筋腱挿入術

　Kienböck 病に対する病期別の手術治療のコンセンサスは得られていない〔手術治療（総論）については別項目，参照のこと〕．私たちは進行した病期に対して本項での月状骨摘出後に長掌筋腱を腱球として挿入する手術（関節形成術）を好んで行っている．

▶手術適応

　本法の手術適応については前述したように議論の分かれるところである．Lichtman 分類で StageⅢA 以上で手関節の可動性を期待し，多少の疼痛については許容するような患者さんには適応があると考えている．私達の比較的長期の術後臨床成績では疼痛の軽減効果および可動域の維持に関してはほぼ満足すべき成績が得られている．しかし，X 線学的には舟状骨の掌屈回旋変形および橈骨手根関節や手根中央関節部の変形性関節症（OA）は進行していた．つまり将来的な salvage 手術が必要となる可能性が高いと考えている．これらの点を患者さんによく説明し，手術適応患者を選択すべきであろうと考えている．

　症例は 62 歳，女性．3 年前から手関節痛を訴えており，Kienböck 病 StageⅡと診断されていた．図1A, B は初診時，つまり手術 2 年半前の X-P である．手関節痛が軽度であり，何よりも可動域にほとんど制限がないため経過観察することとした．興味あることにその後，月状骨の圧潰は進行しなかったが，遠位橈尺関節（DRUJ）の OA および尺骨突き上げ症候群を認めることとなり 図2A, B，次第に疼痛が強くなり手術（月状骨摘出術＋長掌筋腱腱球挿入術）を行うこととした．

▶手術

皮切・展開

　手背部で橈骨 Lister 結節を中心に 4 cm 長の縦皮切を加える 図3 ．皮下を剥離して皮下を縦に走る静脈を温存し，橈骨神経浅枝・尺骨神経背側枝を皮弁とともに伸筋支帯上で橈側・尺側に翻転して伸筋支帯を露出する 図4 ．Lister 結節の尺側で長母指伸筋（EPL）腱を含む第 3 区画を開放して，第 4 区画の橈側を切離し，EPL 腱を橈側に，第 4 区画の総指伸筋（EDC）腱と示指固有

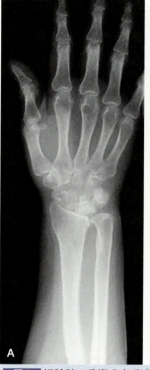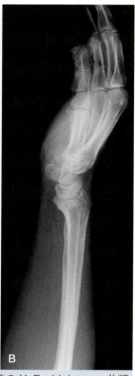

図1 初診時，手術 2 年半前の X-P．Lichtman 分類 StageⅡと考えられる．
A: 正面像　B: 側面像

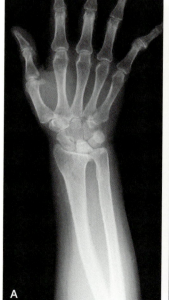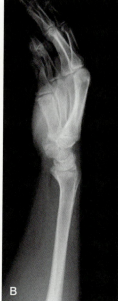

図2 術前 X-P．DRUJ の OA，尺骨突き上げ症候群は認めるが月状骨の圧潰の進行はほとんど認めなかった．
A: 正面像　B: 側面像

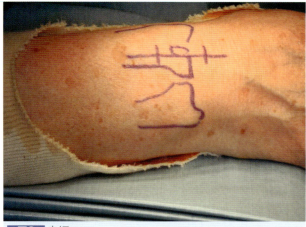

図3 皮切

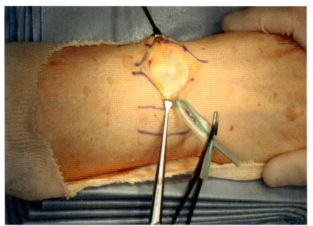

図4 伸筋支帯を露出する

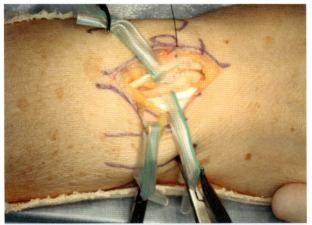

図5 伸筋腱を翻転して背側関節包を露出する

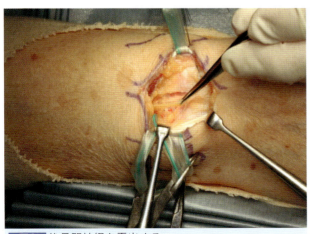

図6 後骨間神経を露出する

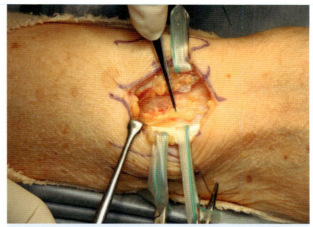

図7 後骨間神経切除を行う

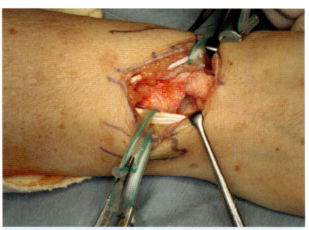

図8 関節包を切離して月状骨を露出する

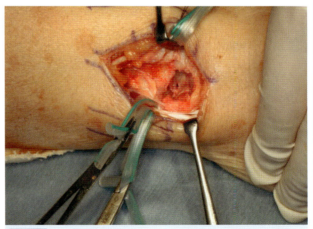

図9 月状骨を摘出した

伸筋（EIP）腱を尺側に翻転して背側関節包を露出する 図5 .

後骨間神経切除

　ここで他項を参照してもらいたいが，橈骨EPL腱溝で骨膜上あるいは骨間膜上に後骨間神経（PIN）が存在しており，同定した後に 図6 ，PINに併走している動静脈を含めて骨膜上で2-3 cmの長さにわたって切除する 図7 ．これでdenervationが完了したこととなる．

　露出した関節包上で橈骨遠位端Lister結節の尺側で関節包を縦に切離して，骨から関節包靭帯構造体を剥離して月状骨を露出する 図8 ．月状骨は普通，扁平化して

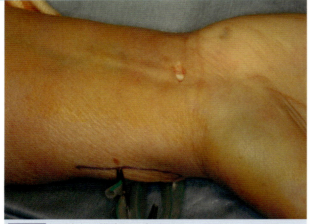

図10 PL腱上に横皮切を加える

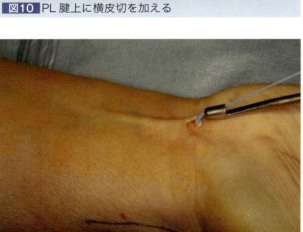

図11 Tendon stripper を用いて PL 腱を採取する

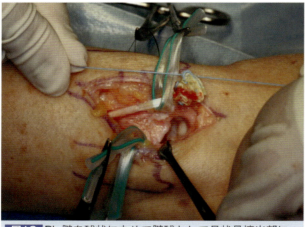

図12 PL腱を球状に丸めて腱球として月状骨摘出部に挿入する

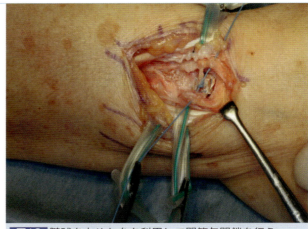

図13 腱球を丸めた糸を利用して関節包閉鎖を行う

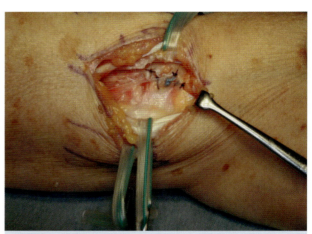

図14 関節包を完全に閉鎖した

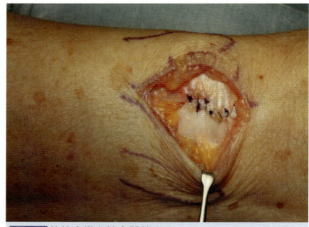

図15 伸筋支帯を縫合閉鎖する

おり，遠位および近位の関節軟骨に亀裂が生じており，骨は大部分，壊死に陥っている．月状骨をできれば一塊として切除するが，困難な場合は piece-by-piece に切除する 図9 ．

 コツ

掌側の関節包は intact として残すべきであるので，万一，損傷しなければ月状骨を切除できない場合は掌側関節包に存在する月状骨の一部分は残しても問題はない．

移植腱の採取

前腕を回外位として母指と小指を対立位として手関節を掌屈位として長掌筋（PL）腱の存在を同定し，手くび皮線のわずか近位で PL 腱上に 1 cm 長の横皮切を加える 図10 ．Tendon stripper を用いて PL 腱を筋腱移行部で切断して採取する 図11 ．次いで 2 号絹糸を用いて PL 腱を球状に丸めて腱球とする 図12 ．この際に切除した月状骨の一部あるいは腸骨などを骨核として中心に入れ込んで PL 腱で包み込むようにする場合もある．

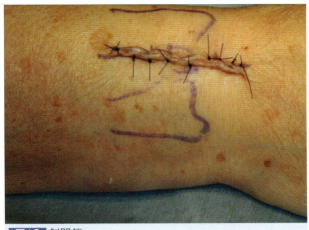

図16 創閉鎖

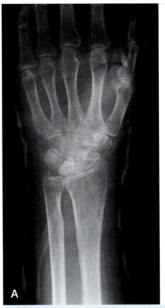
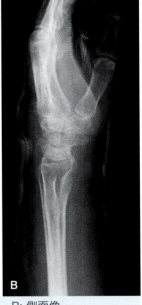

図18 術前 X-P　　A: 正面像　　B: 側面像

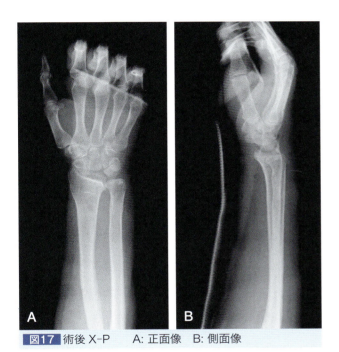

図17 術後 X-P　　A: 正面像　　B: 側面像

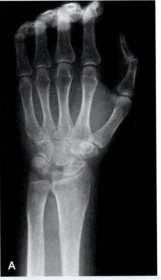
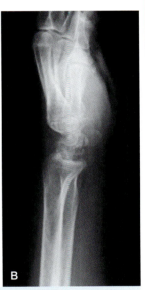

図19 術後 X-P　　A: 正面像　　B: 側面像

腱球挿入・関節包閉鎖

丸めたPL腱球を結んだ糸を利用して月状骨間隙に挿入するとともに関節包の閉鎖にも用いる 図13．関節包全体を非吸収糸を用いて閉鎖縫合する 図14．

伸筋支帯閉鎖

伸筋支帯内を腱を戻して閉鎖する 図15．創を閉鎖する 図16．

▶ 後療法

術後2週安静のギプス副子固定を行う．3週目より手関節の自動および愛護的他動運動を開始し，徐々に負荷を加える．

術後X-Pは 図17A, B に示す．

▶ 症例供覧

症例 73歳，男性．Kienböck病 Lichtman分類 Stage ⅢA 図18, 19

■ 文献

1) Kato H, Usui M, Minami A. Long-term results of Kienböck's disease treated by excisional arthroplasty with a silicone implant or coiled palmaris longus tendon. J Hand Surg [Am]. 1986; 11: 645-53.
2) Matsuhashi T, Iwasaki N, Minami A, et al. Clinical outcomes of excision arthroplasty for Kienböck's disease Hand Surg. 2011; 16: 277-82.
3) 白土　修，薄井正道，萩野利彦，三浪明男，他．Kienböck病に対する長掌筋腱挿入術の長期成績．臨・整・外．1985; 20: 257-63.

CHAPTER 3: 手関節― Kienböck 病

39 Kienböck 病に対する背側遠位橈骨からの有茎血管柄付き骨移植術（第4・5ECA を用いた）

　血行再建術の手術適応についても必ずしもコンセンサスが得られている訳ではないが，理想的な手術適応は以下の2つのcategoryに含まれる例であろう．
1. 尺骨変異ゼロ，Lichtman のStageⅡ〜ⅢB，正常な関節軟骨表面を有する．
2. 関節水平化術を合併して行った尺骨マイナス変異，StageⅡ〜ⅢB，正常な関節軟骨表面を有する．

　本項では第4・5 extensor compartment artery （ECA）（4+5ECA）を血管柄とする背側遠位橈骨からの有茎血管柄付き骨移植についての手術術式を記述する．4+5ECAを血管柄とする以外の骨をdonorとした血管柄付き骨移植術としては以下のものがある．
1. 遊離
   ①深腸骨回旋動脈を血管柄とした腸骨（別項目，参照のこと）
   ②内側上膝窩動脈を血管柄とした内側大腿骨内顆（骨膜のみの場合も）（別項目，参照のこと）
2. 有茎
   ①第1・2 intercompartmental supraretinacular artery（1・2区画間支帯上動脈）を血管柄として背側遠位橈骨（別項目，参照のこと）
   ②尺骨動脈を血管柄とした豆状骨
   ③第1背側（掌側）中手骨動脈を血管柄とした第2中手骨基部（別項目，参照のこと）
   ④方形回内筋を有茎とした掌側遠位橈骨
   ⑤掌側橈骨手根動脈弓を血管柄とした掌側遠位橈骨
   ⑥血管束移植術

▶手術解剖

　Sheetzら（1995）による詳細な解剖学的研究により橈骨遠位端，尺骨遠位端，手根骨の手関節背側の血管の位置関係が示された．それを 図1 に示す．

　遠位橈骨と遠位尺骨の血液供給の近位動脈は，①橈骨動脈，②尺骨動脈，③前骨間動脈のanterior および posterior branch，④後骨間動脈であるが，遠位背側橈骨への栄養血管（一次性供給源）としては前骨間動脈の後枝と橈骨動脈の2本である．

　臨床的に遠位橈骨から有茎血管柄付き骨を採取する上では，4本の動脈枝が重要である．これらのうち2本は伸筋支帯より表層に存在し，伸筋腱区画の間の骨に対する栄養枝を供給している．これらの区画間支帯上動脈（intercompartmental supraretinacular artery: ICSRA）は，第1と第2区画の間（1,2-ICSRA）と第2と第3区画の間（2,3-ICSRA）の伸筋腱区画間の骨に血流を供給している．他の2本の動脈は区画の骨床上という区画の深層に存在しており，伸筋区画動脈（extensor compartment artery: ECA）といわれる．第4と第5伸筋腱区画の骨床上に存在する2本の深い血管はそれぞれ，第4ECA，第5ECAと命名されている．この第

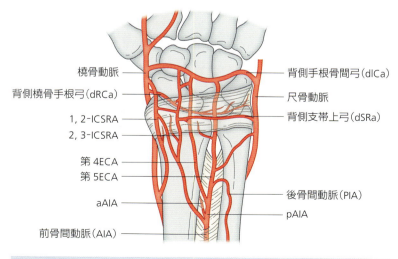

図1　背側橈骨の血管系

4・第5ECAを栄養血管とする遠位橈骨の有茎血管柄付き骨の回転のアーチは，遠位手根骨を含めた全ての手根骨に到達することが可能であり，月状骨の血行再建術にはとくに適していると考える．

第4ECAは，第4伸筋区画の橈骨面上で後骨間動脈の近くに存在している．第4ECAは背側橈骨への栄養動脈の多くの源泉である．第4ECAは前骨間動脈の後枝または第5ECAの分枝から起始し，背側手根骨間弓（dorsal intercarpal arch），背側支帯上弓（dorsal supra-retinacular arch），背側橈骨手根弓（dorsal radiocarpal arch）と吻合する．背側手根骨間弓から背側中手骨動脈が各指に向かって遠位に走行しており，この血管を利用して中手骨基部の骨を用いた血管柄付き骨を採取することも可能である．

> **Tips コツ**
>
> 私はどちらかというと，このうち第2背側中手骨動脈を血管柄とした第2中手骨基部を移植骨としてKienböck病および舟状骨偽関節手術などに好んで用いている．舟状骨偽関節例に対する有茎骨移植術の項目で血管柄付き骨の採取について記載しているので参照されたい．

第5ECAは4本の背側血管の中で最も太い．第5伸筋区画の橈骨床上に存在し，第4・5中隔を通っている．尺骨遠位端に対する処置（例えばDarrach手術など）が必要な場合には好んで用いている．第5ECAは前骨間動脈の後枝により供給されており，遠位では背側手根骨間弓に合流している．第5ECAは口径が太いこと，また多くの血管と吻合していることから逆行性血流の望ましいドナーではあるが，他の3本の背側血管とは違って第5ECAは，橈骨へ直接的な栄養枝をほとんど供給していない．したがって，第4ECAと連絡して導管として使用される場合が多い．

手術手技

Esmarch駆血帯を使うと小さな血管を見ることがむずかしくなるので，駆血帯を加圧する前に上肢を挙上するのみとする．

▶手術

皮切

第4ECAおよび第5ECA（4+5ECA）を栄養血管とした有茎移植骨を採取するために，総指伸筋（EDC）腱と小指固有伸筋（EDM）腱の間の第5背側伸筋区画を開放する 図2 と第5ECAを比較的容易に同定することができる 図3 ．橈側を基部にした支帯弁を作成して，4-5中隔上を開放する．

第5ECAを移動・保護した後に月状骨の主に関節軟骨状態を関節切開を通して観察する 図4 ．関節切開を橈骨三角骨靱帯と橈骨舟状骨関節の関節包に沿って加え，橈骨月状骨関節面を評価する．手根中央関節は，手

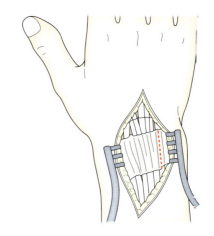

図2 第4・5区画間を切離する

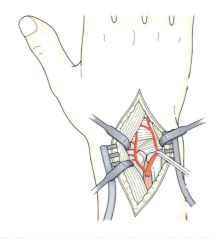

図3 第4・5区画間に橈骨上に太い第5ECAを見出すことができる

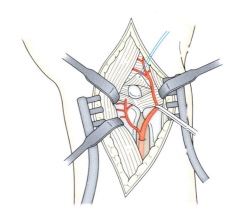

図4 橈骨手根骨関節の関節包を切離して月状骨を露出する

根骨間靱帯を切離して評価する．月状骨の近位および遠位関節軟骨表面が正常であり，または分節化していない場合は，前にも記載しているが血管柄付き骨移植術が施行可能と最終判断を行う．

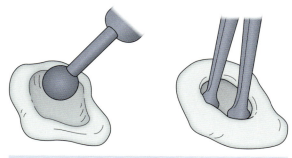

図5 月状骨内部の壊死骨を切除する

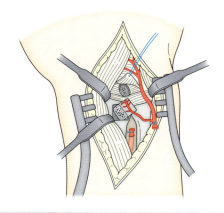

図6 移植骨の挙上

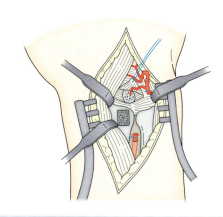

図7 移植骨の挿入

以下詳細に手術術式を記載する．

4＋5ECA の展開と確認

背側縦切開を Lister 結節の少し背側に加える．第5ECA とその伴走静脈は，第5背側伸筋区画の橈側面に同定可能である．第5ECA は第4・第5伸筋区画を分離する中隔内の近位に存在している 図3 ．第5ECA を見出したら，損傷しないように注意しながら前骨間動脈後枝からその起始部の近位まで更に追っていく．ここで，第4ECA もまた同じ血管から出ていることを確認し，遠位へ追っていく．

必要な大きさの移植骨の輪郭を作図する．この移植骨は橈骨手根関節とその上の第4ECA の近位 11 mm を中心として栄養血管を含める．

関節展開

移植骨の輪郭を作図した後に関節切開して関節を露出する．月状骨の近位および遠位関節軟骨の状態を観察し，X 線透視を使ってドリルバーまたは鋭匙を用いて月状骨の背側から開孔して壊死骨を切除する．できるだけ関節軟骨や軟骨下骨は残存させる．月状骨が圧潰していれば，先端が鈍な小さな開張器やエレバトリウムを用いて月状骨を愛護的にふくらませてできるだけ正常な形に復する 図5 ．月状骨に冠状方向の骨折が存在する場合には月状骨から壊死骨を鋭匙やドリルバーで掻爬切除する前に骨切りをまたいで cannulated headless screw を挿入して骨接合を行っておく．

移植骨の挙上

採取すべき移植骨をマーキングした後に前骨間動脈を第4・第5ECA の近位で結紮する．移植骨を長い茎で採取したいときには第4・5ECA の合流部の近位で結紮することにより可能である．マーキングは月状骨を開窓した部より少し大き目の骨とし，マーキングの四隅に K 鋼線を用いて骨片の骨折を起こさないように注意する．先の細い鋭い骨ノミを用いて血管茎を有茎として移植骨の挙上を行う 図6 ．茎を移植骨の緊張がかからない部位まで挙上する．橈骨の開窓部から海綿骨を採取する．駆血帯を降ろして，移植骨への血流があることを確認する．

移植骨の挿入

血管柄付き移植骨の挿入前に，採取した海綿骨を月状骨の開窓部から挿入し，強くパックする．

月状骨の高さを維持するための支柱（strut）となるように有茎として血管柄付き橈骨骨皮質を表面にして近位–遠位方向に挿入する．つまり，茎を垂直方向とすることが重要である．月状骨に骨折がなければ内固定は不要であるが，移植骨が逸脱しないように注意する 図7 ．

創閉鎖

創を洗浄後，背側手根骨間靱帯を非吸収糸を用いて修復する．血管柄を圧迫することがあるので橈骨手根関節の関節包は開放のままとする．伸筋支帯も非吸収糸を用いて修復する．

合併手術

月状骨への長軸上の除圧目的で水平化手術を合併することも多い．

▶後療法

肘を 90°屈曲位での長上肢ギプス固定を 6 週間行い，以後，徐々に手関節可動域訓練および筋力増強訓練を行う．

■ **文献**

1) Hori Y, Tamai S, Okuda H, et al. Blood vessel transplantation to bone. J Hand Surg [Am]. 1979; 4: 23-33.
2) Lichtman DM, Degnan GG. Staging and its use in the determination of treatment modalities for Kienböck's disease. Hand Clin. 1993; 9: 409-16.
3) Minami A, Iwasaki N, Is there a role for radial osteotomy in advanced Kienböck's disease? Current Opinion in Orthopaedics. 2002; 13: 246-50.
4) Moran SL, Cooney WP, Berger RA, et al. The use of the 4+5 extensor compartmental vascularized bone graft for the treatment of Kienböck's disease. J Hand Surg [Am]. 2005; 30: 50-8.
5) Sheetz KK, Bishop AT, Berger RA. The arterial blood supply of the distal radius and ulna and its potential use in vascularized pedicled bone grafts. J Hand Surg [Am]. 1995; 20: 902-14.

CHAPTER 3: 手関節— Kienböck 病

40 第2中手骨基部を利用した血管柄付き骨移植術

　手根骨壊死（Kienböck病, Preiser病）や舟状骨偽関節など骨癒合獲得がきわめて困難な例に対して血管柄付き骨移植が行われることが最近多くなった．別項にも記載しているが，遠位橈骨から1,2-intercompartmental supraretinacular artery（1,2-ICSRA）を血管茎とした有茎骨移植をMayo Clinic Bishopのグループが最初に報告して以来，別の血管を利用した同じ遠位橈骨からの有茎骨移植も報告されるようになっている（別項目，参照のこと）．

> **Tips コツ**
> もちろん大腿骨内側顆部やそれ以外の骨を利用した遊離血管柄付き骨移植（血管縫合を要する）も多数報告され良好な成績が報告されている．

　その後，遠位橈骨ではなく手関節近傍の骨からの有茎血管柄付き骨移植の報告がなされているが，その中で第2中手骨基部を利用した有茎血管柄付き骨移植術は安定した血管系であり採取が容易である．第2中手骨基部を背側から血行支配している第2背側中手骨動脈（dorsal metacarpal artery：DMA）の分枝を利用することが多いが，掌側基部を利用する報告もある．私は前者を好んで用いており，本項では舟状骨偽関節に対する第2 DMAを血管系として第2中手骨基部を用いた手術について紹介する．Kienböck病に対してもほぼ同様の手術手技が可能である．

▶手術適応

　Kienböck病，Preiser病に代表される手根骨の無腐性壊死，舟状骨近位極に壊死を認める（MR像で低信号を呈する）舟状骨偽関節，骨癒合が困難と考えられる舟状骨近位極骨折，および最近では部分的手関節固定術（例えば橈骨月状骨間，舟状大菱形小菱形骨（STT）間固定術など）への移植骨として用いることなどが手術適応と考えている．

▶手術解剖

　Snuff box部での橈骨動脈からdorsal carpal archが長・短橈側手根伸筋（ECRL・B）腱，長母指伸筋（EPL）腱の下（掌側）を通り，STT関節部の背側付近で第2

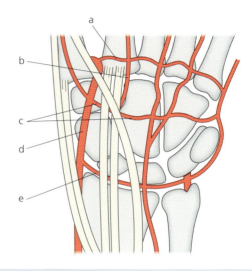

図1 第2中手骨基部の血行支配
a: dorsal metacarpal arch　b: 第2背側中手骨動脈
c: dorsal carpal arch　d: 橈骨動脈
e: dorsal radiocarpal arch

DMAを分岐して第2中手骨基部に向かって遠位方向に走行する．

> **Tips コツ**
> 第2 DMAは第2中手骨基部の中央ではなく，どちらかというと尺側に位置しているので注意する．

　中手骨基部においては第2 DMAは遠位方向へ進む一方，橈尺側へdorsal metacarpal archを出して中手骨基部では丁度，十字のように血管が分布することとなる．

皮切

　は舟状骨偽関節例に対するための皮切を示した．第2中手骨背側基部からsnuff boxを通り，舟状骨結節まで斜めに皮切を加えた．

展開

　皮切後，ただちに橈骨神経浅枝が露出するので術中，損傷しないように留意する．Snuff box部で橈骨動脈を同定後，この尺側でdorsal carpal archを同定．ECRL・BとEPL腱の下をめくるようにしてdorsal carpal archを尺側まで追って，次いで第2中手骨基部の近位で第2 DMAを同定する 図3 ．

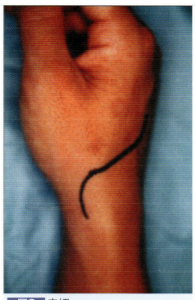

図2 皮切

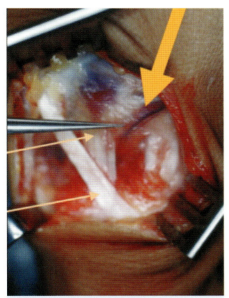

図3 第2 DMA を有茎として第2 中手骨基部を挙上する

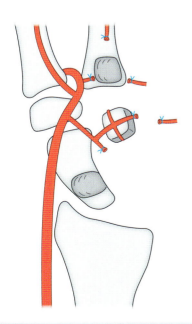

図4 移植骨を血管柄付きで挙上する（シェーマ）

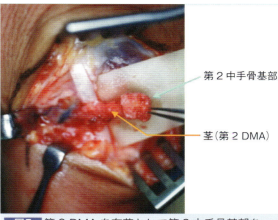

図5 第2 DMA を有茎として第2 中手骨基部を挙上する

コツ

第2 DMA は第2 中手骨基部近位の少し尺側で比較的容易に骨間筋筋膜上で同定することが可能であるので，dorsal carpal arch から見出すより遠位から見出す方を勧める．第2 中手骨基部への血行支配が不十分な場合は第3 中手骨基部を用いることも可能である．

移植骨の採取

Dorsal carpal arch が第2 DMA を分岐した後の尺側で結紮する．そして第2 DMA を遠位まで損傷しないように剥離し，第2 中手骨基部近くまで追求する．中手骨基部で移植骨採取部の遠位で第2 DMA を結紮，次いで橈・尺側に十字状の dorsal metacarpal arch を結紮する．

第2 中手骨基部の血管と骨膜を損傷しないように 1.5×1.2 cm 大の四角形に移植骨を採型して採取する 図4 ．

コツ

骨と骨膜が剥がれやすいので四隅に 0.8 mm 径の K 鋼線で骨孔を作成し，かつこの間にも骨孔を開けて，小さなノミで移植骨，血管・骨膜を損傷しないように遠位から近位まで血管茎を付けたまま慎重に剥離する 図5 ．

レシピエントの処置

本例では舟状骨偽関節例に対する手術であったので，舟状骨の操作は近位の皮切を用いて通常通り行う．舟状骨偽関節両断端の骨硬化部の切除，新鮮化を行い，近位の壊死骨を切除する．移植骨採取後の第2 中手骨基部，あるいは新たに橈骨遠位端から海綿骨を採取して近位の骨欠損部に充填する．また humpback deformity を矯正する 図6 ．

血管柄付き骨移植

血管柄付き骨を第2 DMA を付けたまま，第1 区画の両腱（長母指外転筋腱と短母指伸筋腱）の下を十分に剥離して，背側から掌側舟状骨欠損部に移動した後に舟状骨欠損部にフィットするように採型して，海綿骨を十分に移植した後，骨移植を行った 図7 ．

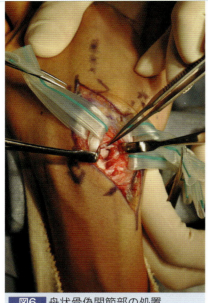

図6 舟状骨偽関節部の処置

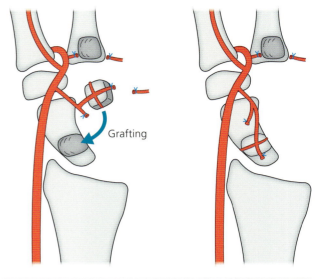

図7 舟状骨偽関節に対して血管柄付き骨移植を行う

Tips コツ
第1区画下を広く開けて血管系が圧迫されないように，また捻じれがないように注意する．

骨固定
Herbert型スクリュー（私はDTJ screwを好んで使っている）を用いて固定する．K鋼線のみを用いる，あるいは併用して用いて固定することもある．

Tips コツ
この際，スクリューを刺入すると移植骨片が浮いてくることがあるので，しっかり掌側から骨片を押さえながら，あるいは細いK鋼線で移植骨片を固定しながら慎重に行うべきである．

閉創
血管茎の圧迫に注意して閉創を行う．それ以外は一般の舟状骨偽関節の場合と同様である．

▶症例供覧
症例 20歳，男性．舟状骨近位極偽関節
術前 X-P 図8
A．正面像（舟状骨撮影）
B．側面像

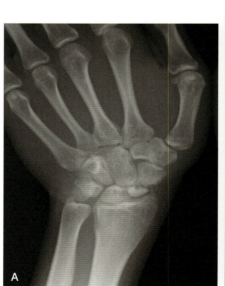
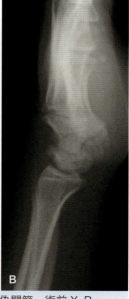

図8 症例．20歳，男性．舟状骨近位極偽関節．術前 X-P
A: 正面像（舟状骨撮影） B: 側面像

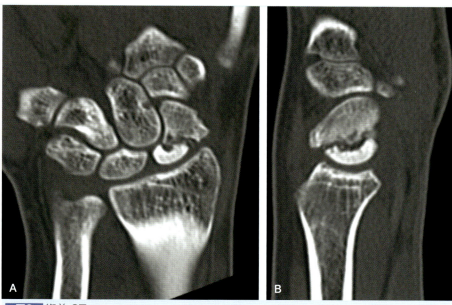

図9 術前CT
A: Coronal view. 近位極は強い骨硬化を呈している.
B: Sagittal view. Hump-back deformity を呈している.

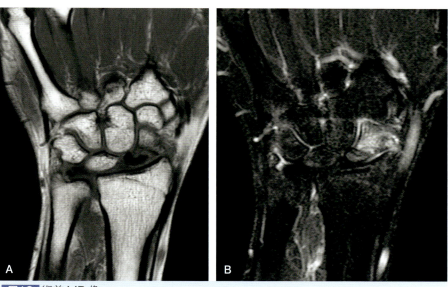

図10 術前MR像
A: T1強調像　B: T2強調像

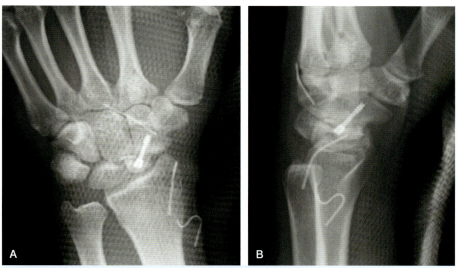

図11 術直後X-P. 血管柄付き第2中手骨基部骨移植を行った.
A: 正面像　B: 側面像

術前 C-T 図9
A. Coronal view. 舟状骨近位極は強い骨硬化を呈している.
B. Sagittal view. Hump-back deformity を呈している.

術前 MR 像 図10
A. T1 強調像. 舟状骨近位極は低信号を示す.
B. T2 強調像. 舟状骨遠位極は血行の存在を示す.

術直後 X-P 図11
A. 正面像
B. 側面像

(本項の一部の図は日本医科大学整形外科　澤泉卓哉先生のご厚意により提供を受けたことに感謝致します.)

■ 文献
1) 藤原浩芳, 久保俊一. キーンベック病に対する血管柄付き骨移植術. 京府医大誌. 2008; 117: 705-10.
2) Makino M. Vascularized metacarpal bone graft for scaphoid non-union and Kienbock's disease. J Reconstr Microsurg. 2001; 16: 261-6.
3) 三浪明男. 月状骨骨折: Kienböck 病. In: 三浪明男編. 手・肘の外科: カラーアトラス. 東京: 中外医学社; 2007. p.416-31.
4) Sawaizumi T, Nanno M, Ito H. Vascularized second metacarpal base bone graft in scaphoid non-union by the palmar approach. J Reconstr Microsurg. 2001; 9: 99-106.
5) Sawaizumi T, Nanno M, Nanbu A, et al. Vascularized bone graft from the base of the second metacarpal for refractory nonunion of the scaphoid. J Bone Joint Surg [Br]. 2004; 86: 1007-12.
6) Sheetz KK, Bishop AT, Berger RA. The arterial blood supply of the distal radius and ulna and its potential use in vascularized pedicled bone grafts. J Hand Surg [Am]. 1995; 20A: 902-14.
7) Steinmann SS, Bishop AT, Berger RA. Use of the 1,2 intercompartmental supraretinacular artery as a vascularized pedicle bone graft for difficult scaphoid nonunion. J Hand Surg [Am]. 2002; 27: 391-401.

CHAPTER 3: 手関節—手根不安定症

41 新鮮月状骨（周囲）脱臼骨折に対する観血的整復術と靭帯修復術

高所から落下し，手を着いて，手関節に強い背屈が強制されて発生する．手関節外傷に慣れていない一般医家において，月状骨（周囲）脱臼骨折の診断がつかず放置され，陳旧化することも少なくない．

▶非観血的整復

十分な麻酔下に示・中指2本にfinger trapを掛けて5-10分間持続的に遠位方向に牽引を加える．これによって大まかな整復が得られる．次いで，finger trapを外して長軸方向の牽引力を用手的に維持し，一方の手で患肢手関節を背屈しつつ，他方の母指で手関節の掌側から月状骨を安定化させる．手関節を徐々に屈曲することにより月状骨の遠位面に対して有頭骨を整復する．これによって有頭骨を屈曲させるとほとんどの新鮮例において月状有頭骨関節は整復可能である．月状骨は有頭骨により前方方向に転位するのを防止する目的で月状骨を母指で簡単に安定化させる．

受傷後，数日以内であればこれらの操作により非観血的整復は比較的容易に得られる．

Tips コツ
月状有頭骨関節は中間位，屈曲位では安定しているが，伸展とすると不安定であるので注意する．

整復後，私は1週間は掌屈位で，以後は中間位あるいは軽度掌屈位で固定する．合計8-12週の外固定が一般的である．

Tips コツ
私の経験では非観血的整復，それに引き続いての外固定のみでは良好な整復位保持・維持困難であることが多い．とくに整復後，舟状月状骨間解離や手根中央関節不安定症が高頻度に発症する．

整復が維持されているかの術後X-Pのチェックポイントは以下の点である．
① 有頭骨と月状骨の関係
② 舟状骨の位置（とくに掌屈変形）の確認が重要である．

▶手術適応

観血的整復術＋靭帯修復術の適応は一般的には受傷から1週以内の急性期と6週以内の亜急性期の月状骨（周囲）脱臼・骨折と考えられている．しかし，私の経験では受傷後8カ月経過した陳旧性月状骨掌側脱臼の症例に対して観血的整復と靭帯再建術を行い，手根骨は壊死に陥らず良好な整復が得られた例も経験しているので，陳旧例であるからといって近位手根列切除術（別項目を参照のこと）や手関節固定術（別項目を参照のこと）が直ちに適応となると考えるのは早計と考える．まずは観血的整復により橈骨手根関節，手根中央関節そして手根骨間関節の正常な構築が得られるかどうかを試みるべきであろうと考えている．

解剖学的整復，とくに舟状骨・月状骨・有鉤骨の安定性が非観血的整復により得られていない場合には，観血的整復が適応となる．

Tips コツ
新鮮例はもちろんのこと，陳旧例ではとくに観血的整復はきわめて愛護的に軟部組織および骨を取り扱うことを肝に銘じるべきである．

▶観血的整復術

皮切・展開
背側および掌側両方からのアプローチを用いることとしている．まず，手関節背側にLister結節を中心に橈骨遠位から第3中手骨基部に縦切開を加える 図1 ．この際に橈骨神経浅枝を損傷しないように留意して伸筋支帯まで到達し，第3・4伸筋区画間を切離する．総指伸筋（EDC）腱は尺側へ，長母指伸筋（EPL）腱と長・短橈側手根伸筋（ECRL・B）腱を橈側へ翻転して背側関節包に到達する．普通，伸筋腱を翻転した時点で多くは全体の関節包靭帯構造が完全に手根骨から剝脱されているので手根骨が関節包を突き破ってただちに露出している像として観察される 図2 ．

舟状骨の近位極は背側，橈側方向に回旋し，創に対して垂直方向に位置している．舟状骨近位極を橈側に牽引すると，月状骨に対して背側に脱臼している有頭骨の近位極が露出しているのを見ることができる．

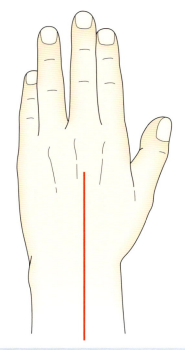

図1 手関節背側皮切

図3 手関節掌側皮切

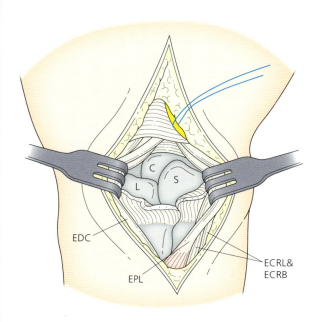

図2 背側からの手根骨の状態

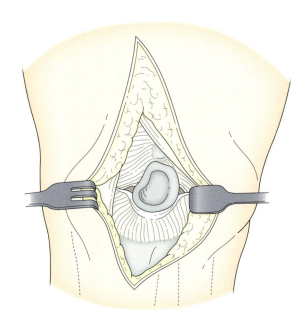

図4 掌側からの月状骨の状態

掌側皮切・展開

掌側皮切は従来の手根管症候群に対すると同様の皮切を加える 図3 ．正中神経の掌側皮枝を損傷しないように留意する．屈筋腱と正中神経を橈側へ翻転すると掌側関節包と靱帯には横方向の断裂が存在しているのがわかる．これをtransverse rentという．この断裂はほぼ100％存在しており，月状骨脱臼の場合には月状骨の有頭骨に対する遠位関節面がこの断裂部から掌側に露出しているのを見ることができる 図4 ．

整復

背側および掌側から展開した後，掌側に脱臼している月状骨を軽く牽引し母指で用手的に橈骨と有頭骨間に押し込むことで容易に整復することが可能である 図5 ．月状骨整復後，関節包靱帯構造の横方向の断裂（transverse rent）は非吸収糸を用いてしっかりと修復する 図6 ．この操作はそれほど難しくはない．

次いで背側の操作に移る．有頭骨の近位極を直視下に月状骨の遠位弧の中に整復する．背側および橈側へ転位している舟状骨の近位極を正常な解剖学的位置に回旋して元に戻す 図7 ．電動ドリルを用いて2-3本の0.045インチ径のK鋼線を用いて，舟状骨，月状骨，有頭骨の3つの骨を固定する．最初の2本のK鋼線は嗅ぎ

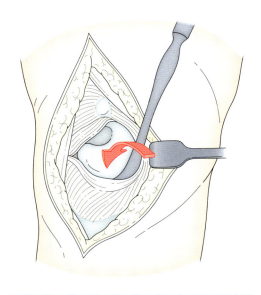

図5 月状骨の整復

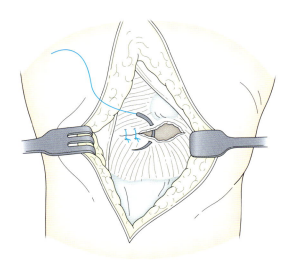

図6 Transverse rent の修復

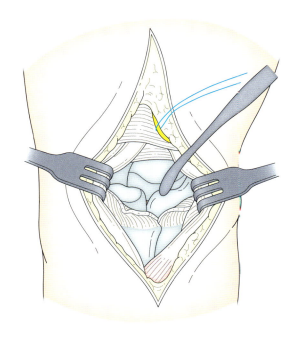

図7 舟状骨の整復

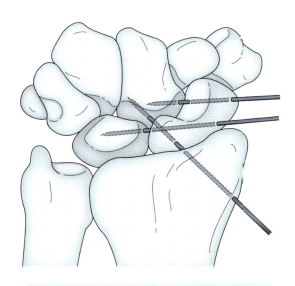

図8 K鋼線を用いた手根骨の固定

煙草入れ部の舟状骨から有頭骨，月状骨へ刺入する**図8**．3本目のK鋼線は橈骨茎状突起から舟状骨を通して有頭骨まで刺入し，固定性を確保する．この橈骨手根骨関節は固定しない場合もある．

背側靱帯は掌側に比べると薄く弱いので完全に修復することは難しいことが多い．大雑把に修復することで十分であろう．靱帯（主に舟状月状骨間靱帯）を再建するなどの操作（別項目，参照のこと）を同時に加えるべきかどうかについてはいろいろ，議論の分かれるところである．

X線学的な整復位の確認

X線イメージで手根骨の整復状態を確認する．この際，重要なことは以下の2点である．

① 舟状骨，月状骨，有頭骨が解剖学的に整復されているかどうか．
② K鋼線が上記の3つの手根骨をしっかり固定しているかである．

閉鎖

掌側および背側の関節包を修復後，最後に伸筋支帯を修復して皮膚を閉鎖する．

▶後療法

短上肢 thumb-spica 副子を装用する．K鋼線は8週で抜釘する．以後，次第に運動療法を行う．

▶症例供覧

症例1 35歳，男性．受傷後6週経過している月状骨掌側脱臼例．

図9 受傷後6週 X-P
図10 観血的整復と靱帯修復術後 X-P

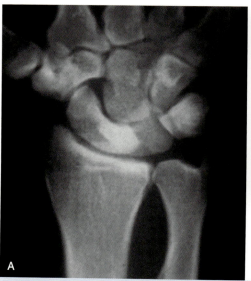
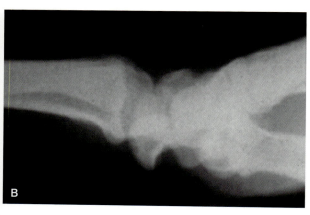

図9 35歳，男性．月状骨掌側脱臼．受傷後6週 X-P
A: 正面像　B: 側面像．典型的な tear cup sign を呈している

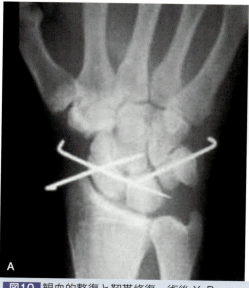
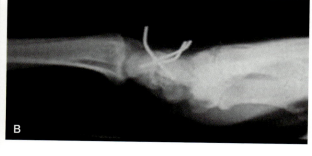

図10 観血的整復と靱帯修復．術後 X-P
A: 正面像　B: 側面像

症例2 31歳，男性．受傷当日に受診した橈骨茎状突起骨折と舟状骨骨折を伴った月状骨周囲脱臼例．
- **図11** 整復前 X-P
- **図12** 徒手整復後 X-P
- **図13** 舟状骨および橈骨茎状突起骨折に対してDTJスクリュー固定を行った．良好な手根骨間の構築が得られていたので関節包修復はしなかった．

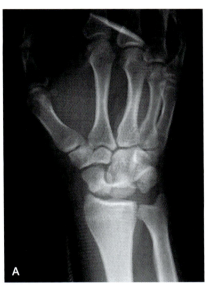
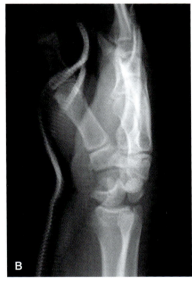

図11 31歳，男性．橈骨茎状突起と舟状骨骨折を伴った月状骨周囲脱臼．整復前 X-P
A: 正面像　B: 側面像

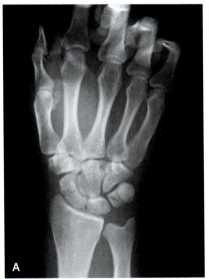
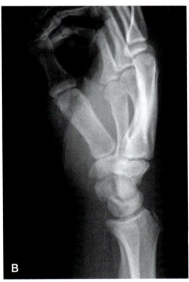

図12 徒手整復後 X-P
A: 正面像　B: 側面像

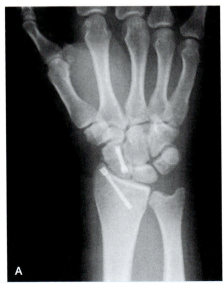
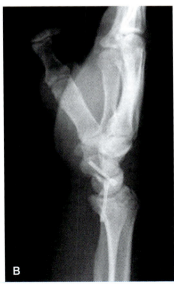

図13 術後 X-P
A: 正面像　B: 側面像

■ 文献

1) Culver JE. Instabilities of the wrist. Clin Sports Med. 1986; 5: 725-40.
2) Dobyns JH, Perkins JC. Instability of the carpal navicular. J Bone Joint Surg［Am］. 1967; 49: 1014.
3) Hildebrand KA, Ross DC, Patterson SD, et al. Dorsal perilunate dislocations and fracture-dislocations. Questionnaire, clinical, and radiographic evaluation. J Hand Surg［Am］. 2000; 25: 1069-79.
4) Minami A, Ogino T, Oshio I, et al. Correlation between clinical results and carpal instabilities in patients after reduction of lunate and perilunar dislocations. J Hand Surg［Br］. 1986; 11: 213-20.
5) 三浪明男．手根不安定症．In: 三浪明男編．手・肘の外科: カラーアトラス．東京: 中外医学社; 2007．p.199-217.
6) Potts H, Nobel J. Surgical approaches to the dorsum of the wrist: Brief report. J Bone Joint Surg［Br］. 1988; 70: 328-9.
7) Russell TB. Intra-carpal dislocations and fracture-dislocations. A review of fifty-nine cases. J Bone Joint Surg［Br］. 1949; 31: 524-31.

CHAPTER 3: 手関節—手根不安定症

42 舟状月状骨間解離に対する舟状月状骨間靭帯修復術および背側関節包固定術

私は舟状月状骨間靭帯（scapholunate interosseous ligament: SLIL）が修復可能な舟状月状骨間解離（scapholunate dissociation: SLD）に対して SLIL 背側部分を修復し，背側関節包靭帯構成体を用いた背側関節包固定術を好んで用いている．背側関節包固定術は背側関節包靭帯構成体を近位に翻転し，舟状骨の掌屈回旋変形を矯正して舟状骨の回転中心の遠位に固定する方法である 図1．

▶手術適応

私は背側関節包固定術は舟状月状骨間靭帯（SLIL）損傷に対する靭帯修復あるいは再建に加えて舟状骨の異常回旋（掌側回旋）を防止する際の補助的な手術として行うことが多い．したがって，背側関節包固定術の舟状月状骨間解離（SLD）に対する手術としての位置づけについては未だ明確ではない．背側関節包固定術そのものについて否定的な考えをもつ手の外科医も少なくない．私は SLIL を修復した後に，舟状骨がどうしても掌側回旋傾向にあるのでこれを制御する目的で背側関節包固定術を行うこととしている．

▶手術

皮切

橈骨 Lister 結節の少し近位から中指中手骨上にかけて背側に 6 cm 長の縦切開を加える．皮切に沿って伸筋支帯上まで一気に露出する（本皮切については手関節背側から手術操作を加える他の手術と同様である）．

Tips コツ

皮膚および皮下組織の中に皮神経および皮静脈を含めるとこれらを損傷する危険が減少する．

展開

Lister 結節の遠位が舟状月状骨関節に相当することを念頭に第 3-4 伸筋区画間あるいは第 3 区画を開放し（遠位のみの開放でも十分である），背側関節包に到達する．SLIL の背側部分が部分断裂したり，あるいは舟状骨近位極が強く背側に突出している像が観察可能であることが多い．

SLIL 修復術

Lister 結節遠位の橈骨遠位背側縁を茎として橈側に幅 1.0-1.5 cm，長さ 2-3 cm 長の関節包靭帯構成体を弁状として手根骨上から近位の茎を損傷しないように末梢から近位に掛けて翻転する 図2．

橈骨手根関節および舟状月状骨間関節を観察すると，SLIL が断裂しているのを確認することができる 図3．私の経験では，SLIL の断裂はほとんど舟状骨側で発生している．2 本の 0.045 インチ K 鋼線を 図4 のように舟状骨と月状骨へ背側から刺入して joystick を操作するように，つまり舟状骨を背側方向へ，月状骨を掌側方向へ整復して舟状月状骨間裂隙を矯正する．整復位が得られたら K 鋼線を用いて舟状骨と月状骨の整復を保持する．ここで joystick として用いた K 鋼線は抜去する．舟状骨背側の靭帯付着部の皮質骨を新鮮化し Mitek mini-anchor を用いて 図5 断裂している SLIL を修復固定する 図6．

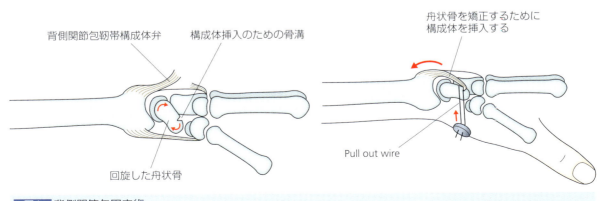

図1 背側関節包固定術

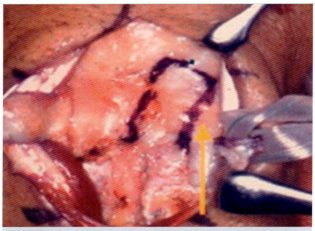

図2 背側関節包に短冊状の関節包靱帯構成体の細片を作成する

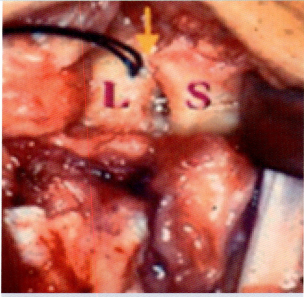

図5 舟状骨背側の靱帯付着部の皮質骨を新鮮化して Mitek mini-anchor を刺入する

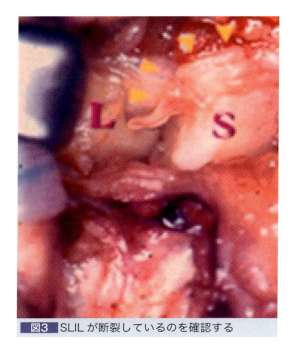

図3 SLIL が断裂しているのを確認する

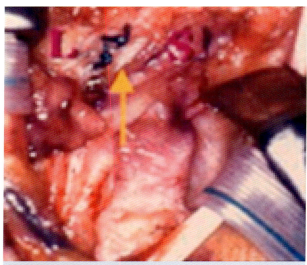

図6 靱帯修復・固定する

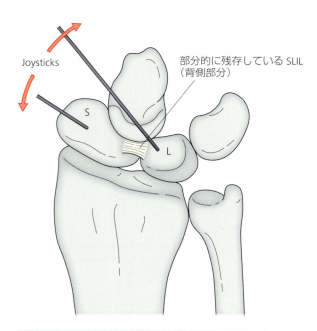

図4 舟状骨，月状骨背側から K 鋼線を刺入し joystick を操作するように舟状月状骨間裂隙を矯正する

Tips コツ

SLIL の修復は受傷からの時間が経過すると修復困難であるが，私の経験ではかなりの時間が経過しても修復可能なことが多い．残念ながら，この時間を特定するほど多くの症例を経験していない．

背側関節包固定術

Mitek mini-anchor のためのドリルを用いて舟状骨の回転中心より遠位に骨孔を作製し，Mitek mini quickanchor を刺入する 図7．この anchor に付いている縫合糸で背側関節包を tight に遠位に牽引し縫合固定する 図8．

閉鎖

その後，関節包を可及的丁寧に閉鎖する．伸筋支帯，皮膚を層々縫合する．

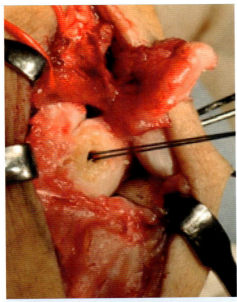

図7 舟状骨の回転中心の遠位に mini-anchor を刺入する

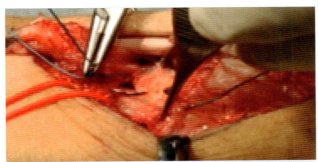

図8 背側関節包靱帯構成体の細片を遠位まで前進し舟状骨遠位に固定する

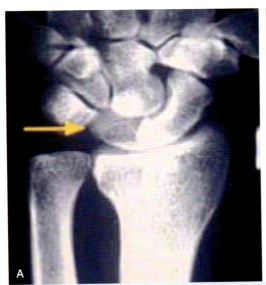
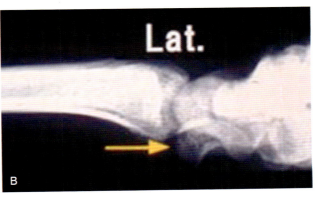

図9 25歳，男性．受傷後6週間経過した月状骨脱臼例
術前 X-P
A: 正面像　B: 側面像

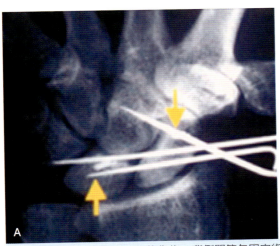
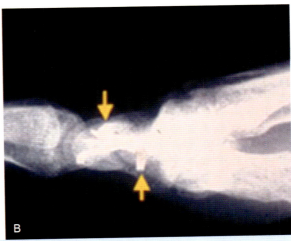

図10 術直後 X-P（SLIL 修復術＋背側関節包固定術後）
A: 正面像　B: 側面像

▶後療法

術後8週は掌側手関節副子にて固定する．K鋼線を6-8週で抜釘し，以後，さらに4週間は着脱可能な副子固定を行う．この時期より自動運動を開始し，次第に他動運動を加えていく．

▶症例供覧

症例1 25歳，男性．受傷後6週間経過した月状骨脱臼例 図9 ．SLIL修復術と背側関節包固定術を施行した 図10 ．

症例2 37歳，男性．受傷後1カ月を経過した橈骨茎状突起骨折を合併したSLD例 図11 ．観血的整復にSLIL修復および背側関節包固定術を行った 図12 ．術後1年後のX-PでSLDの整復は維持されている 図13 ．

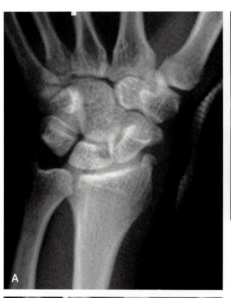
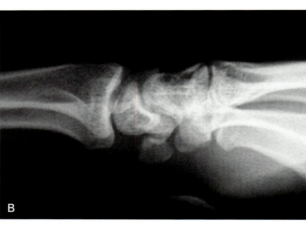
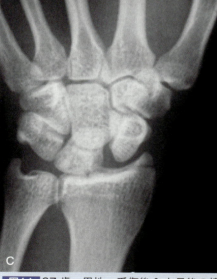
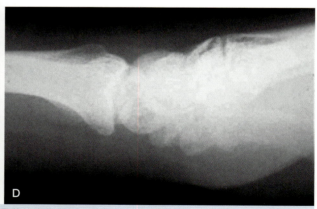

図11 37歳，男性．受傷後1カ月後の橈骨茎状突起骨折を合併したSLD例
受傷後1週のX-P
A: 正面像　B: 側面像
受傷後4週のX-P
C: 正面像　D: 側面像

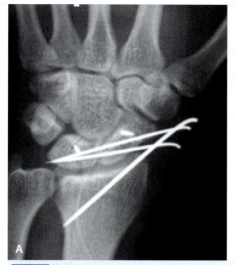
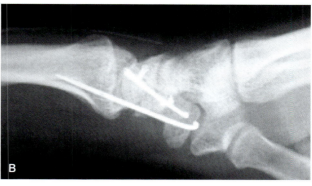

図12 術直後 X-P
A: 正面像　B: 側面像

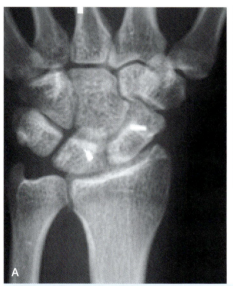
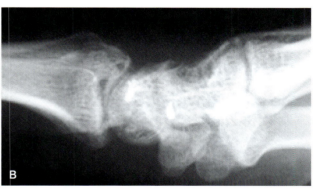

図13 術後1年の X-P
A: 正面像　B: 側面像

■ 文献

1) Blatt G. Capsulodesis in reconstructive hand surgery: Dorsal capsulodesis for unstable scaphoid and volar capsulodesis following excision of the distal ulna. Hand Clin. 1987; 3: 81-102.
2) Lavernia CJ, Cohen MS, Taleisnik J. Treatment of scapholunate dissociation by ligamentous repair and capsulodesis. J Hand Surg [Am]. 1992; 17: 354-9.
3) Minami A, Ogino T, Ohshio I, et al. Correlation between clinical results and carpal instabilities in patients after reduction of lunate and perilunar dislocations. J Hand Surg [Br]. 1986; 11: 213-20.
4) 三浪明男. 手根不安定症の病態と治療. 日整会誌. 1992; 66: 771-80.
5) Minami A, Kaneda K. Repair and/or reconstruction of scapholunate ligament in lunate and perilunate dislocations. J Hand Surg [Am]. 1993; 18: 1099-106.
6) Minami A, Kato H, Iwasaki N. Treatment of scapholunate dissociation: ligamentous repair and capsulodesis. Hand Surg. 2003; 8: 1-6.

CHAPTER 3: 手関節―手根不安定症

43 橈側手根屈筋（FCR）腱を用いた舟状月状骨間靱帯再建術

私に本法の経験はそれほど多くはないが，舟状月状骨間靱帯（scapholunate interosseous ligament: SLIL）修復・再建に失敗し舟状月状骨間解離（scapholunate dissociation: SLD）が再発した例に対するsalvage手術の際に本法を用いている．しかし，SLDに代表される手根不安定症に対するSLIL再建術そのものの適応について，ましてどのような術式を選択すべきかについて手の外科医間でのコンセンサスは全く得られていないのが現状である．したがって，本項における適応などに関する記述は私の考え方である．

▶手術適応

橈骨手根関節および手根骨間関節に明らかな関節症（OA）変化が存在していないSLD（言い換えればdorsiflexed intercalated segment instability: DISI）例が適応である．前記したようにSLDに対してprimaryに本法を選択する術者もいれば，私のようにsalvage手術として用いている手の外科医もいる．

▶背側よりの手技

皮切
Lister結節を中心に手関節背側に8 cm長の縦皮切を加える．伸筋支帯まで一気に皮下組織を皮膚に付けて皮弁として左右に翻転して到達する（手関節固定術など手関節背側から手術操作を行う手術の項，参照のこと）．

展開
第3伸筋区画を開放し，長母指伸筋（EPL）腱を露出し橈側に翻転して背側関節包を露出する．Lister結節の遠位が舟状月状骨間関節に相当することとなる．
手関節背側関節包上に背側手根間靱帯と背側橈骨手根靱帯を同定する　図1．これらの靱帯の走行に沿って皮切を加え，靱帯温存関節包切開を行うこととしている　図2．関節包切開後，橈側を茎として弁状に関節包を翻転して橈骨手根関節および舟状月状骨間関節を露出する　図3（これらの手技については別項目も参照のこと）．

舟状骨・月状骨の修復
まず関節内の舟状骨と月状骨間に存在する整復障害因子となっている瘢痕線維組織を切除した後にSLILの状態を観察する．縫合可能であれば修復を行う（別項参照

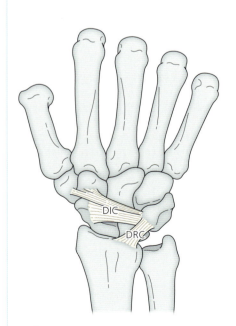

図1 背側関節包上に背側手根間靱帯と背側橈骨手根靱帯を同定する
DIC: 背側手根間靱帯
DRC: 背側橈骨手根靱帯

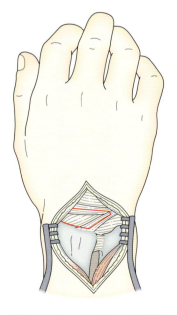

図2 背側手根間靱帯と背側橈骨手根靱帯の走行に沿って関節包切開を行う

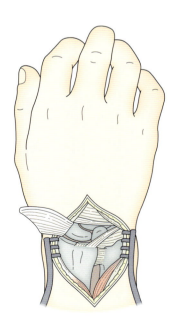

図3 関節包靱帯構成体を橈側有茎として翻転し，関節を露出する

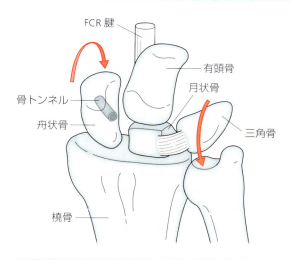

図4 SLDでは舟状骨は掌屈し，月状骨は三角骨とともに背屈している

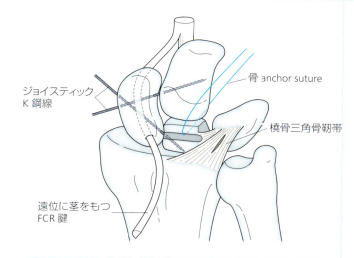

図6 FCR半切腱を遠位を有茎として舟状骨掌側から背側へトンネル内を通す

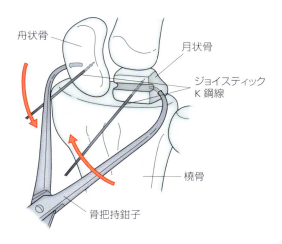

図5 舟状骨と月状骨に刺入したK鋼線をジョイスティックとして両骨を整復する

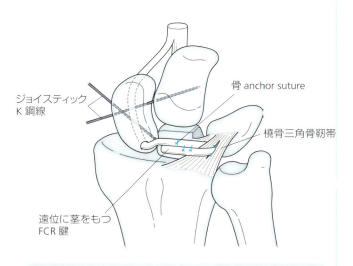

図7 FCR半切腱を月状骨背側の骨溝に強く固定し，背側橈骨三角骨靱帯の遠位部分のスリットを通して縫合固定する

のこと）．舟状骨は掌屈し，月状骨は背屈している 図4 ．次いで2本の0.045インチのK鋼線を舟状骨と月状骨の背側から刺入し，ジョイスティックのように操作して舟状骨と月状骨を整復位とする 図5 ．

骨トンネルの作成

K鋼線を掌側の舟状骨結節から舟状骨背側まで刺入し，これをガイドとして2.7 mm cannulatedドリルを背側から掌側に通し，舟状骨にFCR腱の半切腱を挿入するための骨孔を作製する 図6 ．

▶FCR腱の採取

皮切

FCR腱の走行に一致して1-2 cm程度長の横切開を前腕中央部まで数カ所加える［母指CM-OAに対する関節形成術（Burton法）の項参照のこと］．舟状骨結節部上には舟状骨の走行に一致して斜切開を加える．FCR腱を前腕中央部で半分に切り，それを先に加えたFCR腱上の横皮切に出して遠位を有茎として採取する 図6 ．

SLIL再建術

採取したFCR半切腱を先に作成した舟状骨のトンネル内を掌側から背側へと通す 図6 ．舟状骨と月状骨を既に刺入したK鋼線をジョイスティックとして用いて整復した後にK鋼線を用いて舟状月状骨関節，舟状有頭骨関節を固定する 図6 ．X-P透視下で良好な整復を得られていることを確認後，ジョイスティックとして用いたK鋼線を抜去する．

電動バーを用いて月状骨の背側に細い溝を作製する 図6 ．1.8 mm骨アンカーを用いてFCR腱の半切腱をこの骨溝の中央部に強く固定する．FCR腱の残りの部分を背側橈骨三角骨靱帯の遠位部分のスリットを通し，月状骨上でFCR腱へ縫合固定する 図7 ．

閉鎖

背側関節包を3-0非吸収糸を用いて修復する．EPL腱を伸筋支帯の上に置いて伸筋支帯も同様に閉鎖する．

▶後療法

術後8週は掌側手関節副子固定を行う．K鋼線を6-8週で抜釘し，以後，次第に運動を負荷する．抜釘後，4週間は着脱可能な副子固定を行う．

■ 文献

1) Brunelli GA, Brunelli GR. A new tecknique to correct carpal instability with scaphoid rotary subluxation: preliminary report. J Hand Surg［Am］. 1995; 20: S82-5.
2) Chabas JF, Gay A, Valent D, et al. Results of the modified Brunelli tenodesis for treatment of scapholunate instability: a retrospective study of 19 patients. J Hand Surg［Am］. 2008; 33: 1469-77.
3) 三浪明男．手根不安定症．手術治療．In: 三浪明男編．手・肘の外科: カラーアトラス．東京: 中外医学社; 2007. p.208-17.
4) Van den Abbeele KLS, Loh YC, Stanley JK, et al. Early results of a modified Brunelli procedure for scapholunate instability. J Hand Surg［Br］. 1998; 23: 258-61.

CHAPTER 3: 手関節―手根不安定症

44 月状三角骨間解離に対する月状三角骨間靭帯 (Lunotriquetral Interosseous Ligament: LTIL) 再建術

手関節の intrinsic ligament（手内靭帯）断裂のうち，月状三角骨間靭帯（lunotriquetral interosseous ligament: LTIL）断裂は舟状月状骨間靭帯断裂と同等あるいは2番目に頻度が高いと一般的に考えられているが，尺骨がプラスバリアントである場合，尺骨突き上げ症候群を呈しており，高頻度に断裂している．尺側手根伸筋（ECU）腱を用いた LTIL 再建術の経験は1例のみで，残念ながら術中フォトと X-P を見つけることができなかった．したがって，手術術式をイラストで示す．

> **豆知識**
> Milch の論文によれば，LTIL は 20-30 歳代では 10%，60 歳代ではほぼ 100% 断裂しているとされている

> **Tips コツ**
> LTIL 断裂により月状三角骨間解離が生じ，近位手根列掌側回転型手根不安定症（volar flexed intercalated segment instability: VISI）が発生する．

▶治療法の選択

LTIL 断裂に対する手術治療としては以前はもっぱら月状三角骨（LT）関節を固定することが行われていたが，両骨の接触面積が少ないことにより偽関節に陥ることが少なくなく，また正常の手根骨間関節の正常な動きが制限されることによる周囲手根骨間関節の二次的変化・障害が起こることが判明し，最近は LT 関節固定術はほとんど行われない傾向にある．

LTIL 損傷が尺骨突き上げ症候群により発生したのであれば，靭帯再建とともに尺骨短縮術も行われることがある．

> **Tips コツ**
> LTIL 再建術の手術手技は，月状骨と三角骨間の動きを保持することができるが，技術的にはきわめて難しい手術手技である．

▶手術適応

手術適応は唯一である．有痛性月状三角骨間解離であり，特に月状骨が静的あるいは動的に掌屈位を呈している場合（VISI を呈している場合）である．

▶理学所見・画像所見

単純手関節側面 X 線像では，月状骨は掌屈し VISI を呈する．正面 X 線像では月状骨と三角骨間の開大が認められることがある．単純 X 線写真が正常であれば，手関節鏡により LTIL の断裂と異常可動性を確認することも重要である．

▶手術解剖

LTIL は解剖学的にしっかりとした背側・掌側靭帯と線維軟骨性の膜により構成されているが，手関節尺側に位置している特殊性ゆえに LT 関節は尺骨手根靭帯（尺骨月状骨靭帯と尺骨三角骨靭帯）と手根中手靭帯（三角有鉤骨靭帯と三角有頭骨靭帯）によってもさらなる支持性が寄与されている．

LTIL の重要な二次的安定性を供給するものには，舟状三角骨（背側手根骨間）靭帯と橈骨三角骨靭帯が含まれる．これらの手根骨間・橈骨手根骨間関係を通して，背側靭帯は三角骨の位置保持に重要な役割を演じている 図1 ， 図2 ．つまり尺屈すると背側舟状三角骨靭帯は緊張し，三角骨は遠位方向へ移動し，三角骨を伸展位に引っ張る．逆に橈屈すると，今度は背側橈骨三角骨靭帯が緊張し，月状骨と三角骨間の圧力が上昇する．LTIL が断裂することにより，これらの二次的安定性の欠如により有頭骨や月状骨への背側支持がなくなり，VISI 変形を呈することとなる．

▶LTIL 再建術

皮切

月状三角骨関節の展開は，第4・5伸筋区画の間に 7-8 cm の縦切開を加える．

> **Tips コツ**
> 尺骨頭の遠位に加える皮切部は尺骨頭の遠位で，尺骨神経背側枝が掌側から背側へと走行しているので損傷に注意を要する．

皮膚に皮下組織を付けて伸筋支帯を露出する．遠位橈

尺関節（DRUJ）の尺骨頭橈側部は第4・5区画に該当するので，この部を開放する．第4区画内の総指伸筋（EDC）腱・示指固有伸筋（EIP）腱を橈側へ，小指固有伸筋（EDM）腱を尺側に翻転して，下のDRUJおよび手関節尺側の関節包を露出する．

Tips コツ

EDM腱はきわめて細いこと（特に女性において）が多いので展開時に誤って切断することがあるので，伸筋支帯を開放する際には十分注意する必要がある．

展開

手関節包を縦切開で開く．これのみでは展開が小さい場合には橈骨手根関節に横切開を加えるとLT関節を広く展開することができるが，ここでの再建手術を行うLTIL靭帯修復を行う尺側手関節関節包の鱗状配列には縦切開が最も適している．

LT関節を展開するために関節包を切開した後，月状骨および三角骨の背側面上の関節包靭帯構造を鋭的に剝離するようにする．このときに関節包の連続性は後の関節包の鱗状配列のために保つようにすべきである．ECU腱の橈側細片は手関節の近位3-4 cmの近位部の1/3部で切離して，小指中手骨基部のECU腱停止部まで剝離する 図3 ．

Tips コツ

遠位付着部を有茎としてECU腱の橈側細片を採取することが重要で遊離とならないように注意する．

整復操作

2本の直径1.2 mmのK鋼線を月状骨と三角骨の背側から刺入してジョイスティックとしてこれらの両骨を整復することとする 図3 ．月状骨は掌屈しているのでK鋼線を遠位に刺入する．三角骨は逆に近位に刺入する．LTIL断裂とともに，月状骨は掌屈位（VISIにより）を呈しているので月状骨の遠位に刺入したK鋼線を近位に倒すことにより，月状骨の掌屈位変形を整復する．三角骨の近位に刺入したK鋼線を用いて遠位に押し付けることで三角骨を月状骨に対して整復操作を行う．

骨孔作製

月状骨と三角骨の関係を整復した後，X線透視下で経皮的に三角骨尺側から三角骨本体，月状骨へと一時的に刺入する．このとき少し，LT関節の間隙を空け（開き）気味にしておくことが肝要である．次いで三角骨背側からLT関節に向けた骨トンネルを作製するために，2.5 mm径cannulated screwのガイドワイヤーを斜めに刺入する．ガイドワイヤーの位置を確認後，ドリルを挿入する．

最後に，同じように月状骨上のドリル孔を月状骨背側からLT関節のやや背側部（先に作製したドリル孔と対応するように）作製する．両骨のドリル孔内の小さな骨片や軟骨片を切除して骨孔内を郭清する．

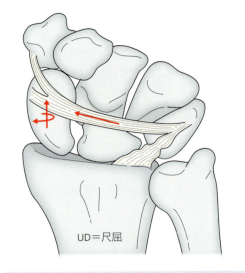

図1 尺屈における背側手根骨間靭帯と橈骨手根（橈骨三角骨）靭帯の緊張状態

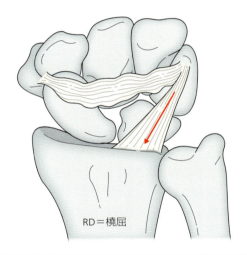

図2 橈屈における背側手根骨間靭帯と橈骨手根（橈骨三角骨）靭帯の緊張状態

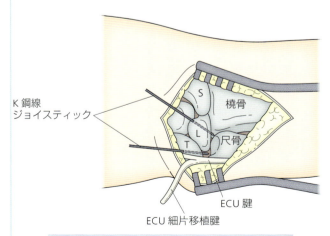

図3 関節包を切開し，ECU腱の橈側細片を採取する

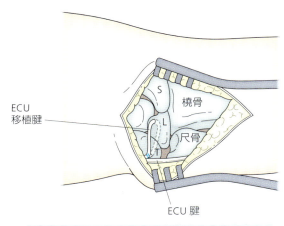

図4 LTILをECU腱の細片を用いて再建する

靭帯再建

先ほど作製したECU腱のslip（細片）の近位端に太い絹糸で縫合して腱を引くために用いることとしている．骨トンネルを通して腱の先につけた縫合糸を引っ張ることにより，腱をドリル孔に通す．ここで再度月状骨と三角骨をしっかりと整復し半切腱は三角骨背側からLT関節内へ，次いで月状骨の三角骨関節内方向に作製した骨孔内を通して月状骨背側上に通す 図4．

> **コツ**
> 腱の緊張は可及的に強くすべきであるが，余りにも強く腱を引くと骨孔背側部の骨折が起こることが危惧されるので留意する．

以前は月状骨背側に引き出した腱をそれ自身の腱と強く縫合することとしていたが，最近はMitekミニ骨アンカーを月状骨背側の腱を引き出した骨孔の橈側に刺入して腱をアンカーで強く縫合することにより，移植腱のさらなる安定性が得られる．

> **コツ**
> 採取した腱の細片が太すぎると，トンネルを通すことはできないので，スリムに削る必要がある．

移植腱の近位をさらにLTILの残存部に，3-0非吸収糸を用いて縫合する．最終的に三角骨を有頭骨に固定するために別の1.2 mm径のK鋼線を経皮的に刺入する．

最後に移植腱の近位部を橈骨三角骨靭帯の周囲をループ状に回し，それ自体と縫合する．これらによって，月状骨に対して三角骨を強く結ぶことが可能となる 図4．

閉鎖

創を十分洗浄後，切離・翻転した関節包を強固に非吸収糸にて縫合閉鎖する．第4・5区画上の伸筋支帯を非吸収糸を用いて閉鎖する．K鋼線の先端は皮下にて切断し，術後8週後に抜釘する．駆血帯を外して，すべての出血部位を止血する．術後，短上肢ギプス副子固定を行う．

▶後療法

固定は8週間で，8週でK鋼線を抜釘し，愛護的な可動域運動を開始し，次第に負荷を加え，職場復帰は3カ月後程度である．

■文献

1) Ambrose L, Posner MA. Lunate-triquetral and midcarpal joint instability. Hand Clin. 1992; 8: 653-68.
2) Lee DJ, Elfar JC. Carpal ligament injuries, pathomechanics and classification. Hand Clin. 2015; 31: 389-98.
3) Guidera PM. Lunotriquetral arthrodesis using cancellous bone graft. J Hand Surg [Am]. 2001; 26: 422-7.
4) Reagan DS, Linscheid RL, Dobyns JH. Lunotriquetral sprains. J Hand Surg [Am]. 1984; 9: 502-14.
5) Shin AY. Treatment of isolated injuries of the lunotriquetral ligament. in comparison of arthrodesis, ligament reconstruction and ligament repair. J Bone Joint Surg [Br]. 2001; 83: 1023-8.

CHAPTER 3: 手関節—舟状骨骨折・偽関節

45 舟状骨骨折（総論）

　舟状骨骨折は手根骨骨折の中で一番多く発生し，全手根骨骨折のうち70-90％を占める．舟状骨は近位手根列と遠位手根列を連結する部位に存在し，この解剖学的特殊性 図1 ゆえに転倒し手関節の背屈位が強制されると最終的に骨折が発生する．

　舟状骨骨折はその形態的 図2 および位置的特殊性ゆえに他の骨折以上に診断が困難であり，また高率に偽関節に陥る．偽関節に陥ると高い頻度で手関節変形性関節症（scaphoid non-union advanced collapse: SNAC wrist）をきたすことが知られている．これらのことを防止する意味から舟状骨骨折の早期診断・早期治療はきわめて重要である．

▶理学所見

　舟状骨骨折はX線検査により最終的に確定診断を行うこととなるが，受傷機転，患者の年齢，症状により骨折の存在が示唆されるといってよい．特に長母指伸筋

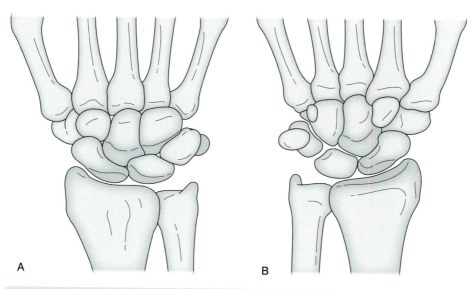

図1 手根骨内の舟状骨の解剖学的位置
A: 背側面　B: 掌側面

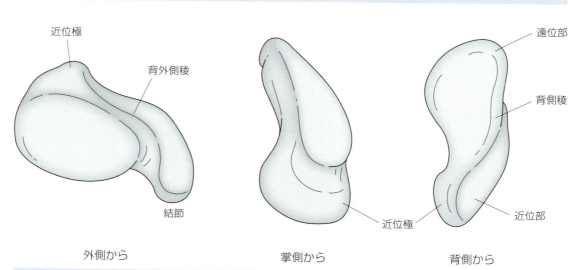

図2 舟状骨の形態

(EPL) 腱と短母指伸筋（EPB）腱間と橈骨遠位端部で形成される解剖学的嗅ぎたばこ窩 anatomical snuff box 図3 上の圧痛の存在は骨折を示唆する兆候である．また手関節橈掌側の舟状骨結節の圧痛を認めることも多い．当然であるが，手関節痛，特に運動時痛，手関節橈背側部の腫脹，可動域制限，握力低下が存在する．

▶画像所見

一般的な手関節正面・側面 X 線撮像では骨折線の描出が明らかでないことも多い 図4．手関節尺屈位での正面像，または指を屈曲して握りこぶしを作った位置で手関節を尺屈位とした正面像 図5 が骨折線をよく描出する．その他，左右の母指をつけて蝶々のようにした位置での正面像も有用である．

> **Tips コツ**
> 舟状骨は前後方向で（正面像）で 45°橈屈し，側面方向で 45°掌屈しているので，舟状骨撮影により一番舟状骨の長径を長く見ることが可能となり，骨折線の存在がより明らかとなる．

舟状骨骨折の画像所見で特徴的なことは受傷後最初の X 線写真での骨折の存在に対する偽陰性（つまり骨折が存在しているにもかかわらず X 線学的には陰性と判断したもの）の頻度は報告者により異なっているが，2-25% とされている．とくに近位極での骨折の場合，橈骨により骨折部が覆われているので診断はきわめて困難であることが多い．したがって理学的所見にて舟状骨骨折の疑いのある患者においては，X 線で骨折が明らかではなくても，2 週間の短上肢母指ギプス包帯（short arm thumb-spica-cast）を装用し，反復的に骨折が存在してないかについて注意深く経過観察することが gold standard と考えられている．

単純 X 線検査に加えて CT 画像も転位のきわめて軽微

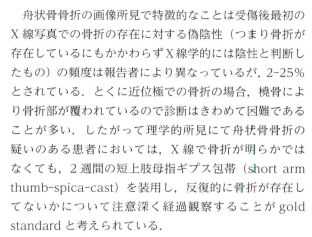

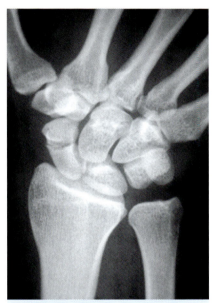

図5 舟状骨撮像により舟状骨骨折の骨折線は明瞭となった

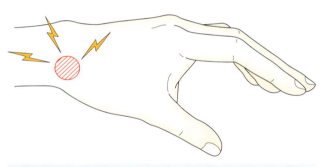

図3 解剖学的嗅ぎたばこ窩

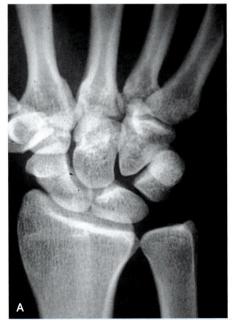

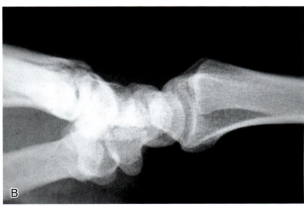

図4 手関節正面・側面像では舟状骨骨折の存在は明らかではなかった
A: 正面像　B: 側面像

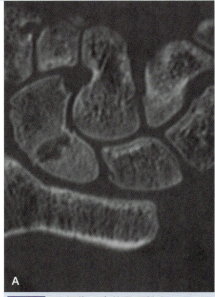
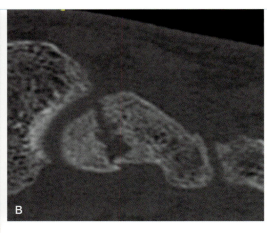

図6 CT撮像．舟状骨長軸上のラインで舟状骨を描出すると骨折線がより明瞭となる
A: 正面像　B: 側面像

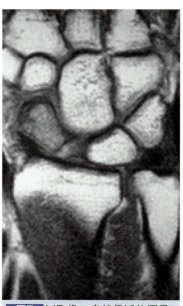

図7 MR像．舟状骨近位極骨折のMR像

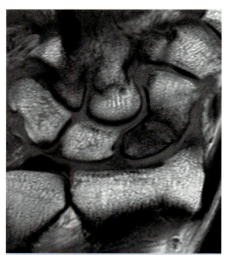

図8 MR像で舟状骨近位極は低信号を呈している

な舟状骨骨折を診断する上で有用である 図6 ．しかし前述しているように舟状骨は独特の位置関係を呈しているので一般的なCT画像の像（軸射，矢状，前額面）では描出しずらいことも多いので舟状骨長軸上のラインに沿って画像を得ることが重要である．

早期のMR像が最も診断的価値が高いと考えられている 図7 ．MR撮像により明らかな骨折線の存在を描出することができるとともに近位骨片の虚血性変化の存在の可能性も知ることが可能となる．しかしMR像で近位骨片が低信号となっていることは必ずしも虚血性変化ではなく骨折による浮腫であることも多いので注意を要する 図8 ．

> **Tips コツ**
> 残念なことはMR撮像装置は一般医家では設置されていることが少ないことである．

▶舟状骨骨折・偽関節の分類 (Herbert)

Herbertは舟状骨骨折・偽関節を分類している 図9 ．

Type A:
Stable Acute Fractures

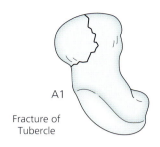
A1
Fracture of Tubercle

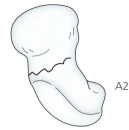
A2
Incomplete Fracture Through Waist

Type B:
Unstable Acute Fractures

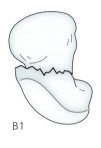
B1
Distal Oblique Fracture

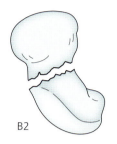
B2
Complete Fracture of Waist

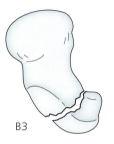
B3
Proximal Pole Fracture

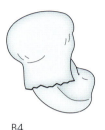
B4
Trans-Scaphoid-Perilunate Fracture Dislocation of Carpus

図9　舟状骨骨折・偽関節のHerbert分類

▶手術適応

　私は不安定型はもちろん安定型であってもほとんどの新鮮舟状骨骨折に手術適応があると考えているが，新鮮舟状骨骨折の手術適応について必ずしもコンセンサスは得られていないと思う．とくにスポーツ選手の場合，スポーツへの早期復帰が患者のニーズであることから，高いレベルのスポーツ選手の新鮮安定型骨折に対しては早期の内固定術を推奨する人もいる．

　保存治療の適応は，体部または遠位極の単独，新鮮，転位のない骨折であることはほぼコンセンサスが得られている．一般的に体部および遠位極の骨折の場合，6-8週，近位極の場合は8-12週のギプス固定期間を必要とする．

　内固定材料としてはcannulated headless 圧迫スクリューが広く用いられている．私は個人的にはDTJ screw（メイラ社製）がタップを要さず挿入することが可能であることより好んで用いている．

▶手術解剖

　舟状骨は独特な形態で手関節内の近位手根列に位置している手根骨である．全体的にほぼ表面は軟骨で覆われている 図2 ．またGelbermanとMenonによれば舟状骨への栄養動脈は遠位背側および遠位掌側から入り，骨内を遠位から近位方向へ逆行性に走行している 図10 ．つまり栄養動脈の骨への入口は結節に限られており，近位極への直接的な栄養血管は存在していない．このことは近位極に骨折が発生すると骨癒合が得られにくく，無腐性壊死に陥りやすい理由の一つである．

　舟状骨には多くのextrinsic ligamentおよびintrinsic ligamentが付着しており，これゆえに手関節の掌背屈・橈尺屈運動において手関節の手根骨中のkey stoneの役割を演じている所以である．このうち橈骨舟状有頭骨靱帯は舟状骨体部を掌側から支えるような位置に存在する．この靱帯はしばしば手術展開の際に切られることがあるので，切離した場合は修復すべきである．

　具体的な手術方法は別項目を参照されたい．

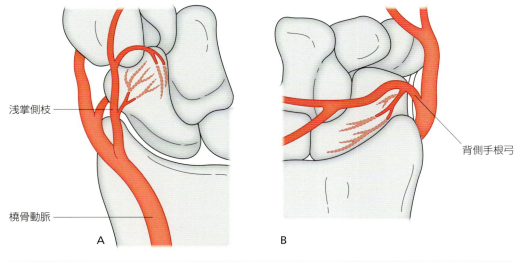

図10 舟状骨への血行　A: 掌側　B: 背側

■ 文献

1) Gelbermann RM, Menon J. The vascularity of the scaphoid bone. J Hand Surg ［Am］. 1980; 5: 508-13.
2) Herbert TJ, Fisher WE. Management of the fractured scaphoid using a new bone screw. J Bone Joint Surg ［Br］. 1984; 66: 114-23.
3) Hunter JC, Escobedo EM, Wilson AJ, et al. MR imaging of clinically suspected scaphoid fractures. AJR Am J Roentgenol. 1997; 168: 1287-93.
4) Ho JK, Yong-Min C, Hyan K II, et al. Is arthroscopic bone graft and fixation for scaphoid nonunion effective? Clin Orthop Rel Res. 2016; 474: 204-12.
5) 三浪明男. 舟状骨骨折と偽関節. 新鮮骨折に対する治療. In: 三浪明男編. 手・肘の外科: カラーアトラス. 東京: 中外医学社; 2007. p.171-5.
6) Trumble TE, Salas P, Barthel T, et al. Management of scaphoid nonunions. J Am Acad Orthop Surg. 2003; 1: 380-91.

CHAPTER 3: 手関節―舟状骨骨折・偽関節

46 舟状骨骨折に対する背側からの経皮的内固定術

新鮮舟状骨骨折に対する観血的内固定術は良好な骨癒合率が得られたとの報告がなされているが，観血的固定に伴うリスクも内在している．つまり無傷な靭帯を切離することにより手根不安定症を招来されるリスクである．このために靭帯を修復し，ある一定の強度となるまで外固定を行う必要が生じる．また観血的ということで舟状骨への血流の一部を損傷し，ひいては骨癒合を遅延させたり，無腐性壊死に陥らせるリスクもある．

したがって，理論的にはきわめて少ない軟部組織剥離による強固な骨折固定を行うことは舟状骨への血行支配を損傷する危険を最少限として，靭帯の損傷も避け早期の手の機能回復が得られることが期待される．

私は舟状骨の粉砕骨折（粉砕骨折はきわめて頻度的には低いが）以外の新鮮骨折のほとんどをこれから述べる背側からの経皮的な cannulated headless screw を用いた内固定術を行っている．基本的に Slade らの方法に準じている．

> **Tips コツ**
> 最近，学会では舟状・大菱形骨関節つまり舟状骨遠位からの経皮的内固定術を好んで行う手の外科医も少なくない．

▶手術適応

Slade らによれば舟状骨骨折，偽関節に対する関節鏡視下による背側からの cannulated headless screw を用いた経皮的内固定術の手術適応は，①不安定型骨折，②転位のある骨折，③近位極骨折，④橈骨遠位端骨折を伴った骨折，⑤遷延治癒骨折，⑥無腐性壊死を伴わない線維性偽関節としている．

禁忌としては骨硬化，嚢胞状変化，無腐性壊死，hump back 変形を伴った舟状骨偽関節例でこれらは骨移植を用いた解剖学的整復を必要とするものであるが，必ずしも禁忌と考えない手外科医もいる．

▶手術手技

本手術手技で最も重要な点は整復した舟状骨の中央軸に沿って cannulated headless compression screw のガイドワイヤーをいかに経皮的に入れることができるかということである．ガイドワイヤーの刺入と骨折の整復はX線透視で行う．

> **Tips コツ**
> Slade らは関節鏡を骨折の整復の確認のために用いることを推奨しているが，私はX線透視のみでほとんど整復状態の把握は可能と考えているのでほとんど用いていない．

良好な骨折整復の確認が得られれば cannulated headless compression screw を刺入することとなる．

舟状骨の整復

舟状骨骨折の多くは正面および側面像において骨折部で背側骨皮質が"V"字状の開大を認める．これが将来的な hump back 変形を招来することとなる．X線透視台に手をのせて正面像（P-A view）を観察する ．手関節正面像では骨折線がわかりづらい場合も少なくない．手関節を軽度背屈・尺屈位として舟状骨の長径を長く見ることにより，骨折線がより明瞭となる 図2．次いで手関節を舟状骨の近位極がしっかり見えるまで回内し，舟状骨が円筒状に見えるようにする．それから手関節を舟状骨近位極が輪状となるまで屈曲・尺屈する 図3, 4．円あるいは輪の中心部が舟状骨の中心軸ということとなり，この部が screw の刺入位置となる．

背側からのガイドワイヤーの刺入

ガイドワイヤーの最初の刺入部位は舟状骨遠位部分は大菱形骨によりカバーされるので先ほども記載したが舟状骨の近位極である 図5．舟状骨近位極の輪と遠位の舟状骨結節の輪がほぼ一致するようにしてX線透視下で 0.045 インチ（1.14 mm）のガイドワイヤーを舟状骨近位極の基部に経皮的に刺入し，中心軸を通して大菱形骨まで刺入する 図6, 7．刺入点が明らかではない場合は，Lister 結節の遠位・尺側に小さな切開を加え，舟状月状骨関節の近位の関節包を切開して，月状骨寄りの舟状骨の近位極を露出する．

> **Tips コツ**
> ワイヤー刺入後は手関節を屈曲位に保たないと刺入したガイドワイヤーが橈骨遠位端にぶつかって曲がってしまうので注意する．また少し舟状骨近位極の近位・尺側から刺入した方がよい．

ワイヤー刺入をすすめて，そのワイヤーの位置をX線透視で確認する．ワイヤーを遠位まで進めて橈骨手根関節に引っ掛からないようにしてから手関節を徐々に伸展

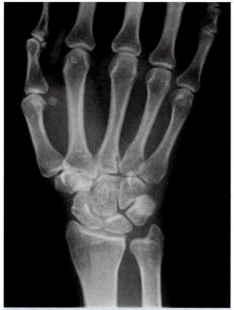

図1 正面X線像

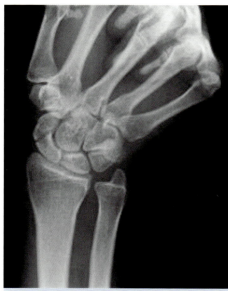

図2 手関節軽度背屈・尺屈位での正面像

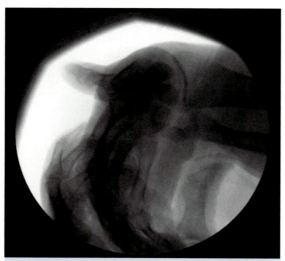

図3 手関節を回内・掌屈・尺屈位とすることにより舟状骨の近位極と結節が円状に重なるようにする

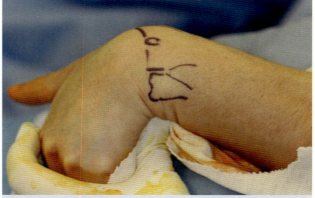

図4 手関節を回内・掌屈・尺屈しているところである

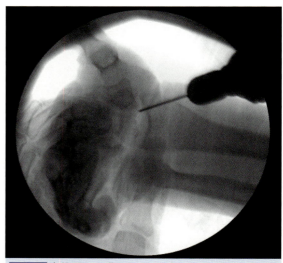

図5 舟状骨への背側からのガイドワイヤーの刺入位置は舟状骨の近位極の円の中心である

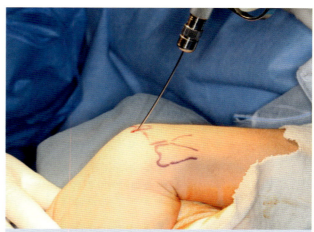

図6 ガイドワイヤーを刺入しているところである

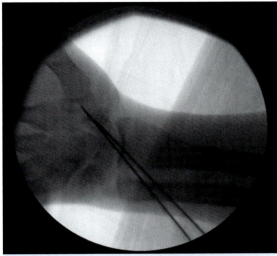

図7 ガイドワイヤーを舟状骨長軸方向に刺入する

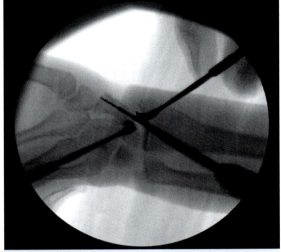

図9 Cannulated headless screw を刺入する

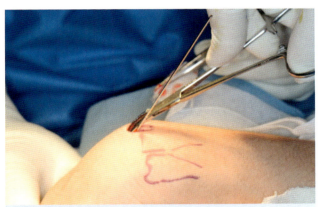

図8 ガイドワイヤー周囲に小皮切を加えモスキート鉗子で伸筋腱を保護し背側関節包を露出する

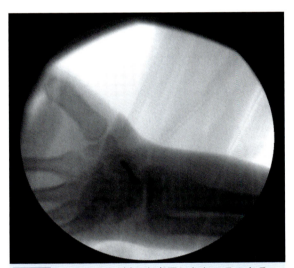

図10 スクリューの刺入を完了したところである（術中イメージ）

する．ワイヤーの掌側端は母指の橈側基部から出ていれば腱や神経血管束への損傷を避けていることとなる．

Tips コツ

手関節を回内，最大掌屈，尺屈することにより舟状骨の近位極および結節の2つの円が重なった円の中心点に刺入し，長いガイドワイヤーが点のように見えるようにすることが肝要である．

転位のある骨折の場合

転位のある骨折はそれほど多くない．舟状骨全体の中心軸を同定する代わりに，舟状骨の遠位骨片の中心軸をしっかりと同定する．0.045インチの両端針のガイドワイヤーを近位骨片を通して背側から掌側方向に通して骨折部を通して，遠位骨片の中心軸に沿って通す．そしてワイヤーを骨折部を越えて近位骨片を自由に動くようにする．これらの骨折は不安定なので2本目のガイドワイヤーを1本目のワイヤーと平行に刺入して，headless compression screw を入れるまで整復を安定化させる．これらの2本の経皮的鋼線をジョイスティックとして作用し，整復を行い，最終的に retrograde に舟状骨の近位極に刺入する．

関節鏡視

骨折の整復状態，ガイドワイヤーの位置をX線透視で確認後，小関節用関節鏡視を手根中央関節および橈骨手根関節の両方より行い，舟状骨の整復状態，橈骨手根関節などの状態をチェックする．

Tips コツ

私は先にも記載しているが普通，関節鏡視の必要性を感じることはきわめて少ない．

舟状骨の長さとスクリューの長さの決定

ガイドワイヤーを舟状骨遠位極まで刺入し，2本目のワイヤーを舟状骨近位に当てその長さの違いが舟状骨の長さとなる．この計測値から4-5 mm差し引いた長さをスクリューの長さとする．headless compression screw を骨内にしっかり埋め込むことにより橈骨手根関節への突出を避けることが可能となる．

スクリューの刺入

手関節背側に刺入しているガイドワイヤーの部に小皮

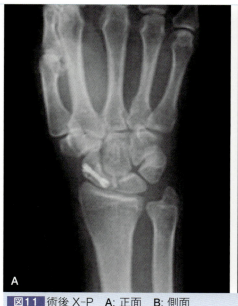
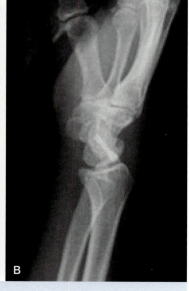

図11 術後 X-P　A: 正面　B: 側面

切を加え，皮下の伸筋腱をモスキート鉗子で剥離して小筋鉤で開き 図8 ，決定した長さのDTJスクリュー（ドリリングが不要である）を刺入する 図9 ．舟状骨内に完全にスクリューが埋没していることが重要である．X線透視で最終チェックする 図10 ．

図11 は術後 X-P である．

創閉鎖

手関節背側の小皮切を縫合する．また鏡視した場合にはそれらの部の創も閉鎖する．

▶後療法

創が安定するまで 1 週-10 日間 thumb-spica-splint 固定を行い，以後手関節の愛護的可動域訓練を開始する．過激な運動などは骨癒合が得られた後に許可する．

▶症例供覧

症例 18歳，男性．新鮮舟状骨骨折 図12, 13

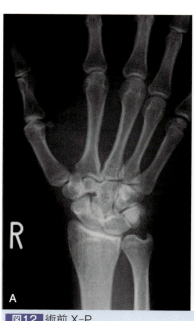
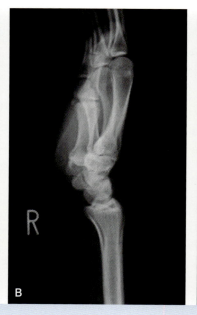
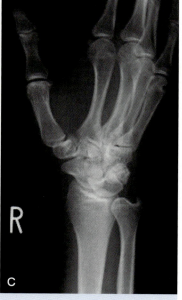

図12 術前 X-P
A: 正面像　B: 側面像　C: 斜位像

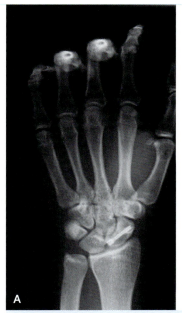
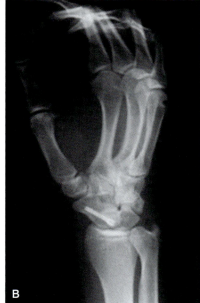

図13 術後 X-P
A: 正面像　B: 斜位像

■ **文献**

1) Merrell G, Slade J. Technique for percutaneous fixation of displaced and nondisplaced acute scaphoid fractures and select nonunions. J Hand Surg［Am］. 2008; 33: 966-73.
2) 三浪明男. 舟状骨骨折と偽関節. 新鮮骨折に対する治療. In: 三浪明男編. 手・肘の外科: カラーアトラス. 東京: 中外医学社; 2007. p171-5.
3) Slade JF 3rd, Gutow AP, Geissler WB. Percutaneous internal fixation of scaphoid fractures via an arthroscopically assisted dorsal approach. J Bone Joint Surg［Am］. 2002; 84: 21-36.
4) Slade JF 3rd, Dodds SD. Minimally invasive management of scaphoid nonunions. Clin Orthop Relat Res. 2006; 445: 108-19.

CHAPTER 3: 手関節—舟状骨骨折・偽関節

47 舟状骨骨折に対する骨接合術 （観血的整復術＋内固定術 Open Reduction and Internal Fixation: ORIF）

　ここでは舟状骨骨折に対する古典的な ORIF について記載する．別項を参照してもらいたいが，私は今は，背側からの経皮的 cannulated headless compression screw 固定術を中心に行っており，本法は基本的に新鮮例にはあまり用いていない．

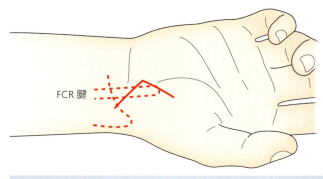

図1　皮切

▶手術

体位
　前腕を回外位として手術台上にのせ，手関節背側に丸めた枕子を置いて手関節を背屈位に保持すると手術がやりやすい利点がある．術中 X 線透視を頻回に使用するので X 線透過性を有する手台を用いる．
　X 線透視を手台の遠方（外側）から術者と助手の間に設置する．術者（右利きの場合）は患者の頭側に坐り，助手は反対側（患者の尾側）に坐る．
　これらの体位は術者が右利きであり掌側アプローチが適応される場合である．背側アプローチにより骨接合術が行われる場合，術者は手術台の尾側に座すべきである．背側アプローチでは手関節掌側位で上肢を伸展して回内する．

皮切・展開
　舟状骨結節を中心に遠位は母指球部の方に橈側に，近位は橈側手根屈筋（FCR）腱上を 1～2 個のジグザグとなるような切開を加える ．

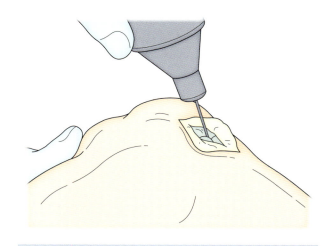

図2　ガイドワイヤーを遠位から近位方向へ刺入する

> **Tips コツ**
> 従来は舟状骨結節を中心に遠位は曲線であるが，近位はほぼ直線の切開を加えていたが，手くび皮線を直線上に横切ることで術後の瘢痕部による pillar pain の原因となることがあるので私はジグジグ切開を好んで用いている．

> **Tips コツ**
> 転位がほとんどない場合は舟状大菱形骨関節の関節包切開はきわめて小さくても十分である．

　FCR 腱の腱鞘を開けた後，腱を尺側に翻転する．橈側に橈骨動脈の掌側枝が存在している場合は止血または結紮する．舟状骨結節の遠位に舟状大菱形骨関節を同定し，同部の関節包に横切開を加える．舟状骨結節と大菱形骨の関節面を展開する．手関節を強く背屈して，母指を少し牽引すると関節面に空隙ができて，次の操作が容易となる．

スクリュー刺入操作
　先ほど記載したが，手関節を過伸展させて，できるだけ舟状大菱形骨関節を広く展開する．直径 1 mm のガイドワイヤーを舟状骨遠位極の関節表面上に刺入し，ワイヤーを近位極の方向に挿入する ．鋼線の方向を舟状骨が手関節掌側・橈側方面に 45°傾斜していることを想定して決定する．イメージ透視下で，鋼線を近位極の先端の軟骨下骨まで挿入する．
　鋼線の先端は舟状骨近位極の軟骨下骨ギリギリのところまで挿入することとする．

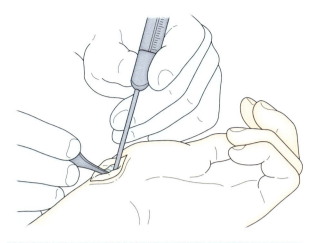

図3 デプスゲージでスクリュー長を計測する

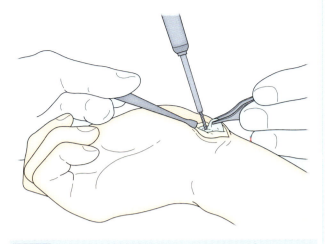

図4 DTJ screw を刺入する

> **Tips コツ**
> 1本目のガイドワイヤーの位置が正しくないときは，この鋼線を抜くことなく回旋予防のために残して，2本目の鋼線挿入を行う．

　正しい位置にガイドワイヤーが刺入されたことをイメージ透視で確認後，デプスゲージで深さを計測する．

　私はガイドワイヤーが正しい位置，つまり舟状骨近位極の軟骨下骨の直下まで刺入されている場合は少くともデプスゲージの長さより 3-5 mm 短かい長さのスクリューを選択し，遠位極の関節軟骨下に埋没させるように十分に深く挿入する．

　私はドリルおよびタッピングを必要としない DTJ (Double threaded screw of Japan) screw を用いるので鋼線が抜けてくる心配はないが，ドリルを必要とする threaded headless screw を用いる場合はガイドワイヤーがドリルとともに抜けてこないように，鋼線が関節を貫通するように深く刺入しておく．

　スクリューの長さはスクリューが関節内へ突出することを避けるため，そして前述したように舟状骨遠位極関節軟骨下深くに刺入するためにデプスゲージ測定値より 5 mm 位短くすべきである．スクリューを骨内に挿入後，鋼線を抜去する．

　スクリューを十分にきつく回し，スクリューの溝が関節表面下によく埋没されていることを確認する．最終的にスクリューの位置をイメージ透視や4方向の X 線写真で確認する．

閉創

　関節包を閉鎖するとともに橈骨舟状有頭骨靱帯を切離した場合には，必ず丁寧に修復する．

　観血的整復時，舟状骨偽関節の場合，多くは hump-back deformity を呈している（偽関節部で背側凸の変形を呈している）のでこの変形を矯正して前方の骨欠損部に腸骨翼から採取した骨を anterior wedge あるいは criss cross 型に採型・移植して矯正する．この後に cannulated headless screw を用いて固定する．この場合，移植骨が突び出すことが起こるので K 鋼線を用いて一旦仮止めしてからスクリュー固定行うことも有効である．

> **Tips コツ**
> 最近，鏡視下に観血的整復，腸骨移植，内固定を行う術者もいるが，私にその経験はない．

▶後療法

　固定性が良好であると，術後，2週間は long arm thumb-spica-cast 固定を行う．抜糸後，強固に固定され転位のない骨折の場合には，手関節の可動域訓練を開始する．術中，橈骨舟状有頭骨靱帯の切離が必要であった不安定型骨折の患者の場合は 2 週間 long arm thumb-spica-cast 固定後，肘下の thumb-spica-cast 固定を 2 週間行い，以後 free motion とする．

　強固に固定された安定型骨折の患者であっても，重労働や接触のあるスポーツは少なくとも 6 週は避けることとする．

▶症例供覧

症例1 23 歳，男性．舟状骨体部骨折．
術前 X-P 図5．
術後 X-P 図6．DTJ screw を用いて固定した．

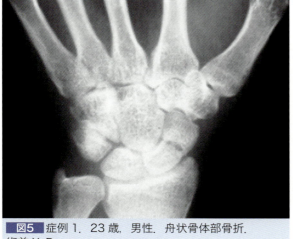

図5 症例1．23歳，男性．舟状骨体部骨折．術前 X-P

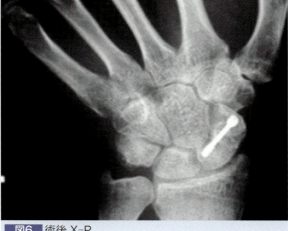

図6 術後 X-P

症例2 16歳，男性．舟状骨遷延治癒骨折（受傷から6カ月経過している）．

術前 X-P 図7

術後 X-P 図8

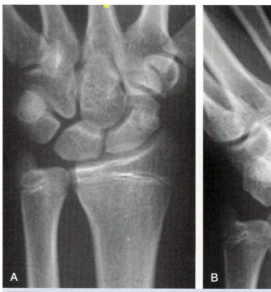

図7 症例2．16歳，男性．舟状骨遷延治癒骨折（受傷から6カ月経過している）．術前 X-P
A: 正面像　B: 舟状骨撮影位

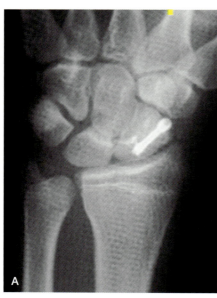

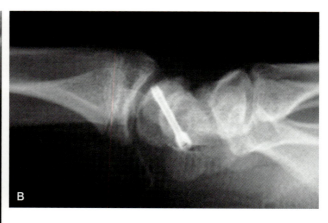

図8 術後 X-P
A: 正面像　B: 側面像

症例3 41歳，男性．舟状骨体部骨折

術前 X-P　図9
術後 X-P　図10

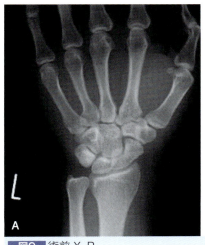
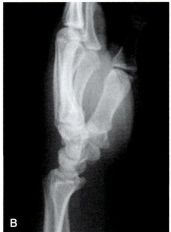
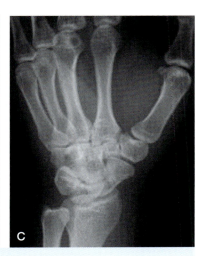

図9 術前 X-P
A: 正面像　B: 側面像　C: 斜位像

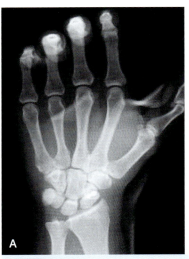
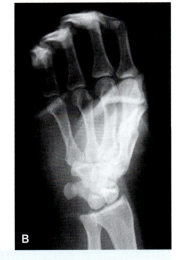

図10 術後 X-P
A: 正面像　B: 斜位像

■ 文献

1) Chung KC. A simplified approach for unstable scaphoid fracture fixation using the Acutrak screw. Plast Reconstr Surg. 2002; 110: 1697-703.
2) Herbert TJ, Fisher WE. Management of the fractured scaphoid using a new bone screw. J Bone Joint Surg [Br]. 1984; 66: 114-23.
3) Ho JK, Yong-Min C, Hyan K II, et al. Is arthroscopic bone graft and fixation for scaphoid nonunion effective? Clin Orthop Rel Res. 2016; 474: 204-12.
4) Hunter JC, Escobedo EM, Wilson AJ, et al. MR imaging of clinically suspected scaphoid fractures. AJR Am J Roentgenol. 1997; 168: 1287-93.
5) 三浪明男．舟状骨骨折と偽関節．新鮮骨折に対する治療．In: 三浪明男編．手・肘の外科: カラーアトラス．東京: 中外医学社; 2007. p.171-5.
6) Moser VL, Krimmer H, Herbert TJ. Minimal invasive treatment for scaphoid fractures using the cannulated Herbert screw system. Tech Hand Up Extrem Surg. 2003; 7: 141-6.
7) Rettig AC, Kollias SC. Internal fixation of acute stable scaphoid fractures in the athlete. Am J Sports Med. 1996; 24: 182-6.
8) Trumble TE, Salas P, Barthel T, et al. Management of scaphoid nonunions. J Am Acad Orthop Surg. 2003; 1: 380-91.

CHAPTER 3: 手関節—舟状骨骨折・偽関節

48 舟状骨偽関節に対する遠位橈骨からの血管柄付き骨移植術

　橈骨遠位端から有茎で血管柄付き骨を採取し，移植する方法はMayo Clinicのグループにより開発され，最近幅広く用いられている．Kienböck病の項目に第2中手骨基部を利用した血管柄付き骨移植術を記載しているので参照されたい．

▶手術適応

　舟状骨偽関節に対して血管柄付き骨移植を行うべきかどうかは，術中，近位骨片の骨硬化が強く，そこからの出血を認めない場合は血管柄付き骨移植術の適応があると考えている．しかし，必ずしも上記の状態であってもconventionalな骨移植と強固な内固定を行うことにより骨癒合が得られるとの報告も多く，血管柄付き骨移植術の手術適応に関して必ずしもコンセンサスは得られていない．また，たとえ近位骨片が壊死に陥っていなくても一般的な骨移植術により骨癒合を得るのに失敗した舟状骨偽関節例も手術適応となることがある．

　MR T1およびT2強調画像ともに舟状骨近位極が低信号の場合，無腐性壊死を強く示唆するが，確定診断ではない．しかし，近位極での低信号は，血液供給が低下していることを示唆している 図1 ．

　CT画像は，舟状骨偽関節やhump-back変形の診断に有用であり，掌側または背側かの舟状骨へのアプローチの方法をCTでみた偽関節の状態や部位に従って決定することが可能となることがある 図2 ．

皮切

　Lister結節を中心に手関節背側に縦切開を加える．皮膚と皮下組織を伸筋支帯から慎重に剝離する．この際，橈骨神経浅枝と橈側皮静脈の損傷に注意する．皮下組織

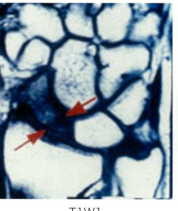 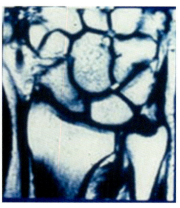

T1W1　　　　　　　　　T2W1

図1　MR像

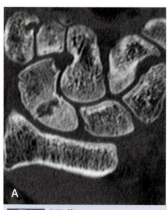 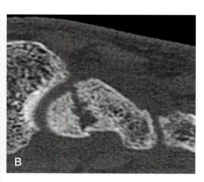

図2　CT像
A: Coronal view　　B: Sagittal view

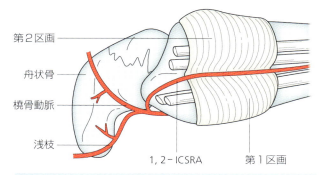

図3 1, 2-ICSRA の同定

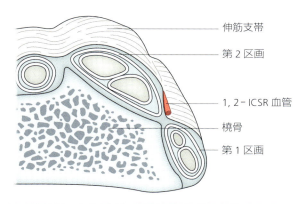

図4 1, 2-ICSRA の解剖断面像

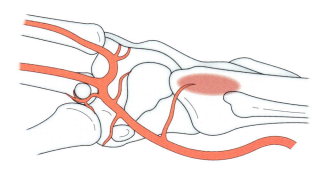

図5 1, 2-ICSRA が橈骨遠位端へ血液を供給している

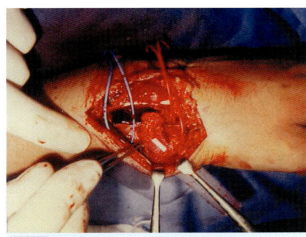

図6 遠位橈骨からの血管柄付き骨の挙上

を支帯から優しく挙上すると，伸筋支帯の表面上に存在している1, 2-ICSRA（1, 2-intercompartmental supraretinacular artery 区画支帯上血管）とその伴走静脈を，第1・2背側区画間で同定することができる 図3 ．

手関節橈掌側部の舟状骨結節部直上にジグザグ皮切を結節部遠位から手くび皮線を越えて近位の橈側手根屈筋（FCR）腱の少し橈側に加える（舟状骨に対する掌側からの進入法を参照のこと）．

展開

FCR 腱を尺側に翻転すると手関節掌側関節包上を横走する血管が存在しており，これを結紮する．正中神経の掌側枝が術野に露出することがあるので損傷しないように注意する．橈骨から舟状骨・有頭骨への強固な橈骨舟状骨有頭骨靭帯と関節包を線維方向と垂直に切離して橈骨舟状骨関節を露出する．

> **Tips コツ**
> 靭帯を線維方向に垂直に切離することにより最終的な閉鎖の際の関節包・靭帯を縫合しやすくなる．

舟状骨偽関節部を同定し，手指を遠位方向に牽引すると，多くは舟状骨掌側に間隙があり，偽関節部で屈曲位，つまり舟状骨は hump-back 変形を呈していることが多い．偽関節部の骨硬化部を小さな骨ノミを用いて慎重に切除して海綿骨を露出する．舟状骨近位での骨折の場合，骨切除を余りし過ぎると骨片が小さくなるので骨切除は最小限とする．

最初にも記載したが，近位骨片の海綿骨からの出血を認めない場合は本法つまり血管柄付き骨移植術を行うことと最終決定する．

当初 Zaidemberg ら（1991）により "橈骨動脈の灌流する枝" と命名された動脈枝は 1, 2-ICSRA（第1・2区画間支帯上動脈）と Sheez らにより命名された．先に記載したように 1, 2-ICSRA は橈骨茎状突起のレベルで遠位橈骨の背橈側面上に，伸筋支帯の表層に存在しており，第1区画と第2区画の間の骨性隆起上に存在している 図4 ．またこの栄養動脈は，伸筋支帯が強固について結節上の骨皮質を貫いている．

第1区画と第2区画を橈骨遠位端の移植骨部のレベルで切離する．支帯の辺縁は余裕をもって骨の上の 1, 2-ICSRA とともに，そのままとする．第1区画内の短母指伸筋（EPB）と長母指外転筋（Abd PL）は掌側（橈側）に翻転し，橈側手根伸筋（ECR）腱を尺側に翻転して，橈骨遠位端を露出する 図5 ．

血管柄付き骨の挙上

血管柄付き骨の移植骨は橈骨手根関節裂隙の近位 1.5 cm から採取する骨上の灌流する骨膜血管を中心としてデザインする．大きさは舟状骨偽関節部の開いた前方欠損の大きさより少し大き目とすることがコツである．骨採取のデザイン部に 1 mm-0.8 mm の K 鋼線を刺して

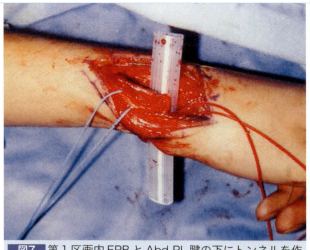

図7 第1区画内EPBとAbd PL腱の下にトンネルを作成する

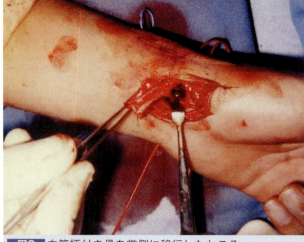

図8 血管柄付き骨を掌側に移行したところ

割れないように注意して骨弁を繊細な鋭いノミを用いて採取する 図6 . この際に骨片の栄養血管である1, 2-ICSRAを損傷しないように留意することが重要である. また骨膜が骨皮質から剥離しないようにも留意する. 血管束を, 付着している周囲軟部組織を含めて橈骨動脈の方まで剥離する. 移植骨を偽関節欠損に適合するように採型する.

骨移植

移植骨をEPBとAbd PL腱の下に作成した皮下のトンネルを通して, 掌側に移行し 図7 , 骨片を偽関節部の溝に移植する 図8 . 私はできれば偽関節の内固定としてはヘッドレス・カニュレーテッドスクリューを用いることとしているが, 血管茎を損傷する危険があったり, 近位極の偽関節の場合はK鋼線（1.0-1.2 mmφ）を2-3本用いることもある.

ヘッドレス・カニュレーテッドスクリューを用いる操作はいずれも舟状大菱形骨関節裂隙を横切して開大し, X線透視の下, 舟状骨遠位の橈側・背側からガイドワイヤー刺入して行う.

閉鎖

関節包を閉鎖するとともに鋭的に切離した橈骨舟状有頭骨靱帯を強固に縫合する.

▶後療法

術後1週間のthumb-spica-splintにて固定する. 抜糸後, 短上肢母指ギプス包帯を3-5週間装用し, 骨癒合が得られたことをX線（特にCTにて）で確認し運動療法を行う.

▶症例供覧

症例 25歳, 男性, 左手舟状骨近位極偽関節例. 図9 は受傷後10年経過した舟状骨近位極偽関節である. 図10A, B はMR像であるが, 近位極は壊死に陥っていると判断された. 橈骨遠位端から血管柄付き骨を採取して偽関節部に移植しK鋼線3本を用いて固定した 図11A, B . 橈骨採骨部には人工骨を用いて補填した. 骨癒合は2カ月で得られた. 図12A, B は術後1年のX-Pであるが骨癒合は得られている.

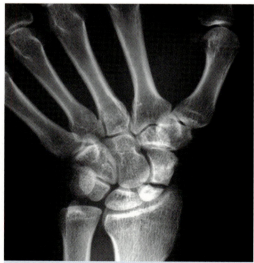

図9 舟状骨近位極偽関節, 受傷後10年を経過している陳旧例である. X-P像

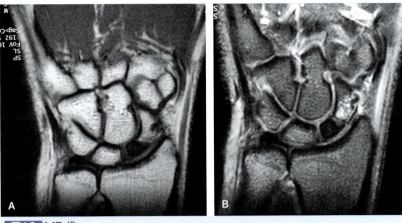

図10 MR像
A: T1W1　B: T2W1

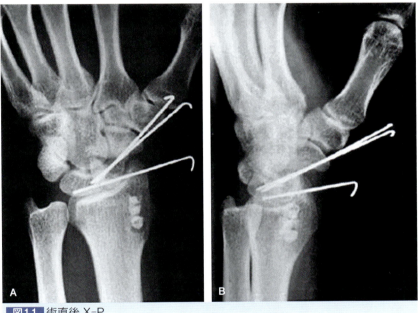

図11 術直後 X-P
A: 正面像　B: 斜位像

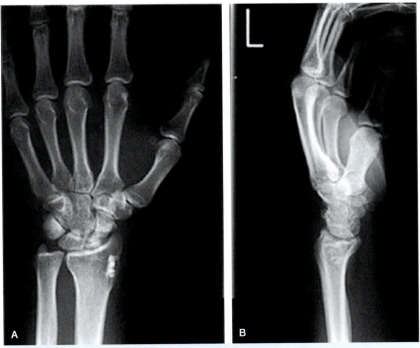

図12 術後1年 X-P
A: 正面像　B: 側面像

■ **文献**

1) Andreas GT, Dimitrios VP, Ioanness DG, et al. The efficacy of vascularized bone grafts in the treatment of scaphoid non-unions and Kienböck disease: A systemetic review in 917 patients. J Hand Microsurg. 2019; 11: 6-13.
2) Cerezal L, Abascal F, Canga A, et al. Usefulness of gadolinium-enhanced MR imaging in the evaluation of the vascularity of scaphoid nonunions. AJR Am J Roentgenol. 2000; 174: 141-9.
3) Cooney WP, Linscheid RL, Dobyns JH, et al. Scaphoid nonunion: role of anterior interpositional bone grafts. J Hand Surg [Am]. 1988; 13: 635-50.
4) Filan SL, Herbert TJ. Herbert screw fixation of scaphoid fractures. J Bone Joint Surg [Br]. 1996; 78: 519-29.
5) Green DP. The effect of avascular necrosis on Russe bone grafting for scaphoid nonunion. J Hand Surg [Am]. 1985; 10: 597-605.
6) Krakauer JD, Bishop AT, Cooney WP. Surgical treatment of scapholunate advanced collapse. J Hand Surg [Am]. 1994; 19: 751-9.
7) 三浪明男. 舟状骨骨折と偽関節. In: 三浪明男編. 手・肘の外科: カラーアトラス. 東京: 中外医学社; 2007. p.165-81.
8) Sawaizumi T, Nanno M, Ito H. Vascularized second metacarpal-base bone graft in scaphoid non-union by the palmar approach. J Reconstr Microsurg. 2003; 19: 99-106.
9) Sheetz KK, Bishop AT, Berger RA. The arterial blood supply of the distal radius and ulna and its potential use in vascularized pedicled bone grafts. J Hand Surg [Am]. 1995; 20: 902-14.
10) Steinmann SP, Bishop AT, Berger RA. Use of the 1,2 intercompartmental supraretinacular artery as a vascularized pedicle bone graft for difficult scaphoid nonunion. J Hand Surg [Am]. 2002; 27: 391-401.
11) Trumble TE. Avascular necrosis after scaphoid fracture: a correlation of magnetic resonance imaging and histology. J Hand Surg [Am]. 1990; 15: 557-64.
12) Zaidemberg C, Siebert JW, Angrigiani C. A new vascularized bone graft for scaphoid nonunion. J Hand Surg [Am]. 1991; 16: 474-8.

CHAPTER 3: 手関節—舟状骨骨折・偽関節

49 舟状骨偽関節に対する大腿骨内顆からの血管柄付き骨弁移植術

舟状骨偽関節に対する血管柄付き骨移植のドナーとしては，最近では橈骨遠位端，第2中手骨基部（背側および掌側）などが頻用される傾向がある（これらについては別項目を参照のこと）．これらの有利な点は何と言っても有茎として用いることができることである．つまり，血管縫合を要さない点が利点であり，microsurgeryの技術がない術者も施行可能である．

Tips コツ

有茎血管柄付き骨移植手術であっても最低限，微小血管の操作に熟達している術者である必要はある．

しかし，一方，有茎とするために血管茎の長さに制限が生じ，必ずしも適切な位置に血管柄付き骨を設置できないこと，および，血管柄付き骨の骨質がそれほどよいものではないなどの欠点も存在している．

遊離血管柄付き骨はどこにでも，多くの量の骨を移植できる利点がある．しかし，当然であるがmicrosurgeryの技術を必要とし，ドナーおよびレシピエントの血管茎を露出するために比較的大きな皮切を要するなどがある．

舟状骨偽関節に対して大腿骨内顆からの血管柄付き骨弁移植を応用した手術は山口大学グループのDoi，Sakaiらにより報告され，良好な成績が報告された．私の経験は少ない（舟状骨偽関節に移植した例はない）が安定したドナーから良質な骨膜・骨弁および大量の海綿骨を採取することができるなどの有利な点も多い．

▶手術適応

1. 以前に骨移植に失敗した既往があり，単純X-PおよびMR像にて壊死が明らかな舟状骨偽関節例．
2. 術中，舟状骨の骨片（主に近位端）からの出血を認めない場合である．

舟状骨偽関節へのアプローチについての記載は割愛する（別項目，参照のこと）．

▶ドナー部からの移植骨の採取

ドナー部の解剖

浅大腿動脈は内転筋孔の近位で下行膝窩動脈枝を分岐する．下行膝窩動脈は遠位に下行し，近位で伏在枝を遠

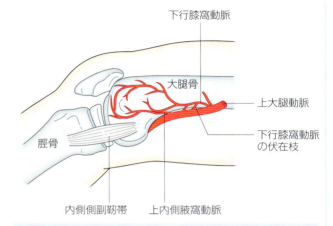

図1 ドナー（大腿骨内顆）の解剖

位で筋枝を分岐する．上内側膝窩動脈は遠位で繋がっており，骨を貫通し，骨への栄養動脈として内側大腿顆へ血液を供給する．下行膝窩動脈の伏在枝は内側大腿顆の皮弁の栄養を供給している 図1．

▶移植骨の採取

皮切

大腿脛骨関節から近位大腿の大腿内側に直線上の皮切を加える 図2．皮膚を切開後，下に存在する皮下組織を内側広筋筋膜が露出するまで剥離する．

展開

内側広筋を挙上し，大腿の前方へ翻転し，大腿骨内側顆の移植骨の栄養血管を同定する．大腿骨内側顆の移植骨への十分な太さのある栄養血管（一般的には下行膝窩動脈）を決定し，5cm長の血管茎を移動できるまで血管茎を近位まで剥離する．

骨採取

骨欠損の大きさに応じて，台形状に大腿骨内側顆の移植骨を下行膝窩動脈の遠位栄養血管が骨へ貫通する部で選択する．移植骨の大きさは骨欠損の大きさよりすこし大き目として皮質骨を強い支持骨として使えるように海綿骨に加えて必ず皮質骨を含める．移植骨は普通10-12mmの厚さまである．骨膜を鋭的に切離して小さな骨ノミを用いて骨を採取する．

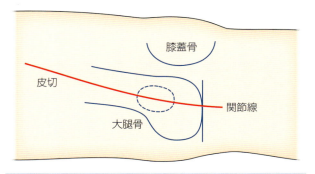

図2 移植骨採取の皮切

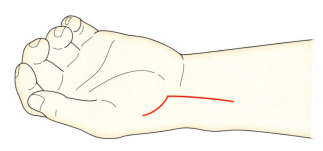

図3 レシピエントの皮切

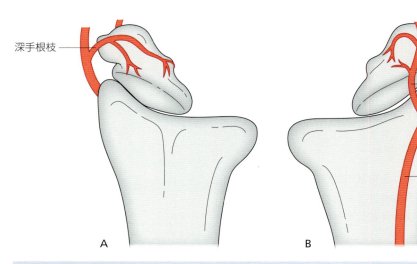

図4 舟状骨周囲の血行動態
A: 背側面　B: 掌側面

Tips コツ

移植骨が割れることもあるので四角形の四隅を細いK鋼線を用いてミシン様骨孔を作製し，移植骨を摂取する．

血管茎を結紮し，血管柄付き骨弁を挙上する．

骨欠損の補填

骨欠損部に対しては人工骨を用いて補填する．

▶レシピエント部の準備

舟状骨偽関節の展開は通常の皮切を加える 図3 ．レシピエントの血管は一般的には橈骨動脈とその伴走静脈（静脈は皮下静脈の方が太いので利用することが多い）であり，手関節近位の橈掌側で同定する 図4A, B ．

骨移植

舟状骨骨欠損部に移植骨をtightに移植後，動脈および静脈縫合を行う．骨はK鋼線あるいはcannulated headless screwを用いて仮定する．

後療法は他の方法と同様である．

■ 文献

1) Doi K, Hattori Y. Vascularized bone graft from the supracondylar region of the femur. Microsurgery. 2009; 29: 379–84.
2) Jones DB Jr, Burger H, Shin AY, et al. Treatment of scaphoid waist nonunions with an avascular proximal pole and carpal collapse: a comparison of two vascularized bone grafts. J Bone Joint Surg〔Am〕. 2008; 90: 2616–25.
3) Sakai K, Doi K, Kawai S. Free vascularized thin corticoperiosteal graft. Plast Reconstr Surg. 1991; 87: 290–8.

CHAPTER 3: 手関節— TFCC

50 TFCC損傷（総論）

三角線維軟骨複合体(triangular fibrocartilage complex：TFCC) は橈骨尺側縁のS状切痕と尺骨小窩・尺骨茎状突起および周囲軟部組織を連結している線維軟骨様組織であり，三角線維軟骨（TFC，関節円板固有部分 disc proper），メニスカス類似体，橈尺靱帯（radioulnar ligament: RUL）（背側と掌側）（三角靱帯と呼称している論文もある），尺骨手根靱帯（尺骨月状骨靱帯，尺骨三角骨靱帯），尺側手根伸筋（ECU）腱腱床，遠位橈尺関節（DRUJ）関節包などにより構成されている．これらのうち，TFC，RULと他の靱帯構成体は連続的であるので，これらの境界を明確に分けることはできない 図1 ．

機能としては，①DRUJの安定性への寄与，②尺骨と尺側手根骨間の荷重の分散，③手関節の多方向への動きに関与している．

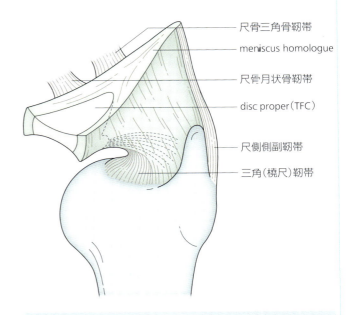

図1 TFCCの立体構造

▶TFCCの外傷性断裂の分類（Class 1）
図2

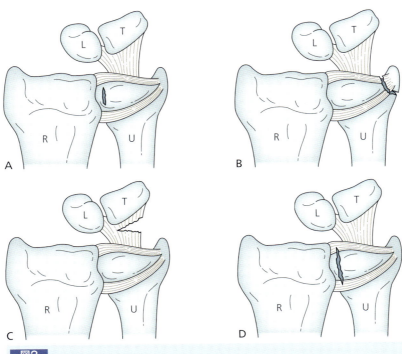

図2
A: 橈骨付着部尺側での断裂
B: 尺側縁での断裂（尺骨茎状突起骨折を合併していることもある）
C: 尺骨手根靱帯での断裂
D: 橈骨付着部での大断裂
R: Radius　U: Ulana　L: Lunate　T: Triquetrum

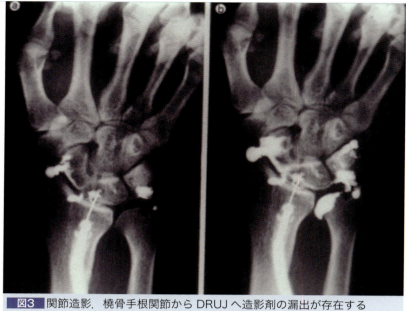

図3 関節造影．橈骨手根関節からDRUJへ造影剤の漏出が存在する

▶手術方法の選択

TFCC損傷に対する外科治療については未だ一定のコンセンサスは得られていない．以下に私が考えている主な治療法とその適応について記載する．

(1) 鏡視下TFC（disc proper）の部分的切除術

DRUJ不安定性を伴うTFCC断裂例においては鏡視下TFC部分的切除術はDRUJの安定化を図ることはできないのでほとんど適応はない．TFCの弁状断裂が嵌頓症状を呈している例では効果が期待できる．Palmer分類では主にclass 1Aおよびclass 2のTFCC損傷が適応となると考えている．

(2) 尺骨短縮術（別項目，参照のこと）

尺骨バリアンスがプラスの場合には，尺骨短縮術により尺骨頭と尺側手根骨間の除圧効果が得られるので手術適応と考える．尺骨突き上げ（衝突）症候群でのTFCC変性断裂例にも効果がある．また，RULが保持されているようなTFCC断裂例では尺骨を短縮したことによるTFCCの緊張効果の増強によりTFCCの緊張が上昇してDRUJの安定性が得られる．しかし，尺骨バリアンスが中間位やマイナスの場合には余り適応はないと考えている．尺骨短縮術により新たに形成されたDRUJの適合性の変化によりDRUJに変形性関節症が術後に高頻度に発生することも問題点の一つである．

(3) TFCC断裂修復術

最近，TFCCの鏡視下および手術的修復術の手技が多く報告されている．適応としては修復術により癒合が期待できないclass 1AつまりTFC中央部の断裂例以外，とくにTFCCの橈側・尺側断裂例が適応となる．DRUJ不安定性を伴う陳旧性TFCC断裂例に対する再建手術の手技もいくつか報告されている．

TFCCの尺骨小窩での断裂によりDRUJ不安定性が発生する．これらに対して尺骨小窩から断裂したTFCCを鏡視下に縫合する場合，従来はTFCCの起始部である尺骨小窩への縫合固定ではなく背側あるいは掌側関節包への縫合であったが，最近は技術の向上により本来のTFCCの起始部である尺骨小窩部へ直接縫合する手技や関節鏡視下で縫合する手技が開発されてきた．

▶診断

単純X-Pは尺骨バリアンスを評価するのには有用であるが，TFCC断裂診断のためには一般的にそれほど有用ではないが，TFCC断裂がある症例で手関節正面像でradioulnar divergenceを認めることがある．関節造影およびMRは有用である．

関節造影は外来で行うことができる検査である．橈骨手根関節に造影剤を注入すると，TFCCに断裂が存在するとDRUJへ造影剤の漏出（leak）を確認するのが一般的である　図3　．しかしTFCCが弁状に断裂している場合，あるいは尺骨小窩部に瘢痕などが存在している場合，TFCC断裂が存在していてもDRUJへの漏出を認めないこと，つまりfalse negativeの場合が少なくなく，診断率は60-70%程度とされていることと，加齢とともにTFCCは菲薄化し断裂の率が高くなることから必ずしも断裂(+)＝疼痛の原因とならないなどの問題点がある．Palmerは橈骨手根関節，DRUJおよび手根中央関節の3つのspaceへ造影剤を注入して診断するthree-phase techniqueを報告している．

MRも最近TFCC断裂の読影によく用いられる画像診断である．高精度のMR，小さなコイルを用いたMR，造影MR，脂肪抑制MRなどいろいろな手法が行われているが，現時点での診断率は80%程度と考えるのが妥当と考える．False positiveおよびfalse negativeの率が依然として高い　図4　．

関節鏡はTFCC損傷の最終診断のための手術前の検

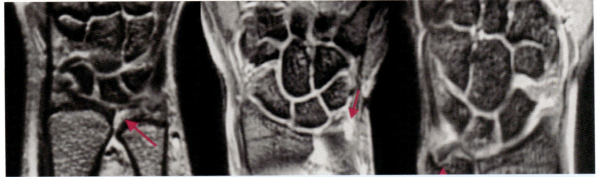

図4 TFCC損傷に対するMR像: MR像でTFCはT1 low, T2 lowである

査として必須である．多くの場合，関節鏡を行い，そのまま手術に移行することとなる．橈骨手根関節への鏡視はTFCにおける辺縁の緊張が消失していると同様にトランポリン効果の消失を認めることができる．反対に，DRUJの関節鏡視により尺骨小窩でのTFCCの尺側起始部での完全断裂を認めることができる．

Tips コツ
DRUJの関節鏡視はDRUJの不安定性が存在しないとそれほど容易ではない．

■ 文献
1) 石川淳一. 三角線維軟骨複合体損傷. In: 三浪明男編. 手・肘の外科: カラーアトラス. 東京. 中外医学社. 2007, p.193-8
2) Minami A. Triangular fibrocartilage complex tears. Hand Surg. 2015; 20: 1-9.
3) Minami A, Kato H. Ulnar shortening for triangular fibrocartilage complex tears associated with ulnar positive variance. J Hand Surg［Am］. 1998; 27: 904-8.
4) Nakamura T, Yabe Y, Horiuchi Y. Functional anatomy of the triangular fibrocartilage complex. J Hand Surg［Br］. 1996; 21: 581-6.
5) Palmer AK, Werner FW. The triangular fibrocartilage complex of the wrist-anatomy and function. J Hand Surg. 1981; 6: 153-62.
6) Palmer AK, Triangular fibrocartilage complex lesions: a classification. J Hand Surg［Am］. 1989; 14: 594-606.
7) Zinberg EM, Palmer AK, Coren AB, et al. The triple-injection wrist arthrogram. J Hand Surg［Am］. 1988; 13: 803-9.

CHAPTER 3: 手関節― TFCC

51 手関節鏡手技

関節鏡手技は世界ではじめて膝関節に本邦の整形外科医により臨床的に導入されたことは日本の整形外科医にとって非常に誇らしい．今日では関節鏡視下手術が最小侵襲手術の1つの柱として隆盛をきわめており，急激に発展しているのを誰が予想したかと思う．さて，関節鏡は膝関節，肩関節など大関節に導入後，近年では小関節鏡や小さな器具の開発により，手の外科領域では手関節および指関節のような中関節や小関節へも広く応用されるようになってきた．

手関節鏡は他の関節と同様に有痛性関節障害の診断・病態の把握のための非常に優れたツールであると同時に鏡視下手術も可能である．市販のtraction towerでの牽引下に橈骨手根関節，手根中央関節，遠位橈尺関節の順に鏡視していく．

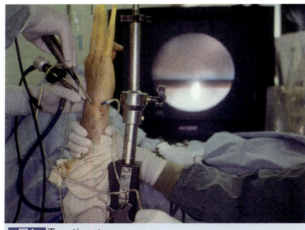

図1 Traction tower

▶適応

1) 手関節内の軟部組織損傷〔三角線維軟骨複合体（TFCC）損傷，手根骨間靱帯損傷などの診断と治療〕
2) Kienböck病や舟状骨骨折・偽関節などの骨病変の診断と治療
3) 関節リウマチなどの滑膜切除術
4) 橈骨遠位端関節内骨折の整復・固定

などが本手技の適応であるが，最近ではもっと適応が拡大しており，今まで大きく展開して行ってきたような手術（例えば舟状骨偽関節に対する骨移植など）が鏡視下で行われるようになってきている．今後，さらに適応が拡大されることが期待される．

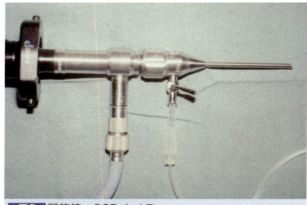

図2 関節鏡，CCDカメラ

▶前準備

用意するものとしては以下のような器具が必要である．

1) Traction tower（traction towerには牽引の目盛りが付いており，10-15ポンドの力で牽引する） 図1 または手指牽引装置（図6の上の方の図）
2) Finger trap（予備も入れて最低3本は必要） 図1
3) 関節鏡（直径1.9 mmまたは2.7 mmの30°斜視鏡は必須である） 図2
4) 光源セット，CCDカメラ 図2
5) シェーバー（電動） 図3 ，各種パンチ 図4
6) 探索棒（プローベ） 図5

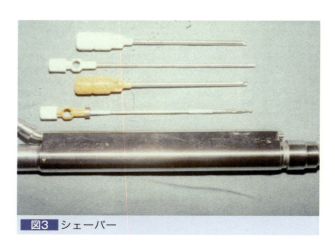

図3 シェーバー

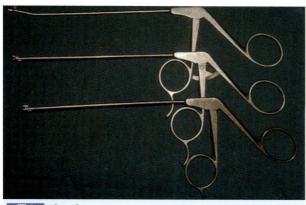

図4 パンチ

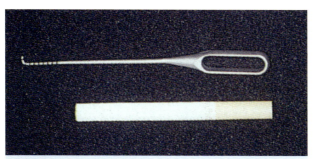

図5 探索棒（プローベ）

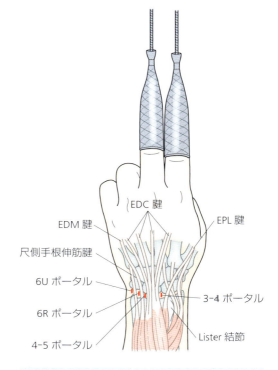

図7 手関節背側部のポータルの位置と伸筋腱の走行

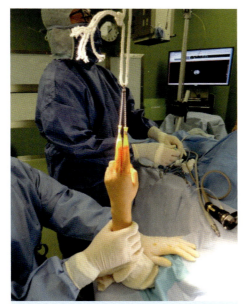

図6 手指へ finger trap を装着して traction を行う

7）その他，関節内手術を行うために必要な器具

手術機器は最近目ざましく進歩しており，今後さらに進歩していくことが期待される．

手指への traction 装置の装着

示指および中指に finger trap を掛けて垂直方向に牽引して手術を行う ．また，シェーバーのコード，光源コード，CCD カメラを関節鏡器械に接続し，吸引，還流セットを設置する．還流は生食水を自然点滴して行う．

> **コツ**
> Finger trap を一般的には示・中指に掛けるが，中・環指に掛けて尺側の鏡視を容易にすることもある．

▶橈骨手根関節の鏡視

 は最も頻用されるポータルの位置と手関節背側の伸筋腱の走行を示している．図8 は手背部に存在する神経の走行を示している．これらの知識はポータルを作製する上で重要である．

ポータル位置の決定

手関節背側でまず橈骨背側中央部の骨突出である Lister 結節をマーキングする．この遠位が舟状月状骨関節に相当し第3伸筋区画と第4伸筋区画の間の陥凹が3-4 ポータルである．このポータルから主に鏡視する．

2つ目のポータルは4-5 ポータル（第4伸筋区画と第5伸筋区画間）または6R ポータル（第5伸筋区画の橈側，第5伸筋区画の尺側）であり，この部から主に TFCC に対する処置を行うことが多い．6U ポータル（第6伸筋区画の尺側）は尺側手根伸筋腱の尺側であり排液管のために利用する ．

> **コツ**
> 私は排液管のポータルとしては 6U ポータルを好んで用いている．

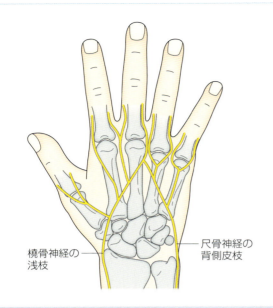

図8 手関節背側部の神経の走行

橈骨神経の浅枝
尺骨神経の背側皮枝

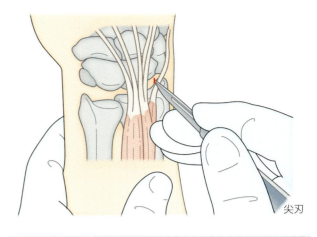

図11 先尖刃で皮膚切開を加える

尖刃

▶鏡視手技

関節内への生理的食塩水の注入

生食水を満たした10 ccシリンジに装着した23G注射針を3-4ポータルから橈骨手根関節内に刺入する 図9 .

> **Tips コツ**
> 橈骨遠位端は背側に張り出しており，掌側へ20°程度傾斜しているので注射針は手関節に対して垂直よりも少し末梢から近位方向へ刺入する 図10 とされているが，垂直に牽引されているのでほぼ皮膚に対して垂直に刺入することで問題ない．

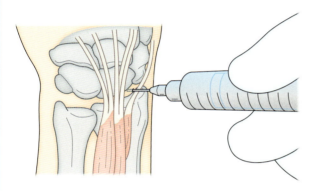

図9 生食水を満たして10 ccシリンジに装着した23G注射針を3-4ポータルから橈骨手根関節内に刺入する

橈骨手根関節内に生食水を注入して関節内に十分に生食水が満たされるようにする．正常では3 cc程度が関節包内に満たされ，関節内に入っていれば抵抗感がなく注入が可能となる．

関節鏡挿入

関節鏡の刺入部に11番の剪刀で約3 mmの縦切開を加える 図11 ．曲がりモスキートペアンを用いて軟部組織を分け，長母指伸筋（EPL）腱と第2総指伸筋（EDCII）腱を損傷しないように注意して，鈍的に剥離し，関節包に到達し，一気に関節包を貫通する．関節包を貫くと関節内の生食水が排液される 図12 ．刺入したモスキートペアンをガイドにして，鈍棒を挿入しておいて外筒管を関節内に誘導する 図13 ．

> **Tips コツ**
> 腱損傷や橈骨遠位端・手根骨の関節軟骨損傷のおそれがあるので鋭棒は用いるべきではない．

光源コードを関節鏡に装着するが，予めホワイトバランスを取っておく．1.9 mm径あるいは2.7 mm径の30°斜視鏡を外筒管に挿入し，還流用の生食水チューブを装着し，橈骨手根関節内の鏡視を行う 図14 ．

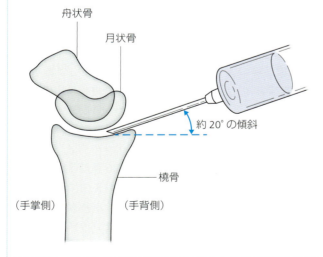

舟状骨
月状骨
約20°の傾斜
橈骨
（手掌側） （手背側）

図10 注射針の刺入方向

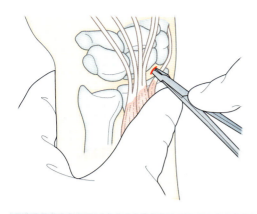

図12 モスキートペアンを用いて関節包を貫通する

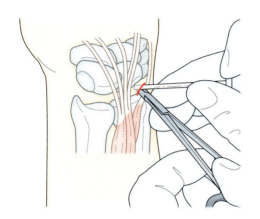

図13 外筒管を関節内に挿入する

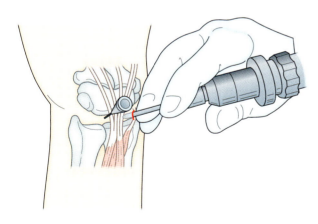

図14 関節鏡を挿入する

ワーキングポータル（working portal）の作製

3-4 ポータルから橈骨手根関節および尺側の TFCC などを鏡視しながら，ワーキングポータルの刺入点を決定する．鏡視しながら 4-5 ポータルあるいは 6R ポータルの刺入点から 23G の注射針を刺入し，針の位置が正しいことを確認する **図14**．

その針先を中心に 3 mm ほど縦切開を加え，関節鏡刺入と同様に曲がりモスキートペアンを用いて，4-5 ポー

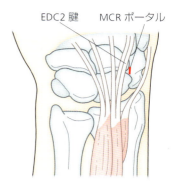

図15 MCR ポータルの部位

タルまたは 6R ポータルから関節内に入ってくる外筒管と鈍棒の先端を確認する．鈍棒の位置が良好であることを確認してから鈍棒を抜いてプローベを挿入する．

橈骨手根関節を鏡視しながらワーキングポータルで操作を行うこととなる．

▶手根中央関節の鏡視

1）MCR 関節の鏡視

ポータル位置の決定

手根中央関節 MC（midcarpal）鏡は尺側あるいは橈側を見る場合の 2 つに分けることができる．

MCR（midcarpal radial）ポータルの部位は 3-4 ポータルのすぐ遠位の陥凹である．示指の EDC 腱のすぐ橈側になる **図15**．

関節内への生食水の注入

橈骨手根関節の場合と同様に MCR ポータルから生食水を満たした 10 cc シリンジに装着した 23G 注射針を手根中央関節内に刺入する．骨にぶつからず，抵抗が少なく刺入すると関節が最大限，膨らみ逆流が得られる．

関節鏡の挿入

針先の位置に 11 番の尖刃刀で約 3 mm の縦切開を加え，曲がりモスキートペアンで軟部組織を分け，鈍的に剝離して関節包に到達して，関節包を貫通する．関節包を的確に貫通すると生食水が排出される．

先ほどの手技と同様にモスキートペアンの曲がり部分をガイドにして，鈍棒を挿入しておいた外筒管を関節内に誘導する．30°斜視鏡を外筒管に挿入し，還流用の生食水チューブを装着して，手根中央関節の鏡視を行う．

2）MCU 関節の鏡視

ポータル位置の決定

MCU（midcarpal ulnar）ポータルの刺入点は月状骨と三角骨間のやや遠位である **図16**．皮膚の上から 23G 針を挿入し，月状骨と三角骨間の少し遠位に針先が刺入されていることを左右に振って確かめる．

関節内への生食水の注入

MCU に同様に生食水を注入する．

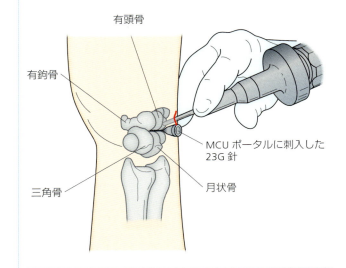

図16 MCU ポータルの部位

関節鏡の挿入

皮膚上の針先に 3 mm の縦切開を加え，曲がりモスキートペアンを挿入してペアンの先で関節包を破る．ペアンの先端を下にして，弯曲部を遠位に向けて，開いた先をガイドにして，鈍棒を挿入したもう一つの外筒管を挿入する．MCR ポータルから鏡視をしていると，関節内に入ってくる外筒管と鈍棒の先端が確認できる．

DRUJ（遠位橈尺関節）の鏡視

ポータル位置の決定

DRUJ のためのポータルの位置は橈尺関節のすぐ遠位である．

関節内への生食水の注入

DRUJ のためのポータルから生食水で満たした 10 cc シリンジに装着した 23G 注射針を遠位橈尺関節内に刺入する **図17**．刺入部は尺骨頭のすぐ遠位で骨頭を滑らすように抵抗が少なく刺入できて，橈骨に針先が当たらない点を探る．生食水は普通 1～2 cc 程度で膨らむ．

関節鏡の挿入

注射針を一旦抜いて，針先の位置を 11 番尖刃刀で 3 mm 縦切開し，曲がりモスキートペアンを用いて軟部組織を分け，DRUJ 関節包に到達する．尺骨頭にペアンの先を当て，尺骨頭を滑らすようにペアンの先を進めると，TFCC の近位に存在する DRUJ 関節包に当たり，関節包を貫通する．うまく貫通されると生食水が排出される．

モスキートペアンの曲がり部分をガイドにして，鈍棒と挿入しておいた外筒管を関節内に誘導する．1.9 mm 径の 30°斜視鏡を挿入し DRUJ 内の鏡視を行う **図18**．

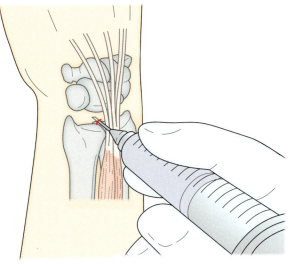

図17 DRUJ への生食水の注入

> **Tips コツ**
>
> TFCC 損傷などが存在していない例，および尺骨頭突き上げ症候群で尺骨頭がプラスバリアンスである例では DRUJ の関節鏡挿入のための間隙が狭く困難なことが少なくない．最近，掌側からの鏡視が神経損傷などのおそれが少なく安全であり，かつ TFCC が近く鏡視が容易であるとの報告もあるが私には経験はない．

▶ 後療法

関節鏡視のみであれば，基本的には数日，手関節副子固定を行うのみで問題はない．

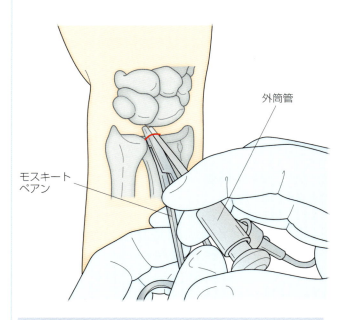

図18 DRUJ 鏡の挿入

■ 文献

1) 三浪明男．遠位橈尺関節障害．In: 三浪明男編．手・肘の外科: カラーアトラス．東京: 中外医学社; 2007, p.142-64.
2) 中村俊康．手関節鏡視下 TFCC 部分切除術と手関節鏡視下 TFCC 縫合術．臨整外．2001; 36: 1023-8.
3) 中村俊康．ゼロからマスター 手・肘の鏡視下手術．東京: メジカルビュー社; 2010.
4) 中村俊康．手関節への関節鏡アプローチ．In: 三浪明男編．整形外科手術イラストレーテッド手関節．手指の手術．東京: 中山書店; 2012. p.21-30.

CHAPTER 3: 手関節—TFCC

52 TFCC（class 1B）断裂に対するOpen Repair法

本項で紹介するTFCCの尺骨小窩へのopen repairは中村らの方法にほぼ準じており，特徴としてはTFCCは近位・遠位2枚により構成されていることからsingle pull-out techniqueあるいはsuture anchorを用いた平面的な縫合法ではなくdouble three-dimensional mattress suturing techniqueという縫合方法で，これまで以上，強固に尺骨小窩へ固定することが期待される方法である．

▶手術適応・禁忌

背側および掌側RUL（三角靱帯）の尺骨小窩からの剥離損傷あるいはslit断裂（全あるいは部分的断裂）で新鮮あるいは1年以内の陳旧例が最もよい適応である．TFCCの垂直断裂も適応と考えられる．これらの3つの型のTFCC断裂はいずれもDRUJの高度な不安定性を呈する断裂である．尺骨小窩からのTFCCの剥脱例はPalmer 1Bに分類されるが，他の2つの例はPalmer分類の範疇には入らない．中村，森友らが新たな分類法を提唱しているがPalmerのそれよりも複雑でわかりにくいきらいがある．新たなわかりやすい分類法が期待される．

尺骨バリアンスがゼロまたはマイナスの場合にはTFCCのopen repairを尺骨短縮術を行わずに施行可能であるが，尺骨がプラスバリアンスであれば，尺骨頭と縫合部位に剪断負荷が加わることとなるので尺骨短縮術をTFCC open repairと同時に行うこととしている．この場合（同時に行った場合）は尺骨短縮術を行った後にDRUJ不安定性が残存している場合にはopen repairを行い，DRUJの安定性を得ることとしている．月状三角骨間靱帯断裂が存在している場合には月状骨-三角骨間にK鋼線固定を行うこととしている．

Open repairの禁忌はTFCCの広範な破壊があった場合やRULも変性が著明な場合はTFCC再建術とすべきであろう．また，DRUJに明らかな変性変化が存在している場合にはDRUJに対する手術，例えばSauvé-Kapandji手術（別項目，参照のこと）やDarrach手術（別項目，参照のこと）を行うこととなる．

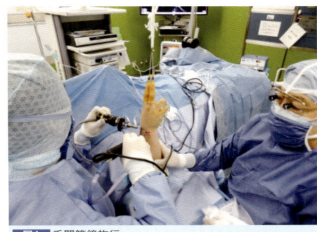

図1 手関節鏡施行

▶手術

Open repair前に関節鏡を橈骨手根関節，DRUJに挿入し，TFCCの損傷状態を正確に確認する 図1 ．前にも記載しているが，橈骨手根関節への関節鏡によりトランポリン効果が消失していることを確認し，DRUJ鏡にてTFCCの尺骨小窩からの剥離およびRUL起始部が緩んでいることを確認し，open repair施行が可能であることを判断する．

皮切・展開

鏡視を行った皮膚孔を利用するので尺骨頭を取り囲むようなC型皮切を加える 図2, 3 ．第6伸筋支帯を切離してDRUJへ到達する 図4A, B ．DRUJのECU腱腱床に3 cm長の切開を加える 図4C ．ECU下腱床の橈側縁を縦に切り，DRUJの背側関節包が露出する．尺骨頭から背側DRUJ関節包を挙上するとDRUJが露出する．小さなエレバトリウムをDRUJに挿入するとTFCCの尺側部分が切離している場合，つまりDRUJの不安定性が明らかな場合は尺骨頭が容易に脱臼するのがわかる 図5 ．

> **Tips コツ**
> 幾人かの手外科医はECU腱はDRUJに重要な安定性を供与しているので第6区画よりも第5伸筋支帯を開放してDRUJに入ることを好んでいるが，中村らは第6伸筋支帯をopenとした方がDRUJの尺骨小窩に直接到達できるとしている．

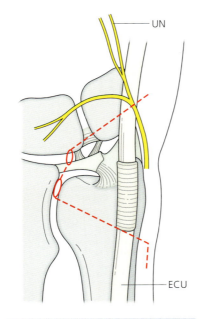

図2 皮切（中村俊康先生の皮切）

縫合

　RUL（三角靭帯）の尺骨小窩でのTFCC断裂はRULの起始部でさらに関節包切開を延長すると非常に見やすくなる．RULの尺側部分の線維成分を攝子にて遠位断裂を引っ張ることにより，尺骨小窩に縫合可能であるかも調べる．緊張が強すぎたり，切断端に強い変性や損傷が存在している場合や，引っ張ったら容易に断裂する場合にはopen repairは断念する．

　尺骨の小窩部，つまりRULの起始部を新鮮化した後に尺骨遠位尺側に加えた小皮切を用いて尺側骨皮質から尺骨小窩の中央部にできるだけ近いように1.2 mm径のK鋼線を用いて2本の骨孔を作成する 図6 ．

> **Tips コツ**
> 尺骨小窩の中央部が前腕回旋運動のisometric pointとなる．

21ゲージの注射針を用いて2本の3-0ナイロン糸ま

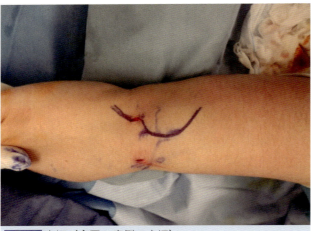

図3 皮切（今回の症例の皮切）

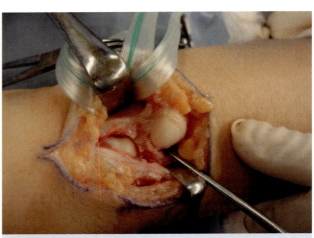

図5 尺骨頭不安定性が著明で尺骨頭が脱臼する

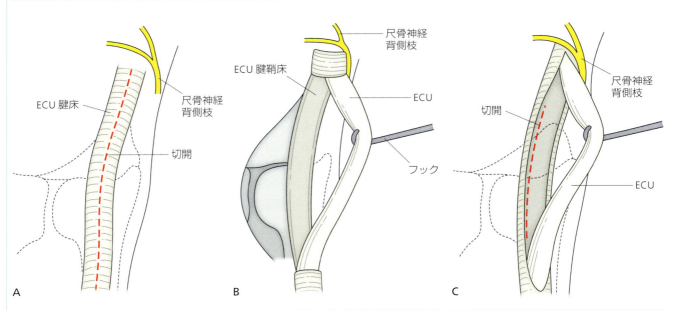

図4 第6伸筋支帯を切離してDRUJへ到達する
A: ECU腱を露出する　B: ECU腱を翻転し腱床を切開する　C: 切開した腱床

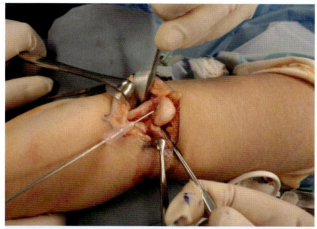

図6 TFCCの付着部で尺骨小窩に向けて骨幹端部からK鋼線を刺入する

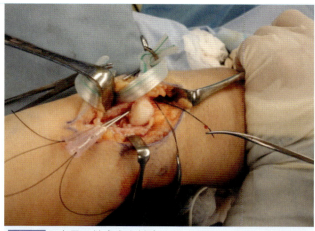

図9 1本目の縫合糸を縫合する

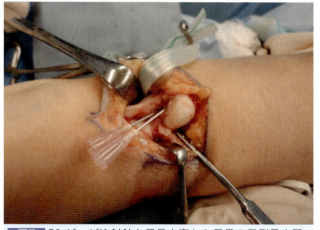

図7 21ゲージ注射針を尺骨小窩から尺骨の尺側骨皮質へ通す

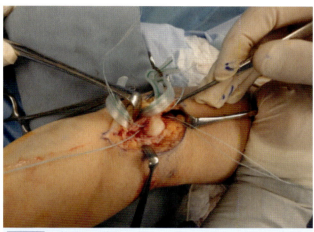

図10 2本目の縫合糸を縫合する

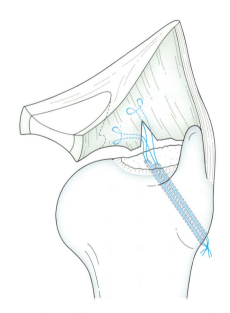

図8 Double 3-dimensional mattress suture technique 法

たはポリエステル糸を尺骨小窩から尺骨の尺側骨皮質へと通す 図7．TFCCの断裂した三角靱帯部分をdouble 3-dimensional mattress suture technique で縫合する 図8．最初の縫合糸をTFCCの小窩起始部の中央部からTFCCの背遠位部分へ通す．2本目の縫合糸を小窩起始部の中央部からTFCCの背橈側部へ通す 図9, 10．

RULの中央部で縫合針をガイドするために小さな5 mm長の縦切開を加える．2本の縫合糸を他の骨孔を通して尺側骨皮質まで通す．次いで尺側骨皮質上で2本の縫合糸をTFCC断裂部を尺骨小窩へ引き込むように強く縫合する 図11．

RULの背側部分に加えた5 mm長の縦切開の閉鎖をmattress縫合で行う．

閉鎖

関節包を閉鎖した後にECU腱を元の区画に戻して伸筋支帯を閉鎖し，皮膚縫合を行う 図12．

合併症

尺骨頭の背側遠位に尺骨神経背側枝が存在するので損傷に留意する．

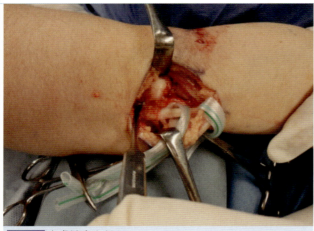

図11 皮膚縫合を行う

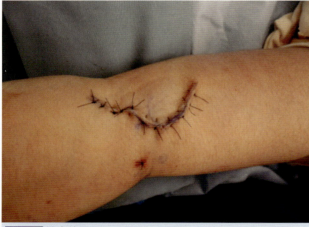

図12 縫合終了した

▶術後療法

肘関節90°屈曲位，前腕中間位から軽度回外位での術後2週間の長上肢ギプス固定を行い，その後，3週間の短上肢ギプス固定を行う．5週間のギプス固定後，自動可動域訓練を開始する．術後7週間目から他動可動域訓練を行う．通常，8-9週で前腕の回内・回外のfull ROM運動が得られる．その後，3kgの重みまで許可し，術後6カ月から5kgの荷重として6カ月でスポーツ活動に復帰することとしている．

▶症例供覧

症例 36歳，女性．TFCC 1B断裂例（フォト症例である）．

術前X-P 図13 DRUJが少し開大気味である．尺骨バリアンスは+1 mmである．

術直後X-P 図14 TFCC断裂に対してopen repairを行った．

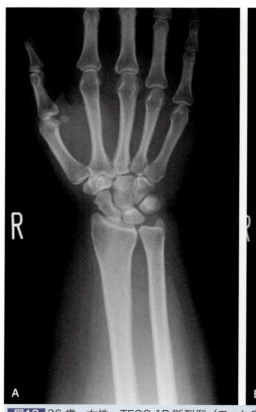
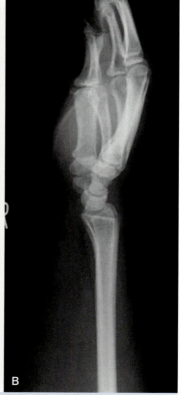

図13 36歳，女性．TFCC 1B断裂例（フォト症例である）術前X-P
A: 正面像　B: 側面像

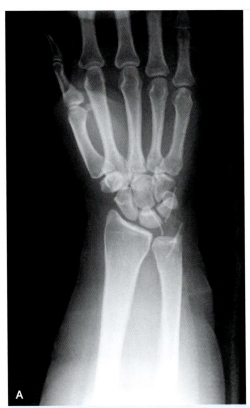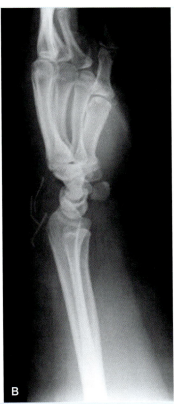

図14 術後 X-P
A: 正面像　B: 側面像

■ 文献

1) Minami A. Triangular fibrocartilage complex tears. Hand Surg. 2015; 20: 1-9.
2) Minami A, Kato H. Ulnar shortening for triangular fibrocartilage complex tears associated with ulnar positive variance. J Hand Surg [Am]. 1998; 27: 904-8.
3) Nakamura T, Nakao Y, Ikegami H, et al. Open repair of the ulnar disruption of the triangular fibrocartilage complex with double three-dimensional mattress suture technique. Tech Hand Upper Ext Surg. 2004; 8: 116-23.
4) Nakamura T, Yabe Y, Horiuchi Y. Functional anatomy of the triangular fibrocartilage complex. J Hand Surg [Br]. 1996; 21: 581-6.
5) Palmer AK, Werner FW. The triangular fibrocartilage complex of the wrist-anatomy and function. J Hand Surg. 1981; 6: 153-62.
6) Palmer AK, Triangular fibrocartilage complex lesions: a classification. J Hand Surg [Am]. 1989; 14: 594-606.

CHAPTER 3: 手関節—TFCC

53 TFCC（class 1B）断裂に対する鏡視下修復術

　三角線維軟骨複合体（TFCC）についての解剖や機能については別項に記載しているので参照してもらいたい．また，すでに記載しているが，最近の TFCC に関する生体力学的研究では遠位橈尺関節（DRUJ）の安定性に尺骨頭小窩への TFCC の insertion 部が最も重要な役割を担っていることが明らかになっている．したがって DRUJ の安定性にとって TFCC の尺骨小窩での剥脱（avulsion）に対して外科的に再縫着することは重要である．Open での TFCC（class 1B）断裂修復については別項目に記載しているが，鏡視下修復術についての利点は多くの hand surgeons が認めるところである．

> **Tips コツ**
> しかし，技術的困難性ゆえに行っている施設は今のところそれほど多くはないと考える．

　ここで紹介する鏡視下 TFCC 修復術は Iwasaki らの方法に準じている．他にもいろいろな鏡視下修復術が報告されている．

▶手術

　本手術の適応は臨床的な症状としては運動時痛，特に前腕回内外での痛み，手関節の脱力感などである．Fovea sign が陽性で，前腕回内・回外位で健側と比べて相対的に尺骨遠位端の translation が明らかに存在する場合である．また，術前の water-excited 3-dimensional double-echo steady-state MR coronal T2-weighted image で尺骨小窩の TFCC 深層付着部に高信号を認めることも術前検査として重要である．

　手関節鏡の実際については別項目を参照してもらいたいが，traction tower に手を装着した後，鏡視の多くは 3-4 portal を用いている．Out-flow は 6U portal を用い，修復操作の多くは 6R あるいは 4-5 portal を用いて行った．

　診断は鏡視下にプローベを用いて TFCC の正常なトランポリン効果の消失や多方向への TFCC の異常可動性により確定される．TFCC が尺骨小窩から剥脱（avulsion）している像は橈骨手根関節からの鏡視では観察することは難しく，剥脱部を直接認識するには DRUJ 鏡視が有用である．

　診断確定後，1.5 mm 径の K 鋼線を C-arm イメージ下でガイドピンを用いて経皮的に尺骨頚部から尺骨小窩まで刺入する ．次いで K 鋼線刺入部に 1.5 cm の皮切を加えて，尺側手根伸筋腱と尺側手根屈筋腱間で尺骨骨膜を露出する．骨膜に縦切開を加えて骨膜を翻転後，2.9 mm カニュレーテッドドリルを刺入した K 鋼線に通して刺入することによって尺骨頚部から小窩の表面へ骨孔を作成する．鏡視下に増生している滑膜をパンチやシェーバーなどを用いて切除した後に，小窩表面の線維性結合組織や瘢痕組織を debridement するとともに

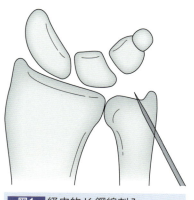

図1 経皮的 K 鋼線刺入

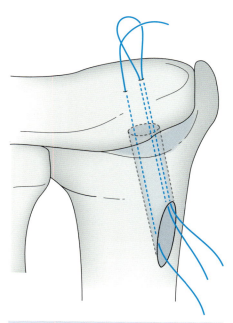

図2 尺骨頚部から尺骨小窩への直径 2.9 mm の骨孔を通して loop 縫合糸の loop 内に縫合糸の一端を通す．

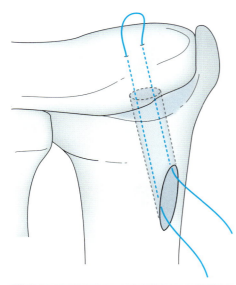

図3 修復するために縫合糸の2本の断端をTFCC表面に縫合糸を掛けて,骨孔を通して強く引っ張る.

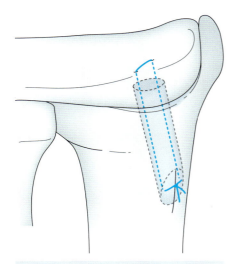

図4 TFCCの断裂部を尺骨小窩に正常緊張下で引き込む.縫合は骨孔の近位入り口部の尺骨骨膜上で強く縫合する.

TFCCの断裂部(尺骨小窩に付着挿入する)もminimum debridementを行い縫合準備を整える.3-4 portalに挿入した関節鏡のガイドの下,2-0非吸収性プロレン(prolene; Ethicon, Somerville, NJ)を先に作成した骨性トンネルを通してTFCC断裂部の少し橈側に21ゲージ針を通す **図2** .それから,同じ方法で2-0非吸収性プロレンのsuture loopをTFCC内に通し,縫合糸の先端をloopで掴んで近位の骨孔外に引き出す **図3** .縫合糸の2本の断端をTFCCの中を通して骨孔外に出すことによりTFCCの断裂部を小窩に強く引き寄せ,TFCCの正常な緊張を得ることとする.これらのloop縫合糸を2カ所くらいに同じ操作を行いTFCCに通す.前腕を中間位として,尺骨の骨孔トンネルの近位入り口部で尺骨骨膜上で強く縫合する **図4** .

▶後療法

術後4週は前腕45°回外位で長上肢ギプスで固定し,それから手関節固定用装具を更に2週装用する.その後,徐々に可動域増強訓練や筋力増強訓練などを行い,約3カ月後に原職に復帰することとしている

■文献

1) Böhrigner G, Schädel-Höpfner M, Petermann J, et al. A method for all-inside arthroscopic repair of Palmer 1B triangular fibrocartilage complex tears. Arthroscopy. 2002: 18: 211-3.
2) Iwasaki N, Minami A. Arthroscopically assisted reattachment of avulsed triangular fibrocartilage complex to the fovea of the ulnar head. J Hand Surg [Am]. 2009: 34A: 1323-6.
3) Iwasaki N, Nishida K, Mimami A, et al. Arthroscopic-assisted repair of avulsed triangular fibrocartilage complex to the fovea of the ulnar head: A 2- to 4-year follow-up study. Arthroscopy. 2011; 27: 1371-8.
4) Nakamura T, Nakao Y, Ikegami H, et al. Open repair of the ulnar disruption of the triangular fibrocartilage complex with double three-dimensional mattress suturing technique. Tech Hand Up Extrem Surg. 2004; 8: 116-23.
5) Palmer AK, Werner FW. The triangular fibrocartilage complex of the wrist. Anatomy and function. J Hand Surg [Am]. 1981; 6: 153-62.
6) Pederzini LA, Tosi M, Prandini M, et al. All-inside suture technique for Palmer class 1B triangular fibrocartilage repair. Arthroscopy. 2007; 23: 1130. e1-1130. e4.
7) Yao J, Dantuluri P, Osterman AL. A novel technique of all-inside arthroscopic triangular fibrocartilage complex repair. Arthroscopy. 2007; 23: 1357. e1-1357. e4.

CHAPTER 3: 手関節—TFCC

54 尺骨短縮術

尺骨短縮術は最近非常に多くなされるようになった手術の一つである．橈骨遠位端骨折後の骨長の調整に用いられることのほか，三角線維軟骨複合体（TFCC）損傷による遠位橈尺関節（DRUJ）不安定性に対する手術として行われることが増えたためと思われる．

▶手術適応

私が考えている尺骨短縮術の手術適応は以下のようであるが，必ずしもコンセンサスが得られていないので留意してほしい．
1．橈骨遠位端骨折変形治療後橈骨短縮によるDRUJ障害および尺骨突き上げ症候群〔DRUJに関節症（OA）変化が存在していないか，あるいは存在していても軽度である場合〕
2．尺骨突き上げ症候群（DRUJにOA変化がない）
3．TFCC機能不全による軽度〜中等度のDRUJ不安定症（尺骨がプラスバリアンスであることが望ましい）

1および2についての異論は少ないと思うが，3については異論のある手の外科医は少なくないと思う．本書は手術書と考えているので議論については割愛させていただきたい．

▶遠位橈尺関節（DRUJ）の外科解剖
（別項目，参照のこと）

尺骨の遠位部は橈骨S状切痕と関節しDRUJへ移行している．前腕遠位1/3部には両前腕骨間に骨間膜が付着しており，橈骨と尺骨の長軸上の支持性を保っている．尺骨頭の背尺側の骨溝には尺側手根伸筋（ECU）腱が走行している．掌側には豆状骨を触れ，この骨を種子骨として尺側手根屈筋（FCU）腱が走行している．

DRUJの安定性に関しては別の章を参照していただきたいので，ここでは割愛するが，TFCCが主要な役割を演じている．

尺骨短縮術の目的は一義的には尺骨頭の手根骨やTFCCに対する除圧が得られるとともにTFCCの緊張（ハンモック状構造を呈している）および骨間膜の緊張が得られ，それらによりDRUJ（主に尺骨頭）の安定性を得させることが可能となる．

▶手術

体位

肘関節を90°屈曲位として手指（示指および中指）にfinger trapを掛けて牽引して前腕をtraction towerに装着する．

皮切

尺骨遠位の尺側縁を尺側手根伸筋（ECU）腱と尺側手根屈筋（FCU）腱の間より触れることができ，この部に縦切開を加えるが，予めプレートの長さに相当するスケールを皮膚の上に当てておおよそどの部位で骨切りを行うかをマーキングする 図1,2．将来的なプレート設置のことを考えると少し掌側気味に縦切開を加えることとしている 図3．

> **Tips コツ**
> ECU腱と比べてFCU腱の方が筋肉が遠位にまで存在しているので，FCUの筋腹でプレートを被覆すべきと考えている．

できるだけプレートを遠位に設置したいが，尺骨遠位の頚部から頭部にかけては少し膨みがあることと同部は皮下組織が少ないのでプレート設置が困難であることから，プレートの遠位設置は尺骨の先端から近位2cm程度となる．

皮切が尺骨の尺側骨稜の少し掌側に位置しているので背側皮膚を少し持ち上げて尺骨の尺側骨稜を露出する 図4．尺骨神経背側枝は尺骨遠位端から7cmくらい近位で尺骨神経から分枝して尺骨遠位端の少し遠位で尺側から背側に移動するので損傷しないように留意する．骨皮質を露出する 図5．骨膜を前腕骨用retractorを用いて翻転した後，6穴のプレート（プレート厚が厚く多少bulkyであるが，私はシンセス社製LC-LCPプレートスモール6穴を好んで用いている）を尺骨に当てがい，最終的なプレートの位置を決めることとする．特に重要な点は骨切り部を決定することである．

> **Tips コツ**
> ここで尺骨柱の回旋を防止する目的で縦にメルクマールを付けておくことも重要である．骨切り部を上下に越えてピオクタニンで縦の線を描きノミを用いて一部切れ込みを入れておくことが重要である 図6．

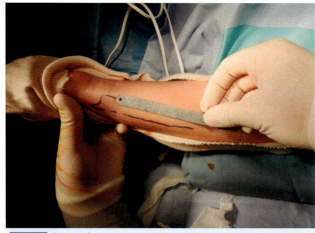
図1 皮切に合わせてどの部位で骨切りを行うべきかを決定する

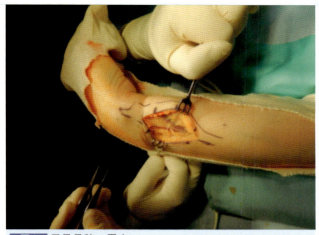
図4 尺骨骨稜の露出

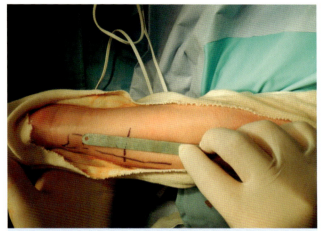
図2 骨切り予定部位を皮膚上にマーキングする

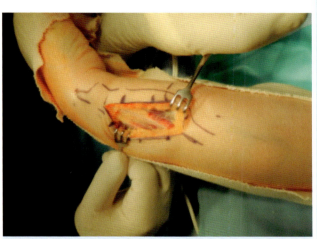
図5 尺骨を全長にわたり露出する

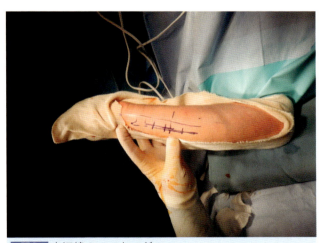
図3 皮切線のマーキング

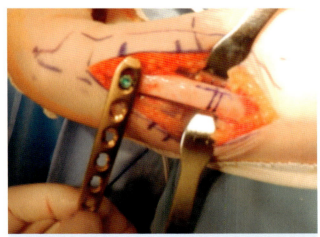
図6 尺骨の短縮量と回旋防止のためのマーキング（ここではプレートの遠位へスクリューが既に刺入されている）

　プレートの一番遠位の穴に電動ドリルで穴をあけ，デプスゲージで深さを測定後，タップドリルでタッピングを行い，一時的に当該長さのスクリューを刺入する．しかし最終まで刺入せずに途中で止めて，プレートの近位端を背側方向に回転して尺骨の骨切り部を露出する 図7 ．

　希望する尺骨短縮量をプレートの中央部，3穴と4穴の間に短縮量を描いて骨切りを行う 図7 ．プレーンソーのブレイドはブレが強い場合が多いので，ブレが少ない，つまり正確な短縮量を切除できるプレーンソーを用いることが重要である 図8 ．

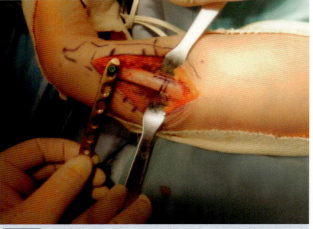

図7 尺骨遠位へスクリューを刺入し，これを軸としてプレートを背側に回転して尺骨の骨切り部を露出する

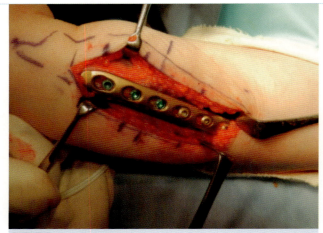

図9 プレート固定

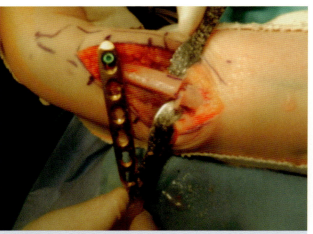

図8 尺骨の骨切りを行う

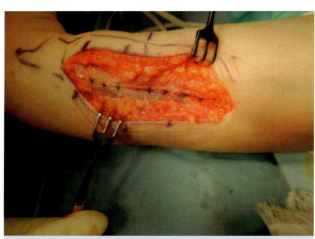

図10 骨膜および筋膜閉鎖

> **トピックス**
>
> 尺骨の短縮量については，議論の分かれるところである．尺骨プラスバリアントの量を"ゼロ"バリアントにすべきという考えは従来からいわれていたが，必ずしも"ゼロ"バリアントに拘わる必要はなく2-3 mm短縮することで十分であるとの考えもある．私の経験では6 mmを越える短縮量を得ることはむずかしいと考えている．また私は後者の考えを支持しているが，必ずしもコンセンサスが得られている訳ではない．

骨切りが正確に行われると短縮量に一致（実際はブレードの厚さがあるので少し少な目にはなるが）した長さの円柱が切除可能となる．プレートを元に戻し，そこで手関節を尺屈し，尺骨に付けたピオクタニンが合うように骨切り断端を合致させる．そこでプレートの穴にドリルで骨孔を作製し，デプスゲージで深さを測定しタッピングを行い，スクリュー固定を行う手順を残り5本について行う 図9 ．1本はすでに刺入されているので強固に最後まで締める．固定性はきわめて良好であることが多い．

> **Tips コツ**
>
> 小型DCPプレートは穴が斜めになっており，compression がかかる位置にドリルで骨孔を作製することも重要である．

X線透視下あるいはX線撮影を行い，予定の短縮が行われていることを再確認する．

閉鎖

創内を洗浄後，プレートを被覆するように可及的に骨膜を縫合する 図10 ．プレートがbulkyであるので必ずしも完全に骨膜で被覆することはできないが，できるだけ縫合するように努める．

皮下を非吸収糸にて閉鎖し，皮膚閉鎖を行う 図11 ．

▶術後療法

術後，前腕を中間位，手関節を軽度背屈位で長上肢ギプス副子固定を行う．多くの報告者は骨癒合が得られるまでギプス固定を行うとしている．特に術後4週まで長上肢ギプス固定，その後短上肢ギプス固定とし，骨癒合が得られるまで待つとしている．私は術後10日-2週ま

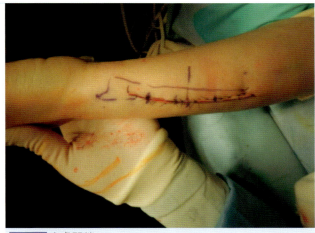

図11 皮膚閉鎖

で，つまり抜糸を行うまで短上肢ギプス固定を行い，その後，自動運動を許可し，水浴治療と愛護的他動運動を行い，骨癒合が得られてから次第に運動を強化していくこととしている．これによる偽関節例は幸いにして経験していない．

▶合併症

尺骨短縮骨切り術を行う際に前腕骨用 retractor で骨皮質を露出するので，一時的な尺骨神経圧迫症状が出現することがある．一時的に術後シビレ感が残ることがあるので注意を要する．また，将来的な金属抜釘は他項目でも記載するが，抜釘後再骨折が高頻度に発生するので慎重に行うべきである．また術後，新たに DRUJ の OA が発生する頻度も低くない．今のところこの OA の存在と症状が必ずしも並行していないのが特徴的である．

▶症例供覧

症例1 58歳，女性．尺骨突き上げ症候群
図12 術前 X-P
図13 術直後 X-P．4mm の尺骨短縮を行った
図14 術後 1 年 X-P．骨癒合は得られている

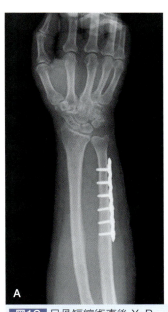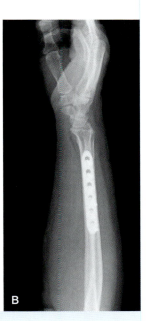

図13 尺骨短縮術直後 X-P
A．正面像　B．側面像

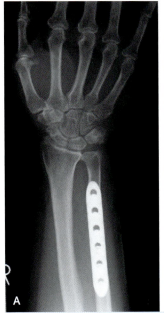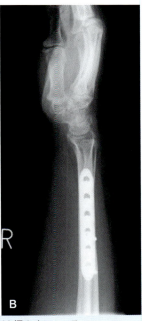

図14 術後 1 年 X-P で骨癒合は得られている
A．正面像　B．側面像

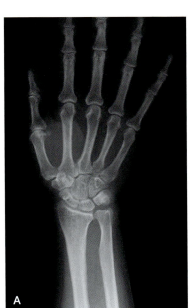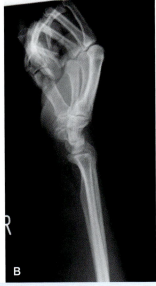

図12 58歳，女性．尺骨突き上げ症候群．術前 X-P
A．正面像　B．側面像

症例2 63歳，女性．尺骨突き上げ症候群
　図15　術前 X-P
　図16　尺骨短縮術術後 X-P

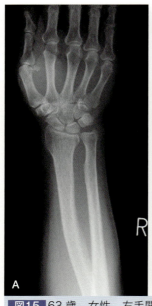
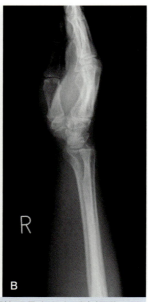
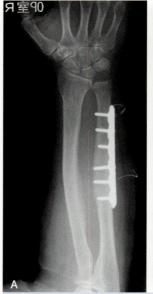
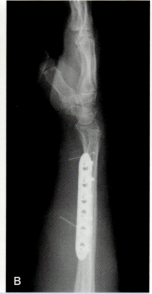

図15　63歳，女性．右手関節尺骨突き上げ症候群．尺骨短縮骨切り術　術前 X-P
A．正面像　B．側面像

図16　術後 X-P
A．正面像　B．側面像

症例3 47歳，男性．橈骨遠位端骨折後尺骨突き上げ症候群　図17, 18

術前 X-P　図17A, B
A: 正面像　B: 側面像

尺骨短縮術後 X-P　図18A, B
A: 正面像　B: 側面像

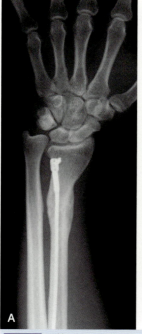
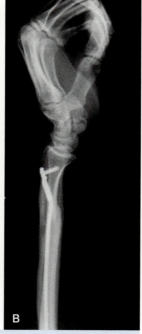
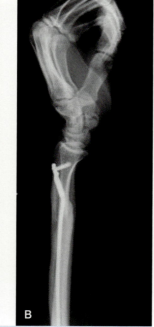

図17　術前 X-P
A: 正面像　B: 側面像

図18　尺骨短縮術後 X-P
A: 正面像　B: 側面像

■ 文献

1) Boulas HJ, Milek MA. Ulnar shortening for tears of the triangular fibrocartilaginous complex. J Hand Surg [Am]. 1990; 15: 415-20.
2) Iwasaki N, Ishikawa J, Minami A, et al. Factors affecting results of ulnar shortening for ulnar impaction syndrome. Clin Orthop Rel Res. 2007; 465: 215-9.
3) Minami A, Kato H. Ulnar shortening for triangular fibrocartilage complex tears associated with ulnar positive variance. J Hand Surg [Am]. 1998; 23: 904-8.
4) Minami A. Triangular fibrocartilage complex tears. Hand Surg. 2015; 20: 1-9.

CHAPTER 3: 手関節—TFCC

55 MINI-PLATE を用いた尺骨遠位での尺骨短縮骨切り術

尺骨短縮骨切り術は主に尺骨プラスバリアントを伴った TFCC 損傷や橈骨遠位端骨折により相対的に尺骨がプラスバリアントを示した例，尺骨突き上げ症候群などに対して非常に多く行われるようになった手術の 1 つである（別項目：尺骨短縮術の項　参照のこと）．術後成績が安定していて，極めて有用な手術法である．別項目「尺骨短縮術」に既に記載しているが，私は従来から骨切り部の内固定として 6 穴のプレート（シンセス社製 LC-LCP プレートスモール）を好んで用いている．しかし，本プレートは強固な固定力が得られる反面，プレートが厚く bulky であり，皮切が長い，固定力が強いためと思われるが仮骨形成が悪く（primary healing が起こるためと思われるが），骨癒合が遷延し，骨癒合時期の判定が難しいなどの欠点がある．

> **Tips コツ**
> プレート抜釘術後に骨切り部に再骨折が発生することも少なくない．

本項目では河野らが開発された MINI-PLATE を用いた尺骨遠位での尺骨短縮骨切り術についての術式を紹介する．手術適応については先に紹介した 6 穴プレートを用いた尺骨短縮骨切り術と同様であるので割愛し，ここでは術式の詳細について記載する．

▶手術前準備

HOYA Technosurgical 株式会社から提供されている尺骨短縮骨切り術用の Stellar Optional Plate をプレートとして用いている．まで骨切りのための骨切りガイドの準備について示す．

▶手術

体位

Traction tower を用いて，肘関節を 90°屈曲位として手指（多くは示指と中指）に finger trap を掛けて牽引して手術を行う．

> **Tips コツ**
> Traction tower を用いることにより助手の手を浮かすことができる．

皮切

尺骨遠位の尺側縁で尺側手根伸筋（ECU）腱と尺側手根屈筋（FCU）腱の間に縦切開を加える　図2　．

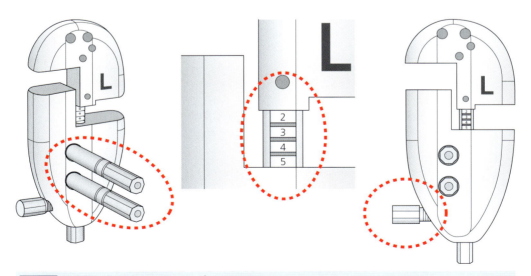

図1　尺骨骨切り固定用の骨切りガイド
A: 骨切りガイドの左右を確認し，鋼線ガイド（赤点線部）を取り付ける
B: 設置した骨切り量に骨切りガイドの目盛りを合わせる
C: 固定ネジ（赤点線部）にて骨切りガイドをロックする

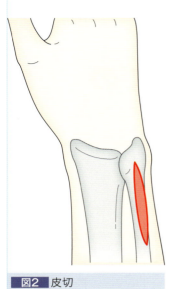

図2 皮切

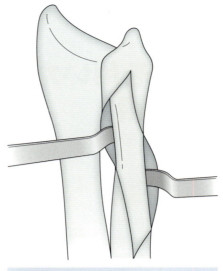

図3 尺骨遠位端の露出

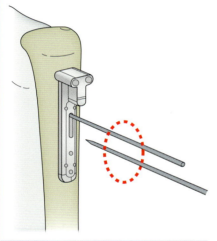

図5 アライメントガイドの仮固定

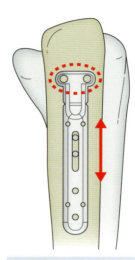

図6 アライメントガイドの設置高位の決定

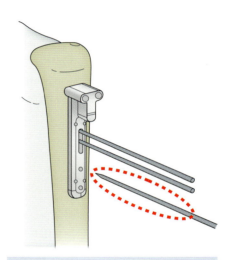

図7 アライメントガイドの固定

> **Tips コツ**
> この皮切が従来の6穴プレートを用いる方法よりも圧倒的に短くてすむところが本法の重要な特徴であり，有用な点の1つである．また，尺骨骨端・骨幹端部には骨幹部と比べると骨癒合に有利である点も重要である．皮切が遠位であり短いことにより書字などの際に机の角に前腕の皮切部（瘢痕部）が触れたり，あるいは皮下のプレートがぶつかって痛み（違和感）が発生することを防ぐことが可能となる．

展開

背側にECU腱を掌側にFCU腱を同定して両腱間で同じラインで骨膜を切離する．背側のECU腱と比べて掌側のFCU腱の方が筋腹が多いのでわかりやすい．骨膜は後で縫合できるように愛護的に剝離して尺骨を露出する 図3．

> **Tips コツ**
> この際，遠位背側と近位掌側の骨膜はできるだけ温存し，後程，縫合することとなる．

アライメントガイドの設置

尺骨骨軸と並行となるように，尺骨にアライメントガイドを沿わせる．フック孔が遠位橈尺関節（DRUJ）に入らない位置を事前に決定しておく．尺骨の形状によりアライメントを当てる部位が決定されるが掌側に当てることが多い 図4．骨軸に合わせておおよその高位で直径1.2 mmの鋼線をアライメントガイドの楕円形ホールに2本刺入し，仮固定を行う 図5．ここで透視下に骨切りの最遠位を示すマーク（アライメントガイドの切れ込み部分）が橈骨のS状切痕の最近位部の少し近位に位置するようにアライメントガイドの高さの微調整を行う 図6．

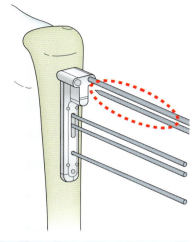
図8 フック孔の作製

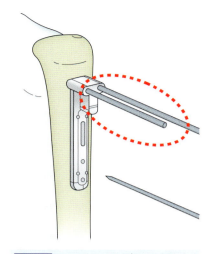
図9 アライメントガイドの除去

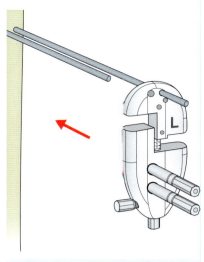
図10 骨切りガイドの設置

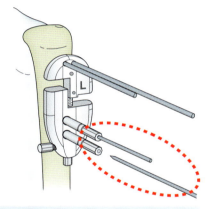
図11 骨切りガイドの固定

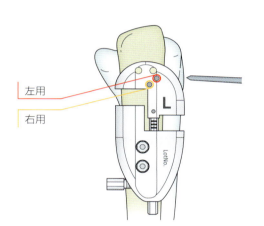
図12 骨切りガイドを鋼線を用いて固定

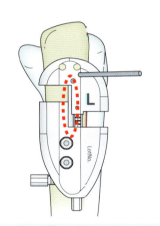
図13 尺骨骨軸に沿った骨切り

アライメントガイドの固定

　直径1.2 mmの鋼線でアライメントガイドの楕円形ホールの下のホールに固定する 図7 ．次いでアライメントガイドの遠位に存在している2本の平行のホールに直径1.8 mm鋼線2本でフック孔を作製する 図8 ．また鋼線の目盛りの長さにより使用するフック長を決定する．

Tips コツ
フック孔のフック長は12 mmと15 mmの2種類が準備されており，できるだけ長いものを使いたいが，DRUJの中に突き出さないように留意する．

骨切りガイドの設置

　直径1.8 mmの鋼線を残して，先に刺入した1.2 mmの鋼線を抜き，アライメントガイドを取り外す 図9 ．残しておいた尺骨遠位の直径1.8 mm鋼線に骨切りガイドの遠位ホールを入れて骨切りガイドを設置する 図10 ．骨切りガイドを骨にしっかり密着させて直径1.2 mmの鋼線で骨切りガイドを固定する 図11 ．遠位側のホール（右用と左用のホールがあるので注意する）に直径1.2 mmの鋼線を刺入する 図12 ．

Tips コツ
遠位側にホール自体が斜めに設計されているので，骨切りガイドの骨からの浮き上がりを防ぐことが可能となる．

骨切りガイドを用いた骨切り

　事前準備の段階で予め決定した尺骨の短縮量を再確認して，サジタルプレーンソー（マイクロボーンソー）を用いてまず尺骨の長軸の骨切りを行う 図13 ．

遠位部の骨切除

　長軸に沿った骨切りを行った骨切り線に備え付けのレトラクターを挿入して横方向の骨切りがこのレトラクターで止まるようにする．骨切りガイドに沿ってレシプロケイティングソーで 図14 のように遠位部の骨切除を行う．

Tips コツ
遠位の骨切除量が尺骨の短縮量に一致していることとなる．

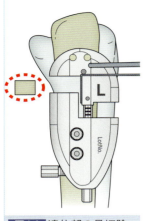
図14 遠位部の骨切除

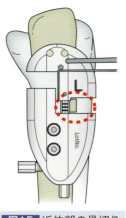
図15 近位部の骨切り

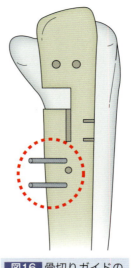
図16 骨切りガイドの除去

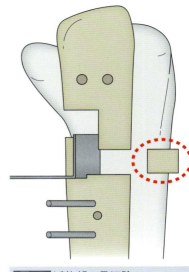
図17 近位部の骨切除

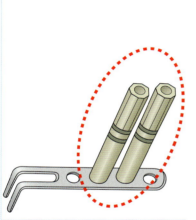
図18 フックプレートへのドリルガイドの装着

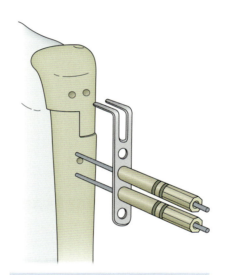
図19 フックプレートの尺骨遠位の骨孔への挿入

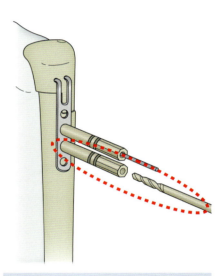
図20 ドリルを用いての下孔の作製

近位部の骨切り

近位部も遠位部と同じように骨切りを行うが，途中で骨切りガイドと干渉して中央部の一部の骨が残存し，完全な骨切除はできない 図15 ので近位部に刺入した直径 1.2 mm の鋼線 2 本を残し，骨切りガイドを取り外す 図16 ．ガイドを取り外した後，図17 のようにボーンソーまたはレシプロケイティングソーを用いて近位部の骨切りの残りを切り，近位部を切除する．

> **Tips コツ**
> 近位部の骨切りをする際には必ずレトラクターを縦方向の骨切り部に挿入して骨切りが中央を越えないように留意することが重要である．

プレート固定

予め決めたフック長（12 mm または 15 mm）の 4 穴フックプレートにドリルガイドを装着する 図18 ．抜かずに残しておいた直径 1.2 mm の 2 本の鋼線に沿ってフックプレートを尺骨遠位の骨孔に挿入する 図19 ．

> **Tips コツ**
> この際，プレートが尺骨から浮き上がらないようにしっかり密着するように押し込む．

直径 2.3 mm の備え付けのドリルをドリルガイドを用いて，下孔を作製する 図20 ．デプスゲージで下孔の長さを計測し，スクリュー長を決定する 図21 ．ロッキングスクリューを近位の 3 穴に挿入して，プレートを固定する 図22 ．骨切り線に近い一番遠位のスクリュー

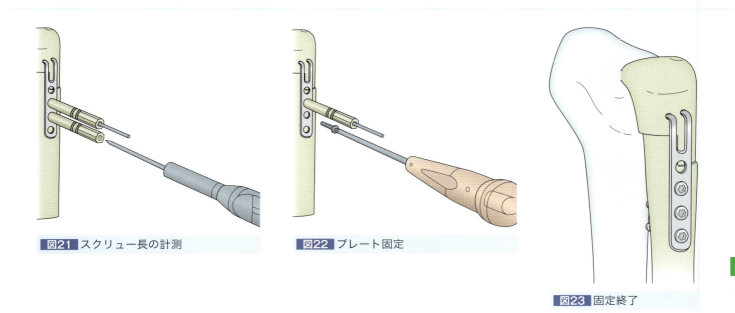

図21 スクリュー長の計測

図22 プレート固定

図23 固定終了

ホールはスクリューは挿入しないで，固定を終了する 図23 .

最後に可及的に剝離した骨膜を修復する．

▶術後療法

本法の売りは血行の良好な尺骨末端部で正確な短縮量の骨切りが安全に行えるデバイスであり，骨膜を再縫合できる薄くてシンプル，かつ固定性の良好なデザインのプレートであることである．したがって術後リハビリテーションは翌日から開始し，自動可動域訓練を行わない時には，安全のため装具で固定すると開発者の河野らは記載しており，私も当初は上記のようなリハビリ手順を行っていた．

しかし，後程の症例供覧でも示すが，遠位でのフック孔の部での著しい骨透亮像（loosening）が術後早期から出現し，骨癒合に長期を要した例を経験している．河野らに伺うと術後4週くらいはギプス等の外固定を行っているとのことであり，私も最近は術後4週間外固定し，その後，自動可動域訓練，更に他動可動域訓練を行うようにしている．

▶症例供覧

症例1　69歳，女性．尺骨突き上げ症候群 図24-27

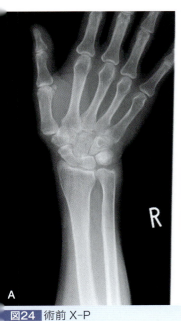
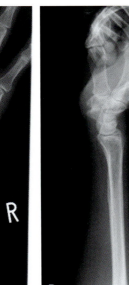
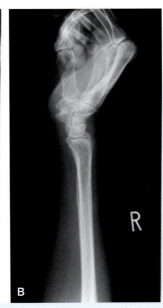
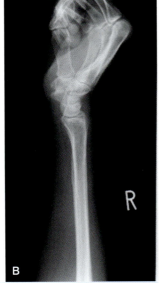

図24 術前 X-P
A: 正面像　B: 側面像

図25 術直後 X-P．Stellar Optional Plate を用いて3mmの尺骨短縮骨切りを行った．
A: 正面像　B: 側面像

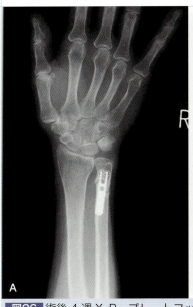
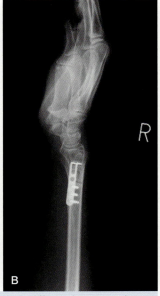

図26 術後4週 X-P．プレートフック孔が著明に拡大し，プレートの loosening を認めた．明らかな骨癒合が得られていない．
A: 正面像　B: 側面像

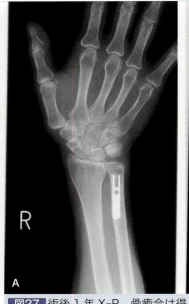
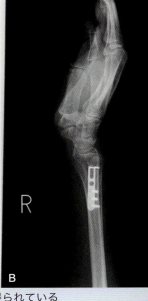

図27 術後1年 X-P．骨癒合は得られている．
A: 正面像　B: 側面像

症例2　44歳．男性，TFCC 損傷 図28-31

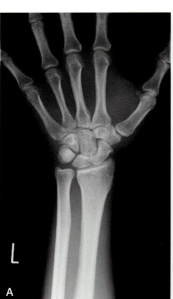
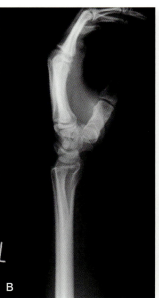

図28 術前 X-P
A: 正面像　B: 側面像

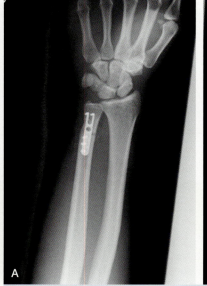
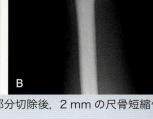

図29 術直後 X-P．鏡視下 TFCC 部分切除後，2 mm の尺骨短縮骨切りを行った．
A: 正面像　B: 側面像

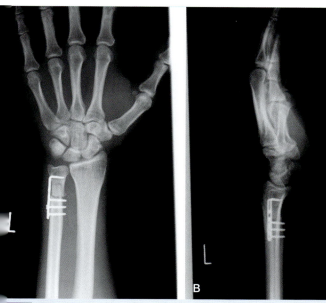
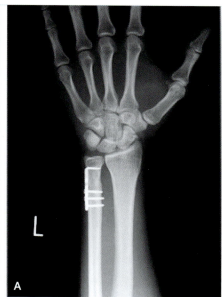
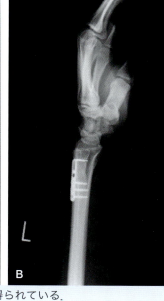

図30 術後3カ月X-P. 遠位骨片は転位しており，骨癒合は得られていない．
A: 正面像　B: 側面像

図31 術後1年1カ月X-P. 骨癒合は得られている．
A: 正面像　B: 側面像

■ 文献

1) Kawano M, Nagaoka K, Fujita M, et al. New technique for ulnar shortening osteotomy. Tech Hand Up Extrem Surg. 1998; 2: 242-7.
2) 河野正明，鎌田一億，石丸　晃，他．MINI-PLATEを用いた尺骨遠位での尺骨短縮術の検討．日手会誌．2010; 27: 3230-3.
3) 河野正明，森実　圭，千葉恭平，他．遠位での尺骨短縮骨切り術後の遠位橈尺関節症に関する検討．日手会誌．2019; 32: 884-7.
4) Minami A, Kato H. Ulnar shortening for triangular fibrocartilage complex tears associated with ulnar positive variance. J Hand Surg [Am]. 1998; 23A: 904-8.
5) 水関隆也，梶谷典雅，横田和典，他．TFCC損傷/尺骨突き上げ症候群に対する尺骨短縮術の成績．日手会誌．2002; 19: 225-8.

CHAPTER 3: 手関節— TFCC

56 尺骨短縮術後抜釘術

尺骨短縮術の内固定材として，私達は尺骨を単純に横に骨切りを行い短縮量に応じて円柱状に骨を切除して強固なプレート（主にシンセス社製 LC-LCP プレートスモール6穴）を用いている（別項目，参照のこと）．強固なプレートを用いることにより，術後の外固定期間を短縮あるいはほとんど外固定をせずに，重労働やスポーツ活動以外の日常生活での使用は許可することとしている．骨癒合後，徐々に負荷を加える．

尺骨短縮術により骨癒合が得られた後，抜釘術は患者さんの要望がなく，かつ日常生活上に不自由がなければ施行する必要はない．しかし内固定材が比較的 bulky であることもあり，書字に際してどうしてもプレートが存在する前腕部がぶつかるなどの障害があるので，患者の希望もあり多くの症例で抜釘術を行っている．

抜釘術を行うにあたってのもう1つの重要な点は抜釘術を行う時期と抜釘術後の再骨折である．尺骨は骨皮質が厚く，髄腔が細いという特徴があり，抜釘術後の再骨折が他の長管骨と比べて高頻度に発生する．私は少くとも骨癒合が得られて1.5年以上経過した後に抜釘術を行うことをすすめている．

▶抜釘術

皮切
前回の手術瘢痕上に同様の皮切を加える 図1 ．

展開
皮下まで一気に切離して剝離．尺側手根屈筋（FCU）と尺側手根伸筋（ECU）の間にプレートを見ることができる．あるいはFCUの筋腹で被覆されていることもあるので両筋間を切離する．プレート上の瘢痕組織を鋭的に切離するとプレートが露出する 図2 ．瘢痕組織および増生した仮骨がスクリューの骨孔やプレート上に存在していることが多いため，スクリューの周りとプレートの周囲から丁寧に瘢痕組織や仮骨（仮骨は捨てることなく保存しておく）を切除してスクリューの穴およびプレートを全長に亘り完全に露出する 図3 ．

> **Tips コツ**
> プレートやスクリューの穴周囲の瘢痕組織や仮骨を中途半端に切除して，強引にプレート抜釘術を行おうとすると術中骨折の危険も高いので十分に注意すべきである．

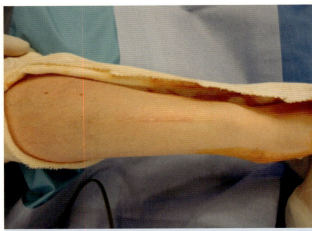

図1 前腕尺側に存在する手術瘢痕

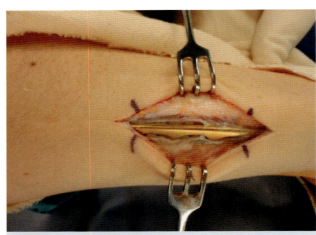

図2 プレートを露出する

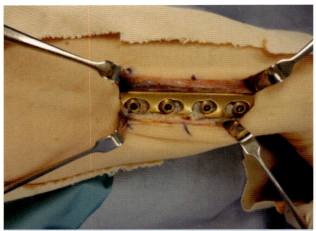

図3 スクリューの骨孔やプレート上の瘢痕組織および仮骨を切除してプレートを露出する

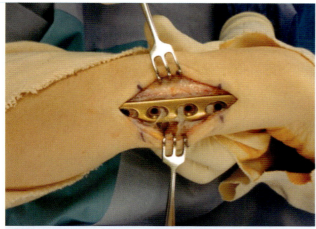

図4 全てのスクリューを抜去する

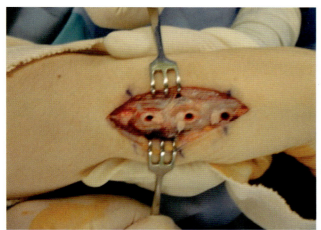

図5 プレートを抜去する

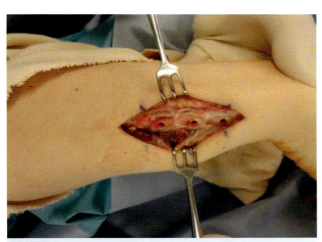

図6 骨孔周囲の盛り上がった仮骨を切除する

抜釘

術前に準備しておいたスクリュー抜去用のドライバー（LC-LCP プレートスモール用）を用いてスクリューを丁寧に抜去する．この際，まずは締める方向に（一般的には右回りに）少し回して，その後，ゆっくりと左回りにドライバーを回しスクリューを抜去する 図4．

> **Tips コツ**
> 基本はスクリューを無理に回さないことと，スクリューの頭の軟部組織をしっかり除去してドライバーをしっかりとスクリューヘッドに挿入することが重要である．

全てのスクリューを抜去後，プレートを外すこととなるが，プレート上に仮骨が覆っているとプレートが骨から浮いてこないので先にも記載したが，プレート上の仮骨，瘢痕組織などを完全に切除して無理なくプレートを骨から剥がすようにすべきである．私は薄刃のノミをプレートの下に挿入して，ハンマーで軽く挿入して外すようにしている．決して無理して骨折を起こさないように注意することが重要である．

プレートを除去するとスクリュー孔には仮骨が盛り上がって存在しているため 図5，この仮骨を切除して円滑として，皮下の刺激症状を軽減する．私はこの切除した仮骨を骨孔に挿入して少しでもスクリュー骨孔を埋めることとしている 図6．

> **Tips コツ**
> この操作は無意味と考えている手の外科医もいる．

創を十分に洗浄して骨膜，FCU と ECU 筋膜を縫合．皮下組織，皮膚を縫合閉鎖する．

▶後療法

再骨折の危険性が高いので私は前腕骨を固定する意味で抜糸までの術後 10 日位は長上肢ギプス副子固定をすることとしている．その後，1 カ月位は外出時あるいは前腕に負荷がかかる恐れが高い場合には短上肢ギプス副子固定を行うようにすすめている．

▶ 症例供覧

症例 右尺骨突き上げ症候群に対して尺骨短縮骨切り術（短縮量3mm）を行った症例である．骨癒合後1.5年経過した時点で内固定材が皮下に存在しているための異物感を訴えたため，抜釘術を行うこととした．図7，図8．図9，図10は抜釘術直後のX-Pである．

骨切りした部の骨癒合はしっかり得られているが，いわゆる強固な内固定材によるprimary healingによる骨癒合である．そのため，骨癒合部にはほとんど仮骨形成は認めない．スクリューの刺入口は明らかであり，本文中にも力説しているが，再骨折の危険性が高いので注意を要することを患者さんにしっかりとお伝えすべきである．

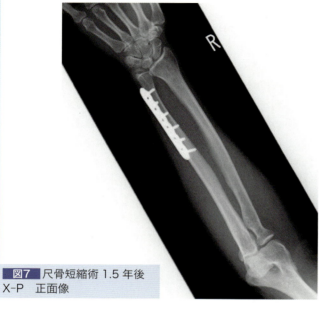

図7 尺骨短縮術1.5年後 X-P 正面像

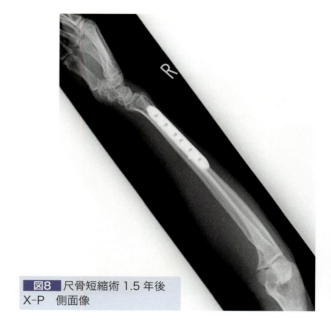

図8 尺骨短縮術1.5年後 X-P 側面像

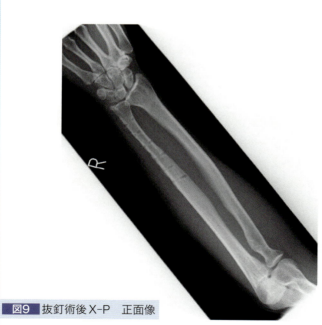

図9 抜釘術後X-P 正面像

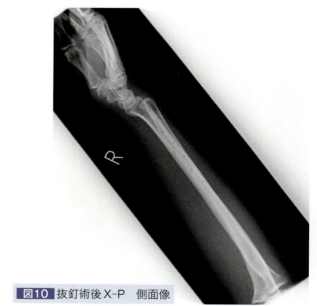

図10 抜釘術後X-P 側面像

別の症例である．49歳，男性．
橈骨遠位端骨折後尺骨短縮術施行
例である 図11-14 ．

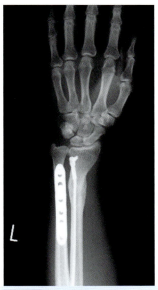

図11 尺骨短縮術 1.5年後 X-P 正面像

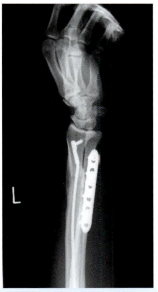

図12 尺骨短縮術 1.5年後 X-P 側面像

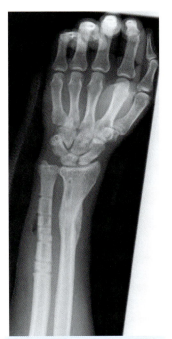

図13 抜釘術後 X-P 正面像 橈骨遠位端骨折に対する髄内釘も抜釘した

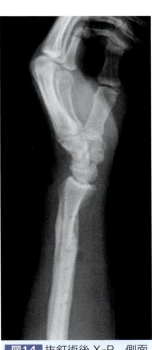

図14 抜釘術後 X-P 側面像

■ 文献
1) 石川淳一．三角線維軟骨複合体損傷，尺骨短縮術．In: 三浪明男編．手・肘の外科: カラーアトラス．東京: 中外医学社; 2007．p.198．
2) Minami A, Kato H. Ulnar shortening for triangular fibrocartilage complex tears associated with ulnar positive variance. J Hand Surg [Am]. 1998; 23: 904-8.

CHAPTER 3: 手関節— Denervation・ガングリオン

57 手関節の Denervation 手術（除神経術）

関節に対する denervation（除神経術）は末梢神経の枝を切離することにより，関節から脳への知覚神経伝導を阻害する手術手技である．この手技により，機能を温存したまま変性疾患に起因する疼痛を減弱することが可能である．

この原則は 1933 年 Camitz により示唆され，Tavernier と Truchet により 1942 年，股関節 OA に対する治療を行い，良好な成績を報告している．他の関節に対する denervation の報告はきわめて少ない．

1966 年 Wilhelm はドイツにおいて手関節に対する除神経術を手関節周囲の神経支配について詳細な解剖学的検討を行い報告した．しかし，これらの研究の基盤は Rüdiger の仕事によるものであることを Wilhelm は記載している．それによれば手関節の神経支配（関節枝）は後骨間神経，橈骨神経の浅枝，前腕の外側，背側，内側皮枝，正中神経の掌側枝，前骨間神経，尺骨神経の背側と深（運動）枝，正中神経の関節枝により支配されていることを示した．

> **Tips コツ**
> 手の重要な知覚と運動神経を損傷することなくこれらの関節枝を切除することが可能である

▶適応

手術の原則的適応は手関節運動が有痛性に制限されている例に対してである．具体的な適応は①一次性手関節変形性関節症（scapholunate advanced collapse: SLAC wrist），②舟状骨偽関節後関節症（scaphoid non-union advanced collapse: SNAC wrist），③舟状骨骨折以外の手根骨の骨折や脱臼骨折，④橈骨遠位端関節内骨折，⑤Kienböck 病などによる変形性手関節症である．これらの疾患による有痛性手関節の治療としては手関節固定術（別項目，参照のこと）以外はないという状況であり，動きを重視し，希望する患者さんには難しい治療法の選択が迫られる．このような場合に，動きを温存し，疼痛を消失・軽減する効果が得られる手関節の denervation 手術は有効な治療法の選択肢の 1 つとなる．

▶術前検査

ブロックテストは除神経術を行う前のきわめて重要な検査であり，本検査により除痛が得られて，初めて術後の効果の可能性が期待できる．術前に局麻剤数 mL を 1 つ 1 つの関節枝の解剖学的位置の皮下に注射し，異った神経枝をブロックすることにより術後成績を決定することが可能となる．この方法は 1958 年 Nyakas により紹介されたが，Wilhelm によりしっかりと整備された．注射後，患者に重労働や同じ作業上の負荷を行ってもらい手関節の疼痛の有無について検査する．

疼痛が神経ブロック後でも続いている場合には，つまり denervation により無痛性運動が得られなければ denervation 手術の効果を期待できないこととなり，他の手術法を選択すべきである．

手関節の知覚を支配する神経はいろいろな部位に多くあるので，いくつかの部位への局麻剤の注射を要する．このブロックテストにより良好な無痛性が得られるために，いくつの神経を切断・切除すべきかという情報を得ることができる．できるだけ少ない数の神経を切断・切除することにより最大限の効果（手関節の無痛性）を得ることを目指すべきである．

に手関節背側と掌側面の関節枝の解剖を示している．

舟状骨偽関節による変性疾患の場合，まず最初に手関節橈背側の後骨間神経，橈骨神経浅枝の第 1 指間への前枝，橈骨神経深枝，橈側掌側の橈側前腕皮神経，正中神経，前骨間神経の 6 本のブロックを行う．これらの注射により疼痛の軽減が得られない場合には尺側背側の尺骨神経背側枝，背側（後）前腕皮神経，Ⅱ-Ⅲ指間，Ⅲ-Ⅳ指間の尺骨神経貫通枝，尺側掌側の尺骨前腕皮神経貫通枝のブロックを行う．これらの神経ブロックを進めていって，その都度，手関節の疼痛の有無および軽減の程度をチェックしてどこまで神経切除をすべきかを決定する．

> **Tips コツ**
> ただ，私の少ない経験ではブロックテストは非常に有効であるが，必ずしも術後成績を反映していない．つまりテストと成績の間に解離があることを認識すべきである．

手術手技は Buck-Gramcko が詳細に報告しており，

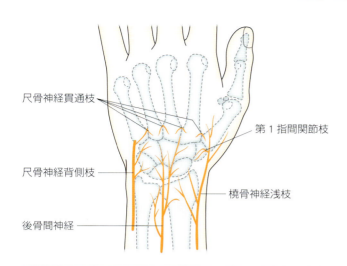

図1 手関節関節枝の解剖（手背側）

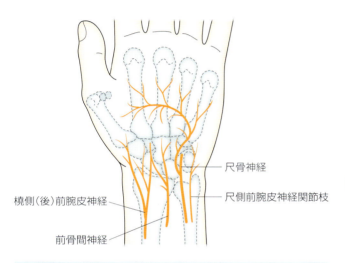

図2 手関節関節枝の解剖（手掌側）

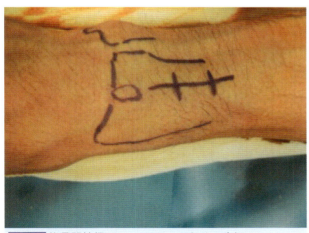

図3 後骨間神経 denervation のための皮切

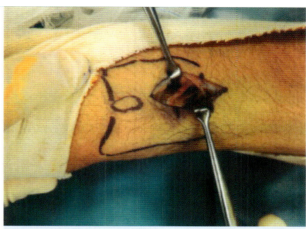

図4 後骨間神経を露出する

3 cm の縦切開を加えて 図3 ，第3と第4区画を触知して第3および第4区画を開放して第3区画を橈側へ第4区画を尺側に翻転すると指伸筋腱が走行している橈骨骨膜上にあるいは骨間膜上を縦に走行する神経と伴走動静脈を同定することが可能である 図4 ．近位では骨間膜上であり，遠位では橈骨骨膜上である．神経をできるだけ近位で長さ2 cm にわたり切除する．この際，術後の出血を考えると神経単独ではなく伴走する後骨間動静脈も一緒に切除することとしている．

> **Tips コツ**
>
> できるだけ近位で神経切除すべき理由として DRJJ への枝も含めて切除した方が有効と考えたからである．

2. **橈骨神経浅枝の第1指間への関節枝**: 第1指間部に 2 cm 長の皮切を加える（ 図5 の "b" の皮切）．同部には太い橈骨動脈が走行しているので保護し関節枝を同定する．第1背側指神経の枝は第1背側中手静脈に伴走しており，これを切除する．

3. **前腕橈側皮神経の固有第1背側指神経の橈側枝**: 手関節掌側の橈側部に尺側凸の4 cm カーブ状皮切を加える（ 図6 の "C" の皮切）．舟状骨結節の少し近位から橈骨橈側近位に走るカーブ状皮切とする．橈骨神経知覚枝を損傷しないように注意する．筋膜を切離後橈骨動脈を約2 cm にわたりいくつかの静脈と前腕橈側皮神経の関節枝を含めて周囲組織から剥離分離する．伴走する静脈を含めて前腕橈側皮神経の関節枝を 1.5 cm 長にわたり切除する．

4. **橈骨神経浅枝からの関節枝**: これらは "c" の皮切（ 図6 の "C" の皮切）を用いて皮膚を筋膜層の上で掌側，橈側そして背側まで広くアンダーマインすることにより切離することとする．

> **Tips コツ**
>
> 掌側から橈側へ，そしてできるだけ背側へ広く筋膜上を剥離剪刃でアンダーマインするのが要領である．この時に橈骨神経浅枝を皮膚に付けて，その下を剥離するようにして損傷しないことが重要である．

これに準拠して行っている．術前のブロックテストの順序も Buck-Gramcko の提唱によっている．

1. **後骨間神経**: Buck-Gramcko は遠位橈尺関節（DRUJ）の背側近位 4-5 cm の部に小さな横皮切を加え第2・第3区画間より後骨間神経に到達するとしているが，私は DRUJ 背側の少し近位で橈骨上に

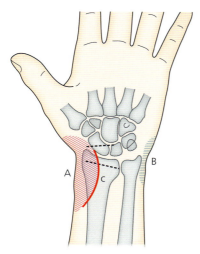

図5 橈骨神経浅枝の第1指間への関節枝切断への皮切（"b"）

図6 前腕橈側皮神経の固有第1背側指神経の橈側枝切断のための皮切（"c"）

5. **正中神経掌側枝**：正中神経掌側枝の細い関節枝（時として前腕橈側皮神経から起こることがある）は橈骨茎状突起と長掌筋腱橈側の間をほぼ横切るように軟部組織を切ることにより切離する（図5, 6の"A"の部分）．

6. **前骨間神経**：前回と同じ皮切（図6の"C"の皮切）で前腕の橈側手根屈筋腱を橈側に指屈筋腱群，正中神経を尺側に翻転して方形回内筋遠位を同定する．方形回内筋の遠位の全組織を前骨間神経の関節枝を含めて橈骨のレベルの下で電気凝固器を用いて神経をカットする．

7と8. **尺骨神経貫通枝**：中手骨部の掌側から背側へ貫通するこれらの細い枝は第2と第3指間の基部に存在しており，同部の短い横皮切を通してアプローチする（図5の"d"の皮切）．伸筋腱を翻転した後，中手骨基部で骨に向かって軟部組織を電気メスで神経をカットする．

9. **尺骨神経背側枝**：尺骨神経からの関節枝，時として尺側前腕皮神経からの関節枝であることもあり，これらを切除することにより除神経を成し遂げることができる．皮切は尺骨頭上のカーブした背尺側皮切（図5の"e"の皮切）を通して手関節の背側と尺側部で皮膚への知覚枝を損傷しないように注意しながら皮下組織の下をアンダーマインすることにより尺骨神経関節枝の連続性を断つ．

10. **後前腕皮神経**：尺骨頭に加えた同様の皮切（図5の"e"の皮切）により，この神経の関節枝を皮膚と手関節の背側の皮下組織をアンダーマインすることにより切離する．

▶後療法

皮膚への知覚枝を損傷しないように十分注意して，丁寧に止血を行った後，皮膚を閉鎖する．弾力包帯を用いて bulky dressing し，10日間装着する．一般的に，術後2-4週で職場復帰させることとしている．

問題点

関節枝を選択的に除神経するので，原則として手指などの知覚は正常に保たれるはずであるが，少し痺れや知覚鈍麻などが生じることが少なくない．

■文献

1) Buck-Gramcko D. Denervation of the wrist joint. J Hand Surg [Am]. 1977; 2: 54-61.
2) Camitz H. Die deformierende Hüft-Gelenksarthritis und speziell ihre Behandlung. Acta Orthop Scand. 1933; 4: 193-213.
3) Fukumoto K, Kojima T, Kinoshita Y, et al. An anatomic study of the innervation of the wrist joint and Wilhelm's technique for denervation. J Hand Surg [Am]. 1993; 18: 484-9.
4) Geldmacher J, Legal H, Brug E. Results of denervation of the wrist and wrist joint by Wilhelm's method. Hand. 1972; 4: 57-9.
5) Ishida O, Tsai TM, Atasoy E. Long-term results of denervation of the wrist joint for chronic wrist pain. J Hand Surg [Br]. 1993; 18: 76-80.
6) 小林昌幸，三浪明男，糸賀英也．変形性手関節症に対する除神経術の成績．日手会誌．1991; 8: 675-9.
7) Meine J, Buck-Gramcko D. Die denervation des handgelenkes: eine gültige alternative? Handchirurgie. 1974; 6: 137-9.
8) Nyakas A. Our new experiences with denervation of the malleolus and tarsal joint. Zentralbl Chir. 1958; 83: 2243-9.
9) Tavernièr L, Trachet P. La section des branches articulaires du neft obturateur dans le traitement de larthritite chronique de la hanche. Rev Orthop. 1942; 28: 62-8.
10) Wilhelm A. Innervation of the joints of the upper extremity. Anat Entwicklungsgesch. 1958; 120: 331-71.
11) Wilhelm A. Die Gelenkdenervation und ihre anatomischen Grundlagen. Ein neues Behandlungsprinzip in der Handchirurgie. Hefte Unfallheilkd. 1966; 86: 1-109.

CHAPTER 3: 手関節― Denervation・ガングリオン

58 手関節に発生したガングリオン切除術

手に発生する腫瘍は圧倒的に軟部腫瘍が多く，その大部分はガングリオンである．ちなみに骨から発生する腫瘍としては内軟骨腫と骨軟骨腫の2つにより大部分が占められている．ガングリオンの発生部位としては手関節背側が圧倒的であり，次いで橈骨動脈近傍の手関節橈掌側，手指屈筋腱腱鞘などが続いている 図1 ．

▶病因

病因は基本的に不明であるが，手背では舟状月状骨間靭帯からの発生が多く，手掌では舟状小菱形骨関節や橈骨舟状骨関節に多いと報告されている 図2 ．病因として諸説があるが，高杉らは素因に局所誘因が働き，関節周囲や腱鞘などに粘液多糖類生成過程の異常が生じる．その結果，正常コラーゲンの合成能が欠如し，粘液多糖類が無定形物質となって間質に放出される．はじめに小腔形成が起こり，これらが合わさって大きな包腫，つまりガングリオンが形成されるという説である．

▶診断

手背などに軟性硬に緊満した腫瘤を触れればガングリ

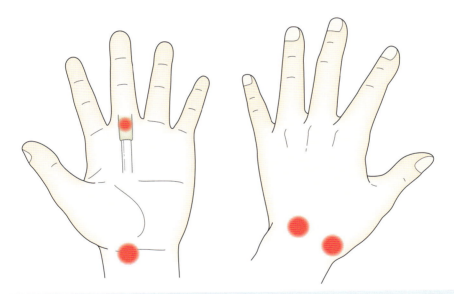

図1 手関節～手指におけるガングリオンの好発部位

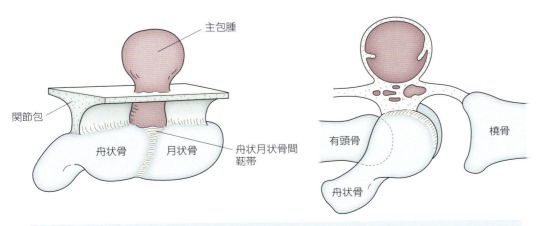

図2 ガングリオンの発生機序

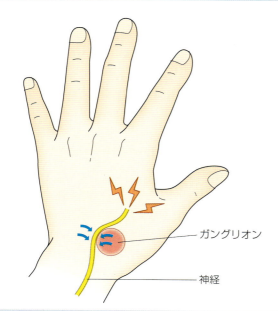

図3 ガングリオンにより後骨間神経が圧迫されている

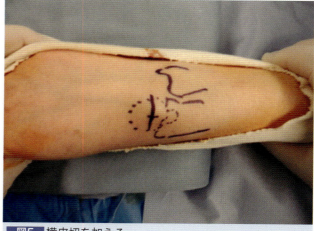

図5 横皮切を加える

> **Tips コツ**
>
> 明らかな外傷がなくまた腫瘤などの存在も認めないが，手関節を背屈すると背側部痛を訴える症例を日常診療で時々経験する．これらの症例に対して超音波検査を行うと小さな occult ganglion が手根骨間靭帯近傍に存在していることがしばしばある．是非，試みていただきたい．

▶手術治療

基本的な手術治療は切除術であるが，手術をするにあたっては患者にいくつかの点について説明し納得してもらう必要がある．

1. 切除術と穿刺吸引での予後に大差がないとの報告もある．
2. 単純切除術では40％，根治的切除術でも5％の再発率が報告されている．
3. 合併症として一般的な手術による合併症に加えて，後骨間神経の断端神経腫，外傷性舟状月状骨間解離などがある．

これらを十分に説明し，手術を行うべきである．

▶ガングリオン切除術

皮切

症例は手関節背側遠位橈側に発生しているガングリオンである 図4．部位および性状などもきわめて典型的である．ガングリオンを中心に横皮切を加える 図5．

展開

皮下の細い神経や縦に走行する静脈を損傷しないようにガングリオンの表面に到達する 図6．玉ねぎの皮を剝くようにガングリオンを近位-遠位，橈側-尺側のできればガングリオンの壁を破らないように剝離をすすめる．典型的な薄い被膜を有したガングリオンが露出する 図7．本症例ではガングリオンの尺側に後骨間神経が存在しており手関節背側で kinking しているようで

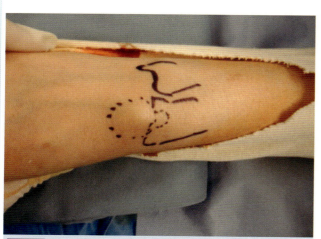

図4 手関節背側に発生した典型的なガングリオン．点線部分がガングリオンである

オンの診断は困難ではない．一般的にはあまり疼痛を訴えることは少なく，手関節運動により突っ張ったような感じを訴えることが多い．痛みとくに手関節を背屈すると痛みを訴える場合には後骨間神経が手関節背屈によりガングリオンで圧迫されて生じているのではないかと考えられる 図3．

診断は超音波およびMRで最終判断が可能である．とくにこれらの検査により興味ある事実が判明している．Lowden らは無症状の volunteers（18-75歳）103 名に対して MR 検査を行ったところ，女性 36 名中 21 名（57％）にガングリオンを認めたというものである．つまり無症状のガングリオン（いわゆる occult ganglion）がいかに多く存在しているかということであり，きわめて興味深い．

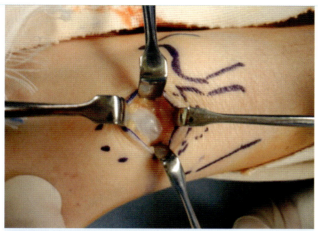

図6 ガングリオン被膜を透見可能である

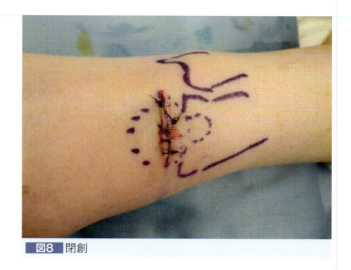

図8 閉創

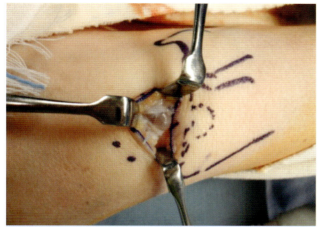

図7 ガングリオンを露出した

あった．1.5 cm 長にわたり denervation（手技については別項目を参照のこと）を行った．伸筋腱はガングリオンと接していたが問題はなかった．

切除
関節包を完全に切除すると舟状月状骨間靭帯を損傷する危険性が高いので，本体のガングリオンと孫ガングリオンなどを含めて被膜を切除することとしている．一塊として切除することは難しいことがあるので piece-by-piece に被膜を丁寧に切除することがコツである．

閉創
ガングリオンの被膜の残存がないことを確認，また関節包が開いて関節内の靭帯などの損傷がないことを確かめて創を洗浄し閉創する 図8 ．

▶後療法
どの程度の深部軟部組織まで切除したかによるが，1週間程度のギプス副子固定を行い，その後は free motion としている．

■ 文献
1) Angelides AC, Wallace PF. The dorsal ganglion of the wrist. J Hand Surg. 1976; 1: 228-35.
2) Dellon AC, Seif SS. Anatomic dissections relating the posterior interosseous nerve to the carpus, and the etiology of dorsal wrist ganglion pain. J Hand Surg. 1978; 3: 326-32.
3) 小林宏人，守田哲郎，伊藤 拓．手の腫瘍-40年間の症例検討-．日手会誌．2002; 19: 776-9.
4) Lowden CM, Attiah M, Garvin G, et al. The prevalence of wrist ganglian in an asymptomatic population: Magnetic resonance evaluation. J Hand Surg [Br]. 2005; 30: 302-6.
5) McEvedy BD. The simple ganglion: a review of the modes of treatment and an explanation of the frequent failures of surgery. Lancet. 1954; 266: 135-6.
6) Ogino T, Minami A, Fukuda K, et al. The dorsal occult ganglion of the wrist and ultrasonography. J Hand Surg [Br]. 1988; 13: 181-3.
7) 高杉 仁．ガングリオン．In: 図説臨床整形外科講座．第5巻．東京: メジカルビュー社; 1982. p.182-5.

CHAPTER 3: 手関節—有鉤骨鉤骨折

59 有鉤骨鉤骨折に対する骨接合術および鉤切除術

有鉤骨鉤骨折はゴルフで地面を叩いたとか，野球のバットなどで小指球部を強くバットなどの柄でぶつけた時に発生することが多い 図1 ．手関節掌尺側で豆状骨を触れて，その遠位橈側の骨隆起が有鉤骨鉤であるが，小指球筋が鉤の表層に厚く存在するので，かなり慎重に触れなければわからない 図2 ．

有鉤骨鉤骨折は診断が難しく，骨折の存在を疑うことが一番重要である．本骨折の存在を疑うことから始め，疑いを持った時点での一般的な手関節正面・側面像 図3,4 では本骨折の診断はきわめて困難であるので，手根管撮影 図5 およびCT撮像 図6 により診断が可能である．

また陳旧例の場合，有鉤骨鉤骨折は基部に発生することが多いが，骨折の存在そのものに気づかず，尺側指の環指・小指の屈筋腱断裂あるいは指神経損傷によるシビレなどを主訴として訴え，初めて有鉤骨鉤部偽関節が存在したことに気づくことが時々見られる．

▶治療法の選択

有鉤骨鉤骨折に対する保存療法はほとんど行われない．少くとも私はギプス固定などの保存療法は行っていない．

どのような手術療法を選択すべきかについても必ずしもコンセンサスは得られていない．つまり，骨接合術を行うか，骨片を切除するかのいずれかである．有鉤骨鉤骨折は先にも記載しているが，基部に発生することが多いので骨癒合は期待できるが，骨片切除による弊害がほとんどないので，切除術が好んで行われる傾向にある．

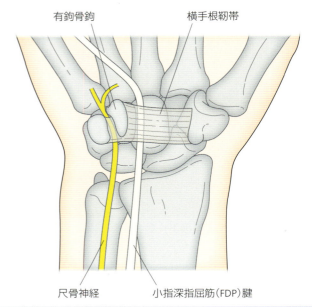

図2 有鉤骨鉤周囲の解剖
内側（手根管側）には小指FDP腱，外側（尺側）には尺骨神経の運動枝がある．有鉤骨鉤には横手根靭帯が付着している．

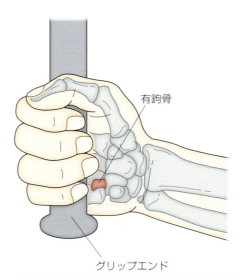

図1 有鉤骨鉤骨折の発生メカニズム
グリップエンドによる小指球への衝撃で有鉤骨鉤が骨折する

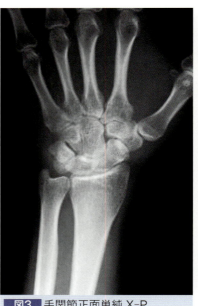

図3 手関節正面単純X-P

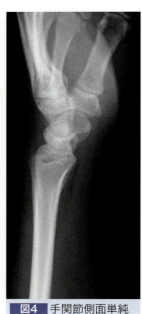

図4 手関節側面単純X-P

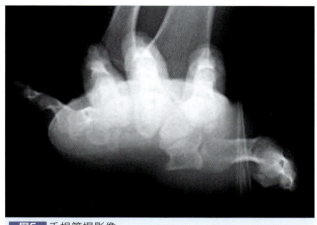

図5 手根管撮影像

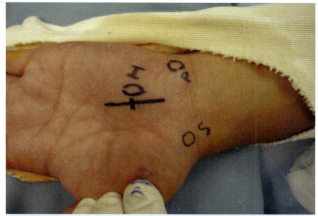

図7 皮切（手根管アプローチとほぼ同様である）
図中，S: 舟状骨結節，P: 豆状骨，H: 有鉤骨鉤

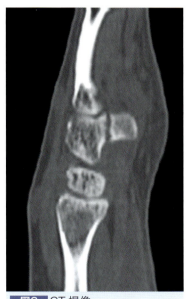

図6 CT撮像

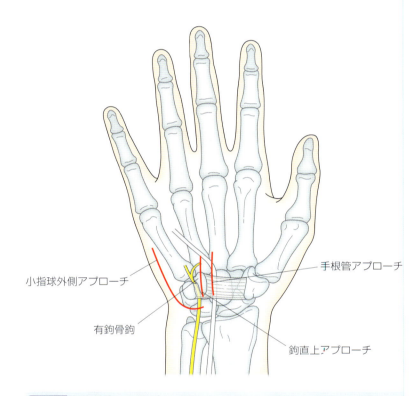

図8 有鉤骨鉤へのアプローチ

▶骨接合術・切除術

皮切

有鉤骨鉤の橈側に，母指球筋の橈側縁に沿う形で手根管開放術と同様に直線状あるいは弧状切開を加える 図7 ．皮切としては 図8 のように3つのものがあるが，本症例では手根管アプローチを用いた．皮下を剥離して手掌腱膜を同じラインで切離する．次いで手根管を開放する 図9 ．有鉤骨鉤を触れ鉤の先端から骨膜下に鉤全体を露出するが，骨接合術を企図する場合は露出するのは有鉤骨鉤先端と橈側面のみとして尺側面の剥離は避けるべきである 図10, 11 ．

> **Tips コツ**
> 有鉤骨鉤の橈側と尺側の両面を剥離すると鉤への血行が悪くなり骨癒合が得られにくくなると危惧される．

骨折部を露出して転位があれば整復するとともに骨折部に軟部組織などが介在していれば，これらを切除して骨折面を合わせる．そしてcannulated headless screwまたは普通のスクリューを有鉤骨の先端から体部の方に刺入固定する．私は本法の経験は少ない．どちらかというと次に記載する骨片切除の方を好んで行っている．

同一皮切で有鉤骨鉤を基部まで骨膜下に橈側のみではなく尺側も完全に露出する．骨片摘出が目的なので骨片を完全に骨膜下に露出しても問題はない．有鉤骨基部の

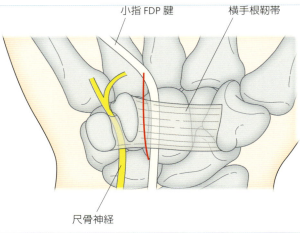

図9 手根管を開放．手根管開放術と同じ皮切で進入する

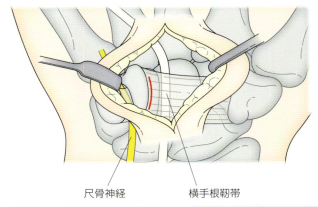

図10 鉤を露出．有鉤骨鉤に付着している部分と横手根靭帯とを骨膜下に剥離する

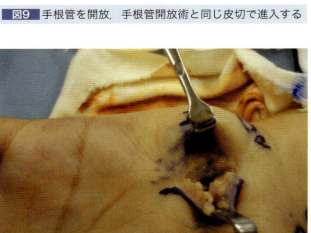

図11 鉤を露出する

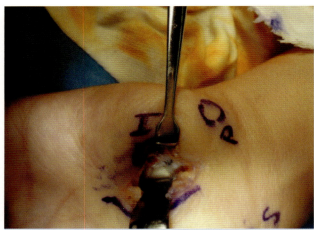

図12 鉤を切除する．屈筋腱が露出している

骨折部の骨棘をリュウエルを用いて切除してヤスリで円滑にして，可及的に骨膜でカバーすることとする 図12 ．

> **Tips コツ**
> この際に鉤の橈側を走行する指屈筋腱および指神経の損傷に留意する．

ここでは小指球部の橈側，つまり手根管アプローチの皮切を用いている．しかし同部は受傷機転からも明らかなように小指球部基部にバットやラケットなどの柄がぶつかり，術後に手術創瘢痕で痛みが生じることがあるので小指球部尺側に皮切を加えて鉤へ到達する方法を発表している報告者もいるが，鉤までの距離が遠いことと重要組織を翻転するなどの困難性があり，私は用いていない 図8 ．

▶後療法

切除術の場合，術後1週間程度，短上肢ギプス副子にて安静とする．骨接合術を行った場合は3週間，短上肢ギプス固定を行い，以後，徐々に運動を負荷する．骨癒合が認められるまではGalveston typeの副子固定を行う．

■文献

1) Carter PR, Eaton RG, Littler JW. Ununited fracture of the hook of the hamate. J Bone Joint Surg［Am］. 1977; 59: 583-8.
2) 藤岡宏幸, 牧野 健, 坂井宏成, 他. 有鉤骨鉤骨折に対する超音波治療と鉤切除術の比較検討. 日手会誌. 2005; 22: 54-7.
3) 加納正雄, 田中寿一, 藤岡宏幸, 他. 有鉤骨鉤骨折の治療経験. 中部日本整災誌. 2010; 53: 1393-4.
4) Minami A, Ogino T, Usui M, et al. Finger tendon rupture secondary to fracture of the hamate. A case report. Acta Orthop Scand. 1985; 56: 96-7.
5) 三浪友輔, 大本浩史, 鈴木克憲. 有鉤骨鉤骨折に続発した小指屈筋腱皮下断裂の2症例. 北海道整・災外. 2011; 120: 117-20.
6) 鈴木克憲, 三浪明男, 岩崎倫政, 他. 有鉤骨鉤骨折の治療成績について. 日手会誌. 1995; 12: 125-8.

CHAPTER 3: 手関節—豆状三角関節障害

60 豆状三角関節障害に対する豆状骨摘出術

　豆状骨は近位手根骨の1つとされているが，尺側手根屈筋（FCU）腱の種子骨であるため，手根骨の中から除外することもある．一方，豆状骨はその背側で三角骨と関節を形成しており，豆状三角関節（pisotriquetral joint）が存在する．豆状骨の骨折・変形治癒・偽関節により三角骨との関節面不適合が発生し，変形性関節症（OA）を招来することがある．豆状骨そのものの骨折はきわめて稀であり，手根骨骨折のなかで1%程度とされている．

　豆状骨骨折の最も多く発生するメカニズムは小指球部への直達外力であるが，豆状三角関節のOAはくり返される外力によって発生するとの報告もある．

　症状としては豆状骨部の圧痛，手関節背屈時痛のほか，尺屈時痛を認める．豆状骨骨折の半数は他の上肢外傷を伴い，どうしても診断が遅れる結果となる．

▶診断

　診断にとって臨床症状・所見はきわめて重要である．その理由は後にも記載するが，手関節の単純X-Pでは診断が非常に困難なことが多いからである．つまり豆状骨上の圧痛およびpisotriquetral ballottment test（豆状骨を三角骨に押しつけて動かすことにより痛みが誘発される）が陽性なことである．その他，痛みによる手関節可動域の制限や握力低下などが存在する．

　前にも記載しているが，手関節の一般的な正面，側面像X-Pで豆状骨骨折や豆状三角関節の異常を把握することは難しい 図1 ．手根管撮影像および前腕を回外位での斜位像など特殊な撮影が豆状骨および豆状三角関節を描出するのに有用である．また，CT撮影は診断に必須と考える 図2 ．

▶鑑別診断

　尺側部痛を訴える疾患すべてが鑑別診断の対象になるが，豆状骨がFCU腱の種子骨であるのでFCU腱腱炎との鑑別が最も重要である．FCU腱腱炎は手関節尺側屈曲して抵抗を加えることにより，また豆状骨近位のFCU腱の腫脹・圧痛などが特徴的であるが，鑑別が困難であることも少なくない．

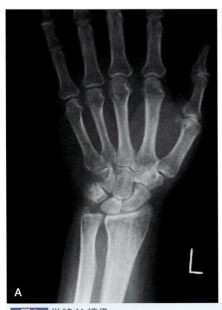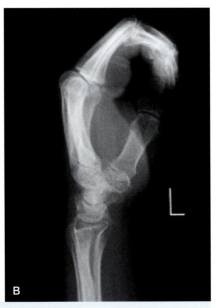

図1 単純X線像
A: 正面像．本例では豆状骨が近位に引っ張られたような像がみえる
B: 側面像．豆状骨の変化（骨折）や豆状三角関節の異常は認めていない

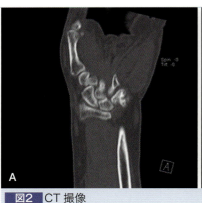
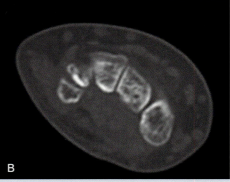
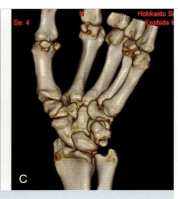

図2 CT撮像
CT撮像では豆状骨が近位1/3部で偽関節に陥っており A ，また豆状三角関節に明らかなOA変化が存在する B ．CT reconstruction像では近位1/3部に陳旧性骨折による偽関節の存在が疑われ，近位骨片が近位に偏位している C ．
A: 冠状断像　B: 横断像　C: CT reconstruction像

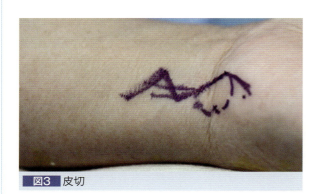

図3 皮切

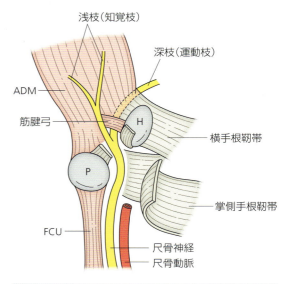

図4 Guyon管を開放（掌側手根靭帯切離）して尺骨神経浅枝・深枝を同定しpisohamate ligamentを切離する．

▶手術治療

皮膚切開

手関節掌側の尺側で豆状骨を触れながらその少し橈側に弯曲した，またはzig-zag皮切を加える．手首皮線より近位はFCU腱のやや橈側に切開を延長する 図3 ．

展開

中枢側でFCU腱の橈側で尺骨神経血管束を同定する．尺骨神経が豆状骨に接して存在しており，そのわずか橈側に尺骨動脈が存在している．これらを損傷しないように慎重に末梢まで剥離してから，これらの神経血管束の下で豆鉤靭帯（pisohamate ligament）を同定・切離してGuyon管を除圧する 図4 ．

> **Tips コツ**
> この操作により術中の神経損傷のリスクを低減させることが可能となり，術後の二次性Guyon管症候群を防止することとなる．

骨折が陳旧性でFCU腱がintactであれば豆状骨の近位から遠位のFCU腱に縦の切開を加え 図5 ，豆状骨をくり抜くようにして豆状骨を切除する 図6,7 ．切開を加えたFCU腱を縫合閉鎖し 図8 ，皮膚縫合し，圧迫包帯固定を行う．

もし，豆状骨の横骨折により骨片間が大きく離開している場合には，FCU腱も同時に損傷されていることが多いので，二分している豆状骨を摘出し，FCU腱を修復する．

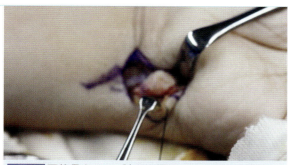
図5 豆状骨を FCU 腱を切開して subperiosteal にくり抜くように露出する．

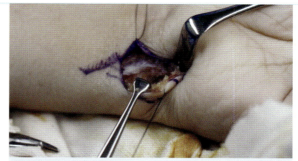
図6 豆状骨を切除する．

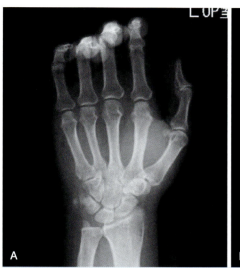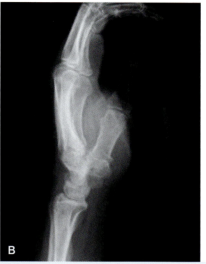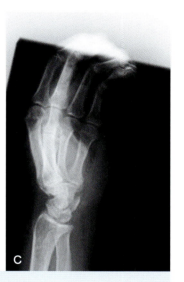
図7 術後 X-P
A: 正面像　B: 側面像　C: 斜位像

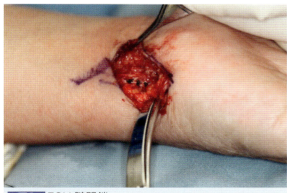
図8 FCU 腱閉鎖

■文献

1) 大西信樹．尺骨神経管（ギオン管）症候群．In: 三浪明男編．手・肘の外科: カラーアトラス．東京: 中外医学社; 2007: p.379-81.
2) 三浪明男．Guyon 管（尺骨神経）症候群に対する手術．In: 三浪明男著．手の外科—私のアプローチ．1版．東京: 中外医学社; 2016: p.468-71.
3) Minami M, Yamazaki J, Ishii S. Isolated dislocation of the pisiform: a case report and review of the literature. J Hand Surg [Am]. 1984; 9A: 125-7.
4) Palmieri TJ. Pisiform area pain treatment by pisiform excision. J Hand Surg [Am]. 1982; 7A: 477-80.

▶術後療法

　FCU 腱が機能的に問題がなく，痛みがそれほどでもなければ運動制限は不要であり，直ちに運動を許可する．
　二分された豆状骨を切除した場合には，腱修復が行われるので，腱修復を妨げないように手関節を軽度屈曲・尺屈位にて外固定を行い，術後 3-4 週から手関節の運動を開始する．

CHAPTER 3: 手関節— DRUJ

61 遠位橈尺関節障害に対する診断手順

遠位橈尺関節（distal radioulnar joint: DRUJ）は橈骨手根関節，尺骨手根骨間裂隙（最近は尺骨手根関節とも呼称されるようになってきた）とともに狭義の手関節を構成している重要な関節である．そのほか，手根骨間関節，手根中央関節，手根中手関節などを含めて広義の手関節となる．DRUJ は手関節の掌背屈運動にも関係するが，主に前腕の回旋（回内・回外）運動に強く関係している．

▶機能解剖

橈骨の尺側縁に存在するS状切痕と尺骨頭がDRUJを形成している．他の関節と大きく異なっている点は，DRUJを構成しているS状切痕と尺骨頭の関節軟骨の曲率が大きく違うことである．

オピニオン
このことは肩関節の肩甲骨関節窩と上腕骨骨頭との関係にきわめて類似しており，これら2つの関節とも骨性制動が弱く，周囲の軟部組織により関節支持性がもたらされるという事実ゆえにいずれも脱臼が生じやすいことに通じていると考えられる．

橈骨のS状切痕は曲率15 mm，中心角は約70-80°程度である．対する尺骨頭の曲率は10 mm，中心角は約160°であり，尺側の一部以外はほとんど関節軟骨により被覆されている 図1．前腕の回旋により回内で尺骨頭は背側に translation し，回外により尺骨頭は掌側に translation する．また後ほど記載するが，回内により尺骨頭は遠位に移動し，回外により尺骨頭は近位に移動する．ここで尺骨頭が移動していると表現しているが，肘関節においては上腕骨と尺骨肘頭は蝶番関節 bicondylar joint として機能しており，尺骨頭に対して橈骨遠位端が動いており，橈骨が移動すると表現すべきであるが DRUJ では尺骨頭が遊離骨となっているので，尺骨が移動すると表現するのが慣例となっている．

DRUJの形状，つまり橈骨S状切痕の傾きにより背側傾斜型や垂直型に分けることができる．これにより DRUJ の変形性関節症（OA）が発生しやすい，あるいは尺骨短縮術を行う際のOA発症と関係するなどの報告も散見される．橈骨S状切痕と尺骨骨軸とのなす角度は平均20°であり，尺骨頭のS状切痕への関節面の長さは

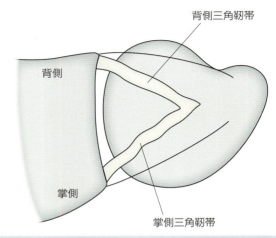

図1 DRUJ（S状切痕と尺骨頭）の曲率半径と中心角

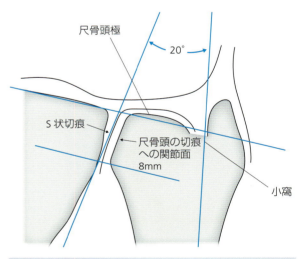

図2 DRUJ の構造

平均8 mm である 図2．

DRUJ は前記したように前腕回旋により，尺骨頭が橈骨との関係で移動するが，これは近位橈尺関節と前腕の間に張っている骨間膜が大きく関与していることはいうまでもない．これらについては後ほど記載する．

前記しているが，DRUJ は橈骨と尺骨間の骨性関節による制動が強くないゆえに関節の安定性には DRUJ を構成している軟部組織が極めて重要な役割を演じている．その中で最も重要な役割，つまり DRUJ の安定性に最も重要な役割を演じているのは三角線維軟骨複合体（triangular fibrocartilage complex: TFCC）である

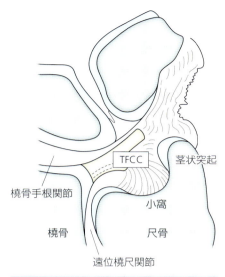

図3 TFCC構造

（別項目，参照のこと）．TFCCの本体であるTFC properは橈骨S状突起から起始して尺骨小窩およびメニスカス類似体（meniscus homologue）や尺側側副靱帯に停止している．TFC properは深層と浅層に分けることができ，深層の大部分は尺骨頭小窩に付着しており，浅層の多くはメニスカス類似体や尺側側副靱帯に停止している 図3 ．生体力学的研究により深層成分が最もDRUJの安定性に寄与しており，臨床的にもきわめて重要である．つまりDRUJの安定性を再建するためにはこのTFC properの深層を再建する必要があるということとなる．

DRUJは前腕の回旋にきわめて重要な役割を演じている．当然のことであるが，橈骨と尺骨に骨性癒合，多くは先天性橈尺骨癒合症，が存在すると前腕の回旋運動は完全に制限される．

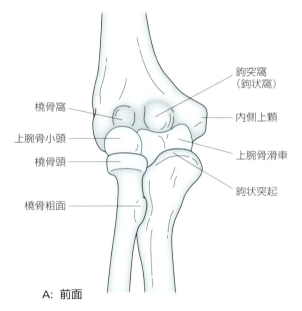

A: 前面

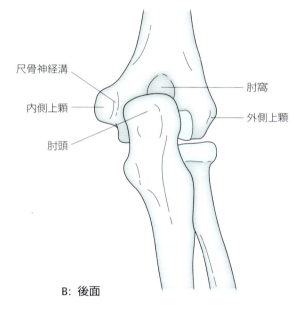

B: 後面

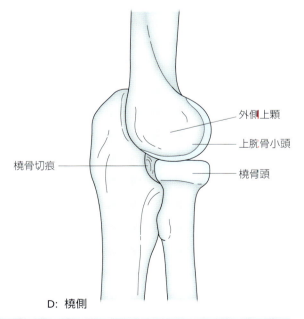

C: 尺側　　　　　　　　　　D: 橈側

図4 PRUJの骨格構造

> **Tips コツ**
> ただし，手関節に回旋運動の代償機能が存在しているので外見上，前腕の回旋運動が可能となっているように見える（先天性橈尺骨癒合症の項目を参照のこと）．

　回旋にはDRUJのみではなく，近位橈尺関節（proximal radioulnar joint: PRUJ）の形態および骨間膜が大きく影響する．PRUJは尺骨近位の橈骨切痕と橈骨頭が関節を形成している 図4 ．橈骨頭は橈骨切痕との関節形成のために全周にわたって関節軟骨により覆われている．また近位は一定の凹みを有しており，上腕骨小頭と一定の間隙をもって関節を形成している．したがって，PRUJおよび腕橈関節に変形性関節症（OA）や骨腫瘍などが発生し関節の不適合が存在している場合には当然，前腕の回旋障害が発生することとなる．

　肘関節はPRUJのほか，腕尺関節（上腕骨滑車と尺骨滑車切痕が関節を形成している）と腕橈関節（上腕骨小頭と橈骨頭が関節を形成している）の3つの関節により構成されている 図4 ．上腕骨小頭と橈骨頭の関節面では，手を着いて体を支えるとか野球などの投球動作によるfollow-throw期など特別な動作以外は荷重はかからないと考えられている．

　前腕の回旋軸は橈骨頭の中心と尺骨茎状突起基部を結ぶ線を通り，橈骨や尺骨の長軸とは一致しない．

　前腕運動で最近注目されている構造物は骨間膜である 図5 ．最近，多くの研究がなされている．骨間膜の役割は橈骨，尺骨の関係を安定化し，前腕回旋運動で橈尺間を一定に保ち，力の伝達として機能することである．普通3つの部分，つまりdistal membraneous portionとmiddle ligamentous complex, proximal membraneous portionに分けることができる．Middle portionはいくつかの靱帯の複合体であり，さらにcentral bandとこのcentral bandの近位と遠位に存在するannular (or anterior) bandに分けることが可能である．Middle portionの両側（近位と遠位のmembraneous portion）に骨間動脈の穿孔が認められる．Dorsal oblique bandはdistal membraneous portion内に存在しており，proximal oblique cordは前腕の前方部分上に存在しており，dorsal oblique accessory cordはproximal membraneous portion内のposterior side上に存在している．

　Essex-Lopresti骨折（尺骨頭長軸脱臼＋骨間膜断裂＝acute longitudinal radioulnar dissociation: ALRUD）（別項目を参照のこと）に代表される前腕のlongitudinal injuryにおいて橈骨と尺骨両骨の長さを保持する目的で骨間膜の修復あるいは再建術の重要性が指摘され，bone-ligament-boneを用いた具体的な再建術についても報告されているところである．

　骨間膜のほかの軟部組織としてのDRUJの安定性に寄与しているものは，方形回内筋，伸筋支帯，関節包な

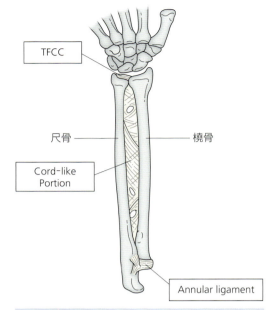

図5 骨間膜の構造

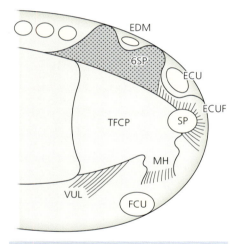

図6 手関節尺側の支持機構

どがあるが，これらの安定性に対する貢献度は骨性支持性やTFCCと比べるとそれほど大きなものではない 図6 ．

▶病態

　DRUJにおける疾患としては橈骨S状切痕と尺骨頭間の不適合によるものに加えて，尺骨バリアンスがプラスであったり，マイナスであったりするものに大きく2つに分けることができると考える．

DRUJ疾患
Ⅰ．新鮮骨折
　A．橈骨S状切痕部に及ぶ骨折
　　1．Barton骨折
　　2．橈骨遠位骨幹端部粉砕骨折（Frykman分類Ⅴ～Ⅷ型）

3．橈骨遠位骨端部骨折または分離
B．軟骨骨折を含む尺側関節表面骨折
C．尺骨茎状突起骨折
単独または橈骨遠位端骨折と合併したもの
Ⅱ．新鮮関節損傷
A．脱臼を伴った TFCC 損傷あるいは骨折または他の脱臼を伴った不安定性
1．橈骨骨端部骨折離解
2．Moore 骨折（DRUJ 損傷を伴った Colles 骨折）
3．橈骨骨幹部または骨幹端部骨折（Darrach 骨折，Galeazzi-Hughston 骨折，Milch 骨折，Smith 骨折）
4．橈骨頭骨折（Essex-Lopresti 骨折）
5．尺骨単独骨折
6．橈骨と尺骨の合併骨折
7．外傷性または小児近位橈尺関節脱臼
8．橈骨手根関節脱臼
9．Monteggia 損傷（近位橈尺関節脱臼を伴った尺骨骨折）
B．不安定性を伴った単独 TFCC 損傷
C．不安定性を伴わない単独 TFCC 損傷
Ⅲ．X 線学的に関節症を伴わない陳旧性あるいは晩期関節損傷
A．不安定性を伴わない単独 TFC 損傷
B．反復性脱臼または不安定性を伴った TFCC 損傷
1．単独
2．骨幹部変形を伴う
Ⅳ．関節障害
A．尺骨（手根）突き上げ症候群─橈骨に対して尺骨がプラスバリアンスを示す
1．外傷性または成熟前手関節固定による橈骨骨端線の成長前閉鎖
2．外傷，腫瘍または感染による橈骨あるいは尺骨骨幹部の再建
B．変形性関節症，外傷後関節症，不安定性が存在したり，存在していない関節軟骨軟化症
Ⅴ．他の障害
A．尺側手根伸筋腱の弾発または脱臼
B．固定した回旋変形
などがある．

▶ 診断

Ⅰ．症状
A．DRUJ を中心とした疼痛
B．可動域制限
前腕回旋可動域制限
正常可動域は回内 80°，回外 90°であるが回内外それぞれ 50°以上であれば ADL 上の disability はほとんど存在していない．
C．握力低下

Ⅱ．理学所見
A．視診
DRUJ 疾患の特徴的な所見として尺骨頭の突出あるいは陥凹を認めることが多い．とくに尺骨頭が肥大化して背側に突出していることが多い．また DRUJ を中心に腫脹を認めることも少なくない．

B．圧痛
手関節疾患を理解する上で重要なことは手関節のランドマーク（陸標）を十分に知っておくべきことである（別項目も参照のこと）．手関節の両側罹患例では叶わないが，一方の健側と患側で圧痛点を比較することにより障害部位の特定が可能となる．

手関節掌側では橈側に存在している舟状骨結節に対して尺側の骨隆起として豆状骨が存在している．豆状骨は手根骨の一つであるが，尺側手根屈筋（FCU）腱の種子骨であり手根骨としていない報告が多い．豆状骨の FCU 腱を近位に触れる．FCU 腱の橈側には尺骨動静脈と尺骨神経が走行しており，遠位にいくと尺骨神経管（Guyon 管）の中を走行している．尺骨神経が圧迫されていると Guyon 管症候群（別項目，参照のこと）が発症しており，動脈系が圧迫されると hypothenar hammer syndrome を発症する．豆状骨遠位には有鈎骨鈎を触れる．この部の骨折は単純 X-P では診断は困難であり，臨床的に圧痛が存在することにより診断が可能となり手根管撮影（軸射）や CT により最終診断が可能となる（別項目，参照のこと）．

手関節背側には橈骨遠位端の Lister 結節を触れる．尺側に移動すると DRUJ の裂隙を背側から触れ，その後，尺側方向へ尺骨頭さらに尺骨茎状突起を触れる．尺骨茎状突起の橈側には尺側手根伸筋（ECU）腱が存在しており，ECU 腱が前腕の回旋により亜脱臼・脱臼を起こすことも知られている．

C．徒手検査
1．FCU 腱，ECU 腱炎
抵抗運動による痛みが存在する．
2．Pisotriquetral grind test　図7
豆状骨を検者の母指と示指で摘まんで三角骨に押さえ込むように橈尺方向に動かすと痛みを訴える．豆状骨の骨折のほか豆状三角骨関節の OA に特徴的な所見である．
3．Piano key test　図8
関節リウマチ（RA）などでは陽性に出現することが多い．また正常手関節であっても，本徴候はかなりの頻度で陽性を示す．とくに若い女性では高率に陽性である．したがって，尺骨頭の不安定性を理学的に捉えることはそれほど容易ではない．前腕を最大回外位として尺骨頭が掌背方向にわずかでも掌背方向に不安定性を有している場合に

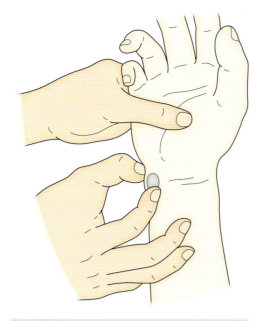

図7 Pisotriquetral grind test

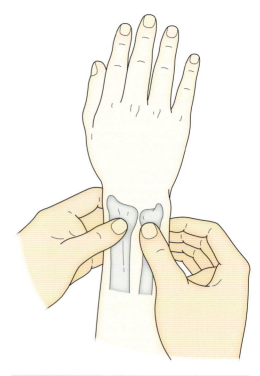

図9 Distal radioulnar ballottement test

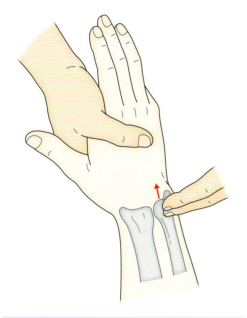

図8 Piano key test

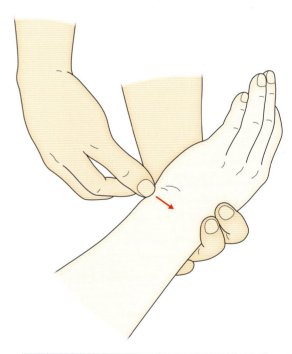

図10 Pisiform boot test

は，尺骨頭の不安定性が存在していると考えている．研究者によってpiano key testの評価方法や意味については必ずしもコンセンサスは得られていない．

4．Distal radioulnar joint ballottement test 図9

前腕を最大回内・回外位として検者の両手の母指と示指でそれぞれ橈骨遠位端と尺骨頭を保持して，尺骨頭を掌背側に移動して尺骨頭の不安定性と疼痛の有無をチェックするものである．Piano key signよりはsensitivityが高いと考えられ，DRUJにOAがある場合には痛みを訴えることと

なる．

5．Pisiform boot test 図10

豆状骨を掌側から三角骨に対して圧するように操作する手技である．豆状三角骨関節のOAの診断に有用である．

6．Compression-translation test 図11

両手で橈骨の橈側と尺骨の尺側を圧排して，DRUJに圧迫を加えると痛みを訴えるものであ

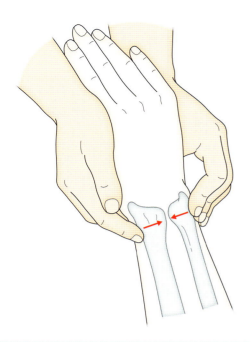

図11 Compression-translation test

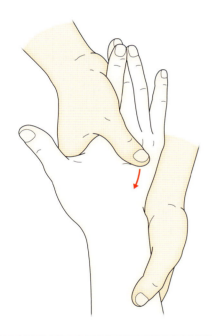

図12 Ulnar grind test, Ulnocarpal stress test

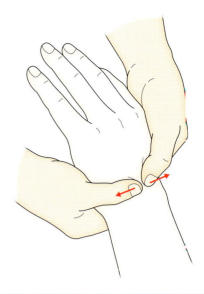

図13 Lunotriquetral ballottement test

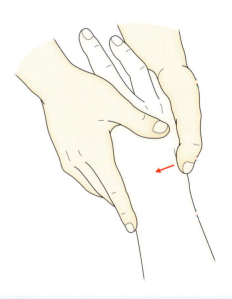

図14 Lunotriquetral shear test

る．DRUJ に OA が存在している場合には陽性となることが多い．

7．Ulnar grind test, Ulnocarpal stress test 図12

尺骨突き上げ症候群および TFCC 損傷などで陽性となることが多い．検者の一方の手で前腕遠位を保持して手関節を強く尺屈させると尺側部痛を訴える検査であり，臨床的な有用性はきわめて高い．前腕の肢位を最大回内位・最大回外位の2つの肢位で行う必要があるが，多くは回外位で陽性

となる．

8．Lunotriquetral ballottement test 図13

月状骨と三角背側をそれぞれの母指で摘み，掌背側に移動することにより症状が発生するかどうかを見る検査である．月状三角骨間靭帯損傷あるいは月状骨三角骨間解離で陽性となる．

9．Lunotriquetral shear test 図14 ，Lunotriquetral shuck test 図15

Lunotriquetral shear test は尺骨頭の遠位で三角骨を橈側に圧する検査で Lunotriquetral chuck test は手関節を橈屈して月状三角骨間靭帯にストレスを加える手技である．

10．Triquetrohamate shear test

三角骨を押して有鈎骨に対して圧迫および grind される検査で同関節の OA に特異的である．極め

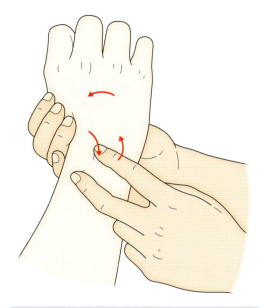

図15 Lunotriquetral shuck test

てまれであるが三角有鉤骨間OAに対して有用な検査である．

▶画像診断

単純X線撮像
DRUJにOAが存在している場合や尺骨突き上げ症候群でのX-Pの有用性は高い．またTFCC損傷により尺骨頭に不安定性が存在する場合，正面像で橈骨・尺骨間に空隙があったり，側面像で尺骨頭が背側に亜脱臼していることがある．

関節造影
手関節造影はTFCC損傷の診断にとって外来で施行可能な重要な検査手段である．典型的なTFCC断裂の関節造影所見はDRUJ内に注入した造影剤が橈骨手根関節へと漏出して橈骨手根関節とDRUJ間に造影剤の交通を認める．TFCC損傷が存在しているにもかかわらず橈骨手根関節への造影剤の漏出が20~30%程度に陰性となること，つまりfalse negativeとなることがあるので注意する必要がある．これを防止する目的でDRUJに加えて橈骨手根関節，手根中央関節に造影剤を順次注入するthree phase injection techniqueの重要性を提唱している手の外科医もいる．

CT
DRUJのOAの程度，尺骨突き上げ症候群，尺骨頭（亜）脱臼の診断に有用である．

骨シンチグラフィー
手関節尺側部痛を訴えるが，病変の局在およびその部位について推察する際に有用である．尺骨突き上げ症候群においては尺骨骨幹端部から骨頭まで瀰慢性に取り込み（uptake）を認めるとの報告もある．

MR
尺骨突き上げ症候群の診断に有用である．ときに最近ではhigh resolution MRによってTFCC断裂の診断率も高まっている．しかし，まだ肩腱板断裂ほどの診断的価値に比べると低い．

内視鏡視下診断
別項目を参照して貰いたい．

■ 文献
1) Berger RA. The anatomy of the ligaments of the wrist and distal radioulnar joints. Clin Orthop Relat Res. 2001; 383: 32-40.
2) Boulas HJ, Milek MA. Ulnar shortening for tears of the triangular fibrocartlaginous complex. J Hand Surg［Am］. 1991; 16: 415-20.
3) Bowers WH. The distal radioulnar joint, Operative Hand Surgery, 3rd ed. New York: Churchill Livingstone; 1993. p.973-1019.
4) Gupta R, Allaire RB, Fornalski S, et al. Kinematic analysis of the distal radioulnar joint after a simulated progressive ulnar-sided wrist injury. J Hand Surg［Am］. 2002; 841-4.
5) 牧裕，吉津孝衛，田島達也，他．遠位橈尺関節の形状について．日手会誌．1995; 12: 14-7.
6) Minami A, Kato H. Ulnar shortening for triangular fibrocartilage complex tears associated with ulnar positive variance. J Hand Surg［Am］. 1998; 23: 904-8.
7) 三浪明男．遠位橈尺関節障害．In: 三浪明男編．手・肘の外科: カラーアトラス．東京: 中外医学社; 2007．p.142-60.
8) 水関隆也．遠位橈尺関節障害とADL障害．骨・関節・靱帯．1996; 9: 105-11.
9) Shinoya K, Nakamura R, Imaeda T, et al. Arthrography is superior to magnetic resonance imaging for diagnosing injuries of the triangular fibrocartilage. J Hand Surg［Br］. 1998; 23: 402-5.

CHAPTER 3: 手関節― DRUJ

62　Sauvé-Kapandji 手術

▶手術手技

　RA手関節に対する手術治療体系の項目で記載したが，Sauvé-Kapandji 手術は手関節の尺側支持性を獲得する目的で行う手術であり，遠位橈尺関節（DRUJ）の支持性の付与で重要な三角線維軟骨複合体（TFCC）の機能が破綻しており，かつ再建できない場合が適応と考えている．RA手関節の進行例（手術を行うような例）ではほとんどの例でTFCC機能は破綻していることから，滑膜切除術に合併して行うDRUJ形成術はhemi-resection-interposition arthroplasty（別項目を参照のこと）と比べて本手術が適応となることが多い．またDRUJ変形性関節症や尺骨突き上げ症候群などにも最近好んで行われている．

▶手術

　Sauvé-Kapandji 単独手術例を想定して手術術式を記載する．

皮切

　尺骨頭部でわずかに橈側にカーブするように尺骨骨幹遠位背側部から尺骨頭遠位1 cmにゆるい"S"字状皮切を加える　図1．皮下を伸筋支帯上に皮下脂肪および尺骨神経背側枝，皮下静脈を含めて翻転する．これにより伸筋支帯が露出する　図2．

> **Tips　コツ**
> 伸筋支帯上で皮膚，皮下脂肪および神経・血管を含めて弁状に翻転することにより尺骨神経背側枝や尺側皮静脈への損傷を抑えることが可能である．

　DRUJ部で小指固有伸筋（EDM）腱を同定し，第5区画を開放してEDM腱を近位・遠位まで十分に剝離する．これにペンローズドレーンを掛けて橈側に翻転する　図3．図4はEDM腱腱床を示している．
　EDM腱腱床をDRUJ関節上で剝離して腱床を尺側に翻転するとDRUJ関節包が露出する　図5．DRUJの背側関節包の橈骨S状切痕部に縦切開を加える．OA患者においてはDRUJの背側関節包はしっかりしているがRA手関節の多くは尺骨遠位端が関節包を突き破っていることがあるので，その場合はこの断裂部を利用して縦切開を加える．DRUJの関節包の遠位は尺骨手根関節

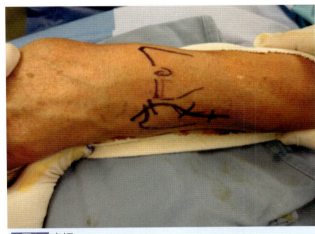

図1　皮切

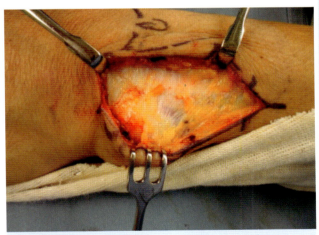

図2　伸筋支帯を露出する

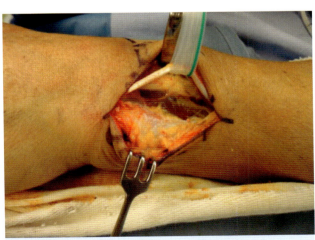

図3　EDM腱を橈側に翻転する

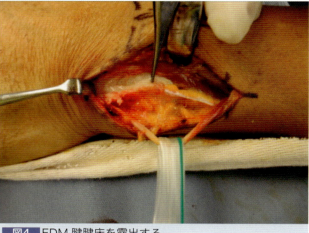
図4　EDM 腱腱床を露出する

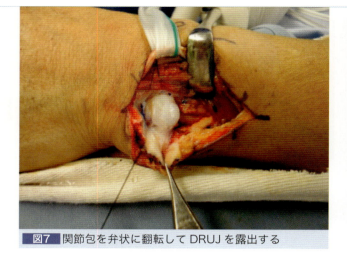
図7　関節包を弁状に翻転して DRUJ を露出する

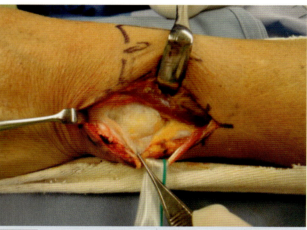
図5　DRUJ 関節包を露出する

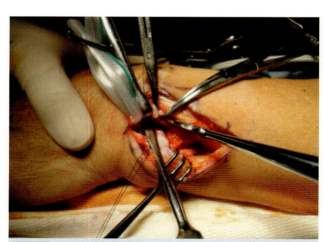
図8　橈骨S状切痕掌側にエレバトリウムを挿入し保護する

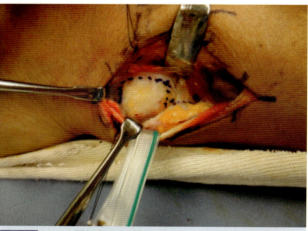
図6　DRUJ 関節包を切離する

の直上と近位は裂隙から 2 cm まで横切開を加え尺側を基部として弁状に関節包を翻転して 図6 DRUJ を露出する 図7 ．DRUJ 内の TFCC の状態を確認する．多くの場合 TFCC は摩耗して存在していない．

> **Tips コツ**
> この時に関節包を尺側に翻転して DRUJ を観察するとともに尺骨頭遠位に存在する TFCC が存在せず機能していないことを最終的に確認し，Sauvé-Kapandji 法を行うことと決定する．

尺骨の骨切りを術前に橈骨S状切痕とそれに対応させるために尺骨の橈側面の関節軟骨と皮質骨をノミ，リューエル，鋭匙，電動エアトームなどを用いて切除し海綿骨を露出する．私はノミを用いるのを好んで行っているが，この際ノミが掌側に入って屈筋腱・神経などを損傷する危険があるので，エレバトリウムを橈骨S状切痕掌側および尺骨頭掌側に挿入して保護することに努める 図8 ．

尺骨のバリアンスによるが，尺骨骨切りに際して以下の点に留意する 図9 ．①基本的に作製する尺骨偽関節部の間隙を 8-10 mm とするように骨切りを行うこと，②橈骨S状切痕部に骨接合する尺骨遠位骨片の長さはできるだけ短くすること，決まった長さはないが 1-1.5 cm 長として 2 cm を超えないこととすること，③橈骨S状切痕と尺骨遠位骨片間に挿入するために切除した尺骨を円柱状とした骨片を 5 mm 長に採型することとする 図10 ．

ここで，切除した尺骨を 5 mm 幅に形成しS状切痕と尺骨頭間に挿入して骨把持器で保持して，まず遠位に直径 1.5 mm の K 鋼線を刺入する 図11 ．この際，尺骨のバリアンスが "0" となるように調整し，かつ K 鋼線の刺入点は ECU 腱の掌側の尺骨（側面となる）とすることが重要である．ECU 腱の掌側の骨膜をメスで最小

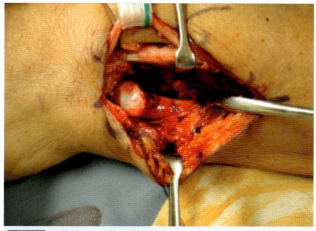

図9 尺骨骨切り線を作図する

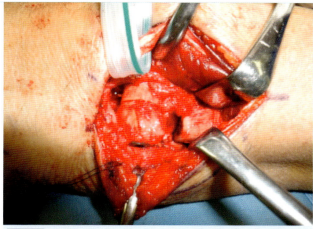

図11 K鋼線を刺入して固定する（本文参照）

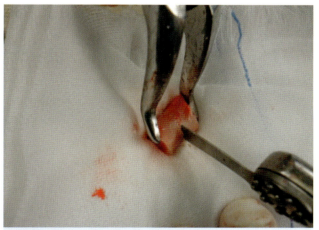

図10 切除した尺骨を採型する

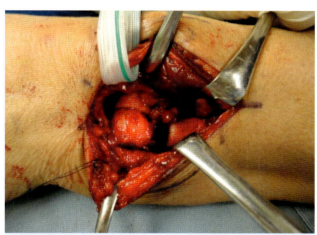

図12 スクリューを刺入して固定性を強化する

限切離して骨皮質を露出してK鋼線を刺入することとしている．

Tips コツ

この操作はきわめて重要であり，これによって尺骨遠位骨片の血流を保ち骨癒合を促進することとなっていると考えている．後でも述べるが，私はSauvé-Kapandji手術後，ほとんど外固定をしていないが，偽関節に陥った例を経験していない．

K鋼線刺入後，その少し近位の尺骨遠位骨片にcannulated screwのガイドワイヤーを刺入して長さを測定する．これらK鋼線，スクリューのガイドワイヤー刺入の時にはX線透視下に行うこととする 図12．

落とし穴

1例であるがK鋼線の先端が橈骨橈側骨皮質を貫き，短橈側手根伸筋腱にfrayingを起こした例があったので注意する．

適切な長さのcannulated screwを刺入する．K鋼線の先をペンチで切断し弯曲し，スクリューともに骨皮質中に叩き込むように埋没させることとしており，術後の鋼線先端によるトラブルを避けることが可能となると考えている．

次いで尺骨偽関節部の近位および遠位端の骨端部の角をリューエルおよびヤスリなどを用いて円滑とする．

ここでDarrach手術の遠位端と同様にECU腱の半切腱を用いた安定化術を行う．つまり尺骨近位端から1.5-2.0 cmの部の尺骨背側骨皮質に直径2.8-3.5 mmのドリルを用いて骨孔を作成する．ECU腱部分を偽関節部を中心に剥離し，近位骨片の遠位断端の2 cm位の部位で，ECU腱の橈側半分を中枢を基部にして半切腱としたものを尺骨骨孔を通して尺骨骨髄腔内を通して遠位に出して元来のECU腱の中にテンドンパッサーを用いて編み込み縫合を3, 4回行う 図13．ECU腱をできるだけ遠位に引いて緊張が強い状態で強固に編み込み縫合を行うこととしている．

Tips コツ

本法は長期経過観察を行っても尺骨遠位端の安定性獲得に良好な長期成績が得られていることが判明している．

さらなる尺骨近位端の安定化を図る意味と，偽関節部の再骨癒合を防止する意味で尺骨骨切りを行う際に掌側に付着していた円回内筋を尺骨近位端背側の骨膜に縫合する 図14．

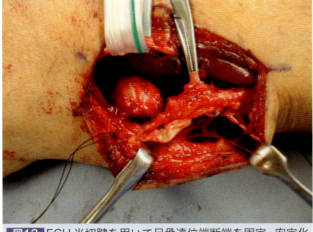

図13 ECU半切腱を用いて尺骨遠位端断端を固定・安定化する

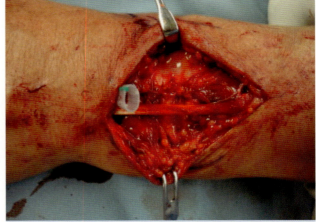

図15 関節包および伸筋支帯を縫合閉鎖する

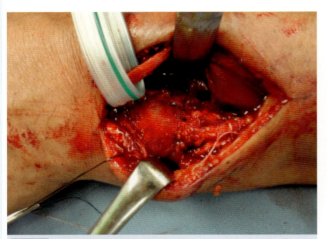

図14 円回内筋を偽関節部に分在する

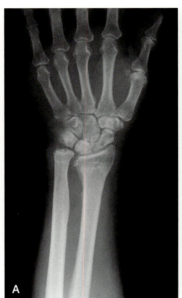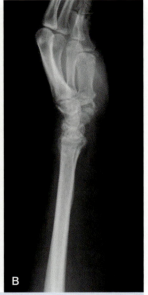

図16 症例1．術前X-P
A: 正面像　B: 側面像

Tips コツ

この操作のためかどうかは明らかではないが，人工的尺骨偽関節部での骨切り（骨切除）部の再癒合は認めていない．

閉創

DRUJ部で尺側を基部として翻転した関節包を縫合してDRUJ部を被覆する．さらに尺骨遠位端部の骨膜を可及的に縫合閉鎖する．その後の関節包閉鎖は翻転した関節包を必ずしっかりと縫合する．EDM腱は伸筋支帯から外して縫合閉鎖することが多い 図15．

▶後療法

本文中にも記載したが，短上肢ギプスシーネによる外固定は2週程度であり，その後，重労働や重量物を持ち上げるなど以外のADL上の使用は許可し，自動運動および愛護的他動運動を行う．骨癒合が得られたらさらに運動の負荷を強くしていくこととする．

症例1　56歳，男性．尺骨突き上げ症候群．
図16　術前X-P
図17　Sauvé-Kapandji手術　術直後X-P

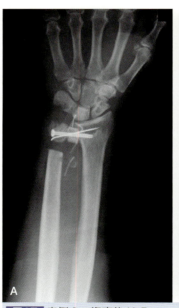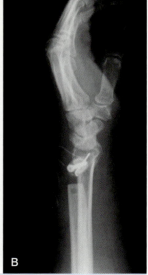

図17 症例1．術直後X-P
A: 正面像　B: 側面像

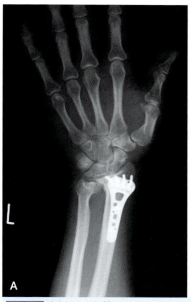
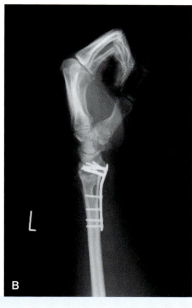

図18 症例2．術前 X-P
A: 正面像　B: 側面像

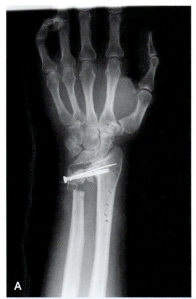
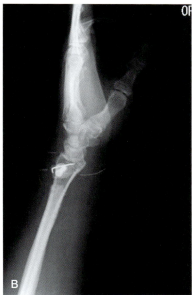

図19 症例2．術後 X-P
A: 正面像　B: 側面像

症例2 51歳，男性．DRUJ変形性関節症．DRUJ滑膜性骨軟骨腫症が存在しており，Sauvé-Kapandji手術前に橈骨遠位端骨折に対して骨接合術を行っている．

図18 術前 X-P
図19 術後 X-P（抜釘術と同時に行った）

■文献

1) Kapandji IA. The Kapandji-Sauvé operation. Its techniques and indications in non rheumatoid diseases. Ann Chir Main. 1986; 5: 181-93.
2) Minami A, Ogino T, Minami M. Treatment of distal radioulnar disorders. J Hand Surg [Am]. 1987; 12A: 189-96.
3) Minami A, Suzuki K, Suenaga N, et al. The Sauvé-Kapandji procedure for osteoarthritis of the distal radioulnar joint. J Hand Surg [Am]. 1995; 20: 602-8.
4) Minami A, Kato H, Iwasaki N. Modification of the Sauvé-Kapandji procedure with extensor carpi ulnaris tenodesis. J Hand Surg [Am]. 2000; 25: 1080-4.
5) Minami A, Iwasaki N, Ishikawa J, et al. Stabilization of the proximal ulnar stump in the Sauvé-Kapandji procedure by using the extensor carpi ulnaris tendon: long-term follow-up studies. J Hand Surg [Am]. 2006; 31: 440-4.
6) Nakamura R, Tsunoda K, Watanabe K, et al. The Sauvé-Kapandji procedure for chronic dislocation of the distal radio-ulnar joint with destruction of the articular surface. J Hand Surg [Br]. 1992; 17: 127-32.
7) Sauvé L, Kapandji M. Nouvelle technique de traitement chirurgical des luxations récidivantes isolées de l'extrémité inférieure du cubitus. J Chir (Paris). 1936; 47: 589-94.

CHAPTER 3: 手関節— DRUJ

63 Hemiresection-Interposition Arthroplasty（HIA）法

遠位橈尺関節（DRUJ）の橈骨S状切痕に合わせて尺骨頭の橈側部分を半截し，DRUJに介在物を入れてDRUJの関節形成術を行うのがBowersが提唱したhemiresection interposition techniqueであるが一般的にhemiresection-interposition arthroplasty（HIA）と称している．DRUJに対する関節形成術として有名な手術である．

HIAは変形性関節症（OA）や関節リウマチ（RA）によるDRUJ障害に対するDRUJ関節形成術の1つであるが，Sauvé-Kapandji（S-K）手術（別項目，参照のこと）に比べるとそれほど施行されていないのが現状である．

> **雑談**
> 私は手の外科医の中でも比較的，本法を好んで行っている1人であるが，それでも最近，経験することが少なくなってきた．

▶手術適応

本法の手術適応は私は限定的と考えているが手術適応となると必ずしもコンセンサスは得られていないのが現状である．やや独善的であるが私の考える主な手術適応は以下である．

1. RA手関節：DRUJに滑膜炎が存在し，DRUJの安定性が存在している，あるいは三角線維軟骨複合体（TFCC）の再建が可能な場合には適応となると考えている．原著でBowersらはRA手関節に対してTFCCの機能に関係なくHIAの適応があると記載しているが，私はTFCCの機能つまりDRUJの安定性がない症例にはHIAは適応がないと考えている．
2. DRUJ-OA：TFCC機能が存在しているDRUJ-OAが適応と考えている．TFCC機能が存在していない場合はS-K手術が適応となる．
3. 尺骨突き上げ症候群：尺骨突き上げ症候群にDRUJ-OAを合併している場合やDRUJ-OAがなくても3mm以下の尺骨プラスバリアンスを呈している症例でTFCCが機能している場合は適応となる．尺骨のプラスバリアンスが大きい場合には尺骨短縮術を同時に行うとの考えもあるが，私にその経験はない．

▶手術

皮切
皮切はS-K手術と同様である．

展開
DRUJを同定して関節包を切開して関節を展開するのもS-K手術と同様である．DRUJ-OAの状態を観察するとともにTFCCの機能状況を観察する．TFCC機能が存在し，DRUJの安定性があること，あるいはTFCC機能の再建が可能であることを確認し，HIAを行うことと最終的に決断する．

関節形成
TFCC付着部の尺骨頭小窩部および茎状突起を残し，橈骨S状切痕に対応する橈側半分を"ノ"の字状に切除する 図1．手術は回内位で行う．皮弁を翻転して第5伸筋区画を露出する．尺側手根伸筋（ECU）腱のわずか橈側で伸筋支帯近位部を切離して，これを橈側に翻転してDRUJの背側関節包を露出する 図2．関節包を 図3, 4 のように橈側で切離して"コ"の字状として，これを尺側に翻転した．残っている遠位の伸筋支帯を切離してTFCCおよびDRUJが露出されるので，TFCCの損傷程度，DRUJのOAの程度を観察し最終的な手術法を決定する 図5．ここで尺骨頭を小窩部および茎状突起を残して半切除する 図6．切除後，前腕を回外して残存尺骨頭が橈骨S状切痕背側とぶつかるのを防ぐべきであり，尺骨頭切除部の背側も切除する．前腕を回内-回外してぶつからないことを確認した後に，長掌筋（PL）腱を手関節掌側の横切開よりtendon stripperを用いて採取し，腱球としてDRUJ間隙に挿入して介在物とする．しかしBowersらは私のようなコイル状腱球を介在物とするのとは異なり，尺側を有茎とした関節包を介在物として挿入し，橈側縁を橈骨S状切痕尺側掌側に縫合するとしている．

> **Tips コツ**
> 尺骨頭の橈側半分を切除するさいに，TFCCの付着部である尺骨頭小窩と尺骨茎状突起を無傷に残すことがDRUJの安定性を保持する上できわめて重要である．

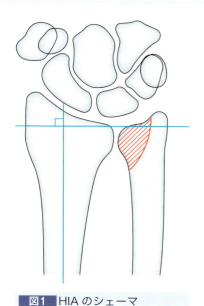

図1 HIA のシェーマ

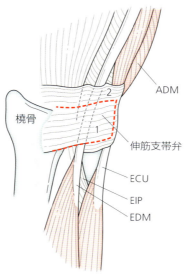

ADM: abductor digiti minimi
ECU: extensor carpi ulnaris
EIP: extensor indicis proprius
EDM: extensor digiti minimi

図2 伸筋支帯を切離して DRUJ の背側関節包を露出する

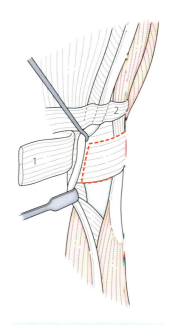

図3 DRUJ 関節包を橈側でコの字状に切離する

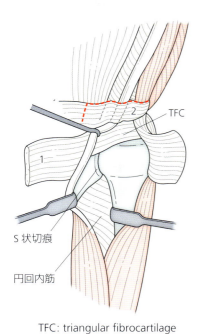

TFC: triangular fibrocartilage

図4 切離した関節包を尺側に翻転し DRUJ を露出する

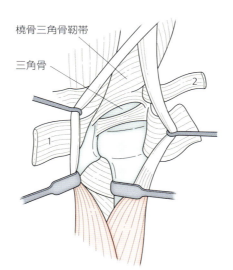

図5 DRUJ を広く展開して DRUJ の OA の程度，TFCC の損傷程度を観察する

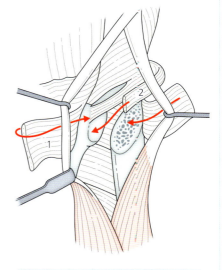

図6 尺骨頭の橈側部分を半切除する

コツ

私は関節包はかなり菲薄であり介在物としてはしっかりしたものではないと考えている．したがって術後尺骨が橈骨方向に移動する radioulnar convergence の傾向にあったため PL 腱を腱球として介在物として用いている．

X線イメージ透視にて橈骨S状切痕と半切除した尺骨頭が接触しないことを最終確認する．

閉鎖

創を十分に洗浄後，先に尺側弁状に翻転した DRUJ 関節包を閉鎖する．小指固有伸筋腱を背側に出して伸筋支帯を閉鎖し，SB tube を DRUJ 部に挿入し，皮膚を縫合する．

▶後療法

　術後2週間，短上肢ギプス固定を行い，抜糸後は日中はfree motionとしてnight splintを6週間続行し，その後は完全にfree motionとする．

▶症例供覧

　症例1　48歳，男性．橈骨遠位端骨折後DRUJ-OA例である　図7．TFCC機能がintactであったため，HIA法を行い，良好な成績が得られた　図8．

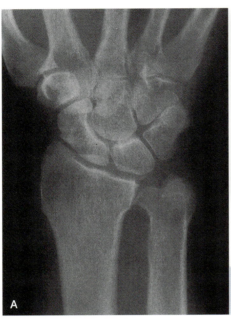

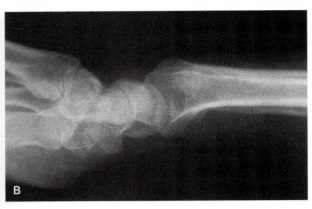

図7　48歳，男性．DRUJ-OA例
術前X-P
A: 正面像　B: 側面像

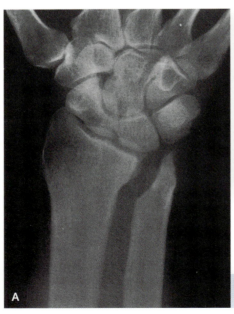

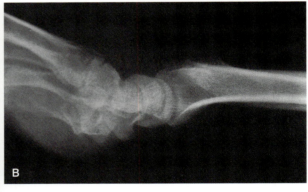

図8　HIA法4年後X-P
A: 正面像　B: 側面像

症例2 62歳，女性．RA 手関節 図9, 10

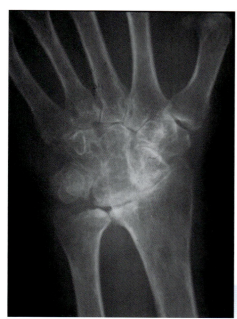

図9 62歳，女性．RA 手関節
術前 X-P 正面像

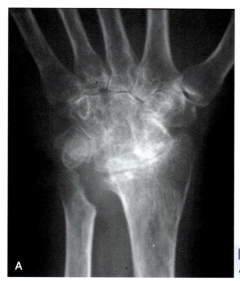
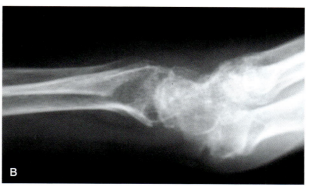

図10 HIA 法 4 年後
A: 正面像　B: 側面像

■文献

1) Bowers WH. Distal radioulnar joint arthroplasty: the hemiresection-interposition technique. J Hand Surg [Am]. 1985; 10: 169-78.
2) 三浪明男, 荻野利彦, 福田公孝, 他. 遠位橈尺関節障害に対する治療法の検討. 日手会誌. 1986; 3: 530-3.
3) Minami A, Ogino T, Minami M. Treatment of distal radioulnar disorders. J Hand Surg [Am]. 1987; 12: 189-96.
4) Minami A, Kaneda K, Itoga H. Hemiresection-interposition arthroplasty of the distal radioulnar joint asscciated with repair of triangular fibrocartilage complex lesions. J Hand Surg [Am]. 1991; 16: 1120-5.
5) 三浪明男, 鈴木克憲, 末永直樹, 他. 遠位橈尺関節変形性関節症に対する hemiresection interposition arthroplasty. 整形外科. 1995; 46: 173-7.

CHAPTER 3: 手関節— DRUJ

64 不安定尺骨遠位端に対して尺側手根伸筋腱および尺側手根屈筋腱を用いた安定化術（Breen法）

　Darrach手術（別項目，参照のこと）における尺骨遠位端およびSauvé-Kapandji（S-K）手術（別項目，参照のこと）における尺骨の人工的偽関節の近位骨片遠位端の不安定性は，これらの手術後の合併症の一つとして重要なものである．私はこれら手術後の尺骨遠位端不安定性を防止するため，尺側手根伸筋（ECU）腱の半切腱を用いた腱固定術を行っており，長期にわたり比較的良好な尺骨遠位端の安定性が獲得できていることを報告している．しかし，それでも完全に尺骨遠位端の安定性を獲得することが困難な場合や，すでにこれらの手術が行われて，尺骨遠位端に対して安定化術がなされていない症例などにおいては尺骨遠位端の不安定性に起因するさまざまな症状を招来することがある．これらの症例に対して本項目の手術（Breen法）はsalvage手術として有用である．

▶手術適応

　Darrach手術後およびS-K手術後の尺骨遠位端の陳旧性不安定性を訴える症例が手術適応と考える．尺骨遠位端が不安定となると，①尺骨遠位端が橈骨へ接近（radioulnar convergence）し，程度が強くなると，橈骨皮質にerosionを起こして，有痛性轢音が出現する，②不安定となった尺骨遠位端により前腕回旋時痛や手指伸筋腱断裂などが発生することがあり，このような場合には本法がとくに有効であると考える．特殊な例としては尺骨頭に発生した骨腫瘍切除後の尺骨遠位端不安定性も手術適応となることがある．Primaryに本法を行う場合もあると思うが，私はどちらかと言うとsalvage手術として行うことが圧倒的に多い．

> **Tips コツ**
> 最近，不安定な尺骨遠位端に対して，さらに近位まで単純に切除，つまり尺骨を短かくしても尺骨遠位端の不安定性に大きな影響はないとの報告がなされているが，私にこの経験はない．

▶手術

皮切

　原著では背側と掌側に2つの皮切を加えている 図1 .

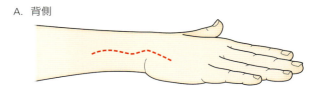

図1　皮切

> **Tips コツ**
> しかし，私の症例は全てDarrach手術やS-K手術をすでに受けている例であるので，前回手術の皮切を近位にさらに延長することにより1本の皮切で行うこともある．

　背側の皮切は尺骨遠位上に手根骨から近位10 cmにわたり背側にゆるいS字状皮切を加える 図1A .
　背側での手術操作終了後，前腕を回外し，前腕の尺側掌側にゆるいS字状皮切を加え，遠位は豆状骨のレベルまでとする 図1B .

展開・腱固定術

　背側の皮切によりECU腱の尺側に沿って伸筋支帯を縦に切離する．尺骨に達して尺骨遠位が残存している場合には遠位端を橈骨S状切痕の少し遠位で骨膜外に切除する．切除はサジタルプレーンソーを用いて行う．

> **Tips コツ**
> すでに尺骨遠位端が切除されていればこの操作は不要となる．

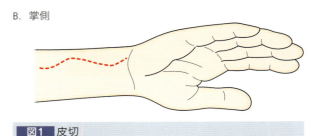

　ECU腱の近位を有茎とした9-10 cm長の半切腱を採取する 図2 .
　次いで8-10 cm長の尺側手根屈筋（FCU）腱を近位を切離して豆状骨に付けたまま遠位を有茎とした半切腱を作成して遠位尺骨レベルで前腕掌側から背側に通す 図2 .
　1/4インチのドリルを用いて，骨孔を遠位尺骨の背側

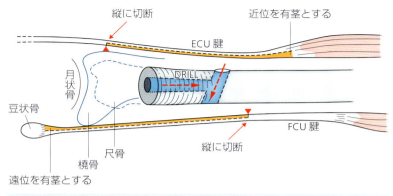

図2 ECU 腱細片および FCU 腱細片を作成する

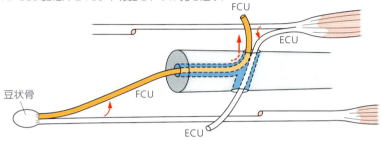

A. ECU 腱細片と FCU 半切腱をドリル孔を通す．

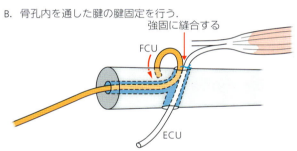

B. 骨孔内を通した腱の腱固定を行う．

図3 ECU 腱細片と FCU 腱細片をドリル孔を通し（A），腱固定を縫い込み縫合で行う（B）．

A. FCU 半切腱を縫合

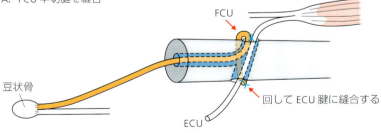

B. ECU 半切腱を縫合
   回して ECU 腱に縫合する

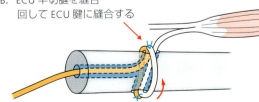

図4 ECU 腱細片と FCU 腱細片を強く引き，縫い込み縫合を行う

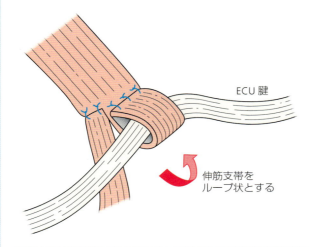

図5 伸筋支帯を用いたECU腱の安定化

骨皮質に作成して髄腔内と掌側骨皮質に通した．尺骨髄腔の長軸骨孔は尺骨の遠位端からスタートして髄腔を通して，最初に作成した骨孔と結合する 図2 ．FCU半切腱を尺骨遠位端の骨孔を通して背側骨孔に引き出し，次いでECU半切腱を尺骨の背側から掌側に通す 図3 ．前腕を回外して，半切腱を強く引っ張り，非吸収糸を用いてお互いに強固に縫合する 図4 ．
縦に切離した伸筋支帯の一部分を用いて 図5 のように丸めてECU腱を収納する滑車を作成してECU腱を背側に固定する．

閉創
皮切を通常通り閉鎖する．

▶後療法
肘関節を90度屈曲位，前腕を回外位として長上肢ギプスシーネにて6週間固定する．副子除去後，リハビリテーションを行い可動域を拡大する．

▶症例供覧

症例 69歳，女．Larsen grade IV RA，5年前にSauvé-Kapandji手術が行われ，1.5年前には手関節固定術が施行された．この頃から前腕の回内外，とくに回外によってSauvé-Kapandji手術後の尺骨遠位端の不安定性と有痛性軋音が出現してきた．Breen法を施行した．

図6 術前X-P．手関節の固定術は完成している．
A: 正面像
B: 側面像
図7 皮切
A: 背側（抜釘術も予定したため長大となっている）
B: 掌側
図8 不安定な尺骨遠位端を露出した．
図9 ECU腱を半切した．
図10 FCU腱を半切した．

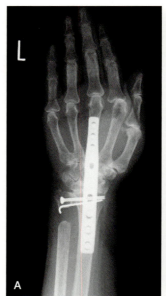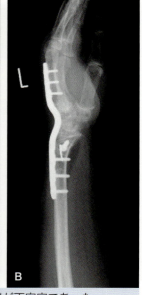

図6 術前X-P．尺骨遠位端が不安定であった
A: 正面像　B: 側面像

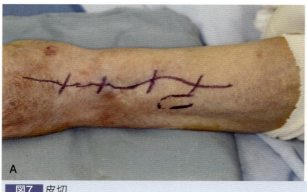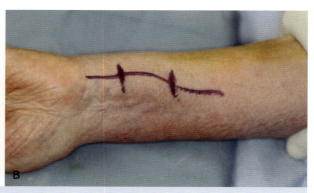

図7 皮切
A: 背側面．手関節固定術のための内固定金属抜釘のために長大な皮切となった
B: 掌側面

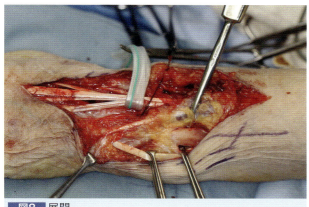
図8 展開

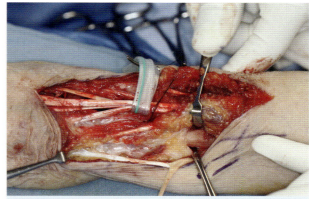
図9 ECU腱を半切した

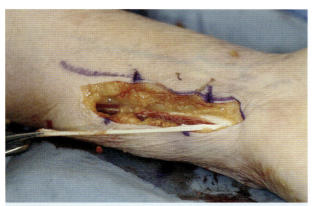
図10 FCU腱を半切した

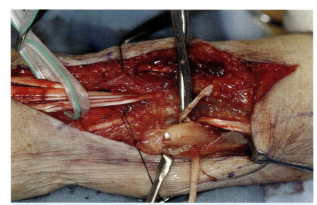
図11 Breen法によりECUおよびFCU腱を尺骨骨孔に通した

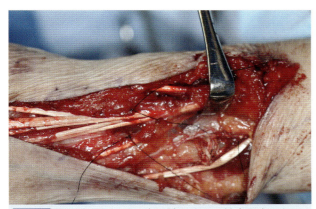
図12 ECUおよびFCU半切腱を強固に縫合固定した

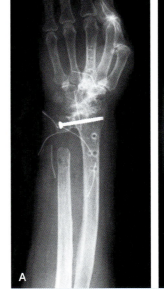
図13 術直後X-P
A: 正面像　B: 側面像

図11 Breen法によりECUおよびFCU腱を尺骨骨孔に通した．
図12 ECUおよびFCU腱を強固に縫合固定した．
図13 術直後X-P
A: 正面像
B: 側面像

■ 文献

1) Breen TF, Jupiter JB. Extensor carpi ulnaris and flexor carpi ulnaris tenodesis of the unstable distal ulna. J Hand Surg［Am］. 1989; 14: 612-7.
2) Breen TF, Jupiter J. Tenodesis of the chronically unstable distal ulna. Hand Clin. 1991; 7: 355-63.
3) Minami A, Ogino T, Minami M. Treatment of distal radioulnar disorders. J Hand Surg［Am］. 1987; 12A: 189-96.
4) Minami A, Kato H, Iwasaki N. Modification of the Sauvé-Kapandji procedure with extensor carpi ulnaris tenodesis. J Hand Surg［Am］. 2000; 25: 1080-4.
5) Minami A, Iwasaki N, Ishikawa J, et al. Stabilization of the proximal ulnar stump in the Sauvé-Kapandji procedure by using the extensor carpi ulnaris tendon: long-term follow-up studies. J Hand Surg［Am］. 2006; 31: 440-4.

CHAPTER 3: 手関節—DRUJ

65　手関節偽痛風

関節内にピロリン酸カルシウム結晶と呼ばれる物質が析出することにより発生する炎症性疾患である．

> **Tips コツ**
> 痛みの性格や発作様式が痛風と似ていることから偽痛風と呼称される．

> **Tips コツ**
> ピロリン酸カルシウム以外の結晶誘発による関節炎を総称して偽痛風といわれるが，ピロリン酸カルシウム結晶が原因となることが圧倒的に多い．

強い痛みが何の前兆もなく突然発生し，さらに関節の痛みに加えて腫脹，発赤，熱感などを合併して，一般的には数日から 1～2 週程度持続する．

痛風は尿酸結晶が析出して発生するが，前記しているように偽痛風ではピロリン酸カルシウム結晶が関節内に析出して発生する．ピロリン酸カルシウムは関節内に存在する軟骨で生成され，種々の原因で過剰に沈着することから発生すると考えられている．

▶特徴

痛風と異なり，偽痛風は男性よりも中高年以降の女性に発症することが多い．中高年以降の女性の膝関節や手関節に好発しており，また X-P で軽度から中等度程度の変形性関節症（OA）を認めることが多いので，OA に関連して発症すると一般的に考えられている．そのほか，遺伝，ヘモクロマトーシス，副甲状腺機能亢進症などが原因となると考えられる．発症の誘因として，関節への外傷や他の全身疾患など身体的な侵襲があることも特徴的である．

▶診断

血液検査では特徴的な所見を認めないが，白血球増多や CRP の上昇など，炎症所見を示すことがある．X-P により関節裂隙内に淡い石灰沈着像を認める．手関節にピロリン酸カルシウムが沈着する場合，多くは遠位橈尺関節内，特に尺骨手根関節，また橈骨手根関節にも発生することが多い．

> **Tips コツ**
> X-P にて関節裂隙に石灰沈着を認めないことも少なくなく，その場合には臨床症状から判断しなければならないこともある．

関節穿刺により，関節内にピロリン酸カルシウムの存在を同定すると確定診断される．

▶鑑別診断

痛風：発症形式が異なる．痛風は激しい痛みが出現する前に罹患部位（母趾 MP 関節であることが多いが）に疼くような違和感が生じることが一般的であるが，偽痛風は何の前兆症状もなく突然に発症する．好発部位が痛風では母趾 MP 関節が圧倒的であるのに対して偽痛風では膝・肩・肘関節に続いて手関節や指関節に発症する．

化膿性関節炎：化膿性関節炎も鑑別診断の 1 つとして重要であるが，膿汁などが存在していたり，何らかの炎症を引き起こす原因が存在している．関節穿刺液の培養で確定診断が可能である．

▶治療

診断が正しければ外科治療が行われることは極めて稀である．一般的には鎮痛剤投与，関節内へのステロイド注射，冷湿布と局所の安静・鎮痛目的での副子固定により数日から 1 週程度で激烈な痛みなどの症状は急速に改善することが一般的である．

> **Tips コツ**
> 私にはほとんど経験がないが，全身性の炎症反応が強い場合や，多関節性の炎症を発症した場合にはステロイド剤の全身投与を行う場合がある．

▶症例供覧

症例1　82 歳，女性．手関節偽痛風　図1A, B

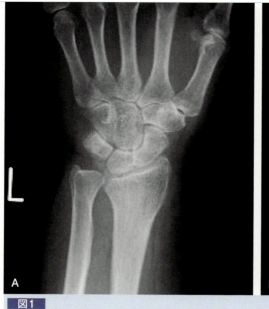
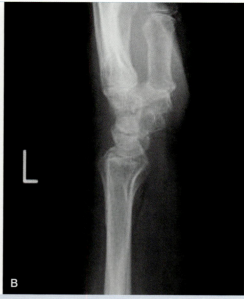

図1
A: 正面 X-P. 尺骨手根関節部に石灰沈着を認める.
B: 側面 X-P

症例2 79歳，女性．手関節偽痛風　図2A, B

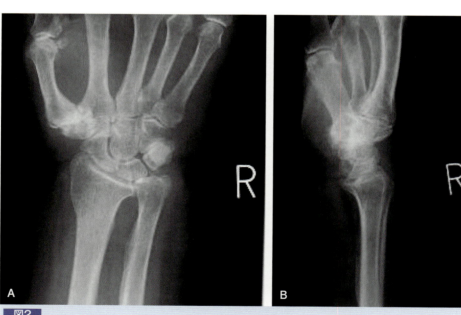

図2
A: 正面 X-P. 橈骨手根関節と尺骨手根関節に石灰沈着を認める．DRUJ に OA を認める．
B: 側面 X-P. 背側および掌側橈骨手根関節部に石灰沈着を認める．

■ **文献**

1) 益田郁子．偽痛風（ピロリン酸カルシウム結晶沈着症；CPPD）の病態と治療．痛風と核酸代謝．2011; 35: 1-7.
2) 小原聡将，長谷川 浩，船曳 茜，他．炎症性疾患に続発した高齢者偽痛風症例の検討．日本老年医学会雑誌．2014; 51: 554-9.
3) Richette P, Bardin T, Doherty M. An update on the epidermology of calcium pyrophosphate dihydrate crystal deposition disease. Rheumatology. 2009; 48: 711-5.

CHAPTER 4: 母指—CM関節

66 母指CM関節変形性関節症に対する手術（総論）

　母指CM関節は母指の基部に存在する手根骨である大菱形骨と，第1中手骨基部とにより構成されている鞍状関節で屈曲・伸展，側屈に加えて回旋運動も可能な自由度の高い関節である 図1 ．それ故にピンチ動作などにより関節の退行変性をきたし変形性関節症（OA）に陥りやすい関節である．OAが進行すると母指CM関節の腫脹，変形，圧痛，運動痛，運動制限をきたし，大きな物の把持が困難であったり，円滑なピンチ動作が障害されたりADL上のdisabilityは少なくない．

　母指CM関節の支持性は骨性支持が鞍状関節ということもあり，周囲の靭帯・関節包構造がきわめて重要である． 表1 に靭帯構造について示したが，これらのうちbeak ligamentと呼称されるAOLが支持性に最も寄与しており，CM関節の亜脱臼などは本靭帯の断裂あるいは弛緩により発生するとされている．CM関節OAが進行すると中手骨基部が背側に脱臼し，中手骨は内転偏位し，MP関節は過伸展を呈することとなる．中手骨の内転により大きな物をつまんだり，掴んだりすることができないために，代償的にMP関節が過伸展を呈する．これによりMP関節の疼痛，重苦感も出現することとなる．

　Cooneyによれば母指CM関節の可動域は屈曲・伸展53°，外転・内転42°，回内・回外（回旋）17°と報告しており，きわめて大きな可動性を有する関節ということができる．これも退行変性に陥りOAを発生しやすい要因の1つということもいえる．

　 表2 にEatonが提唱し，Eaton分類として有名な母指CM関節OAの分類を示す．広く用いられており本項でも本分類を用いるが，Stage IIIに含まれる割合がきわめて多いこともあり，同じStage IIIの範中に含まれる症例であってもIIの方に近いかIVの方に近いかにより術式の選択に迷うことも少なくない．

表1 母指CM関節の靭帯構造

AOL : anterior oblique ligament
dAOL : deep AOL
sAOL : superficial AOL
IML : first intermetacarpal ligament
UCL : ulnar collateral ligament
POL : posterior oblique ligament
DRL : dorsoradial ligament

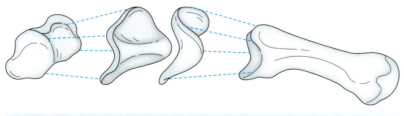

図1 母指CM関節（鞍状関節）

表2 母指CM関節OAのEaton分類

Stage I: No joint destruction, joint space widened if effusion present, less than one-third subluxation
　　　　 (intra-articular cartilage: normal)
Stage II: Slight decrease in joint space, Marginal osteophytes less than 2 mm, may be one-third of subluxation
　　　　 (mild to moderate intra-articular cartilage attrition)
Stage III: Significant joint destruction with cysts and sclerosis. Osteophytes greater than 2 mm, Greater than one-third subluxation
　　　　 (scaphotrapezial articulation: normal)
Stage IV: Involvement of multiple joint infaces
　　　　 (multiple diseased articular surfaces)

(Eaton RG. J Hand Surg [Am]. 1984; 9: 692-9[4])

表3 各手術術式の手術効果

	LRTI	Implant	Arthrodesis
無痛性	△	△	○
可動性	○	○	×
耐久性	○	×	○
ピンチ力	△	△	○

(LRTI: ligament reconstruction tendon interposition)

表4 母指CM関節OAに対するstage別手術適応

	Ligament reconstruction	Osteotomy	Trapeziectomy + Tendon interposition	LRTI	Implant	Arthrodesis
Stage I	○	○	×	×	×	×
Stage II	○	○	○	×	×	×
Stage III	×	△	△	○	○	○
Stage IV	×	×	△	○	○	○

(LRTI: ligament reconstruction tendon interposition)

▶母指CM関節OAに対する手術適応

　私が考えている母指CM関節OAに対する各手術術式の手術効果とstage別手術適応を 表3 と 表4 に示す．○印は適応あり，△印はどちらともいえない，×印はどちらかというと適応に疑問があることと示している．いずれにしても以下の要素を加味して術者が得意としている術式を含め選択すべきであろう．

1．病期（Ⅱ〜Ⅳ期）
2．年齢（若年者，高齢者）
3．性（男性，女性）
4．職業（主婦，肉体労働者）
5．病因（外傷性，変性）
6．利き手・非利き手
7．感染の既往　などである．

■文献

1) Bamberger HB, Stern PJ, Kiefhaber TR, et al. Trapeziometacarpal joint arthrodesis: A functional evaluation. J Hand Surg［Am］. 1992; 17: 605-11.
2) Clough DA, Crouch CC. Failure of trapeziometacarpal arthrodesis with use of the Herbert screw and limited immobilization. J Hand Surg［Am］. 1990; 15: 706-11.
3) Cooney WP 3rd, Lucca MJ, Chao EY, et al. The kinesiology of the thumb trapeziometacarpal joint. J Bone Joint Surg［Am］. 1981; 63: 1371-81.
4) Eaton RG, Lane LB, Littler JW, et al. Ligament reconstruction for the painful thumb carpometacarpal joint: A long-term assessment. J Hand Surg［Am］. 1984; 9: 692-9.
5) Forseth MJ, Stern PJ. Complications of trapeziometacarpal arthrodesis using plate and screw fixation. J Hand Surg［Am］. 2003; 28: 342-5.
6) 石倉久光．三浪明男．母指手根中手（CM）関節変形性関節症．In: 岩本幸英編．神中整形外科学．改訂第22版．東京: 南山堂; 2004. p.667-9.
7) 三浪明男，九津見圭司．高齢者の母指CM関節変形性関節症．OS Now. 1994; 16: 125-32.
8) 三浪明男．母指手根中手関節変形性関節症．In: 三浪明男編．手・肘の外科: カラーアトラス．東京: 中外医学社. 2007. p.351-65.
9) 三浪明男．母指手根中手関節変形性関節症．In: 三浪明男編．手・肘の外科: カラーアトラス．東京: 中外医学社. 2007. p.351-65.
10) Rizzo M, Moran SL, Shin AY. Long-term outcomes of trapeziometacarpal arthrodesis in the management of trapeziometacarpal arthritis. J Hand Surg［Am］. 2009; 34: 20-6.
11) Stark HH, Moore JF, Ashworth CR, et al. Fusion of the first metacarpotrapezial joint for degenerative arthritis. J Bone Joint Surg［Am］. 1977; 59: 22-6.

CHAPTER 4: 母指― CM 関節

67 母指 CM 関節変形性関節症に対する関節固定術

これらの手術治療の中でも関節固定術はある程度の可動性を犠牲にして無痛性と支持性を獲得するものであり，きわめて有効・有用な手術であり，私は好んで用いている．

関節固定術を行う上において重要なことは術後合併症に対する問題点をどの程度，術者は理解し，それについて患者に対してインフォームドコンセントを行うことができるかにかかっている．術後合併症は以下の4点である．

1. 運動制限：母指の橈側外転が健側より制限され，大きな茶碗などが持ちづらくなるほかに，手掌全体で手をつくことができない，つまり flat hand ができないこととなるが，これらについてはほとんど ADL 上の disability はないと考える．
2. 偽関節の発生頻度が比較的高い：報告者により頻度は異なる．一方，万一偽関節に陥っても線維性強直となれば症状としてはほとんどないこともよく知られているところである．
3. CM 関節の隣接関節への長期の影響として OA の発生が危惧される：しかし，多くの報告ではそれほど高い頻度での発生ではないことと，一般に OA 所見があっても症状を呈することは少ないとされている．
4. 皮切部での橈骨神経浅枝損傷による不快感の出現：これについては多くの手の外科医は皮下を剝離する際にしっかり橈骨神経浅枝を同定し，術中，損傷に留意している．しかし，同定し損傷に十分に注意しても術後，母指・示指間の背側の paresthesia を訴える例が少なくない．術前にしっかりと説明する重要性を痛感している．

▶関節固定術の手術適応

関節の無痛性・安定性よりも運動性を重視する患者さんに対してはいろいろな種類の関節形成術が提唱されている．しかし私は関節固定術を好んで行っており除痛と支持性に優れた CM 関節が獲得されている．したがって，比較的若く，活動性の高い，しかも病期の進行した症例，両側例の効き手などに適している．ただし，近位および遠位の隣接関節〔舟状大菱形骨小菱形骨（scaphotrapeziotrapezoidal: STT）関節と MP 関節〕に OA 所見が存在していれば適応とはならない．

> **Tips コツ**
> 別項目に記載しているが，最近では大菱形骨切除＋PL 腱と Suture button を用いた靱帯再建術も安定した良好な成績が得られているので比較的好んで行っている．

▶手術

体位・麻酔

仰臥位で術者は尾側に座って手術を行う．空気止血帯を装着する．麻酔は鎖骨上窩伝達麻酔 Kurenkampf anesthesia あるいは腋窩伝達麻酔で行う．もちろん全身麻酔で手術を行うことも可能である．

皮切

母指 CM 関節の背側直上に約 2-3 cm 長の縦皮切を加える．多くの場合，CM 関節において中手骨基部は背側に亜脱あるいは脱臼しており，皮切を加える場合は助手に母指を遠位方向に牽引してもらい正確な CM 関節の位置を確認することが必須である 図1,2．

> **Tips コツ**
> 短かい皮切でも十分に CM 関節を展開できることが特徴といえる．

展開

皮切後，皮膚を翻転し皮下の橈骨神経浅枝を同定して，丁寧に神経を引いて，術中神経を損傷しないように絶えず注意する．またあまりにも強く牽引することも避けるべきである 図3．

> **Tips コツ**
> 橈骨神経浅枝を損傷すると母指・示指の背側を中心にシビレ感，異常知覚が出現し，ADL の不自由も残存する．

橈側皮静脈も可及的に温存することとし，テープをかけて温存しておく．近位には橈骨動脈が舟状骨背側から第1・第2中手骨基部間に走行しているが，CM 関節固定術を行う場合にはほとんど邪魔にはならないことが多い．しかし，念のため本動脈を同定し，テープをかけておく 図3．

次いで少し橈側で長母指外転筋（Abd PL）腱と短母指伸筋（EPB）腱を同定してこれらの間に縦にメスで関

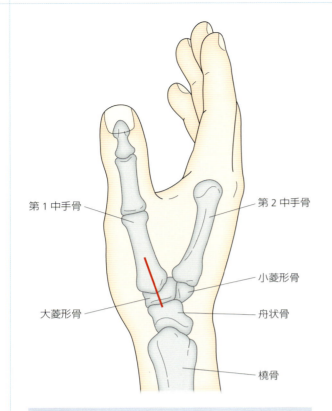

図1 皮切（シェーマ）

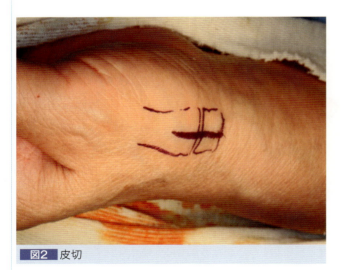

図2 皮切

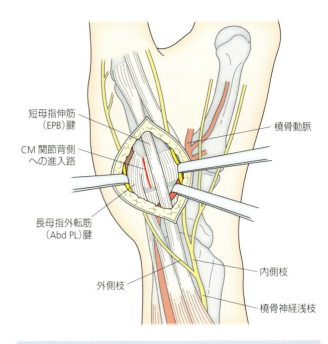

図3 CM関節の展開

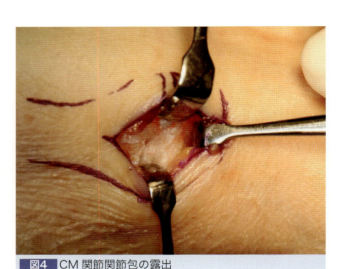

図4 CM関節関節包の露出

節包を切開し，CM関節に到達する．前にも記載しているが，この場合でも母指を遠位方向に強く牽引しないと大菱形骨を見出すことができなくなるので注意する 図4 ．

Tips コツ

大菱形骨の上に第1中手骨基部が脱臼して乗り上げているような症例では，CM関節を舟状骨大菱形骨（ST）関節と間違うことがあるので，できれば術中イメージ透視を行った方が安全である．

関節固定

関節包を切開後，中手骨基部と大菱形骨遠位関節面を観察する．この際CM関節の橈尺側までしっかり見ることは今後の操作を行う上において重要である．関節包を付着部の一部も含めて骨膜下にメスで丁寧に剥離してCM関節全体を露出する 図5 ．

関節軟骨の変性の状況を把握して中手骨基部と大菱形骨遠位関節面の関節軟骨および骨皮質を小ノミで切除する 図6 ．この際，CM関節を整復するために大菱形骨底部に必ず存在している骨棘を切除する．また遊離体もあることが多いので切除し，骨皮質・骨棘をリュウエル鉗子，ノミ，鋭匙およびサージアトームを駆使して切除し海綿骨を露出する 図7 ．関節軟骨および硬化した

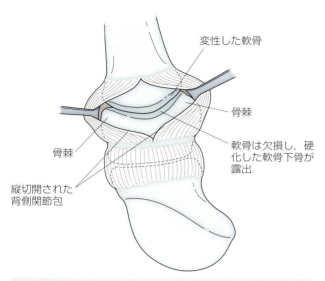

図5 CM関節関節包の切開

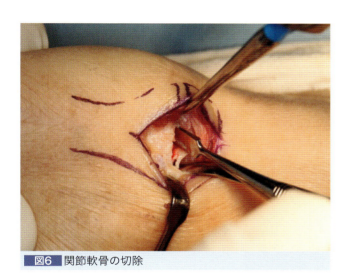

図6 関節軟骨の切除

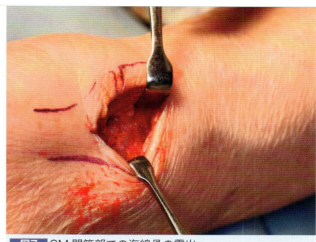

図7 CM関節部での海綿骨の露出

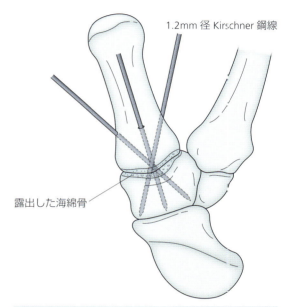

図8 CM関節の固定

骨皮質，骨棘を切除する際に中手骨をconvex，大菱形骨をconcaveに形成して両者が適合するように形成する．

 コツ

第1中手骨と大菱形骨間の間隙を開いてみるとその下面に橈側手根屈筋腱を見ることが可能である．時には長母指屈筋腱を見ることもあり，これらを損傷しないように注意することが重要である．とくに大菱形骨の深部（底面）の骨棘を切除する際には，エレバトリウムを骨棘の下に挿入し慎重に切除することとして，これらの腱への損傷を避けるべきである．

術後の母指の運動性を規定するのに重要なのは関節の固定肢位である．私達は掌側外転35-40°，伸展10-15°，橈側外転10-15°，回内位を固定肢位の目安とする．この固定肢位で中手骨と大菱形骨を合致させると少し間隙が生じることがあり，この場合には切除した骨を粉砕して間隙にpackingする．それでも足りない場合は橈骨遠位端から海綿骨を採取して骨移植を行う．これにより骨癒合がより確実になるものと期待される．

 コツ

橈骨遠位端から移植骨を採取する場合には橈骨茎状突起の少し近位に横皮切または縦皮切を加え，橈骨神経浅枝および橈側皮静脈を同定して術中保護する．第1と第2区画内を骨まで切離して骨膜下に橈尺側に翻転して背側骨皮質を露出する．1.2mm径のK鋼線を用いて円状に採型して骨皮質を外して，鋭匙を用いて十分な量の海綿骨を採取する．採取部の骨欠損が大きく，骨折が危惧される場合には人工骨を充填することもある．人工骨を充填し外した骨皮質で蓋をして骨膜を縫合して被覆することとしている

固定

X線透視下で，1.2mm径K鋼線を3-4本を用いて，固定する．CM関節の遠位方向から，つまり中手骨から大菱形骨まで透視下に刺入することも構わないが，透視でCM関節はそれほど見やすいものではないので，関節

内の中手骨海綿骨側から逆行性に遠位まで刺入して関節裂隙に骨移植を十分に行い，CM関節を整復し，次に大菱形骨側へ刺入するとやりやすい．鋼線が扇状に広がるように criss-cross して刺入すると良好な固定性が得られる．透視下で鋼線の先端が近位舟状大菱形骨関節に突き出ないように注意する 図8．

最後に固定性が良好であることを再確認するとともに resting で母指指腹が示指中節部を触れるように，また母指が示指・中指とピンチが可能であることを最終確認する．K鋼線の先端は原則として皮下に埋没させて温浴下の運動を可能にする．

閉鎖

創内を生食水にて十分洗浄し，剝離した関節包を丁寧に縫合し，皮膚を縫合する．

> **Tips コツ**
> 固定材料はK鋼線のほか，Herbert miniscrew, Acutrak miniscrew，プレートなど強固な固定性をもたらすような高価な材料を推奨する報告も散見されるが，私はK鋼線（要すれば Herbert miniscrew に加えて）固定の方が偽関節発生率が低いと考えており，もっぱらK鋼線を好んで使用している．

▶後療法

前腕遠位から母指IP関節までのギプスシーネ (thumb-spica-splint) 固定を抜糸まで行う．その後，thumb-spica-cast として術後3週まで固定する．ギプスシーネを外して温浴下自動運動を許可する．1日2-3回シーネを外して自動運動を許可する．

術後4週で固定を除去し，完全に自由とする．骨癒合が得られた後，負荷を次第に増強する．

▶症例供覧

症例1 Eaton分類 stage Ⅲ 図9

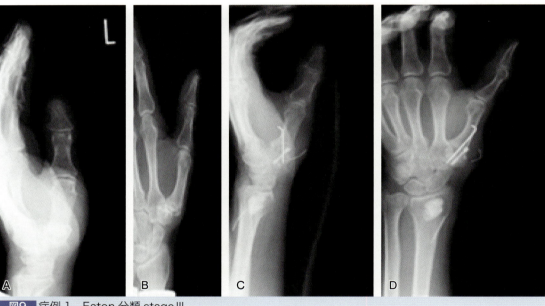

図9 症例1．Eaton分類 stage Ⅲ
A, B: 術前 X-P　A: 正面像　B: 側面像
C, D: 術後 X-P, K鋼線とDTJ mini screw を用いて固定した．
C: 正面像　D: 側面像

症例2 Eaton 分類　stage III　図10

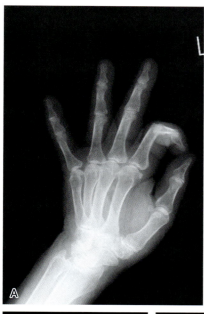
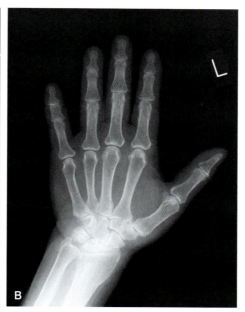
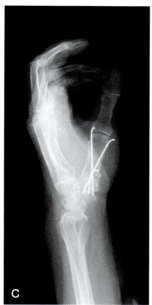
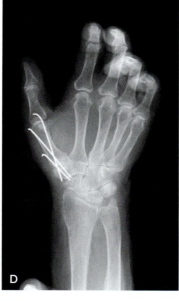

図10 症例2．Eaton 分類 stage III
A, B: 術前 X-P　A: 正面像　B: 側面像
C, D: 術後 X-P．K 鋼線を 3 本用いて固定した．
C: 正面像　D: 側面像

文献

1) 麻生邦一．母指 CM 関節変形性関節症．CM 関節関節固定術．In: 三浪明男編．整形外科イラストレイテッド: 手関節・手指の手術．東京: 中山書店．2012．p.164-9.
2) Bamberger HB, Stern PJ, Kiefhaber TR, et al. Trapeziometacarpal joint arthrodesis: A functional evaluation. J Hand Surg [Am]. 1992; 17: 605-11.
3) Clough DA, Crouch CC. Failure of trapeziometacarpal arthrodesis with use of the Herbert screw and limited immobilization. J Hand Surg [Am]. 1990; 15: 706-11.
4) Cooney WP 3rd, Lucca MJ, Chao EY, et al. The kinesiology of the thumb trapeziometacarpal joint. J Bone Joint Surg [Am]. 1981; 63: 1371-81.
5) Eaton RG, Lane LB, Littler JW, et al. Ligament reconstruction for the painful thumb carpometacarpal joint: A long-term assessment. J Hand Surg [Am]. 1984; 9: 692-9.
6) Forseth MJ, Stern PJ. Complications of trapeziometacarpal arthrodesis using plate and screw fixation. J Hand Surg [Am]. 2003; 28: 342-5.
7) 石倉久光，三浪明男．母指手根中手（CM）関節変形性関節症．In: 岩本幸英編．神中整形外科学．改訂第 22 版．東京: 南山堂; 2004．p.667-9.
8) 崎濱智美，矢野浩明，帖佐悦男．母指手根中手関節症に対する固定術の経験．In: 長野　昭編．別冊整形外科．上肢の外科―最近の進歩．東京: 南江堂; 2008．p.199-202.
9) 三浪明男，九津見圭司．高齢者の母指 CM 関節変形性関節症．OS Now．1994; 16: 125-32.
10) 三浪明男．母指手根中手関節変形性関節症．In: 三浪明男編．手・肘の外科: カラーアトラス．東京: 中外医学社．2007．p.351-65.
11) Rizzo M, Moran SL, Shin AY. Long-term outcomes of trapeziometacarpal arthrodesis in the management of trapeziometacarpal arthritis. J Hand Surg [Am]. 2009; 34: 20-6.
12) Stark HH, Moore JF, Ashworth CR, et al. Fusion of the first metacarpotrapezial joint for degenerative arthritis. J Bone Joint Surg [Am]. 1977; 59: 22-6.

CHAPTER 4: 母指— CM 関節

68 母指 CM 関節亜脱臼に対する靭帯再建術（Eaton 法）

母指 CM 関節変形性関節症（OA）の病期分類については Eaton 分類が有名であり，手術術式を決定する際にはこの病期分類が基本となる．OA の程度により手術術式が選択されることとなるが，本書では CM 関節固定術，CM 関節関節形成術（主に Thompson 法と Burton 法）および第 1 中手骨基部楔状骨切り術の 3 つの方法について記載しているので別項を参照してもらいたいが，OA が存在していないあるいは存在していてもきわめて軽微であるような母指 CM 関節で，母指で握り動作を行うと CM 関節が亜脱臼して痛みを訴える例がある．つまり OA の前段階の症状を訴える例がある．

母指 CM 関節の idiopathic hypermobility は比較的多く，若い女性などに好発し，将来的な OA 発症の重大なリスクである．有痛性 hypermobility が存在している場合，関節安定性の回復により痛みを軽減し，関節を安定化させ，関節軟骨の損傷前に靭帯再建術を行うことにより最終的に発生する恐れのある関節変性を防止することが可能と考えられる．

▶靭帯再建術

母指 CM 関節の安定化のための関節外靭帯再建術は立体的に 2 つの面で関節包の再建を行う方法で，新しい靭帯を作ることにより掌側靭帯を強化するものである．

▶手術適応

母指 CM 関節に OA が存在していない，あるいは存在していてもきわめて軽微な亜脱臼例，有痛性 hypermobility が存在している例が手術適応である．3 カ月程度の保存療法（NSAIDs 投与，ステロイド剤注，装具など）に反応しない場合が最もよい適応と考える．

> **雑感**
> 理由は不明であるが，私は母指 CM 関節 OA に対する手術治療は比較的行っているが，関節外靭帯再建術のみを行う頻度はきわめて少なくなっている．

Eaton 分類（別項目，参照のこと）stage I（synovitis stage）に対する手術であるので第 1 中手骨基部楔状骨切り術（別項目，参照のこと）と手術適応が重複することとなる．

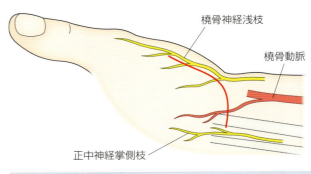

図1 皮切（Wagner アプローチ）

皮切

皮切は Wagner アプローチ（別項目，参照のこと）を用いる 図1．第 1 中手骨の橈側縁に沿って近位まで皮切を加え，橈側手根屈筋（FCR）腱の方まで遠位手くび皮線で尺側に皮切を延長する．

展開

第 1 中手骨および大菱形骨掌側面から母指球筋を骨膜外に切離・翻転する．大菱形骨の近位縁をさらに深く剥離することにより FCR 腱を分離している fibrous canal の上面を形成している横走する筋膜線維の sheet を露出する．この canal は FCR 腱と長母指屈筋（FPL）腱の間の平行にある中隔により手根管とは分離されている．横手根靭帯の翻転（reflection）部はこの fibro-osseous tunnel の上面を形成している 図2．この層を縦に切離して，大菱形骨結節の下を走行している FCR 腱を露出する．FCR 腱上を覆っている筋起始部と横手根靭帯を切離することによりこの部の大体遠位 0.5 cm まで遊離とする．

これらにより CM 関節の掌側および橈側面を露出して CM 関節の関節軟骨の状態を観察するとともに橈側関節包を切開して増殖した滑膜と周囲の骨棘の切除を行う．

骨孔作成

第 1 中手骨背側から中手骨の掌側棘（volar beak）の先端に関節外骨孔を作成する．この骨孔は母指の爪と平行の関係である．この骨孔は短母指伸筋（EPB）腱と EPL 腱の間で中手骨の背側基部の少し遠位から，中手骨の髄内矢状径に加える 図3．

> **コツ**
> 関節内に骨孔を作製しないように留意する．

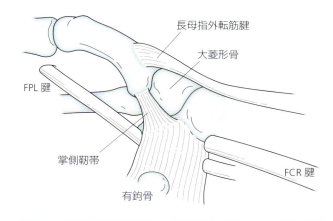

図2 母指CM関節掌側部の靱帯性支持

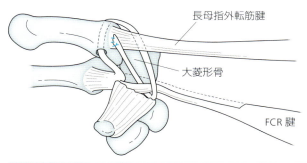

図3 FCR腱を用いた靱帯再建術

靱帯採取

FCR腱の半切腱をECR腱の走行に一致した前腕に加えて2つの皮切（掌側手首皮線の3 cm, 6 cm近位）により採取する．手首皮線の6 cm近位でFCR橈側半切腱を切離して遠位を有茎として最初の皮切に引き出す

（Burton法の項目，参照のこと）．

関節整復

ここで，関節を正確に整復して，この整復位を保持するためにK鋼線を中手骨の背側から大菱形骨に挿入する．

靱帯再建

FCR半切腱を 図3 のように中手骨基部を通して，靱帯を強く緊張させて中手骨の背側骨膜に強く縫合する．次いで近位はCM関節の背側関節包を越えて，EPB腱と長母指外転筋（Abd PL）停止部の間に出す．次いで，大菱形骨の近位でFCR腱の残っている腱の下を通して腱に引っ掛けて中手骨骨膜の中に挿入するため関節の橈側縁を越えて元に戻す．

> **Tips コツ**
> FCR半切腱を用いることは技術的にはそれほど簡単ではない．したがって，一部の手外科医はSuture button付きのTightropeを用いている．

▶後療法

4週間の外固定後，K鋼線を抜釘し，以後，装具固定を行い，6-8週でfree motionとする．数カ月は違和感があるが次第に改善する

■文献

1) Eaton RG, Littler JW. Ligament reconstruction for the painful thumb carpometacarpal joint. J Bone Joint Surg［Am］. 1973; 55: 1655-66.
2) 三浪明男. 母指手根中手関節変形性関節症. In: 三浪明男編. 手・肘の外科: カラーアトラス. 東京: 中外医学社; 2007. p351-65.

CHAPTER 4: 母指— CM 関節

69 母指 CM 関節変形性関節症に対する第 1 中手骨基部楔状骨切り術

別項目に記載したが，母指 CM 関節変形性関節症（OA）に対する手術治療は，大きく，関節外手術と関節内手術に分けることが可能である．関節外手術として第1中手骨基部楔状骨切り術，長母指外転筋腱前進術があり，Eaton 分類で stage Ⅱ までが適応とされている．しかし，一般的には stage Ⅲ は適応とならないと考えられているが初期の例は対象となり，OA が軽度あり，亜脱臼が軽い例でも良い適応と考えられる．

第 1 中手骨基部楔状骨切り術は，私は 3 例の経験があるのみであるが，先ほども記載したが，stage Ⅱ と stage Ⅲ の初期例には効果が期待できた．多くの報告によるとかなり進行した stage Ⅲ に対しても有効であったとの報告例もある．

> **Tips コツ**
> 何より万一，本手術により良好な成績が得られなかったとしても，本手術は関節外手術であるので将来的に関節内の salvage 手術が用意されていることである．

▶第 1 中手骨基部楔状骨切り術

皮切
通常の仰臥位で，腋窩伝達もしくは鎖骨上窩伝達麻酔で，エアトニケット使用下で手術を行う．

CM 関節部から遠位にかけて第 1 中手骨の橈側の骨稜に沿って 2-3 cm の皮切を加える．皮下を剥離すると橈骨神経浅枝あるいは前腕外側皮神経の終枝が CM 関節背側から母指球部に細い枝を出しており，これらを損傷しないように留意する必要がある．

展開
神経損傷に注意しながら Wagner approach のように第 1 中手骨基部を骨膜下に露出する．ただし遠位脚のみを用いる（母指 CM 関節形成術の皮切の項参照）．第 1 中手骨基部橈側骨背側骨に達するまで切離し，母指球筋とともに骨膜下に剥離して，母指球筋を下（掌側）に落として骨皮質に到達する．次いで長母指外転筋を可及的長く遠位まで骨膜下に剥離し，第 1 中手骨基部背側の骨皮質を露出する．

> **Tips コツ**
> 留意すべきは本手術は関節外手術の代表であるので CM 関節包を切離して関節を開放しないことが重要である．ただし，CM 関節の関節軟骨の摩耗状態を観察するために関節を一部展開することはある．

骨切り
ここで，イメージ透視下で中手骨基部の骨切り line を決定する．外転力の lever arm の効果を考えると，できるだけ近位の方が有利であるが，あまりにも近位であると内固定がしづらいので内固定の種類にもよるが，CM 関節にかからない程度の中手骨基部に骨切り位置を決定する．骨切り方向は中手骨 A-P（前後）方向とする．

骨切り角度は 8°-10°程度で十分と考えている．あまり強い（15°）と術後の固定が容易ではなく，効果にそれほどの違いがないと考えている．骨切りの作図は以下のように行うこととしている．一番容易なのは CM 関節に平行に線を描き，それに 8°-10° の角度で遠位方向に骨切りをする．この際に内側（尺側）の骨皮質は不全骨折として連続性を保持して三角形の骨を切除して橈側の骨皮質を合わせるという方法が一般的と考える．しかし，この場合には橈側の骨皮質に強い段差が発生し，固定が難しくなる．私は骨切り line を決定後，希望する角度の 2 等辺三角形を描き，骨切りを行うこととしている ．これにより骨切りの両辺はほぼ一致し，外固定方法が比較的容易となる．

固定
外固定方法は軟鋼線締結法と K 鋼線固定を組み合わせて行うこととしており，これが最も容易と考える．もちろん交差 K 鋼線固定でも可能である．K 鋼線の先端は原則として皮下に埋没させて温浴下での運動を可能とする．最終的に固定性をチェックする．一部の報告者は第 1 中手骨固定用に特殊なプレートを開発して用いているが，それほどしっかりしたものではなく，固定性にそれほど有利であるとは思わない．かえってプレートが bulky 過ぎて術後合併症が発生する可能性も高いので私は使用していない．この一連の操作は当然ながらイメージ透視下で行う．

閉鎖
透視下で作図通りの骨切りが行われていること，および内固定金属が CM 関節を通過していないことを確認

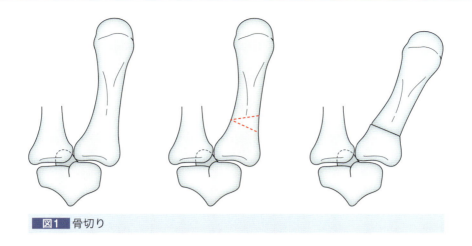

図1 骨切り

し，創を洗浄し長母指外転筋腱を骨切り部より遠位の骨膜に強く固定した後，橈側に翻転した骨膜と母指球筋を尺側に翻転した骨膜と可及的に縫合して皮膚縫合を行う．

術後4週で固定を除去し，完全に自由とする．定期的に外来にて，骨癒合などをチェックしながらピンチ動作，隣接関節の拘縮などを改善していく．

▶後療法

母指外転位にて手関節から母指IP関節までのギプス（thumb-spica-cast）固定を3週間行う．その後さらに1週間はシーネ固定に変更し，温浴下自動運動訓練から開始し，重労働以外は自動運動を許可し，night splint固定とする．

▶症例供覧

症例1 31歳，男性．母指CM関節OA，Eaton stage I-IIである 図2 ．

外側開角8°の第1中手骨基部楔状骨切り術を行いK鋼線を用いて固定した 図3 ．術後5年の現在も良好なCM関節が維持されている 図4 ．

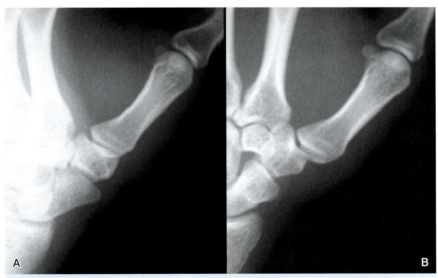

図2 症例1．術前X-P
A: 正面像　B: 側面像

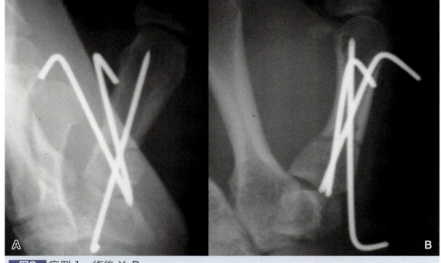

図3 症例1．術後 X-P
A: 正面像　B: 側面像

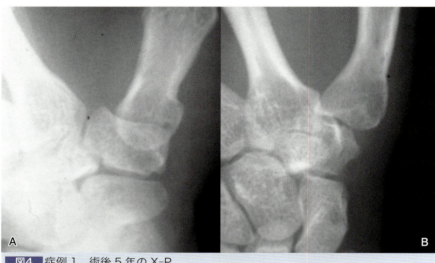

図4 症例1．術後5年の X-P
A: 正面像　B: 側面像

症例2 43歳，女性．母指 CM 関節 OA, Eaton stage Ⅱ である **図5**．

外側開角8°の第1中手骨基部楔状骨切り術を行い2年後の X-P でも OA の進行は認めていないが，橈側亜脱を認める **図6**．

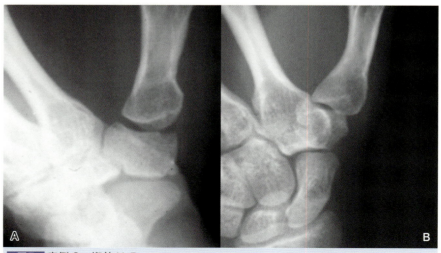

図5 症例2．術前 X-P
A: 正面像　B: 側面像

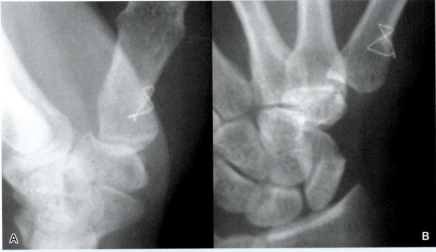

図6 症例2．術後2年のX-P
A: 正面像　B: 側面像

■ 文献

1) Holmberg J, Lundborg G. Osteotomy of the first metacarpal for osteoarthrosis of the basal joints of the thumb. Scand J Plast Reconstr Surg Hand Surg. 1996; 30: 67-70.
2) 三浪明男, 九津見圭司. 高齢者の母指CM関節変形性関節症. OS NOW. 1994; 16: 125-32.
3) 三浪明男. 母指手根中手関節変形性関節症. In: 三浪明男編. 手・肘の外科: カラーアトラス. 東京: 中外医学社. 2007. p.351-65.
4) Pellegrini VD Jr, Olcott CW, Hollenberg G. Contact patterns in the trapeziometacarpal joint: the role of the palmar beak ligament. J Hand Surg [Am]. 1993; 18: 238-44.
5) Tomaino MM. Basal metacarpal osteotomy for osteoarthritis of the thumb. J Hand Surg [Am]. 2011; 36: 1076-9.

CHAPTER 4: 母指— CM 関節

70 母指 CM 関節変形性関節症に対する関節形成術

母指 CM 関節変形性関節症（OA）に対する Eaton の病期分類別の手術術式選択に関しては別項目に記載しているので参考にしてもらいたい．

▶手術適応

関節の無痛性・安定性を運動性よりも重視する患者には関節固定術を好んで行うこととしている（別項目参照のこと）．ただし，CM 関節固定術を行うにあたっては近位の舟状骨・大菱形骨・小菱形骨（STT）関節と遠位の母指 MP 関節に変形性関節症（OA）がないことあるいは存在しても軽微であることが重要である．私は母指 CM 関節 OA に対しては好んで関節固定術を行うこととしているが，両側例で一方の母指に対して，すでに関節固定術を行っている他側の場合，年齢が高い例，CM 関節の近位および遠位に OA が存在している例や，関節リウマチ（RA）例などは関節形成術の最もよい適応であろうと考えている．Eaton 分類での stage により関節形成術の適応を基本的に変える必要はない．つまりどの stage であっても関節形成術を行うことは可能であると考えている．

▶関節形成術内の術式選択

関節形成術を施行するにあたってどのような手術術式を選択すべきかについては未だコンセンサスは得られていないが，いくつかの問題点について記述する．

①大菱形骨を全て切除するか，それとも CM 関節面のみつまり大菱形骨の遠位のみの部分切除を行うか？

この点に関しては関節形成術において腱の suspensionplasty を行う上において大菱形骨の部分的切除では術野が狭くなり，操作がきわめて行いづらいことがわかっており，最近では大菱形骨全体を切除するのが一般的となっている．一方，大菱形骨を全切除すると中手骨が近位に偏位（沈下）migration して母指の内転位変形の再燃や OA の再燃などが再発する可能性があるので大菱形骨の半切除を好んで行っている手の外科医も存在している．

②関節形成術，つまり大菱形骨切除と靭帯形成術を併用した suspensionplasty であるが，はたして suspension つまり懸り上げする必要性があるかどうかについても疑問が生じている．最近の研究結果では，大菱形骨切除のみでも suspensionplasty を行っても術後成績にそれほど差はないとの報告も散見されていることが重要である．

私は以前は橈側手根屈筋（FCR）腱を利用した Burton 法を好んで用いていたが，FCR 腱は大菱形骨切除後の深部に存在しており，操作が煩雑であること，また FCR 腱の半切腱を用いるが，腱のネジレがあるので半切腱採取が難しいこと，皮切が前腕の屈側に数カ所加える必要があることなどから最近は皮切も小さい長母指外転筋（Abd PL）腱を用いる Thompson 法を好んで用いることとしている．別項目を参照してもらいたいが，副島法もあらゆる stage の母指 CM 関節 OA に応用可能であり，好んで用いている．

ここでは Thompson 法と Burton 法について記載する．

▶Thompson 法

皮切
仰臥位で全麻下または鎖骨上窩・腋窩神経ブロック下で空気止血帯を用いて手術を行う．皮切は Wagner 皮切を用いている．第 1 中手骨の背橈側縁に沿って皮切を加え，近位で CM 関節を越えて手くび皮線のやや遠位まで FCR 腱の橈側まで L 字状皮切を加える ．ただし Wagner 皮切の近位脚，つまり L 字形の中枢部は不要なことも多い．遠位脚切開の皮下を剥離した際に橈骨神経浅枝あるいは前腕外側皮神経の細い枝が皮膚切開線を横切るように背側から母指球部に走行しているので，術中，損傷しないように留意する．また近位極切開部には正中神経掌側枝が存在しており，同様に損傷しないように注意する必要がある．

展開
中手骨橈背側部に付着する母指球筋を骨膜外に深部まで十分に剥離して，第 1 中手骨近位部から母指 CM 関節の橈側部まで十分に露出する 図2．

> **Tips コツ**
> この際，将来的な母指球筋の萎縮を防ぐために，母指球筋内に剥離を進めることなく骨膜外に剥離することが重要である．

次いで第 1 中手骨近位部の橈背側部の骨膜を切離して

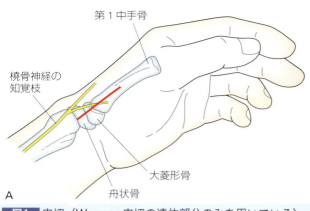

図1 皮切（Wagner 皮切の遠位部分のみを用いている）
A: シェーマ　B: 皮切

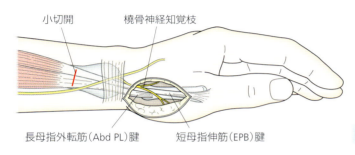

図2 展開

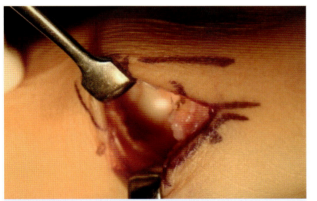

図3 大菱形骨を全摘出する

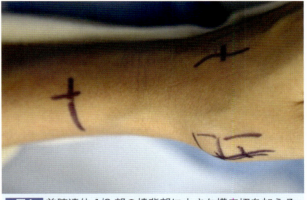

図4 前腕遠位1/3部の橈背部に小さな横皮切を加える

骨皮質を露出，次いでCM関節も同様に関節包を切離して大菱形骨を露出して大菱形骨を切除する 図3 ．

大菱形骨を切除する際には背側に亜脱していることが多いので第1中手骨基部を母指を遠位に牽引してCM関節を同定するとともに大菱形骨をpiece-by-pieceに切除する．

Tips コツ

できれば一塊として切除したいところであるが，大菱形骨は意外と大きいことと，掌側に結節が存在して形状が複雑であるために一塊として切除することはむずかしいことが多い．

大菱形骨が切除されると当然のことであるが大きな空隙が存在することとなるが，掌側深部にはFCR腱が走行しているのを確認しこれを損傷しないように注意する．

大菱形骨を切除した後，第1および第2中手骨の近位部と舟状骨の遠位部を確認する．とくに舟状骨遠位部にはOAが存在していないことを確認する．

第1中手骨基部の橈背側に付着するAbd PL腱を同定する 図2 ．この際Abd PL腱自体は数本存在することが多いので最外側（橈側の1本）を用いることとしている．この使用予定のAbd PL腱を引っ張って腱の走行を確認しつつ，前腕遠位1/3部の橈背側部に小さな横皮切を加えて 図4 ，Abd PL腱を筋腱移行部で切離して母指基部に加えた切開に引き出す 図5 ．

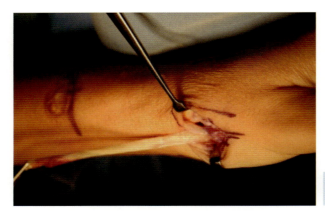

図5 Abd PL 腱を筋腱移行部で切離して母指基部の切開に引き出す

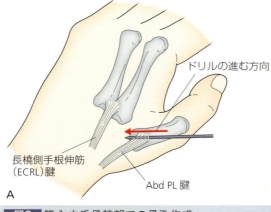

図6 第1中手骨基部での骨孔作成
A: シェーマ　B: ドリルで骨孔を作成する

> **Tips コツ**
> 先にも記載したが，Abd PL 腱は普通複数存在するので，そのうちの1本を使用する．もし，Abd PL 腱が1本しか存在しない場合（非常に少ないと思うが）には半切腱を用いる．

関節形成

第1中手骨基部の強く変性した関節軟骨を2-3 mm の厚さにわたり骨皮質を切除して髄腔を露出する．Abd PL 腱の太さよりわずかに太い骨ドリル（私の経験では 2.8-3.2 mm 位の直径である）を用いて第1中手骨の Abd PL 腱付着部の遠位から第1中手骨の基部の髄腔に向けて骨孔を作成する 図6A, B．もう1本の骨孔は第1中手骨を遠位に牽引し第2中手骨基部掌橈側から背側にかけて作成する 図7A, B．背側の骨孔の作成位置は長橈側手根伸筋（ECRL）腱の第2中手骨基部付着部の少し遠位を目指す．ドリルの先の部に小さな縦切開を加え，将来的に ECRL 腱への interlacing suture に備える 図8．

> **Tips コツ**
> 移植腱（Abd PL 腱）をこれら骨孔内に誘導する際には，腱の先端に太い絹糸を付けて，ゆっくり引き入れ・引き出すこととしたり，細いネラトンカテーテルなどを使うことも有用である．

この骨孔内を Abd PL 腱を第1の骨孔から第2の骨孔に通す 図9A, B．この際に第1中手骨は十分に遠位に牽引したまま基部を第2中手骨基部に接近させる．ここで第1中手骨と第2中手骨間の骨幹部にわたって 1.0-1.2 mm 径の K 鋼線を刺入して第1中手骨の位置を保持することとする．Abd PL 腱を可及的強く引っ張って ECRL 腱に 2-3 回 interlacing suture を行い，強く縫合する 図10．

> **Tips コツ**
> 腱縫合時には，第1中手骨の近位方向の沈み込みが生じないようにできるだけ十分な緊張をかけることが重要である．

大菱形骨切除後の空隙に長掌筋腱を腱球として挿入することもある 図11．

以上が原法であるが，私は藤岡らの方法に準じて ECRL 腱への移植腱の interlacing suture 後に同部での

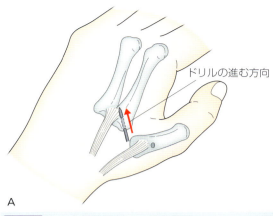
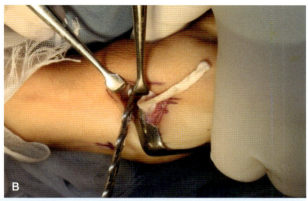

図7 第2中手骨基部での骨孔作成
A: シェーマ　B: 第2中手骨基部に骨孔を作成する

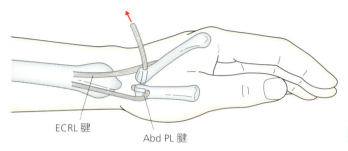

図8 骨孔内に Abd PL 腱を通す

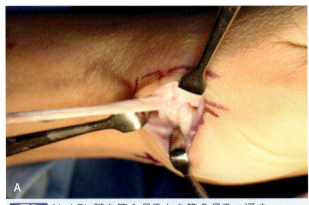
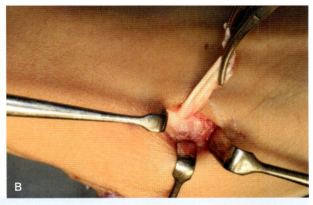

図9 Abd PL 腱を第1骨孔から第2骨孔へ通す
A: 第1骨孔に腱を通す　B: 第2骨孔に腱を通す

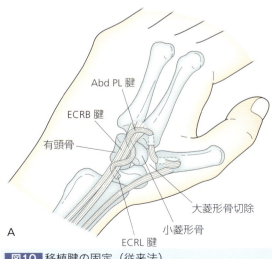
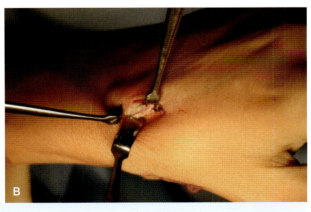

図10 移植腱の固定（従来法）
A: シェーマ　B: 移植腱を固定する

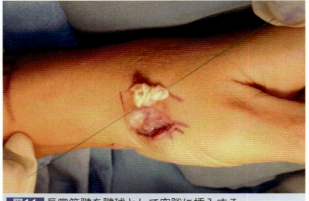

図11 長掌筋腱を腱球として空隙に挿入する

滑膜炎によりEPL腱断裂例を経験しているので，最近は第2中手骨基部に作成した骨孔に通した移植腱をTJ (tendon junction) screw (interference screw) を用いて骨孔に固定しECRL腱へのinterlacing sutureをしていない．スクリューと腱の間には切除した大菱形骨の骨片を介在させて，移植腱の損傷を保護すると同時に，強い圧迫力を獲得することを目指す 図12 ．

創閉鎖

創内を十分に洗浄後，CM関節の関節包を閉鎖後，骨膜を縫合すると同時に翻転した母指球筋をしっかりと元の位置の骨膜に強く縫合し，皮下組織・皮膚を閉鎖縫合する．

▶後療法

前腕から母指にかけて約4週間ギプスシーネ固定を行った後，手関節，手指（母指を含めた）の運動療法を含めたリハビリテーションを開始する．

Thompson法を行った症例である．
図13 術前X-P　A: 正面像，B: 側面像
図14 術後X-P　A: 正面像，B: 側面像

橈側手根屈筋（FCR）腱を用いたsuspensionplasty (Burton法) について簡単に記載する．

皮切は同じWagner皮切を用いる 図15 ．CM関節を展開する 図16 ．大菱形骨を切除する 図17 ．FCR腱の半切腱を前腕に加えいくつかの横皮切を用いて採取する 図18 ．骨孔内にFCR腱を挿入する 図19 ．最終的に 図20 のように半切腱をinterpositionとする．

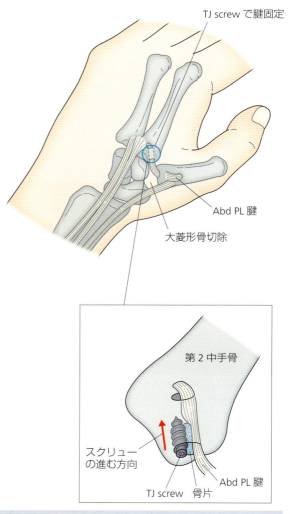

図12 TJ screwを用いた移植骨の固定

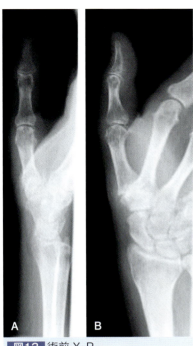

図13 術前 X-P
A: 正面像　B: 側面像

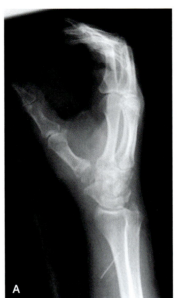

図14 術後 X-P
A: 正面像　B: 側面像

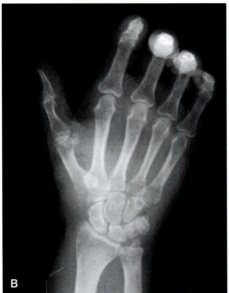

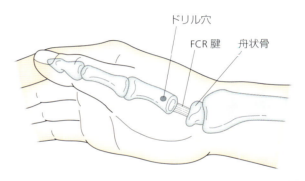

図17 大菱形骨を切除する

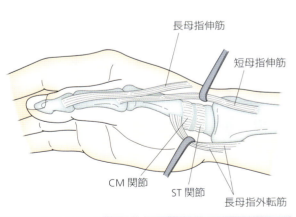

図15 Wagner 皮切

図16 CM 関節を露出する

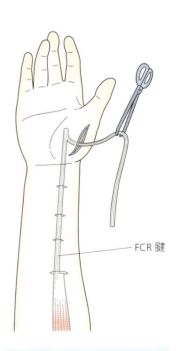

図18 FCR 半切腱を採取する

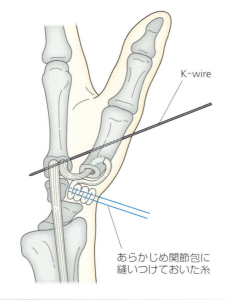

図19 FCR腱を第1中手骨基部に作成した骨孔に通す

K-wire
あらかじめ関節包に縫いつけておいた糸

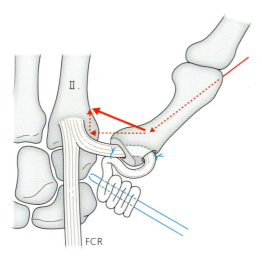

図20 Ligament reconstruction, tendon interposition (LRTI)

FCR

> ▶症例供覧

症例1	Burton 法による CM 関節形成術
図21	Wagner 皮切＋FCR 腱採取のための皮切
図22	CM 関節を露出
図23	FCR 半切腱を採取
図24	LRTI 術を終了したところ

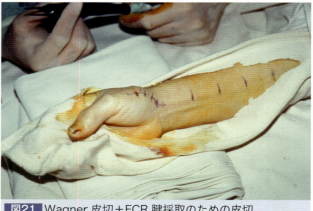

図21 Wagner 皮切＋FCR 腱採取のための皮切

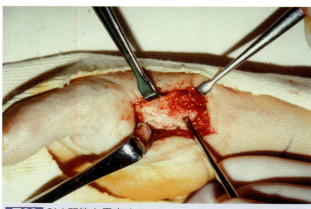

図22 CM 関節を露出する

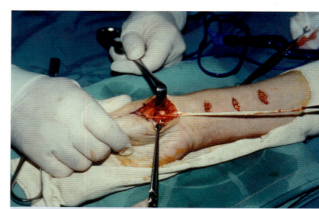

図23 FCR 半切腱を採取する

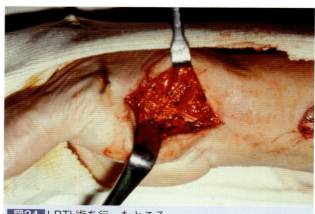

図24 LRTI 術を行ったところ

症例2 45歳，女性，母指CM-OA，Eaton stageⅢ　Tompson法施行例
図25 術前 X-P
図26 術後 X-P（術後，年数を経過すると舟状骨-第1中手骨間の間隙は狭少化する）
　　A: 術直後 X-P
　　B: 術後5カ月 X-P
　　C: 術後5年 X-P

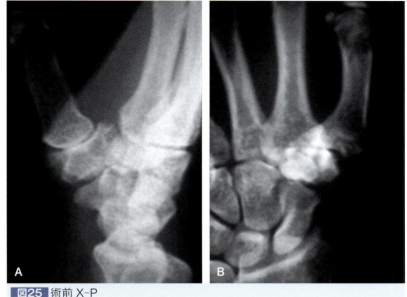

図25 術前 X-P
A: 正面像　B: 側面像

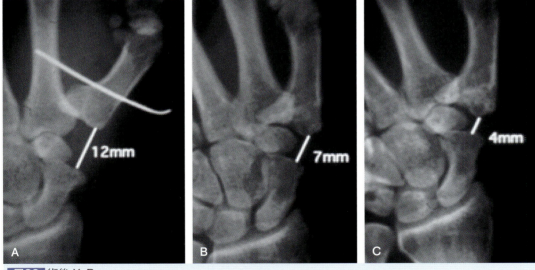

図26 術後 X-P
A: 術直後　B: 術後5カ月　C: 術後5年

文献

1) Burton RI, Pellegrini VD Jr. Surgical management of basal joint arthritis of the thumb. Part II. Ligament reconstruction with tendon interposition arthroplasty. J Hand Surg [Am]. 1986; 11: 324-32.
2) Eatom RG, Lane LB, Littler JW, et al. Ligament reconstruction for the painful thumb carpometacarpal joint: a long-term assessment. J Hand Surg [Am]. 1984; 9: 692-9.
3) 三浪明男．母指手根中手関節変形性関節症．In: 三浪明男編．手・肘の外科: カラーアトラス．東京: 中外医学社．2007. p.351-65.
4) Minami A, Suda K, Iwasaki N, et al. An unusual complication after suspensionplasty with the abductor policis longus tendon for osteoarthritis at the carpometacarpal joint of the thumb. Hand Surg. 2013; 18: 99-102.
5) Soejima O, Hanamura T, Kikuta T, et al. Suspensionplasty with the abductor pollicis longus tendon for osteoarthritis in the carpometacarpal joint of the thumb. J Hand Surg [Am]. 2006; 31: 425-8.
6) Thompson JS. Complications and salvage of trapeziometacarpal arthroplasties. Instr Course Lect. 1989; 38: 3-13.
7) 常深健二郎，田中寿一，奥野宏昭，他．母指CM関節症に対するThompson変法の治療成績．日手会誌．2008; 25: 27-30.

CHAPTER 4: 母指—CM 関節

71 母指 CM 関節変形性関節症に対する CMC Mini Tightrope を用いた関節形成術（Ligament Reconstruction Suspension Arthroplasty）

　母指 CM 関節変形性関節症（OA）に対する Eaton の病期分類別の手術術式選択に関しては別項目に記載しているので参考にしてもらいたい．また，本項目の手術方法は別項目の「母指 CM 関節変形性関節症に対する関節形成術」の修飾形となるので併せて参照してほしい．本法は Thompson 法をさらに発展させて，長母指外転筋（Abd PL）腱を犠牲とせず新たに使用可能となった CMCタイトロープを用いた Ligament Reconstruction Suspension Arthroplasty（LRSA）を副島らが考案しており，最近は Thompson 法の原法よりも CMC ミニタイトロープと長掌筋（PL）腱を用いた本法（副島法というべき）を私はもっぱら好んで行っている．

▶手術治療

皮切
　仰臥位で全麻下または鎖骨上窩・腋窩神経ブロック下で空気止血帯を用いて手術を行う．CM 関節を中心に近位は舟状大菱形骨関節から遠位は第 1 中手骨基部までの背橈側に皮切を加える ．同部には皮下を剝離した際に橈骨神経浅枝あるいは前腕外側皮神経の細い枝が皮膚切開線を横切るように背側から母指球部に走行しているので，術中しっかりと保護しつつ，手術を行うこととする．

> **Tips コツ**
> CM 関節において中手骨基部は背側に脱臼・亜脱臼しており，皮切を加える場合は母指を遠位方向に牽引し，CM 関節を整復して CM 関節を同定する．

> **Tips コツ**
> 同定が不安な場合にはイメージ透視を行い，大菱形骨を同定する．

展開
　CM 関節の少し橈側で Abd PL 腱と短母指伸筋（EPB）腱を同定してこれらの間に縦にメスで関節包を切開し，CM 関節を展開する．

大菱形骨切除
　大菱形骨を近位は舟状大菱形骨関節および遠位は CM 関節まで充分に展開して，大菱形骨全体を subperiosteal に露出して大菱形骨全てを切除する．
　大菱形骨はできれば一塊として切除したいが，大菱形骨は意外と大きいこと，掌側に結節が存在して形状が複雑であるために一塊として切除することは困難なことが多い．

> **Tips コツ**
> 大菱形骨を切除すると，掌側深部には橈側手根屈筋腱（FCR）腱が走行しているのを確認し，大菱形骨が全切除されたことを確認する．

骨孔の作成
　第 1 中手骨の Abd PL 腱付着部のやや遠位の橈背側から中手骨基部の髄腔に向けて骨孔を骨ドリル（2.8-3.2 mm 位の直径）を用いて作成する 図2．次にもう 1 本の骨孔は第 1 中手骨を遠位に牽引して小菱形骨・第 2 中手骨間関節を同定して，第 2 中手骨基部掌橈側から背尺側に向けて作成する 図3．第 2 中手骨背尺側皮下の

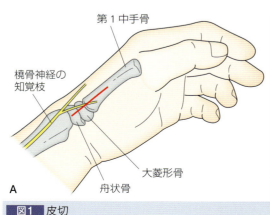

図1　皮切

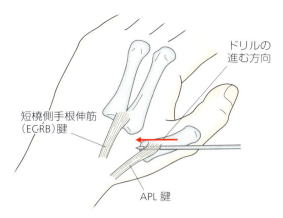

図2 第1中手骨基部での骨孔作成

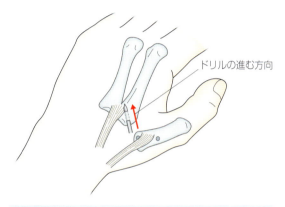

図3 第2中手骨基部の2つ目の骨孔の作成

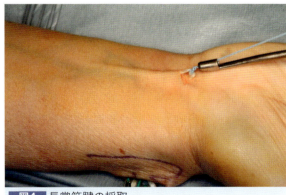

図4 長掌筋腱の採取

ドリルの先の部に小さな縦切開を加える．

> **Tips コツ**
> 第2中手骨背側の骨孔の作成位置は長橈側手根伸筋（ECRL）腱の第2中手骨基部付着部の少し遠位を目指す．

> **Tips コツ**
> 同部皮下に橈骨神経浅枝が走行していることがあるので注意する．

長掌筋腱の採取

長掌筋腱採取については多くの項目の中で，記述しているが，手関節掌側の少し近位にPL腱のレリーフを触れ，直上に小さな横皮切を加え，テンドンストリッパーを用いて採取する 図4 ．

移植腱の作成

PL腱の約6cm（少し長めの方が安全である）を用いて，二重折りとして約3cm長の移植腱（グラフト）を作成し2号Mini Tightropeを波縫いにて設置する 図5 ．作成した移植腱をtensionerで把持して，両端から10mmの位置から断端までFiber loop 4-0をspeed whip stitch technique（野球の球の縫い目のような縫合方法）にて縫合する 図6 ．さらに糸の両端をsuture buttonの2つのホールに通して，断端を引っ張ってPL腱の緊張とTightropeへの固定が同時に行えるようにしておく 図7 ．

Ligament Reconstruction Suspension Arthroplasty（LRSA）

Suture buttonがついていない方の断端の2本となっているTightropeと2本のFiber loop 4-0を第1中手骨基部に作成した骨孔から髄腔へ挿入して大菱形骨を切除した空隙に出し，次いで第2中手骨基部に作成した2つ目の骨孔へパッシングして手背部に出す．

> **Tips コツ**
> Suture buttonの長さは8mmであるので骨孔内にbuttonが迷入してしまうことはないができるだけ骨皮質にしっかり合致するようにTightropeやFiber loopを引くことが重要である．

第2中手骨背尺側骨皮質に作成した骨孔に移植腱を通し，先ほどと同様にsuture buttonにそれぞれの糸の両端を通して，第2中手骨骨膜上で強い緊張下に縫合する

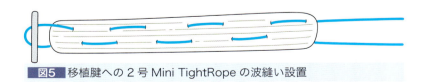

図5 移植腱への2号Mini TightRopeの波縫い設置

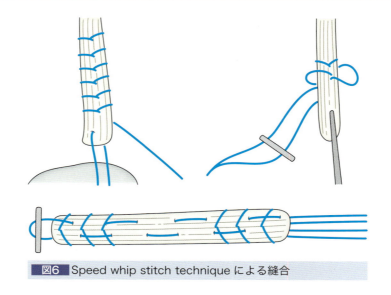

図6 Speed whip stitch technique による縫合

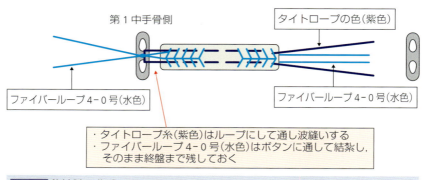

図7 移植腱の作成

図8．これにより中手骨間靱帯の再建と強固な suspension effect を獲得することになる．

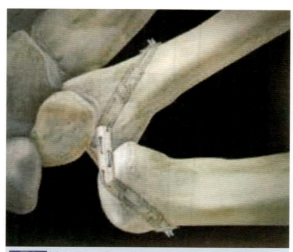

図8 Ligament Reconstruction Suspension Arthroplasty

> **Tips コツ**
> できるだけ強い緊張下で縫合することは重要であるが，余りにも緊張が強いと母指の水平内転が制限され，示指との key pinch が困難となった例を経験しているので，必ず最終的な縫合を施行する前に母指の屈伸および掌背屈方向と水平方向の内・外転が可能であることを確認することが重要である．

腱球挿入

大きな空隙となっている大菱形骨切除後には特に何も挿入せずそのままとすることが一般的であるが，私は残りの PL 腱を腱球として中間挿入物とすることとしている．

閉創・固定

全ての創を洗浄して閉鎖するが，大菱形骨切除のために切離翻転した骨膜を可及的に閉鎖し，ドレーンを挿入する．圧迫固定を行い，母指を橈側・掌側外転位に Thumb spica splint 固定を行う．

▶後療法

術後1～2週間程度の外固定後に，母指CM関節の掌背屈方向および水平方向の内転・外転運動，MP関節の屈伸，IP関節の屈伸の自動運動を開始する．その後，徐々に握力・ピンチ力訓練を加え，術後2カ月程度で日常生活の通常使用を許可する．術後6～8週はOA用の母指外転装具を運動訓練以外には装用する．

▶症例供覧

症例1 77歳，女性．母指CM関節OA．Eaton分類 Stage Ⅲ．
CMC Mini Tightropeを用いたLRSA法 図9, 10

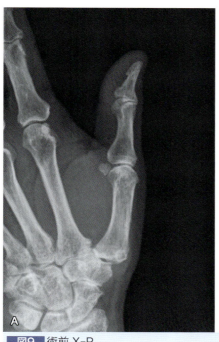
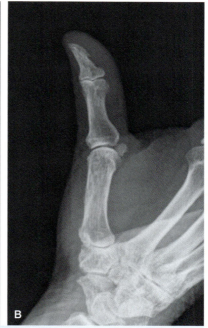

図9 術前X-P
A: 正面像　B: 側面像

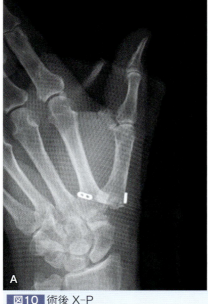
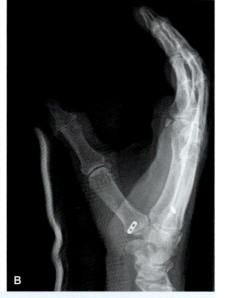

図10 術後X-P
A: 正面像　B: 側面像

症例2　76歳，母指CM関節OA．Eaton分類　Stage Ⅲ．CMC Mini Tightropeを用いたLRSA法　図11, 12

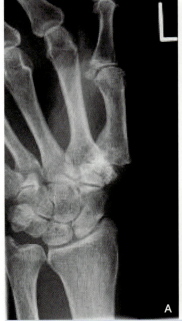
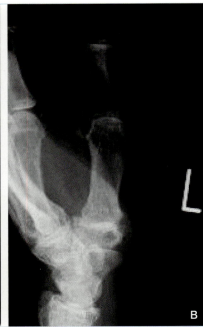

図11　術前X-P
A: 正面像　B: 側面像

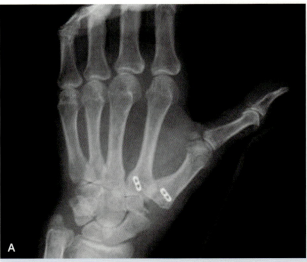
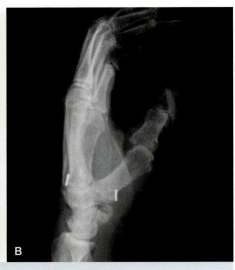

図12　術後X-P
A: 正面像　B: 側面像

症例3　63歳，女性．母指CM関節OA．Eaton分類　Stage Ⅲ　図13〜16

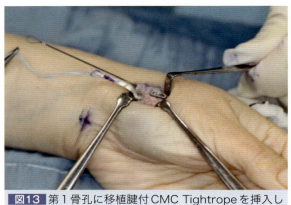

図13　第1骨孔に移植腱付CMC Tightropeを挿入した．

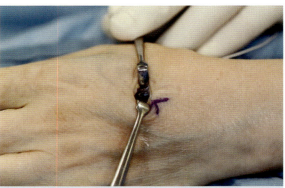

図14　第2骨孔へ移植腱を通し第2中手骨背尺側にTightropeを出してsuture button上で固く縫合した．

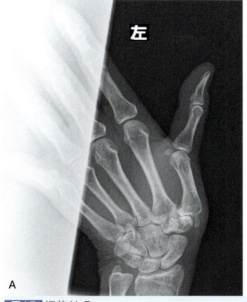
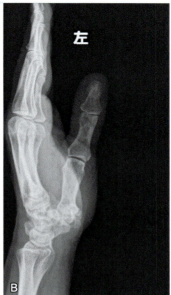

図15 術前 X-P
A: 正面像　B: 側面像

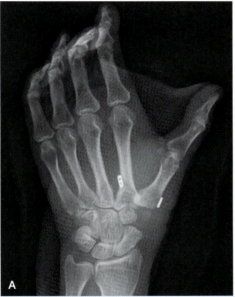
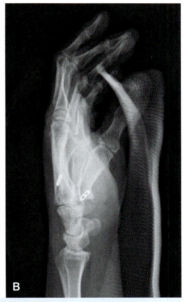

図16 術後 X-P
A: 正面像　B: 側面像

■ 文献

1) Minami A, Suda K, Iwasaki N, et al. An unusual complication after suspensionplasty with the abductor pollicis longus tendon for osteoarthritis at the carpometacarpal joint of the thumb. Hand Surg. 2013; 18: 99-102.
2) Soejima O, Hanamura T, Kikuta T, et al. Suspensionplasty with the abductor pollicis longus tendon for osteoarthritis in the carpometacarpal joint of the thumb. J Hand Surg [Am]. 2006; 31: 425-8.
3) 副島　修. 私の治療法・Orthopractice　母指 CM 関節症の手術方法　関節形成術（大菱形骨摘出靱帯再建併用法）. Arthritis. 2008; 6: 86-91.
4) 副島　修. 「母指 CM 関節症」母指 CM 関節症の手術的治療（解説/特集）. 日本医事新報, 2018; 4896: 39-43.

CHAPTER 4: 母指―骨折

72 Bennett 骨折に対する経皮的鋼線固定術

Bennett骨折は1882年Bennettにより報告された母指CM関節脱臼骨折である．典型的な骨折では第1中手骨基部掌尺側の近位三角骨片のみを残して背橈側の大部分の骨片が基節骨基部背橈側に付着している長母指外転筋（Abd PL）の作用により近位背側へ脱臼する．

粉砕が高度であるなど別の要因があれば異なるが，一般的に本骨折の整復自体はそれほど困難ではない．しかし整復位の保持はAbd PLの作用によりきわめて困難であるのが特徴である．したがって，原則的に本骨折は手術適応であると考えるべきである．

▶病態

Bennett骨折は母指CM関節が伸展位あるいは外転位で母指遠位方向から軸圧が加わり発症する．第1中手骨基部掌尺側部の骨折により橈側の大部分の骨片はAbd PLの作用により近位背側あるいは背橈側に転位してCM関節は脱臼位を呈する．一方，近位掌尺側の三角骨片はCM関節の重要な安定性に寄与するintactな前斜走線維（CM関節の解剖の項，参照のこと）によって解剖学的な位置に保持されるために特徴的な骨折形態をとる 図1 ．

▶診断

CM関節部は第1中手骨基部が背側に突出した変形と圧痛，母指の強い運動痛を訴える．中手骨が背側近位に転位することにより長母指屈筋腱が緊張し，母指IP関節は屈曲している．

> **Tips コツ**
> 一見すると母指MP関節ロッキングと変形肢位が酷似していることもあるので鑑別診断に留意する．

診断は多方向の母指CM関節の単純X線撮影とCT撮影が有用である．CM関節の描出には 図2 のように手関節を尺屈位として手掌部を37°の傾斜をもつ台の上に乗せて撮影する正面像が有用である．

Bennett骨折と骨折型が似ている母指中手骨基部関節内Y字型骨折であるRoland骨折（別項目，参照のこと）との鑑別や関節面の陥没の評価にCT撮影は有用である．

▶手術適応

大部分の中手骨本体はAbd PLの作用によって近位に転位しており，一旦，正確な整復が得られたとしても，その保持はきわめて困難であり，私は本手術は徒手的に整復し，経皮的K鋼線固定を行うのが原則であると考えている．したがって，転位のないBennett骨折以外は全てに手術適応があると考えている．

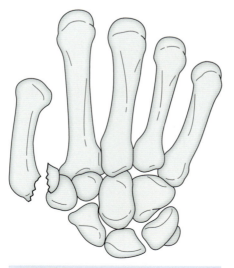

図1 Bennett骨折

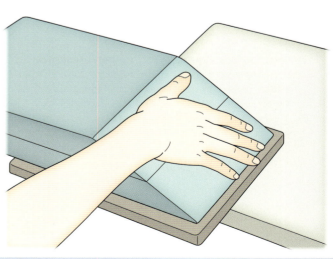

図2 CM関節の撮影方法

▶徒手整復手技

超音波下腕神経叢ブロックまたは腋窩神経ブロック下で十分な除痛と筋弛緩が得られた後に，患肢をX線透過性の手術台に乗せる．術者は母指側に座り，X線透視下（最近はC-アームを用いることが多い）に母指CM関節の脱臼状態を確認する．次いで患者の母指をしっかり保持して，末梢方向に牽引を加えて，透視下に母指を橈側外転しながら脱臼した第1中手骨基部を圧迫し，骨折部を整復する 図3 .

▶経皮的K鋼線固定

脱臼骨折整復後，透視下に第1中手骨の大部分から大菱形骨に1.2 mm径のK鋼線を2本用いて刺入する方法と骨折整復後，K鋼線を第1中手骨から第2中手骨まで刺入し，固定する方法などがある 図4A, B, C, D .中手骨基部の三角骨片が比較的大きい場合は骨折部の固定に

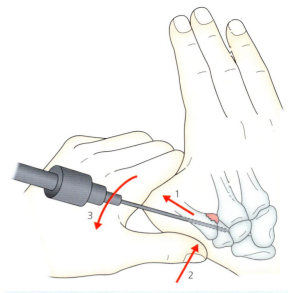

図3 徒手整復手技
母指を末梢方向に牽引し，次いで橈側外転しながら骨折部を整復する

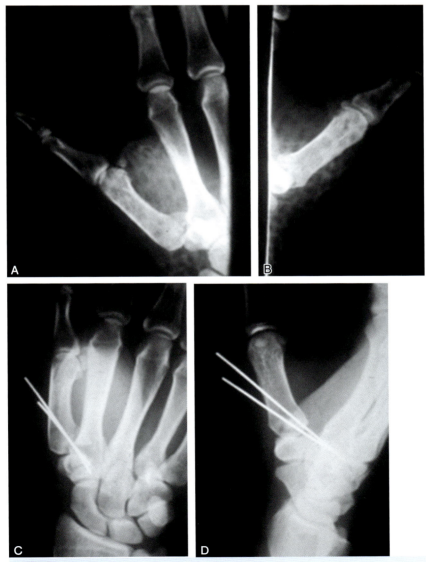

図4 Bennett骨折
A: 術前側面 X-P　B: 術前正面 X-P　C: 術後側面 X-P　D: 術後正面 X-P

cannulated headless screw などを用いることもある 図5．

Tips コツ

繰り返しとなるが，外固定（ギプス）のみで本骨折の整復位保持は困難であり，私はほとんど行っていない．何らかの内固定を要すると考えている．経皮的K鋼線固定により安全でかつ確実な脱臼骨折の整復が得られる．

▶外固定

母指外転位での thumb-spica-splint でのギプスシーネ固定を行う．Thumb-spica-splint 固定を3～4週行い，6週で経皮鋼線の抜釘を行う．

雑談

整復が完全に得られなくても，私は外傷により発症したと思われるいわゆる外傷性母指CM関節変形性関節症の発生の経験がない．それほど厳格な整復位が得られなくてもCM関節の脱臼が整復させていれば，つまり関節面の多少の不適合は許容されるのではと考えている．しかし，当然のことであるが，可及的正確な整復位を得るように努力することは当然である．

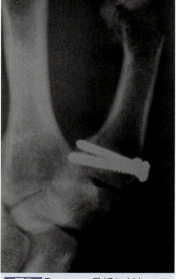

図5 Bennett 骨折に対してスクリューを用いて固定した

■文献

1) Bennett EH. Fractures of the metacarpal bones. Dublin J Med Sci. 1882; 73: 72-5.
2) 石川淳一．手指の骨関節外傷．中手骨骨折．In: 三浪明男編．手・肘の外科: カラーアトラス．東京: 中外医学社．2007. p.247-53.
3) Kjaer-Petersen K, Langhoff O, Andersen K. Bennett's fracture. J Hand Surg [Br]. 1990; 15: 1-14.
4) 長岡正宏．母指CM関節脱臼骨折に対する手術．上肢外傷の手術治療．In: 阿部宗昭監修．新OS Now, No. 1．東京: メジカルビュー社; 1999. p.164-9.
5) 長屋聡哉，長岡正宏．骨折-脱臼 整復のコツ Bennett 骨折．整形外科 Surgical Technique．2014; 4: 228-31.

CHAPTER 4: 母指―骨折

73 Roland 骨折に対する観血的整復術＋内固定術

　Roland 骨折は 1910 年，母指中手骨基部の Y 字状あるいは T 字状を呈した CM 関節の関節内骨折例として初めて報告された 図1．中手骨基部の大部分の骨片が長母指外転筋（Abd PL）腱の作用により近位背側あるいは背橈側に転位して CM 関節は脱臼位を呈している Bennett 骨折（別項目　参照のこと）とは部位としては同じだが，Roland 骨折の方が治療の困難性は非常に高い．治療としてギプス固定や皮膚牽引のみの成績は一般的に悪い．Roland 骨折は今では母指中手骨基部の粉砕関節内骨折を総称して呼称されている．

▶診断

　Roland 骨折の診断には母指 CM 関節の 4 方向の単純 X-P に加えて，CT による reconstruction 像がきわめて有用である．これらにより骨折線の走行方向，骨片の転位方向，関節面の状況を術前に正確に把握することができる．

▶観血的整復術＋内固定術

皮切

　超音波下腕神経叢ブロックまたは腋窩ブロック下で空気止血帯を装着して手術を行う．関節には Wagner 皮切を用いて到達する（別項目　参照のこと） 図2．橈背側縁（Abd PL 腱と母指球筋の間）を触れる第 1 中手骨に皮切を加え，近位に伸ばして橈側手根屈筋の橈側縁の橈側に皮切を延長する．

展開

　母指球筋を中手骨背橈側縁から骨膜上に翻転して，関節包を切離して骨折部を観察する．

整復＋内固定術

　長軸上に牽引を加えることにより骨片を整復し，関節面の適合状況を評価する．2 つの関節面の骨片を K 鋼線や整復鉗子を用いて整復する 図3．中手骨基部の関節面の適合性（整復状況）は X 線（イメージ）や直視下に確認する．

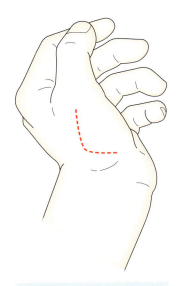

図2 Wagner 皮切

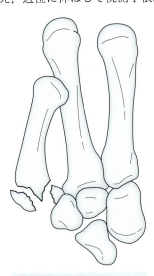

図1 Roland 骨折

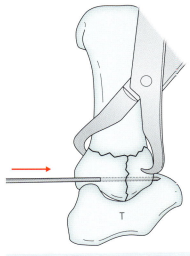

図3 2 つの関節面骨片を整復する

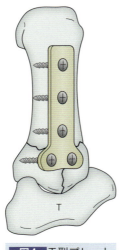

図4 T型プレートを用いて固定する

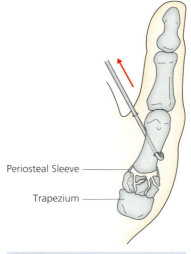

図5 Oblique skeletal traction

Tips コツ

どうしても背側からアプローチしているので深部の骨片を完璧に整復することは困難である．したがって関節面の正確な整復が得られないこともある．しかし骨片間の大きなstep-cutでなければ特に根本的な変形性関節症発生の問題は少ないと考えている．言い換えれば2 mm以下のstep-cutであればacceptableと考える．

大まかに整復してK鋼線を用いて骨片間に刺入して固定する 図3 ．そして2.7 mm C型あるいはT型プレートを用いて長軸の長さを保持しつつ整復した近位骨片を遠位の中手骨間を結ぶように固定する 図4 ．横軸上あるいは長軸上に骨欠損が存在する場合には橈骨遠位端または腸骨から採取した骨移植を積極的に用いることとしている．

私には経験はないが，Gelbemanらは 図5 のようにBennett骨折に対する治療法を応用して遠位方向に牽引してstereotacticにperiosteal sleeveを利用して，ある程度整復し斜めに刺入した鋼線を用いる方法を報告している．そのほかmini創外固定による整復などの報告もあり，比較的良好な成績が報告されている．

外固定

母指外転位でのthumb-spica-splintでのギプスシーネ固定を3-4週間行い，6週でもしK鋼線を刺入していれば抜去し，徐々に母指の運動を行う．

▶症例供覧

症例 29歳男性．左母指中手骨基部に生じたRoland骨折例 図6A, B ，観血的整復術と内固定術を施行した．内固定材料としてはK鋼線とプレートを用いた 図7A, B ．なお，骨移植も同時に行っている．

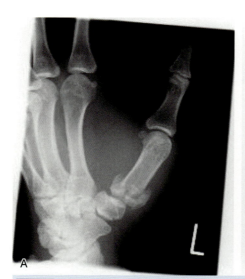
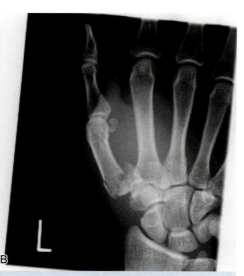

図6 29歳，男性，Roland骨折例
A: 術前X-P．斜位像1　B: 術前X-P．斜位像2

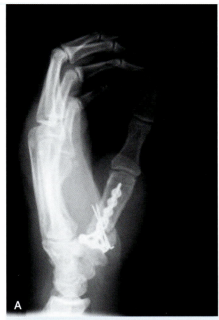 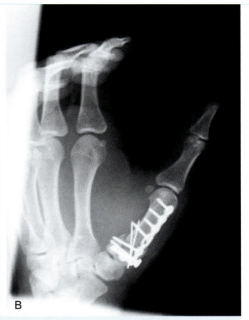

図7 術直後 X-P
A: 正面像　B: 側面像

文献

1) Bennett EH. Fracture of the metacarpal bones. Dublin J Med Sci. 1882; 73: 72-5.
2) Büchler U, McCollam SM, Oppikofer C. Comminuted fractures of the basilar joint of the thumb: Combined treatment by external fixation, limited internal fixation, and bone grafting. J Hand Surg [Am]. 1991; 16A: 556-60.
3) Gelberman RH, Vance RM. Fractures at the base of the thumb: Treatment with oblique traction. J Bone Joint Surg [Am]. 1979; 61A: 260-2.
4) 石川淳一. 手指の骨関節外傷. 中手骨骨折, 基部骨折. In: 三浪明男編. カラーアトラス: 手・肘の外科. 東京: 中外医学社, 2007. p.248-50.
5) Rolando S. Fracture de la base du premier metacarpien, et principalement sur une variete non encore décrite. Press Med. 1910; 33: 303.
6) Wagner CJ. Method of treatment of Bennett's fracture dislocation. Am J Surg. 1950; 80: 230-1.

CHAPTER 4: 母指— MP 関節

74 母指 MP 関節ロッキングに対する治療（手術を含む）

母指 MP 関節ロッキングは MP 関節に過伸展外力が加わり掌側板の膜様部分 membraneous portion が断裂して副靭帯とともに中手骨骨頭橈側顆を乗り越えて，引っかかって還納不能となったものである．その特有な指変形により手の外科医にとって診断はそれほど難しくはないが，本症の存在を知っていなければ，診断はきわめて困難であり，むしろ一般医家に理解してもらいたい疾患といえる．

> **雑談**
> 一般整形外科医から異なる病名疑い（多いのはばね指）ということで時々紹介を受けることも多く，本症の存在は整形外科医の中でも意外と知られていないのではと感じている．

▶手術解剖

MP 関節を構成している中手骨骨頭は基本的には半球状を呈しているが，橈側顆は尺側顆に比べると強く掌側へ突出している．側面の靭帯構造は広義の側副靭帯（側副靭帯固有部分と副靭帯）と掌側にある掌側板（遠位の弾力性のある厚い線維軟骨板である軟骨部分 cartilagineous portion と前記した膜様部分）により構成されている．さらに掌側板には橈側および尺側に 1 個ずつの種子骨が存在している．橈側種子骨には短母指屈筋が，尺側種子骨には母指内転筋が付着している 図1．

▶病態

母指 MP 関節のロッキングの原因としては従来より以下のような説が提唱されていた．
①橈側種子骨が中手骨骨頭橈側顆に引っかかる．
②掌側板が関節裂隙に陥入する．
③断裂した近位側副靭帯と側副靭帯が中手骨骨頭橈側顆を乗り越えて還納不能となる 図2 との考えである．

私を含め多くの手の外科医は上記の説の中で③が原因であると考えており，掌側板と橈側種子骨も同時に橈側顆に引っ掛かるために，①，②と捉えることができるのであって病態は同じであると考える．

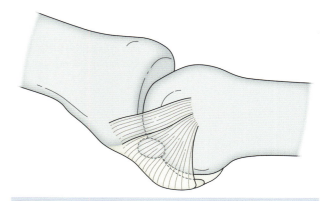

図2 母指 MP 関節ロッキング発生時の側面像

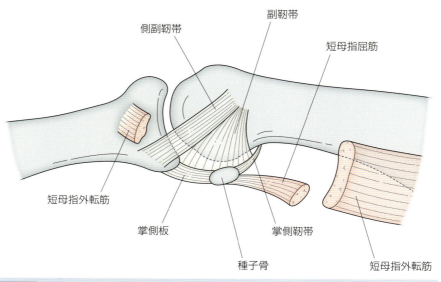

図1 母指 MP 関節の靭帯構造

▶症状・所見

症状は典型的であり，MP関節は軽度伸展位をとり，IP関節は軽度屈曲位を呈する 図3．MP関節の自動運動はほとんど不可であり，他動的に屈曲を強制すると軽度可能であるが，硬い抵抗があり，強い痛みを訴える．MP関節掌橈側に強い腫脹と圧痛が存在する．IP関節の自動運動はほぼ正常である．

X線側面像ではMP関節は過伸展位を呈し，種子骨はあたかもMP関節掌側へ陥入しているように見える 図4．

この像ゆえに種子骨が本症の原因とされる所以である．

X線正面像では橈側種子骨は尺側種子骨に比べて少し遠位に位置し，基節骨は軽度尺側に偏位していることが多い 図5．MP関節を強制屈曲位でのストレス撮影側面像では種子骨を支点として背側で関節が開く像を呈する．

▶治療

徒手整復

局所麻酔下に，まずMP関節を可及的に屈曲位にし，基節骨基部掌側縁を第1中手骨頭に押し付け，背側から基節骨基部を強く押し込み掌側に滑走させる．これにより基節骨基部掌側縁が掌側板を押し出すことになり，ボキッという整復音とともにロッキングが解除される．文献上は1カ月以上の経過例でも徒手整復が成功したとの報告もあるので，まず本症と診断したならば陳旧例であっても徒手整復を試みるべきである．

観血整復

徒手整復が成功しない場合には観血整復を要す．麻酔は局麻下に行う．

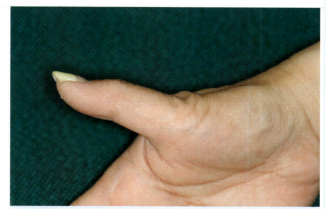
図3 母指MP関節ロッキングの典型像

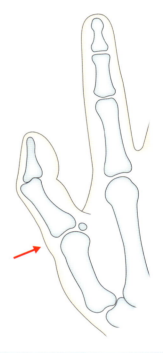
図4 母指MP関節の屈曲位強制肢位でのX-P

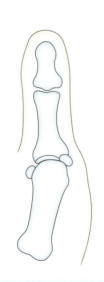
図5 母指MP関節 正面X-P

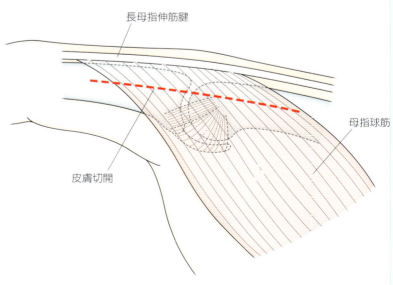
図6 皮切

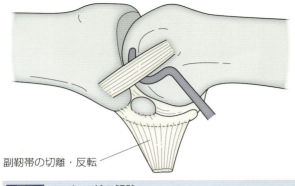

副靱帯の切離・反転

図7 ロッキングの解除

皮切
橈側側正中切開または橈側側正中切開から近位掌側母指皮線に向かう逆"L"字切開を加える 図6 .

展開
短母指外転筋を橈側に圧排すると，短母指屈筋と長母指屈筋腱の間から中手骨骨頭橈側顆が掌側板近位部を破って関節外に露出しているのがわかる．

整復
橈側種子骨が掌側板とともに中手骨骨頭橈側顆に引っかかっているため，掌側板と橈側種子骨の間か，あるいは橈側種子骨と副靱帯の間に縦切を加えるとロッキングは容易に解除される 図7 ．

種子骨が捕捉されているような場合にはエレバトリウムでこじ開けるようにする．橈側種子骨あるいは中手骨骨頭橈側顆を切除することもある．掌側板を修復する必要はない．患者に母指を自動的に動かしてもらいロッキングが解除されたことを確かめる．

▶後療法
術後3週はMP関節を20-30°屈曲位として外固定を行い，その後，可動域訓練を行う．

■文献
1) 井上五郎．母指中手指節関節ロッキング．In: 三浦隆行編．骨折・外傷シリーズNo. 8, 手指の骨折と合併損傷．東京: 南江堂; 1987．p.89-93.
2) 堀内行雄，高山真一郎，仲尾保志，他．母指MP関節ロッキングに手術が必要か．日手会誌．1998; 15: 222-5.
3) Yamanaka K, Yoshida K, Inoue H, et al. Locking of the metacarpophalangeal joint of the thumb. J Bone Joint Surg [Am]. 1985; 67: 782-7.
4) 渡辺宏之，岡 一郎，藤田晋也，他．母指MP関節過伸展外傷症例の検討．整形外科．1982; 33: 1555-6.

CHAPTER 4: 母指—MP関節

75 母指MP関節尺側側副靱帯損傷（Gamekeeper's Thumb）に対する治療

母指MP関節は顆状関節で，6方向の自由度を有しているが，伸展位での橈尺屈の可動範囲は他の指のMP関節に比べ小さい．このことは母指で物を摘む，握る動作において尺側側副靱帯（UCL）のMP関節の安定性の上での重要性を示すものである．

▶外科解剖

母指MP関節の安定性に寄与する機構としては掌背側方向と橈尺屈側方向の安定性に分けることができる．前者は掌側では線維軟骨からなる一対の種子骨を含んだ掌側板とその近位の膜様部であり，尺側の種子骨に付着する母指内転筋横頭と斜頭の一部や，橈側の種子骨に付着する短母指屈筋深頭と浅頭も安定性に関与している．橈尺屈方向の安定性は何と言っても尺側と橈側の側副靱帯が主に関与しているが，その側副靱帯は中手骨頚部背側から基節骨基部掌側へ付着する側副靱帯索状部（cord-like portion）と，中手骨頚部から扇状に掌側板側面に付着する側副靱帯扇状部（副靱帯）（fan-like portion）から構成されている 図1．関節が屈曲すると索状部は緊張し，伸展では弛緩する．扇状部は全く逆で，関節が屈曲すると弛緩し，伸展では緊張する 図2A, B．

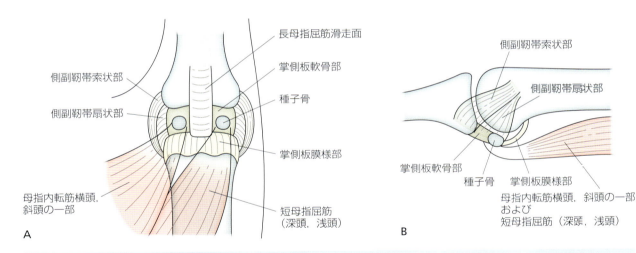

図1 母指MP関節周囲軟部組織構造
A. 掌側面　B. 側面

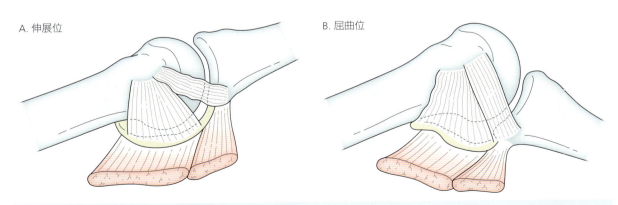

図2 母指MP関節の肢位と側副靱帯の関係
A: 伸展位では accessory portion が緊張し，cord like portion が弛緩する
B: 屈曲位では cord like portion が緊張し，accessory portion が弛緩する

> **Tips コツ**
> この側副靱帯の関節屈伸による側副靱帯索状部と扇状部の緊張（長さ）の変化は，関節拘縮の際の解離する部を決定する上で重要である．つまり伸展拘縮では索状部を，屈曲拘縮では扇状部を解離することにより拘縮解離が可能となる．

物を握ったり，物をつまんだりするときは UCL が重要であるが，瓶のキャップをひねったり，押し開ける時，またドアのノブをひねる時には橈側側副靱帯 (RCL) も重要である．このほか，側方安定化には，尺側から手背に線維を送る母指内転筋や橈側の基節骨基部に付着する短母指外転筋も関与する．

背側の安定性は背側の関節包と基節骨背側基部に停止する線維をもつ短母指伸筋腱が関与する．これらの構成帯に外力が加わって破綻すると，多くの場合は単独に損傷されることはなく，関節の不安定性を招来することとなる．

▶尺側側副靱帯 (UCL) 損傷

RCL 損傷に比べて UCL 損傷が圧倒的に多い．重度な UCL 損傷は掌側板や背側関節包損傷を合併することが多い．

UCL 損傷は別名 gamekeeper's thumb と呼ばれている．これは Campbell (1955) が報告したもので，イギリスで兎狩り人がしとめた兎の首を母指と他指の間に挟んでひねり殺すことより生じる慢性の職業性の障害に対してつけられたものである 図3 ．今は必ずしもこのような職業性の障害ではなく，1 回の外傷で発生した UCL 損傷に対しても gamekeeper's thumb と呼称されている．UCL の断裂靱帯（断裂は圧倒的に基節骨基部の停止部で発生することが多いので）の遠位端が母指内転筋腱膜上に乗り上げるということより Stener lesion と呼ばれたり 図4 ，またスキーのストックによる損傷が多いことから skier's thumb とも呼ばれたりする．

以前にも記載したが，UCL 断裂は圧倒的に基節骨基部で発生し剥脱することが多い．発生頻度は尺側の方が圧倒的に多く橈側との比は約 3：1 である．発生年齢としては 20-50 歳代の男性に多い．

▶診断・手術適応

治療を保存的に行うか手術を行うかの判断のためには正確な診断を行うことが重要である．

麻酔下に母指 MP 関節に橈屈方向にストレスをかけ，健側に比べて転位が強く，強い不安定性がある場合は手術とする 図5 ．背側関節包や掌側板の断裂を同時に伴うと思われる重度の損傷例は無麻酔下でもストレスに対して動揺性が強い．本来であれば側副靱帯が最も緊張する軽度屈曲位でもストレスをかけるべきだが，ストレ

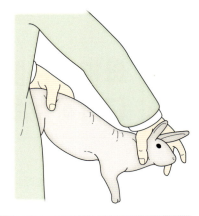

図3 Gamekeeper's thumb の命名のいわれ

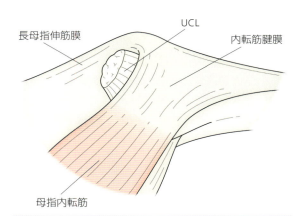

図4 Stener lesion
側副靱帯は内転筋腱膜の中枢側へ反転している

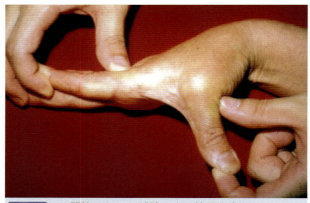

図5 MP 関節ストレス試験による橈屈方向への不安定性

スをかけて X 線前後像を撮る場合は 0°伸展位で行っている 図6 ．MP 関節橈屈での健側との差が 10°以上または 35°以上の橈屈が生じる場合を手術適応とすべきとの論文もあるが，現実的には厳密に分けることは難しい．

> **Tips コツ**
> MP 関節に橈屈方向へのストレスを加え，end point が存在していない場合は手術適応と考える．

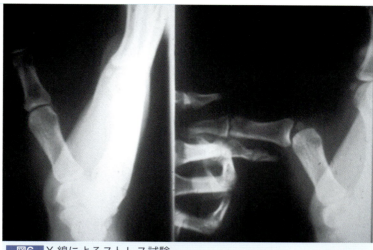

図6 X線によるストレス試験

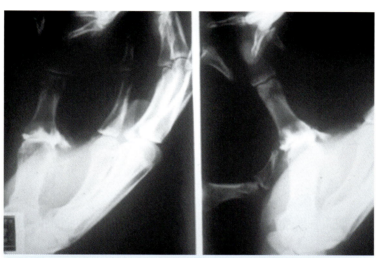

図7 関節造影によりUCL部への造影剤の漏出を認める．詳細に見るとStener lesionの存在もわかることがある

　側副靱帯が剥離骨折をつけているものは靱帯の位置の見当をつけやすいが，ストレスをかけただけで，側副靱帯の断端がStenerが示したように内転筋腱膜の近位辺縁に乗り上げているかどうかは判定できない．最近，超音波やMR像でUCLの断端部がStener lesionを示しているかどうかの判断が可能であるとの報告もある．私は断裂が疑われた場合，時期を逸することなく積極的に手術を行うべきと考えている．健側と比べてほとんど橈屈増加のないものや，剥離骨折があってもズレのないものは保存的治療でよいと考える．

　完全断裂か不全断裂かの診断は前述のストレステストと関節造影で判断する．手術の適応は，①ストレスX線像にて30°以上の不安定性を有し，②関節造影像で漏出像のあるもの 図7 ，③基節骨が掌側へ亜脱臼しているもの，④基節骨基部に転位を有する骨折を認めるもの，と考えている．

▶保存療法

　保存的にはMP関節をやや屈曲位としてthumb-spica-castを3週間装用する．その後，自動および愛護的他動運動を行い，徐々に負荷を加えていく．

▶手術

皮切

　MP関節尺側に，第1指間の水かき部に創瘢痕がこないように，側副靱帯の走行に沿わすように背側から掌側に向けゆるやかなS状皮膚切開を加える 図8 ．

展開

　橈骨神経浅枝を確認して掌側に翻転する 図9 ．皮下組織を鈍的に分け内転筋腱膜を展開してStener lesionの有無を確認する 図10 ．腱膜を長母指伸筋腱に沿って縦切開を加え，開けるように掌背側へ翻転して尺側側副靱帯の損傷状態を観察する．通常，側副靱帯は基節骨基部から剥脱している 図11 ．断裂靱帯に縫いしろがあれば4-0ナイロン糸で縫合し，骨から剥離している場合は4-0ナイロン両端針をKessler様またはBunnell様にかけて，本来の付着部からpull-out wire法にて縫着する．最近はpull-out wire法は用いずに，

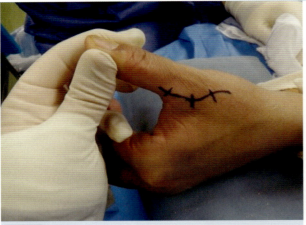

図8 皮切

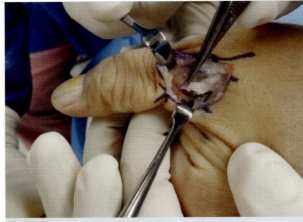

図11 断裂した UCL を認めることができる

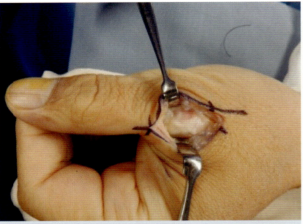

図9 橈骨神経浅枝を確認し皮膚とともに引く

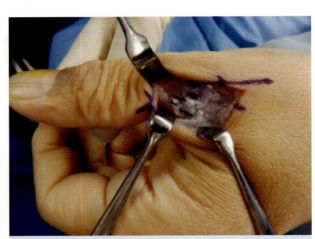

図12 Stener lesion を修復する

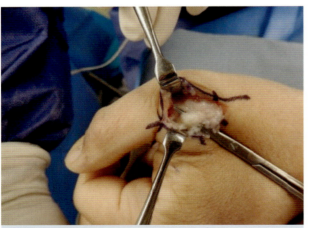

図10 Add P 腱膜に乗りあげて断裂した UCL が存在している

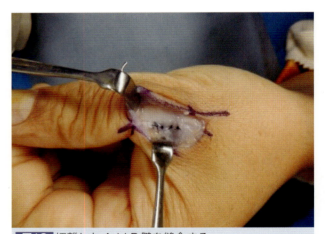

図13 切離した Add P 腱を縫合する

本来の付着部から反対側に pull-out せずに，同側の背部骨皮質上に作成した一対の針穴に引き出して縫合するか，あるいは Mitek mini-anchor を基節骨基部に刺入して靭帯断端を引き込み縫合する 図12．

剥離骨片は細い Kirschner 鋼線を用いて骨接合を行う．この際に背側関節包や掌側板の断裂などの修復は行っていない．

次いで切離した Add P 腱膜を修復する 図13．創を閉創する 図14．

▶後療法

後療法としては MP 関節をやや屈曲位で K 鋼線で仮固定し 図14，thumb spica cast を 3-4 週間装着する．

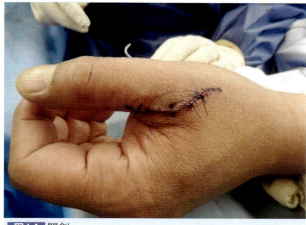

図14 閉創

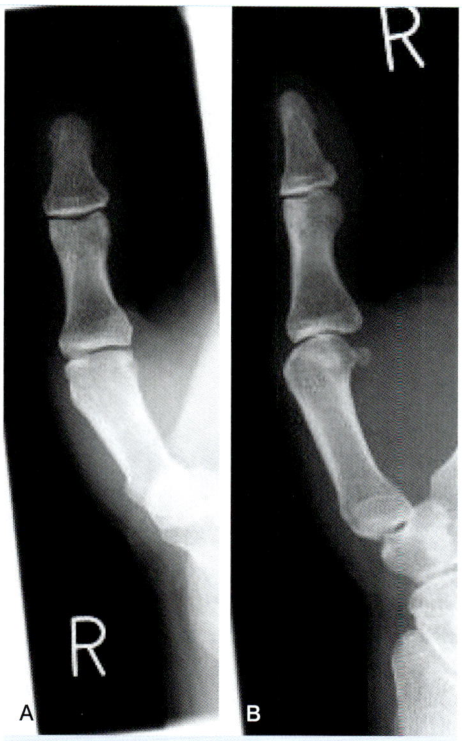

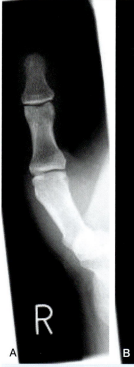

図15 術前 X-P
A: 正面像　B: 側面像
MP 関節は軽度の掌側亜脱を呈している．

▶症例供覧

症例 35歳，男性．Gamekeeper's thumb
図15-18

▶陳旧例の手術

　一次修復は困難であるので靱帯再建術を行うこととなる．再建術には腱移行による方法と遊離腱移植による方法が報告されている．腱移行術は短母指伸筋腱を用いる方法（Strandell，Ahmad，Sakellarides），固有示指伸筋腱を用いる方法（Kaplan），母指内転筋を用いる方法（Neviaser）などがある．手術はいずれも同一視野で可能であり比較的容易なことが多い．それほど経験があるわけではないが，全体的に矯正力がやや弱いのが欠点である．

　私は長掌筋（PL）腱の遊離腱移植を行っている．断裂靱帯を剝離し近位起始部と遠位靱帯付着部に遊離腱を緊張させて Mitek mini-anchor で強く固定する 図19 ．そしてこの上に既存の側副靱帯を補強のために用いて縫合する．あるいは近位の側副靱帯の状態が良好な場合は遊離腱を用いて Kessler 法様あるいは Bunnell 法様に引っかけて基節骨基部に bone anchor を用いて固定することもある．

▶後療法

　関節をやや屈曲位でK鋼線を用いて仮固定し，thumb spica cast を4-5週装着する．

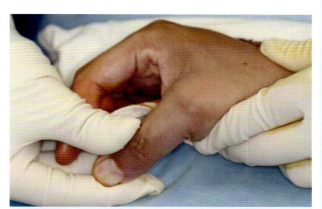

図16 母指 MP 関節ストレステスト

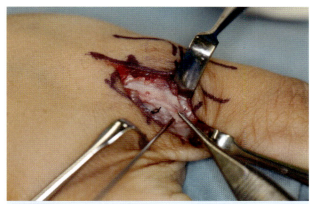

図17 母指MP関節UCLが基節骨付着部で断裂している．

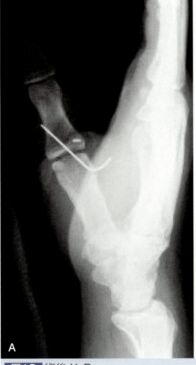
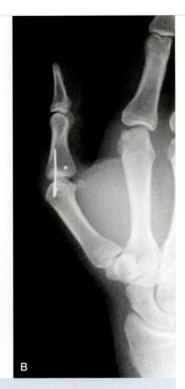

図18 術後 X-P
A: 正面像　B: 側面像

図19 陳旧例の場合には PL 腱を用いて UCL を再建する

■ 文献

1) Ahmad I, DePalma AF. Treatment of game-keeper's thumb by a new operation. Clin Orthop Rel Res. 1974; 103: 167-9.
2) Bowers WH, Hurst LC. Gamekeeper's thumb. Evaluation by arthrography and stress roentgenography. J Bone Joint Surg［Am］. 1977; 59: 519-24.
3) Campbell CS. Gamekeeper's thumb. J Bone Joint Surg［Br］. 1955; 37: 148-9.
4) 石川淳一. 母指 MP 靭帯損傷. In: 三浪明男編. 手・肘の外科: カラーアトラス. 東京: 中外医学社. 2007. p. 257-9.
5) Kaplan EB. The pathology and treatment of radial subluxation of the thumb with ulnar displacement of the head of the first metacarpal. J Bone Joint Surg［Am］. 1961; 43: 541-6.
6) 牧 裕, 吉津孝衛. 母指 MP 関節障害. 骨・関節・靭帯. 1997; 10: 173-81.
7) Neviaser RJ, Wilson JN, Lievano A. Rupture of the ulnar collateral ligament of the thumb（gamekeeper's thumb）. Correction by dynamic repair. J Bone Joint Surg［Am］. 1971; 53: 1357-64.
8) Sakellarides HT, Deweese JW. Instability of the metacarpophalangeal joint of the thumb. Reconstruction of the collateral ligaments using the extensor pollicis brevis tendon. J Bone Joint Surg［Am］. 1976; 58: 106-12.
9) Stener B. Displacement of the ruptured ulnar collateral ligament of the metacarpo-phalangeal joint of the thumb. J Bone Joint Surg［Br］. 1962; 44: 869-79.
10) Stener B. Hyperextension injuries to the metacarpophalangeal joint of the thumb: rupture of ligaments, fracture of sesamoid bones, rupture of flexor pollicis brevis. An anatomical and clinical study. Acta Chir Scand. 1963; 125: 275-93.
11) Strandell G. Total rupture of the ulnar collateral ligament of the metacarpophalangeal joint of the thumb. Acta Chir Scand. 1959; 118: 72-80.
12) 吉津孝衛. 手指 MP および PIP 関節脱臼. 関節外科. 1986; 5: 909-27.

CHAPTER 4: 母指―MP 関節

76 陳旧性母指 MP 関節橈側側副靱帯損傷に対する手術治療

母指 MP 関節における靱帯損傷としては尺側側副靱帯（UCL）損傷，いわゆる Gamekeeper's thumb についてはよく記載されており，Stener's lesion の関係で積極的な手術治療（別項目参照のこと）が行われることが多い．他方，母指 MP 関節橈側側副靱帯（RCL）損傷に関しては軽視されることが多く，それゆえに陳旧化して愁訴が残存することも少なくない．母指内転ストレスで母指が手背に抜けるような状態で断裂を生じることが多い．

Tips コツ
母指 MP 関節 RCL 損傷に対して強い不安定性が存在する新鮮例については suture anchor を用いた修復術が適応となるが，多くの場合，保存治療（外固定）が行われる．

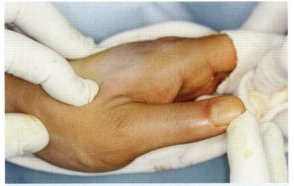

図1 術中，母指 MP 関節の尺屈ストレスによって明らかな不安定性を認める．

▶診断

母指 MP 関節の運動時痛，可動域制限，橈側部の圧痛，不安定性（尺屈ストレスによる）が主訴である 図1．しかし，特徴的なことはこれらの症状・所見に加えて MP 橈側部での Tinel-like sign や母指橈側部のシビレを認めることもある．

X 線学的に MP 関節に尺側方向へのストレスを加えると，大きく開大する 図2 が，健側との差が少なく，痛みを訴えることも多い．また MP 関節が掌側亜脱臼することも多い 図3．

Tips コツ
ストレステストを無麻酔下に行うと疼痛のために不安定性が明らかでないことが多い．

UCL 断裂に比べて掌側亜脱臼を伴う率が高い．MRI も有用なことがある．最近では超音波検査により靱帯の完全断裂，不全断裂の鑑別が可能であるとの報告も多い．

▶手術

損傷（断裂）部位は UCL の場合は基節骨付着部での

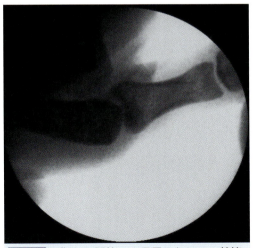

図2 母指 MP 関節への尺屈ストレスで基節骨は尺側へ偏位している．

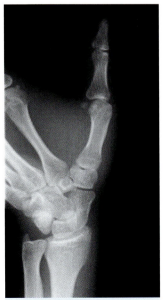

図3 母指 MP 関節で基節骨は掌側亜脱臼している．

ことが多いが，RCLの場合は中手骨付着部であることの方が多い．

母指MP関節の橈背側部に皮切を加える 図4 ．皮膚を翻転すると橈骨神経浅枝あるいは後前腕皮神経の枝と思われる神経が露出するので保護するように努める 図5 ．短母指外転筋（Abd PB）の腱様部の背側部分を弁状に遠位を付けたまま挙上する．MP関節の橈側関節包靱帯構造はかなり緩くなっており，RCLは中手骨付着部で断裂し，瘢痕化している 図6 ．

瘢痕性靱帯を含めて遠位をpedicleとして弁状として挙上した 図7A ．基節部は掌尺側に少し亜脱していた．関節を整復してK鋼線を用いてMP関節を一時的に固定した後に翻転した2つの弁を本来の付着部であった中手骨頚部の背橈側部にmini Mitek suture anchorを用いて強く縫着した 図7B ．残りの周囲組織もtightに縫合した 図8 ．術直後の状態である 図9 ．
図10A,B は術直後X-Pである．

> **Tips コツ**
> 多くはAbd PB腱のexpansion hoodに断裂および瘢痕組織を認め，橈骨神経浅枝の母指背側枝周囲での癒着を認めることもある．この場合，神経剥離術を行って瘢痕組織を切除すると中手骨側での靱帯断裂を同定可能であることもある．

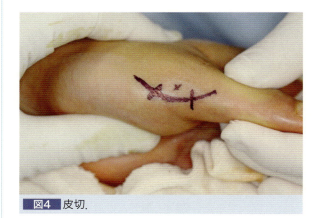

図4 皮切．

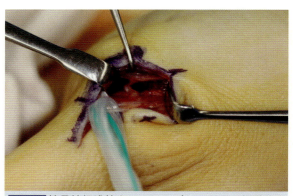

図5 橈骨神経浅枝をペンローズドレーンで保護している．

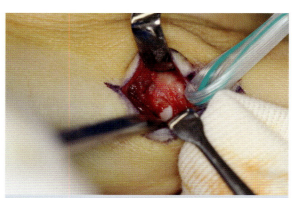

図6 RCLは中手骨部付着部で断裂し，中手骨骨頭が露出している．

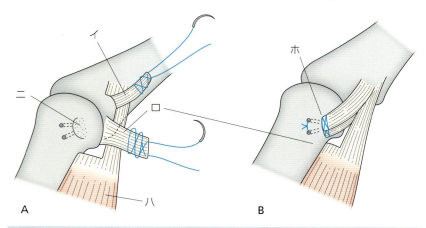

図7 Abd PB腱の背側部分とRCLの残部を2つの弁として遠位方向に翻転する（本文参照のこと）．
イ，ホ: Abd PB腱の背側部分
ロ: RCL残存部
ハ: Abd PB腱
ニ: 本来の中手骨頚部
　付着部に溝を作り一対の針穴を開ける（suture anchorを用いることが最近は多い）．

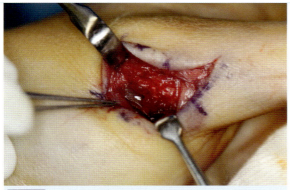

図8 2つの弁を中手骨にanchorを用いて固定し，周囲組織を縫合した．

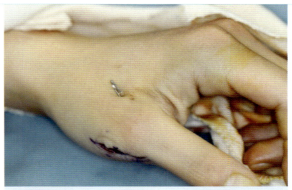

図9 術後外観

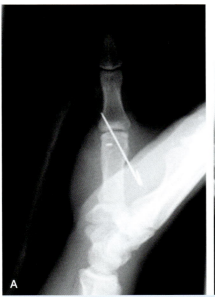
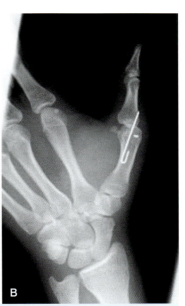

図10 術後X-P　A: 正面像　B: 側面像

▶後療法

　ギプスシーネ固定を3〜4週間行った後にK鋼線を抜釘し，可動域訓練を開始し，次第に可動域増強および筋力増強を図る．

■文献

1) 石川淳一．母指MP関節靱帯損傷．In: 三浪明男編．カラーアトラス　手・肘の外科．2007; 中外医学社: 京京．p.257-9.
2) 櫛田　学，宮城　哲，真鍋尚至．陳旧性母指MP関節橈側側副靱帯損傷に対する観血的治療の経験．臨整外．2011; 46: 375-8.
3) 柴田　定，高畑直司，佐藤智弘，他．母指MP関節橈側側副靱帯損傷に対する観血的治療．日手会誌．2004; 21: 432-5.
4) 高山真一郎，堀内行雄，浦部忠久，他．スポーツによる母指MP関節側副靱帯損傷．日手会誌．1999; 16 228-31.

CHAPTER 4: 母指—腫瘍

77 母指球部に発生した軟部腫瘍に対する切除術

母指球部は脂肪腫，神経鞘腫あるいはガングリオンなどの軟部腫瘍発生の好発部位であり，これによる母指などの知覚障害や運動障害および違和感などを訴えることが多い．

▶手術適応

腫瘍が存在すること自体では切除の対象とはならない．しかし，腫瘍が最近，急速に大きくなった，自発痛が存在する，腫瘍による神経血管束に対する圧迫症状が存在している，母指の運動に障害がある，患者が切除を強く希望している場合には手術適応と考えている．
症例を提示しながら手術術式について記載する．

▶症例供覧

症例 70歳，女性．母指球部軟部腫瘍例である 図1 ． 図2 A-F はMR像である．T1強調像でlow intensityであり，T2強調像でhigh intensityである．MR像で長母指屈筋腱上に存在し指神経を圧排している所見と考えた．

皮切

近位手掌皮線（proximal palmar crease）に沿う皮切を加える．本症例では腫瘍の尺側縁に沿うように皮切を加えた 図3 ．

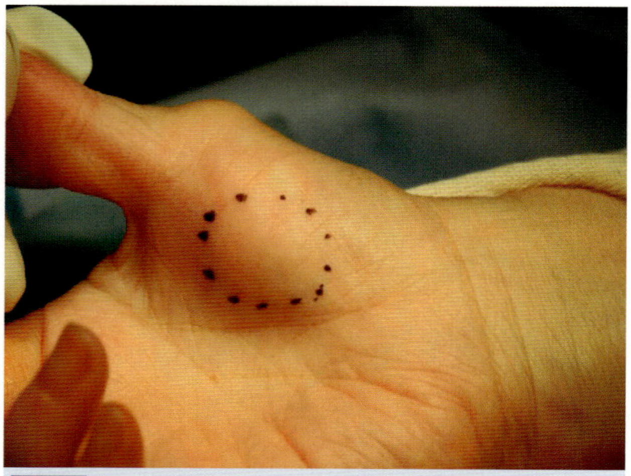

展開

皮下を剝離して皮弁を橈側に翻転し，母指球部を露出する．手掌腱膜および母指球部の筋膜を腫瘍上で切離すると腫瘍が露出する 図4 ．腫瘍は橈側は母指球部の尺側の短母指屈筋の筋肉により一部被覆されており，尺側には母指への指神経が腫瘍により圧排され，迂回して走行していた．腫瘍の底部（背側）には長母指屈筋（FPL）腱が走行していた 図5 ．

腫瘍切除

腫瘍をenuculationするように切除した．腫瘍はFPL腱腱鞘から発生したガングリオンであった．腫瘍をガングリオンの被膜を含めてFPL腱から剝離するように切除した．底部にはFPL腱が尺側には指神経，橈側には母指球筋（短母指屈筋）が存在していた 図6 ．

> **Tips コツ**
> 腫瘍の壁を損傷しないように辺縁切除を行うべきであるが，とくに切除時に指神経，指動脈の損傷には十分留意するべきである．

閉鎖

創を洗浄し，皮弁を元に戻すように創閉鎖を行う 図7 ．

図1 右母指球部に発生した球状の軟部腫瘍である．点線部分が腫瘍である．

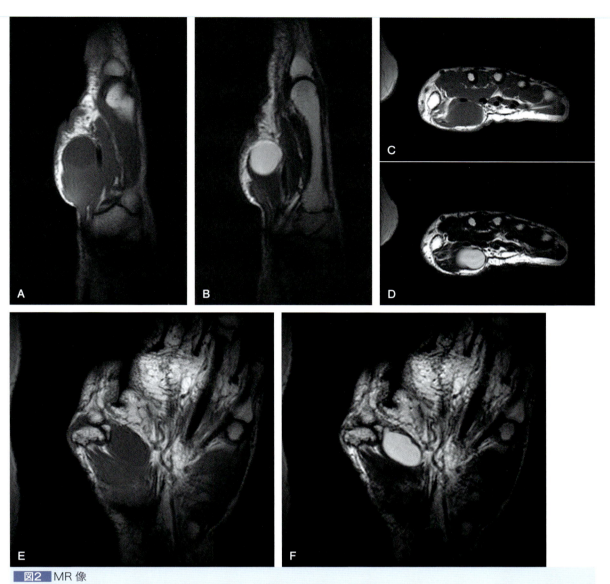

図2 MR像
A: T1 sagittal view　B: T2 sagittal view　C: T1 axial view　D: T2 axial view
E: T1 frontal view　F: T2 frontal view

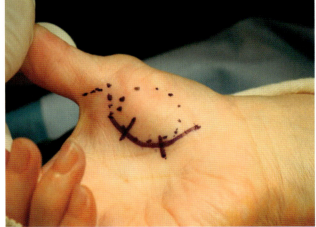

図3 皮切

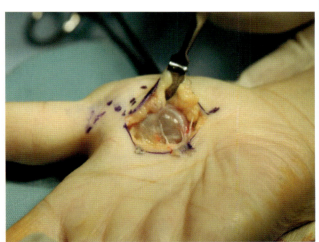

図4 皮弁を橈側に翻転し，腫瘍を露出する

図5 腫瘍のほぼ全容を露出した

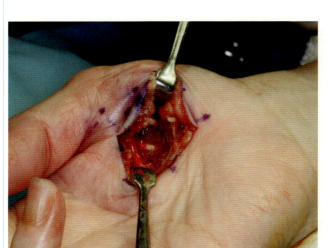

図6 腫瘍を切除したところ．底部にはFPL腱が，尺側には指神経が見える

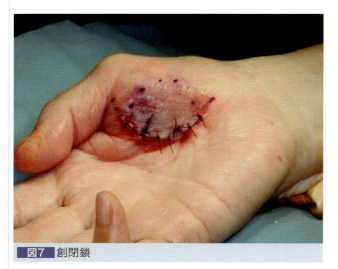

図7 創閉鎖

■文献

1) 石川心介，杉本孝之，鴻池奈津子．当科で経験した手部脂肪腫9例の検討．北里医学．2015; 45: 21-6.
2) Han KJ, Lee YS. Intramuscular ganglion of the thenar muscles in a 3-year-old girl. J Hand Surg [Eur]. 2011; 36: 611-2.
3) Kobayashi N, Koshino T, Nakazawa A, et al. Neuropathy of motor branch of median or ulnar nerve induced by mid-palm ganglion. J Hand Surg [Am]. 2001; 26: 474-7.

CHAPTER 5: 手指

78　手指の解剖と機能

　手指は近位から MP 関節，PIP 関節，DIP 関節の 3 つの関節により構成されている．MP 関節は顆状関節 condyloid joint であり，屈伸および橈尺屈運動とともに回旋運動と 6 方向の自由度を有しているが，PIP，DIP 関節は蝶番関節 hinge joint であり，屈伸運動のみを行う．しかし，2 つの関節ともに基本的には同じ構造を有する．

▶関節

掌側板と手綱靱帯

　MP 関節の掌側には掌側板 palmar（volar）plate が存在している．基節骨には線維軟骨により構成されている軟骨部分 cartilaginous portion が強固に付着している．掌側板の近位部は中手骨頚部に付着し，膜様部分 membranous portion とよばれている 図1,2．この構造により関節屈曲時には膜状部分が折れ曲がり，軟骨部分が近位に移動し，伸展時には膜状部分が二枚の膜となって拡がることにより屈伸が可能となる 図2．

> **Tips コツ**
> これによって MP 関節は 90°の屈曲，45°位の逆伸展が可能となっている．

　一方，PIP 関節には中節骨に付着する掌側板の線維軟骨近位端には手綱靱帯 checkrein ligament が付着しており，基節骨中央部に強固に付着している．手綱靱帯は薄いが弾力性がない組織なので PIP 関節は C°以上の過

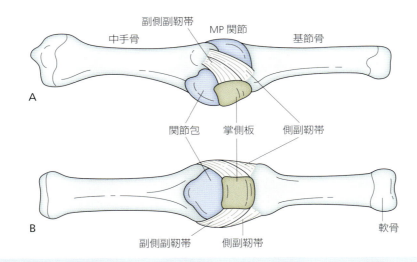

図1　MP 関節構造
A: 側面，B: 掌側面

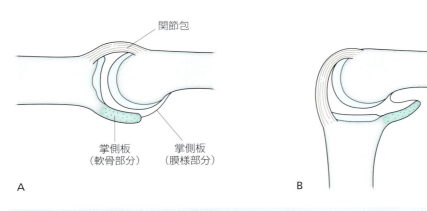

図2　MP 関節屈伸における掌側板の役割
A: 伸展，B: 屈曲

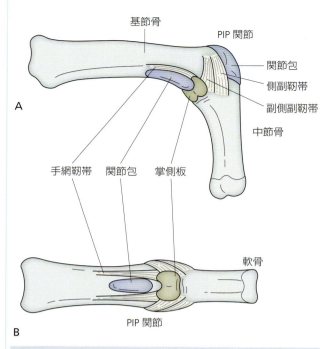

図3 PIP関節構造
A: 側面　B: 掌側面

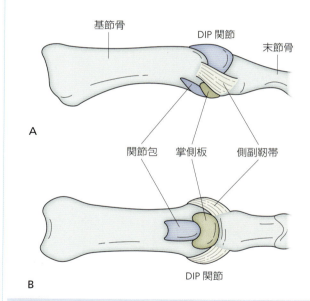

図4 DIP関節構造
A: 側面　B: 掌側面

側壁の側副靱帯付着部の少し掌側の小さな範囲であるが，停止部は大部分は骨ではなく掌側板の辺縁に付着している**図1**．副側副靱帯は側副靱帯よりは弱いが，その方向性から伸展で緊張し，屈曲で弛緩する．

 コツ

> したがって，MP関節の伸展拘縮においては側副靱帯が拘縮しており，屈曲拘縮においては副側副靱帯が拘縮しているために解離する際には，これらを選択的に切離する根拠となっている．

関節包

　関節包は関節周囲に存在しているが，側面では側副靱帯との分離が困難である**図1**．関節リウマチなどの炎症性変化が持続すると伸張した肥厚した構成体として存在する．また，関節に拘縮が存在している場合には関節包も拘縮を起こすが，一義的なconstraintとなることはほとんどない．

▶指屈筋腱・腱鞘

　指屈筋腱〔浅指屈筋（FDS）腱および深指屈筋（FDP）腱〕は手関節部では手根管内を走行しその後，FDS腱は中節骨基部に，FDP腱は末節骨基部に停止している．
　手関節の少し中枢部から近位手掌皮線までは総指屈筋腱腱鞘（尺側滑液包）により覆われる．しかしその際，母指や小指の指滑液鞘は手根部の滑液包と連続している．示指，中指，環指では独立した指滑液鞘が存在しており，MP関節部から中節骨の中央部まで各指屈筋腱（FDSとFDP腱）を覆っている**図5**（滑液包については別項目も参照のこと）．また，指の屈側にpulleyが存在しており，pulleyは靱帯性でしっかりしている輪状靱帯annular ligamentとその間に存在している十字靱帯cruciate ligamentよりなっている．本来のpulleyの役割を担っているのは輪状靱帯である．輪状靱帯はMP関節から遠位に向かってA1からA5まで存在し，十字靱帯は同様に近位からC1からC3と呼称されている**図6**．手指屈筋腱および伸筋腱断裂は部位（zone）により予後が大きく異なることから**図7**のようにzone分類を行っている．この点に関しては当該項目を参照されたい．

▶指伸筋腱

　母指，示指，小指の3指は2本の伸筋を有している．母指は長・短母指伸筋，示指は固有示指伸筋と指伸筋，そして小指は固有小指伸筋と指伸筋を有している．他指は固有伸筋をもたずに指伸筋のみである．
　手関節背側には伸筋支帯extensor retinaculumが存在している．伸筋支帯には隔壁があり，6つの区画に分けられている．6つの区画内はそれぞれ**図8**のような

伸展はできない**図3**．DIP関節にはPIP関節のような手綱靱帯は存在していないが，掌側板の近位端は中節骨の頸部に強固に付着することによって過伸展を制限している**図4**．

側副靱帯

　指関節の両側には側副靱帯collateral ligamentが存在する．MP関節では側副靱帯は中手骨骨頭の背側側壁の陥凹部から基節骨底部の掌側側壁の扇状に拡がる強固な靱帯である．側副靱帯は伸展で弛緩し，屈曲で緊張する．側副靱帯の掌側には副側副靱帯accessory collateral ligamentが存在している．起始部が中手骨骨頭部

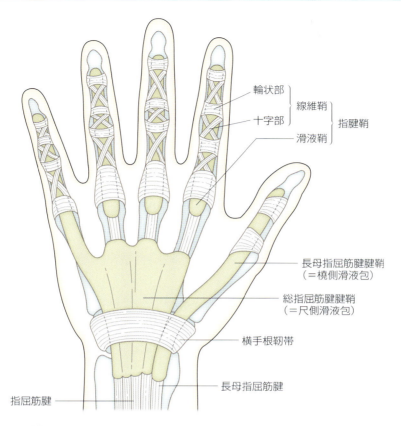

図5 屈筋腱滑液包

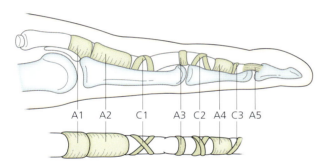

図6 滑車の位置
(Doyle JR, Blythe WF. Symposium on tendon surgery in the hand. Mosby Co: 1975 より引用)

伸筋腱が通っており，区画内で腱は滑膜鞘により覆われている．第3区画内を走行する長母指伸筋腱がLister結節により走行を45°橈側に走行する変曲点となることにより，転位が少ないColles骨折などでの腱断裂が多いことなどが知られている．

▶指伸展機構

指伸筋は3つの指関節すべてを伸展させることができるが，手内筋intrinsic muscleである骨間筋や虫様筋はMP関節屈曲とPIP・DIP関節伸展機構を有している．Intrinsic tightness testは手内筋の拘縮を調べる検査でMP関節を伸展位に保持して，他動的にPIP・DIP関節を屈曲しようとしても屈曲することができない．指伸筋腱，骨間筋腱，虫様筋腱は図のように互いに線維を複雑に交錯して指背腱膜の伸展機構 extensor mechanism を形成している 図9 ．

▶筋肉

手内筋は母指球筋，小指球筋，骨間筋，虫様筋に分けることができる．母指球筋には短母指外転筋，母指対立筋，短母指屈筋，母指内転筋が含まれる 図10A-D ．ほとんどは正中神経支配であるが，短母指屈筋の深頭と母指内転筋は尺骨神経支配である．

> **Tips コツ**
> 筋肉の神経支配にはvariationが存在している．

小指球筋には小指外転筋，小指対立筋，短小指屈筋，短掌筋が含まれる 図11A-C ．全て尺骨神経支配である．
骨間筋は4つの背側骨間筋と3つの掌側骨間筋により構成されている 図12, 13 ．背側骨間筋により指MP関節の外転運動が，掌側骨間筋により内転運動が行われている．しかし，小指の外転は小指外転筋（発生学的には第5背側骨間筋といえる）により行われている．一方，母指の内転運動は母指内転筋により，外転運動は長および短母指外転筋により行われる．
虫様筋は4つより構成されている 図14 ．起始部は

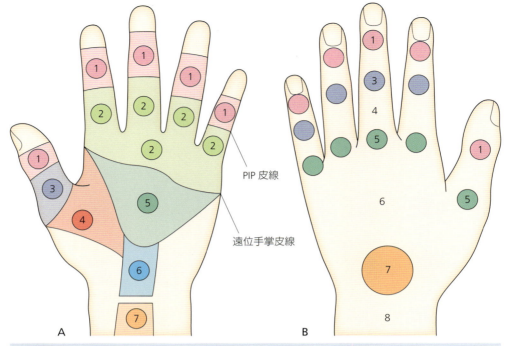

図7 手の zone 分類
A: 手掌面　B: 手背面
(Verdan CE, et al. Symposium on the hand 3. Mosby Co: 1971 より引用)

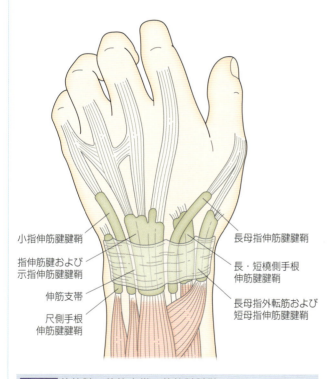

図8 伸筋腱，伸筋支帯，伸筋腱腱鞘

深指屈筋腱であり，MP 関節の橈側を走行している．橈側2本は正中神経，尺側2本は尺骨神経により支配されている．

▶神経

手における重要な神経は正中神経，尺骨神経，橈骨神経である．正中神経は大部分の母指球筋，母指から中指までの知覚を司るので，主に手の巧緻運動に関係している．これに対して尺骨神経は小指球筋，全ての骨間筋，尺側2つの虫様筋などを支配していることより，主に示指から小指の運動に関係している．橈骨神経は手内筋の支配はなく，いずれも手関節および手指の伸筋，つまり外在筋を支配している．また，感覚支配の部位としては手背の橈側であるのでほぼ無視することができる．しかし，本神経は損傷されるとカウザルギー様症状を招来することがあるので注意を要する．

正中神経

正中神経は前腕中央部でFDPとFDSの間を走行し，手関節の近位5-7 cmの部で橈側に掌側枝を出した後，手根管内に入る．掌側枝の損傷もカウザルギー様症状を呈することが多いので注意を要する．手根管を出た神経はただちに5本の終枝に枝分かれする 図15．

①母指球筋枝（反回枝）：横手根靱帯より末梢で分岐した後，中枢橈側方向に反回して母指球筋を支配する．

②掌側母指指神経：一番橈側に位置する指神経であり，母指基部で2つに分かれて，母指橈側および尺側指神経に分かれてそれぞれ母指の橈側および尺側の感覚を支配する．

③固有橈側掌側示指指神経：示指橈側の皮膚感覚を支配しているが，純粋な感覚神経ではなく第1虫様筋も支配する．

④第1総掌側指神経：示指尺側および中指橈側の感覚と第2虫様筋を支配する．

⑤第2総掌側指神経：中指尺側および環指橈側の感覚と，

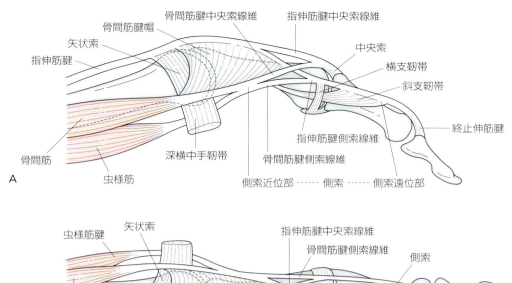

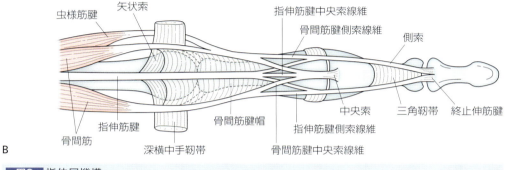

図9 指伸展機構
A: 側面, B: 背側面

ときに第3虫様筋を支配する．

尺骨神経

尺側手根屈筋の橈背側を走行した後，手関節の7cm近位で尺側手背から小指および環指尺側の感覚を支配する背側枝を分岐した後，Guyon 管を通って手掌に入る．Guyon 管のすぐ末梢で浅枝と深枝に分岐することが多い 図16．浅枝は小指球部の筋膜上を末梢に走行し，固有尺側掌側小指指神経（短掌筋を支配する運動枝と小指尺側の感覚神経）と総掌側指神経（小指橈側と環指尺側の感覚神経）に分かれる．

深枝はほぼ純粋な運動枝であり，浅枝と分かれた後，手掌深部に入り込み，小指球筋を支配する．その後，さらに手掌の深部に至り，中手骨基部の前面を橈側に向かい，第4および第3虫様筋，全ての骨間筋，そして母指球筋部に至り短母指屈筋深頭，母指内転筋を支配する．

橈骨神経

前腕中央部で腕橈骨筋の下を橈骨神経浅枝が走行する．肘関節の少し近位で橈骨神経は深枝（後骨間神経）を分枝している．手背には数本の浅枝が存在し橈側手背および手指の基部背側部の感覚を支配している．

▶血管

動脈

手の動脈は橈骨動脈 radial artery と尺骨動脈 ulnar artery である 図17．

A. 橈骨動脈

橈骨動脈の主流は手関節橈掌側部から snuff box 部を通って手背に行く背側手根枝を分岐する．橈骨動脈背側手根枝は尺骨動脈背側手根枝と合流し，手背部において背側手根動脈網を形成する．この動脈網からそれぞれの指間部に背側中手動脈が分岐して，各中手骨間を末梢に走行して手背から指にかけての背面に血液を供給する．このうち，示指への背側あるいは掌側中手動脈を利用して中手骨基部から有茎血管柄付き骨として採取して舟状骨偽関節や Kienböck 病に対する治療が行われることがある．

手掌の橈骨動脈は母指主動脈と深掌動脈弓とに分かれる．母指主動脈は第1背側骨間筋と母指内転筋との間を走行し，示指橈側指動脈を出した後，母指の橈側・尺側の指動脈に分かれて母指に血液を供給する．深掌動脈弓は手掌深部を尺骨神経の深枝と同じレベルで尺側へと走り，反回枝を出した後，尺骨動脈の深掌枝と連続して動脈弓が形成される．

浅掌あるいは深掌動脈弓から総掌側指動脈が各指間を末梢に走行し，ほぼ MP 関節部で掌側指動脈に分かれ，各指に血液を供給する．3本の貫通枝はそれぞれ中手骨の間から手背に向かい，手背の背側中手動脈と合流する 図18．

B. 尺骨動脈

尺骨動脈は前腕遠位部で背側手根枝および掌側手根枝に分かれた後，尺側手根屈筋腱の下から浅い層に移動し，豆状骨の橈側で Guyon 管に入る．Guyon 管内では

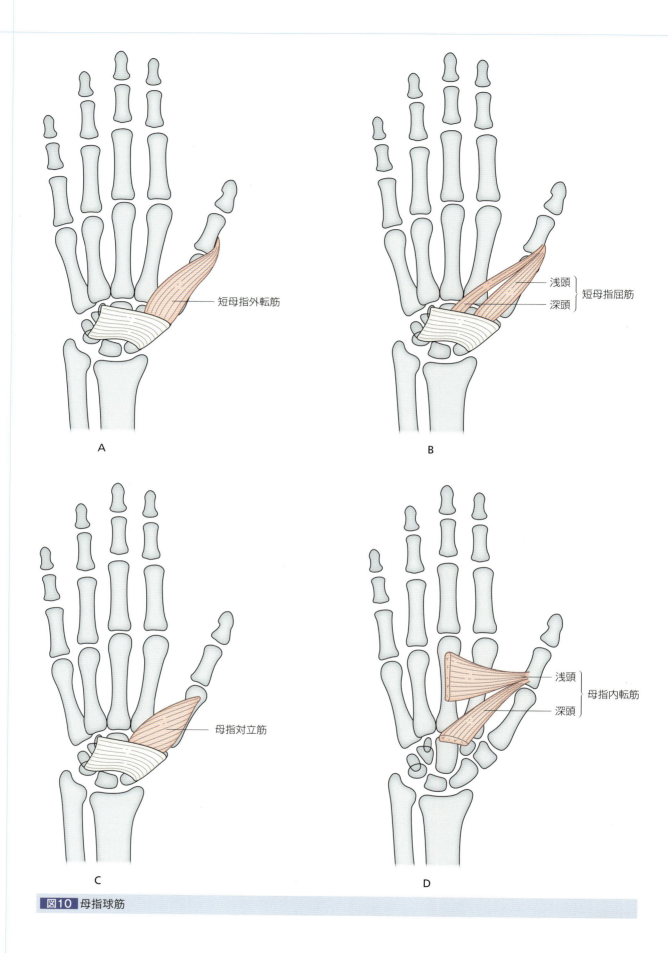

図10 母指球筋

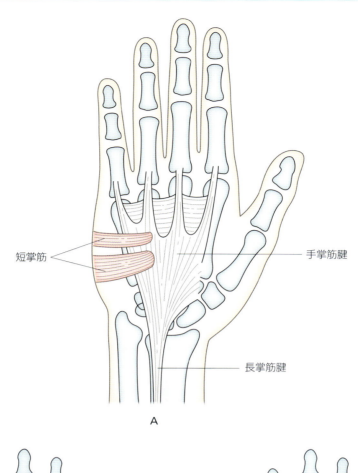
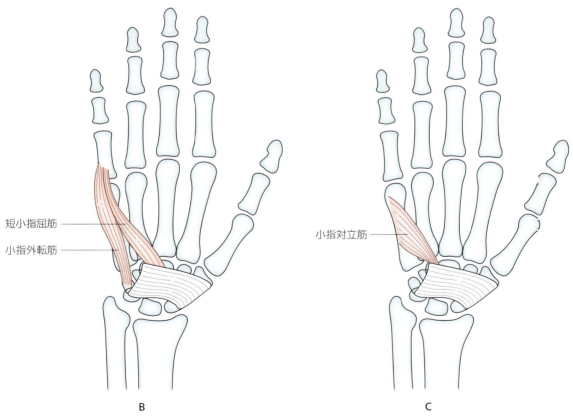

図11 小指球筋

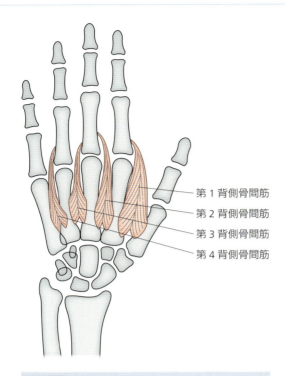

図12 背側骨間筋

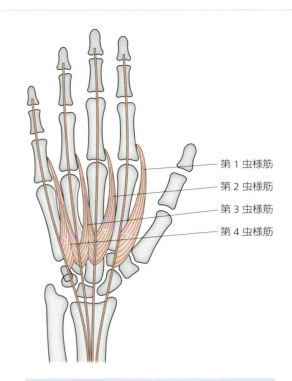

図14 虫様筋

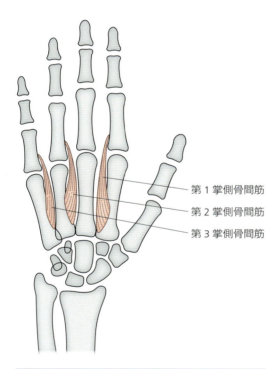

図13 掌側骨間筋

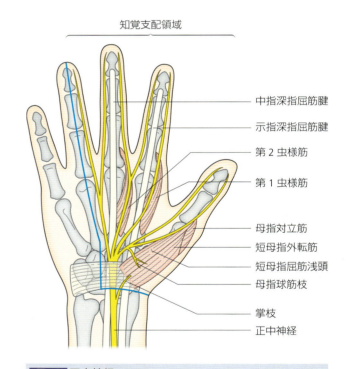

図15 正中神経

動脈は神経の橈側を走行し，末梢にて深掌枝と浅掌枝とに分かれる 図17．Guyon管部で尺骨神経が圧迫されると尺骨神経管症候群 ulnar tunnel syndrome, Guyon's canal syndrome を呈し，動脈が圧迫されると hypothenar hammer syndrome を呈し，小指への血行障害が現れる．

浅掌枝は深掌枝に比べると太い枝である．浅掌枝は橈骨動脈の枝である浅掌枝と合流して浅掌動脈弓 superficial palmar arterial arch を形成する．浅掌動脈弓からは固有尺側掌側指動脈と3本の総掌側指動脈が分岐して最終的には固有掌側指動脈と3本の総掌側指動脈が分岐する．深掌枝は尺骨神経深枝と同様に小指外転筋と短小指屈筋の間を通って手掌深部に至り，橈骨動脈と合流して深掌動脈弓 deep palmar arterial arch を形成する．

静脈

手における静脈系は大きく2つ存在する．1つは動脈

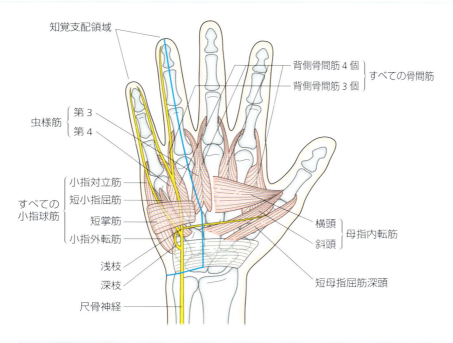

図16 尺骨神経

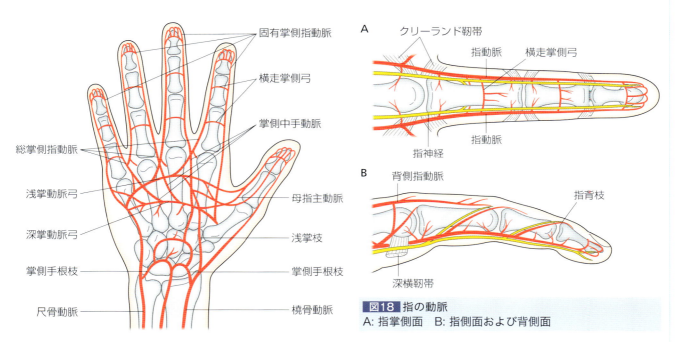

図17 手掌の動脈

図18 指の動脈
A: 指掌側面　B: 指側面および背側面

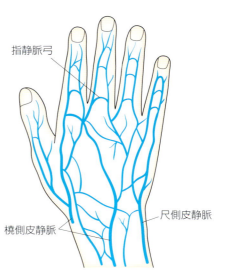

図19 手背の浅静脈

に伴走する深静脈であり，一般的には動脈に2本の深静脈が存在する．しかし，この静脈はきわめて細い．もう1つは皮下に存在する浅静脈である 図19．こちらの方が太く，皮弁などの静脈還流を要する場合はこちらの静脈の方が有用である．浅静脈は手背では手背静脈網を形成するが，近位にいくと橈側では橈側皮静脈 cephalic vein となり，尺側では尺側皮静脈 basilic vein となって前腕へと上行する．

▶リンパ管

手のリンパ管は他の部位のリンパ管と同様に深リンパ管系と浅リンパ管系とに分けられる．深リンパ管は深部静脈と同様に動脈に伴走するもので，数が少ない．したがって皮下に存在する浅リンパ管が重要である．浅リンパ管は非常に数が多く，浅静脈と伴走することが多い．

■ 文献

1) Doyle JR, Blythe WF. Anatomy of the flexor tendon sheath and pulleys of the thumb. J Hand Surg [Am]. 1977; 2: 149-51.
2) 三浪明男．手指の解剖と機能．In: 三浪明男編．手・肘の外科: カラーアトラス．東京; 中外医学社; 2007．p.105-18.
3) 上羽康夫．手: その機能と解剖．改訂第2版．東京: 金芳堂; 1972．p.35-133.
4) Verdan CE. Half a century of flexor-tendon surgery. Current status and changing philosophies. J Bone Joint Surg [Am]. 1972; 54: 472-91.

CHAPTER 5: 手指

79 手の新鮮外傷に対する初期治療 —治療原則—

手の新鮮外傷に遭遇した際は，当然であるが予定されている治療（主に変性疾患や陳旧性外傷などに対する）とは異なり，その時点で治療や治療時期を即座に判断しなければならない．

具体的には①開放創が存在するか，②直ぐに手術を行うべきか，あるいは保存的に治療し，後日，しっかりと準備して本格的な治療を行うべきかの判断が重要となる．一般的には①開放骨折である，②血管閉塞，切断が存在しており，直ちに対処しなければ遠位は壊死に陥る，③血管への圧迫が疑われ，阻血性拘縮（「いわゆるVolkmann拘縮」）の発生が危惧される，④神経への圧迫が疑われ，圧迫を取り除かなければ不可逆性の神経麻痺が発生する恐れがある，⑤開放創による屈筋腱損傷が存在する，などの場合には一般的に可及的早期の治療（緊急手術）を考慮すべきである．

次に緊急手術を行うにあたって①麻酔はどうする，全身麻酔であれば当然麻酔科医の存在が必須となる，②医師，看護師などのスタッフは間に合っているのか，③手術器材，固定材料などの準備が可能か，などが具体的に解決すべき問題となる．

敢えて強調すべき初期治療が重要な手の外傷は①手指の切断，②手指の開放骨折，③切創による手指屈筋腱損傷と言えるが，これらの治療を行うにあたっては①十分な解剖学的知識，②十分な手外科知識，③十分な手外科手術の経験が重要であり，正確な診断→適切な初期治療が可能となることを銘記すべきであろう．具体的な各外傷に対する治療については各項目を参照してもらいたい．

> **Tips コツ**
> 手の開放損傷の治療原則は他の部位の開放損傷と同様であるが，より正確な診断，治療目標の設定，治療法とその順序の決定などを考慮しなければ悲惨な結果を招くことを銘記すべきであろう

治療を行うにあたっての診断に重要なことは以下のRSVPである．

RSVP（治療開始前のチェック事項）
R＝Roentgen（X線撮影）
S＝Sensation（知覚検査）
V＝Vascularity（血行状態）
P＝Posture（手・指の肢位）

またGustilo-Anderson分類も緊急手術を行うかどうかにあたって重要である．

Gustilo-Andersonの分類

Gustilo-Anderson分類は開放骨折と組織挫滅の程度，血行障害の有無を元に分類されており，併せて治療法についても示唆している．

Type 1. Small wounds of 1 cm or less caused by low-velocity trauma, such as the protrusion of a fragment of bone out from within or by a low-velocity bullet passing in from without with minimal damage to soft tissue.

Type 2. Wounds extensive in length and width but with little or no avascular or devitalized soft tissue and relatively little foreign material.

Type 3. Wounds of moderate or massive size with considerable devitalized soft tissue or foreign material or both, or traumatic amputation.

Type 3a. Wounds with extensive soft tissue laceration or flaps, or wounds of high-energy trauma but with adequate soft tissue to cover the fractured bone.

Type 3b. Wounds with extensive soft tissue injury or loss with periosteal stripping and bone exposure.

Type 3c. Open fractures associated with arterial injuries requiring repair.

Type 3では24％に感染が認められ，程度が進行するに従って切断率が上昇することが知られている．

> **Tips コツ**
> Gustilo-Anderson分類は別に上肢・手に限った分類ではなく，四肢外傷全てに適応されるものである．

▶治療目標

開放損傷の治療目標は感染防止と拘縮防止である．感染防止には破傷風トキソイドや抗菌薬の予防投与を行い，拘縮防止にはintrinsic plus positionを保持することである．さらに骨格系のalignmentの正常化，損傷深部組織の修復・再建と創閉鎖（要すれば植皮も）である．

有名な治療の5つの"c"がある．つまりa) clean, b) cover, c) correct bony alignment, d) correct tendons, nerves & arteries, e) commence early motionであり，これらを念頭に入れて初期治療にあたるべきである．

▶治療法

1. 局所の無菌化（scrubbing, 壊死組織除去, débridement）
2. 創閉鎖（一時的あるいは二次的閉鎖）
3. 創排液（血腫形成予防）

 最近ではVAS（Vacuum assisted closure）を行うこともある．
4. 深部組織の修復・再建

 一次修復をできるだけ行うこととする．一時再建にはmicrosurgical reconstructionの可能性もある．再接着術については別項目参照のこと．

特殊な型の開放損傷

 Degloving injury（Ring injuryを含む）は極力，動脈の血行支配が必要であることが多いが，治療法が難しいことが多い（別項目　参照のこと）．その他，下記のような開放創を呈するものがある．

 Heat press injury（熱圧挫傷），咬創，電撃傷，熱傷，指尖・爪損傷（別項目　参照のこと），爪部損傷（別項目　参照のこと）などが存在する．

非開放性損傷

1. 動脈血流障害
2. 阻血性拘縮（Volkmann拘縮）などがあるが，これらについては別項目参照のこと．

■文献

1) Arbenta LC, Morykwas MJ. Vacuum-assisted closure: a new method for wound control and treatment: clinical experience. Ann Plast Surg. 1997; 38: 563-76.
2) Gustilo RB, Anderson JT. Prevention of infection in the treatment of one thousand and twenty-five open fractures of long bones: retrospective and prospective analyses. J Bone Joint Surg［Am］. 1976; 58A: 453-8.
3) 近藤喜久雄, 木野義武. 上肢のdegloving ingury. Orthopaedics. 1996; 9: 19-27.

CHAPTER 5: 手指—骨折

80 中手骨・指節骨骨折骨接合術（関節固定術を含む） —Two Dimensional Intraosseous Wiring テクニック—

中手骨・指節骨の近傍は腱組織を中心とする軟部組織に囲まれている．したがって筋肉や腱の付着している停止部位によりいろいろな方向への索引力が働くため特徴的な転位方向を示す．たとえば中節骨骨折が骨幹部で発生した場合，中節骨の近位背側に伸筋腱の中央索が停止し，その少し遠位掌側に浅指屈筋（FDS）腱が停止している関係から中節骨近位骨片は屈曲するので掌側凸の変形を呈することとなる．より近位つまり中央索とFDS腱付着部の間で骨折を起こした場合は遠位骨片はFDS腱により屈曲し，近位骨片は中央索により伸展位をとり背側凸の変形を呈することとなる．

骨折部周囲腱組織の存在ゆえに腱癒着が起き結果的に関節拘縮が起こりやすい部である．中手骨では比較的少ないが，指節骨とくに基節骨・中節骨の骨折により，屈筋腱および伸筋腱が高率にそして広範囲にわたり癒着することはよく知られている．これらの腱癒着および関節拘縮を回避し，良好な関節可動域を得るために，腱癒着と拘縮を防ぐ目的で早期の自動可動域運動を可能とする整復位と固定性を獲得することが重要である．

> **Tips コツ**
> 中手骨・指節骨骨折は先にも記載したが手の外科の解剖学的知識の必要な特殊な骨折であることを十分認識し，初期治療の段階から早期の自動運動を可能とする完璧な治療計画を立てることが必須である．

腱癒着および関節拘縮を防ぐために隣接指とのbuddy tapingなど非手術的治療が用いられることもあるが，私は強固な内固定によりこれらを防止することを好んで行っている．一般的に中手骨や指節骨固定方法には，criss crossでの鋼線固定，suture wire（軟鋼線）による締結固定，スクリュー固定，プレート固定，創外固定などいろいろな方法が用いられている．Low profileの指節骨用プレートが開発され，用いられることも多くなっているが，骨周囲に腱が存在することから，プレート固定に際しては内固定材料の設置位置や軟部組織の処置に関しては十分に注意する必要がある．

他方，鋼線固定や軟鋼線締結固定は，皮下埋没により内固定材料が軟部組織と干渉しにくく，広範な応用が可能であり，指節骨骨折治療の基本的手技と考える．

> **Tips コツ**
> ただ鋼線の先端や軟鋼線の締結部分などが腱と干渉することがあるので設置位置には注意を要する．

ここでは新潟手の外科研究所で考案されたtwo dimensional intraosseous wiring（Two-DIOW）テクニックを紹介する．本法は簡便で良好な固定性が獲得でき，私が最近最も頻用している固定法の一つであり詳述する．

▶ Two dimensional intraosseous wiring (Two-DIOW)

骨内締結固定法（intraosseous wiring）を，2平面に対して行うことでより強固な固定性を獲得することが可能であるが，手技的な煩雑性と軟部組織への侵襲が一般的に問題となる．Two-DIOWテクニックは，一度に二つ折りの軟鋼線を通過させ，背側からの締結固定を同時に行うことで，通常の骨内締結固定の，横方向への安定性に加えて屈曲方向へのストレスに対して強い安定性を付加することを可能とした固定法である．一般の骨内締結法テクニック法で弱いとされていた屈曲方向の安定性を付与することができる優れた固定法と考える．一方，欠点として側面および背側面での締結固定のため，伸展方向へのストレスに不安がある．この欠点を防止するために軟鋼線を骨折部の中心軸よりやや掌側を通過させること，あるいはK鋼線によるクロスピンニングを追加することで，早期運動に耐えうる十分な固定性の獲得が可能であると考える．

適応
1．中手骨・指節骨の骨幹部骨折のうち，開放骨折症例，徒手整復後安定性が得られない症例，変形癒合に対する矯正骨切り術例，偽関節に対する骨移植症例などが適応となる．指再接着術時の内固定もやや煩雑ではあるが，術後の早期運動療法を行う上できわめて有用な方法である．
2．粉砕骨折の場合は一般的には適応とはなりがたいが，block状の骨移植を行う場合には適応とすることも可能である．
3．MP, PIP, DIP関節の関節固定症例も適応となる．

体位・麻酔

腋窩部神経ブロックまたは鎖骨上窩神経ブロックにて空気止血帯を用いて手術を行う．手台をベッドに付けて，肩関節外転90°，肘関節伸展，前腕回内位として手術を行う．

皮切

当該骨折部または関節背側に長軸（縦）皮切を加える．

展開

皮切を加えた後に皮膚にできるだけ軟部組織を付けるようにして皮下静脈を同定する．本静脈をできるだけ温存しつつ，背側伸筋腱の表面を展開する．

> **Tips コツ**
> 皮下静脈を温存することにより術後の腫脹を防止することが可能である．

伸筋腱中央索の縦切開または側方（基部骨の場合には中央索と側索の間）を切開し，深部に存在する骨膜を愛護的に展開することで，骨膜を鋭的に切離して骨折部を展開する．

内固定

手術の肝心な点である．0.3-0.4 mm 直径の軟鋼線を二つ折りにし，骨に通しやすいように曲げた部分をラジオペンチを用いてしっかりつぶして，持針器に付ける 図1．

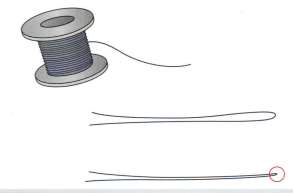

図1 軟鋼線の処置

骨折部を整復した後に X-P 透視下で良好な整復位であることを確認する．特に指の場合，隣接指などとの交叉あるいは開大など（rotation および displacement）に注意する．その後，軟鋼線を通す位置をマーキングする 図2．通す位置はできるだけ，骨折部の圧迫力を強める目的で骨軸に対して垂直でかつ少し掌側になる位置とする．長軸方向の位置，つまり骨折部からどの程度離れた位置とするかも重要である．あまり近すぎると軟鋼線によるチーズカット現象が起こる危険性がある．また遠すぎるとそれだけ皮切を長くして骨膜の剥離を要する．遠くにすると lever arm が長くなり固定性獲得には有利であるが，私は骨折部から 5-7 mm 位が適当ではないかと考えている．もちろん，横骨折ではなく斜骨折などの場合は骨折部からの距離を適宜調整するのは当然である．

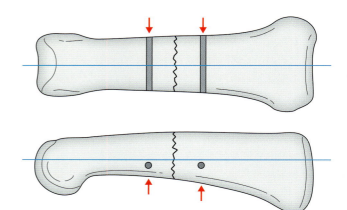

図2 軟鋼線を通す位置をマーキングする

> **Tips コツ**
> 軟鋼線の刺入位置のマーキングは手術のキーポイントである．

骨折部を挟んで遠位・近位骨片に直径 1.2 mm の K 鋼線で骨孔をあける 図3．また屈曲・伸展方向の安定性を得させるために，必要に応じてであるが，1～2本の K 鋼線（鈍端をペンチで斜めにカットして両端を鋭とする）を逆行性に刺入しておく．

軟鋼線を通す際には刺入部をマーキングした後に，一度骨折部を転位させて骨片を背側に出した状態とすると

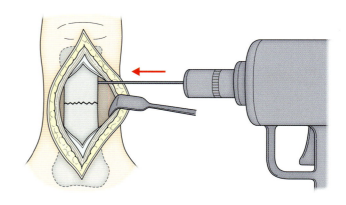

図3 K 鋼線で骨孔をあける

軟鋼線を通しやすい 図4．18 G 針の針先部分をカットしたものをヤコブチャックに固定してドリルハンドルを用いて骨に孔をあけ，その 18 G 針をそのまま軟鋼線のガイドとして使用することで軟鋼線を通しやすくなる 図5．

> **Tips コツ**
> 上記方法により軟鋼線を用いた締結固定の問題点の一つとして，骨に軟鋼線を通す手技の煩雑さが解決し得ると考える．

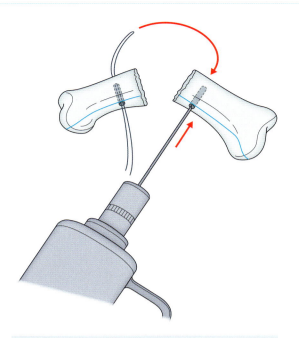

図4 二つ折りにした軟鋼線を通す

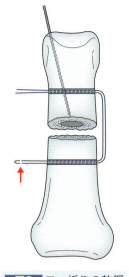

図6 二つ折りの軟鋼線の先端をカットして2本の軟鋼線とする

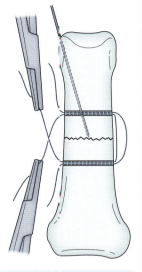

図7 1本の軟鋼線を用いて側面で周囲締結固定を行う

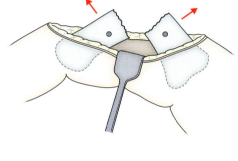

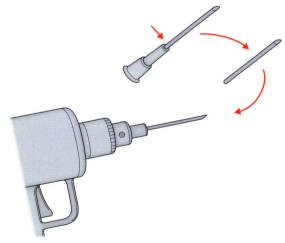

図5 軟鋼線刺入のコツ

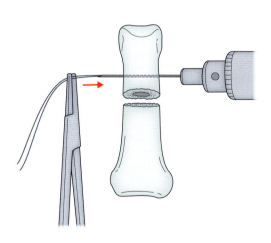

▶骨折整復・内固定

骨折部を整復し，骨孔を通した二つ折りの軟鋼線の先端をカットし，2本の軟鋼線とする 図6．整復位を保持したまま，どちらか1本の軟鋼線を用い，もう1本はそのままとして，側面で周囲締結固定を行う 図7．

Tips コツ

背側で軟鋼線を締結すると伸筋腱に引っかかったり，皮下に突出するなどの問題点が生じるのでなるべく側面で締結するとよい．締結時に軟部組織を巻き込まないように注意する．

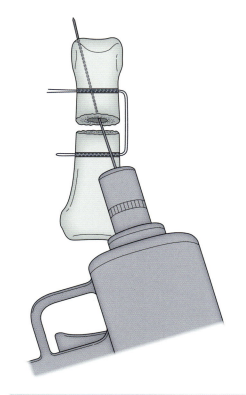

図8 K鋼線でクロスピンニングを行う

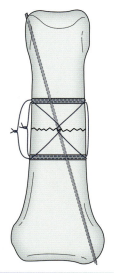

図10 K鋼線を皮下でカットする

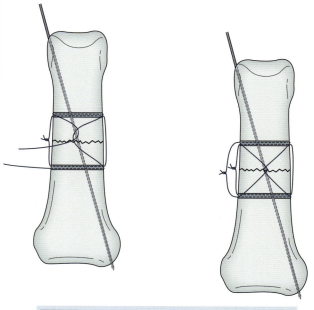

図9 もう1本の軟鋼線を交叉して固定する

ここで逆行性に刺入しておいたK鋼線でクロスピンニングを行う 図8．
最後にもう1本の軟鋼線を回して背側に折り返し，骨折部の背側に交点がくるように調節しながら，同様にできるだけ側面で締結固定を行う 図9．

Tips コツ

締結部は表面に飛び出ないように締結後，骨側に曲げて埋め込むようにして皮膚への刺激を避ける．

K鋼線をなるべく骨の表面でラジオペンチでカットし，皮下に埋没させる 図10．内固定を全て終了後，最終的にX線イメージで軟鋼線やK鋼線の位置を確認した後に他動運動により固定性およびK鋼線が隣接関節の動きを障害していないことを確認する．

修復

最終的に骨膜を可及的修復して軟鋼線を被覆する．伸筋腱と骨との癒着は成績悪化の大きな要因であるので私は癒着を防ぐため近くの皮下脂肪を有茎で伸筋腱と骨との間に敷き込むことを行っている．切離した伸筋腱を縫合糸の結節が上にならないように（皮膚の上からの刺激を防ぐため）修復し，皮膚縫合を5-0ナイロン糸を用いて行う．

▶外固定・後療法

術後は，intrinsic plus positionつまりMP関節軽度屈曲位，PIP・DIP関節ほぼ伸展位でアルフェンスシーネ固定を行う．
術翌日から指の屈伸自動運動を開始し，関節拘縮の予防を図る．内固定の安定性が良好であれば，外固定は患指の保護としてのみ使用し，リハビリテーションは外固定を外して行う．術後2週までは夜間シーネを装用することとしている．
K鋼線は4-6週後に局所麻酔下に抜釘を行うが，軟鋼線は皮膚への刺激や伸筋腱の引っ掛かりなどがない限り抜釘の必要性はない．

▶粉砕骨折・偽関節手術の応用

中手骨，指節骨の偽関節手術における背側からの骨移植に対しても本法は大変有用である．今までに記載したと同様にアライメントを整えた状態でK鋼線にて仮固定を行う．

偽関節背側にサージアトームで移植骨用に骨溝を作成し 図11 ，移植骨を移植し 図12 ，Two-DIOW法を背側から行い，締結により簡便に固定可能である 図13 ．

▶関節固定術

指関節関節包を切開した後に，側副靱帯を切離し，関節を脱臼させる．術前に計画した関節固定角度となるように軟骨，骨皮質，軟骨下角を切除して海綿骨を露出させ，骨切り面が広く接触することを確認した後，Two-DIOW法を行う．

▶症例供覧

症例1 80歳，女性．RAによる小指ボタン穴変形に対するPIP関節固定術例 図14 － 図21 ．

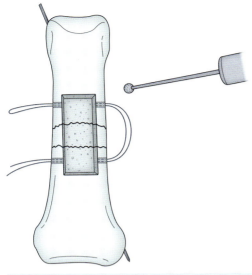

図11 偽関節手術への本法の応用: 骨溝を作成する

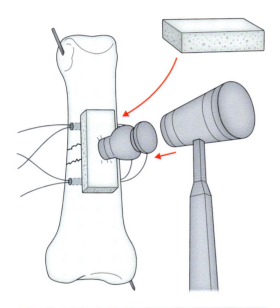

図12 偽関節手術への本法の応用: 移植骨を挿入する

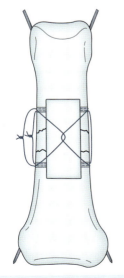

図13 偽関節手術への本法の応用: 移植骨を押さえ込むようにTwo-DIOWを行う

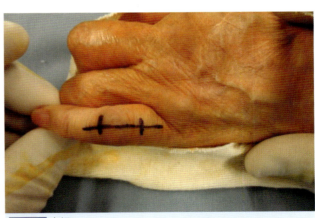

図14 皮切

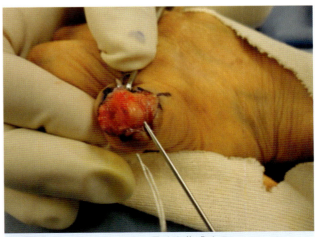

図15 軟鋼線刺入のための骨孔を作成する

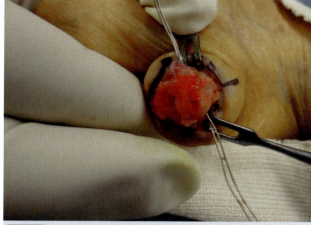
図16 二つ折りの軟鋼線を刺入する

図18 18 G 針の中に軟鋼線を通す

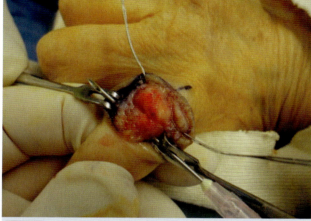
図17 18 G 針を骨内に刺入する

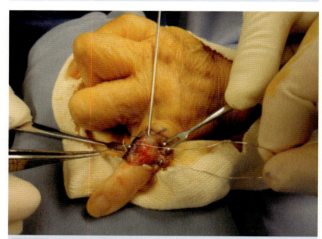
図19 軟鋼線を締結する

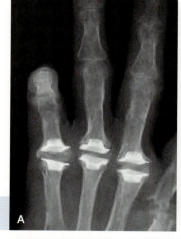
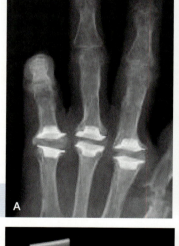
図20 症例1. 術前 X-P（小指 PIP 関節）
A: 正面像　B: 斜位像

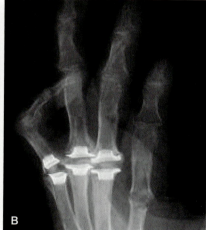
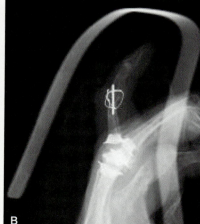
図21 術後 X-P（小指 PIP 関節）
A: 正面像　B: 斜位像

症例2 56歳，女性．RAによる小指PIP関節破壊例
中・環指DIP関節はそれぞれ3本のK鋼線を用いて固定した 図22 − 図23 ．

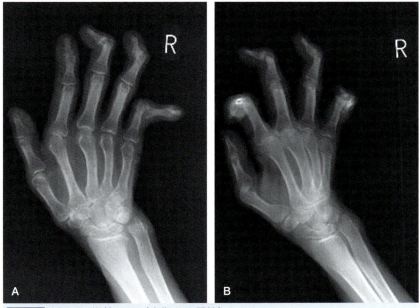

図22 症例2．術前X-P（小指PIP関節）
A: 正面像　B: 斜位像

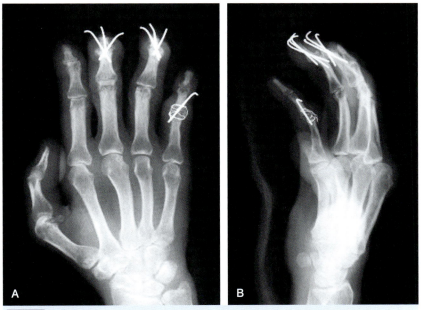

図23 術後X-P
A: 正面像　中指・環指DIP関節固定術も行っている，B: 斜位像

症例3　67歳，女性．母指MP関節脱臼例　図24, 25

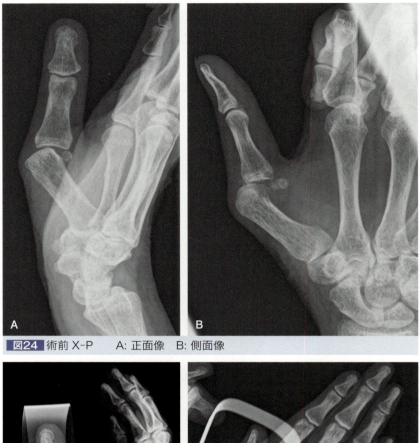

図24　術前 X-P　　A: 正面像　　B: 側面像

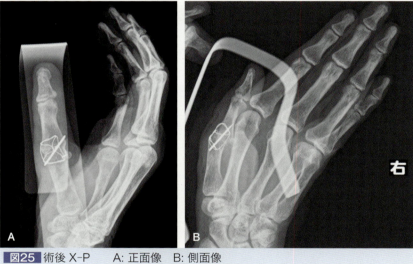

図25　術後 X-P　　A: 正面像　　B: 側面像

症例4　45歳，男性．中・環・小指中手骨骨折　図26 − 図28

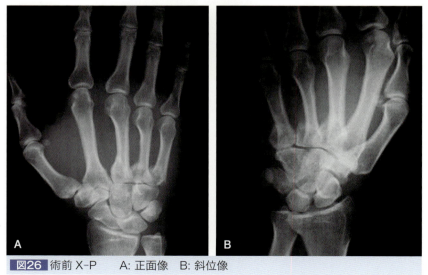

図26　術前 X-P　　A: 正面像　　B: 斜位像

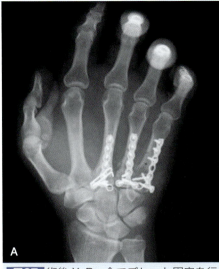
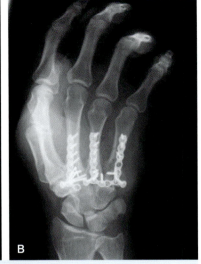

図27 術後 X-P　全てプレート固定を行った
A: 正面像　B: 斜位像

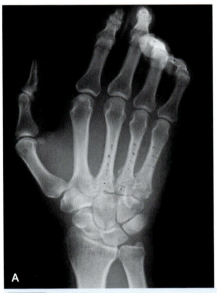
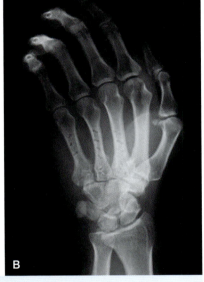

図28 抜釘術後 X-P
A: 正面像　B: 斜位像

■ 文献

1) Fyfe IS, Mason S. The mechanical stability of internal fixation of fractured phalanges. Hand. 1979; 11: 50-4.
2) Gingrass RP, Fehring B, Matloub H. Intraosseous wiring of complex hand fractures. Plast Reconstr Surg. 1980; 66: 383-94.
3) 加藤博之, 大本浩史, 三浪明男, 他. 指節骨骨折に続発した屈筋腱癒着. 日手会誌. 1997; 14: 69-71.
4) Lister G. Intraosseous wiring of the digital skeleton. J Hand Sug. 1978; 3: 427-35.
5) 本宮　真. 中手骨・指骨骨折骨接合術. 手関節・手指の手術. In: 三浪明男編. 整形外科手術　イラストレイテッド. 東京: 中山書店; 2012. p.138-46.
6) 森谷浩治, 吉津孝衛, 牧　裕, 他: 指節骨・中手骨への簡単で強い骨固定法の開発. 整形外科. 2011; 62: 159-64.
7) Vanik RK, Weber RC, Matloub HS, et al. The comparative strengths of internal fixation techniques. J Hard Sug [Am]. 1984; 9: 216-21.
8) Yamazaki H, Kato H, Minami A, et al. Results of tenolysis for flexor tendon adhesion after phalangeal fracture. J Hand Surg [Eur]. 2008; 33: 557-60.

CHAPTER 5: 手指—CM 関節

81 尺側列 CM 関節脱臼骨折に対する手術

　CM 関節の脱臼骨折は圧倒的に母指に多く，尺側列の CM 関節の脱臼骨折は比較的稀である．これらの脱臼骨折は見過ごされ，診断がつかずに陳旧化することも少なくない．

▶ **診断**

　田崎らは尺側列 CM 関節損傷を 図1 のように分類している．また Cain らは有鉤骨と尺側中手骨（第 4 と第 5 中手根）基部との骨折・脱臼の関係で 図2 のように分類している．

▶ **症例供覧**

　症例を供覧しながら治療手順について記述する．

Isolated V CM dislocation

　　Type Ⅰ　　　　Type Ⅱ　　　　Type Ⅲ　　　　Type Ⅳ

Simul tanecus Ⅳ, V CM dislocation

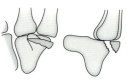 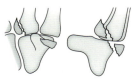
　　Type Ⅲ　　　Type Ⅲ c̄ 4th　　Type Ⅱ c̄ 4th
　　　　　　　metacarpal fr-dlsl.　metacarpal fr-dlsl.

図1 尺側列 CM 関節損傷の分類（文献 4 より）

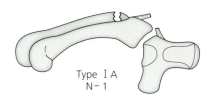 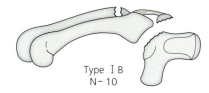
Type ⅠA　　　　　　　　　Type ⅠB
N-1　　　　　　　　　　　N-10

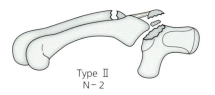 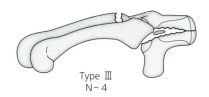
Type Ⅱ　　　　　　　　　Type Ⅲ
N-2　　　　　　　　　　　N-4

図2 第 4 中手骨骨折と第 5CM 関節損傷の分類（文献 1 より）

症例 31歳，男性．喧嘩で相手をこぶしでなぐったことにより受傷した．受傷後ただちに当科紹介受診した．単純X-Pでparallel M-lineの乱れを認めた 図3A,B ．CT像で第3中手骨基部に関節外骨折，第4中手骨基部にCM関節内骨折，第5中手骨は背側に有鉤骨骨折ともに亜脱臼していた 図4A,B,C ．

図5A,B は術後X-Pであるが，第3，第4中手骨基部はプレートを用いて骨接合を行った．有鉤骨は整復してK鋼線固定し，第5中手骨の背側脱臼を整復して中手骨を隣接する第4中手骨と固定した．

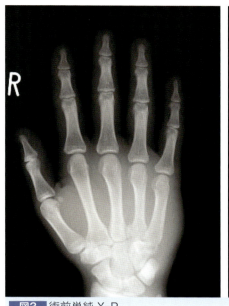
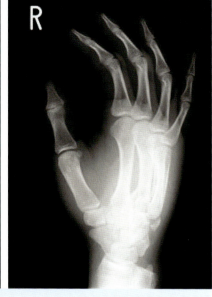

図3 術前単純X-P
A: 正面像　B: 斜位像

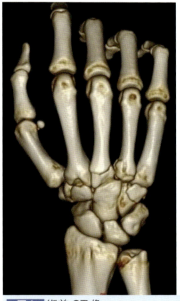
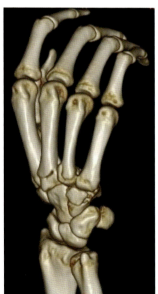
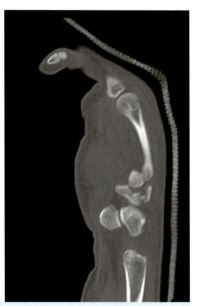

図4 術前CT像
A: 正面像
B: 斜位像
C: 有鉤骨骨折とともに第5中手骨は亜脱臼している．

図5 術後 X-P
A: 正面像　B: 側面像

■ 文献

1) Cain JE, Shepler TR, Wilson MR. Hamatometacarpal fracture-dislocation: Classification and treatment. J Hand surg [Am]. 1987; 12A: 762-7.
2) 岡崎真人, 田崎憲一. 尺側列 CM 関節脱臼骨折の臨床像及び治療成績. 日手会誌. 2005; 22: 80-6.
3) 高野純, 伊集院俊郎, 佐久間大輔, 他. 第4, 5 手根中手関節の脱臼骨折の4例. 整形外科と災害外科. 2016; 65: 447-50.
4) 田崎憲一, 佐々木孝, 伊藤恵康, 他. 手尺側 CM 関節損傷. 日手会誌. 1988; 5: 420-5.

CHAPTER 5: 手指— MP 関節

82 手指 MP 関節伸筋腱脱臼に対する手術

手指MP関節部背側の伸展筋腱機構は中央に存在する総指伸筋腱中央索（central slip）（示指については示指固有伸筋腱，小指については小指固有伸筋腱を含めて）を橈側・尺側に近位から遠位に張っている矢状索（sagittal band）がちょうど，"やじろべい"を支えるように存在している構造である　図1．矢状索はそれぞれ側索（lateral band）へ移行している．この構造から明らかなように矢状索はまるで馬（つまり矢状索）の手綱を左右で引いたような機能を有する．したがって，一方の矢状索に破綻が生じると中央索はその逆側に偏位することとなる．

> **雑談**
>
> 日本人はあまりしないことであるが，アメリカでは親が子供を叱るときに母指で中指を屈曲位に押さえて，中指を弾いて子供の額（おでこ）を勢いよく叩く（デコピン）ことがよく行われるようであることをアメリカ留学中に知った．私の留学していた米国のクリニックの理学療法士が子供を叱るときに，デコピンをしようとしたところ，子供は叩かれては痛いので，とっさにその時に頭をずらして難を逃れたが，デコピンをした親の中指は空振りとなり，そこで先の矢状索を痛めたという逸話があった．結構，多いようである．

▶病態

先にも記載したが，指MP関節上の伸筋腱中央索を両側から支えている一方の矢状索が断裂（全てまたは一部のこともある）あるいは何らかの原因により弛緩することにより中央索がその逆方向に偏位することが病態である．外傷性（握りこぶしで壁を叩いたときなどに発生する）のこともあるが，関節リウマチ（RA）など炎症が原因となる．MP関節の中手骨骨頭の横断像の形態は円形ではなく，尺側が橈側に比べて小さく，かつ全体として尺側に傾斜しているので伸筋腱脱臼のほとんどは尺側への脱臼となる　図2．罹患指は一番長い指である中指が多い．矢状索の断裂部位は治療に直結するので治療の項で記載する．

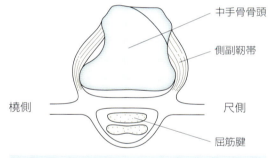

図2　中手骨骨頭の横断像

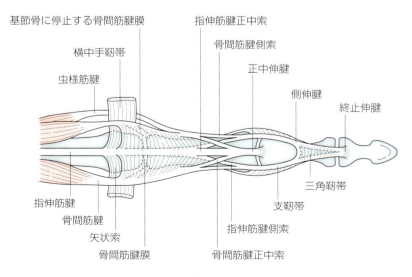

図1　手指 MP 関節部背側の伸筋腱機構

▶症状

指MP関節背側の疼痛，背側部の腫脹・圧痛のほかに指を屈曲すると伸筋腱が尺側に脱臼して，有痛性轢音を呈する．肉眼的に伸筋腱が尺側に脱臼沈下するのを可視できる 図3 ．多くは自動的に伸展すると疼痛を伴って中央索が元の位置に戻るが，時にはMP関節の伸展ができなくなる場合もあり，ADL上のdisabilityは少なくない．

診断は以上の症状を考えればそれほど難しくはない．

▶保存療法

明らかな外傷により発生した新鮮例には保存療法が適応となる．MP関節を伸展位に保持した掌側副子を装用することとする．私は少し長いように思うが6週は必要であろうと考えている．3週間はPIP関節も伸展位に固定する．PIP関節が屈曲することにより中央索および側索が遠位に移動し，安静保持できないのではないかと考えている．3週以降はPIP関節以遠はfreeとする．他指（少なくとも隣接指）も同様に固定すべきとの考えもあるが，そうするとADL上のdisabilityがきわめて強くなり，副子装用のコンプライアンスが下がること，および手背部には伸筋腱間を結ぶ腱間中隔が存在するので他指の運動の罹患指への影響が軽減されることが期待されることから，罹患指のみの固定としている．

受傷後，どの程度まで保存療法が有効であるかのコンセンサスは得られていないが，私の少ない経験では6週以内であれば保存療法が奏効すると考えている．

▶手術療法

手術治療はきわめてシンプルである．多くは術中のMP関節の屈伸を確認しながらの手術操作が有用であるので，エピネフリン入りキシロカイン®を用いた局所麻酔で手術を行っている．

皮切・展開

単指の場合，MP関節背側のknuckleの直上を避けてゆるい"C"字状の皮切を加える．細い背側指神経や太い背側皮静脈を損傷しないように注意して指背伸展筋腱機構を露出する．

多数指の場合，MP関節の関節裂隙の少し近位に横皮切を加えるか，あるいは波状皮切を加える．同様に神経・静脈の損傷に注意して広く皮下を近位・遠位と剥離して伸筋腱機構を露出する．

修復術

A. 矢状索の部分断裂（全て断裂していることはほとんどないのでこの例が最も多く発生している）の場合 図4 は，断裂部に存在する瘢痕組織や滑膜組織をminimum debridement して結節縫合を行う

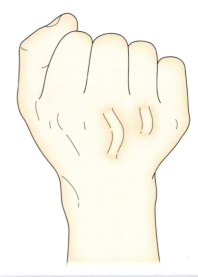

図3　伸筋腱脱臼の外観

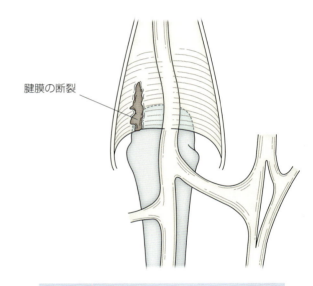

図4　矢状索の部分断裂

図5 ．これにより指を屈伸させて中央索の偏位が矯正されたならばここで手術は終える．

B. 示指や小指では固有伸筋腱と指伸筋腱の間で断裂が起こっている場合がある．この場合も，同様に断裂部を新鮮化して結節縫合を行う．

以上の操作を行っても中央索の中央化centralizationが得られない場合には以下の操作を加える．とくに陳旧例の場合には必要となることがある．

A. 断裂していない方の矢状索を縦方向に切離することにより，中央索の中央化を容易とする．

B. 伸筋腱の一部を利用して近位矢状索を再建する 図6 ．

C. A，Bでも中央索の中央化の保持が難しい場合には近位（多くは橈側）の腱間中隔を隣接指から切離・翻転して，これを罹患指の中央索へ縫合固定する．および伸筋腱の一部を用いて深横中手靱帯の掌側を

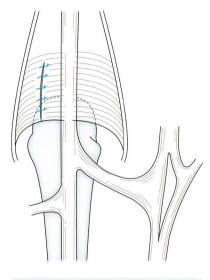

図5 指背腱膜（矢状索）の縫縮

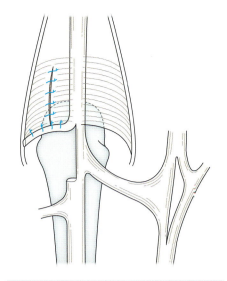

図6 伸筋腱の一部を利用して矢状索を再建する

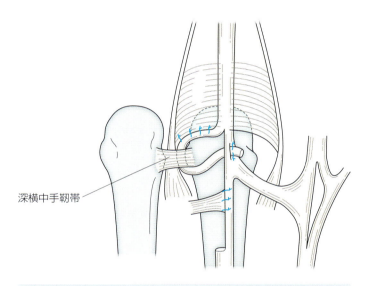

深横中手靱帯

図7 Loop operation

通して伸筋腱へ縫合して中央索の中央化を図る（loop operation）図7．

閉鎖

閉鎖の前に自動的に指の屈伸を患者にしてもらい，中央索が中央に位置していることおよび指の屈伸に制限がないことを確認して創を閉鎖する．

▶母指 MP 関節伸筋腱脱臼

MP 関節での伸筋腱脱臼は母指以外の手指に発生するものがほとんどである．明らかな外傷は存在していないが，母指 MP 関節での長母指伸筋（EPL）腱の脱臼例を経験したので記述する．

患者は 31 歳，男性である．右母指を伸展することは可能であり EPL 腱の位置もほぼ正常と考えられる

図8 母指の伸展は full に可能であり EPL 腱の位置は正常である．

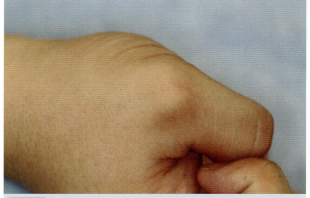

図9 母指を強く屈曲するとMP関節でEPL腱は有痛性轢音を伴って尺側に脱臼した．

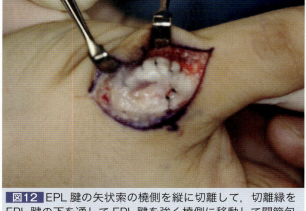

図12 EPL腱の矢状索の橈側を縦に切離して，切離縁をEPL腱の下を通してEPL腱を強く橈側に移動して関節包ごと伸筋腱および腱膜に縫着した．

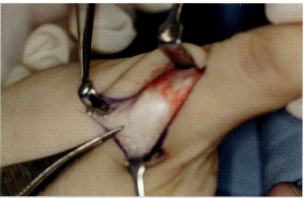

図10 MP関節を伸展するとEPL腱の位置はほぼ正常であった（摂子の先がEPL腱である）

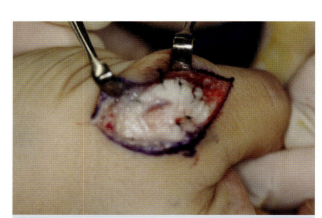

図13 術後，MP関節を屈曲してもEPL腱は脱臼しなくなった．

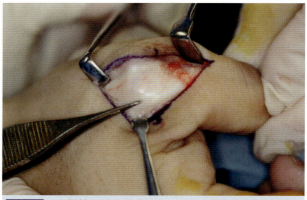

図11 MP関節を強く屈曲するとEPL腱は尺側に亜脱臼した．橈側矢状索は菲薄化しておりelongationしていた．

▶後療法

後療法は保存療法とほぼ同様である．

■文献

1) 麻生邦一．指伸筋腱脱臼に対する治療の検討．整形外科と災害外科．1998．47: 736-8.
2) Inoue G, Tamura Y. Dislocation of the extensor tendon over the metacarpophalangeal joints. J Hand Surg [Am]. 1996; 21: 464-9.
3) 神島博之，三浪三千男，三浪明男，他．手背腱膜構造と指伸筋腱の外傷性脱臼について．日手会誌．1999; 15: 795-8.
4) Kettelkampe DB, Flatt AE, Moulds R. Traumatic dislocation of the long finger. Extensor tendon. A clinical, anatomical and biomechanical study. J Bone Jont Surg [Am]. 1971; 53: 229-40.
5) McCoy FJ, Winsky AJ. Lumbrical loop operation for luxation of the extensor tendons of the hand. Plast Reconstr Surg. 1969; 44: 142-6.
6) Von Schroeder HP, Botte MJ. Anatomy of the extensor tendons of the fingers: variations and multiplicity. J Hand Surg [Am]. 1995; 20: 27-34.
7) Wheeldon FT. Recurrent dislocation of extensor tendons in the hand. J Bone Joint Surg [Br]. 1954; 36B: 612-7.
8) 山口将則，阪田武志．外傷性母指伸筋腱脱臼の1例．臨整外．2011; 46: 1165-7.

図8．しかし強く屈曲するとEPL腱は明らかに尺側に脱臼し，有痛性轢音を呈する図9．

手術所見としてはMP関節伸展位ではEPL腱は正常位置に存在している図10が屈曲すると明らかに中手骨骨頭の隆起を越えて尺側に脱臼した図11．EPL腱の矢状索の橈側を縦に切離して切離縁をEPL腱の下を通すことによりEPL腱を強く橈側に移動して関節包ごと伸筋腱腱膜に縫着した図12．屈曲してもEPL腱は脱臼しなくなった．図13．

CHAPTER 5: 手指—MP関節

83 手指MP関節ロッキングに対する手術

手指MP関節に発生するロッキング（陥頓）で一番多発するものは弾発（バネ）指であるが，関節内の原因によるロッキングもまれではあるが存在する．このMP関節ロッキング例の指別発生頻度をみると示指の発生率が最も高く，尺側に行くに従って少なくなっている．

MP関節ロッキングは本症の存在を知っていれば診断にそれほど苦慮することはないが，一般整形外科医にとっては診断が困難であり，患者自身の不自由度の低下と相俟って診断が遅れることも多い．

▶病態

各報告者があげているMP関節ロッキングの原因としては，
① 中手骨頭の形態異常，骨棘
② 関節包・側副靱帯・副靱帯および掌側板の異常
③ 関節内における異常組織の存在
④ 種子骨の介在
⑤ 骨軟骨腫（外骨腫）の存在
⑥ 手内筋の癒着
などである．

これらのうち，多くの報告も同様であるが，示指中手骨骨頭の橈掌側部は正常でも骨の突出（prominence）を有しており，指を屈曲した際にこの部に副靱帯が引っ掛かり，完全伸展が不可となり，ロッキングを起こす症例がかなりの比率であり，このことが一義的な病態であろうと考える．

Harveyはlocking fingerを **表1** に示すように3群に分類した．第Ⅰ群はdegenerative groupでMP関節の変性変化により中手骨骨頭に骨棘が形成され，これに副靱帯が引っ掛かりlockingが発生するものである．この群は当然ながら高齢者に多い．第Ⅱ群はspontaneous groupで，示指MP関節に生じ，先ほど述べたように示指中手骨頭橈掌側の骨隆起（突出）に副靱帯が引っ掛かり生じるものである．50歳以下の若年齢層に発生し，最も頻度が高い．第Ⅲ群はmiscellaneous groupとし，関節内遊離体や中手骨骨頭関節面の先天奇形や外傷性変形などが原因となる．庄司はこれらに加えて関節外の原因から発生するlockingをextra-articular groupとして第Ⅳ群としている．

表1 Locking fingerの分類（Harvey FJ. J Bone Joint Surg[Br]. 1974; 56: 156-9[1]，庄司公平．島根医学．1986; 75: 546-50[3]）

Ⅰ．Degenerative group
　Locking of the MP joint caused by catching of the volar plate on osteophytes on the front of the metacarpal head
Ⅱ．Spontaneous group
　Catching of the volar plate on the front of the index metacarpal head due to anatomical peculiarities
Ⅲ．Miscellaneous group
　Loose bodies in the joint
　Deformity of the metacarpal head
　Congenital
　Traumatic
Ⅳ．Extra-articular group

▶診断

明らかな外傷によりロッキングが発生することは少なく，どちらかというと過屈曲後に突然，示指MP関節の伸展が制限されることが多い．MP関節は軽度屈曲位から屈曲は可能であるが，伸展は20-30°屈曲位で制限される **図1A，B** **図2A，B**．示指MP関節の橈掌側に腫脹と圧痛を認める．

診断には必ず3方向の単純X線撮影は必須である．Spontaneous groupでは示指中手骨骨頭橈掌側骨隆起の大きさ，骨隆起と種子骨との関係を確認すべきである **図3，4，5**．

▶治療

徒手整復

治療としてはまず徒手整復を行う．私は局麻剤を関節内に刺入し示指MP関節内の関節内圧を上げ，MP関節を最大屈曲させ，尺屈を強制するとlockingが解除されることがあるので試みるべきである．

> **Tips コツ**
> 関節整復を無理に強制して，中手骨骨折を起こしたとの報告もあるので，決して無理しないことが重要である．

観血的整復術

示指MP関節ロッキング解除には，いろいろな方法があるが私は以下のように行っている．

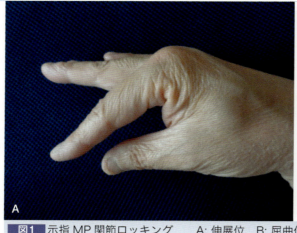

図1 示指MP関節ロッキング　A: 伸展位　B: 屈曲位

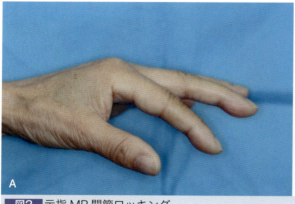

図2 示指MP関節ロッキング
A: 伸展位．自動および他動的に－30°以上の伸展ができない．
B: 屈曲位．制限はない．

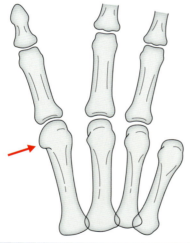

図3 単純X線像では示指中手骨骨頭部に骨隆起，骨棘が認められる

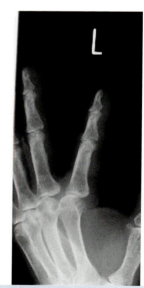

図4 単純X線（斜位）
示指中手骨骨頭部に骨隆起を認める．

皮切

橈側側正中切開を加える 図6 ．このほかにMP関節掌側から侵入して掌側板，副靭帯を露出する皮切もよく用いられる 図7 ．

展開

矢状索の近位縁を同定して，中手骨骨頭の側副靭帯起始部を同定した後に，側副靭帯の起始部の少し掌側から起始しており，掌側板側面に停止している副靭帯を同定する．副靭帯は中手骨骨頭橈掌側に存在している骨隆起に引っ掛かり，少し伸び切って弛緩気味になっているのを認める 図6 ．

図5 CT像
単純X線像と同様に骨頭部に骨隆起を認める．

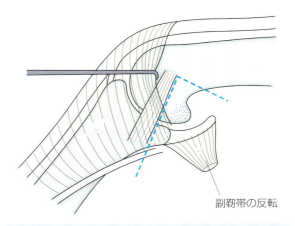

図8 ロッキングの解除

副靱帯の反転

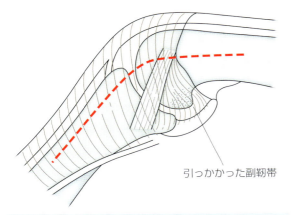

引っかかった副靱帯

図6 皮切．副靱帯が中手骨頭部橈掌側の骨隆起に引っ掛かっているのがわかる

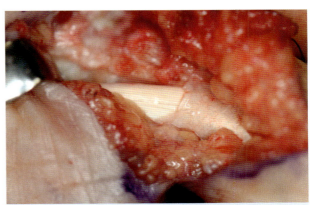

図9 掌側進入例では橈側側副靱帯の副靱帯の掌側板付着部を切離してロッキングを解除して骨隆起をリュエルを用いて切除した．

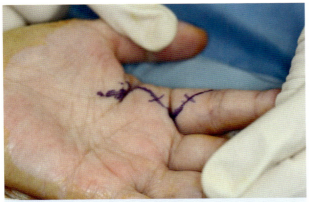

図7 皮切．この例ではMP関節を中心に掌側にzig-zag incisionを加え，副靱帯および中手骨骨頭部骨隆起に到達している．

図10 MP関節の伸展が可能となった．

ロッキング解除

　伸筋腱膜の矢状索を末梢に引いて関節橈側面を出し，副靱帯の起始部を切離・翻転するとロッキングは解除でき，指は伸展可能となる **図8, 9, 10** ．ロッキングの原因である中手骨頭部掌橈側部に存在する骨隆起（突出顆部）を，リューエル鉗子を用いて切除する．この方法のみでも問題ないが最近はその後，副靱帯を修復することとしている．

創閉鎖

　創を洗浄し，皮膚縫合を行う．

▶**外固定・後療法**

術後，1〜2週間のアルフェンスシーネ副子固定を行い，その後，自動運動を許可している．

■**文献**

1) Harvey FJ. Locking of the metacarpophalangeal joints. J Bone Joint Surg [Br]. 1974; 56: 156-9.
2) Minami A, Katoh S, Minami M. Palmar luxation of the metacarpophalangeal joint. Report of a case and review of the literature. Rev Chir Orthop Reparatrice Appar Mot. 1989; 75: 53-5.
3) 庄司公平, 山本 仁, 高橋康彦, 他. Locking finger の2例. 島根医学. 1986; 7: 546-50.
4) 柳原 泰, 山内裕雄, 藤巻有久. 指MP関節における intra-articular locking の5症例. 整・災外. 1981; 24: 299-303.

CHAPTER 5: 手指— PIP 関節

84 手指 PIP 関節過伸展による掌側関節囊断裂に対する修復術

バレーボール，バスケットボールなど球技による突き指で発生する．受傷時は PIP 関節が背側に脱臼している 図1 ．脱臼のほとんどは指を遠位方向に牽引することにより容易に整復可能である．整復後は指背側副子で PIP 関節の過伸展を防ぎ，PIP 関節の屈曲は行うようにする．整復が困難な場合は基節骨頭背側に中節骨基部掌側板が乗り上げた状態であり，観血的整復を要する可能性もある．

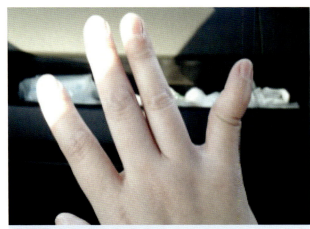

図1 小指 PIP 関節背側脱臼
（患者が病院に来院前に自分で撮影したものである．この後，他医にて徒手整復された）

▶病態

PIP 関節掌側に存在する掌側板は遠位の cartilaginous portion と近位の membraneous portion により構成されている．この構造により PIP 関節の過伸展が制限され，硬い cartilaginous portion が存在しているにも関わらず円滑な屈曲が獲得できることとなる（手指の解剖と機能の項，参照のこと）．

PIP 関節が強制的に過伸展されると中節骨基部掌側に剥離骨折が発生し掌側板により骨片が中枢に転位することとなる 図2 ．単純 X 線では，中節骨基部掌側に剥離骨折を認める 図3 ．症例は小指 PIP 関節に発生した中節骨基部掌側に骨折を伴った掌側関節囊断裂例である 図4A, B ．

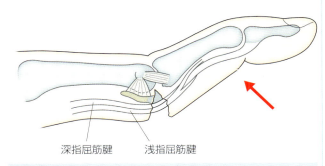

深指屈筋腱　浅指屈筋腱

図2 掌側板付着部の断裂

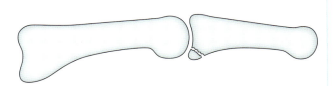

図3 単純 X 線像では，中節骨基部掌側に剥離骨折を認めることも多い．

▶手術適応

整復後，背側の不安定性が存在していたり，中節骨基部掌側骨片が大きい場合，骨片が中枢へ移動し屈筋腱の滑動性が障害されている場合には手術適応と考えている．

皮切

PIP 関節の middle finger crease にジグザグ皮切を加える 図5 ．

展開

皮膚を翻転して両側の神経血管束に留意しながら屈筋腱腱鞘を露出する 図6 ．A3 および C2 腱鞘を橈側あるいは尺側のどちらかで切離して，腱鞘を翻転して屈筋腱を露出する 図7 ．屈筋腱〔浅指屈筋（FDS）および深指屈筋（FDP）〕を引いて，掌側板に付着している骨片を同定する 図8 ．

固定

骨片は多くの場合，回転していることが多いので，どのような状態となっているかを確認する．骨片の固定には No. 36 あるいは No. 38 の pull-out wire を用いる 図9 ．骨片が大きいときには骨片に 0.7 mm 径の K 鋼線を用いて 2 カ所に骨折部から中節骨背側に K 鋼線を刺入する．その骨孔を利用して pull-out wire を刺入する 図10A, B, C ．骨片が小さいときには骨片がばらばらになってしまうおそれがあるので，掌側板の骨片に付着している部分を pull-out wire にて固定する．

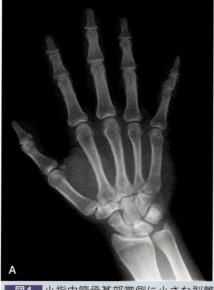
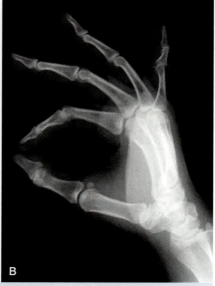

図4 小指中節骨基部掌側に小さな剥離骨折を認める
A: 正面像　B: 側面像

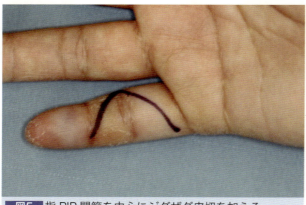

図5 指PIP関節を中心にジグザグ皮切を加える

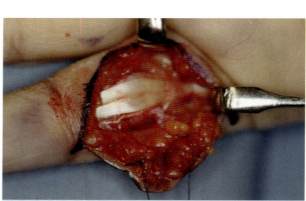

図7 腱鞘を切離して屈筋腱を露出し移動・翻転をしやすくする

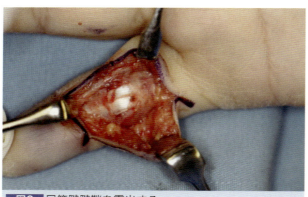

図6 屈筋腱腱鞘を露出する

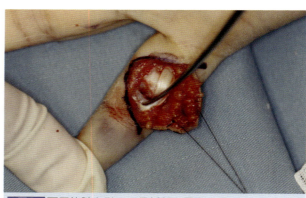

図8 両屈筋腱を引いて骨折部を露出する

　Pull-out wireを中節骨背側に 図11A,B のように引き出し固定する 図12,13A,B．ここでは皮膚の上にボタンを置いているが，術後のワイヤーの弛みおよび皮膚圧迫による潰瘍形成を防ぐためにボタンを用いずに中節骨背側骨皮質に接して固定するのが望ましい．PIP関節を一時的に固定することを私はしていない．X-P透視下で骨片の整復状態を確認する

Tips コツ

Pull-out wireではなくMitek miniまたはsupermini suture anchorを用いて固定することも多くなっている．

創閉鎖

　切離した腱鞘を可及的に閉鎖する 図14．創を洗浄後，創閉鎖を行う 図15．図16A,B は術後X-Pである．

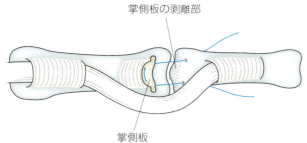

掌側板の剥離部

掌側板

図9 Pull-out wire を用いて骨片を中節骨基部掌側に固定する

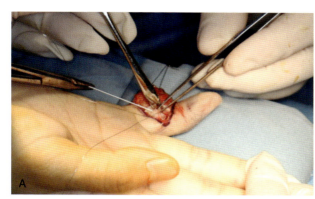

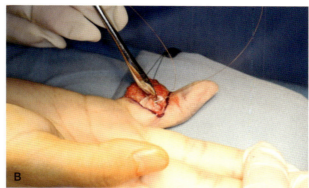

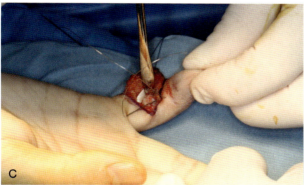

図10 骨片に pull-out wire を通す
A: ワイヤーを骨片に通す
B: ワイヤーを骨片に通して整復する
C: ワイヤー刺入を終えたところ

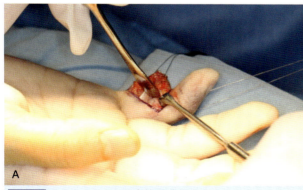

図11 Pull-out wire を中節骨背側に引く
A: 掌側面　B: 背側面

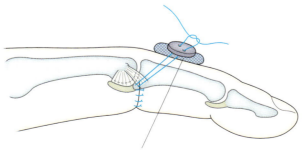

ボタンではなく骨皮質に接して固定するのが望ましい．0.7mm の K 鋼線を刺入するのもよい．

図12 Pull-out wire を中節部掌側でボタンを用いて固定する（最近は中節骨背側骨皮質に接して固定している）

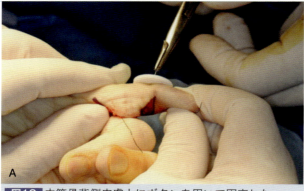

図13 中節骨背側皮膚上にボタンを用いて固定した
A: ボタン上にワイヤーを通す　B: ボタン上でワイヤーを固定する

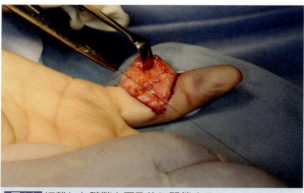

図14 切離した腱鞘を可及的に閉鎖する

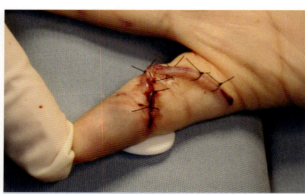

図15 創を閉鎖する

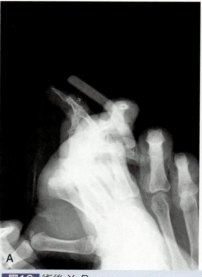
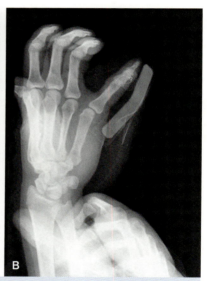

図16 術後 X-P
A: 側面像　B: 斜位像

▶外固定

　PIP 関節を軽度屈曲位で指背側シーネを装用する．テープで基節部を固定し，PIP 関節の屈曲は許可する．3〜4 週でシーネを外して free とするが，night splint は 6 週まで続ける．6 週以後は完全 free とする．

▶症例供覧

症例　65 歳，男性．環指中節骨近位掌側部骨折＋PIP 関節亜脱臼　図17-20

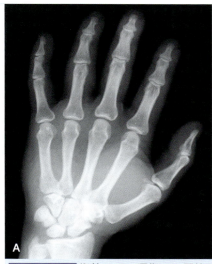
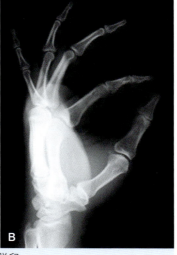
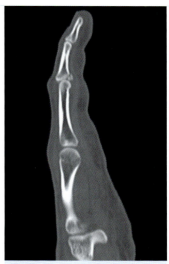

図17A, B 術前X-P 環指PIP関節亜脱臼
A: 正面像　B: 側面像

図18 CT像（側面像）

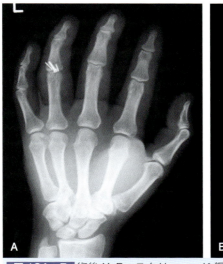
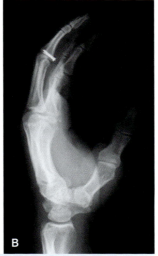

図19A, B 術後X-P　スクリュー，K鋼線にて骨接合術施行
A: 正面像　B: 側面像

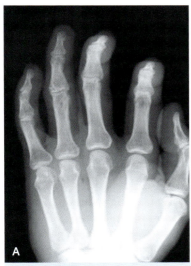
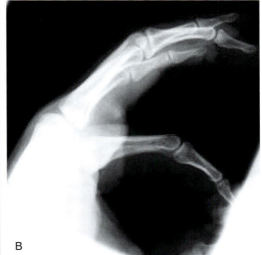

図20A, B 術後1年2カ月抜釘術後X-P
A: 正面像　B: 側面像

▶陳旧例の症例提示

陳旧例の場合，PIP関節過伸展変形で，指はswan neck変形の形をとることとなる 図21．同様の皮切・展開で 図22 のようにFDS腱のhalf slipを基節骨部で切離して有茎として末梢まで翻転する．そして基節骨遠位1/3部に1.5-2.0 mm径のドリルで骨孔を開けてhalf slipを通す．FDS腱のhalf slipをこの骨孔に引き込んで，過伸展変形を矯正してpull-out wireにて固定する 図23．

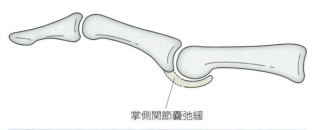

図21 陳旧例

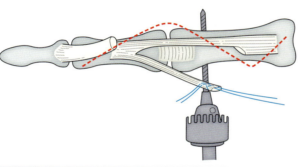

図22 FDS腱のhalf slipを採取して基節骨に骨孔を作成する

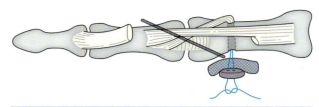

図23 FDS腱のhalf slipを骨孔内に通してpull-out wire固定を行う

■文献

1) 麻生邦一．指関節掌側板剥離骨折の診断と手術手技．In: 整形外科治療のコツと落とし穴−上肢．東京: 中山書店; 1997. p.208−9.
2) 石川淳一．手指の骨関節外傷．PIP関節部の損傷．In: 三浪明男編．手・肘の外科: カラーアトラス．東京: 中外医学社; 2007. p.238−9.
3) 木野義武, 服部義武, 平石 孝, 他．手PIP関節周辺骨折の治療．整形外科．1981; 32: 1488−90.
4) 木野義武, 佐久間雅文, 大谷 博, 他．手PIP関節脱臼骨折（陥没骨片合併）および骨軟骨移植の長期成績．日手会誌．2002; 19: 103−6.
5) 小比賀薫, 赤松 治, 守都義明．近位指節骨間関節脱臼骨折．In: 骨折・外傷シリーズ No.8 手指の骨折と合併損傷．東京: 南江堂; 1987. p.137−43.

CHAPTER 5: 手指— PIP 関節

85 手指 PIP 関節脱臼骨折に対する観血的整復術・内固定術
（Open Reduction and Internal Fixation: ORIF）

手指PIP関節脱臼骨折は保存あるいは手術治療のいずれであっても治療がきわめて難しい脱臼骨折の一つであり，骨折の部位・程度などの正確な把握に努め，手の外科の知識・技術を総動員して治療に当たるべきである．PIP関節脱臼骨折は脱臼の方向により背側と掌側があるが，圧倒的に背側脱臼が多く発生するので，本項では背側脱臼骨折に対する手術治療について記載する．

▶手術解剖（手指の解剖と機能の項，参照のこと）

PIP関節は他の指関節（MP関節とDIP関節）と同様に，両側に側副靱帯（狭義の側副靱帯と副靱帯）が存在し，側方動揺性を制御している．側副靱帯（狭義の）は基節骨橈・尺背側に存在する顆部の陥凹部から起始し，それぞれ中節骨近位側掌面に停止している．副靱帯は側副靱帯起始部の少し掌側から起始し，掌側板側面に停止している．掌側には掌側板が存在している．掌側板は遠位は中節骨基部に付着している軟骨様部分（cartilaginous portion）と，それに続いて基節骨頚部に付着している膜様部分（membraneous portion）からなる．背側および掌側には関節包が存在し，中節骨近位背側には伸筋腱中央索 central slip が付着している．

▶病態

背側脱臼に加わった力の方向により過伸展損傷 図1A と軸圧損傷 図1B に分けることができる．過伸展損傷型では中節骨基部掌側に骨折が発生し，脱臼整復時に掌側板に付着している骨片が骨頭に押されて掌側に回転することが多い．脱臼整復後は比較的，関節は安定している 図2 ．

軸圧損傷型では中節骨関節面の半分以上の範囲で掌側関節面が骨折し陥没する．関節の亜脱臼が残存する 図1B ．

▶治療方針

過伸展損傷で中節骨基部掌側の骨片が小さい場合は隣接指との buddy taping により良好な関節を得ることが可能のことが多い．しかし，骨片が大きい場合は回転している骨片をスクリューや鋼線で固定する 図3 ．

軸圧損傷では関節の整復位は得られないので観血整復

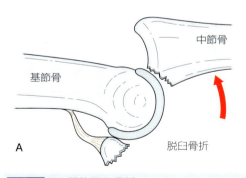

図1 PIP 関節脱臼骨折
A: 過伸展損傷　B: 軸圧損傷

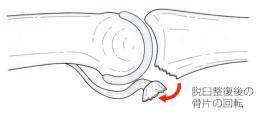

図2 過伸展損傷整復後，関節は比較的安定している

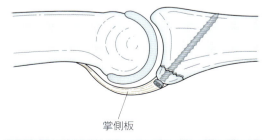

図3 過伸展損傷型に対するスクリュー固定

が必須である．側方からのアプローチを好んで行っている手の外科医もいるが，私は関節面全体を観察することができる掌側アプローチを好んで用いている．

▶手術適応

手術適応は以下の2つであるが，圧倒的に前者が適応となる．
①PIP関節内脱臼骨折で，中節骨の背側亜脱臼を伴った中節骨基部の不安定な転位骨折（軸圧損傷型）
②罹患指の角状変形や回旋を伴った中節骨基部の骨折

▶他の治療方法

他の治療方法としては以下のような選択肢がある．どの治療法を選択するかについては骨折の程度（粉砕の程度や関節軟骨の状態など）や亜脱臼の程度により決定される．
①背側制動副子
②背側ブロックピン固定
③経皮的ピン固定による非観血的整復
④創外固定
⑤掌側板関節形成術
⑥半有鉤骨自家移植術

▶ORIF

皮切
Middle finger creaseを頂点にした"く"の字状皮切を加えるか，あるいはPIP関節側面では側方皮切を加えて台形のフラップで皮膚を挙上する 図4 ．後者の方が広い視野が得られるので有用である．

展開
屈筋腱腱鞘を露出してA3 pullyに切開を加えて 図5 ，深指屈筋（FDP）腱と浅指屈筋（FDS）腱を翻転して中節骨基部を掌側から露出する 図6 ．中節骨基部の展開が悪い場合には近位・遠位のpullyの一部も切離し，掌側板を切離する 図7 ．

> **Tips コツ**
> 掌側板は中節骨基部の掌側部に付着しているので，本骨折の場合，骨片に掌側板が付着することとなる．

次いで，側副靱帯を剝離して（できれば切離しないように注意して），骨折を展開するためにPIP関節をショットガンのように開ける 図8 ．これにより，骨折部を展開することが可能となるが，骨片は掌側板とともに近位に翻転することとなる 図9 ．

骨折の整復
骨折部に介在する余分な血腫や肉芽組織を切除して関節と関節表面を慎重に観察する．

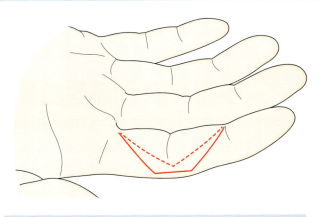

図4 皮切

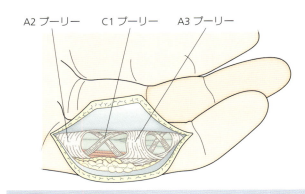

図5 腱鞘を切開する

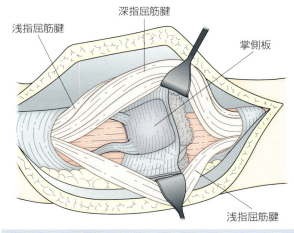

図6 屈筋腱を翻転して掌側板を展開する

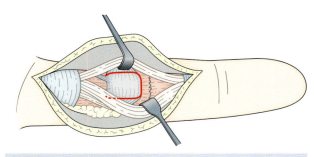

図7 掌側板を切離する

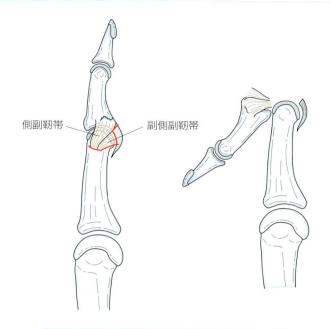

図8 PIP 関節を展開する

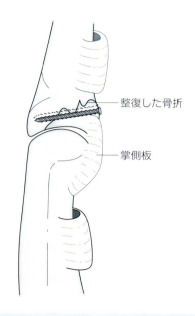

図11 スクリュー固定

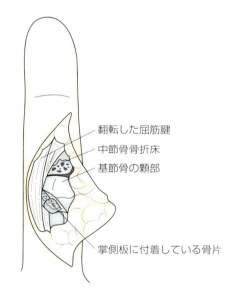

図9 骨折部を展開する

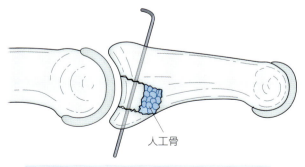

図10 中節骨基部関節面の整復

> **Tips コツ**
> とくに，関節表面の中央部に陥凹した形（central depression）として存在している骨片がどのようになっているかを観察することが重要である．

　骨片が強く粉砕している場合は骨片を整復することはそれほど容易ではなく，一部の関節軟骨は欠損していることもあり得る．多くは軟骨欠損部の範囲はそれほどでもないので，体の他の部位から骨軟骨片を採取して移植する必要はほとんどない．

　骨片の整復を行い，K 鋼線を用いて骨片の仮固定を行う．骨片を整復する際には歯科用ピックは有効でよく用いている．0.028 インチ径 C 鋼線 1 本を掌側から背側へ刺入したり，骨支持鉤を用いて，整復位を保持する **図10**．骨欠損部に骨移植・人工骨移植を行うこともある．

　骨片の固定方法であるが，骨片が小さい場合には一方から C 鋼線を刺入し，それを後からミニフラグメントスクリューと取り替える．骨片が一つの場合には，中心に C 鋼線を刺入して，その撓側と尺側からスクリューをそれぞれ刺入する．このようにできるだけ C 鋼線ではなく，ミニスクリューを用いて固定を行うこととしている **図11**．

> **Tips コツ**
> 骨片の整復状態やスクリューなどの位置（とくに関節面に突出していないかなど）を mini C-arm イメージ透視下で手指を回転しながら慎重にチェックする．

閉鎖

　骨片を戻す（整復）ことにより多くの場合，掌側板の

修復は必要ないことが多いが，もし必要であれば掌側板を修復する．

▶後療法

術後，PIP 関節を軽度屈曲位で指を固定する．術後，できるだけ早い時期から自動運動と愛護的他動運動を開始する．背側伸展ブロック副子（伸展角度を－15°に制限し）を装用して指の屈曲を encourage する．要すれば（reversed）knuckle bender などを装用して full ROM を獲得できるようにする．

▶症例供覧

他の方法で治療した症例を提示する．

症例1 示指 PIP 関節脱臼に対する dorsal extension block splint による治療．背側亜脱臼は整復されているが中節骨基部関節面の不適合が著明である 図12．

症例2 Extension block pin による治療 図13

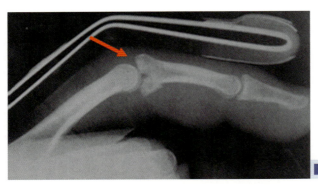

図12 Dorsal extension block splint による治療

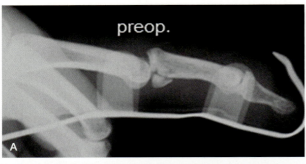

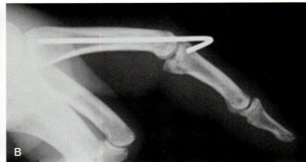

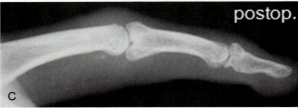

図13 Extension block pin による治療
A: 術前 X-P
B: Extension block pin 後 X-P
C: 3 カ月後 X-P

症例3 Robertson 3 directional traction 法による治療 図14

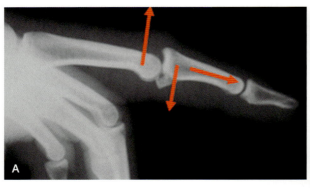

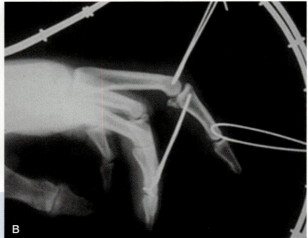

図14 Robertson 3 directional traction 法による治療
A: 術前 X-P
B: 3 directional traction 法を行った最中の X-P

症例4 Hintringer method 図15

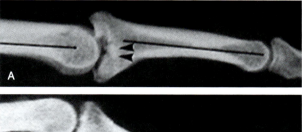
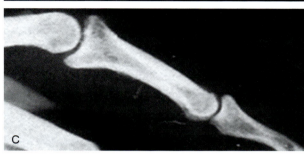
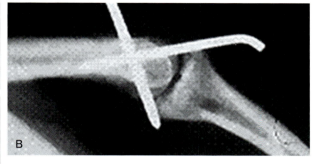

図15 Hintringer method による治療
A: 術前 X-P　B: 術直後 X-P　C: 術後1年 X-P

症例5 ORIF with pull-out wire 法 図16

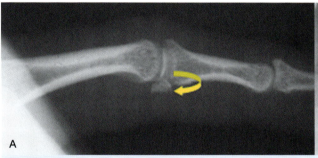
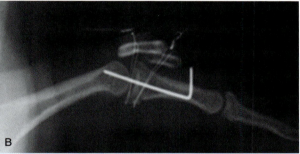

図16 ORIF with pull-out wire 法
A: 術前 X-P　B: 術後 X-P

■ 文献

1) Green A, Smith J, Redding M, et al. Acute open reduction and rigid internal fixation of proximal interphalangeal joint fracture dislocation. J Hand Surg [Am]. 1992; 17: 512-7.
2) Hamilton SC, Stern PJ, Fessler PR, et al. Miniscrew fixation for the treatment of proximal interphalangeal joint dorsal fracture-dislocations. J Hand Surg [Br]. 2006; 31: 1349-54.
3) 石川淳一. PIP 関節背側脱臼骨折. In: 三浪明男編. 手・肘の外科: カラーアトラス. 東京: 中外医学社. 2007. p.240-3.
4) 石突正文, 武田修一, 野本 栄, 他. PIP 関節掌側板付着部骨折の機序と転位について. 日手会誌. 1987; 4: 415-8.
5) Lee JY, Teoh LC. Dorsal fracture-dilocations of the proximal interphalangeal joint treated by open reduction and interfragmentary screw fixaton: indications, app-oaches and results. J Hand Surg [Br]. 2001; 31: 136-46.
6) Roth DM. Fixation of hand fractures with bicortical screws. J Hand Surg [Br]. 2005; 30: 151-3.

CHAPTER 5: 手指— PIP 関節

86 PIP 関節における掌側板関節形成術

　PIP 関節における掌側板関節形成術は以前はかなり好んで行われていた手術術式であったが，最近は掌側板関節形成術の手術適応となる PIP 関節内骨折（背側亜脱臼を伴った中節骨基部骨折）に対しては骨折部を展開し，観血的整復・内固定術を可及的に行い，正常な関節を構築し早期から運動療法を行う方法（別項目，参照のこと）が好んで行われており，掌側板関節形成術はあまり行われなくなった手術方法の 1 つといえる．

▶手術適応

　強い粉砕・陥入を伴う中節骨の関節面の掌側半分が罹患している陳旧性 PIP 関節の脱臼骨折が手術適応であるが，掌側板を前進させ，関節面の欠損の中に正確に固定するために，中節骨の背側 40-50％は無傷で残っていることが必須である．

▶治療の Option

　PIP 関節内骨折に対する治療法としては掌側板関節形成術のほかに以下のような治療法の選択がある．
1. 関節面の 30％以下の罹患側の場合に適応となる伸展ブロック K 鋼線固定あるいは伸展ブロック副子固定　図1A, B
2. 観血的整復と内固定（別項目，参照のこと）
3. 動的骨性牽引（Robertson の三方向牽引あるいはパンタグラフ型骨性牽引）　図2A, B
4. 中節骨基部の関節面が 60％以上の罹患側の場合に

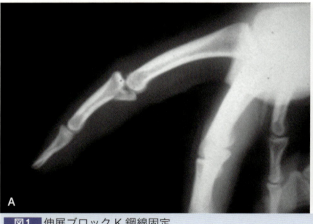
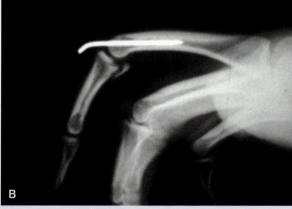

図1　伸展ブロック K 鋼線固定
A: PIP 関節内脱臼骨折（術前 X-P）　　B: Extension block K 鋼線固定

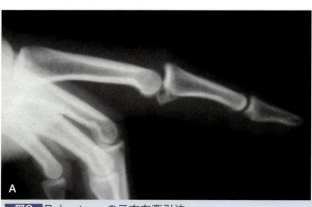
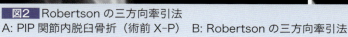

図2　Robertson の三方向牽引法
A: PIP 関節内脱臼骨折（術前 X-P）　　B: Robertson の三方向牽引法

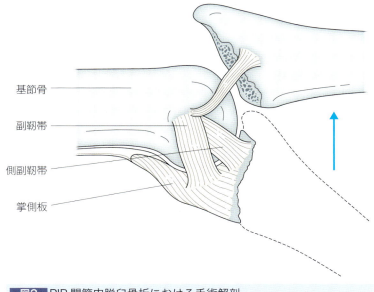

図3 PIP関節内脱臼骨折における手術解剖

基節骨
副靱帯
側副靱帯
掌側板

は半有鉤骨関節形成術なども適応となる．

掌側板関節形成術の手術適応であるがコンセンサスは得られていない．どちらかというと上記の方法が難しいあるいはうまくいかなかった場合に適応となると考えている．

Tips コツ

別項に記載しているが，最近ではPIP関節内背側脱臼骨折に対する観血的整復術・内固定術が行われており，掌側板関節形成術の適応となる症例が少なくなった．

▶画像所見

いろいろな方向の単純X線写真に加えて，関節面の骨折の方向や陥凹の程度の評価にはCT撮影はきわめて有用である．

▶手術解剖

PIP関節は典型的な蝶番関節である（PIP関節の解剖については別項目も参照のこと）．側方安定性は両側の側副靱帯が重要な役割を演じている基節骨頸部の陥凹から中節骨基部の掌側1/3部に斜めに停止している．副靱帯は側副靱帯の起始部のわずか掌側から起始し，掌側板側面に停止している．掌側板は両側に翼を有するような形で中節骨骨膜に強い起始を有しており，中節骨の掌側唇に停止し，側副靱帯の停止部と一緒になっている．

中節骨の掌側30-40％以下が罹患した脱臼骨折の場合，側副靱帯と掌側板は停止したままの状態であるので安定しており，伸展ブロック副子またはギプスにより治療することは可能である．掌側の関節内骨折が30～40％より大きい骨折の場合は先ほど記載したが，骨片に側副靱帯と掌側板の停止部が骨片に付着しているので，整復後もきわめて不安定であり，多くは手術が適応となる．さらに，大きな骨片により中節骨の掌側板の支え効果がなくなることとなり不安定性が進む 図3．

▶前準備

ミニC-アームを準備し，術中はC-アームをドレープでカバーして，術中を通じて使えるようにする．

▶手術手技（PIP関節内脱臼骨折に対する観血的整復＋内固定の項も参照のこと）

皮切

PIP関節（middle finger crease）状の"く"の字状切開によりPIP関節を露出することとする．皮膚を切開後，指掌面の中央部で腱鞘を露出し，両側に軟部組織を翻転することにより，両側の指神経・血管を同定し，術中，損傷しないように留意した 図4．

展開

A2とA4 pullyの間の屈筋腱腱鞘を切開して，屈筋腱はペンローズドレーンを用いて牽引する．PIP関節の掌側面を露出した後に，両側の側副靱帯の最も掌側部分を残して切除する．

Tips コツ

手術の最後に，前進した掌側板の端を残した掌側部分に縫合することができるように温存することが重要である．

側副靱帯を切除したことにより，PIP関節をショットガンのように伸展することが可能となり，PIP関節を十分に展開することができる．

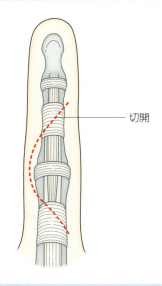

図4 皮切・展開

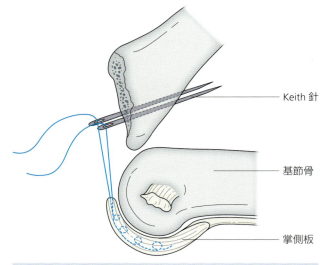

図6 掌側板を中節骨基部の欠損部に挿入するためにKeith針を刺入する

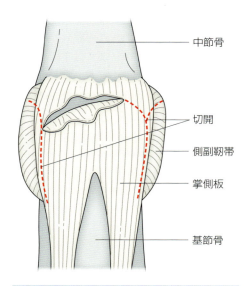

図5 掌側板停止部を副靱帯から切離する

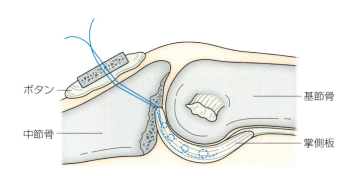

図7 正確な整復を確認した後に引き抜き縫合を行う

掌側板関節形成術

　不安定な骨片を切除し，中節骨基部の掌側縁に掌側板を挿入するための平行な横溝を作成する．欠損の基部の陥入骨片は掌側板を前進したときの支えとして機能するように，切除すべきではない．掌側板停止部を中節骨基部に続いて両側の副靱帯から切離した後に，中節骨の骨欠損の中に4-6 mm遠位方向へ前進して移動させる 図5 ．

　3-0プロレン糸を用いて掌側板の遠位橈側部から始めて，"野球"縫いを用いて近位に運び，それから横にもっていき，遠位は掌側板の尺側部を通す．ドリル孔は2本のKeith針を用いて掌側から背側へドリリングすることにより，中節骨基部での欠損部の近位側縁に作成する．各々の縫合糸はKeith針を使うことで背側にもっていく．針は三角靱帯の中に出てくるように中央部に入れる

べきである 図6 ．

　縫合糸を引っ張り，掌側板を骨欠損へ入れて前進させる．PIP関節を徒手的に整復し，X線透視にて確認する．正確な整復を確認した後に引き抜き縫合をフェルトとボタン上で結ぶ 図7 ．

> **Tips コツ**
> 上記した方法は従来のいわゆるpull-out wire法というべき方法であるが，今は骨欠損部(骨溝)に2本のmini Mitek骨アンカーを打ち込み，この縫合糸に掌側板を引き込むようにしている．

　4-0縫合糸を用いて掌側板の外側縁を側副靱帯の掌側の残りへ付ける．これにより掌側板で中節骨基部を幅広く被覆して，掌側板-側副靱帯構成体により得られる方向の安定性が獲得できる．

固定

　PIP関節を20-30°屈曲位で，0.045インチ径K鋼線を刺入して固定する．

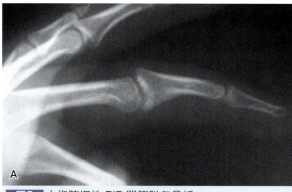
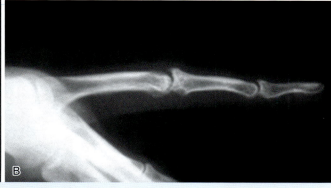

図8 中指陳旧性 PIP 関節脱臼骨折
A: 術前 X-P　B: 掌側板関節形成術後 X-P

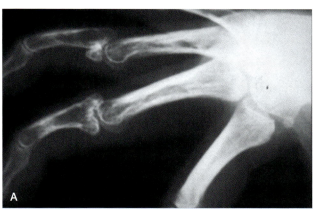
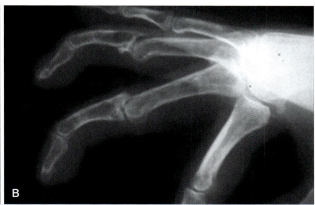

図9 中・環指陳旧性 PIP 関節脱臼骨折
A: 術前 X-P　B: 術後 X-P

▶後療法

　DIP 関節を free として罹患指を 3 週間固定する．3 週経過後，ギプスと K 鋼線を外し，罹患指を背側伸展ブロック副子で固定して PIP 関節の伸展を制限しつつ PIP 関節の屈曲を積極的に行う．4-5 週後から自動伸展を開始する．術後 6 週目から動的伸展副子により完全伸展を得るようにする．術後 8 週から隣接指との buddy taping を行う．

▶症例供覧

症例1　陳旧性中指 PIP 関節脱臼骨折

　術前 X-P 図8A: 既に骨癒合は得られているが，骨折部に step-off が明らかに存在し，亜脱臼も残存している．

　掌側板関節形成術 X-P 図8B: 変形治癒した中節骨基部の骨片を切除して掌側板関節形成術を行った．

症例2　中・環指陳旧性 PIP 関節脱臼骨折 図9

■文献

1) Bilos ZJ, Vender MI, Bonavolota M, et al. Fracture subluxation of proximal interphalangeal joint treated by palmar plate advancement. J Hand Surg [Am]. 1994; 19: 189-95.
2) Deith MA, Keifhaber TR, Comisar BR, et al. Dorsal fracture dislocations of the proximal interphalangeal joint: surgical complications and long-term results. J Hand Surg [Am]. 1999; 24: 914-23.
3) Durharm-Smith G, McCarten GH. Volar plate arthroplasty for closed proximal interphalangeal joint injuries. J Hand Surg [Br]. 1992; 17: 422-8.
4) 石川淳一．PIP 関節背側脱臼骨折．In; 三浪明男編．手・肘の外科: カラーアトラス．東京: 中外医学社; 2007. p.240-3.
5) Malerich MM, Eaton RG. The volar plate reconstruction for fracture-dilocation of the proximal interphalangeal joint. Hand Clin. 1994; 10: 251-60.

CHAPTER 5: 手指— PIP 関節

87　PIP 関節人工指関節置換術

　PIP 関節に対する人工指関節（AFJ）置換術は従来は PIP 関節用の Swanson の silastic implant arthroplasty が広く行われていた．しかし，他の報告も同様であるが，私の経験では PIP 関節の ROM が期待通りにはほとんど得られないことと，早期に implant のゆるみや implant の破損が生じ，成績はさんざんであった．またスワンネック変形あるいはボタン穴変形を合併している場合は腱の緊張のバランスを得ることが非常にむずかしいので，今はほとんど行われていないのが現状である．その後，本邦では南川らが Self Locking Finger Joint（SLFJ）という新しい type の non-cement 型の表面置換型 AFJ を発表し，最近の報告（2015 年時点）では全国約 250 以上の施設で 700 関節以上使用されており，いろいろな改良を加え現在に至っていると報告している．残念ながら私個人としては本 AFJ の使用経験がないために正しい評価は下せない．SR（Surface Replacement）型 AFJ は Mayo Clinic の Linscheid らが開発したものであり，私もこの経験は数例であるがあり，個人的には伸展の lag が少し残る傾向があるが，非常に良好な屈曲角度が得られ，患者の満足度も高く，PIP 関節に対する AFJ としては本機種を愛用することとしている．最近，開発会社の離合集散で本邦では入手困難との話も聞いているが，本項ではこの SR 型 AFJ 置換術および形状がほぼ同じの石突式 AFJ 置換術の手術手技を記載することとする．

▶手術適応

　PIP 関節の関節破壊が強く，関節固定術以外の手術が困難である場合を適応としている．

　術前に患指のスワンネック変形やボタン穴変形が存在する場合，術前に拘縮を除去して MP，PIP および DIP 関節の良好な可動域を得ることとする．しかし，進行したこれらの変形に対する操作はきわめて難しい．私は PIP 関節に強い変形や拘縮が存在している場合には手術適応は厳格としている．

▶手術術式

　背側アプローチと掌側アプローチがあり，選択は伸筋腱再建の必要性と術者の好みによる．伸筋腱の再建を必要とするボタン穴変形やスワンネック変形では背側アプローチが絶対的に必要であり，それ以外では掌側アプローチを好んで用いる術者が多い．これは PIP 関節に対する AFJ 置換術後の合併症としてほとんどが中央索 central slip の不全による伸展制限が発生するためである．ちなみに私は掌側アプローチは視野が狭く操作がやりにくいこと，そして慣れていないこともあり，背側アプローチを好んで用いることとしている．

皮切

　PIP 関節背側を中心に PIP 関節部で少し曲げて正中部に縦切開を加える　図1．皮下を皮下静脈を損傷しないように留意して関節背側で central slip（中央索）と

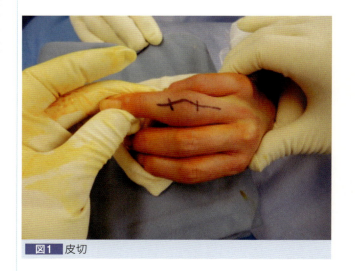

図1　皮切

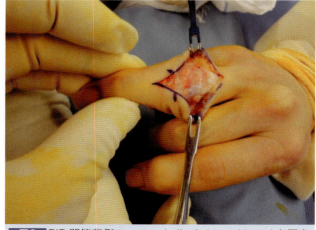

図2　PIP 関節背側で central slip と lateral band を同定する

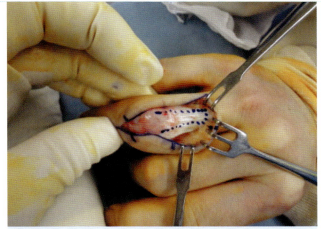

図3 中央索を近位で弁状に切離する

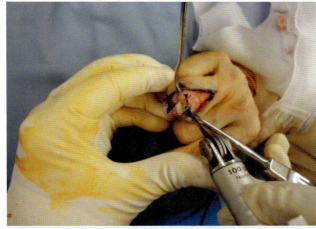

図6 基節骨頭部の骨切りを行う

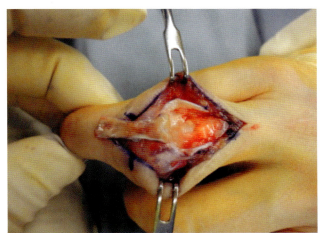

図4 中央索を遠位の付着部を温存したまま遠位に翻転する

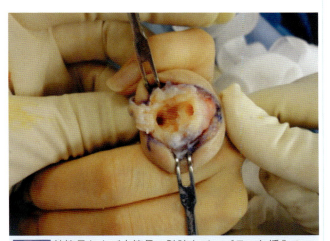

図7 基節骨および中節骨の髄腔をインプラント挿入のために形成する

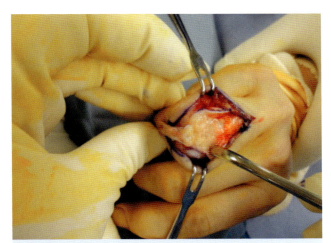

図5 滑膜切除を徹底的に行う

両側の lateral band（側索）を同定する 図2 ．中央索を近位で弁状に切離して 図3 中節骨近位背側の付着部を温存したまま遠位に翻転した 図4 ．腱弁の長さは 1-2 cm 程度で十分とのことであるが，将来的な腱形成のことを考えると 2.5-3 cm 長で幅は 1 cm 程度とした．

関節展開

PIP 関節背側の関節包と中央索の間を剝離することが可能であれば施行することが好ましいが，多くの場合，PIP 関節の滑膜炎が強く伸筋腱と関節包が癒着していることが多い．関節を牽引したり，強く屈曲したりして関節をできるだけ広く展開する．とくに掌側の関節包の近位方向に存在する滑膜切除を慎重にかつ徹底的に行う 図5 ．次いで基節骨骨頭および中節骨基部の両側に存在する側副靱帯を同定して，骨切除する際に傷つけないように留意する．

PIP 関節の軟骨はほとんど摩耗して存在していないことが多い．ここで PIP 関節を屈曲して両側の側副靱帯の近位付着部を骨から遊離しない程度に剝離して，基節骨骨頭の関節軟骨を露出する．基節骨頭部を側副靱帯の起始部を損傷しないように起始部の遠位に垂直に繊細なサジタールプレートソーを用いて骨切りを行う 図6 ．次いで AFJ に合致するように掌側の関節頭の掌側の突出部を斜めに切除する．最後に中央索を十分に遠位まで翻転して損傷しないように留意して中節骨基部の関節軟骨を薄いスライス状に切除する．

人工関節の設置

小さなアウルを用いてまず基節骨にインプラント挿入

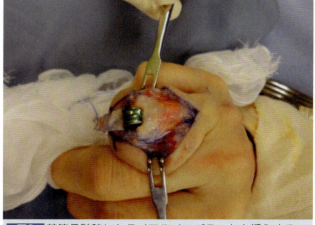

図8 基節骨髄腔にトライアルインプラントを挿入する

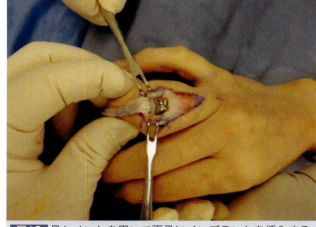

図10 骨セメントを用いて両骨にインプラントを挿入する

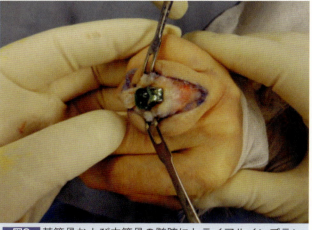

図9 基節骨および中節骨の髄腔にトライアルインプラントを挿入してROMをチェックする

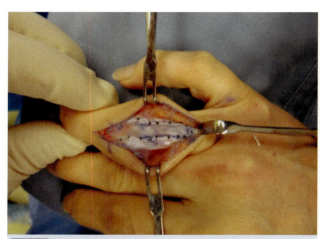

図11 翻転した中央索を少しきつ目に修復する

のための髄腔を作成する．必要であればサージアトームを用いて髄腔入口部を削る 図7．最終的には予め作図しておいたimplantのトライアルがしっかりと適合するまで髄腔を備え付けのリーマで拡大する．近位のトライアルコンポーネントを挿入してプラスチック製のインパクターを用いてコンポーネントを整復する 図8．髄腔とトライアルコンポーネントがぴったりと適合しないようならラスプやサージアトームを用いて削るなどの操作を行う．適合したところでX線透視でインプラントが良好な位置にしっかり適合していることを確認する．

次いで中節骨の髄腔を基節骨の場合と同様に作製する．中節骨の髄腔のラスピングの際には中央索の中節骨基部の付着部を損傷しないように注意して行うことが重要である．基節骨のトライアルコンポーネントを除去してから中節骨のラスピングを行う 図7．同様に遠位のトライアルコンポーネントを挿入してインパクターで整復した後に，近位トライアルコンポーネントを再挿入して中節骨基部の皮質骨縁に対して近位トライアルコンポーネントがぶつかったりしないことを確認する 図9．

両方のトライアルコンポーネントを挿入後，指を他動的に屈曲してどこにもぶつかってないこととわずかに左右の不安定性が存在することをチェックする．指を屈曲したときに他指との交叉がないことを確認する．次いで中央索を中枢へ引っ張って十分にPIP関節が伸展することを確認後，最終的にX線透視によりアライメントの位置や両コンポーネントの適合性をチェックする．

固定

エクストラクターを用いて両方のトライアルコンポーネントを切除した後に生食水で十分に髄腔を洗浄して，次いで抗生物質加の生食水でも最終的に洗浄を行う．髄腔内を乾燥させた後，骨セメント（polymethyl methacrylate: PMMA）をゆるい状態のままに5-10 ccの注射器に入れてNo.1カニューレ針を用いて髄腔にしっかり挿入して，コンポーネントを挿入してX線透視で位置を確認する．インパクターを用いて基節骨および中節骨にインプラントを整復して両コンポーネントをしっかり合致させて圧迫して，余分なはみ出した骨セメントを切除する 図10．そして指を他動的に屈曲・伸展してセメントなどがぶつからないことを確認する．

閉鎖

再度，洗浄を行った後に初めに翻転した中央索を修復する 図11．この部の伸筋腱は脆弱であるので縫合糸をかけるときに断裂することに留意することと，縫合糸

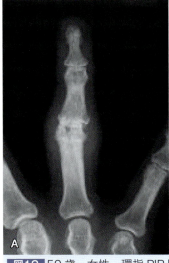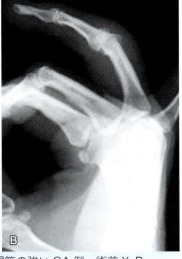

図12 50歳，女性．環指PIP関節の強いOA例．術前X-P
A: 正面像　B: 側面像

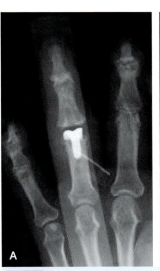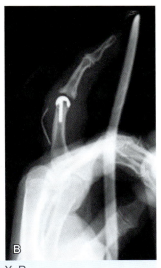

図13 PIP人工関節置換術後X-P
A: 正面像　B: 側面像

が皮下に出ることにも注意する．中央索の長さはPIPとDIP関節の角度のバランスをとって決定して縫合することとする．4-0または5-0非吸収糸を用いて縫合するが，これによって側索の動きを制限することとなってはいけないので注意する．皮膚を縫合閉鎖する．

外固定

掌側副子を用いて指を伸展位に保つ．

▶後療法

術後1-7日は軟部組織，とくに中央索の縫合状態にもよるが，伸展位に保持する．DIP関節はできるだけ早目に独立して屈曲することとする．

> **Tips コツ**
> このことにより側索のexcursionが保たれ癒着を防ぐことが可能となる．

中央索がしっかりと縫合できた場合には，PIP関節の早期の運動を行い，これにより伸筋腱の癒着を防ぎ，関節のexcursionを得ることとする．

PIP関節の運動はできるだけ術後2-7日頃から徐々に開始することとする．リハビリテーションの早めの時期にはdynamic splintは有用である．Dynamic splintでは静的extension blockによりPIP関節の過伸展を防止し，自動的に指を屈曲した後に指が中間位まで戻るように弾性sling（輪ゴム）を装着させることとした．伸展が可能となればdynamic splintは中止する．しかし数週はstatic splintを保護のために用いる．

理想的には伸展0°-屈曲90°が理想的であるが，ROMとして60°位あれば満足できると考えるべきである．

▶症例供覧

症例　50歳，女性．環指PIP関節に強いOAを認める．DIP関節にも強いHeberden結節が存在していた．

図12A, B　術前単純X-P
図13A, B　人工関節置換術後X-P

■文献

1) Carroll RE, Taber TH. Digital arthroplasty of the proximal interphalangeal joint. J Bone Joint Surg [Am]. 1954; 36: 912-20.
2) 石突正文．手指の骨関節損傷．日手会誌．1996; 13: 852-8.
3) Kiefhaber TR, Stern PJ, Good ES. Lateral stability of the proximal interphalangeal joint. J Hand Surg [Am]. 1986; 11: 661-9.
4) Linscheid RL, Chao EY. Biomechanical assessment of finger function in prosthetic joint design. Orthop Clin North Am. 1973; 4: 317-20.
5) 南川義隆．PIP関節の関節形成術．In: 三浪明男編．手・肘の外科：カラーアトラス．東京: 中外医学社; 2007. p.479.

CHAPTER 5: 手指― DIP 関節

88 マレット骨折に対する石黒法

マレット指（槌指）は指 DIP 関節に遠位から長軸上直達力（球がぶつかるなど）が加わり，急な DIP 関節の屈曲が起こることによる伸筋腱終止腱の断裂により発生するものである．終止腱が断裂したことにより DIP 関節の伸展が不能となり，最終的には swan neck 変形をきたす場合もある 図1 ．

マレット指は 3 つのタイプに分けられている．腱成分（終止腱）で断裂するもの，骨折を伴っているもの，骨片が大きく DIP 関節の亜脱臼を伴うものの 3 つである 図2 ．マレット指のうち，末節骨近位背側に骨折を伴った場合をマレット骨折と呼称している．マレット骨折の骨片には伸筋腱が停止し，末節骨掌側には深指屈筋腱が停止しているため，骨折面を離開する力により整復およびその保持の困難な骨折である．

▶従来法

保存的に DIP 関節を伸展位にギプスシーネ 図3 やアルフェンス副子などで保持する方法である．本法では DIP 関節の亜脱臼の整復は得られるが骨片の整復は困難であることが多い 図4A, B ．

観血的整復法では骨折面を展開するため，いったん骨折部および伸展機構を剥離して pull-out wire あるいは K 鋼線で内固定を行い，DIP 関節を伸展位に固定する 図5A, B ．固定力が弱く骨癒合に 6 週以上要し，積極的な可動域訓練を行えないなど多くの問題が存在する．

▶石黒法手技

麻酔

Digital block あるいは metacarpal block による局所麻酔下で手術を行う．

Extension block pin の刺入

陳旧性（受傷から数週経過した例）では 21 G の注射針を用いて指背から骨折部に刺入し，針先で骨折面を新鮮化する 図6 ．石黒によると 3 週以内では骨折部の新鮮化は不要と記載している．

DIP および PIP 関節をしっかり屈曲位に保って extension block pin を刺入する 図7 ．刺入部は中節骨骨頭の背側寄りで，骨片との間に隙間をもたせるようにピンを刺入する 図8 ．

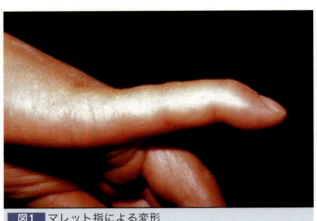
図1 マレット指による変形

①腱断裂型

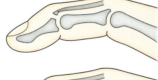
②剥離骨折型

③脱臼骨折型

図2 マレット指の分類

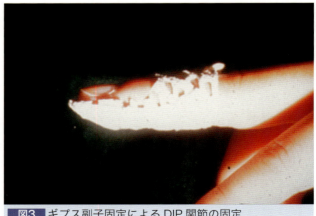
図3 ギプス副子固定による DIP 関節の固定

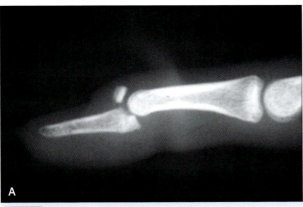
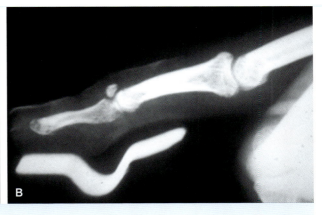

図4　アルフェンス固定法
A: 典型的なマレット骨折例．DIP関節は亜脱臼している
B: アルフェンス固定によりDIP関節を伸展位に保持し，DIP関節の亜脱臼は整復されているが骨片は整復されていない

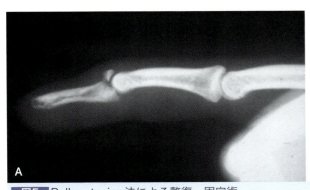
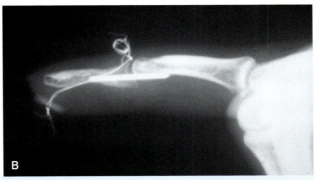

図5　Pull-out wire法による整復・固定術
A: DIP関節亜脱臼を伴ったマレット骨折例．　B: Pull-out wire法による内固定術

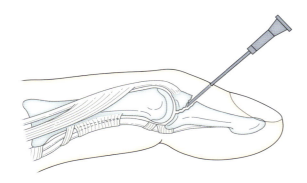

図6　陳旧例の場合，21G注射針で骨折部を新鮮化する

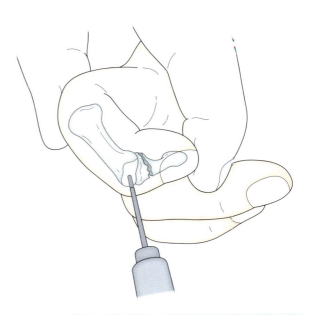

図7　Extension block pinを刺入

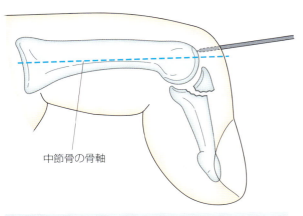

中節骨の骨軸

図8　Extension block pinの刺入部の決定

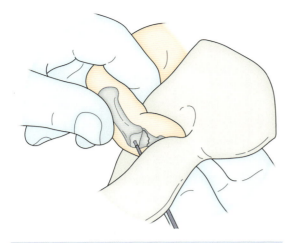

図9 整復操作を行う（本文参照）

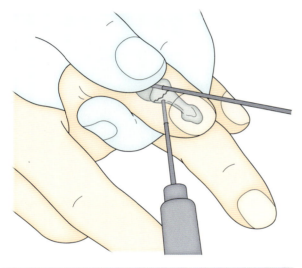

図10 DIP関節固定

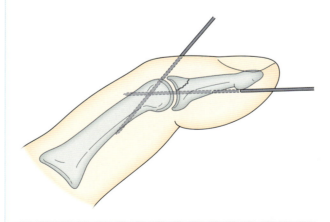

図11 整復状態をイメージ透視下で確認する

骨折部の整復

末節骨を把持し，末節骨基部を持ち上げるようにして末梢に引っ張りながら整復する 図9 .

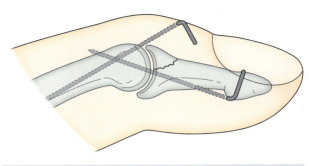

図12 K鋼線固定を終了したところ

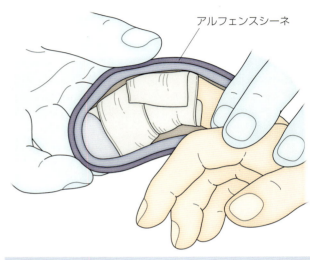

図13 術後外固定

> **Tips コツ**
> 末節部にガーゼをあてがうと手が滑らず整復がやりやすいので利用すると良い 図9 .

整復位が得られたならば，骨折部を貫通しないように末節骨の側面からDIP関節を経皮的に固定する 図10 ．C-armによる術中透視で整復状態を確認する 図11 ．皮膚より突出した鋼線は少し長めに残して切断する 図12 ．

術後固定

鋼線の断端を保護する目的でアルフェンスシーネによる外固定を行う 図13 ．

▶後療法

鋼線は4-5週で抜釘する．外固定のアルフェンスシーネは4週で除去し，自動運動，他動運動を開始する．

> **Tips コツ**
> 深指屈筋の関係で中指〜小指の3本の指は強く握らないようにすべきであるが，示指は母指との摘み動作は行って問題はない．

▶症例供覧

症例1　40歳, 男性. 小指マレット骨折例 図14A, B, C

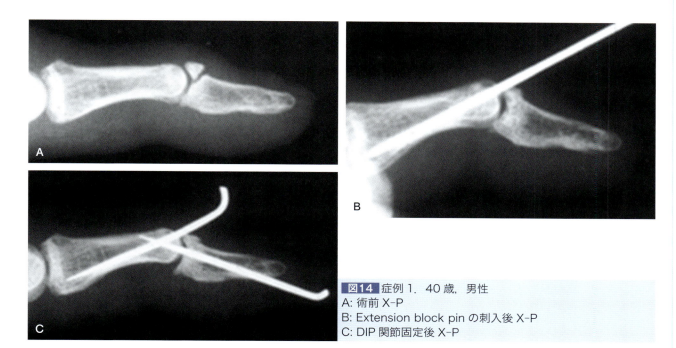

図14 症例1. 40歳, 男性
A: 術前 X-P
B: Extension block pin の刺入後 X-P
C: DIP 関節固定後 X-P

症例2　15歳, 男性. 中指マレット骨折例 図15A, B, C, D

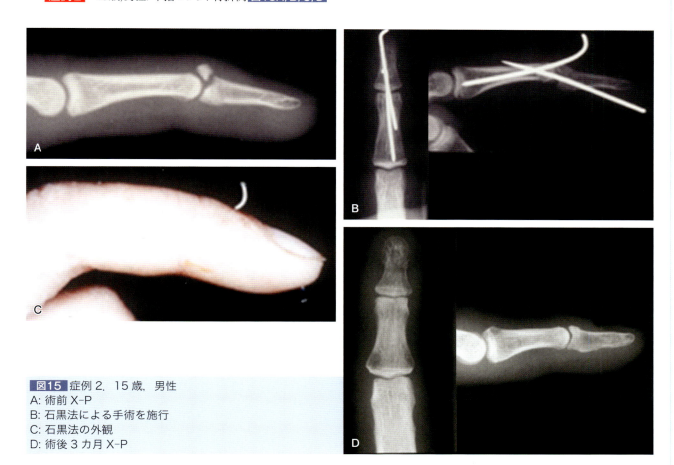

図15 症例2. 15歳, 男性
A: 術前 X-P
B: 石黒法による手術を施行
C: 石黒法の外観
D: 術後3カ月 X-P

症例3 60歳，男性．母指マレット骨折例 図16A, B, C

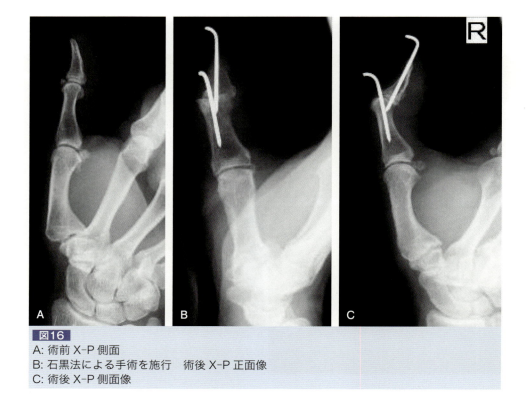

図16
A: 術前 X-P 側面
B: 石黒法による手術を施行　術後 X-P 正面像
C: 術後 X-P 側面像

■ 文献

1) Ishiguro T, Itoh Y, Yabe Y, et al. Extension block with Kirschner wire for fracture dislocation of the distal interphalangeal joint. Tech Hand Up Surg. 1997; 1: 95-102.
2) 石黒　隆．槌指変形（マレット骨折）—Extension block を利用した closed reduction．In: 林浩一郎他編．OS Now No. 28, 手の外科．東京: メジカルビュー社; 1997. p.24-9.
3) 石黒　隆．マレット骨折に対する石黒法．In: 三浪明男編．整形外科手術イラストレイテッド　手関節・手指の手術．東京: 中山書店; 2012. p.55-61.
4) 近藤　真，三浪三千男，三浪明男，他．骨片を伴った mallet finger に対する closed reduction の新法．日手会誌．1988; 5: 444-7.

CHAPTER 5: 手指― DIP 関節

89 粘液嚢腫（Mucous Cyst）切除術

粘液嚢腫は，手指，足趾の DIP 関節（母指の場合は IP 関節）の背側にみられる良性嚢腫様病変であるが，その病因は意外と明らかではない．このことは，粘液嚢腫そのものの定義が決まったものではないことと異なる病型のものが混在して報告されているためである．しかし，DIP 関節の変形性関節症（OA），Heberden 結節の一般的な所見のうち，とくに骨棘形成を認める報告は多い．他方，DIP 関節に OA 変化を認めない粘液嚢腫例も存在している．

▶治療の選択

治療法としては以下のようにいろいろな方法が報告されている．①切開・排液，②単純切除，③放射線照射，④電気凝固，⑤Nitric acid, trichloracetic acid や phenol などによる化学的処理，⑥液体窒素による凍結，⑦蛋白分解酵素の注射，⑧ステロイド注入，⑨切断，⑩皮膚移植を合併した根治的切除などである．

▶手術適応

DIP 関節に変形，疼痛が強く，嚢腫を認めるような時は手術適応と考える．また，爪甲の変形も愁訴の 1 つとなる．

私は粘液嚢腫が存在している場合，何らかの原因あるいは患者自身が針などで刺入することにより自壊し，これが原因で感染する恐れが高いことより切除すべきと考えている．患者にも同様趣旨を説明し，切除することを勧める場合もある．

▶手術手技

指 DIP 関節 OA（Heberden 結節）に合併することが多いため，この例に対する手術手技について記載する．

粘液嚢腫は DIP 関節部伸筋腱（終止腱）の下に存在している．重要なことは嚢腫は終止腱の左右で連絡しており，多くは関節とも交通していることである．このことは終止腱の一方（例えば橈側）のみの嚢腫を切除しても他側に存在している可能性を絶えず念頭に置く必要がある．

症例は中指 DIP 関節の背橈側に存在する粘液嚢腫例である 図1 ．粘液嚢腫を中心に紡錘状に皮切を加え，

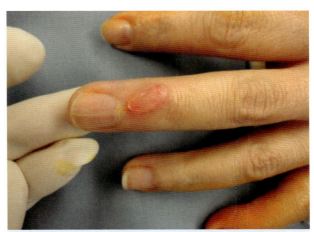

図1 中指 DIP 関節の背橈側に存在する粘液嚢腫である（再発例）

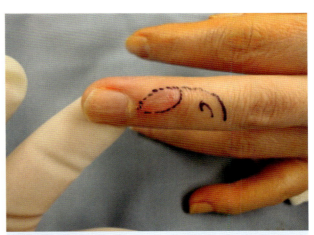

図2 皮切

近位へ 図2 のようにかなりカーブして回転皮弁をデザインする 図3 ．菲薄化した皮膚を含め，腫瘤を切除する 図4 ．多くの腫瘤は終止腱下に存在しており，腱を避けながら腫瘤を切除する．腫瘤は関節包と交通しており，腫瘤の内部には透明なゼリー状物質を含んでいる．腫瘤を切除あるいは剝離して存在する骨棘をリューエル鉗子で切除して，サージアトームなどを用いて骨棘を扁平化する．生じた皮膚欠損部に対しては皮膚縁を undermine して 図5 ，遠位に作成した回転皮弁を用いて 図6 ，皮膚閉鎖を行う 図7 ．

ちなみに本症例は Heberden 結節はほとんど存在していなかった 図8A, B ．

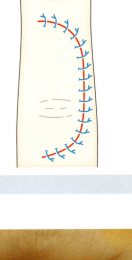

図3 皮切（シェーマ）

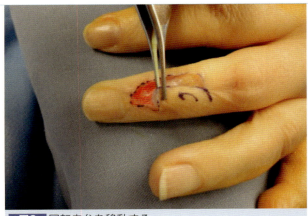

図6 回転皮弁を移動する

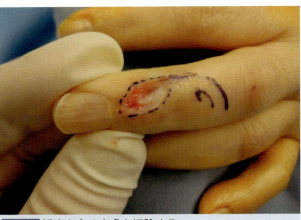

図4 腫瘤を含め皮膚を切除する

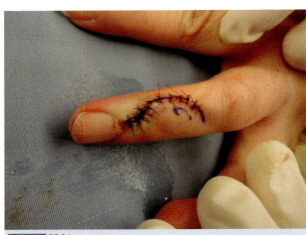

図7 閉創

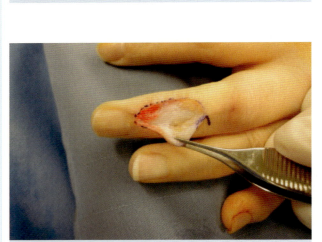

図5 回転皮弁を undermine する

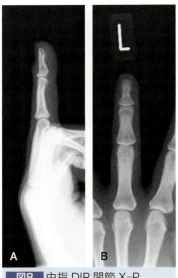

図8 中指 DIP 関節 X-P
A．正面像　B．側面像

▶後療法

術後，創の安静目的で DIP 関節を 3 週間固定し，以後は free motion とする．

▶症例供覧

症例 61歳女性．環指 mucous cyst 図9〜12

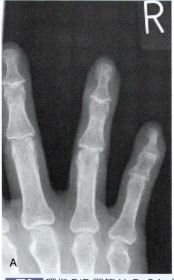
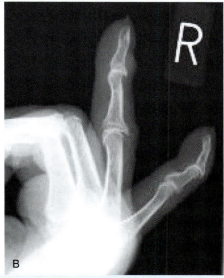

図9 環指 DIP 関節 X-P: OA（Heberden 結節）が著明である
A: 正面像　B: 側面像

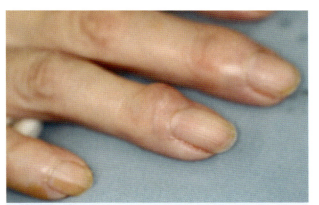

図10 術前

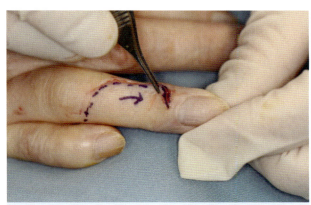

図12 回転皮弁移動

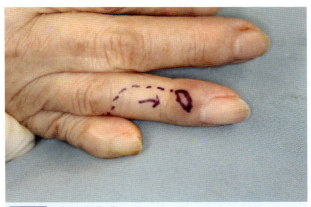

図11 回転皮弁作成

■ 文献

1) Gross RE. Recurring myxomatous cutaneous cysts of the fingers and toes. Surg Gynecol Obstet. 1937; 65: 289-302.
2) 金谷文則, 田島達也, 斎藤英彦. 手指の Mucous cyst の検討. 日手会誌. 1984; 1: 201-5.
3) 木下行洋, 児島忠雄, 久保英一, 他. 手指 mucous cyst の症例の検討. 日形会誌. 1990; 10: 750-9.
4) Kleinert HE, Kutz JE, Fishman JH, et al. Etiology and treatment of the so-called mucous cyst of the finger. J Bone Joint Surg [Am]. 1972; 54: 1455-8.
5) 多比良克己, 飯田　裕, 都築鴨之. 遠位指節骨・指節間関節に関節症変化を認めない粘液嚢腫の4例. 整形外科. 1997; 48: 854-6.

CHAPTER 5: 手指―DIP 関節

90 Degloving Injury（手袋状皮膚剥脱創）の治療

Degloving injury は車輪やローラーベルトのように回転する器械に四肢が巻き込まれることによって発生する特殊な外傷である．皮膚のみが損傷されるのではなく，皮下組織や血管・神経・筋肉・腱・骨・関節にまで及ぶことがあり，切断に至ることも少なくない．Degloving injury の特殊な形として ring injury がある．

広範囲 degloving injury の分類

class Ⅰ：不完全皮膚剥脱で，剥脱部位より末梢の動脈および静脈の血行は良好．
class Ⅱ：不完全皮膚剥脱で，剥脱部位より末梢の血行が不十分であるが，骨折の合併はない．
  A＋V：動脈および静脈の血行再建が必要
  A：動脈の血行再建が必要
  V：静脈の血行再建が必要
class Ⅲ：class Ⅱに骨折の合併がある．
class Ⅳ：指尖までの完全皮膚剥脱が，皮膚剥脱を伴った完全引き抜き切断．

▶治療

Degloving injury を治療するうえにおいて重要なことは，剥脱が部分的であり有茎皮弁型を呈しているか，剥脱は全周性であるが皮膚または皮下組織の一部のみが連続している不完全切断型であるか，全周性に剥脱離断された完全切断型であるかの判断である．一般的には有茎皮弁においては血行不良に陥っている皮膚を切除して生じた皮膚欠損部に遊離植皮を行う．不完全および完全切断型では血行再建か遊離植皮を行うこととなる．

具体的には皮膚は剥脱しているが軟部組織が完全に残っている時には遊離分層植皮で十分であることが多い．神経血管束が一部損傷されている場合には掌側では direct flap が必要であるが，背側には遊離分層植皮で治療する．ときに剥脱皮膚を元通りに戻して血管吻合することにより切断を避けて生着させる可能性がある．

> **Tips コツ**
> 難しいのは剥脱している皮膚を元に戻すことにより生着するのか壊死に陥るのかの判断である．残念ながら，元に戻した皮膚が広範に壊死に陥ってしまうことも少なくない．

軟部組織が欠損している場合は各種有茎皮弁，遊離皮弁での被覆を行うべきである．

▶Ring Injury

指輪が引っ掛かって皮膚とともに遠位に剥脱する損傷であるが，予後は極めて不良である．

> **Tips コツ**
> 一見するとそれほど重篤とは思われない損傷であっても，指切断という悲惨な結果を招来することが少なくないことを銘記すべきである．

Ring Injury の分類

class Ⅰ：骨折の有無にかかわらず血行は十分である．
class Ⅱ：骨折はないが，動脈および静脈の血行が不十分である．
class Ⅲ：骨折または関節損傷が存在しており，かつ動・静脈の血行が不十分である．
class Ⅳ：完全切断

▶治療

一般的に皮膚の損傷も強いことが多いため，皮膚欠損の修復（遊離植皮や局所・遊離皮弁）と血行の再建を同時に行うべきである．分類の中での class Ⅱ，Ⅲでは血管吻合により生着の可能性は高いが，class Ⅳでは切断術が最も機能的手段であると考える．

■文献

1) Kay S, Werntz J, et al. Ring avulsion injuries: classification and prognosis. J Hand Surg［Am］. 1989; 14A: 204–13.
2) 近藤喜久雄, 木野義武. 上肢の degloving ingury. Orthopaedics. 1996; 9: 19–27.
3) 増井裕子, 石井浩三, 寺井 勉, 他. 手足を除く四肢（主として前腕, 下腿）の degloving injury の治療に対する考え方. 日形会誌. 2002; 22: 803–9.
4) 瀬分 厚, 吉岡 薫, 越智光夫, 他. Ring avulsion injury の治療経験. 整形外科と災害外科. 1988; 37: 527–31.

CHAPTER 5: 手指―DIP 関節

91 指尖損傷の治療

指尖部は絶えず露出している部であり，刃物による切創やドアに挟めるなどの挫創・骨折など身体の中で最も外傷を受ける部位である．当然外来診療上，指尖損傷は比較的よく遭遇する損傷である．

▶指尖部切断の処置

分類
切断レベルでは Tamai 分類 図1 と Ishikawa 分類 図2 があり，切断の方法では Atasoy 分類 図3 が頻用される．

▶治療法

保存療法
創縁を debridement 後，骨はできるだけ軟部組織で覆いソフラチュールガーゼをあて，薬浴と包交を繰り返す．時間はかかるが，zone Ⅳ（石川分類）でも可能で指の短縮もなく丸みのある指腹を持つ指先が得られる．爪甲の屈曲変形は避けがたい．

外科治療
1. Composite graft: zone Ⅲまでの clean cut の場合，minimum debridement 後，指紋を合わせるように縫着する．
2. 遊離植皮
3. 一次縫合: 骨を短縮して皮膚に緊張がないように縫合する．
4. 皮弁: Local, Regional, Distant Flaps などが存在する．
5. 指尖部接着術: Ultramicrosurgery の導入により zone Ⅰ でも再接着が可能となっているが，technical demand は高い．
6. 局所有茎皮弁: 局所有茎皮弁には多くの報告がなされているが，術者の好みおよび侵襲が少ないものを選択すべきである．図のみを示すこととする．

> **Tips コツ**
> このほか多くの方法（皮弁を含む）があるが，ここでは代表的なもののみを列挙した．

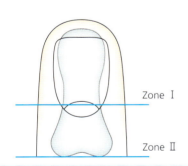

図1 切断レベル分類（Tamai 分類）

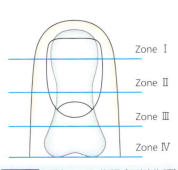

図2 切断レベル分類（石川分類）

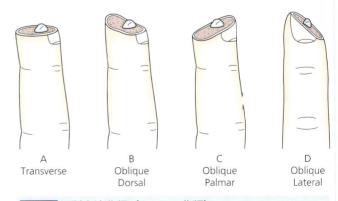

図3 切断方法分類（Atasoy 分類）

a. Double lateral triangular flap

図4 Kutler 法

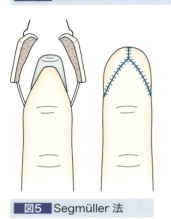

図5 Segmüller 法

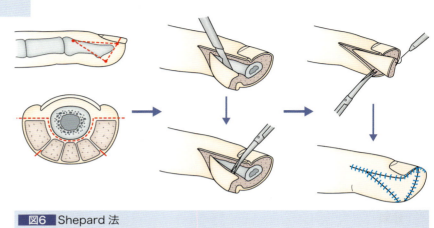

図6 Shepard 法

b. Triangular volar flap

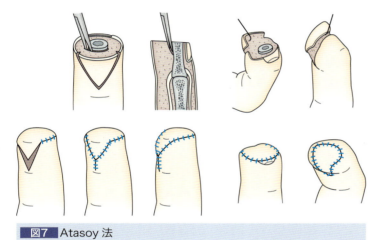

図7 Atasoy 法

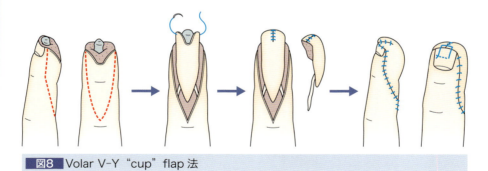

図8 Volar V-Y "cup" flap 法

c. Volar flap advancement 法

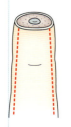 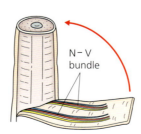 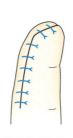

図9 Moberg 法

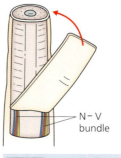 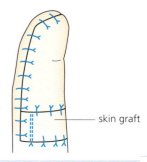

図10 Joshi 法

d. 区域皮弁

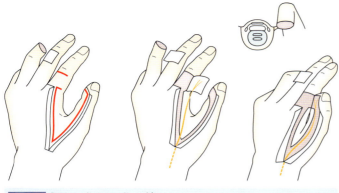

図11 Cross finger flap 法

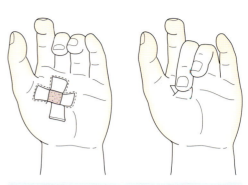

図12 Thenar Flap 法

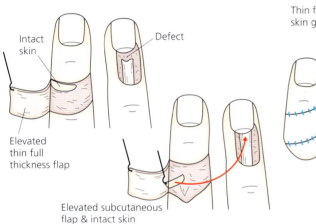

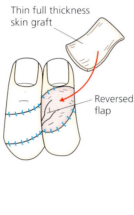

図13 Reversed cross-finger subcutaneous flap 法

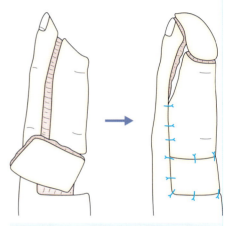

図14 逆行性指動脈島状皮弁

■ 文献

1) Atasoy E. Reversed cross-finger subcutaneous flap. J Hand Surg [Am]. 1982; 7A: 481-3.
2) Atasoy E, Ioakimids E, Kasdan ML, et al. Reconstruction of the amputated finger tip with a triangular volar flap. A new surgical procedure. J Bone Joint Surg [Am]. 1970; 52A: 921-6.
3) Flatt AE. The thenar flap. J Bone Joint Surg [Br]. 1957; 39B: 80-5.
4) Furlow LT Jr. V-Y "Cup" flap for volar oblique amputation of fingers. J Hand Surg [Br]. 1984; 9B: 253-6.
5) Gaul JS Jr. Radial-innervated cross-finger flap from index to provide sensory pulp to injured thumb. J Bone Joint Surg [Am]. 1969; 51A: 1257-63.
6) 石川浩三, 小川 豊, 添田晴雄: 手指末節切断に対する新しい区分法（Zone 分類）―血管吻合の適応とその限界レベルについて. 日本マイクロ学会誌 1990; 3: 54-62.
7) Joshi BB. One-stage repair for distal amputation of the thumb. Plast Reconstr Surg. 1970; 45: 613-5.
8) 児島忠雄, 林 康男, 桜井信彰, 他. 手指皮膚欠損への血管柄付島状皮弁の応用. 日手会誌. 1986; 3: 350-4.
9) Kutler W. A new method for finger tip amputation. L Am Med Assoc. 1947; 133: 29.
10) Moberg E. Aspects of sensation in reconstructive surgery of the upper extremity. J Bone Joint Surg [Am]. 1964; 46A: 817-25.
11) Sapp JW, Allen RJ, Dupin C. A reversed digital artery island flap for the treatment of fingertip injuries. J Hand Surg [Am]. 1993; 18A: 528-34.
12) 佐々木 孝, 岩田清二, 松下具敬, 他. 指尖損傷・指切断の保存療法. 日手会誌. 1987; 4: 497-500.
13) Segmüller G. Modification of the Kutler flap: neurovascular pedicle. Handchirurgie. 1976; 8: 75-6.
14) Shepard GH. The use of lateral V-Y advancement flaps for fingertip reconstruction. J Hand Surg [Am]. 1983; 8A: 254-9.
15) Tamai S. Twenty years' experience of limb replantation—review of 293 upper extremity replants. J Hand Surg [Am]. 1982; 7A: 549-56.

CHAPTER 5: 手指―DIP 関節

92 爪損傷の治療

指尖の構成体として特異な構造を有しているのが爪（甲）である．爪甲の役割は，まず重要なことは背側のスプリントの役目を担うことにより把持（tip pinch や pulp pinch）機能を増強することである．このほか，指腹部に加わる圧力の counter part となり指腹部の知覚の増強，さらに美容的意味なども重要である．このように爪の存在は非常に重要であり，外来診療上もできるだけきれいな爪を再生させるべきである．

▶爪の解剖　図1

爪床損傷
鋭利な損傷では抜爪しないで爪甲切離線を縫合するのみでいいが，挫創の場合は爪甲がほぼ消失していることが多い．爪床表皮部分の大部分が存在していれば debridement を最小限にしてゆるく吸収糸で縫合する．

> **Tips コツ**
> 爪下血腫は爪床と爪甲との間に血腫が貯留するために圧力が高まり，爪床に多数存在する知覚神経を圧迫するので激痛を生じる．しっかり消毒して赤く熱したゼムクリップあるいは注射針で爪甲を貫通して血腫部に刺し排出することが一般的である．

爪母に創がある場合には，術後爪母と近位爪部掌側表皮の間に癒着を生じて split nail になる危惧があるので癒着防止膜などを爪母と近位爪部の間に挿入すべきである．

爪床表皮成分の欠損が小範囲であれば放置し上皮化を待つことで問題ないが，爪甲の変形を防ぐために足指爪床移植を行うことにより爪甲再生が期待できる　図2．

爪母損傷
爪根部潜在縁の近位爪溝からの脱臼を伴う末節骨骨折として認めることが多い　図3．爪中央部に　図3　のようにマットレス状に縫合糸をかけて爪根を爪溝内に固

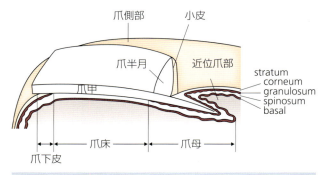

図1　爪の解剖

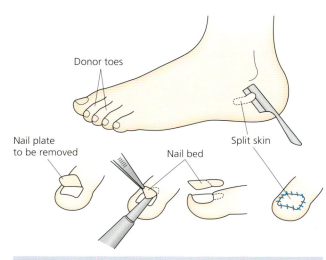

図2　足指からの爪床移植による手指爪床損傷の治療

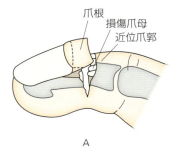

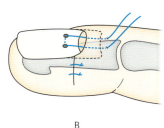

図3　末節骨骨折を伴う爪母損傷

定すると爪母と骨折が自動的に整復固定される．爪甲を整復することが骨折の治療にもなる．

近位爪部損傷

広範な近位爪部欠損には隣接指からの cross finger flap 法を用いるが，小範囲の欠損側には rotation または advacement flap を用いる（指尖損傷治療の項参照のこと）．

▶爪周囲複合組織欠損（損傷）

爪床に加えてどの部分が強く損傷（欠損）しているのかにより，手術方法が異なる．

爪床に加えて爪下皮が欠損している場合には V-Y flap（指尖損傷の項参照のこと）に加えて前述した足指爪床移植を行う．爪側部が欠損している場合には足指の爪側部を含めて足指爪床移植が行われる．爪床に爪母の欠損を伴う場合には足指爪床移植，遠隔有茎皮弁を行う．マイクロサージャリー技術を用いた wrap-around flap や free osteo-onycho-cutaneous flap が行われることもある．

■文献

1) 斎藤英彦，藤野圭司，五味渕文雄，他．足指または切断しからの爪床移植による手指爪床損傷の治療．整形外科．1980; 31: 1442-5.
2) Scguller C. Nail replacement in finger tip injuries. Plast Reconstr Surg. 1957; 19: 521-30.
3) Morrison WA, O'Brien BM, Macleod AM. Thumb reconstruction with a free neurovascular wrap-around flap from the big toe. J Hand Surg [Am]. 1980; 5A: 578-83.

CHAPTER 5: 手指—腫瘍

93 内軟骨腫に対する手術

内軟骨腫は主に指（趾）節骨内に発生する硝子軟骨形成性の良性腫瘍である．単発性と多発性に分けられるが，多発性で片側性にみられる場合は Ollier 病と呼ばれる．Ollier 病の場合は内軟骨腫のみでなく外軟骨腫も合併する．

局所の腫瘤や疼痛を訴えて外来受診することもあるが，無症状で他の目的で X 線撮影の際に偶然発見されることも少なくない．

▶ X 線所見

骨折を伴う場合も多いが，辺縁がきわめて明瞭な透亮像を示す．透亮像内に特有な石灰沈着を認める．発生部位および特徴的な X 線所見により診断はそれほど困難ではない．

▶ 手術適応

内軟骨腫による骨皮質の菲薄化部位での病的骨折のおそれがある場合や病的骨折による痛みを伴う場合は手術適応と考える．すでに病的骨折が存在する場合はおおまかな骨癒合が得られるまで待機してから手術を行う．

▶ 手術（腫瘍掻爬・骨移植術）

皮切は背側侵入または側方侵入のいずれかを用いる．

▶ 背側侵入法

中手骨や基節骨の内軟骨腫例に対してよく用いられる．

皮切

腫瘤上の骨背側に直線状またはゆるい弧状の皮切を加える 図1 ．

展開

皮下の静脈・神経に注意しながら皮下を剝離し伸筋腱を露出する．伸筋腱の中央を骨膜まで一気に縦切して骨皮質を露出する 図2 ．

腫瘍掻爬

背側の骨皮質を開窓する．1.0 mm 径の K 鋼線を用いて開窓する骨皮質に骨孔を加えて骨皮質を開窓する 図3 ．内部のザクザクした砂糖のような腫瘍を時間をかけて小さな鋭匙を駆使して近位・遠位まで十分に掻爬する 図4 ．再発を防ぐためにも完全に腫瘍掻爬を行うことが重要である．

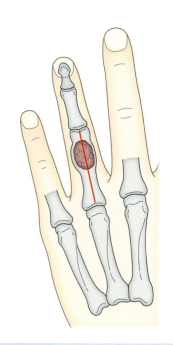

図1 皮切

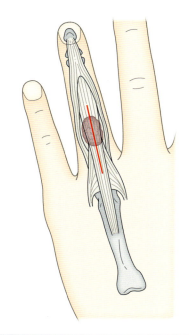

図2 伸筋腱中央を縦切する

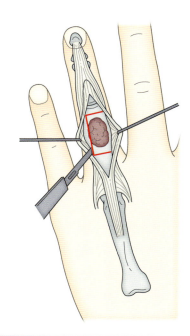

図3 開窓する

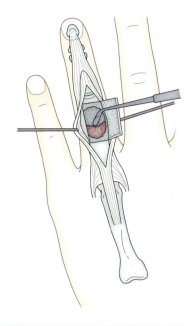

図4　腫瘍を掻爬する

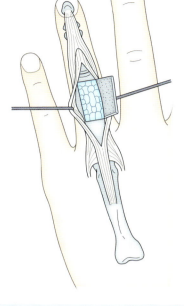

図5　人工骨を充填する

骨欠損部の充填
以前は自家骨を用いていたが，最近では人工骨（ハイドロキシアパタイト）を骨掻爬後の空隙に隙間のないよう充填する 図5．一方，腫瘍掻爬後の骨欠損部の充填は行わずそのままとする報告もみられる．

閉鎖
先に開窓した骨皮質を戻すようにして人工骨を被覆した後，伸筋腱を縫合，皮膚閉鎖を行う．

合併症
再発の頻度は 4.5% といわれている．

▶側方侵入法
基節骨や中節骨に発生した腫瘍を展開する際に用いる．

皮切
腫瘍上に側正中切開を加える．

展開
指神経血管束は掌側の皮下脂肪組織とともに掌側に移動して骨膜に到達する．この場合，指神経背側枝が基節部から中節部に斜めに走行しているので損傷しないように留意する．

以後の操作は背側侵入法とほぼ同様である．

▶後療法
人工骨が同化あるいは開窓した骨皮質の骨癒合が得られるのには時間がかかるが，私は抜糸まで 10 日-2 週までアルフェンススプリントで外固定を行う．以後，自動運動から徐々に負荷を加えていくこととしている．

▶症例供覧
症例1　39 歳，男性．中指末節骨内軟骨腫例
術前 X-P 図6A, B
術直後 X-P 図7A, B
術後 10 カ月 X-P 図8A, B

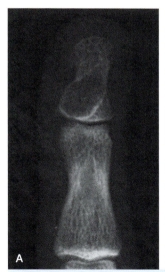
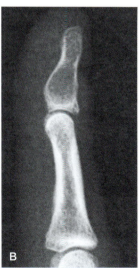

図6　39 歳，男性．中指末節骨内軟骨腫例．術前 X-P
A: 正面像　B: 側面像

図7 術直後 X-P
A: 正面像　B: 側面像

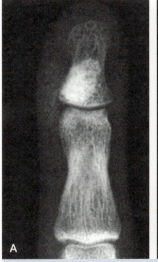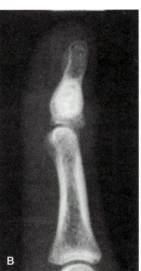

図8 術後10カ月 X-P
A: 正面像　B: 側面像

症例2 53歳，男性．小指中節骨内軟骨腫 図9, 10

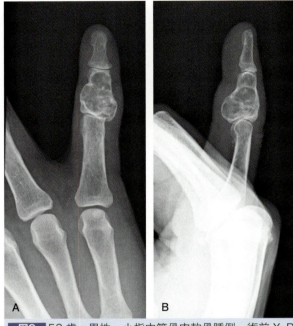

図9 53歳，男性．小指中節骨内軟骨腫例．術前 X-P
A: 正面像　B: 側面像

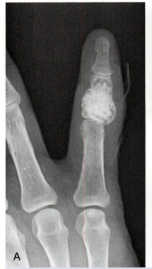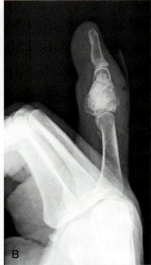

図10 術後 X-P 腫瘍掻爬後人工骨を充填した
A: 正面像　B: 側面像

■ 文献

1) Ablove RH, Moy OJ, Peimer CA, et al. Early versus delayed treatment of enchondroma. Am J Orthop（Belle Mead NJ）. 2000; 29: 771-2.
2) Bauer RD, lewis MM, Posner MA. Treatment of enchondromas of the hand with allograft bone. J Hand Surg［Am］. 1988; 13: 908-16.
3) Goto T, Yokokura S, Kawano M, et al. Simple curettage without bone grafting for enchondromata of the hand: With special reference to replacement of the cortical window. J Hand Surg［Br］. 2002; 27: 446-51.
4) Hasselgren G, Forssblad P, Törnvall A. Bone grafting unnecessary in the treatment of enchondromas in the hand. J Hand Surg［Am］. 1991; 16: 139-42.
5) Joosten U, Joist A, Frebel T, et al. The use of an in situ curing hydroxyl apatite cement as an alternative to bone graft following removal of enchondroma of the hand. J Hand Surg［Br］. 2000; 25: 288-91.
6) Kuur E, Hansen SL, Lindequist S. Treatment of solitary chondromas in fingers. J Hand Surg［Br］. 1989; 14: 109-12.
7) 西田欣也，三浪明男．内軟骨腫に対する手術．In: 三浪明男編　手の外科手術書，東京: メジカルビュー社; 2010. p.240-5.
8) Tordai P, Hoglund M, Lugnegård H. Is the treatment of enchondroma in the hand by simple curettage a rewarding method? J Hand Surg［Br］. 1990; 15: 331-4.

CHAPTER 5: 手指—腫瘍

94 手指 Retinacular Ganglion 切除術

Retinacular ganglion は手指屈筋腱腱鞘あるいは近傍から発生する多房性（単房性のこともあるが）のガングリオンである．一般的には放置することが多いが，切除する場合もある．

▶手術適応

切除術の対象となることはそれほど多くはないが，物を把持したときにぶつかって痛いとか，ガングリオンにより指神経・血管束が圧迫されることにより，シビレなどの症状が存在している場合には切除術の適応となることがある．

最近では超音波によるプローべ下にガングリオンの存在を同定し，注射針により吸引（乱刺）する方法を用いる手の外科医も多いが，多房性の場合，すべてを乱刺することは難しいことと指神経血管束が近傍に存在していることが多いため，注射針によりこれらを損傷するおそれがあることなどが欠点である．

症例を提示しながら手術方法を記載する．

▶症例

右中指基節部の尺側に存在している径 7 mm 程度の retinacular ganglion 例である 図1 ．MR 像では屈筋腱腱鞘に接しており，尺側指神経血管束にも接しているが，掌側に存在している 図2A, B, C ．

皮切

MP 関節の近位に存在する retinacular ganglion を露出するため尺側を茎とした皮弁としてジグザク皮切を加

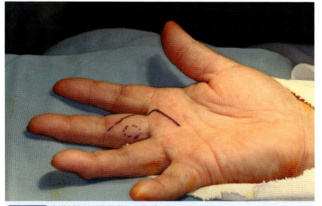

図1 中指基節部尺側に存在する retinacular ganglion. 点線部分が腫瘍である

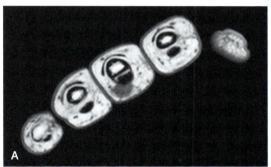

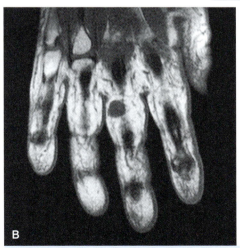

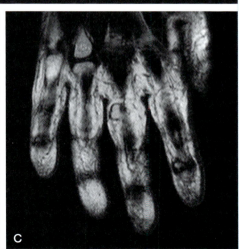

図2 MR 像：T1 low，T2 high である
A: T1 横断像　B: T1 前額像　C: T2 前額像

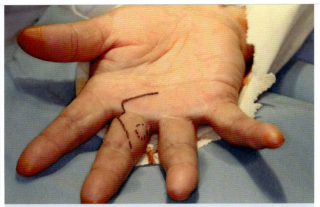

図3 皮切

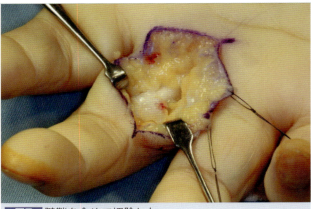

図7 腱鞘を含めて切除した

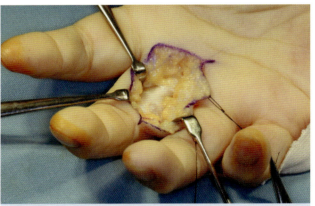

図4 皮弁にナイロン糸をかけて翻転する

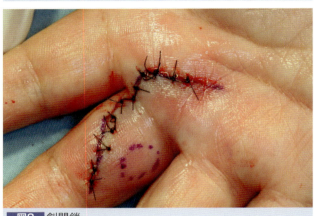

図8 創閉鎖

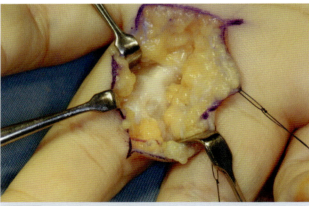

図5 ガングリオンが腱鞘と強く接して存在している

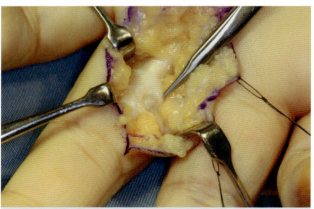

図6 剝離剪刃の先にガングリオンが存在している

え，皮弁を尺側に翻転することによりガングリオンを露出した．MP関節の近位指節皮線部では瘢痕形成が残存することがあるので 図3 のように山形に工夫して皮切を加えることもある．皮膚を切離後，創縁角に 4-0 ナイロン糸を掛けて皮弁として翻転する 図4 ．

展開

屈筋腱腱鞘まで一気に切離して剝離するとガングリオンが露出したが，ガングリオンの下に存在する指神経血管束を同定して損傷しないように留意した 図5 ． 図6 の剝離剪刃の先にガングリオンが存在している．

切除

ガングリオンの表面には血管が存在しており，これらを剝離して屈筋腱腱鞘の一部を含めて切除した 図7 ．腱鞘を含めて切除した方が再発を防止できると考えている．

閉鎖

創を洗浄した後に，出血をバイポーラにて丁寧に止血後，創を閉鎖する 図8 ．Bulky dressing を行い，自由に手指を動かすことを許可する．

■ 文献

1) Foret AL, Chhabra AB. Volar retinacular ganglions. J Hand Surg [Am]. 2012; 37: 566-7.
2) Sobastian K, Olga G, Maciej U, et al. Volar retinacular ganglions (flexor tendon sheath ganglions). The results of surgical treatment. Arch Orthop Belg. 2018; 84: 526-30.
3) Sluijmer HC, Becker SJ, Ring DC. Benign upper extremity tumors: factors associated with operative treatment. Hand (NY). 2013; 8: 274-81.

CHAPTER 5: 手指―腫瘍

95　Glomus（グロムス）腫瘍切除術

　グロムス腫瘍（glomus tumor）はグロムス器官から主に手指爪下に発生する特異的な有痛性軟部腫瘍である．グロムス器官は動静脈吻合（Sucquel-Hoyer canal）を輸出・輸入血管として構成し，局所の血流調整を行っており，グロムス腫瘍はこれが腫瘍化（過形成あるいは過成長）したものである．良性の腫瘍であるが，激しい疼痛が存在する割には明らかな腫瘤を触れないことが多いため，専門医での確定診断を得るまで長期間（長いものでは数年）放置される例も存在するなど特徴的な腫瘍である．

> **Tips コツ**
> 本症は圧倒的に爪下に発生することが多く，本症の存在を念頭にある医師にとって診断はそれほど困難ではないが，本症を経験したことがない医師にとって診断は非常に難しい．

> **Tips コツ**
> 手指に発生する有痛性良性軟部腫瘍としては，①グロムス腫瘍が代表的であるが，その他，②神経鞘腫あるいは神経線維腫，③血管性平滑筋腫，④顆粒細胞腫などである．これらを念頭に入れて診断するとほぼ該当すると考えている．

▶発生部位

　発生部位は極めて特徴的であり，80-90％は手・足の爪下である．他の部位としては骨・神経・胃・眼瞼などの発生の報告も散見されるが少数である．爪下の発生が多いが，本邦の報告では指腹の発生率も高く，指発生中の約20％が指腹部に発生していたとの報告もある．手発生軟部腫瘍中11.5％と報告されており，ほとんどは単発性である．

▶症状・所見

　本症のtrias（3徴候）は，①cold intolerance（hypersensitivity to cold），②paroxysmal pain，③pinpoint painである．爪下に発生した場合はblue spotが明らかとなることがある．症例によっては発汗の異常や皮膚温の上昇などを認めることもある．
　病理組織学的にはおたまじゃくしのような円形の細胞を呈する特徴的なグロムス細胞に血管・平滑筋の要素が付加されて出現し，①glomus tumor proper，②glomangioma，③glomangiomyomaの3つに分類されており，爪下に多いのはglomus tumor properである．

▶診断

　特徴的な臨床症状（自発痛，圧痛の存在，寒冷刺激で症状が増悪する）があれば診断はそれほど難しくない．以下は特殊検査である．
特殊検査
(1) Love's pin test: 痛みの局在部位を先に尖ったもので圧迫すると局所的に強い痛みが誘発される．
(2) Cold sensitivity test: 冷風あるいは冷水などの寒冷に暴露すると痛みが増強する．

▶画像診断

(1) 単純X-P: 腫瘍の圧迫による指骨への陥凹像（scallop sign）が認められることがある．
(2) MR像: グロムス腫瘍はT1強調像で低信号，T2強調像で高信号を示す．またガドリニウム（Gd）にて造影（enhancement）効果が存在する．

▶手術適応

　腫瘍の存在が明らかであり，これにより痛みが発生していると考えれば摘出術の適応である．
　典型的な発生部位である爪下腫瘍の場合，2つのapproachが存在する．1つは爪床を縦切後に摘出する方法（direct transungual approach）ともう1つは側方侵入による摘出術（lateral subperiosteal approach）である．

▶Direct transungual approach

皮切・展開
　爪の近位縁に沿って皮切を加え，爪母を露出する **図1**．展開に必要な部分のみの抜爪を行い，爪床を丁寧に縦切して，腫瘍を露出する **図2**．腫瘍を切除する．この際，グロムス腫瘍の多くは近位および遠位に腫瘍に侵入する輸入・輸出血管が存在しているので丁寧に

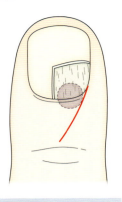

図1 皮切・部分抜爪

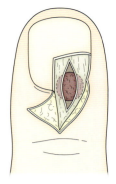

図2 爪床を縦切して，腫瘍を露出する

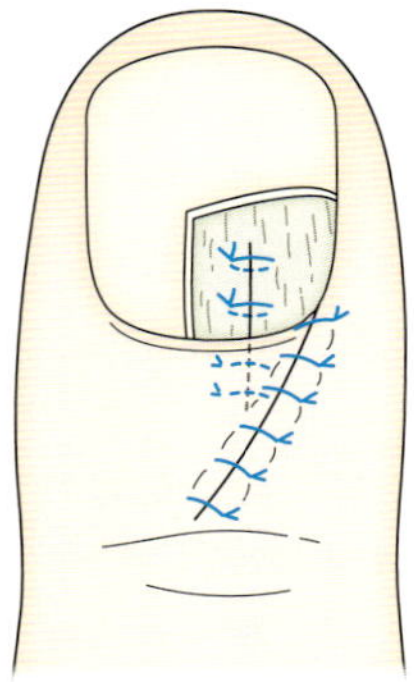

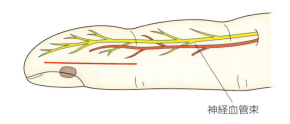

図5 側正中よりやや背側寄りに皮切を加える

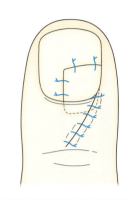

図3 爪床を吸収糸で縫合し，皮膚はナイロン糸で縫合閉鎖する

図4 抜爪した爪を元に戻して固定する

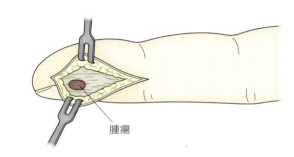

図6 腫瘍を露出・摘出する

電気凝固で止血する．

Tips コツ
手術は手術用ルーペまたは顕微鏡下に行うべきである．

摘出
グロムス腫瘍を切除した後に縦切した爪床を 7-0 または 8-0 吸収糸で縫合する 図3 ．また皮膚は 5-0 ナイロン糸を用いて丁寧に縫合閉鎖する．

閉創
抜爪した爪を元に戻して 6-0 または 7-0 ナイロン糸を用いて固定する 図4 ．

▶Lateral subperiosteal approach
術後の爪の変形が少ないということで本アプローチを好んで用いている手の外科医も多い．

皮切・展開
腫瘍の偏在により尺側あるいは橈側の側正中切開の少し背側気味に皮切を加える 図5 ．

Tips コツ
神経血管束を損傷しないように側正中切開の背側気味に皮切を加える．

摘出
末節骨に達し，骨膜を鋭的に切離して，骨膜・爪床・皮膚・爪を皮弁状に一緒に挙上して腫瘍を摘出する 図6 ．

Tips コツ
Lateral subperiosteal approach は direct transungual approach と比べて，視野が狭くなるため摘出が不十分となる可能性もある．

術後合併症
(1) 再発: 完全に摘出されれば再発の危険は少ない．
(2) 爪の変形: 摘出後の爪変形が女性の場合，もっとも重大な合併症である．爪床・爪内を丁寧に修復することが重要である．

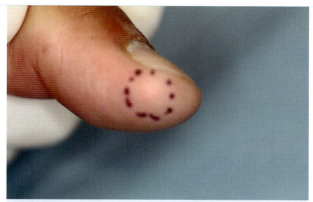

図7 術前．母指指腹部に有痛性軟部腫瘍が存在

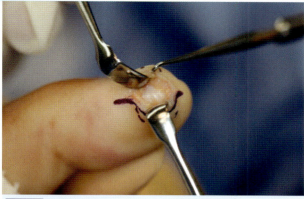

図9 腫瘍切除施行

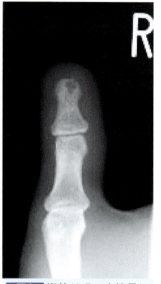

図8 術前 X-P　末節骨に骨侵食像が存在

図10 切除標本．典型的な glomus 腫瘍の病理所見である

▶症例供覧

症例 43歳，男性．母指指腹部に発生した glomus 腫瘍 図7～10

■文献

1) Carroll RE, Berman AT. Glomus tumors of the hand: review of the literature and report on twenty-eight cases. J Bone Joint Surg Am. 1972; 54: 691-703.
2) Dahlin LB, Besjakov J, Veress B. A glomus tumour: classic signs without magnetic resonance imaging findings. Scand J Plast Reconstr Surg Hand Surg. 2005; 39: 123-5.
3) Greene RG. Soft tissue tumors of the hand and wrist. A 10 year survey. J Med Soc N J. 1964; 61: 495-8.
4) Masson P. Le glomus neuro-myo-arteriel des regions tactiles et ses tumeurs. Lyon Chir. 1924; 21: 257-280.
5) 藤　哲．グロムス腫瘍．In: 三浪明男編．最新整形外科学大系．手関節・手指II 第15巻B．東京: 中山書店; 2007; p.206-10.
6) 薄井正道．グロムス腫瘍．In: 生田義和，土井一輝，三浪明男編．上肢の外科．東京: 医学書院; 2003. p.476-7.
7) Van Geertruyden JL, Lorea P, Goldschmidt D, et al. Glomus tumours of the hand. A retrospective study of 51 cases. J Hand Surg [Br]. 1996; 21: 257-60.

CHAPTER 5: 手指— Dupuytren 拘縮

96 Dupuytren 拘縮に対する手術

▶概念

Dupuytren 拘縮は手掌や手指の腱膜が侵される疾患である．正常腱（筋）膜の病理学的変化の結果として cord（索状物）があり，膠原線維が内的力や外的ストレスにさらされることによる活発な細胞活動により nodule（結節）が形成される．これらの結果，手掌および手指の手掌腱膜の拘縮を招来し手掌部の疼痛や手指の屈曲拘縮（伸展障害）が生じるものである 図1 ．疼痛を訴えることはむしろ少なく，多くは洗顔動作などが不自由であるなどが主訴となることが多い．しかし女性に発生した Dupuytren 拘縮例では疼痛を訴えることが多い印象がある．

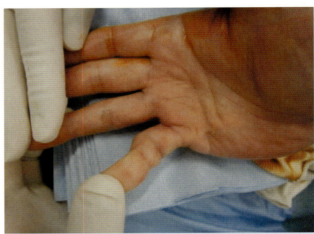

図1 小指に発生した Dupuytren 拘縮

▶疫学

Dupuytren 拘縮は 50-70 歳代の男性に好発（男：女＝8-10：1）し，手掌部・手指の硬結や手指の屈曲拘縮をきたす疾患である．古くは Viking disease といわれていたように，従来は欧米人の白人に多く発生し，日本人には稀といわれてきたが，最近では生活様式の欧米化のためかどうか不明であるが，北欧とそれほど発生頻度が変わらないとの報告がなされている．糖尿病，高血圧や高脂血症などの生活習慣病が高頻度に合併するとの報告もみられるが，同年代との発生頻度と Dupuytren 拘縮のそれとの間に有意差はないとの報告もあり，いまだ結論は得られていない．アルコール依存症，喫煙との関連も示されている．代謝異常や微小循環障害が発症に関与していることが示唆されている報告もある．てんかんとの関連も指摘されている．関節リウマチ患者では罹患率は少ない．

また遺伝的素因も示されている．遺伝的素因のあるものでは，PIP 関節背側にできる knuckle pad，内側足底腱膜に Ledderhose 病といわれる病変，陰茎に Peyronie 病といわれる硬結を呈することが多い．しかし，私は Peyronie 病を呈した症例を経験したことはない．

患者に男性が多いことより，ホルモンとの関連が考えられ，患者の手掌腱膜にアンドロゲンレセプターが多いことが示されている．

▶病態

拘縮には形態学的に，線維芽細胞と平滑筋細胞の特徴をもった myofibroblast が大きくかかわっている．これは，一部は血管平滑筋細胞から変化するが，多くは手掌腱膜 palmar aponeurosis から発生していると考えられている．また myofibroblast は肉芽細胞の線維芽細胞と同じように発生し，また消失する．

Luck により病理学的に以下の3つの病期に分けられている．

Ⅰ．Proliferative phase: 局所的な線維増殖と myofibroblast の増殖である結節が発達してくる．

Ⅱ．Involutional phase: myofibroblast は組織にストレスがかかる方向，線維芽細胞と同じ方向に並ぶ．

Ⅲ．Residual phase: 結節はなくなり，無細胞の瘢痕様組織となる．Myofibroblast は消失する．

その機構は機械的ストレスと TGF-β1 の関与，リン脂質である lysophosphatidic acid，プロスタグランディン，oxygen free radical，自己免疫の関与などが考えられているが，詳細はいまだ不明である．膠原線維は肥厚性瘢痕のようにⅠ型に比し，Ⅲ型の割合が増加している．

▶手術解剖

Dupuytren 拘縮の最も侵される部位は手掌腱膜であ

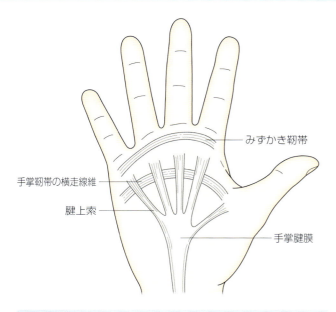

図2 手掌部のDupuytren拘縮により侵される組織

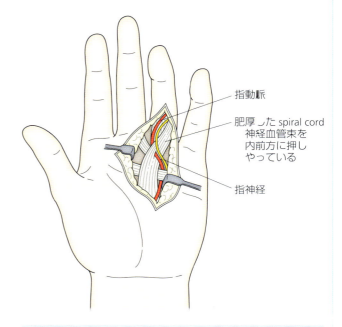

図4 PIP関節の屈曲拘縮を起こす部位

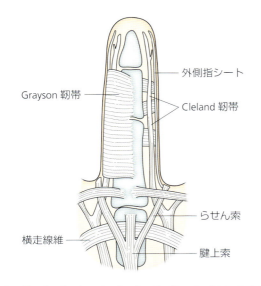

図3 指部のDupuytren拘縮により侵される組織

る．手掌腱膜が侵されると結節を形成する．罹患する部位としては手掌腱膜のpretendinous band（腱上索），手掌のsuperficial transverse metacarpal ligament（浅横中手靭帯），natatory ligament（みずかき靭帯）である 図2 ．腱上索が侵されると索状物を形成する．MP関節の屈曲は腱上索の拘縮が原因となっている．手指の拘縮を起こす可能性のある靭帯としては 図2 に示した手掌腱膜の腱上索，手掌の浅横中手靭帯，みずかき靭帯に加えて，らせん索（spiral band），手指の外側指シート（lateral digital sheet），Cleland靭帯，Grayson靭帯などがある 図3 ．Cleland靭帯は拘縮を起こさないが，Grayson靭帯は時々罹患する．

PIP関節の拘縮を起こす部位は 図4 に示した．中央索 central band，腱上索 pretendinous cord，側索 lateral cord, natatory cord, spiral cord などである．

PIP関節の屈曲拘縮の解離は深部のbandやcordが侵されるので治療が困難であることが多い．

Dupuytren拘縮の重症度を参考までに示す

Meyerding分類（1936）

Grade 0	結節を認め，皮膚に多少の変化あるも指の屈曲変形のないもの
Grade 1	上記のほか，1指のみの屈曲変形をみるもの
Grade 2	1指以上の屈曲変形をみるも60°を超えないもの
Grade 3	1指以上の屈曲変形をみ，少なくとも1指の屈曲が60°を超えるもの
Grade 4	全指にいろいろの屈曲変形を認めるもの

▶手術適応

保存療法の多くは無効で外科治療が一般的である．しかし，コラゲナーゼなど局所に注射する方法が有効との報告が最近なされている（別項目，参照のこと）．本邦においても保険に収載され，使用可能となっており，広く用いられてきている．

手術治療の適応は各個人によって異なっている．一般的にMP関節の拘縮は本疾患の持続期間や重症度によらず，矯正可能であることが多い．したがって，MP関節では30°以上の屈曲拘縮が起きるまで待機してよいと考えている．一方，PIP関節はMP関節に比べて手術的に矯正が困難であり，屈曲拘縮が出はじめた時点で手術すべきである．母指については単独に侵されることはまれであるので，他の手掌や手指などの部位に対する手術が必要とされるときに合併手術として行われることが多い．

> **⚠ 留意点**
> 手術を行う際には高齢者であることが多いので，術前に合併症の有無についての検索が重要である．特に，てんかんやアルコール依存症患者における手術成績は期待できないことが多い．

▶手術治療

基本的には腱膜を切離して手掌あるいは手指の屈曲拘縮を改善させる腱膜切離術と，腱膜を切除する腱膜切除術に大別することができる．また腱膜切除術も罹患している腱膜のみを切除する部分的腱膜切除術と，罹患していなくても正常な腱膜をも含めて切除する全腱膜切除術があり，皮膚も合わせて切除し，皮膚移植を併用する方法もある．また，手指の屈曲拘縮があまりにも強い場合には指切断術が行われる場合もあるが，本邦ではきわめて稀と思われる．

腱膜切離術は腱膜切除術に比し，圧倒的に侵襲が少なく神経損傷などの危険が少ないなどの利点があるが，容易に再発し，再び手指の屈曲拘縮が発生する．したがって，腱膜切離術は高齢やハイリスクの患者のみに適応となる．

部分的腱膜切除術は罹患指の拘縮の原因をなす腱膜を切除するもので，全腱膜切除より合併症が少なく一般的に好んで行われており，私も本手術をもっぱら行っている．

全切除術は侵襲が強く，術後の血腫形成や関節拘縮，創治癒の遷延などの合併症を伴い，再発が完全に防げる確証はなく適応とされることはほとんどない．腱膜をmyofibroblast が浸潤した皮膚とともに切除し，皮膚移植を併用する方法は，てんかんやアルコール依存症，過去の切除術後の再発といった予後不良と考えられる若年者に適応されることがある．

McCash は腱膜切除術後，上皮が形成する（皮膚の上皮化）のを期待し，創を開放のままとすることを提唱した．私も少数例を経験したが，上皮形成に数週間を要するため感染の危険も増大し，術後の長期の外来通院を要する欠点があると思われる．

私は腱膜切除術を行う際には基本的には手掌部および手指の罹患部に縦切開を加える方法，ジグザク切開にV-Y 法で皮膚の延長をはかる方法，縦切開に multiple Z 形成を加える方法，皮膚移植術を行う方法などを行っている 図5 ．多数指が侵されている場合には，横切開と縦切開さらに multiple Z 形成を組み合わせる Skoog が提唱した方法なども行っている 図6 ．

術中合併症を防ぐうえで，指神経や指動脈などに対する愛護的処置がきわめて重要である．また，長期罹患例においては関節，特に PIP 関節周囲組織の解離も必要となることが多い．

術後の care もきわめて重要であることはいうまでも

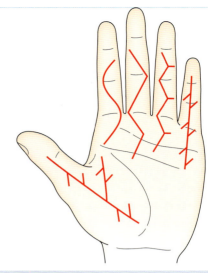

図5 部分的腱膜切除術の皮切

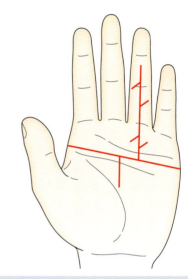

図6 Skoog の提唱した部分的腱膜切除の皮切

ない．指の伸展位の保持とともに指の屈曲制限を起こさないようにすべきである．

▶部分的腱膜切除術

最も頻用している 2 つの手術方法について詳細に記載する．

▶Zig-zag incision＋V-Y 法

1 本の指（単指）が罹患することは少ないが，まずは cord（索状物）と node（結節）が主に手掌および指のどの部位に存在しているかを指を伸展しながら丁寧に触れながら，切除する部位を術前にしっかり把握しておくことが重要である．これにより罹患腱膜の切除不足や再発率を低下させることが可能と考える．

単指罹患例（環指のことが一番多い）について手術の手順について記載する．ここでは小指罹患例を示す．

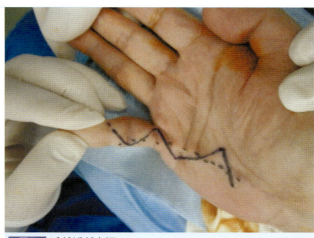

図7 ジグザグ皮切

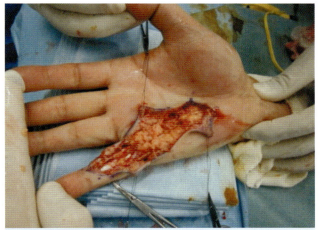

図8 三角皮弁の翻転

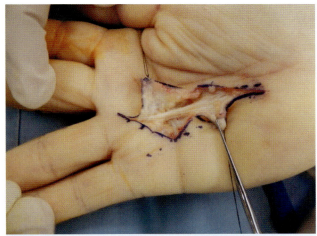

図9 手掌部のcord（別の症例である）

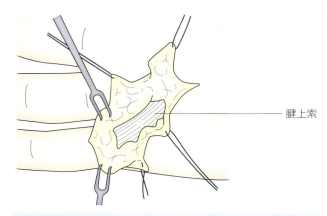

図10 罹患した腱上索

（損傷）をあけないようにして橈・尺側に三角皮弁を翻転する 図8 ．手掌部のcordの上（掌側面）に神経血管束がこのcordより深部および両側に存在しており，神経血管束損傷危険の可能性はほとんどない．したがって指が屈曲していると手術はきわめてやりづらいので，手掌部で索状物を一旦切離して指を他動的に伸展させて，手術を安全に行うこととする 図9 ．同様の操作を手掌および手指について行う．Dimple（陥凹形成）の部分は特に皮膚が薄くなり，皮膚を損傷する危険が高いので，特に注意を要する．

腱膜切除術

MP関節から遠位の指にかけては腱上索 図10 に加えて，natatory cordやspiral cordが存在するので神経血管束を同定してatraumaticにこれらのcordの切除を行うべきである．とくにspiral cordは神経血管束の裏面に存在してこれらを前方（掌側）に押しやるように存在していることもあるので神経損傷には十分に注意する．腱上索，natatory cord，spiral cordを切除するとMP関節の伸展はほぼ得られるのが一般的である．さらにPIP関節の屈曲の解離のためには中央索とともに神経血管束のとくに奥，背側に存在するlateral cordを切除する必要がある 図11 ．Lateral cordを完全に切除してもPIP関節の完全伸展が得られない場合は長期罹患例でPIP関節そのものに拘縮が発生していると考えられる．関節屈曲拘縮解離には掌側板近位の剥離→副靭帯の切離→側副靭帯の掌側部分の切離の順で関節の屈曲拘縮の改善を図る．しかし非常に長期にわたる屈曲拘縮の場合，基節骨骨頭および中節骨基部に不可逆性の骨形態変化を生じていることがある．その場合には他動的に関節を伸展すると円滑な動きが獲得できず，book-openとなることもある．その場合にはPIP関節の完全伸展は不可であるが，術前よりもADL上の改善度は高いので，これ以上は期待できないと考えるべきであろうと考えている．

次いで指で索状物や結節が残存していないことを慎重に確認し，もし索状物が残っていれば丁寧に切除する．

皮切

罹患指およびそれに続いて存在する手掌にわたってcordを中心にして約120°位の角度で指掌側部から手掌までジグザグ切開を加える 図7 ．

展開

三角皮弁の先端に糸を掛け，索状物上にメスの刃を斜めにしたりメスの刃の反対側を使ったりして皮膚に穴

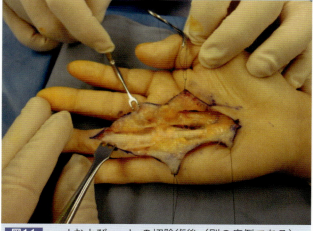

図11 cord および node の切除術後（別の症例である）

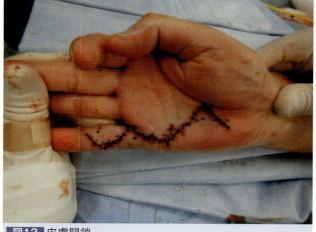

図13 皮膚閉鎖

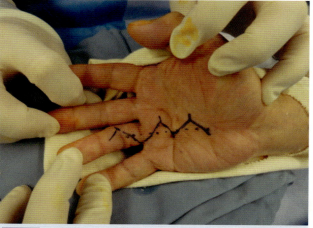

図12 V-Y 法皮切

> **Tips コツ**
> 皮膚の剥離に際しては，メスの使用時にその角度・牽引方向に工夫を加え，また，背面を使用するなどして，皮膚の損傷をできるだけ少なくする必要がある．また，ハサミを上手に使いながら，組織を剥離することも大切であり，皮膚に穿孔を作ることのないように注意する．

> **Tips コツ**
> 手指の屈曲拘縮があまりにも強い場合には指切断術が行われる場合もあるが，本邦ではきわめて稀と思われる．私に指切断術を行った経験はない．

　MP および PIP 関節の伸展が得られた後にジグザグ皮切の三角皮弁の部分に短かい横皮切を加え V-Y 法で掌面の皮膚の被覆を行う 図12 ．創を洗浄し止血を完全に行い，無理な tension がないように皮膚閉鎖を行う 図13 ．万一，皮膚が足りない場合には McCash 法に基づく開放療法もあるが，私は肘窩部あるいは手関節手くび皮線から皮膚を採取して遊離皮膚移植（全層）を行うことを好んで行っている．

▶縦切開＋multiple Z 形成術

　Cord（索状物）の直上に縦に皮切を加える．前にも記載したが，手掌部で cord と皮膚間を剥離して遠位および近位まで十分に切離して創を開き cord および node を徹底的に切除する．切除する際に手掌部での浅掌動脈弓，総指神経および各指への神経血管束をしっかりと同定し，損傷しないように留意する．その後，多くは指に2カ所，手掌部に2カ所の60°位のZ状の皮切を加え，Z-形成術を行い皮膚を形成する 図5 図14A,B,C ．

> **Tips コツ**
> 指を伸展位として皮膚の辺縁が蒼白となることがあってもほとんど問題にはならないことが多い．

　私は比較的軽症から中等度であればジグザグ皮切にV-Y 法を，もっと進行した症例には縦切開＋multiple Z plasty を行うこととしている．多数指罹患の場合には，横切開と縦切開さらに multiple Z 形成を組み合わせるSkoog が提唱した方法なども行っている．

▶症例供覧

　症例 65歳，男性．中・環・小指 Dupuytren 拘縮 図15A-D ．

▶後療法

　指を軽度屈曲し手掌部，手指掌側部に bulky にガーゼをあてて患肢を挙上する．完全伸展すると血行を遮断してしまうことがあるので留意する．1日1回は他動的に完全伸展を行う．術後2-3日で指の自動運動を開始する．術後1週以降は指を free として自由に使うように encourage する．夜間伸展装具を術後3-4週間装着する．

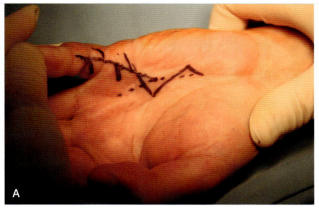
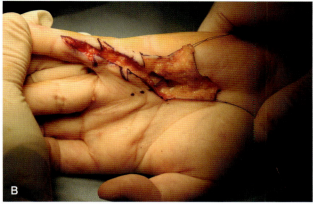
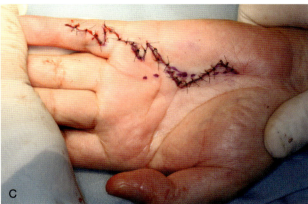

図14 縦切開＋multiple Z 形成術
A: 皮切
B: multiple Z 形成術を加えた
C: 閉創

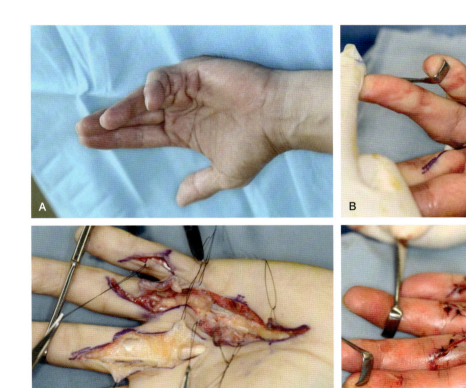

図15
A: 術前外観
強度な node と cord が形成されており，小指 MP 関節 50°，PIP 関節 60° の屈曲拘縮が存在している．
B: 皮切
基本的には各指について Zig-zag 皮切に V-Y 法を併用した．
C: 術中
ほぼ全ての node と cord を切除し，全指の完全伸展が得られている．
D: 皮膚縫合終了
全指ともにほぼ full extension が可能となった．

▶術後成績に影響を与える因子

筆者らが分析したDupuytren拘縮58手，91指の術後成績（平均12年の経過観察）の検討では，術後成績の不良因子として，①術前の拘縮が強い場合，②多数指，多関節罹患例，③PIP関節の罹患例，④小指罹患例，の4つの因子であった．PIP関節の改善が悪い理由としては，同関節のcordの構造が複雑であることや強い関節拘縮の存在があげられた．一方多数指，多関節罹患例や伸展制限の強い例で成績が悪い理由としては，罹患期間が長期であり，皮膚および関節周辺に2次的な拘縮が及んでいることや関節そのものの変形などが考えられた．

> **Tips コツ**
> Dupuytren拘縮の手術に成功するか否かは皮切の如何であり，広い手術野で神経血管束を同定しながら罹患した病的腱膜の切除を確実に行うことであり，横皮切をところどころに加え，皮下トンネルを通じての腱膜切除は厳に戒めるべきである．

> **Tips コツ**
> 別項目を参照してもらいたいが，collagenase clostridiumを用いた酵素溶解療法を最近では好んで行っている．しかし，執筆時の時点では本邦では製薬会社の関係で供給不可となっており使用できない．

■文献

1) Chung KC, Segalman KA. Microvascular solution for vascular complication in surgery for Dupuytren's contracture: a case report. J Hand Surg [Am]. 1996; 21: 711-3.
2) 石川淳一，三浪明男，加藤博之，他．当科におけるDupuytren拘縮の手術成績．日手会誌．1991; 8: 769-73.
3) 石倉久光．Dupuytren拘縮．In: 三浪明男編．手・肘の外科：カラーアトラス．東京: 中外医学社; 2007. p.528-32.
4) McFarlane RM. Patterns of the diseased fascia in the fingers in Dupuytren's contracture. Displacement of the neurovascular bundle. Plast Reconstr Surg. 1974; 54: 31-44.
5) Meyerding HW. Dupuytren's contracture. Arch Surg. 1936; 32: 320-3.
6) Skoog T. The transverse elements of the palmar aponeurosis in Dupuytren's contracture. Scand J Plast Reconstr Surg. 1967; 1: 51-63.

CHAPTER 5: 手指—Dupuytren拘縮

97 Dupuytren拘縮に対する酵素注射療法

酵素注射療法は，コラゲナーゼをDupuytren拘縮の触知可能な拘縮索に局所注射することで拘縮索を破断し，Dupuytren拘縮による手指の屈曲拘縮を改善する治療法である．コラゲナーゼ（クロストリジウム属ヒストリチクス菌に由来する2種類のコラゲナーゼを主成分とする）の注射剤（日本での販売名: ザイヤフレックス®）が2010年にアメリカ，2011年にヨーロッパ，2015年に日本で承認された．これにより本法においては今までは手術治療（別項目　参照）のみしかなかったが，最近では酵素注射療法も重要な選択肢の1つとなり，増加傾向にある．ちなみに米国で承認された2010年以降，酵素注射療法は2013年の調査では手術6割，酵素注射療法3割，ニードル腱膜切除術が1割という比率であると報告されている．

酵素注射療法の臨床成績は，ザイヤフレックス®の米国第Ⅲ相試験では拘縮改善率が79％，我が国での第Ⅲ相試験では91％であり，手術療法とほぼ同様の成績が得られている．

問題点
本項を執筆している時点で日米製薬会社間の関係から本邦ではザイヤフレックス®を使用しての治療は行うことができない．本書が刊行される頃までに解決していることを期待したい．

▶酵素注射療法

医師に対するガイドライン（本邦）
　ザイヤフレックス®はコラーゲン加水分解作用を有するため，手の腱や靱帯などのコラーゲンを含む組織に注射・作用すると，これらの組織が損傷し，腱・靱帯断裂等が発生する危険がある．したがって，本邦ではこのような副作用を防止するために手外科，とりわけDupuytren拘縮に関する十分な知識と治療経験を有し，e-learningによる講習を受けた手外科専門医が行うことが医師に対するガイドラインとなっている．

▶投与方法

投与前の準備

1. 拘縮索の確認

治療する指の拘縮索を触知する．拘縮指（屈曲して伸展制限がある指）を他動的に伸展し，皮膚に緊張を加えることで，拘縮索の位置を正確に把握する．1つの指でMP関節とPIP関節の両方に拘縮索を認める場合には，

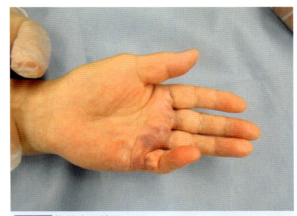

図1　拘縮索の確認

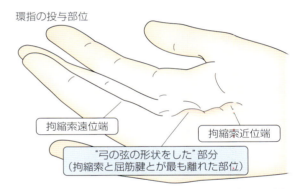

図2　投与部位の決定

必ずMP関節から先に治療を行う 図1 ．

Tips コツ
多くの場合，MP関節の治療により，PIP関節の屈曲拘縮も同時に改善することがあるので，MP関節を先に治療する．

2. 投与部の決定

拘縮索を把握した後，屈筋腱への誤投与を防止するために拘縮索と下層の屈筋腱とが最も離れ，皮膚と癒着していない部位の拘縮索を注射（投与）部に選択する 図2 ．

■ザイヤフレックスキットと溶解調整■

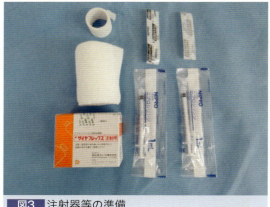

図3 注射器等の準備

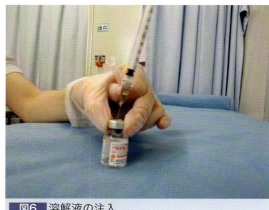

図6 溶解液の注入

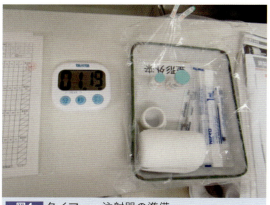

図4 タイマー，注射器の準備

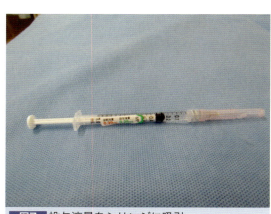

図7 投与液量をシリンジに吸引

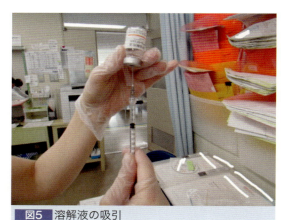

図5 溶解液の吸引

> **Tips コツ**
> 局所麻酔を注射時に行うと，誤って正常腱，神経・血管などへ穿刺した場合の疼痛，痺れ，違和感などがマスクされ，重大な副作用の把握が困難となる恐れがある．

4. ザイヤフレックス溶液調製

溶解液量は投与部位がMP関節の伸展のためかPIP関節の伸展のためかにより異なる．溶解液量はMP関節では0.39 mL，PIP関節は0.31 mLで，投与液量はMP関節は0.25 mL，PIP関節は0.20 mLであるので調整したザイヤフレックス溶液の当該液量を新たなシリンジを用意し，必要な投与液量をシリンジに吸引する 図3〜7．

> **Tips コツ**
> 薬液が極めて少量なため，採取時には空気を吸い込む恐れがあるため，正確な投与液量がシリンジ内に確実に採取されていることを確認する．

▶拘縮索への穿刺

1. 患肢の固定

治療する拘縮索のある指を他動的に伸展させ，拘縮索を伸ばしながら，患手を固定する．

> **Tips コツ**
> 皮膚と癒着していない部位の拘縮索へ注射するのは，指に伸展処置による屈筋腱への誤投与の防止のほか，皮膚裂傷のリスクを低減されるためであるが，後述するが，私の経験ではかなりの確率で皮膚裂傷が発生しており，裂傷が発生するくらいでなければ指の伸展が得られていないともいえると思う．

3. 注射部位の消毒

消毒薬で注射部位の皮膚をよく消毒し，自然乾燥させる．局所麻酔は行わない．

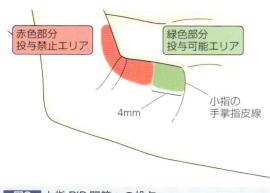

図8 小指PIP関節への投与

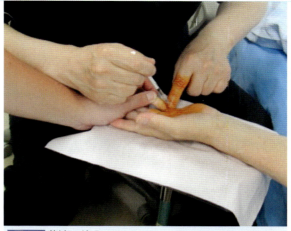

図11 薬液の注入

注意点

小指PIP関節の拘縮索へ薬液を投与する場合は，小指の手掌指皮線から遠位側に4 mm以上離れた部位には投与しない．図8で赤く示した部位は投与禁止である 図8 ．

> **Tips コツ**
> 外国における臨床試験において，小指PIP関節で腱断裂が認められたため，注意事項として認定されている．

投与

注射針が拘縮索に正しく挿入されていることを確認したら，投与液量を3分割し，約2～3 mmの間隔をあけて3カ所に分けて投与する．薬液を注入する際には拘縮索を貫通しないように注射針の先をしっかり安定させることが重要である．

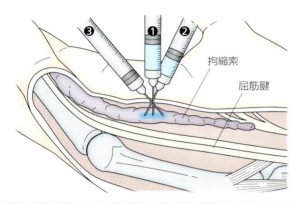

図9 皮膚下に穿刺した状態での投与法

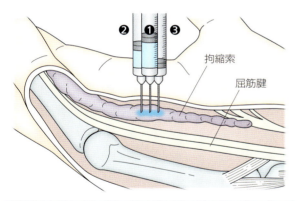

図10 皮膚から完全に引き抜いての投与法

2. 穿刺部位・穿刺の深さ

治療する拘縮索中央に，注射針の刺入深度は皮膚表面より2～3 mm以内に，注意深く針を刺入する．拘縮索に適切に穿刺された場合は，ざらざらとした感触や軟骨質の硬さを感じる．

> **Tips コツ**
> 腱への注射針の誤挿入が疑われる場合には，注射針を完全に抜くか，あるいは指を屈伸させて針が動かないことを確認して，屈筋腱へ挿入されていないことを確認する．

▶投与方法

投与方法には2通りある．

1. 注射針を皮膚下に穿刺した状態で投与する方法 図9 ．

初めに穿刺した部位①に1/3容量の薬液を注入する．次に，注射針を皮膚下に穿刺した状態で拘縮索から注射針を抜き，最初の挿入位置から約2～3 mm遠位の拘縮索内部位②に再挿入し，さらに1/3容量の薬液を注入する．最後に，同様に今度は最初の挿入から約2～3 mm近位の拘縮索内部位③に再び挿入，残りの1/3容量の薬液を注入する．

2. 注射針を皮膚から完全に引き抜いて投与する方法 図10 図11 ．

初めに穿刺した部位①で1/3容量を注入したら，皮膚から注射針を完全に引き抜く．次に最初に注入した部位から約2～3 mmの間隔をあけて再び穿刺し，遠位②と近位③にそれぞれ残りの1/3容量ずつ薬液を注入する．

> **Tips コツ**
> 投与薬液量は極めて少量なので 3 分割して投与するのは難しい．

▶注射後の処置

注射した部位にガーゼ，テープなどを当て，bulky dressing を行う．注射後の痛みが高頻度に現れるので，経口鎮痛剤を投与するのが一般的である．

▶安全性に関する注意事項

本剤投与後の 1 時間程度は，アナフィラキシーの発現がないかを観察のため，バイタルサインなどの確認を行い，帰宅を許可する．

▶投与当日の患者指導

1. 患者への指導（生活上の注意）
   本剤を投与した後は，患者自身で指の伸展処置を行わないことと，注射後に手の指の曲げ伸ばしを行わないように指導する．
2. 安全に関する注意（副作用等）
   注射後，指が曲がりにくいなど腱断裂や靱帯損傷が発生している可能性，注射部位の感染（発熱，悪寒，発赤，浮腫など）が疑われる場合には直ちに受診するように指導する．

▶投与後処置

ザイヤフレックス投与翌日に受診してもらい，この時点で罹患指の完全伸展が認められない場合には指の伸展処置を行う．

患指を 10〜20 秒かけて他動的にゆっくりと伸展する．最初の操作で完全な伸展が得られない場合には 5〜10 分間隔でさらに 2 回，指の伸展操作を行うが，合計 4 回以上の指の伸展操作は行わない．

指の伸展処置

1. 多くの場合，指の伸展処置の際に痛みを訴えるので局所麻酔を用いる．
2. 医師は手袋を着用して，患者の手関節を屈曲位に固定して，注射した指の関節（MP または PIP 関節）に適度な力を加えて，約 10〜20 秒掛けてゆっくりと指を伸展する．指の伸展が得られるときに拘縮索が切れるブツッという音を聴取することができる 図12 ．
3. MP 関節を伸展するときは PIP 関節を屈曲位に保持した状態で行い，PIP 関節を伸展する場合には MP 関節は屈曲位に保持して伸展操作を加える 図13 ．
4. 指の強制伸展は 5〜10 分間の間隔で合計 3 回を限度

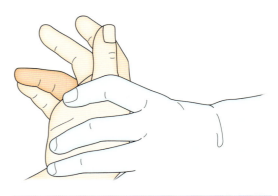

図12 手関節を屈曲位に固定

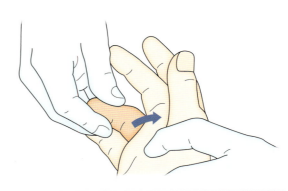

図13 指の伸展操作

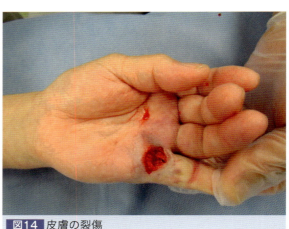

図14 皮膚の裂傷

に行う．

伸展処置後の注意事項

伸展処置の際に皮膚裂傷が起こる場合があり，このような場合には，標準的な創傷処置を行う 図14 ．

再投与

効果が不十分な場合は，ザイヤフレックスの追加投与を行うことができるが，1 カ月間の間隔をあけ，最大 3 回までとする．また，異なる拘縮索（他指）に投与するときも再投与と同じように行う．

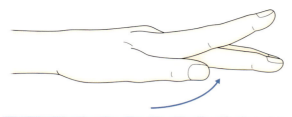

図15 手指の自動伸展

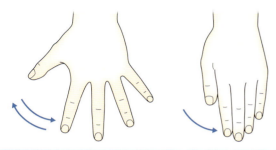

図16 手指の開排

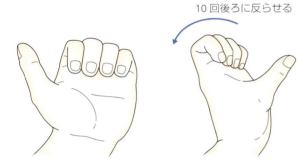

図17 PIP関節を屈曲してMP関節を伸展する

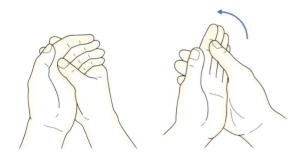

図18 患指の他動伸展

図19 患指（小指）の屈曲

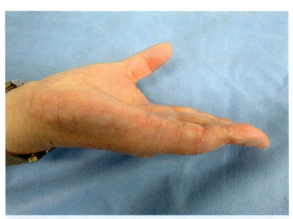

図20 患指（小指）の伸展

し，10回繰り返す 図18．

これらの運動を1日4回，数カ月続けるように指導する．

図19，20 注射後2カ月の指の屈伸状況である．

▶処置後指導・後療法

腱断裂などの可能性が出現した場合には直ちに受診するように指導し，また同時に，今後数週間は治療した指に力を掛け過ぎないことを指導する．

患者自身には（1）手をテーブルの上に平にして，指を1本ずつ5秒間持ち上げ，10回繰り返す 図15．

（2）手をテーブルの上に平にして指を1本ずつ左右に動かし10回繰り返す 図16．

（3）PIP関節を屈曲してMP関節を伸展する 図17．

（4）健側手を使って患指を5〜10秒まっすぐに伸ば

■文献

1) 旭化成ファーム　パンフレット「デュプイトラン拘縮治療マニュアル」2016年7月作成．旭化成ファーム株式会社．
2) Hirata H, Tanaka K, Sakai A, et al. Efficacy and safety of collagenase clostridium histolyticum injection for Dupuytren's contracture in non-Caucasian Japanese patients (CORD-J Study): the first clinical trial in a non-Caucasian population. J Hand Surg [Eur]. 2017; 42: 30-8.
3) Nayar SK, Pfistere D, Ingari JV. Collagenase clostridium histolyticum injection for Dupuytren contracture: 2-year follow-up. Clin Orthop Surg. 2019; 11: 332-6.
4) Räisänen MP, Karjalainen T, Göransson H, et al. DupuytrEn treatment effectiveness trial (DETECT): a protocol for prospective, randomised, outcome assessor-blinded, three-armed parallel 1 : 1 : 1, multicentre trial comparing the effectiveness and cost of collagenase clostridium histolyticum, percutaneous needle fasciotomy and limited fasciectomy as short-term and long-term treatment strategies in Dupuytren's contracture. BMJ Open. 2018; 8e: 19054.
5) Smeraglia F, Del Buono A, Maffulli N. Collagenase clostridium histolyticum in Dupuytren's contracture a systematic review. Br Med Bull. 2016; 118: 149-58.

CHAPTER 5: 手指 — Sympathectomy

98 指動脈交感神経切除術

指動脈周囲に存在する交感神経を切除することにより血管を拡張し，末梢への血液供給を改善する手術である．切除の範囲および効果の持続期間などに関しては未だコンセンサスは得られていない．

▶手術適応

混合結合織病や強皮症による指の阻血が本手術の適応である．まずは指への血流増加のために血管を拡張させる薬物投与が第一選択であり，本法が無効な有痛性阻血性潰瘍を有する患者に対して，本手術は最終的手段の一つである．

Tips コツ
動脈硬化性手指の阻血性潰瘍の患者さんには本法の適応がないことを銘記すべきである．この点を勘違いしている手の外科医は少なくない．

▶術前検査

1) 術前の血管造影は指動脈交感神経切除術ではなくバイパス手術を行う上において必須である．つまり近位血管の閉塞があるかどうかを決める意味で有用である．

Tips コツ
血管造影の評価は意外と難しいことがある．血管を薬剤投与によりしっかり拡張して造影を行わないと過小評価してしまうことがある．つまり開存している血管を閉塞していると判断することがある．

2) 掌側動脈弓（橈骨動脈と尺骨動脈を連結している）の開存をAllenテストを行い評価する．
3) ドプラー超音波検査も有用である．ドプラー血流計により動脈の波形や指への圧迫計測も有用である．
4) 手掌内の指血管への局所麻酔薬注射による神経ブロックにより患者の症状改善と指の血管の圧上昇が得られると指の交感神経切除術が効果的と類推可能である．

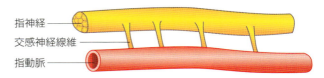

図1 交感神経線維は指神経から指動脈へと繋がっている

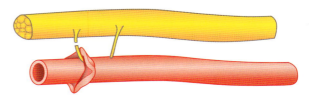

図2 指動脈交感神経切除術は，指動脈の外膜層の交感神経の支配を切除することである

▶指動脈交感神経切除術の有用性

動脈の平滑筋は血管収縮の機能を有している．交感神経線維は指神経から指動脈へと繋がっている 図1 ．そこで，指動脈周囲の外膜層を剥がすことにより，これらの交感神経を切除することとなり，血管収縮を防止する効果をもたらす 図2 ．
交感神経線維は解剖学的に近位では総指動脈への浅掌動脈弓と，遠位では総指動脈から固有指動脈への浅掌動脈弓との間の接合部に，きわめて豊富に存在しており，先にも記載したがこれらは動脈外膜層内に局在している．

▶指動脈交感神経切除術の施行範囲

交感神経の切除範囲は上記した最も豊富に存在している部に行うべきである．つまり総指動脈の範囲で2-3cmである．浅掌動脈弓まで広げることもある 図3 ．症例によっては手関節部での尺骨動脈近位あるいは解剖学的嗅ぎ煙草窩における橈骨動脈の近位にまで広げることもある．

▶手術手技

血管造影で血流が乏しい，あるいは欠損している部分を中心に手掌部に主にMP関節掌側部に横切開あるいはジグザグ切開を加え指神経を同定するとともに閉塞した

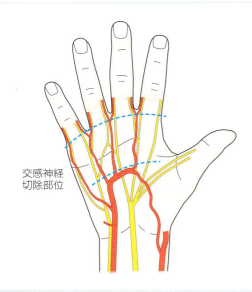

図3 交感神経切除部位

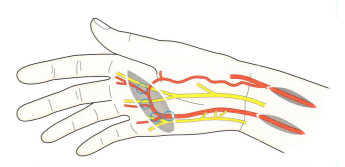

図4 MP関節掌側部に横切開を加え，指神経および閉塞した指動脈を同定する

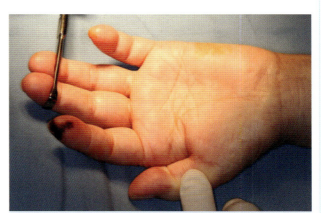

図5 86歳，女性．混合性結合織病による示指血行障害

指動脈を同定する 図4 ．本手術は顕微鏡下に行うのは当然である．総指動脈を指神経から分離して神経を損傷しないように留意する．

　動脈の外膜層を浅掌動脈弓から分岐している総指動脈から指動脈にかけて遠位3cmほど剝離して切除する．また，指神経から指動脈への全ての分岐を切除する．指動脈を損傷しないように，および血管の攣縮を招くような過度な外傷を引き起こさないように十分に留意する．細い動脈枝は9-0ナイロン糸を用いて顕微鏡下に結紮する．

▶後療法

　術後，患者は指の温かみが増したり，痛みが減少したりすることに気付くことで，改善が得られたこととなる．しかし，どの程度（期間），効果が持続するかについてはまだコンセンサスは得られていない．

　本治療の一番重要な点は
①手術適応を間違えないこと．
②術中，血管を損傷しないように十分に留意すること．
③効果の持続期間についてはまだ不明であることである．

▶症例供覧

　症例 86歳，女性．混合性結合織病による示指血行障害例である 図5 ．術前に血管拡張剤の投与，高圧酸素療法およびステロイド投与などを行い，わずかな血行の改善が得られたが，指先端の壊死および冷え・痛みなどの改善は得られなかった．

　図6 は術前MR血管造影像であるが，示指の指動脈は閉塞していた．皮切は 図7 のように加え，手掌腱膜・屈筋腱鞘を露出した 図8 ．浅掌動脈弓から総指動脈，さらに指動脈まで同定し，指動脈と指神経を分離す

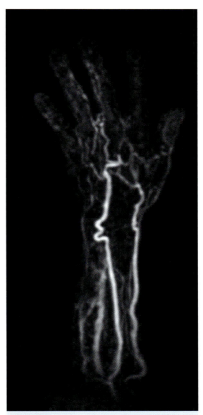

図6 術前MR血管像

る 図9 ．顕微鏡下に指動脈の外膜を切除して交感神経切除術を行った 図10 ．明らかに血行回復が得られ，閉創した 図11 ．

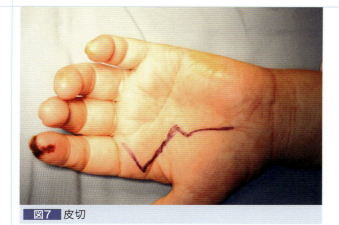

図7 皮切

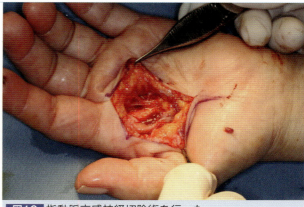

図10 指動脈交感神経切除術を行った

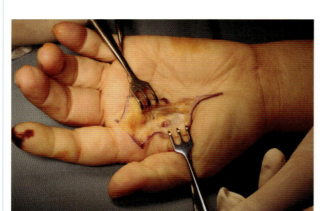

図8 屈筋腱腱鞘を露出

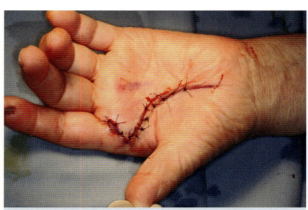

図11 創閉鎖

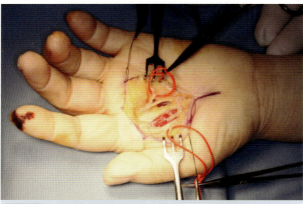

図9 指神経を指動脈から分離した．指神経を赤いループで保護した

■ 文献

1) Grace C, Christopher C, Paola S, et al. Digital sympathectomy in patients with scleroderma. An overview of the practice and referral patterns and perceptions of rheumatologists. Annals Plast Surg. 2015; 75: 637-43.
2) Kotsis SV, Chung KC. A systematic review of the outcomes of digital sympathectomy for treatment of chronic digital ischemia. J Rheumatol. 2003; 30: 1788-92.

CHAPTER 5: 手指—感染

99 指感染に対する切開法と排液法

指尖部あるいは手掌部へ魚介類などによる刺創や動物などによる咬創により発生することが多いが，最近では体力が落ちている患者における血行感染（いわゆる日和見感染）も増加している印象がある．

▶診断

Kanavelの4徴（①指軽度屈曲位，②腱鞘に沿ったびまん性の腫脹，③指伸展による激痛，④腱鞘に沿った圧痛）の存在は化膿性屈筋腱滑膜炎の診断にきわめて有用である．

▶手術適応

化膿性屈筋腱滑膜炎と瘭疽

▶手術解剖

Kanavelが記載しているが橈側と尺側手掌滑液包は近位で交通しており，示指〜環指はそれぞれの指で独立している．したがって母指の感染は離れた小指へ拡がることがあるので注意を要する 図1．

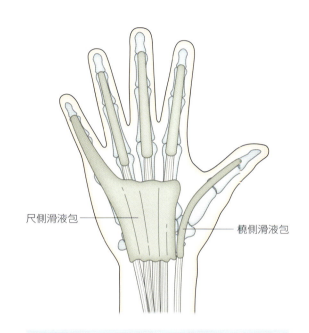

図1　手掌〜手指における滑液包

尺側滑液包　　橈側滑液包

▶化膿性屈筋腱滑膜炎

手指の感染がある場合には排液などの手術は駆血帯装着下に行うが，手の瀉血は感染を拡散するおそれがあるので推奨されない．

皮切・展開

図2に手掌・手指までの排膿路のための皮切を示す．近位は指屈筋腱腱鞘A1滑車上に小さな横切開を加え，遠位にはA5滑車を開くために，DIP関節の側正中切開を加え，この2つの切開を通して腱鞘全体を生理的食塩水でフラッシュを何回も行う 図3．

V字型切開をA1滑車上に加える．もう1つの皮切をDIP関節側正中切開を加える．遠位切開は示・中・環指では尺側上に，母指と小指では橈側上に切開を加える．母指と他指の摘み動作で皮膚瘢痕が支障とならないためである．神経血管束を掌側皮弁の方へ挙上してA5滑車を部分的に切開する．細い静脈カテーテルをA1滑車内に挿入し，腱鞘の滑車システム内で愛護的に生理的食塩水を用いてフラッシュ洗浄する．

皮下組織内に生理的食塩水をフラッシュすると著明な腫脹が生じ，指の区画症候群の原因となるので留意する．近位から生理的食塩水をフラッシュして遠位切開からの排液が透明になるまでフラッシュを続ける．

カテーテルは腱鞘内に留置したまま，8時間ごとにフラッシュを続ける．

▶爪周囲炎

爪部の感染症で，手感染症の中でもっとも多く，黄色ブドウ球菌によることが多い

皮切

爪部の両側あるいは片側に縦切開を加える 図4．

展開

皮弁を挙上し，甘皮と爪の間の膿を排出する．爪基部での1つの角あるいは爪半分を切除することもある 図5．

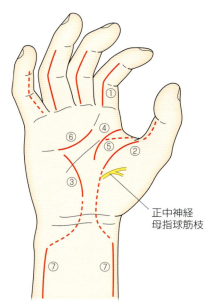

①指屈筋腱腱鞘
②Radial bursitis
③Ulnar bursitis
④Thenar abscess
⑤背側の postadductor space
⑥Midpalmar abscess
⑦Parona 腔膿瘍

正中神経母指球筋枝

図2 化膿性屈筋腱滑膜炎の排膿路のための皮切

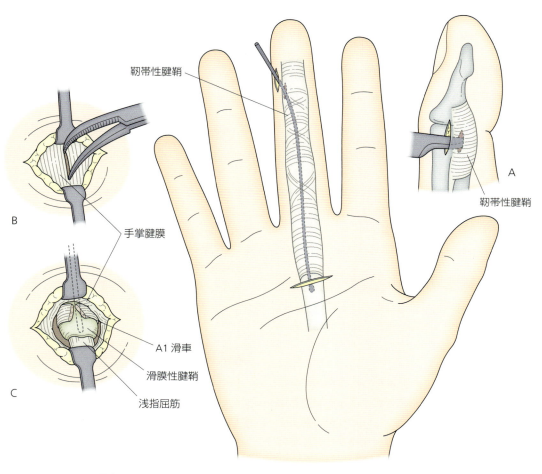

靱帯性腱鞘
手掌腱膜
A1 滑車
滑膜性腱鞘
浅指屈筋
A
靱帯性腱鞘

罹患屈筋腱上で，遠位手掌皮線のすぐ近位に，小さな横皮切を加える
A: 第 2 皮切が必要な場合には，中節の末端の側正中部に加える
B: 手掌腱膜の線維を縦に分離する
C: A1 滑車を切ると滑膜性腱鞘が現れるので，これを開放する

図3 屈筋腱腱鞘感染に対する皮切

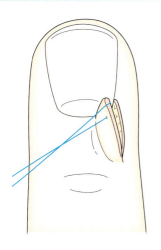

図4 爪周囲炎の皮切

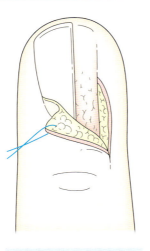

図5 爪半分を切除することもある

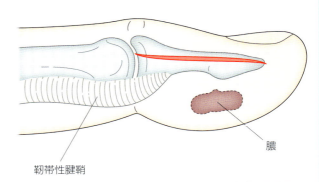

図6 瘭疽に対する排膿のための切開

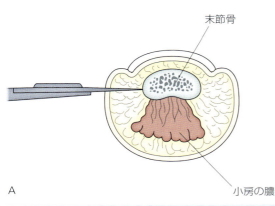
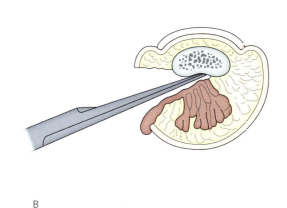

図7 指腹部の中隔を切離する
A: 中隔を切離する　B: 排膿する

▶瘭疽

皮切

　指腹腔の感染では，発赤・疼痛の存在する部位上に指腹の接触面から少し離して切開を加える．排膿を確実に行うためには指腹へと剪刀を刺し込んで中隔を切離する．

　切開は最も圧痛のある部位上に加えるが，指尖・指腹の接触表面から離して，切開を加えるべきである 図6 ．剪刀を用いて指腹腔の中を拡げて，膿汁を閉じ込めている中隔を破る 図7A, B ．創を洗浄し，小さなガーゼ（込めガーゼ）を切開内に挿入して，創の開放を持続する．1日2回，各5分，50％過酸化水素液に浸すこととする．

▶後療法

　治療に当たって感染によって生じた腱鞘に沿った瘢痕が完全な指の運動を妨げる可能性があることを，しっかりと患者に伝えるべきである．

■ 文献

1) Abrams RA, Botte MJ. Hand infections; treatment recommendations for specific types. J Am Acad Orthop Surg. 1996; 4: 219-30.
2) 福田祥二, 生田義和, 石田　治, 他. 手の化膿性屈筋腱鞘炎の治療経験. 中部日本整災会誌. 2002; 45: 229-30.
3) Kanavel AB. Infections of the Hand: a guide to the surgical treatment of acute and chronic suppurative processes in the fingers, hand and forearm. 7th ed. Philadelphia: Lea & Febiger; 1939.
4) Neviaser RJ. Closed tendon sheath irrigation for pyogenic flexor tenosynovitis. J Hand Surg. 1978; 3: 462-6.
5) Phemister DB. Allen B. Kanavel 1874-1938. Ann Surg. 1938; 108: 161-2.

CHAPTER 5: 手指—切断

100 指切断術

以前は外傷による指切断がほとんどであったが，再接着術が行われるようになり，最近ではむしろ糖尿病，膠原病や血管閉塞性疾患により血行不全となり，切断に陥る症例が多くなってきている．

▶指切断術の治療原則

1. 母指切断の場合はできるだけ長く残すように努める．
2. 中央指列（中指または環指）を切断する場合は指列切断術を行い，間隙は閉鎖する，または中手骨移行術を行う．
3. 母指切断の場合には CM 関節は最低限，温存するように努める．

▶手術適応

1. 重度指損傷で再接着術が不能の場合．
2. Raynaud 病あるいは糖尿病などによる指の阻血性壊死の場合．
3. 指の悪性腫瘍．

▶手の血管系

図1 に手掌から手指にかけての橈骨動脈および尺骨動脈からの動脈系を示す．また正中神経および尺骨神経からの神経系も示しており，指切断に際して，これら血管および神経の分布に留意する．

▶中指切断術

皮切

中指の proximal finger crease の少し近位にカーブ状切開を背側および掌側表面に加える 図2A, B．

展開

掌側切開により総指動脈および神経を露出する．総指動脈と神経を同定した後，総指動脈と神経の分岐部で切断指の橈側および尺側で指動脈と指神経を結紮する．

> **Tips コツ**
> この際，示指および環指への動脈および神経は intact とする．

切断術

掌側から屈筋腱の A1 滑車を開き，浅指屈筋（FDS）と深指屈筋（FDP）腱を遠位に引いて切断する．短橈側手根伸筋（ECRB）腱の停止部は温存し，深横中手靭帯を切離して指の中手骨を電動ノコを用いて骨切りを行う．

閉鎖

中指切断後の裂手の閉鎖のため，2-0 非吸収糸を用いて深横中手靭帯を引き寄せて，示指および環指を引き寄せる．余分な皮膚を指間内で温存し，皮膚を形成する．深横中手靭帯を引き寄せて縫合するとき，示指と環指が交差しないように調整することが重要である 図3．

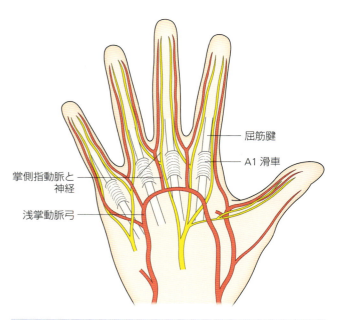

図1 手掌〜手指の血管系・神経系分布

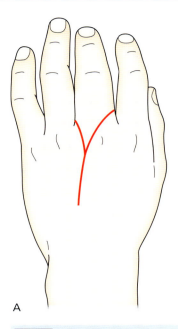 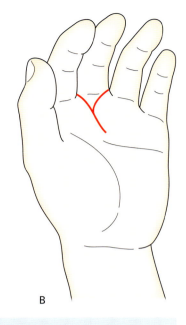

図2 中指切断術の皮切
A: 背側面　B: 掌側面

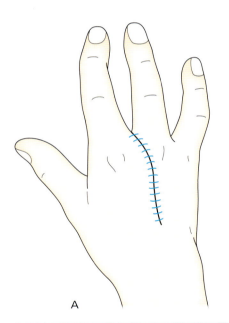 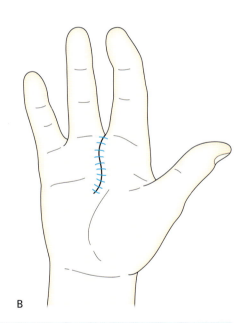

図3 閉創（裂手を作成しないようにする）
A: 背側面　B: 掌側面

▶後療法

縫合した深横中手靱帯を保持するために掌側副子を2週間装用する．

▶症例供覧

症例　73歳，男性．示指・中指・環指阻血性壊死　図4, 5．

■文献

1) Goldner RD, Howson MP, Nunley JA, et al. One hundred eleven thumb amputation vs revision. Microsurgery. 1990; 11: 243-50.

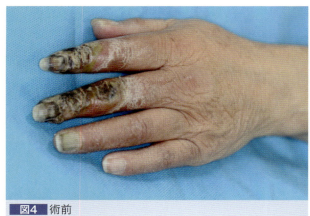

図4　術前

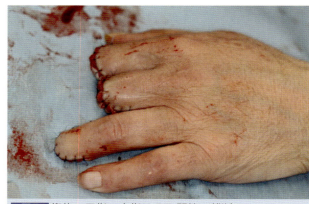

図5　術後　示指・中指はPIP関節で離断．環指は中節骨部で切断した．

CHAPTER 6: 腱—腱（鞘）炎

101 ばね指（指屈筋腱腱鞘炎）手術

ばね指（指屈筋腱腱鞘炎）は手の外科分野で日常外来診察上最も遭遇する疾患の1つである．典型的な例では指MP関節掌側部に硬い硬結を触れ，強い圧痛を訴える．また指を屈曲・伸展すると有痛性軋音とともにいわゆる弾発現象を呈する．朝起きたときに指は屈曲位に固定されており，他動的に伸展しようとすると強い痛みを訴え軋音とともに伸展が可能となることが多い．また長期経過例においてはPIP関節の屈曲拘縮が固定化してしまうことも少なくない．

保存療法としてステロイド剤の腱鞘内注射が外来で好んで行われているが，腱鞘内に正確に薬液を注入することはそれほど容易でないことを銘記すべきである．また最近では懸濁性ステロイド剤の頻回の注射で屈筋腱そのものに脆弱化をきたし，腱断裂が発生している例も散見されることより頻回の注射を行う場合にはこのことを念頭において行う必要がある．

> **Tips コツ**
> 私の経験ではステロイド剤の注射の効果は文献上でいわれている程は高くないのではと考えており，外来手術での腱鞘切開と腱鞘滑膜切除を好んで行っている．

▶手術適応

前記しているように私は硬結が大きくかつ硬く，有痛性軋音が発生しており，ADL上のdisabilityが強い場合にはステロイド剤注射を行うことなく手術をすすめることとしている．

> **⚠ 留意点**
> ステロイド剤注射を行っても効果がないからといって期日をあけずに腱鞘切開などの手術を行うと，術後の創治癒が遅延し，最悪の場合は創哆開に陥ることがある．したがって，手術を予定する場合にはステロイド剤注射から最低1カ月は間をおくべきと考えている．私も1例であるが苦い経験を味わっている．とくに懸濁性ステロイドを用いた場合には，より注意すべきである．

一般的には非糖尿病患者においては2回，糖尿病患者については1回のステロイド剤の腱鞘内注射で効果がない場合には手術適応と考える．またPIP関節の拘縮が固定化している場合も手術適応であろう．成人例ではなく乳幼児の先天性ばね指（剛直母指）の場合，スプリントなどによる治療により2歳以上で改善が認められない場合も手術適応と考えている 図1A, B, C．

▶手術解剖

弾発現象はA1 pulleyの近位端で発生するのが一般的である 図2．そのほか，稀であるが，浅指屈筋（FDS）腱の腱交叉部およびA3 pulleyで発生する．生体力学的検査により屈筋腱のpulleyとして重要なのはA2とA4 pulleyであることより，A1 pulleyの切離（腱鞘切開）に際してA2 pulleyを切離しないように注意すべきである．

しかし，最近ではPIP関節の屈曲拘縮の除去のためにA2 pulleyの近位を切離すべきとの考えもある．

皮切

中・環・小指では遠位手掌皮線部，示指は近位手掌皮線部に1.0-1.2 cm長の横皮切を加える．

> **Tips コツ**
> 皮線上に皮切を加えると，創縁が内反することとなるので皮線から少し離して皮切を加える方がよい 図3．

母指については指神経が表層に位置することから横皮切ではなく，MP関節尺側部を頂点とした"く"の字状の皮切を加えるべきとの意見もあるが，私は"く"の字の頂点の瘢痕部の痛みが続くことがあることから母指近位指皮線の少し近位に他指と同様に横皮切を加えることとしている．

展開

皮切を少し深くすると縦に走行する手掌腱膜があるのでこれを橈・尺側方向に分けて屈筋腱の走行状況を解剖学的に想像しながら，小さな筋鉤を用いて腱鞘上の軟部組織を橈・尺側に鈍的に翻転してA1腱鞘の掌面を露出する 図4．この処置により腱鞘の両側に存在する指神経血管束を避けることができる．しかし，しっかりと確認したい場合には筋鉤の深さを調整して神経血管束を同定することも可能である．

腱鞘切開

腱鞘の一部をメスにて腱を損傷しないように注意して縦に部分的に切離した後に，剥離剪刀を用いて近位・遠位にわたり完全に腱鞘を切離する 図5, 6．腱鞘が全長にわたり切離されると屈筋腱が露出する 図7．屈

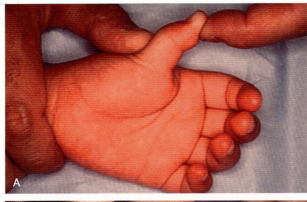
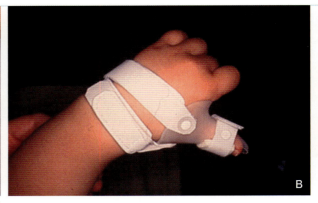
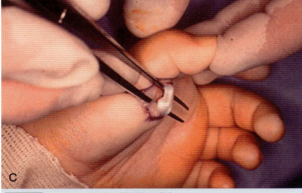

図1 先天性ばね指（剛直母指）
A: 外観　B: スプリント治療　C: 腱鞘切開術

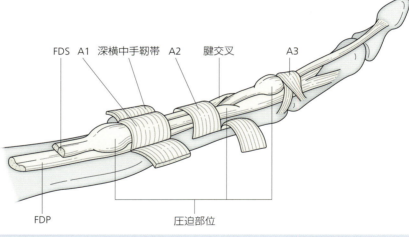

図2 ばね指の発生部位

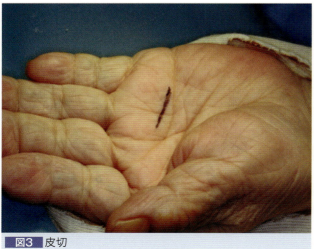

図3 皮切

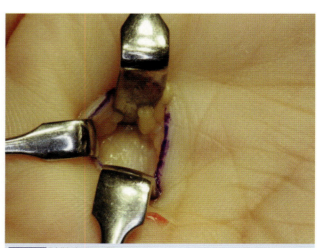

図4 腱鞘表面を露出する

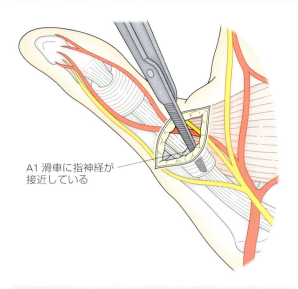

図5 母指における長母指屈筋腱腱鞘の切離

A1 滑車に指神経が接近している

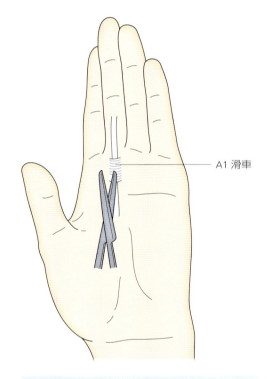

図6 指における A1 滑車の切離

A1 滑車

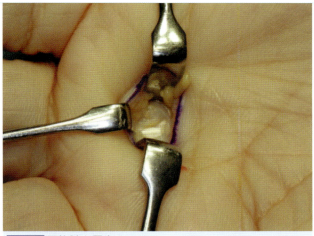

図7 屈筋腱を露出する

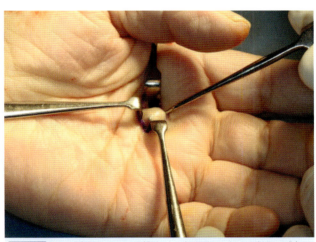

図8 FDS 腱をフックで持ち上げて FDP および FDS 腱の癒着の解離と滑膜切除を行う

筋腱周囲に滑膜炎が存在し，とくに FDS と深指屈筋（FDP）腱間に癒着が存在している場合には腱フックを用いて FDS 腱を持ち上げて丁寧な滑膜切除と癒着剥離を行う 図8 ．

最終的に患者さんに指の屈曲を指示するとPIPおよびDIP 関節の有効な屈曲が得られ，弾発現象が消失したことを確認する．

閉創

十分に止血して 5-0 ナイロン糸で閉創．

▶術後療法

Bulky dressing を行い，指は直ちに動かすように勧める．

▶症例供覧

症例 62 歳，女性．中指ばね指（PIP 関節の屈曲拘縮を伴っている） 図9, 10 ．

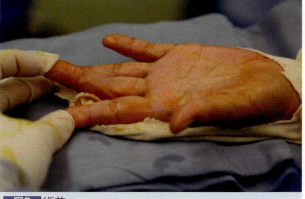

図9 術前
中指ばね指とともに PIP 関節の屈曲拘縮を認める

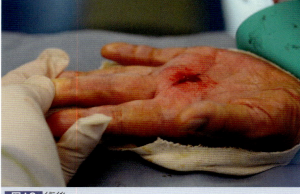

図10 術後
A1 pully の切離に加えて A2 pully の近位部も切離した．その結果，術中であるが，PIP 関節の屈曲拘縮は消失している．

■ 文献

1) Marks MR, Gunther SF. Efficacy of cortisone injection in treatment of trigger fingers and thumbs. J Hand Surg［Am］. 1989; 14: 722-7.
2) 中村恒一，磯部文洋，佃幸彦，他．PIP 関節屈曲拘縮を認めるばね指の検討．中部整災誌．2019; 62: 303-4.
3) Wilhelmi BJ, Snyder N 4th, Verbesey JE, et al. Trigger finger release with hand surface landmark ratios: an anatomic and clinical study. Plast Reconstr Surg. 2001; 108: 908-15.

CHAPTER 6: 腱—腱(鞘)炎

102 ド・ケルバン病（de Quervain Disease）に対する腱鞘切開術（腱鞘滑膜切除術）

de Quervain 病はばね指とともに外来できわめて頻繁に遭遇する腱鞘炎である．多くは保存療法で治癒するが，手関節橈背側部に強い硬結が形成されているような場合などには手術治療を行うことも少なくない．

▶症状・所見・診断

中・高年齢者の女性，妊娠中・授乳中の女性，手指（特に母指）を過度に使用する職業の方，透析患者などに発生する．症状は手関節橈背側部に骨性の硬結を触れ，強い圧痛が存在する．母指を thumb-in-palm として手関節を尺屈すると強い疼痛が誘発される（Finkelstein 試験）図1．母指の屈伸により有痛性軋音が存在していることもある．単純X線写真では明らかな異常を認めないが，前医でトリアムシノロン（ケナコルト®）注を受けた例などで石灰沈着を認めることがある．

▶鑑別診断

de Quervain病で罹患する第1伸筋腱区画と，疼痛部位が近隣している母指手根中手（CM）関節の変形性関節症（OA），舟状大菱形小菱形骨（STT）関節のOAと交差点症候群（intersection syndrome）との鑑別診断が必要である．丁寧な圧痛部位の検索により de Quervain 病とは異なる部位であることと基本的にはX線学的に母指CM関節やSTT関節にOA変化が存在していることにより鑑別可能である．Intersection syndrome はそれほどよく遭遇する疾患ではないが，伸筋支帯部より少し近位で第1区画の腱と第2区画の長・短橈側手根伸筋腱が交叉する部位での腱炎である（別項目　参照のこと）．したがって母指の屈伸により有痛性軋音を聴取することは可能であるが de Quervain 病よりも少し近位であり，鑑別可能である．

▶手術解剖

伸筋支帯により被覆されている手関節背側部の伸筋腱はそれぞれ中隔により6つに区分されている 図2 （別項目　参照のこと）．de Quervain 病として罹患するのは橈側から長母指外転筋（Adb PL）腱と短母指伸筋（EPB）腱が含まれる第1区画である 図3．教科書的にはそれぞれ1本ずつと記載されているが，実際はむしろ1本のことは少なく，Abd PL 腱は少なくとも2本，多い場合には3-4本存在している．Adb PL 腱は第1区画内の橈背側に存在し，EPB 腱は尺掌側に存在していることが多い．40%の例で両腱間を分けている subseptum が存在していると報告されている．第1区画は2cm長で底面は橈骨茎状突起の橈側表面の溝により形成されている 図4．

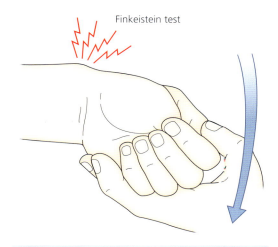

図1　Finkelstein test

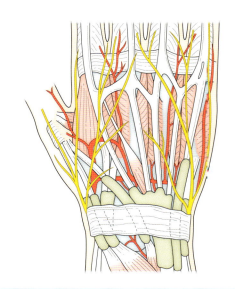

図2　手関節背側の伸筋腱区画

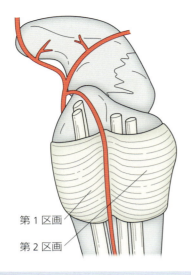

図3　第1区画

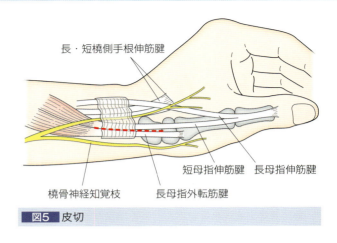

図5　皮切

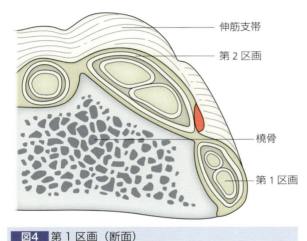

図4　第1区画（断面）

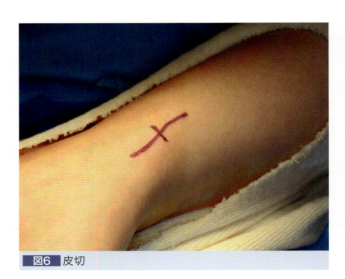

図6　皮切

▶治療

保存療法

　無理して急に痛みが発症したような急性例は安静および鎮痛剤入り軟膏塗布により改善することが多い．しかし慢性的な痛みの例で強い硬結が存在する例では局所へのステロイド剤の注射を要する．国外の論文では少ない回数（1-2回）の局所へのステロイド剤注の効果は比較的高いとされているが，私の経験では，それほど高いものではないと考えている．ステロイド剤を頻回にわたって注射すると注射部位の皮膚が菲薄化したり，注射による橈骨神経浅枝損傷の可能性もあるので注意を要する．妊娠中，授乳中の女性に発症した de Quervain 病の場合にはある一定時期を過ぎると自然治癒することが多いので余り積極的な治療は行われないことが多い．

手術適応

　保存治療（1-3 カ月で十分と考える）が奏効せず，日常生活上の不自由を感じている患者については手術治療を行うこととしている．具体的には，①1-2 回のステロイド注，②4-6 週の手関節スプリント固定でも効果がなく，③活動性が制限される場合である．

▶手術治療

　基本的には第1区画を覆っている伸筋支帯の切離である．

麻酔

　局所麻酔または伝達麻酔で手術を行っている．局所麻酔の場合はエピネフリン入りキシロカインを用いることにより空気止血帯を用いる必要がないので有用である．しかし，私は局麻剤を使うと皮下組織が水っぽくなり橈骨神経浅枝の同定が困難となるので伝達麻酔を好んで用いている．

皮切

　第1区画の硬結部直上に 2-3 cm の横皮切を加えることが術後の創瘢痕の関係から推奨されている．私は皮下を走行する橈骨神経浅枝と皮切が直交するのを好まないので 2-3 cm の縦切開を好んで使用している 図5，6．

展開

　皮下を剥離するとかなり太い橈骨神経浅枝と橈側皮静脈が露出するので術中，損傷しないように十分留意すること と，神経を強く牽引することも避けるべきである

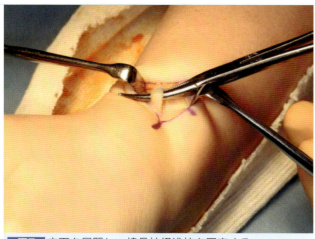

図7 皮下を展開し，橈骨神経浅枝を同定する

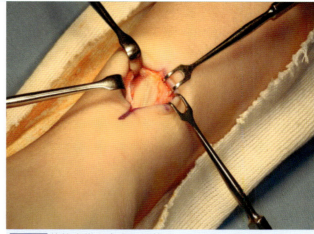

図9 伸筋支帯を完全に切離する

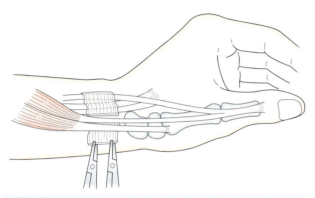

図8 第1区画をサブコンパートメントを含めすべて開放する

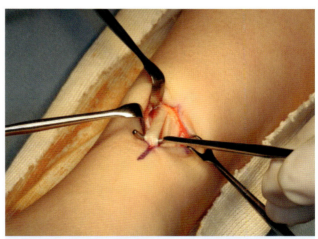

図10 EPB腱の筋肉が遠位まで伸びている

図7．

伸筋支帯切離

皮下を翻転して肥厚した伸筋支帯の近位・遠位を十分に露出して，まずはメスで肥厚している伸筋支帯の一部を下に存在している腱を損傷しないように切離した後にその部から細いエレバトリウムを近位および遠位に挿入して伸筋支帯を完全に切離する 図8, 9．

> **Tips コツ**
>
> 多くの手の外科医はNo.11の尖刃刀を用いるのを好んでいると思うが，尖刃刀はいわゆる切れる刃の部分が長く正常組織を切離する可能性が高いので，私は円刃刀を好んで用いている．

これにより多くは数本存在するAbd PL腱を完全に剝離することが可能となる．次いで多くはこれらの腱群を橈側に翻転すると中隔様の区画を形成して狭い空間にEPB腱が挟まって存在していることが多い．この部（区画）を切離してはじめて手術を完璧に終えることとなる．Abd PL腱およびEPB腱に滑膜炎が存在している場合にはこれらの腱滑膜炎の切除を行う．またEPB腱の筋肉が遠位まで存在しており母指を屈曲すると第1区画内に筋肉が入り込むことを認めることも多い 図10．念のため，これらの腱を橈側・尺側に翻転して残存している，

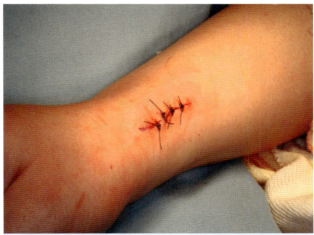

図11 閉創

つまり隠れて存在している区画内の腱が存在していないことを最終確認して手術を終える．伝達麻酔ではなく自動的に母指を動かせることができる場合には術前の引っ掛かりがないことを確認することも必要である．

閉鎖

創を洗浄して閉創を行う 図11．

▶後療法

基本的に外固定は不要であるが，私は創の安静を保つ上から 1-2 日間短上肢シーネ固定とする．再発などはほとんど存在しない．

> ⚠ **留意点**
>
> 保存療法としてステロイド（特にトリアムシロン）注を行った直後（少なくとも 1-2 週以内）に手術を行ったところ，ステロイドの持つ異化作用により創閉鎖の遅延が生じた経験がある．したがってこの手術に限らないが弾発指や手根管症候群などの治療としてステロイド注が行われた場合には，手術まで時期を後ろに延ばすべきであろう．具体的な日数についてはデータを持ち合わせていないので明確には結論づけられないが，3 週以降がいいのではと私は個人的に考えている．

■ 文献

1) Ahuja NK, Chung KC. Fritz de Quervain MD. Stenosing tendovaginitis at the radial styloid process. J Hand Surg [Am]. 2004; 29: 1164-70.
2) 加藤貞利．De Quervain 病．In: 三浪明男編．手・肘の外科: カラーアトラス．東京: 中外医学社．2007．p.346-8.
3) Ta KT, Eidelman D, Thomson JG. Patient satisfaction and outcomes of surgery for de Quervain's tenosynovitis. J Hand Surg [Am]. 1999; 24: 1071-7.
4) Weiss AP, Akelman E, Tabatabai M. Treatment of de Quervain's disease. J Hand Surg [Am]. 1994; 19: 595-8.
5) Witt J, Pess G, Gelberman RH. Treatment of de Quervain tenosynovitis. A prospective study of the results of injection of steroids and immobilization in a splint. J Bone Joint Surg [Am]. 1991; 73: 219-22.

CHAPTER 6: 腱―腱（鞘）炎

103 舟状骨結節部における腱付着部症

上肢の外科領域において腱炎，腱鞘炎，腱付着部症（Enthesopathy）は外来診療上よく遭遇する．代表的な腱付着部症としては，上腕骨外側上顆炎，いわゆるテニス肘である．上腕骨外側上顆炎は短橈側手根伸筋腱の腱付着部症であり，よく知られている．腱付着部症の一部では腱の骨付着部近傍に石灰沈着を伴うことが少なくない．石灰沈着部では急激な強い痛みや発赤・熱感などの炎症症状を伴うことが多い．

腱付着部症を伴わない石灰沈着は手指関節（MP, PIP関節）に発生することも知られているが，今までに舟状骨結節部に生じた石灰沈着例の報告はない．症例を提示しながら，病態，治療法について紹介する．

症例は43歳，女性で利き手側の母指基部の突然の激しい痛みが出現し，次第に増強した．患者の職業は病院事務員で職務内容としてはほとんどの時間をオフィスコンピュータの操作をしていた．理学所見として，舟状骨結節部に強い圧痛，腫脹が存在していた．同部には発赤，熱感も存在していた．母指を動かすと痛みは増強するが，特に母指を最大掌側外転位とすると痛みがさらに増強した．母指CM関節など他の部位の圧痛などは認めなかった．

単純X-P側面像では舟状骨結節部，舟状大菱形骨関節，大菱形骨の掌側部に2-3個の石灰沈着像を認めた 図1 ．βmethasone sodium phosphate（ケナコルト®）4mgと1％リドカイン2mLを石灰沈着部に局所注射を行った．注射後激しい痛みは直ちに消失し，母指を動かしての痛みも直ちに軽減した．X-Pは撮影していないが，6カ月後には症状は再発していない．

舟状骨結節部における石灰沈着について以下のように考察した．

最近，職場，学校，自宅などでコンピュータマウスを使用する機会が非常に多くなっている．コンピュータマウスを把持するときの母指は橈側および掌側外転をほぼ最大位とした肢位であり，母指と環・小指の間で把持し，マウスのボタンは示指で押すこととなる 図2 ．

舟状骨結節は母指球筋（短母指外転筋，母指対立筋，短母指屈筋の浅頭）の起始部であり，これらの筋群はコンピュータマウスを操作する際に効果的に機能していることとなる．したがって私は舟状骨結節はこれらの筋群の起始部であることから腱付着部症と診断した．

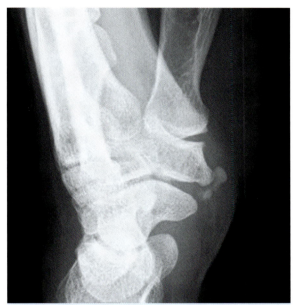

図1 単純X-P（側面像）：舟状骨結節，舟状大菱形骨関節，大菱形骨掌側部に数個の石灰沈着を認める．

図2 Computer mouseを把持しているところであるが母指球筋が強く収縮しているのがわかる

意見

私はComputer mouse syndromeと提唱したが，まだ受け入れられていない．

■ 文献

1) Anderson JE. Superficial dissection of the palm. In: Eight ed. Grant's Atlas of Anatomy. 1983; Williams Wilkins, Baltimore, MD, USA. 6-78〜79.
2) Claessen FM, Heesters BA, Chan JJ, et al. A Meta-analysis of the effect of corticosteroid injection for enthesopathy of the extensor carpi radialis brevis origin. J Hand Surg[Am]. 2016; 41A: 988-98.
3) Drake ML, Ring D. Enthesopathy of the extensor carpi radialis brevis origin: effective communication strategies. J Am Acad Surg. 2016; 24: 365-9.
4) Schöneberger M, Koebke J. Rhizarthrosis and thenar muscles. A clinico-anatomic study. Handchir Mikrochir Plast Chir. 1989; 21: 182-8.

CHAPTER 6: 腱—腱（鞘）炎

104 尺側手根伸筋腱脱臼・亜脱臼の治療

尺側手根伸筋（ECU）腱脱臼・亜脱臼はECU腱が伸筋支帯第6区画内において尺骨遠位端のECU腱溝より逸脱することにより，手関節尺側部痛を訴える疾患である．当初は比較的まれな疾患と考えられていたが，手関節尺側部痛をきたす原因の1つとして重要である．

▶手術解剖

ECU腱が伸筋支帯第6区画内に存在していることは教科書的にも記載されており，よく知られているところである．しかし，特徴的なことは他の伸筋腱群と異なり，ECU腱溝の両端に伸筋支帯が付着していないことである．このことは伸筋支帯がECU腱溝におけるECU腱のstabilizerの役割をはたしていないこととなる．

しかし，上記の事実を補完するためにSpinnerらが初めて記載しているが，fibro-osseous tunnelがECU腱溝上に張っており，stabilizerとして機能していることが重要な解剖学的特徴である 図1 ．

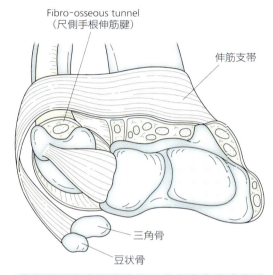

図1 ECU腱周囲の解剖：ECU腱はfibro-osseous tunnelにより支持されている

▶病態

上記の手術解剖より第6区画の伸筋支帯のみが断裂してもECU腱が腱溝から脱臼・亜脱臼することなく，この深部に存在するfibro-osseous tunnelが断裂して初めてECU腱脱臼・亜脱臼が生じることとなる．

Tips コツ

むしろECU腱脱臼・亜脱臼例の場合，伸筋支帯はintactであることの方が多い．

Fibro-osseous tunnelの断裂あるいは弛緩する原因としては外傷に基づくもの，スポーツによるもの，局所の腫瘍によるもの，先天性要因によるものが知られている．これらのうち，最近，増加傾向にあるのはスポーツによるものであり，細い棒状のものを把握して頻回に前腕の回内・回外，手関節の尺屈・背屈を強制される競技に多く発生している．手関節最大回外位でECU腱はfibro-osseous tunnelの遠位で急に尺側に角度を変えて走行し，ECU腱が強く収縮することによりtunnelの尺側に強いtranslation stressが繰り返し加わり，tunnelの弛緩が生じると考えられている．

雑談

私が最初に本症を診たのはアイスホッケーの選手である．アイスホッケーのピックをスティックを用いて打ち込む時，右利きであれば前腕は強く回外，手関節は尺屈され，fibroosseous tunnelが断裂・弛緩したことによりECU腱が脱臼したものであった．

▶症状・診断

症状は回外・尺屈・背屈時の手関節尺側部痛がほとんどであり，この肢位でECU腱が有痛性軋音を伴って（亜）脱臼感を訴える．

診断は前腕回外，手関節尺屈・背屈を強制することによりECU腱がECU腱溝からの逸脱を確認することにより容易であるが，亜脱臼の場合はECU腱溝の尺側縁をECU腱が乗り上げることを確認する 図2 ．しかし，亜脱臼の場合はわかりづらいことも少なくない．ECU腱の走行に一致して腫脹と圧痛を認める．

確定診断としては，局所麻酔薬をECU腱鞘内に注射し（造影剤も一緒に注入すると透視下に腱鞘内に注入されていることがわかる），疼痛誘発テストで疼痛が消失した場合，手関節痛の原因がECU腱脱臼・亜脱臼である可能性が高いと考える．

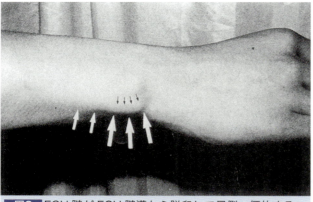

図2 ECU 腱が ECU 腱溝から脱臼して尺側へ偏位する

▶鑑別診断

手関節尺側部痛を訴える他の疾患と鑑別診断する必要がある．代表的な疾患を列挙する．
1. ECU 腱腱鞘炎
2. TFCC 損傷
3. 遠位橈尺関節変形性関節症
4. 尺骨突き上げ症候群　　などである．

▶治療

保存治療

新鮮例であれば，前腕回内・手関節橈屈位での 3-4 週間のギプス固定が有効である．反復性の ECU 腱脱臼・亜脱臼例に対しては，安静，湿布，装具などを用いた固定が有効なことがあるが，スポーツ活動を行うと治療効果がないことが多い．これらの場合は手術治療の適応となる．

手術治療

手術治療は再建術と解離術の 2 つに分けることができる．

1. Fibro-osseous tunnel 再建術
   ①伸筋支帯を一部反転して fibro-osseous tunnel を再建する方法（Spinner 法）　図3
   ②伸筋支帯を遊離として fibro-osseous tunnel を再建する方法（Eckhardt 法）

私にもこれら両法の経験があるが，これらの手術成績はほぼ良好であった．しかし，以下の問題があり，私たちはより簡便で安定した成績が得られる解離術を行っている．ここでは解離術について記述する．
   ①術後固定期間が長いためスポーツ復帰に約 4 カ月近く要した．
   ②新たな軽度の痛みが残存した例が散見される（ECU 腱が新たに作成した腱鞘により狭窄が発生する可能性）．
   ③再（亜）脱臼の再発の可能性がある．　などである．

解離術

伸筋支帯および fibro-osseous tunnel を切離して，ECU 腱を脱臼させて，その掌側で伸筋支帯を縫合する手術である．

皮切・展開

局所麻酔または伝達麻酔下で手術を行う．手関節背尺側第 6 区画上に 3-4 cm の縦切開を加える．第 6 区画の伸筋支帯の橈側を縦切し，fibro-osseous tunnel へ到達する．

切離

ここで前腕を回外，手関節を背屈・尺屈位を強制すると ECU 腱が弛緩したあるいは断裂した fibro-osseous tunnel 内で尺側へ尺骨背面上に亜脱するのを確認する．Fibro-osseous tunnel を全長にわたって縦切し，ECU 腱を脱臼させる　図4　．

閉鎖

ECU 腱を脱臼させた後，fibro-osseous tunnel の線維性膜様組織および伸筋支帯を ECU 腱の掌側（ECU 腱の深部）で縫合閉鎖する．創洗浄後，皮膚を閉鎖する．

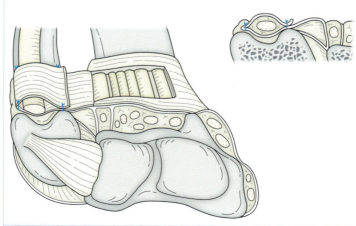

図3 Fibro-osseous tunnel を再建術（Spinner 法）

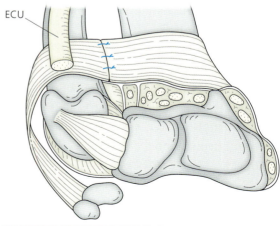

図4 解離術

▶後療法

術後，1週程度，手関節中間位で short arm splint 固定を行い，徐々に運動を負荷する．

▶術後合併症

本手術により危惧される術後合併症としては尺骨遠位端の不安定性，それに基づく握力の低下および ECU 腱の過度な移動による腱炎などがあるが，私たちの経験ではそのような症例は認めなかった．

■文献

1) Eckhardt WA, Palmer AK. Recurrent dislocation of the extensor carpi ulnaris tendon. J Hand Surg. 1981; 6: 629-31.
2) Inoue G, Tamura Y. Recurrent dislocation of the extensor carpi ulnaris tendon. Br J Sports Med. 1998; 32: 172-4.
3) 小林昌幸，荻野利彦，三浪明男，他．アイスホッケー選手における反復性尺側手根伸筋腱脱臼・亜脱臼について．整スポーツ会誌．1990; 9: 257-60.
4) 末永直樹，福田公孝，小林昌幸，他．アイスホッケー選手における反復性尺側手根伸筋腱脱臼の病態とその発生要因に関する検討．整スポーツ会誌．1990; 7: 73-5.
5) 末永直樹，三浪明男，福田公孝．尺側手根伸筋腱脱臼・亜脱臼の診断と治療．In: 別冊整形外科　手関節部の外科，東京: 南江堂; 2000. p.93-6.
6) Spinner M, Kaplan EB. Extensor carpi ulnaris. Its relationship to the stability of the distal radioulnar joint. C in Orthop Relat Res. 1970; 68: 124-9.

CHAPTER 6: 腱─腱(鞘)炎

105 腱交差症候群 (Intersection Syndrome) に対する治療

腱交差症候群は手関節橈背側部，つまり伸筋支帯より少し近位で第1区画の腱〔長母指外転筋 (Abd PL) 腱と短母指伸筋 (EPB) 腱〕と第2区画内の腱〔長・短橈側手根伸筋 (ECRL・B) 腱〕が交叉する部位での腱炎 (腱鞘が存在していないので腱鞘炎ではない) である 図1,2．

> **雑談**
>
> Intersection syndrome という名称を初めて知ったのは私が留学中のときです．Dobyns 先生（Carpal instability で Linscheid 先生とともに非常に高名な方です）が intersection syndrome についてお話ししてくださりました．しかし，それにしてもアメリカ人はおもしろい名前をつけるものと感心しています．その他 Watson が命名した SLAC (scapholunate advanced collapse) wrist や Cooney が命名した SNAC (scaphoid nonunion advanced collapse) wrist などもアイデアに富んだ名前と思いませんか？

▶症状・所見・診断

本症の発生頻度はそれほど高いものではないので好発年齢層，性差などについて明らかではないが，手を過度に使用する比較的中・高年層に好発する．病態は手関節の第1区画部の少し近位に皮下を斜走する Abd PL 腱と EPB 腱を触れることができ，その下層を前腕軸に沿って走行する ECRL・B 腱との間に発生する腱炎である．同部の圧痛とともに母指の屈伸により有痛性軋音を聴取することができる．鑑別診断の項でも記載するが de Quervain 病との鑑別が重要である．

画像は診断にほとんど有用ではないが，超音波検査は有効との報告がある．石灰沈着を intersection 部に認めることがある．

▶鑑別診断

腱交差症候群の発生部位が近隣している de Quervain 病や母指 CM 関節変形性関節症 (OA) との鑑別診断が重要である．腱交差症候群と比較して圧倒的に発生頻度が高い de Quervain 病は第1区画に発生する腱鞘炎であり交差点症候群とは異なり Finkelstein 試験が陽性である．圧痛部位が異なることに留意すれば診断はそれほど難しくはないが，解剖学的な位置関係の把握が重要である．母指 CM 関節 OA はさらに第1区画より遠位の圧痛と変形が特徴的であり，grinding test が陽性である．

▶治療

保存療法

本症候群は基本的に保存療法に反応する．つまり安静，シップなどが一般的である．Abd PL 腱・EPB 腱と ECRL・B 腱間へのステロイド剤局注も有効である．有痛性軋音が存在し，母指を動かすことができないような場合には手術適応となるが，ほとんど手術適応となることはない．

> **Tips コツ**
>
> 私は今まで手術を行ったのは1例のみである．それほど手術を行うことは稀ということとなる．

▶手術療法

前述したように手術適応となる症例はそれほど多いものではない．

手術は第1区画と第2区画の間を剥離して瘢痕組織や線維組織を切除することである．

局所麻酔または伝達麻酔下で手術を行っている．

> **Tips コツ**
>
> 局所麻酔の場合はエピネフリン入りキシロカインを用いることにより空気止血帯を用いる必要がないので有用である．

皮切

圧痛が存在する部位，第1区画を走行する Abd PL および EPB 腱部，伸筋支帯の中枢部を中心に 2-3 cm の縦皮切を加えている．術野に橈骨神経浅枝が走行しているので術中，損傷に留意すべきである ．

腱剥離術・瘢痕組織切除術

皮下を橈骨神経とともに翻転して斜めに走行する Abd PL と EPB 腱の近位と遠位端を確認して，筋膜を切除して両腱の筋腱を橈尺側に持ち上げて，これらの底面を見るとそれほど大量ではないが瘢痕組織が存在しておりこれらも切除する ．両筋膜を十分に剥離してその下の面（深部）を見ると ECRL・B 腱が縦に走行しているのを見ることができる．これらを被覆している

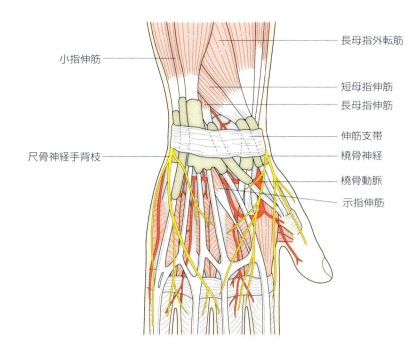

図1 前腕背側面（浅層）

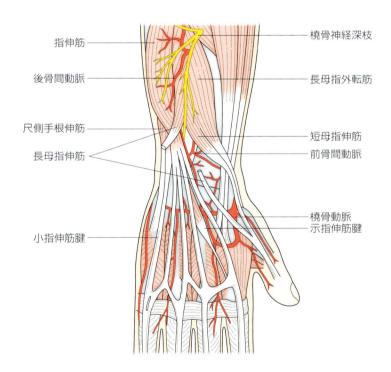

図2 前腕背側面（深層）

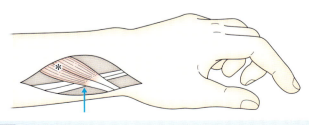

図3 腱交差症候群

筋・腱膜には肥厚した瘢痕組織が存在していたり，滑液包が肥厚して滑膜炎が存在しておりこれらも完全に切除する．完全に瘢痕組織が切除され，第1および第2区画の腱間での軋轢・癒着が消失したことを確認して手術を終える．局所麻酔下での手術であるので自動的に母指を動かすことが可能であるので術前に存在していた引っ掛かりがないことを確認することができる．

閉創

創を洗浄して閉創を行う．

▶後療法

基本的に外固定は不要であるが，私は創の安静を保持する上で術後1-2日間，短上肢シーネ固定とする．再発などはほとんど存在しない．

■文献

1) Allison DM. Pathologic anatomy of the forearm: intersection syndrome. J Hand Surg [Am]. 1986; 11: 913-4.
2) Draghi F, Bortolotto C. Intersection syndrome: ultrasound imaging. Skeletal Radiol. 2014; 43: 283-7.
3) 加藤貞利．Intersection syndrome（腱交差症候群）. In: 三浪明男編. 手・肘の外科: カラーアトラス. 東京: 中外医学社. 2007. p.349-50.
4) 三浪明男．前腕部 intersection syndrome に対する保存的治療. In: 伊丹康人，西尾篤人編. 整形外科 MOOK 増刊 2: 私のすすめる整形外科治療法 2-A: 保存療法. 東京: 金原出版; 1993. p.118-21.
5) Wulle Cl. Intersection syndrome. Handchir Mikrochir Plast Chir. 1993; 25: 48-50.

CHAPTER 6: 腱—腱断裂

106　手関節部での長母指屈筋腱断裂に対する腱形成術

　長母指屈筋（FPL）腱は切創以外では従来は舟状骨偽関節やKienböck病などの骨棘による断裂がほとんどであったが，近年橈骨遠位端骨折に対する掌側ロッキングプレート固定が盛んに行われるようになってからプレートエッジでのFPL腱断裂が急増している．

　図1A, Bは8年前に橈骨遠位端骨折に対して掌側ロッキングプレート固定にて治療され，骨癒合が得られた症例である．しかし2, 3年前から母指IP関節が徐々に屈曲不可となり当科受診した．

　図2および図3は当科受診時の母指IP関節の屈曲・伸展状態を示している．伸展は可能であるが屈曲は全く不能であった．

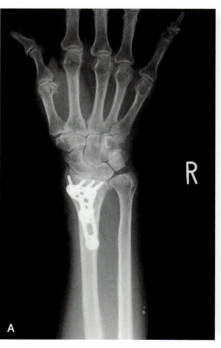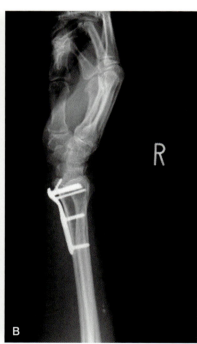

図1A, B　橈骨遠位端骨折に対して掌側ロッキングプレート固定がなされているX-Pであるが，側面でプレートの遠位端（エッジ）が強く掌側に突出しており，これによってFPL腱断裂が生じたものと考えられた．骨癒合は得られている

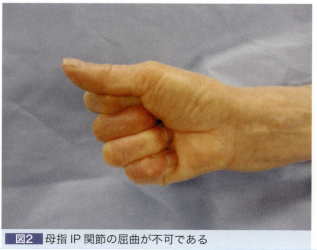

図2　母指IP関節の屈曲が不可である

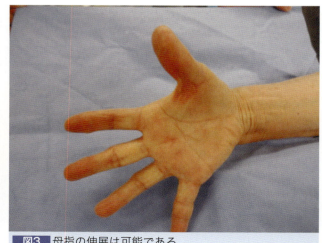

図3　母指の伸展は可能である

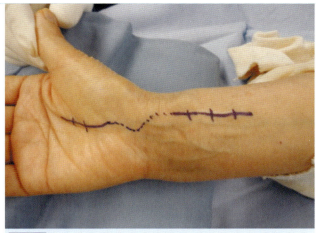

図4 皮切（手関節部の点線部分は本症例では切開を加えていない）

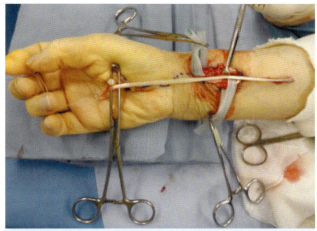

図6 PL 腱を用いた橋渡し腱移植術

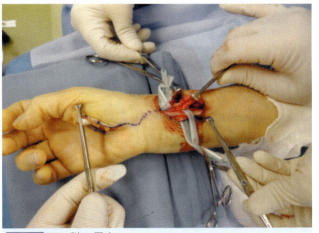

図5 EPL 腱の露出

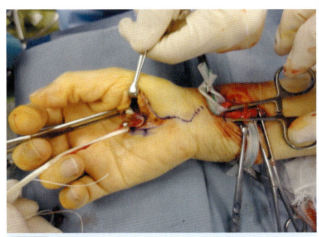

図7 腱誘導鉗子を用いて移植腱を FPL 腱通路に通す

▶橋渡し腱移植術（bridge tendon graft）

皮切

　手根管症候群に対する横手根靱帯切離術と同様の皮切を加える．近位手掌皮線に沿う切開からはじめ手くび皮線でジグザグとして前腕遠位橈側までの切開線を作図する 図4 ．本症例でもそうであるが実際上，図4 の手くび皮線部の点線部分に皮切を加えておらず近位と遠位の 2 つの皮切を基本としている．本症例ではまず橈骨遠位端の内固定材である掌側ロッキングプレートの抜釘を行うために，近位の皮切は前回皮切と同様として少し長目となっている．

> **Tips コツ**
> 手関節部に皮切を加える場合には正中神経橈掌側から分岐する掌側枝の損傷に留意する．

> **Tips コツ**
> 手くび皮線部の皮切による皮膚瘢痕はいわゆる pillar pain の原因となるので避けるべきである．

展開

　近位皮切で手指屈筋腱，正中神経を尺側に翻転して手関節および橈骨掌側部を観察する．プレートが露出したりしていることが観察できる．橈骨から掌側ロッキングプレートを抜釘後，前腕遠位で橈側手根屈筋（FCR）腱の橈側で FPL 腱を確認する．しかし FPL 腱はプレート付近で瘢痕化しており，この腱を引いても有効な母指 IP 関節の屈曲が得られない．次いで，遠位の皮切により母指への指神経などを損傷しないように留意して母指球筋の尺側縁の少し深部を探ると FPL 腱が露出する．これをアリス鉗子で引くと母指 IP 関節の屈曲が得られ FPL 腱であることが判明する 図5 ．手関節部（プレートの設置部）は瘢痕が強い．

　多くの場合，腱はボソボソ，いわゆる fraying を呈して断裂し，瘢痕組織や滑膜組織により連続性があることが多いが，当然緊張はない．FPL 腱の中枢端および末梢端を同定して，断端部に存在している壊死組織・瘢痕組織を切除する．その結果，両端ともに正常腱を露出することができる．

腱移植術（bridge tendon graft）

　長掌筋（PL）腱を tendon stripper で近位皮切内で採

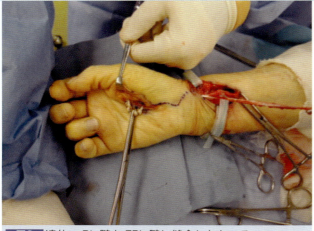

図8 遠位でPL腱をFPL腱に縫合したところ

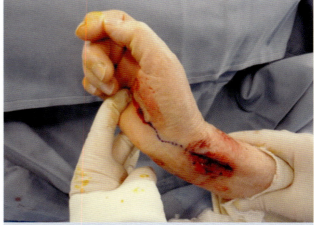

図11 手関節を背屈すると母指IP関節は屈曲する

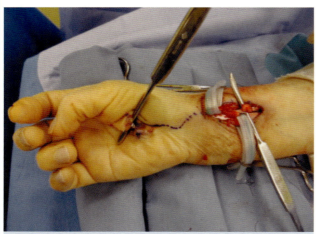

図9 近位の腱縫合を終えたところ

sutureしたところである．縫合時のtensionは手関節中間位で母指軽度内転，IP関節40°屈曲位としてFPL腱近位断端を中等度牽引して縫合することとした 図9 ．最後に，手関節を背屈・掌屈することにより母指にtenodesis effectが存在していることを確認する．つまり，手関節を屈曲すると母指IP関節は伸展し，手関節を伸展すると母指IP関節は屈曲する 図10 ， 図11 ．

創を洗浄後，創閉鎖を行う．術後Kleinert法に備えて母指指尖爪部に絹糸を用いてloopを作製しておく．

▶後療法

手関節を30°屈曲位，母指内転，IP関節30°屈曲位で背側副子固定とした．術翌日にドレーン抜去後，背側副子装用のまま小指球部にpulley(bar)を作成し母指を他動屈曲・自動伸展，いわゆるKleinert法による運動療法を1日，午前・午後の1時間程度行う 図12,13,14 ．縫合が確実に行われていれば手関節を伸展位として母指を他動的に最大屈曲内転させ，その位置をactiveに保持する，いわゆるactive flexion hold positionを保持する自動屈曲を早目に行うことも可能である．3週を過ぎると日中はfree motionとして夜間はnight splintとして，6週後には完全freeとしている．

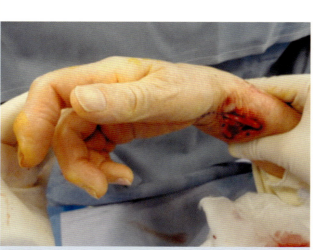

図10 手関節を屈曲すると母指IP関節は伸展する

取した（採取方法については別項目参照のこと）後にFPL腱の両断端にPL腱を用いて橋渡し移植を行う 図6 ．腱誘導鉗子を近位皮切からFPL腱走行に沿って遠位皮切に通して，採取したPL腱を通す 図7 ．両端ともに少なくとも3回〜4回はinterlacing sutureを行う． 図8 は遠位にてPL腱をFPL腱にinterlacing

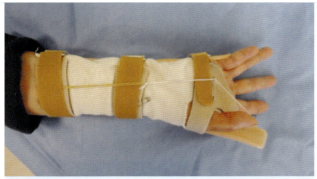

図12 背側副子とKleinert法の全体像である

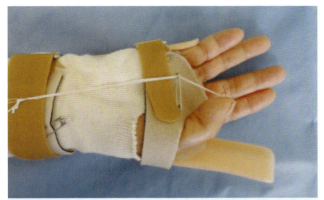

図13 母指IP関節をrubber bandにてpassive flexionしているところである

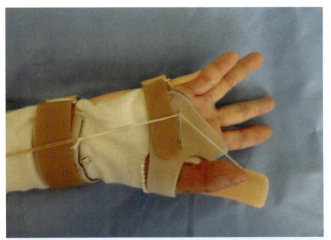

図14 母指IP関節をactive extensionしているところである

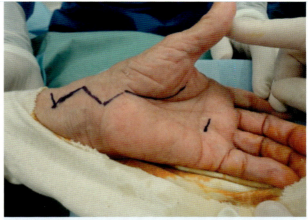

図15 術前

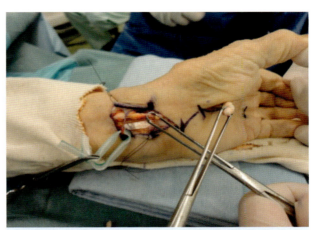

図16 FPL腱は手関節部で完全断裂していた

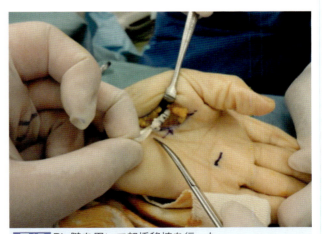

図17 PL腱を用いて架橋移植を行った

▶症例供覧

症例 83歳，女性．STT関節固定術後FPL腱断裂例 図15-17

■ 文献

1) Casaletto JA, Machin D, Leung R, et al. Flexor pollicis longus tendon ruptures after palmar plate fixation of fractures of the distal radius. J Hand Surg [Eur]. 2009; 34: 471-4.
2) Cross AW, Schmidt CC. Flexor tendon injuries following locked volar plating of distal radius fractures. J Hand Surg [Am]. 2008; 33: 164-7.
3) 三浪明男．屈筋腱．In: 三浪明男編．手・肘の外科：カラーアトラス．東京：中外医学社．2007．p.260-76.
4) Slattery PG. The modified Kleinert splint in zone II flexor tendon injuries. J Hand Surg [Br]. 1988; 13: 273-6
5) Valbuena SE, Cogswell LK, Baraziol R, et al. Rupture of flexor tendon following volar plate of distal radius fracture. Report of five cases. Chir Main. 2010; 29: 109-13.
6) 吉津孝衛．「ノーマンズランド内指屈筋腱断裂の治療」腱手術後の早期運動療法．日手会誌．1992; 8: 857-61.

CHAPTER 6: 腱—腱断裂

107 長母指伸筋腱断裂に対する固有示指伸筋腱移行術

　長母指伸筋（EPL）腱断裂は開放損傷，橈骨遠位端骨折後に晩発するもの，drammer's palsy，リウマチ性腱滑膜炎などにより発生する．これらのうち，橈骨遠位端骨折後遅発性の断裂がよく知られている．

▶原因

　橈骨遠位端骨折のうち，転位が大きな骨折ではなく，undisplacedまたはminimumly displaced fracture後に発生することが多いのが特徴である．手術〔観血的整復術（別項目参照のこと）〕が適応となるような骨折ではEPL腱断裂の発生は少ない．原因は明らかではないが，EPL腱が橈骨Lister結節部尺側方向で45°迂回して母指方向に走行する部位での骨折による骨片の鋭い骨棘などによる磨耗，腱への血流障害，骨折後に発生した仮骨による圧迫などが，考えられている．私は骨折した部位での腫脹，血腫が第3伸筋腱区画内のスペースをさらに狭小化させて腱の血流を阻害して腱断裂が発生するのではないかと考えている．腱断裂の断端部の多くが骨棘によるattritionを思わせるようなfrayingではなく，スパッと断裂されており，断端部が壊死に陥っていることも私の考えを支持しているのではと考えている．

> 💬 **意見**
> 私は転位のないあるいは少ない橈骨遠位端骨折を治療する際には予め，EPL腱断裂の可能性を患者に伝えることにしている．これにより患者とのトラブルを避けることができると考えている．

▶症状

　疼痛がないことも多く，親指のIP関節が伸展できないことにより「親指が引っ掛かってしまう」や「親指で物がつかみにくい」などの症状を訴えることもあるが，意外にも気づかない場合も少なくないのが特徴である．橈骨遠位端骨折に対する短上肢ギプス固定中，あるいはギプス除去後に特に誘因なく母指IP関節の伸展ができないことに気づくことがほとんどである．X-Pでは橈骨遠位端骨折の骨折線は存在するが，転位が少ないことが多い 図1 ．

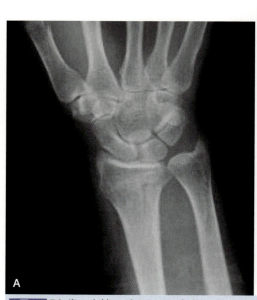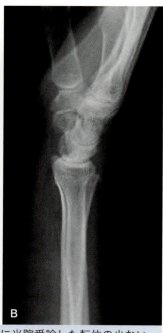

図1　58歳，女性．手をついて転倒し，ただちに当院受診した転位の少ないColles型の橈骨遠位端骨折例である．
A: 正面像　　B: 側面像

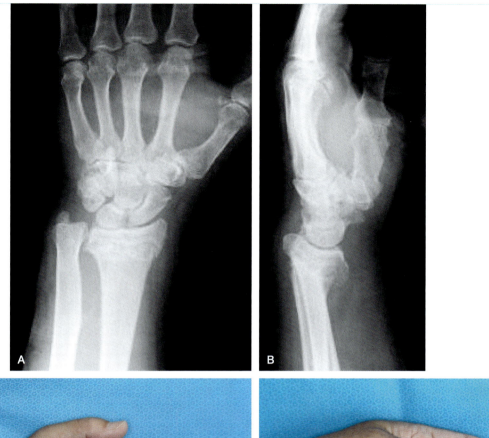

図2 63歳，男性．3カ月前に橈骨遠位端骨折の診断を受け，ギプスシーネ固定の治療を受けた．4週間後に固定を除去した際に母指IP関節の完全伸展ができないことに気づいた．
A: 骨折後2カ月目の正面像　B: 側面像
本例は転位の少ない骨折ではなくSmith骨折である．
C: 母指のIP関節の完全伸展ができない　D: IP関節の屈曲は可能である．

▶治療

一般的に断裂腱の断端同士を縫合することは困難であり，万一，縫合可能であってもかえって母指の屈曲制限をきたすことが多く，また再断裂を起こしやすいのでほとんど行われない．

多くは固有示指伸筋（EIP）腱のEPL腱遠位腱への腱移行術が行われる．

麻酔

以前は全身麻酔あるいは腋窩伝達麻酔で空気止血帯を用いて行っていたが，最近はエピネフィリン1％含有リドカインを皮切部位に局所麻酔し，空気止血帯を使用せずに行う，いわゆるawake surgeryを行うことが多くなった．その理由は術中，患者自身に自動運動を行ってもらい，腱移行の緊張度を決定できることである．

▶EIP腱→EPL腱移行術

ここで例示する症例は典型的な転位の少ない橈骨遠位端骨折に続発したEPL腱断裂ではなく，骨折部でのattritionが原因と考えられるEPL腱断裂である．しかし，手術方法はほぼ同様であるので提示しながら術式・後療法について詳述する．

本例のX-P 図2A, B と術前の母指IP関節の伸展，屈曲状況を示す 図2C, D ．

まず，手関節背側Lister結節の遠位からEPL腱の走行に沿って切開を加える 図3 ．皮下の静脈，神経を同定してこれらを保護する．断裂しているEPL腱遠位端には強い滑膜炎が存在していることが多いが，本例では腱のfrayingが著明で伸びきった状態であった 図4 ．滑膜を切除してEPL腱断端を露出する 図5 ．

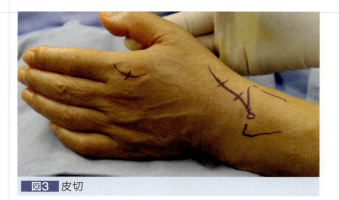

図3 皮切

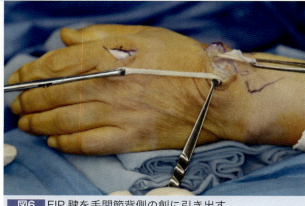

図6 EIP腱を手関節背側の創に引き出す．

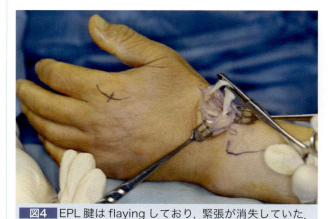

図4 EPL腱はflayingしており，緊張が消失していた．

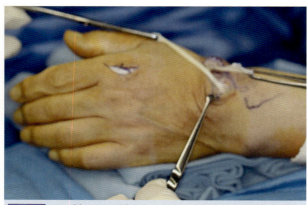

図7 EPL腱にEIP腱をinterlacing sutureを行う（本文参照）．

人に自動運動を行い，完全に母指の屈曲・伸展が可能であることを確認して腱縫合を行う 図8．

> **Tips コツ**
>
> 十分な母指屈曲ができない場合には縫合の緊張を緩めることが必要である．

▶ **後療法**

術後早期より，手関節，母指MP関節伸展位でoutrigger装具にてIP関節を伸展位に他動的に保持してIP関節のみの自動屈曲を開始する 図9A, B．術後1週よりIP関節の自動伸展・屈曲運動をハンドセラピスト監視下で開始する．これらを術後3週まで続行する．この際，手関節および母指MP関節，IP関節の同時屈曲は禁じる．術後3週より，IP関節制限なしの短thumb spicaに変更して自宅で装具を外しての自動可動域訓練を行い，術後4週で，splintをoffとして母指可動域訓練を加速して6週より，他動可動域訓練を行いfreeとする．
図10は術後2カ月の母指IP関節自動伸展・屈曲である 図10A, B．本例は同時に手根管症候群に対する鏡視下手根管開放術を行っている．

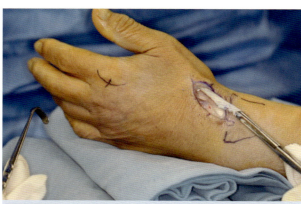

図5 EPL腱断端を露出した（本文参照）．

次に示指MP関節背側に弓状皮切を加える 図3．皮下を走る静脈，神経を保護して伸筋腱を露出する．2本の伸筋腱が確認されるが，これらのうち尺側にあるものがEIP腱である．多くの場合，矢状索の近位で切離するが，矢状索も含めて切離する場合には矢状索を切離後，残っている示指の総指伸筋（EDC）腱としっかり修復する．

EIP腱を示指のEDC腱の掌側を通して，手関節背側の創に引き出した後 図6 に，EPL腱にEIP腱を最低4回はしっかりinterlacing sutureを行う 図7．縫合のtensionは手関節軽度背屈位にて母指MP, IP関節を最大屈曲として，EIP腱を最大緊張としてEPL腱に縫合することとしている．Awakeの場合には術中，患者本

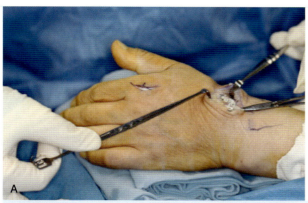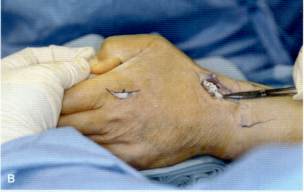

図8 術中，母指の伸展（A）および屈曲（B）が可能であることを確認する．
A: 伸展　B: 屈曲

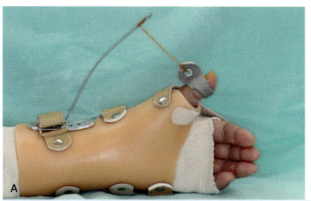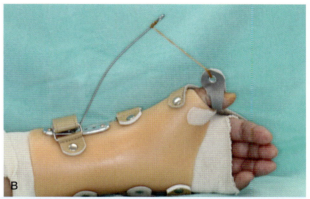

図9 装具装用して母指IP関節の他動伸展（A），自動屈曲（B）を行う．
A: 他動伸展　B: 自動屈曲

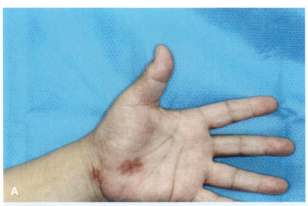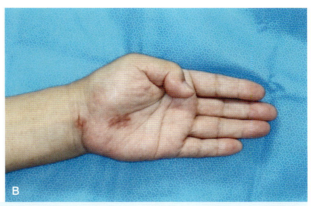

図10 術後2カ月の母指IP関節伸展と屈曲状態
A: 伸展　B: 屈曲

■ 文献

1) 近藤　真，三浪明男，加藤博之，他．橈骨遠位端骨折後の長母指伸筋腱断裂例の検討．日手会誌．1995; 12: 256-9.
2) 森谷浩二，吉津孝衛，牧　裕，他．母指機能再建における固有示指伸筋．整・災外．2012; 55: 81-5.
3) Roth KM, Blazar PE, Earp BE, et al. Incidence of Extensor Pollicis Longus Tendon Rupture After Nondisplaced Distal Radius Fractures. J Hand Surg［Am］. 2012; 37: 942-7.
4) 渡辺恵理，高﨑　実，畑中　均，他．長母指伸筋腱皮下断裂に対し術後早期運動療法を行った局所麻酔下腱移行術の検討．整形外科と災害外科．2016; 65: 58-61.

CHAPTER 6: 腱―腱断裂

108 遠位橈尺関節変形性関節症およびリウマチ性手関節症による手指伸筋腱断裂に対する腱移行術および腱移植術

　関節リウマチ（RA）による手関節症や遠位橈尺関節（DRUJ）の変形性関節症（OA）などにより尺骨遠位端が（亜）脱臼したことにより発生することが多い．多くはDRUJの関節包が尺骨頭や橈骨S状切痕に発生した骨棘により破綻をきたし，それにより伸筋腱が断裂する．
　何本の手指伸筋（EDC）腱が断裂しているのかにより手術方法が異なる．1指の場合，小指あるいは環指単独であることが多いが，単指の場合はほとんど示指固有伸筋（EIP）腱の腱移行を行うこととしている．2指（環指・小指のことが多いが）の場合は小指EDC腱へEIP腱移行術を行い，環指には長掌筋（PL）腱を用いたbridge graft（架橋移植）あるいは損傷されていない中指へend-to-side suture（端側縫合）を行う．3本（小指～中指）の断裂の場合は小指EDC腱へEIP腱移行術を行う．中指・環指の伸筋腱断端を示指EDC腱へend-to-side sutureを行うかあるいは中指あるいは環指の近位断端のいずれか，excursion（滑動距離）の良い方の腱を選択し，PL腱を用いて中・環指へ架橋移植を行うこととしている．4本全ての手指伸筋腱が断裂する場合は極めて稀であるが，この場合は私は橈側手根屈筋（FCR）腱を骨間膜を貫通して掌側から背側へ移動して全手指伸筋腱へ編み込み縫合 interlacing sutureを行うか，あるいはFCR腱を前腕橈側皮下を通して全EDC腱へ縫合することとしている．
　今回は比較的頻繁に遭遇することが多い環・小指伸筋腱断裂に対する手術方法について記載する．

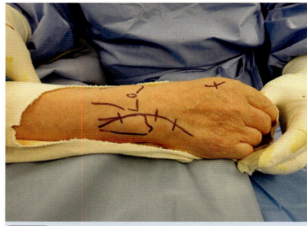

図1　皮切

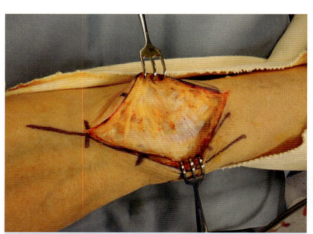

図2　皮下組織を剥離して伸筋支帯を露出する

▶手術方法

皮切

　RA手関節に対する滑膜切除術に加えて，環・小指伸筋腱の再建を行うので環・小指中手骨部から手関節部中央へと橈側に曲げて，尺骨頭の近位4-5 cmの部までゆるい紡錘状の皮切を加えることとする 図1．皮膚を切離後皮下組織を伸筋支帯上で剥離する 図2．

Tips コツ

この操作により支帯上に存在する尺骨神経背側枝，時には橈骨神経浅枝を皮膚に付けて両側に剥離して損傷を避けることが可能となる．また，術野の邪魔になる横走する静脈の結紮は止むを得ないが，縦走する主要静脈はできるだけ温存することに努める．この静脈温存は術後の手背～手指にかけての腫脹の軽減にとってきわめて重要である．

展開

　第5区画を尺骨の近位に存在するEDM腱を引くことにより，同定し，全長にわたり切離して，EDM腱にペンローズを掛けて尺側に翻転する．EDM腱は多くの場合，瘢痕組織により遠位腱へ連結していることが多いが

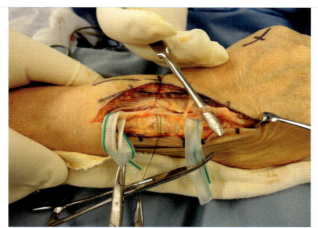

図3 小指の伸筋腱（EDC（V）およびEDM腱）が瘢痕組織により連結されているが，緊張はない

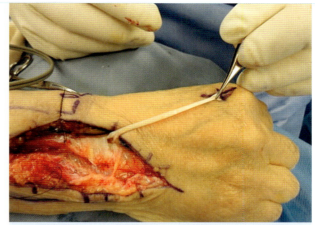

図6 EIP腱を手関節部まで引き出す

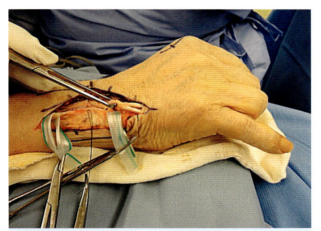

図4 EDC（V）とEDM腱の遠位断端をアリス鉗子で引いている

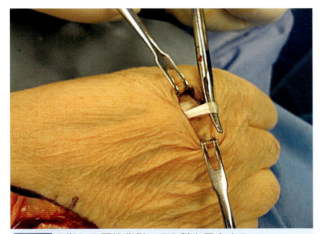

図5 示指MP関節背側でEIP腱を同定する

伸筋腱を近位，遠位まで周囲組織から剥離して橈側あるいは尺側まで自由に翻転して手関節背側の関節包を広く可視できるようにする．手関節滑膜切除術および遠位橈尺関節に対するDarrach手術あるいはSauvé-Kapandji手術については別項を見ていただき，ここでは割愛し，腱再建について記載する．

腱再建術

環指および小指のEDC腱と小指のEDM腱が断裂しており，切断端部に滑膜炎とともにヘモジデリン沈着を認め腫瘤を形成していることが多い．近位の断端も固定して中枢まで剥離して遠位に牽引してexcursionがどのくらい存在しているのかを確認する．

> **豆知識**
> 新潟大学の研究では術中の筋のもつexcursionの1.6倍くらいのexcursionが実際に得られるとしている．つまり3cmのexcursionが術中にあるとすれば術後は4.8cm（約5cm）のexcursionとなり，本来有するexcursionであるので手指伸筋腱のドナー腱として用いることが可能と考えられる．

示指MP関節背側に小さなゆるい弧状の皮切を加え，静脈あるいは神経の枝などを同定して尺側のEIP腱と橈側のEDC腱を同定する 図5．EDC腱の下面（掌側）で筋成分が多い腱がEIP腱であり近位で引くと示指MP関節尺側に存在する腱が引っ張られることでわかる．矢状索（sagittal band）を損傷しないようにMP部でEIP腱を切離して伸筋支帯の遠位で手関節部に出す 図6．そして手関節はほぼ中間位でEIP腱を最大伸張して小指MP関節を最大屈曲した緊張で小指EDC腱に少なくとも3回interlacing sutureを行う 図7, 8．

緊張はない 図3．小指のEDC腱およびEDM腱の両方が断裂されている．アリス鉗子で引いているのが両腱断端である 図4．伸筋支帯を橈側へと剥離し第4区画，第3区画まで，要すれば第2区画まで剥離して橈側に翻転する．関節包を切開して手関節（橈骨手根関節，手根中央関節，手根骨間関節）の滑膜切除を丁寧に，そして徹底的に行う．手関節滑膜切除術を要しない場合には伸筋支帯の橈側への翻転操作は当然不要である．

> **コツ**
> 伸筋腱再建においてきわめて重要なことは再建する腱の緊張をどのようにして縫合するのかである．理想的なのは局麻下で，つまり覚醒し指を自動的に伸展・屈曲できる状態で仮止め腱縫合を行い，緊張を決定することである．伸筋腱再建においては指の屈曲を制限しない，つまりしっかりとgripができることが重要である．伸展をしっかり得ようとしてMP関節の屈曲が制限されることがあってはならない．

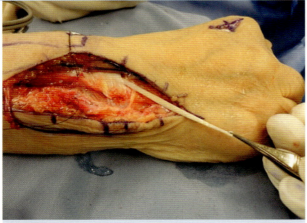

図7 EIP腱を小指へ移行する

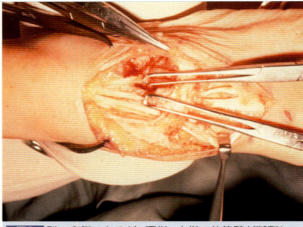

図9 別の症例であるが，環指・小指の伸筋腱が断裂している

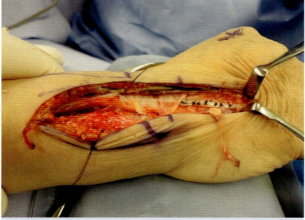

図8 EIP腱を小指EDC腱へinterlacing sutureを行う

端を end-to-side を 3 回 interlacing suture を行う 図9．中指と環指を MP 関節 0°伸展位で同じ緊張状態で縫合する．手関節を屈曲・伸展することにより手指の MP が伸展・屈曲するという腱固定効果（tenodesis effect）が得られ，手関節背屈位でほぼ指の full flexion が可能であることを確認する．

ここでもう 1 つの方法として環指伸筋腱の中枢断端での excursion が十分であると判断した場合には手関節掌側の PL 腱のレリーフ上の小さな横切開により PL 腱を露出して，tendon stripper を用いて採取して環指 EDC 腱断端間に PL 腱を架橋移植する．縫合の緊張度は前記と同じとする．

創を十分に洗浄後伸筋支帯を第 5 区画部で閉鎖する．

Tips コツ

一般的に他指の緊張状態（resting position）より少し強目の緊張で縫合するという記載がほとんどであるが，かなり経験的な要素が強い．したがって上記した方法は比較的わかりやすい方法であるので採用している．当然のことであるが縫合の途中で指が full flexion 可能であることを確認するべきであることは言うまでもない．

縫合は小指 EDC 腱が細くて弱いようであれば EIP 腱を小指 EDC 腱とさらに EDM 腱の両方に縫合することとしている．次いで中指の EDC 腱に環指の EDC 腱断

▶ 後療法

手関節軽度背屈位で手指（示～小指）MP 関節を 10°程度屈曲位として，PIP および DIP 関節を free とした固定用ギプスシーネ固定を 1 週程度行うとともに本ギプスシーネは術後 6 週まで使用する．したがって術前にプラスチックで作製しておくのもよい．

最近はしっかりとした腱縫合が可能なので術後 1 週間目からは手関節軽度背屈位で手指 MP 関節を outrigger

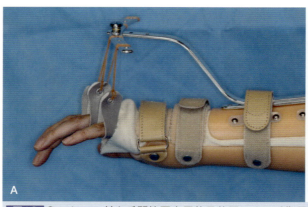

図10 Outrigger 付き手関節固定用装具装用にての手指屈伸運動
A: 他動伸展　B: 自動屈曲

および輪ゴムを用いて他動伸展し，自動屈曲するdynamic splintにての運動を1日午前・午後30分程度行うこととしている 図10．また同時に手関節を屈曲・伸展してtenodesis effectを利用して腱の滑動性を保つこととする．術後3週となると手関節の自動屈伸運動とともに手指の自動屈曲・伸展運動を行い，night splint装用として6週で完全freeとする．

▶症例供覧

図11 DRUJ-OAによる指伸筋腱断裂例．術前X-P
図12 腱形成術後．Darrach手術を併用して行った．術直後X-P

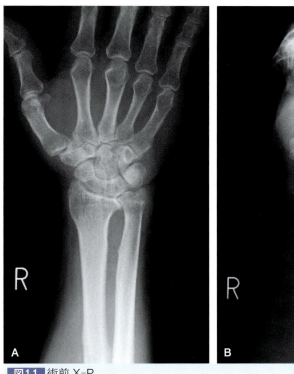
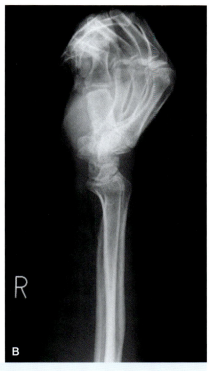

図11 術前X-P
A: 正面像: DRUJのOAとともに尺骨突き上げ症候群を呈している
B: 側面像

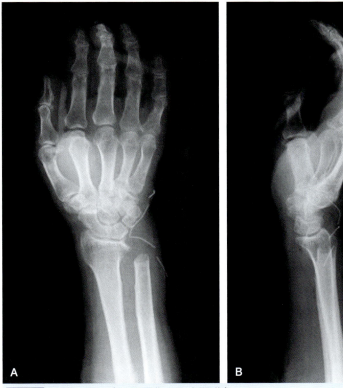

図12 術直後X-P（A: 正面像，B: 側面像）

● 文献

1) Carr AJ, Burge PD. Rupture of extensor tendons due to osteoarthritis of the distal radio-ulnar joint. J Hand Surg [Br]. 1992; 7: 694-6.
2) Freiberg RA, Weinstein A. The scallop sign and spontaneous rupture of finger extensor tendons in rheumatoid arthritics. Clin Orthop Relat Res. 1972; 7: 128-30.
3) Gong HS, Lee JO, Baek GH, et al. Extensor tendon rupture in rheumatoid arthritis: a survey of patients between 2005 and 2010 at five Korean hospitals. Hand Surg. 2012; 7: 43-7.
4) Ohshio I, Ogino T, Minami A, et al. Extensor tendon rupture due to osteoarthritis of the distal radio-ulnar joint. J Hand Surg. 1991; 7: 450-3.
5) Tada H, Hirayama T, Takemitsu Y. Extensor tendon rupture after osteoarthrosis of the wrist associated with nonrheumatoid positive ulnar variance. Clin Orthop Relat Res. 1991; 7: 141-7.
6) Tanaka T, Kamada H, Ochiai N. Extensor tendon rupture in ring and little fingers with DRUJ osteoarthritis without perforating the DRUJ capsule. J Orthop Sci. 2006; 7: 221-3.
7) Vaughan-Jackson OJ. Rupture of extensor tendons by attrition at the inferior radio-ulnar joint; report of two cases. J Bone Joint Surg. 1948; 7: 528-30.
8) Yamazaki H, Uchiyama S, Hata Y, et al. Extensor tendon rupture associated with osteoarthritis of the distal radioulnar joint. J Hand Surg [Am]. 2008; 33: 469-74.

CHAPTER 6: 腱—腱断裂

109 手指伸筋腱皮下断裂に対する減張位超早期運動療法（石黒法）

　関節リウマチ（RA）による手関節症や遠位橈尺関節（DRUJ）の変形性関節症（OA）などによる尺骨遠位端の背側（亜）脱臼やそれに伴い発生する橈骨S状切痕の骨棘などにより，手指伸筋腱皮下断裂が発生する．

　別項にも記載しているが，何本の手指伸筋（EDC）が断裂しているかによって手術方法が大きく異なる．主に有効な示指固有伸筋（EIP）腱または小指固有伸筋（EDM）腱を用いた腱移行術または遊離移植腱を用いた腱移植（架橋移植）術などの手術が広く行われている．これらの方法は少なくとも健常な腱の採取などを必要とすること，および術後MP関節を伸展位に一定期間，固定する必要があることより，MP関節の屈曲制限をきたす恐れがあり，必ずしも満足する結果が得られているとは言い難い面がある．

Tips コツ
別項にも記載したが，手指伸筋腱再建においてはMP関節の屈曲を制限しないことが重要である．ADL上，しっかりとgripができることが重要であり，完全な伸展をしっかり得ようとするあまり，MP関節の屈曲が制限されることがあってはならない．

　石黒らの開発した方法，つまり断裂腱を隣接指の健常腱に強固にinterlacing suture法によりend-to-side suture（端側縫合，腱移行術）した 図1 後，術後，患指を健常な隣接指にoverlapさせた位置で手指同士を粘着テープを用いてテーピングを行い，減張位を保持し，術直後から外固定や装具なしで手指の自動屈伸運動を行う方法 図2 について記載する．

Tips コツ
断裂腱を隣接健常腱へend to side sutureすることは以前からよく行われていた手法である．

雑感
患指を隣接指にoverlapさせた位置でテーピングを行って減張位を保つ方法は「親亀の背中に小亀を乗せて，小亀の背中に孫亀乗せて」という感じである．

▶手術方法
　症例を供覧しながら手術方法を記載する．症例は87歳，男性，遠位橈尺関節変形性関節症による環・小指伸

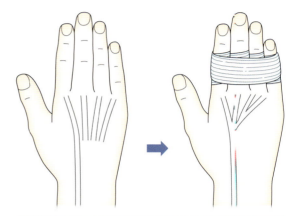

図1　腱縫合の減張位固定の外観

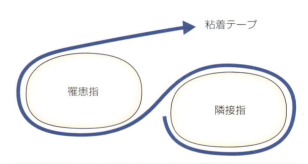

図2　粘着テープを用いて罹患指腱縫合部を減張位に保つために健常な隣接指へoverlap固定を行う．

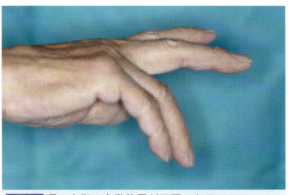

図3　環・小指の自動伸展が不可である．

筋腱断裂例である 図3 ， 図4A, B ．

皮切
　RAによる手関節症やDRUJのOAによる，主に尺側の手指伸筋腱皮下断裂に対する再建術を行うこと，つまりDRUJや尺骨頭に対する処置を行うことが多いので，

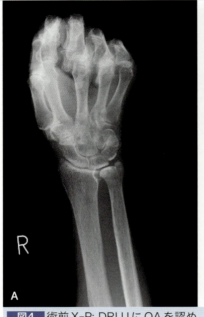
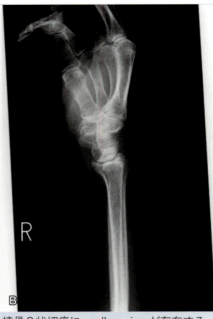

図4 術前X-P: DRUJにOAを認め, 橈骨S状切痕にscallop signが存在する.
A: 正面像　B: 側面像

伸筋腱とDRUJを十分に展開できる皮切が必要となる. したがって, 環指や小指の中手骨部から手関節部中央へ少し橈側に曲げて, 尺骨頭の近位4-5 cmの部までゆるい紡錘状の皮切を加えることが多い 図5 . 皮膚を切離後, 伸筋支帯上に存在する神経や静脈などを一緒に剝離して伸筋支帯を露出する.

展開

第5区画を尺骨の近位に存在するEDM腱を引くことにより, 同定し, 伸筋支帯を切離すると環指伸筋（EDC）腱, 小指EDC腱, EDM腱がDRUJ付近で断裂しているのが確認できた. 橈骨sigmoid notchおよび関節包を破って骨棘が存在し, これらによって断裂したと考えた. 他の区画内の伸筋腱の腱鞘滑膜炎が著明な場合には伸筋支帯を尺側ベースとして有茎に橈側まで翻転して腱の周りの腱鞘滑膜切除を丁寧に行う.

断裂している伸筋腱を近位, 遠位まで周囲組織から剝離して橈側あるいは尺側まで自由度を高くして手関節背側の関節包を広く展開する. RAによる手関節滑膜炎が強い場合には手関節滑膜切除およびDRUJに対するDarrach手術あるいはSauvé-Kapandji手術を行うが, これらについては別項をみていただき, ここでは割愛し, 腱再建についてのみ記載する.

腱移行術

本例では環指および小指のEDC腱およびEDM腱が断裂し, 環・小指の指伸展が不可であった 図6 . 同定した患指の遠位断端部には滑膜の増生とともにヘモジデリン沈着を認め腫瘤を形成していることが多い. 環指・小指の遠位断端を橈側に自由に移行できるように腱剝離を行う. まず, 遠位小指EDC腱の近位端を環指伸筋腱へ3-4回 interlacing suture つまり end-to-side sutureを行う. 腱縫合のtensionは小・環指ともに同じ

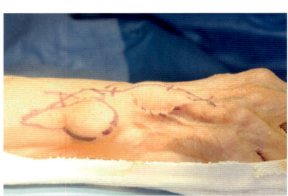

図5 皮切. 手背部に腱断裂端部の滑膜炎による腫瘤（点線円部）と突出した尺骨頭を認める. 皮切については本文参照のこと.

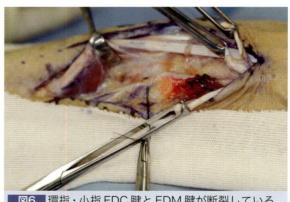

図6 環指・小指EDC腱とEDM腱が断裂している.

位の伸展位とする. 一緒にした小・環指EDC腱を同じように隣接指である中指のEDC腱に interlacing sutureで end-to-side suturesする. この際, 示指から小指を同じ程度の伸展位に保持して, 尺側から橈側へと順に interlacing sutureにより隣接指に腱移行すること

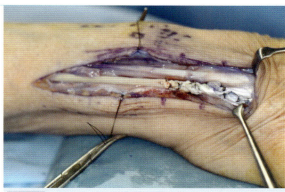

図7 小指 EDC 腱→環指 EDC 腱→中指 EDC 腱へと end-to-side sutures を行った.

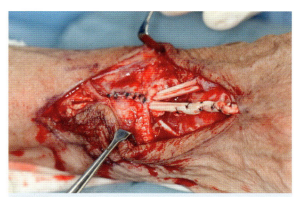

図8 腱移行後，伸筋支帯を閉鎖する.

となる .

> **Tips コツ**
> Interlacing suture は少なくとも 3 回，できれば 4 回にわたり，行うこととしている．一般的に縫合糸は 4-0 または 5-0 ナイロン糸で 8 字縫合により強い縫合が可能となる．

1 指の EDC 腱断裂の場合は橈側隣接指 EDC 腱への移行を行うが，多数指の場合には最尺側指の EDC 腱から順次橈側へと interlacing suture を行う．本例のような環指・小指 EDC 腱断裂の場合，小指 EDC 腱を環指へ縫合し，次いでこの合同腱を健常な中指 EDC 腱へ縫合することとなる．中・環・小指 EDC 腱断裂の場合には，小指 EDC 腱と環指 EDC を移行し，さらにこの合同腱を中指へ移行し，最終的にこれらの 3 つの腱の合同腱を示指 EDC 腱へ interlacing suture することとなる．

健常な隣接指 motor を 1 本化することにより，力源の力の増強を図るために，腱移行部より中枢で側々縫合を行うことがある．

> **Tips コツ**
> しかし，この操作は側々縫合する腱の中枢端の excursion が十分存在していることが必須である．

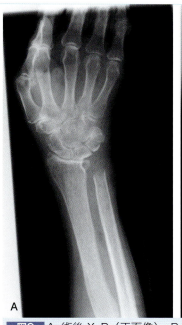
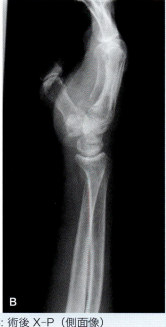

図9 A: 術後 X-P（正面像） B: 術後 X-P（側面像）

図10 中指〜小指まで overlap としてテーピング固定を行う．これにより腱縫合部の減張位を図ることが可能となる．

> **Tips コツ**
> 私は 2 指伸筋腱断裂の場合には本法（石黒法）を好んで用いている（1 指の場合はもちろんのこと）が，3 指断裂の場合は示指 EDC 腱へ 3 本の EDC 腱の合同腱を interlacing suture を行うが腱の太さから厳しいことが多いので本法は余り行っていない．3 指の場合は EIP 腱の腱移行と，本法のような腱移行術を併用していることが多い．

創を十分に洗浄後，伸筋支帯を第 5 区画部で閉鎖する．この際に手関節を伸展・屈曲しても伸筋支帯遠位部で縫合部が引っ掛からないことを確認する．引っ掛かりがあれば伸筋支帯の一部を切離することを要することがある ．本例では Darrach 法を行った 図9A，B．

▶後療法

ここからが本法の特徴である．術直後から，尺側指から順に橈側指へ overlap させた位置でテーピングによる固定を行う 図2．つまり，中指〜小指までの腱断裂で

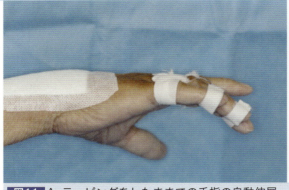
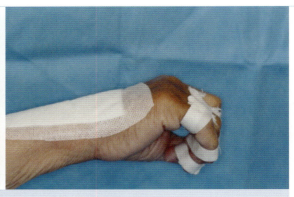

図11 A: テーピングをしたままでの手指の自動伸展
B: テーピングをしたままでの手指の自動屈曲

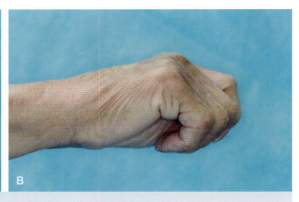

図12 A: 術後2カ月での手指の自動伸展
B: 術後2カ月での手指の自動屈曲

はまず小指を環指へ固定し，次に中指へとテーピング固定し，減張位を保持する 図10 ．そしてテーピングしながら，術直後から手指の自動屈伸運動を開始し，テーピングは術後6週間続ける 図11A, B ．この間，術後4週目からテーピングfreeとして自動屈伸運動を行い，夜間のみ固定する．

Tips コツ

MP関節のみでなくPIP関節の自動屈伸運動を許可しているが，指の長さの関係でテーピングが邪魔になり，完全に屈曲ができないのはやむを得ないと考える．

夜間はテーピングを外して（皮膚の問題をさけるため），手関節軽度背屈位，手指MP関節0°から軽度屈曲位，PIPおよびDIP関節伸展位で副子固定することが多い．

図12A, B は術後2カ月の手指の屈伸状態である．

■ 文献

1) 石黒 隆，池上博泰，伊藤恵康，他．手指伸筋腱皮下断裂に対する再建法―減張位超早期運動について―．日手会誌．1989; 6: 509-12.
2) 石黒 隆，池上博泰，伊藤恵康，他．手指伸筋腱皮下断裂および指屈筋腱損傷に対する治療上の工夫―減張位超早期運動について―．日手会誌．1990; 7: 594-8.
3) Ikegami H, Ishiguro T, Moriuchi U, et al. Tension-reduced early mobilization for ruptured tendon in the rheumatoid hand. J Jpn Soc Hand. 1998; 14: 871-5.

CHAPTER 6: 腱—腱断裂

110 ZoneⅡにおける新鮮屈筋腱損傷に対する修復術

　ZoneⅡ（いわゆる no man's land）における指屈筋腱損傷は昔から手の外科領域における最も重要なトピックスの一つである．とくに以前は zoneⅡ が no man's land と称されていることからもわかるように，zoneⅡ 内での新鮮屈筋腱損傷に対しては直接 end-to-end suture せずに no man's land 外の近位と末梢で腱縫合する遊離腱移植術を行うべきとされていた．つまり，腱そのものに intrinsic healing potential（自己治癒能力）が存在しないことによるとされていた 図1．

　しかし，その後，腱そのものが intrinsic healing potential を有していることが実験的および臨床的に明らかとなることにより no man's land は someone's land, anyone's land となり，今は everyone's land となっているといっても過言ではない．

　ZoneⅡにおける新鮮屈筋腱に対する修復術について，私は現在のトピックスは2つと考えている．（1）腱の血行をできるだけ損傷しないような強い tensile strength（引っ張り強度）を有する縫合法，（2）屈筋腱縫合後の早期自動屈曲・伸展運動の2つである．

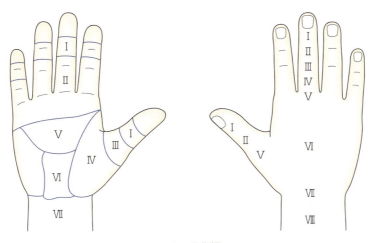

Verdan の分類

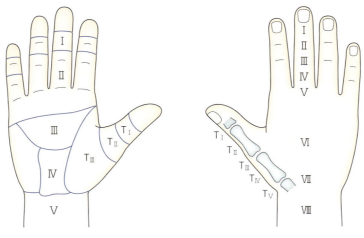

国際分類

図1 腱損傷部位の分類

▶手術解剖

Zone Ⅱ内には浅指屈筋（FDS）と深指屈筋（FDP）腱の2本が近接して走行しており，zone Ⅱは A1 滑車の近位縁から中節部の FDS 腱の停止部までが含まれる．

図2 が屈筋腱の腱鞘構造［輪状滑車（annular）と十字滑車（cruciate）］であり annular pully として A1 から A4 まで，cruciate pully としては C1 と C2 の2つが zone Ⅱとなる．

Zone Ⅱにおける腱への血行は腱紐（vinculum）であり，背側から腱内へ入る 図3 （他項目参照のこと）．

> **Tips コツ**
> このことは血行の関係から腱の掌側部に core suture を設置すべきであることを示唆している．この件に関しては詳しく後述する．

▶腱縫合時の注意事項

1．腱の把持

腱の把持（噛み）は腱の横幅，厚さのそれぞれ 1/3 程度とする．厚すぎると腱の血行を障害することとなるし，噛みが少ないと断裂をきたすこととなる．

2．腱の接合

腱の断端を膨らませずにぴったりと接合しないと接合部が腱鞘に引っかかり腱のスムーズな滑動が制限されるため，連続縫合により腱のまくれ込みなどを防止する必要がある．

3．腱の血行

腱の血行の大部分は背側の腱紐からの血管の侵入によるものであるので，比較的掌側は血行が少なく，滑膜により栄養されている．したがって，ループ状ナイロン糸は掌側 1/3 部に掛けるべきである．

▶腱縫合

古くから多くの縫合法が提唱されている．以前は腱の血行が重要視されたことや術後一定期間（多くは 3-4 週間）外固定することが一般的であったこともあり，腱断端間を通過する縫合糸の数（strand）を少なくすべきとの傾向があった．その後，腱縫合部の tensile strength（引っ張り強度）は縫合部を通過する縫合糸の数に比例するということが判明し，最近では 6 strands，つまり縫合部に 6 本の縫合糸を通過させることが一般的と考える．

最近，比較的よく用いられているいくつかの基本的な腱縫合法を記述する．

(1) 津下法 Intratendinous tendon suture

図4 のように腱縫合用ループ状ナイロン糸付き針を用意する．太さは 3-0，4-0，5-0，6-0 の 4 種類があるが，成人に対しては 4-0 ループ状ナイロン糸を用いるのが一般的である．小児の場合には 5-0 ナイロン糸を用いることもある．津下は当初は 1 本のループ状ナイロン糸を用いた，いわゆる single loop suture としていたが，その後，図5 のように double loop suture として用いていると報告している．図5 は津下法による double loop suture 法に加えて，最後に 7-0 あるいは 8-0 ナイロン糸を用いて腱縫合部に連続縫合を追加し，腱断端のまくれ上がりなどを防いで接合状態を良好にするとともに，回旋を防止する目的で行うこととしている．最近ではこの連続縫合そのものも tensile strength

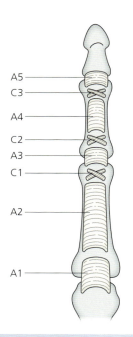

図2 指屈筋腱腱鞘構造

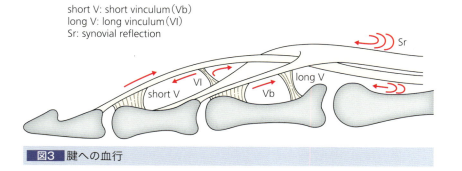

図3 腱への血行

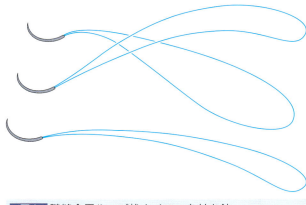

図4 腱縫合用ループ状ナイロン糸付き針

図8 double strand with two needles

を強化する能力があることが判明している．

　津下法の利点としては，①腱の intrinsic healing potential を最大限とするために，断端の血行を障害することが少なく癒合を促進し，ひいては癒着を軽減させることができる．②操作が従来の方法に比べるときわめて簡便で，手術時間の短縮が可能となる．③腱を近位あるいは遠位に牽引することにより，腱鞘を損傷することなく，腱鞘内縫合も可能となり，腱の癒合および癒着の防止に役立つ可能性が高いなどであり，非常に有用な方法である．

(2) Kessler 法（Kessler 変法）

　Kessler 法 **図6** は腱縫合部が腱外となるが，その変法である Kessler 変法 **図7** は腱縫合部内に腱縫合部が埋没する形となり，最近ではほとんど変法が好んで用いられている．2つの図は single suture としているが津下のループ状ナイロン糸を用いて 4-strands にすることも行われる．

(3) 吉津法

　吉津らは Yoshizu I 法および Yoshizu II 法を報告しており，きわめて強い縫合部での tensile strength を得ることに成功している．津下はループ状ナイロン糸付き針を用いているが，吉津はナイロン糸の両端に針を有する double strand with two needles を開発し用いている **図8** ．Yoshizu I 法は Kessler 変法に津下法を組み合わせたもの **図9** であり，Yoshizu II 法は triple looped suture 法であり，津下法での縫合を3本にわたって行うものである **図10** ．

　私は多くの場合，Yoshizu I 法を好んで用いている．

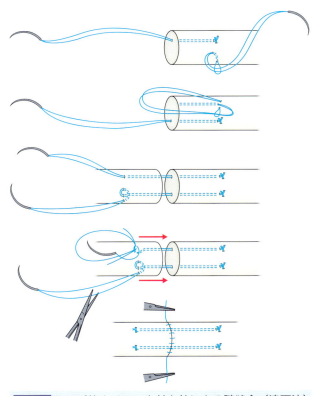

図5 ループ状ナイロン糸付き針による腱縫合（津下法）

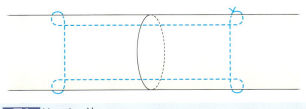

図6 Kessler 法

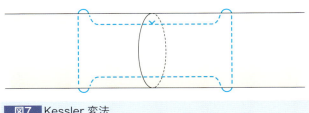

図7 Kessler 変法

▶後療法

　屈筋腱損傷修復後の後療法は腱の縫合法とともに術後成績を左右するきわめて重要な要素である．前にも記載したが，従来は術後一定期間，手関節屈曲・手指屈曲位にて，つまり腱縫合部に緊張が掛からない肢位での背側ギプス副子固定を 3-4 週行い，その後，徐々に可動域訓

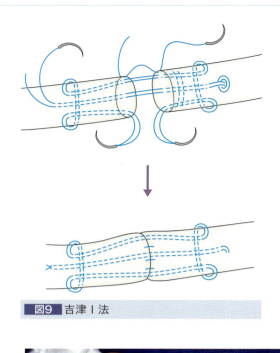

図9 吉津I法

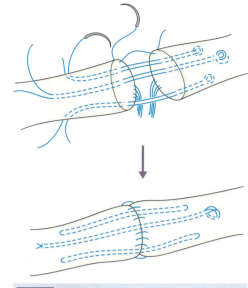

図10 吉津II法

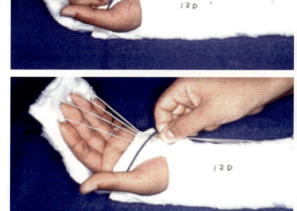

図11 Kleinert法

練を行っていた．しかし，手指関節の拘縮や癒着が必発であり，これらを改善するために長期間のリハビリテーションを要したり，成績が一定でないなどの問題が絶えず存在していた．

　Kleinertはzone IIでの屈筋腱修復（一次修復）後の後療法として，手関節45°屈曲，MP関節20°屈曲，IP関節0°屈曲の肢位で背側副子を装着し，爪にhookを掛け，それに絹糸を掛け輪ゴムで伸ばし，MP・IP関節ともに中等度屈曲位に保ち，前腕屈側の包帯に安全ピンを用いて止めることとする，いわゆるKleinert法を開発した．術後2-3日後から指の自動伸展を開始し，指の背側が背側副子に触れるようにする 図11． 図11 は背側副子を装用してactive flexion holdと自動伸展を行っているところである．変法として図のように糸がbow stringingとなることを防ぐためにmetacarpal bar（MP関節掌側にpully）を装着しIP関節の自動屈曲を増強することとしている．

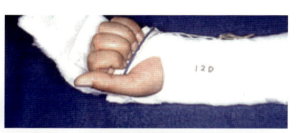

> IP関節の自動伸展により虫様筋が収縮し，その結果，FDPが伸長して弛緩する．つまり同時収縮しないことと他動屈曲により虫様筋が弛緩し，ゴムの弾性でIP関節は他動屈曲し，総指伸筋が伸長するという理論によりKleinert法の有用性が説明されている．

　私は新潟手の外科研究所方式を術後療法として採用している．ただし，いろいろと変遷していることを念頭に入れていただきたい．要点を記載する．

1. 手関節0-10°屈曲，MP関節30-70°屈曲，IP関節0°の肢位で背側副子を装用し，術翌日よりリハビリテーションを開始する．
2. 術後，1週くらい頃にはpassive flexion-active press and hold techniqueを中心にisometric

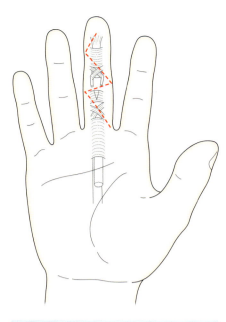

図12 皮切

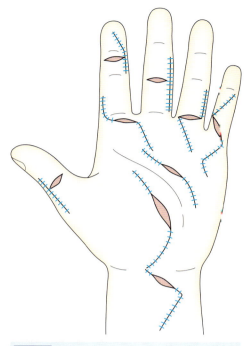

図13 皮切

exerciseを追加する．大体1日3-4回，15-30分程度行う．Passiveに指を作業療法士（または術者）が優しく保持してこの肢位を保つように命じる．しかし，強くactive flexionすることは厳にしないように指導することが重要である．これは作業療法士の監視下で行う．

3. 術後1週を過ぎるとこれらに加えて自動屈曲も次第に加えていくこととしている．
4. 3週を過ぎると副子を外して自動運動を行うこととし，夜間副子は継続する．6週となると基本的にはfree motionとして12週からは負荷を徐々に加えていくこととしている．
5. 術後成績を悪化させる因子はPIP関節を中心としてIP関節の伸展制限・屈曲拘縮である．一度，発生した屈曲拘縮を矯正することは容易ではないことより，早期から作らないこと，万一，生じた場合には早めに矯正するようにすることが重要である．したがって，MP関節を過屈曲してIP関節を伸展するDuran法や夜間副子装用中に静的にIP関節伸展位に保持するようにするなどの工夫が必要と考えている．

> **Tips コツ**
> 医師が患者に対して入院中あるいは外来で付っきりでリハビリテーションを実際に行うことは現実的にはできないので，有能な訓練されたhand therapistが在籍していることが必須である．

▶Zone Ⅱ 新鮮屈筋腱損傷に対する修復術

皮切

創を利用して 図12 のように将来的な創瘢痕による指の屈曲拘縮を避けるためにジグザグ切開を加える 図13 ．

> **Tips コツ**
> 三角皮弁の頂点を余りにも深く背側までに加えると指神経などを損傷するおそれがあり，皮弁の角度を鈍にすると直線的となるので注意を要する．掌側からみて，三角皮弁の頂点が丁度みえる程度が最も妥当な位置と考える．

展開

指の中央部で皮弁を橈・尺側に屈筋腱腱鞘上で翻転する．腱鞘は断裂しており，屈筋腱は腱鞘内で空虚となっており血腫を認めることが多い．腱鞘断裂部を中心に腱縫合部，再閉鎖できるように一部腱鞘（annular）を残して切離・翻転して断裂している屈筋腱の断端を露出する 図14 ．

> **Tips コツ**
> 腱鞘の切離・切除は最小限とすべきである．

腱が中枢へ退縮している場合には，手指を屈曲して手掌部分を術者の指で近位から遠位へ押す（milking）ことにより術野に露出させる．遠位への断裂腱の退縮はそれほどでもないことが多いので，指を屈曲することにより断端を術野に露出することはそれほど難しくはないことが多い．

腱縫合

図15 は腱縫合を終えたところである．ここでは津下のdouble loop sutureを行ったところであるが，前記したように吉津Ⅰ法なども同じように縫合可能である．縫合終了後，腱鞘を可及的閉鎖する 図14 ．

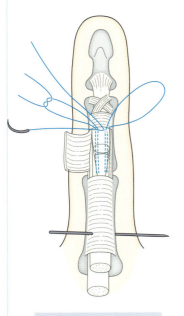 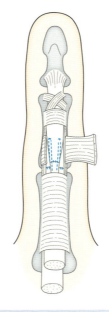 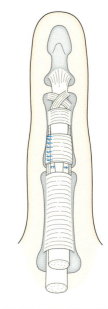

図14 腱鞘の切離翻転 図15 腱縫合が終了したところ 図16 腱鞘の縫合閉鎖

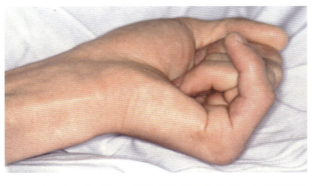 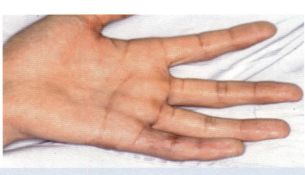

図17 小指屈筋腱断裂例．受傷後64日目で受診した

　FDPおよびFDSの両腱が断裂している場合，両腱とともに縫合するのが最も理想的である．しかし，腱が腫大して両腱を縫合することにより癒着が危惧される場合にはFDS腱を引き抜いてFDP腱のみの縫合にとどめることも少なくない．Zone II内でも遠位での損傷の場合はFDS腱を腱交叉により2つに分かれているので7-0ナイロン糸による数個の結節縫合またはマットレス縫合を行うことでよい 図15 ．近位での損傷の場合はFDS腱もFDP腱と同様に通常の腱縫合を行うべきである．

術後療法は前記した方法に準じる．

▶症例提示

　症例は切創による小指屈筋腱断裂である．受傷後64日目で受診しており，いわゆるdelayed primary sutureの範疇に入る症例である 図17 ．小指の場合，本来的にFDS腱の形成不全が存在していることがあるのでFDS腱が断裂しているかどうかの判断は難しいことも少なくない．

　小指FDP腱は完全に断裂し，FDS腱はradial slipの腱のみが断裂しており，ulnar slipはintactであった 図18 ．FDS腱には7-0ナイロン糸を用いた3個のマットレス縫合を行い，FDP腱に対しては4-0ナイロン両端針を用いた吉津I法で腱縫合を行った 図19 ．術後2日目より背側副子装用下に自動屈曲運動を開始した 図20 ．術後6カ月の状態である 図21 ．小指の%TAM(total active motion)は健側の87%でありgoodの成績であった．

> **Tips コツ**
> 腱縫合後，腱が腫大したりしているため腱鞘を完璧に閉鎖することは困難であることが多いが，roughでも構わないので腱の表面を可及的に覆うようにすべきである．

> **Tips コツ**
> 腱の断端が術野に露出したら，再び腱が退縮するのを防ぐために 図14 のように皮膚を通して腱の中央部へ直針（注射針#22）を刺入する．

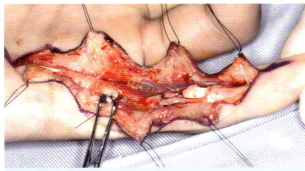

図18 小指FDP腱は完全に断裂している

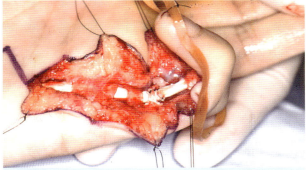

図19 FDP腱に対しては吉津I法で腱縫合を行った．FDS腱は3個のマットレス縫合を行った

図20 術後2日目より背側副子装用下に自動屈曲・伸展運動を開始した

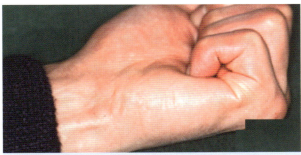
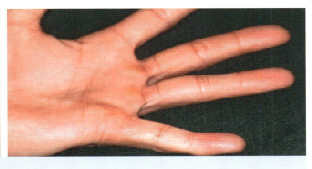

図21 術後6カ月．成績はGoodであった

■文献

1) Doyle JR. Anatomy of the flexor tendon sheath and pully system. J Hand Surg [Am]. 1988; 13: 473-84.
2) Kessler I, Nissim F. Primary repair without immobilization of flexor tendon devision within the digital flexor sheath. Acta Orthop Scand. 1969; 40: 587-601.
3) Kusano N, Yoshizu T, Maki Y. Experimental study of the two new flexor tendon suture technique for postoperative early active flexion exercises. J Hand Surg [Br]. 1999; 24: 152-6.
4) Lindsay WK, McDougall EP. Digital flexor tendons. Brit J Plast Surg. 1961; 13: 293-304.
5) Mason M, Shearon CG. The process of tendon repair. Arch Surg. 1932; 25: 615-92.
6) 三浪明男．腱損傷．屈筋腱．In; 三浪明男 編．手・肘の外科：カラーアトラス．東京：中外医学社; 2007. p.260-4.
7) Peacock EE. Repair of Tendons. Surgery & Biology of Wound Repair. Saunders; 1970. p.331.
8) Potenza AD. The healing of autogenous tendon grafts within the flexor digital sheath in dogs. J Bone Joint Surg [Am]. 1964; 46: 1462-84.
9) Tsuge K, Ikuta Y, Mitsuishi Y. Repair of flexor tendons by intratendinous suture. J Hand Surg. 1977; 2: 436-40.
10) 吉津孝衛．「ノーマンズランド内指屈筋腱断裂の治療」腱手術後の早期運動療法．日手会誌．1992; 8: 857-61.
11) 吉津孝衛，牧 裕，田島達也，他．早期自動屈曲療法のための新しい屈筋腱縫合法の試み．日手会誌．1997; 13: 1135-8.
12) 吉津孝衛，牧 裕，坪川直人，他．ZoneIIでの両屈筋腱断裂一次修復への早期自動屈曲・伸展複合療法後の不良例の検討．日手会誌．2005; 22: 654-7.

CHAPTER 6: 腱—腱断裂

111　陳旧性屈筋腱損傷に対する遊離腱移植術，腱剥離術

　Noman's land（Zone Ⅱ）における屈筋腱損傷に対して，従来は遊離腱移植術がもっぱら行われていたが，腱そのものに自己修復能が存在していることが明らかになって以来，direct suture（直接縫合）が盛んに行われており，良好な成績が得られるようになっている．したがって，屈筋腱損傷に対する遊離腱移植術を行う機会は極端に少なくなってきている．本項では陳旧性屈筋腱損傷に対する腱移植術とその後，発生するであろう腱癒着に対する腱剥離術の実際について記述する．

▶陳旧性屈筋腱損傷に対する治療原則

　（1）術前に関節を supple としてできるだけ拘縮を除去しておく必要がある．したがって，拘縮が残存している場合には矯正副子，関節包解離術，皮膚形成術などをあらかじめ行い拘縮を除去する．

　（2）腱の滑動範囲（excursion）に存在する瘢痕組織は腱滑動に障害をもたらす可能性があるので取り除く．

　（3）腱断端の minimum debridement 後，端々縫合（end-to-end 縫合）ができなければ遊離腱移植を行うこととする（多くの場合，損傷腱の端々縫合はできない）．

　（4）腱移植部周囲に強い瘢痕組織などが存在している場合には一次的遊離腱移植術は断念し，まず，人工腱 silicone rod（Hunter tendon）を挿入して，偽腱鞘を作成させた後に二次的腱移植を考慮する．

▶遊離腱移植術

　先にも記述しているが，陳旧例においては end-to-end 縫合が可能なことはきわめて稀である．したがって，一般的には遊離自家腱移植術が行われる 図1．（腱および腱鞘の解剖については別項目参照のこと）．

　（1）皮切は Bruner の指掌面の zig-zag incision あるいは Bunnell の指側面の midlateral incision を用いる．一般的には腱に対する操作の容易さから zig-zag incision が好んで用いられている．

　（2）断端部の位置を確認したら，当該部の pulley を最小限に L 字弁状に切離翻転して腱を露出する．腱両断端部に 4-0 nylon loop 針をつけて，腱鞘内を通す際のガイドとすると腱を通過させるのに有効である．

　（3）浅指屈筋（FDS）腱の PIP 関節部での腱交叉部は

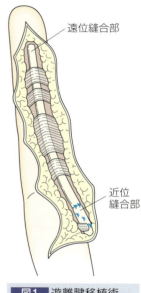

図1　遊離腱移植術

深指屈筋（FDP）腱の gliding floor として重要であるので温存することとする．

　（4）移植腱の donor としては長掌筋腱（採取方法については別項目参照のこと）が同一術野からの採取が可能であることより広く用いられているが，指によっては少し太過ぎて腱鞘内を通すことができないことがあり，そのような場合には足底筋腱を好んで用いている 図2．

　（5）遊離腱を温存した pulley（できるだけ A2 と A4 pulley は残すこととする）内を通過させる．この際に pull-out wire を腱末梢断端に縫合して，これをガイドとして腱鞘内を通過させると容易である．

　（6）まず，遊離腱の遠位端を pull-out wire 法により末節骨へ引き込み，FDP 腱の末梢端を overlap して縫合する 図3．私は，最近，移植腱の末梢断端縫合は別項目に記載している Transverse Interosseus Loop Technique（TILT）法を好んで用いている．

　（7）遊離腱の近位端を縫合してからでは，指掌部の皮切を縫合することが困難となるので，この時点で指掌部の皮切を閉鎖縫合しておく．

　（8）近位断端の縫合位置を決定する．隣接指の屈曲より少し強めの緊張となるように FDP 腱へ interlacing suture を行う．縫合部を虫様筋で一部被覆することもある 図4．緊張度を自由に決定できるということで石井の方法で縫合することもある 図5．縫合の緊張は

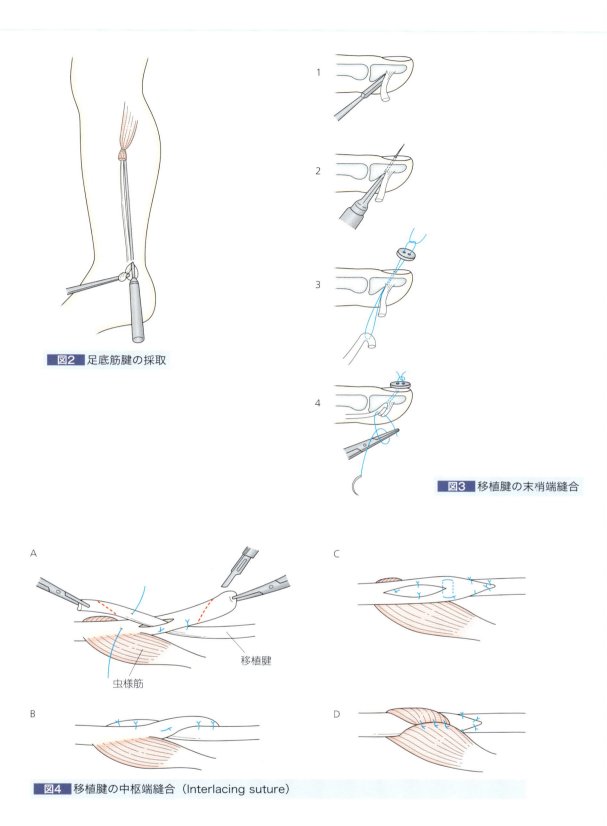

図2 足底筋腱の採取

図3 移植腱の末梢端縫合

図4 移植腱の中枢端縫合（Interlacing suture）

術後の可動域にとって非常に重要である．臨床的には遠位手掌皮線上に棒を立てて，この棒に指腹部が触れる程度の緊張とする．

▶Second stage tenoplasty

腱移植すべき gliding floor や腱鞘に広範囲な強い瘢痕が存在している場合には，遊離腱移植術により良好な成績が期待できないことにより two-stage tenoplasty が行われる．初回手術時には人工腱 silicone tendon spacer（Hunter tendon）を腱鞘内に通して，遠位は FDP 腱末梢端に固定し，人工腱の近位端は手関節を越えて前腕部に遊離の形で留置する．この際，指の屈曲に引っ掛かりがなく自由に前腕筋腔を移動することを確認することが重要である　図6．人工腱の自由な移動によって偽腱鞘が作製されることになる．人工腱はできるだけ太いもの（5 mm 直径）を使用することとする．以上で first-stage operation を終了し，その後，創が落ち

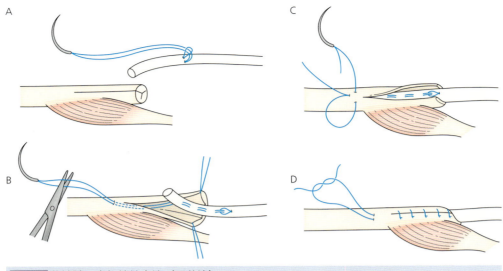

図5 移植腱の中枢端縫合法(石井法)

着いてから手指を他動的に動かし,人工腱が折れ曲がり kinking することなく,前腕遠位において近位・遠位に自由に移動していること,および遠位部で断裂せずに人工腱が存在していることを X 線写真(人工腱は X 線不透過性である)により時々確認することとする.

2〜3 カ月後に second-stage operation として人工腱を切除して遊離移植腱に置換する.この際に形成された偽腱鞘内を通過させ,自由にひっかかりがなく動くことを確認する.一般的には指尖から前腕遠位部までの long tendon graft を行う.移植腱としては以前にも記載しているが,できるだけ細い足底筋腱を好んで用いている.

▶後療法

遊離腱移植術後の後療法については従来は 3 週間の外固定をルーチンに行っていたが,直接修復後とほぼ同様に早期運動療法(別項目参照のこと)を行う傾向が強い.

それ以外の腱修復の方法としては,腱鞘が破壊されていて second-stage operation を行うことも困難な症例においては骨付き血管柄付き腱移植術を行う施設もあるが,一般的ではない.

▶腱剥離術

腱修復そのものに大きな欠陥がないと考えられる場合,つまり癒着は存在するが腱そのものの連続性は確保されている場合で,術後 6 カ月での成績が不良な場合が腱剥離術の適応と考えられる.したがって腱そのものの連続性がなかったり,腱に正常な光沢がなく弾性がない場合には腱剥離術による良好な成績はほとんど期待できない.

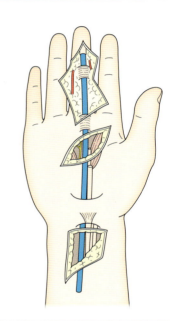

図6 Seocond-stage operation. Hunter tendon の挿入

> **Tips コツ**
> 手術時には人工腱を用いる second stage tenoplasty の可能性について説明しておくべきである.

手術はより atraumatic な操作が必要である.手術ももちろん重要であるが,術後療法はより重要である.筆者の施設では手関節に持続チューブを挿入し,局麻剤を投与して除痛効果を得て自動屈曲・伸展させることとしている.

原則として Foucher の後療法に準じて行っている.つまり,

(1) 術翌日より開始(Foucher は術後 2 日目より開始すると記載している).

(2) 自動および他動伸展を行う.

(3) 手関節から MP 関節および IP 関節すべてを屈曲

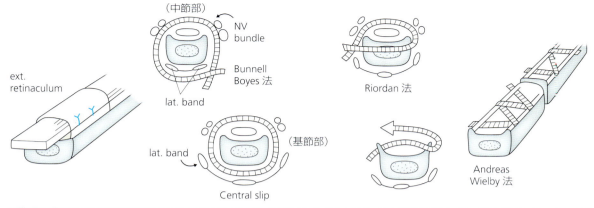

図7 Pulley の再建法

位として 3 週間 splint を使用して 5 週目より全ての関節を伸展位にて夜間副子固定とする.

（4）1 時間ごとに splint を除去して 3〜4 回練習することとしている.

▶Pulley 再建

Pulley は有効な指関節の可動性を得るためにその存在は必須である. 広範囲な腱剥離術が必要となった場合には時として pulley を温存することが困難なことが少なくない. そのような場合には効率的な可動域を得るために最低限 A2 と A4 の両方の pulley は再建すべきである. Pulley の再建には 図7 のように，伸筋支帯，隣接指の pulley の一部，長掌筋腱などを用いたいろいろな方法が報告されている.

■ 文献

1) Hunter JM, Salisbury RE. Flexor-tendon reconstruction in severely damaged hands. A two-stage procedure using a silicone-dacron reinforced gliding prosthesis pr or to tendon grafting. J Bone Joint Surg [Am]. 1971; 53A: 829-58.
2) 三浪明男. 腱損傷, 陳旧損傷. In: 三浪明男編. カラーアトラス: 手・肘の外科. 東京: 中外医学社; 2007; p.272-6.
3) Samora J. Flexor tendon reconstruction. J Am Acad Orthop Surg. 2016; 24: 272-6.

CHAPTER 6: 腱—腱断裂

112 Zone I 深指屈筋腱 avulsion に対する腱前進術

末節骨への深指屈筋（FDP）腱の avulsion（剥離）により DIP 関節の屈曲が不可となるものであり，指を屈曲位で物を摘み，強く伸展が強制された際に発生することから"ジャージ損傷"と言われている．

受傷機転が切創により FDP 腱のみが断裂することも多い．

コツ

したがって手指の中で一番長い中指にもっとも多く発生する．

▶手術適応

受傷後 2 週以内の場合，断裂した FDP 腱の再接着（端端縫合）が可能である．とくに腱紐（vinculum）が損傷を免れた場合には端端縫合が可能である．FDP 腱を遠位まで剥離して末節骨に縫合可能であれば腱前進術の適応となる．しかし，端端縫合が困難な時期となると遊離腱移植術（Pulvertaft 法），DIP 関節固定術，DIP 関節腱固定術（別項目参照のこと）が適応となる．Pulvertaft 法を選択する場合には良好な機能を有している PIP 関節の機能を喪失する可能性があることや術後の長期間にわたるリハビリテーションを要することなどについての IC（インフォームド コンセント）が必要である．

▶術前検査

X-P で DIP 関節での剥離骨片が存在することがあり，骨片の位置により FDP 腱の末梢端がどの位置まで退縮しているかを判断できることがある．超音波検査や MR 検査にても腱の状態や断裂腱の位置を把握することが可能である．

▶手術解剖

指屈筋腱の zone I は中節骨の中 1/3 部の浅指屈筋（FDS）腱の停止部の遠位であり，この部には FDP 腱，C3，A5 滑車が含まれている 図1．FDP 腱は深長腱紐，深短腱紐，骨性停止部の末節骨から血液供給を得ている 図2．

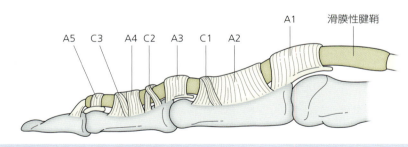

図1 指屈筋腱とその腱鞘の解剖

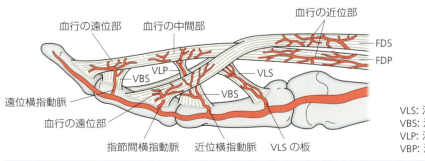

図2 FDP 腱への血液供給

VLS: 浅長腱紐
VBS: 浅短腱紐
VLP: 深長腱紐
VBP: 深短腱紐

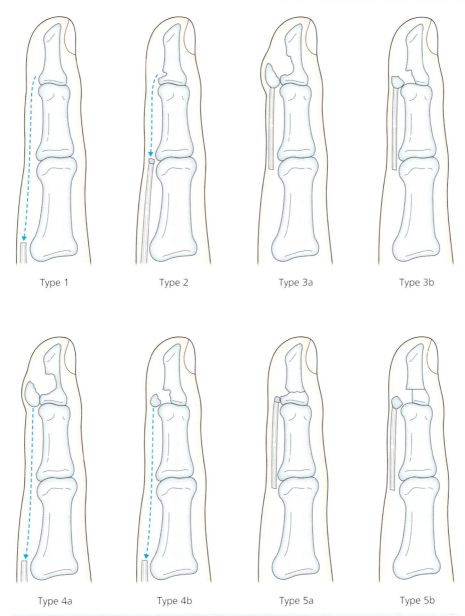

図3 FDP 腱の avulsion 損傷の分類（Leddy & Packer）

▶分類

Leddy と Packer は本症を5つのタイプに分類している 図3 ．Type 2 が最も頻度が高い．

▶手術

皮切

手指掌面の PIP 関節から DIP 関節にかけて Bruner のジグザグ皮切を加え，指腱鞘を露出する．FDP 腱の骨片あるいは遠位端が近位まで転位している場合にはジグザグ皮切を近位まで伸ばす必要がある．手掌面，つまり A1 滑車を露出する場合には遠位手掌皮線部に皮切を加えることもある 図4 ．

展開

腱鞘を通して FDP 腱の末梢端（骨片が付いている場合もある）を同定する．A2 滑車は比較的幅が長いので部分的に切離することが多い．遠位端の停止部では，修復には不適当な萎縮した腱成分をみることが多い．

腱の近位端を引いて十分な excursion が存在していることを確認する．縫合に十分な excursion が存在していることを確認後，FDP 腱を手掌まで引いて，FDS 腱との癒着を剝離する．FDP 腱を腱鞘内を無傷でできるだけ通して遠位に引く．

腱縫合

細い feeding カテーテルを A2 滑車を通して手掌部まで通して，それに近位の FDP 腱を水平マットレス縫合にて縫合し，腱をやさしく腱鞘内を通して遠位皮切に引き出す 図5 ．手関節を屈曲し FDP 腱の緊張を減弱することにより遠位皮切に腱を引き出す．

剝離損傷が存在している場合には，直接的な腱形成は不能であり，ボタンを用いた pull-out wire 法にて腱を

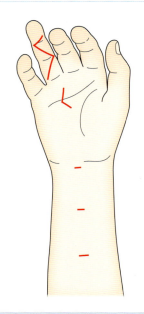

図4 FDP腱露出のための皮切

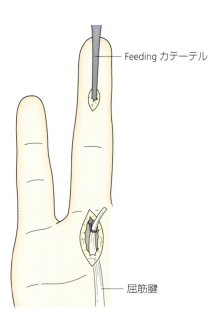

図5 FDP腱を腱鞘内に通して遠位へ引き出す

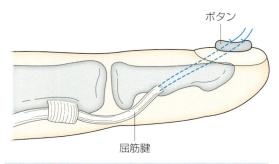

図6 pull-out wire法によるFDP腱の同定

末節骨へ固定する．遠位の残存している腱および瘢痕を切除して末節骨の掌側基部を露出し，骨皮質を切除して海綿骨を露出する．Bunnell法によるジグザグ縫合（3-0非吸収糸を用いて）を腱の遠位端を通して加え，Keith注射針を末節骨掌側近位から爪の爪母を損傷しないように指の爪甲，つまり背側に刺入し，FDP腱の遠位端の縫合糸の断端をこのKeith注射針の中を通して，爪甲上に引き出す．十分な緊張下で爪甲上でボタンを用いて強固に縫合する **図6** ．縫合法については別項目（transverse interosseous loop technique法）を参照のこと．

▶後療法

　手関節を20-30°屈曲位，罹患指のMP関節60°屈曲位にて背側ブロック副子固定とする．4週間，副子固定と，この間，DIP関節の他動屈伸運動を開始し，4週後から次第に自動屈曲運動を開始し，8週でボタンおよび縫合糸を抜去し，次第に負荷をかけるように運動する．最近では術後早期から自動屈伸運動を加速している．

■文献

1) Leddy JP, Packer JW. Avulsions of the profundus tendon insertion in athletes. J Hand Surg. 1977; 2: 66-9.
2) 三浪明男．腱損傷．屈筋腱．In: 三浪明男編．手・肘の外科：カラーアトラス．東京: 中外医学社; 2007．p.260-4.
3) Sourmelis SG, McGrouther DA. Retrieval of the retracted flexor tendon. J Hand Surg [Br]. 1987; 12: 109-11.

CHAPTER 6: 腱—腱断裂

113 Zone I 深指屈筋腱断裂に対する腱固定術

Zone I 深指屈筋（FDP）腱断裂に対する手術方法としては他項に記載している腱縫合術，腱前進術や遊離腱移植術に加えて FDP 腱の腱固定術 tenodesis がある．腱固定術には 2 つの方法がある．1 つは中節骨掌側に FDP 腱末梢端を固定する静的腱固定術 static tenodesis ともう 1 つは FDP 腱を残存する浅指屈筋（FDS）腱に固定する動的腱固定術 dynamic tenodesis である．一般的には静的腱固定術が行われることが多い．

▶手術適応

Zone I での陳旧性 FDP 腱損傷で，患者は中・高年齢者であり，腱縫合術，腱前進術や腱移植が実施困難な場合が手術適応である．しかし，繊細な手指の動作を要する場合には適応がない．

> **Tips コツ**
> 腱移植術（Pulvertaft 法）の技術的困難性および術後成績の不安定性，さらに効いている FDS 腱との癒着の可能性などのおそれのために腱固定術が以前はかなり幅広く行われたが，最近は腱移植術の技術が安定化したことと，術後早期運動療法による成績の向上などが得られるようになったこともあり，腱移植術が好んで行われる傾向がある．

▶静的腱固定術

DIP 関節の掌側 distal finger crease を中心にジグザク切開を加え，FDP 腱が断裂し，かつ FDS 腱は無傷であることを確認する．図1A のようにノミを用いて中節骨掌側骨皮質の一部，つまり腱固定を行う部位を row surface とする．以下に古典的な方法を紹介する．次いで，骨錐を用いて中節骨背側骨皮質まで pull-out wire を通す穴（骨孔）を作成する 図1B．DIP 関節を良肢位屈曲位として K 鋼線を刺入した後，No. 34-36 軟鋼線を通し，末梢腱を損傷した掌側骨皮質内に引き込むように固定する 図1C．この際，ワイヤーを通す部位は少し末梢よりとして，固定時，腱に緊張を与えるようにすることが重要である．最終的に指背にボタンを設置して pull-out wire 法を行う 図1D．図では指背にボタンを設置しているが皮膚圧迫によるトラブルを避ける目的で骨上に置くことが多くなっている．

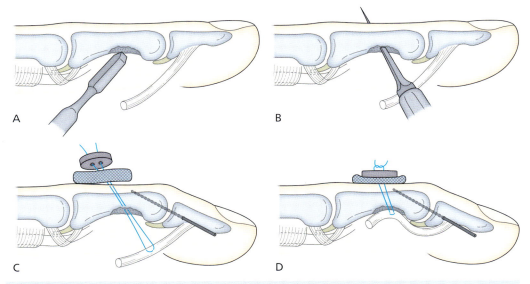

図1 静的腱固定術
A: ノミで中節骨掌側骨皮質を row surface とする
B: 骨錐で背側まで骨孔を作成する
C: 腱末梢端を損傷皮質内に引き込む
D: pull-out wire 法を行う

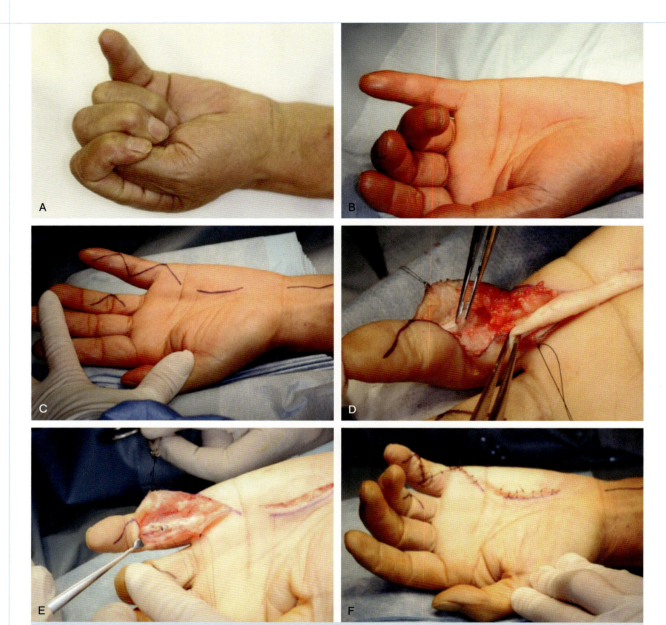

図2 63歳，男性．小指FDP腱断裂，尺側指神経損傷例
A: 小指MP関節の屈曲は得られている
B: しかし，小指PIP及びDIP関節の自動屈曲は得られていない
C: 皮切．環指の皮切はFDS腱の腱移行術を当初予定していたためである
D: FDP腱を引くとDIP関節のflexionが得られた．FDP腱は完全に切れていた．術中，FDS腱はintactであった
E: 吉津法にてdynamic tenodesisを行った
F: 創を閉鎖した

> **Tips コツ**
> 上記方法では腱の骨への固定法としてpull-out wire法を採用しているが，最近では骨皮質をrow surfaceとした後，mini-bone suture anchorを用いて腱固定術を行うこととしている．

後療法として，ボタン除去は4週後とし，K鋼線は6週で除去する．

▶動的腱固定術

FDP腱の末梢端をintactなFDS腱に縫合する方法である．症例は63歳，男性である．6カ月前に小指掌側PIP関節部の切創をナイフで受けた．1カ月後に病院を受診したが，小指尺側の知覚障害とともに小指のDIPおよびPIP関節の屈曲が不可であった．これらの結果より小指屈筋腱（FDP・FDS両腱）断裂および尺側指神経損傷の診断のもと，手術を勧めたが，仕事の都合でどうしても手術ができないとのことで，結局受傷から6カ月後に手術を行うこととなった．術前診断は初診時と同様であり，小指はPIPおよびDIP関節とも屈曲は自動的には得られなかった 図2A, B．

まず 図2C のように小指掌側にジグザク切開を加えた．切創部は非常に強い癒着が存在していたが，剥離を

進め，FDP 腱の切断端を同定し遠位へ翻転した．FDS 腱は術前，断裂していると考えていたが，FDS 腱の両 slip は intact であり，これを剝離して引っ張ると PIP 関節の屈曲が得られた．さらに小指球部の皮切により，FDS 腱を露出してこれを引くと PIP 関節の屈曲がほぼ full に得られたために FDS 腱は intact であると判断した．FDP 腱はその近位端の癒着を剝離して小指球部にその断端を引き出した 図2D ．

環指の FDS 腱を用いた腱移行術，あるいは長掌筋腱を用いた腱移植術を考えたが，リハビリテーションの時間を取りずらいという職場環境も考慮して FDP 腱を FDS 腱へ固定する dynamic tenodesis を行うこととした．

FDP 腱末梢端の壊死部分を切除して新鮮化した後に FDS 腱の両 slip の PIP 関節の近位へ縫合した．縫合法としては 4-0 ナイロンループ両端針を用いて modified Kessler 法と 4-0 ナイロンループ針を用いた津下法により縫合した．つまり intact な FDS 腱上に FDP 腱末梢端を overlap するように吉津 I 法に準じて縫合した．7-0 ナイロン糸を用いて running suture を加えた 図2E ．DIP 関節は 40°屈曲位で固定した．FDS 腱を中枢で牽引すると PIP 関節は full flexion が得られた．尺側指神経は 9-0 ナイロン糸を用いて端端縫合を行った．

創を洗浄し閉鎖した 図2F ．術後療法としては DIP 関節の固定以外は早期から運動を許可した．

■ 文献

1) Chang WH, Thomas OJ, White WL. Avulsion injury of the long flexor tendons. Plast Reconstr Surg. 1972; 50: 260-4.
2) 三浪明男．腱損傷．屈筋腱．In: 三浪明男編．手‐肘の外科: カラーアトラス．東京: 中外医学社; 2007．p.260-4.

CHAPTER 6: 腱—腱断裂

114 Transverse Interosseous Loop Technique
―屈筋腱末梢断端の骨への固定法―

　屈筋腱末梢断端を骨へ固着・固定する方法としては，pull-out wire 固定法，Mitek suture anchor を用いた固定法などいろいろな方法が報告されている．それらの中で pull-out wire 固定法は体外に設置したボタンなどによるさまざまな合併症が報告されており，現在は種々の縫合法や suture anchor を用いた腱固定法が盛んに行われるようになってきている．

　本項で紹介する transverse interosseous loop technique（TILT）法は Tripathi らが zone I における深指屈筋（FDP）腱断裂に対する末節骨への固定（縫合）法として新しい手技を報告した．本法は信頼性・再現性があり，縫合緊張の決定が容易であり，骨への深い埋没が可能である利点がある．私は本来の FDP 腱の縫合に加えて，遊離腱移植や腱移行術の腱末梢断端の末節骨への固定に幅広く用いている．

▶手術適応

1．Zone I FDS 腱断裂
2．遊離腱移植術
3．腱移行術

などの腱末梢断端の末節骨への固定が適応である．

▶手術

皮切
　指 DIP 関節掌側の distal finger crease を中心に指腹部，中節部にジグザグ皮切を加える．FDP 腱断端を露出する．

展開
　FDP 腱を遠位方向に持ち上げて，付着部の骨を小さなノミあるいは K 鋼線を用いて腱のための骨溝を作成する．

TILT 法
　末節骨に縫合糸を通すための通路として使う 21G 注射針を用意する．
　最初に K 鋼線または 21G 針（これらを電動ドリルに付けて）を用いて爪の近位縁と DIP 関節の中間点の末節骨の背側に経皮的にドリリングすることにより横走する骨トンネルを作成する　図1　.

> **Tips コツ**
> この刺入部位は成人では爪の germinal layer の遠位で伸筋腱停止部の近位 1.2 mm に相当する．これにより爪の生育を障害せず，かつ DIP 関節にも侵入しない．

　原著では非吸収糸としてポリプロピレンまたはエチボンド 3-0 を用いるとしているが，私は 2-0 fiber wire を好んで用いている．非吸収糸を 2-strand 縫合として用いる．
　次いで注射針を K 鋼線で作成した骨孔の刺入部の一方の近くで遠位から近位へ腱を固定する創の近位の軟部組織に刺入する．そして，腱内に 2-strand として通した縫合糸の一端を針先から遠位へ通す　図2　．さらに針を抜いて縫合糸を K 鋼線の刺入部に残す．次のステップとして注射針を一番最初に作成した骨トンネル内に通し縫合糸を先に出した部から針の中に挿入して他側に出す　図3　．最終的に注射針を反対側の近位から遠位へ通し，その中を縫合糸を入れて中枢に戻す　図4　．

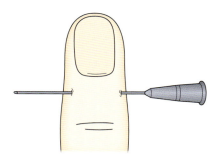

図1　爪の近位縁と DIP 関節の中間点の末節骨に横走する骨トンネルを作成する

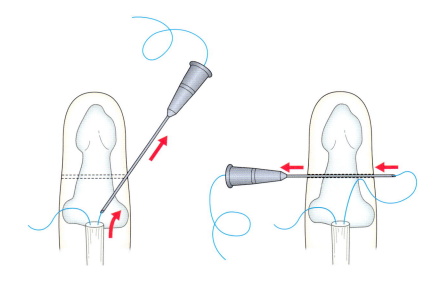
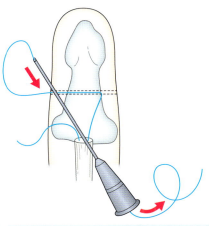

図2 2-strand として腱内を通した縫合糸の一端を図にように通した注射針内を通す（詳細は本文参照のこと）

図3 注射針内をさらに骨トンネル内を通して，縫合糸を他側まで挿入する（詳細は本文参照のこと）

図4 注射針を他側の遠位に通して縫合を遠位から近位へ通す（詳細は本文参照のこと）

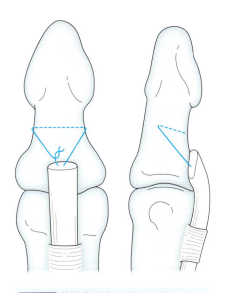

図5 腱縫合を行った

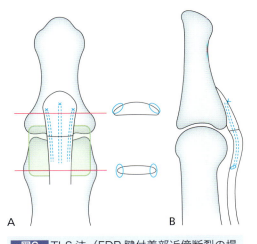

図6 TLS 法（FDP 腱付着部近傍断裂の場合）
A: 正面　B: 側面

Tips コツ

皮下を通す注射針はできるだけ骨に近接して刺入することと末節骨に作成した骨トンネルの両側の刺入部の近くを通すことが重要である．軟部組織のはさみ込みを防ぐ必要がある．

最終的に 2-strand 縫合（modified Kessler repair）で腱固定を行う **図5**．私は補強目的で残存している腱断端を腱に overlap して縫合することとしている．

閉創

Routine に閉創する．

後療法は他の腱縫合と同様である．

草野らは FDP 腱末梢部での断裂例に対する腱縫合法をして吉津Ⅱ法，つまり triple looped suture（TLS）法を発表しているが，TLS 変法として本項の TILT 法を同じように骨孔内に縫合糸を貫通して固定する方法を発表している．FDP 腱付着部近傍断裂の場合，展開までは同様であるが，腱縫合は吉津Ⅱ法（別項目参照のこと）に準じる．つまり腱把持部は腱遠位では 3 縫合糸（4-0 ループ針，ナイロン単糸）とも掌側に，腱近位では両外側，掌側に縫合糸をかける．各縫合糸の糸長は縫合強度が最も大きくなるように等しくする **図6**．

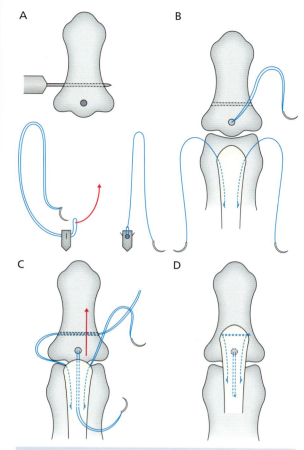

図7 TLS 変法
A: 末節骨近位 1/3 部に骨孔を作成.
B: 中央の縫合には bone anchor を用い, 腱両外側の縫合は津下法を用いる.
C: 両外側の縫合糸は一方の縫合糸を末節骨骨孔を貫通させて他方の縫合糸と結節縫合する.
D: 縫合終了後の状態.

付着部断裂の場合は TLS 変法を用いるとしている. 末節骨近位に横断する骨孔を開ける. また bone anchor の縫合糸を 4-0 ナイロンループ単糸に替える 図7A. 中央の縫合には bone anchor を用い, 腱の両外側は津下法（別項目参照のこと）を用いて縫合するが腱把持部は外側とする 図7B. 両外側の縫合糸は一方の縫合糸を末節骨骨孔を貫通させた後, 他方の縫合糸と結節縫合する 図7C. 図7D が最終的に縫合がなされたところである.

後療法は基本的には縫合法と同じであるが, 固定力が強固であるので hand therapist の指導の下, 術後早期からかなり積極的な自動屈曲運動を開始している.

■ 文献
1) 草野 望, 白瀬統星, 小泉裕昭. Zone 1 と Zone 2 の屈筋腱断裂の治療成績と成績不良因子の検討. 日手会誌. 2020; 36: 464-8.
2) Kasano N, Yoshizu T, Maki Y. Experimental study of two new flexor tendon suture techniques for postoperative early active flexion exercise. J Hand Surg［Br］. 1999; 24: 152-6.
3) Tropathi AK, Mee SNJ, Martin DL, et al. The "transverse interosseous loop technique"（TILT）to re-insert flexor tendons in zone 1. JHand Surg［Eur］. 2009; 34: 85-9.

CHAPTER 6: 腱—腱移行

115 末梢神経麻痺に対する腱移行術の治療原則

神経麻痺に対する腱移行術は今でも手の外科医にとって，手の外科の知識を総動員してプランを構築する必要がある手術の1つであり，手の外科医にとっての醍醐味があると常々考えている．そのためには正確な手術解剖と治療の基本原則を熟知していることが必須である．

▶腱移行術の基本原則

末梢神経麻痺に対する運動機能再建のための腱移行術の基本原則については Bunnell の5大原則が重要であり，原則を遵守できれば良好な成績が期待できる．

> **雑談**
> Bunnell の著した本「Bunnell's Surgery of the Hand」を読んだ方は多いと思います．Bunnell は「手の外科の父」と称されています．手の外科に対する先見の明が多く記載されており，改めて Bunnell の偉大さに敬服します．とくに本項における治療原則については現在でも色褪せていないのには感心させられます．

1. Supple joint: 動かそうとする関節に拘縮が存在しない状態とする．神経麻痺が陳旧化すると関節拘縮は必発であるので，他動的に関節拘縮を術前に除去すべきである．関節拘縮は static splint や dynamic splint の装用とともに積極的な理学（作業）療法を丁寧に行うべきである．

2. Muscle strength: 移行（力源）に用いようとする筋は少なくとも MMT 4以上で拮抗筋の筋力とバランスが取れたものを用いる．

3. Amplitude: 筋の滑動性は基本的には麻痺筋よりも移行筋の方が大きいことが望ましい．ただし，このような望ましい場合の状況を得ることはほとんど難しい．例えば移行筋の amplitude が麻痺筋のそれよりも劣っている場合でも手関節肢位による dynamic tenodesis effect により正常に手指屈伸，内・外転などの可動域が得られることがあるので術前に検討すべきである．

4. Direction: できるだけ直線上で麻痺筋へ移行できる筋を移行筋として選択することが望ましい．移行腱の走行がカーブしたり，滑車で走行が変わると力の損失が起こったり，同部で移行腱が癒着したりするおそれがある．移行腱を直線上に走行させることができない時，走行途中に滑車を作成し，方向転換を図ることとする．

5. Integrity of the muscles: 1つの筋腱を2つに分けて別々の目的に移行する手術術式が報告されていることがあるが，原則として行うべきではない．しかし，同程度の腱滑動距離を要し，かつ協同に作用する2つの違った運動の再建などは行っても問題は少ないとされている．この例としては Littler 法（尺骨神経麻痺例における母指の内転と示指の横屈のための浅指屈筋を用いた腱移行術）は行っても問題はないと考える．

以上が Bunnell の腱移行術の5大原則であるが，その後，新たに satisfactory skeletal alignment, adequate skin coverage, sensibility の存在が腱移行術を行う上で重要であるとして治療原則として加えられている．

一般的に腱移行術を行うに当たっての不利な条件は以下の通りである．
1. 関節拘縮による他動的可動域制限
2. 腱移行経路に存在する瘢痕組織や軟部組織欠損
3. 手指の感覚低下あるいは脱失
4. 患者の低いモチベーション
5. 術後リハビリテーションに対する低い協力（幼少期の子供など）

▶腱移行術の手術時期

神経修復が適切になされた場合，神経回復予測期間＋2-3カ月待機しても回復徴候が認められない時期を手術時期と考える．軸索の再生距離は1日 1.0-2.0 mm とされている．したがって，回復予測期間の計算式は以下の式による．

$$\text{回復予測期間} = \frac{\text{神経縫合部から支配筋の motor point までの距離 (mm)}}{\text{Initial delay} + 1.0 \sim 2.0 \text{ mm}}$$

Initial delay は神経縫合部を乗り越えて axon が伸長する際の delay であり，一般的には4-6週要するとされ

る．また，terminal delay，つまり axon が motor point に達した際に筋肉への reinnervation に時間がかかるという delay も存在する．普通 axon の伸長速度 1.0-2.0 mm の中に terminal delay の時間を加味していることが多い．

▶腱移行術における移行腱の選択

移行腱は原則として synergistic group より選択すべきである．例えば手関節の屈筋・伸筋の再建にそれぞれ手指の伸筋・屈筋を用いるべきである．ただし，手関節の stabilizer として，少なくとも 1 本の手関節屈筋および伸筋は残存（使わない）することとすべきである．腱を移行することによる犠牲を最小限にすること，つまり新たな機能障害を作ってはならない．

Tips コツ

腱を移行することによる犠牲を最小限にすること．つまり新たな機能障害を作ってはならない．

■文献

1) Boyes JH. Selection of a donor muscle for tendon transfer. Bull Hosp Joint Dis. 1962; 23: 1-4.
2) Jacobson MD, Raad R, Fazeli BM, et al. Architectural design of the human intrinsic hand muscles. J Hand Surg [Am]. 1992; 17: 804-9.
3) Lieber RL, Jacobson MD, Fazeli BM, et al. Architecture of selected muscles of the arm and forearm: anatomy and implications for tendon transfer. J Hand Surg [Am]. 1992; 17: 787-98.
4) 大西信樹．腱移行術が成功するために必要な事項．In: 三浪明男編．手・肘の外科: カラーアトラス．東京: 中外医学社; 2007．p.390.
5) White WL. Restoration of function and balance of the wrist and hand by tendon transfers. Surg Clin North Am. 1960; 40: 427-59.

CHAPTER 6: 腱—腱移行

116 低位および高位正中神経麻痺に対する腱移行術

低位および高位正中神経麻痺に対する腱移行術については多くの報告がなされている．

▶手術適応

神経回復が期待できる時期を過ぎても神経回復が得られていない症例，高齢者あるいは神経損傷部が高位であるなど，神経回復が期待できない症例であり，機能回復に対する意欲・要求が存在する症例などが手術適応である．Charcot-Marie-Tooth 病，脊髄空洞症などの神経学的障害例やハンセン病などの感染症症例も手術適応であるが，これらはそれほど多いものではない．

▶再建すべき機能（Needs と Availables）

腱移行術を行うにあたっては再建すべき機能（麻痺筋）＝Needs と効いている移行腱＝Availables をどのように選択すべきかが重要である．

低位正中神経麻痺

Needs（目的とする機能）	Availables（移行腱の選択）
1. 母指対立機能再建	
Abd PB ←	FDS（IV）（Bunnell 法）
←	Abd DM（Huber-Littler 法）
←	EIP（Burkhalter 法）
←	EDM
←	PL（Camitz 法）

高位正中神経麻痺

Needs（目的とする機能）	Availables（移行腱の選択）
1. 母指対立機能再建	
Abd PB ←	Abd DM
←	EIP
←	EDM
母指屈曲（FPL） ←	BR
示指・中指屈曲（FDP） ←	FDP（環指・小指）
←	ECRL

Abd PB: 短母指外転筋，FDS: 浅指屈筋，Abd DM: 小指外転筋，EIP: 示指固有伸筋，EDM: 小指固有伸筋，PL: 長掌筋，FPL: 長母指屈筋，BR: 腕橈骨筋，FDP: 深指屈筋，ECRL: 長橈側手根伸筋

Tips コツ

当然のことであるが移行筋腱を選択するにあたり犠牲を最小限にすべきである．

▶低位正中神経麻痺

母指球筋麻痺による対立機能喪失に対して対立機能再建が適応となる．しかし，母指球筋の一部（変異がなければ母指内転筋と短母指屈筋の深頭）は尺骨神経からの支配を受けているので必ずしも対立機能再建術が必要という訳ではない．

1 つ 1 つの代表的手術について記述する．

▶FDS 腱移行による母指対立機能再建術

皮切

環指 MP 関節掌側に小さな横切開を加え 図1 ，A2 滑車の一部を切離して 図2 ，2 本の屈筋腱（FDS および FDP 腱）を同定し，FDP 腱を避けて中央部に溝がある FDS 腱 図3 を持ち上げて腱交叉（chiasma）の遠位まで引き出し，切離する 図4 ．次いで遠位手くび皮線の近位前腕の尺側上に L 字型切開 図5 により，豆状骨に付着している FCU 腱とその内側に存在する FDS 筋腱移行部を露出する．

最後に母指 MP 関節部橈側の小さな縦切開 図5 に

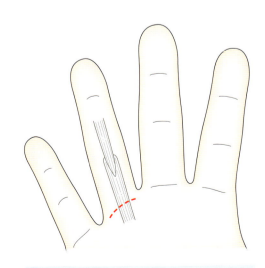

図1　環指 FDS 腱採取のための皮切

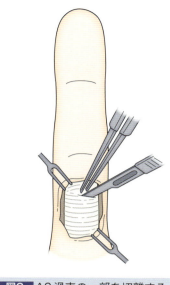
図2 A2滑車の一部を切離する

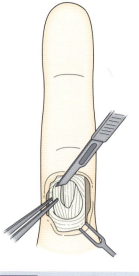
図3 FDS腱を持ち上げる

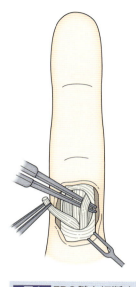
図4 FDS腱を切断する

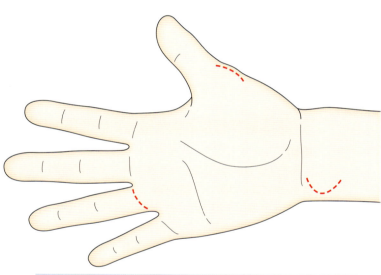
図5 環指MP関節掌側，手くび皮線の近位前腕の尺側上にL字型切開を加える

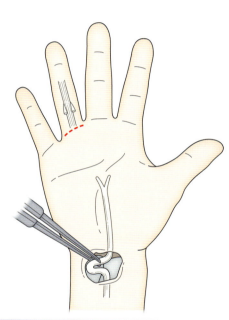
図6 FDS腱を尺側手関節の切開に引き出す

よりAbd PB腱とその矢状索の停止部まで露出する．

展開
FDS腱採取
　前にも記載したが，遠位手くび皮線の近位前腕尺側上のL字型切開 図5 により，露出したFCU腱とその内側に存在するFDS筋腱移行部を露出する．FDS腱をできるだけ遠位で切離して尺側手関節の切開へ引き出す 図6 ．腱をFCU腱の周囲で，FDS腱をFCU腱の背側（深部）から掌側（浅い部）を尺側から橈側に回して，腱誘導鉗子を使って，Abd PB腱とその停止部を露出するために加えた母指MP関節の橈側皮切から直線的に皮下を手掌を横切って，手関節尺側皮切に出してFDS腱を把持して引き出して母指MP関節の遠位皮切に引き出す 図7, 8．

固定
　母指MP関節の橈側縦切開に引き出した環指FDS腱をAbd PB腱停止部に縫合する．Abd PB腱の腱成分に編み込み縫合のように強く縫合してもよいが， 図9 のようにFDS腱片をさらに2つに裂いてBunnell縫合のようにAbd PB腱へ纏絡縫合する．縫合の緊張度は手関節を20°程度屈曲位で母指を最大外転位として，中等度の緊張下に行った．

後療法
　縫合時と同様の肢位（手関節20°屈曲位，母指最大外転位）にて3週間固定し，以後，愛護的可動域訓練を開始する．最近では縫合固定の技術が向上しているので，可動域訓練が早まる傾向にある．

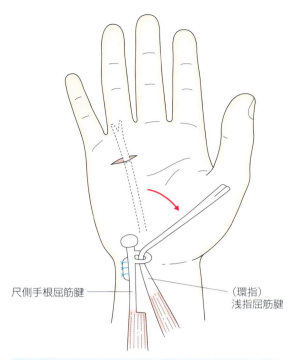

図7 母指対立機能再建術（Bunnell法）

尺側手根屈筋腱
（環指）浅指屈筋腱

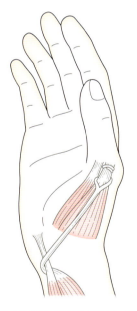

図8 FDS腱をFCU腱をpullyとして皮下トンネルを通してAbd PB腱部に引き出す

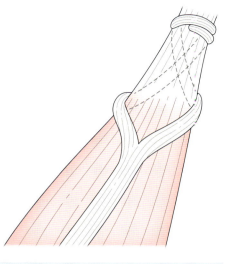

図9 FDS腱をAbd PB腱へ縫合する

高位正中神経麻痺

▶EIPを用いた対立機能再建術

EIP腱の採取
示指MP関節背側に緩い弧状切開を加え，皮下の静脈と神経に注意しながら2本の腱を露出する 図10 ．尺側に存在しているのがEIP腱である．伸筋支帯の近位に2つ目の切開を加え，第4区画内で深く存在し筋肉成分が多いEIPの近位を露出する 図10 ．この部で腱を引きEIP腱であることを最終確認後，MP関節背側切開で腱を横切して近位切開内に腱を引き出す．

皮下トンネルの作成
手関節の尺側縁に沿って切開を加え，EIPの起始部を露出する 図10 ．EIP腱を尺側切開まで皮下トンネルを作成して背側から掌側に回して手掌から母指MP関節橈側に作成した切開でAbd PB腱の切開までぐるっと回してEIP腱を引き出す 図12 ．

縫合
EIP腱を2本に裂いて，Abd PB腱を包み込むようにEIP腱を移行・縫合する（FDS腱の場合と同様の方法）．縫合の緊張は手関節軽度屈曲（20°程度），母指外転位で，中等度の緊張下で移行腱をしっかりと縫合する．この部分はFDS腱移行の場合も同様である．

▶FDP腱側側移行術

FDP腱の露出
図12 のようにFDP腱とBRを露出するために橈側前腕にゆるいS字状切開を加える．前腕筋膜を切離してFDS腱と正中神経を尺側に引き，FDP腱を露出する．

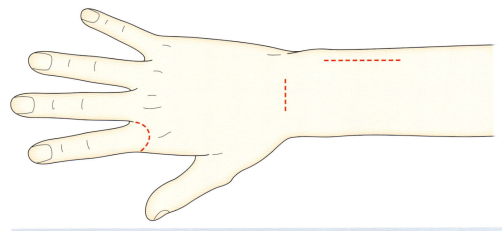

図10 EIP腱採取のための皮切およびEIP腱の起始部を露出するための皮切

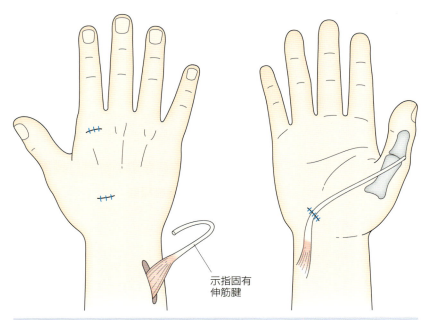

示指固有伸筋腱

図11 母指対立機能再建術（Burkhalter法）

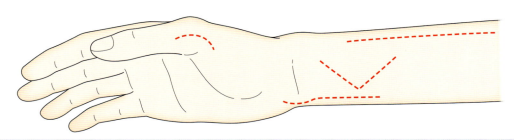

図12 手関節背側皮切および尺側縁切開によりEIP腱を同定する．母指MP関節橈側にも皮切を加える

FDP腱側々移行

　全指のFDP腱を引いてMP関節を屈曲して，指を同じような屈曲角度とする．この緊張状態（つまり示指および中指を環指・小指より少し屈曲角度を強めとして）を保ったまま 図13，非吸収糸による水平マットレス縫合を用いて，側々縫合を強固に行う 図14．

▶BRのFPL腱への移行術

BR腱採取

　FDP腱側々移行術での切開 図12 によりBR腱が橈骨茎状突起に停止している部を露出する．この際，BR腱上に橈骨神経浅枝が存在するので損傷に留意する．BR腱を橈骨から剥がすように切離して近位へツッペルを用いて剥離する 図15．

FPL 腱の露出

前腕遠位橈側に存在している FPL 腱を露出する．FPL 腱は筋成分を多く含んでいる．

移行術

BR 腱を FPL 腱に 3-4 回編み込み縫合を行う 図16．縫合の緊張状態は肘関節を軽度屈曲し，手関節を中間位に保持して BR を最大緊張下で FPL 腱に母指軽度屈曲位で縫合する．

▶後療法

手関節を軽度屈曲位，母指を最大外転位，示指と手指を MP 関節で屈曲位として 3-4 週間，外固定を行う．以後，愛護的可動域訓練を行い，6 週で完全に free とする．

■ 文献

1) Anderson GA, Lee V, Sundaraj GD. Opponensplasty by extensor indicis and flexor digitorum superficialis tendon transfer. J Hand Surg [Br]. 1992; 17: 611-4.
2) Cooney WP, Linscheid RL, An KN. Opposition of the thumb: an anatomic and biomechanical study of tendon transfers. J Hand Surg [Am]. 1984; 9: 777-86.
3) Lee DH, Oakes JE, Ferlic RJ. Tendon transfers for thumb opposition: a biomechanical study of pully location and two insertion sites. J Hand Surg [Am]. 2003; 28: 1002-8.
4) North ER, Littler JW. Transferring the flexor superficialis tendon: technical considerations in the prevention of proximal interphalangeal joint disability. J Hand Surg [Am]. 1980; 5: 498-501.
5) 大西信樹．末梢神経麻痺に対する腱移行術による再建術．In: 三浪明男編．手・肘の外科: カラーアトラス．東京: 中外医学社; 2007．p.390-6.

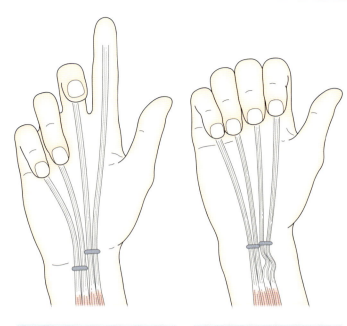

図13 小指側にいくに従って屈曲角度を強くする

図14 全指 FDP 腱を水平マットレス縫合にて強固に縫合する

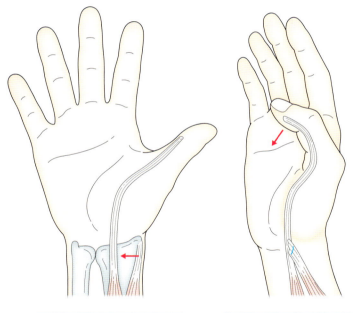

図15 FPL および BR 腱を露出する

図16 BR 腱も FPL 腱へ移行する

CHAPTER 6: 腱―腱移行

117 低位および高位尺骨神経麻痺に対する腱移行術

尺骨神経麻痺はほとんどの例が低位麻痺であり，高位麻痺であることは多くない．したがって，低位麻痺に対する手術を念頭に入れて検討すべきである．手指の巧緻運動障害が主訴である．

▶手術適応

神経そのものに対する手術を行ったが，想定される回復時期がすでに過ぎていたり，回復が期待できない疾患による神経麻痺に対して適応がある．

▶再建すべき機能と選択可能な手術方法と使用可能な筋肉

鉤爪指
- 静的手術
  - 静的腱固定術
  - 関節包固定術（Zancolli 法）
  - 皮膚縫縮制動術
  - 骨ブロック
- 動的手術
  - 動的腱固定術（Fowler 法）
  - FDS: 内在筋移行術〔Stiles-Bunnell または lasso 手術（Zancolli）〕
  - ECRL（4 本の移植腱を用いる）
  - FDS: 浅指屈筋，ECRL: 長橈側手根伸筋

鉤つまみ
- 母指内転　ECRB
  - FDS（ⅢまたはⅣ）
  - EIP ➡ 内転筋
  - EDM ➡ 内転筋
- ECRB: 短橈側手根伸筋，EIP: 示指固有伸筋，EDM: 小指固有伸筋

母指 IP 関節安定化術
- FPL（部分的）➡ FDI
- 関節固定術
- FPL: 長母指屈筋，FDI: 第 1 背側骨間筋

示指外転
- Abd PL（副）➡ FDI
- EIP ➡ FDI
- ECRL（EDC Ⅱ）➡ FDI
- Abd PL: 長母指外転筋，EDC: 総指伸筋

中手アーチ
- T 字状腱手術（Bunnell 法）
- FDS 移行術（Littler 法）

小指外転
- EDM ➡ 橈側指背腱膜腱帽
- EDC（Ⅳ部分的）➡ 橈側指背腱膜腱帽

高位尺骨神経麻痺
低位尺骨神経麻痺に対する再建術
＋
FDP（Ⅳ, Ⅴ）➡ FDP（Ⅱ, Ⅲ）への腱縫合術
FDP: 深指屈筋

▶機能再建の順序

低位尺骨神経麻痺

部分的 FPL ➡ EPL へ移行術
　↓
FDS 腱 ➡ Add P へ腱移行術
　↓
ECRL ＋ 腱移植 ➡ FDI
　↓
FDS ➡ 側索

EPL: 長母指伸筋，Add P: 母指内転筋

▶高位尺骨神経麻痺

FDP（Ⅳ, Ⅴ）➡ FDP（Ⅱ, Ⅲ）へ側側縫合術

▶鉤爪変形: FDS（Ⅳ）➡ 内在筋への移行術（Stiles-Bunnell 法）

環指 FDS 腱採取
環指 A2 滑車遠位（基節骨）の斜切開により，A2 と A3 滑車の間で，FDS 腱を露出する 図1 ．FDS 腱の腱交叉を切離する 図2 ．次いで同じ環指の A1 滑車の近位に加えた掌側切開に FDS 腱を引き出す 図3 ．腱交叉部で 2 本の分離している腱片を，さらに引き裂くように近位まで 2 つに分離する 図4 ．

トンネル作成および縫合
環指および小指の橈側側正中切開により橈側側索を露出する 図3 ．曲がったモスキート鉗子を本切開から

深横中手靭帯の掌側を通して虫様管に沿って手掌切開に出し，先に2つに分離したFDS腱片を側正中切開に出して，MP関節屈曲，PIPおよびDIP関節伸展位，つまりintrinsic plus position位にて橈側側索に数回，輪にして縫合する 図4 ．

最初に小指の橈側側索にFDS腱を環指より強く縫合することとするが，手関節を中間位に保持して，MP関節を60°屈曲位に保持する．前述したように最終的にFDS腱の腱片を橈側側索へ縫合する．

そのほかの鉤爪変形の矯正としては"lasso"法（Zancolli法 図5 とOmer法 図6 ）がある．

▶母指内転: FDS（Ⅲ）➡内転筋への移行術

中指FDS腱採取

Stiles-Bunnell法と同様に中指FDS腱を採取する．手掌中央部に切開を加えFDS腱を露出して近位に引き出す 図7 ．

トンネル作成

手掌中央部の切開に引き出したFDS腱を母指MP関節尺側上に加えた切開で母指内転筋膜停止部を露出し，この部まで手掌にトンネルを作成する．先が曲がったモスキート鉗子を用いて，内転筋腱膜上と示指屈筋腱下にトンネルを作成し，近位切開から遠位切開へとFDS腱を引き出す．FDS腱の腱片を内転筋腱停止部の周囲に巻き付け，一時的に止血鉗子で腱をしっかり縫合する 図8 ．

縫合

FDS腱を内転筋腱に巻き付けるように縫合する 図9 ．縫合は仮止めを行い，手関節を屈曲すると母指は外転し，手関節を伸展すると母指は示指に対して適切なつまみ肢位となるように，腱固定効果を確かめた後に強固に縫合する．

そのほか，短橈側手根伸筋を用いたSmith法 図10 や長母指外転筋を用いたNeviasor法 図11 などがある．

▶Froment徴候；部分的FPL➡EPLへの腱固定安定化術

部分的FPL腱の採取

母指橈側縁に側正中切開を加え，FPL腱とEPL腱両方を露出する 図12A, B ．FPL腱を展開した後に，先の鈍なゾンデを使って腱の中央部の自然なくぼみを見つけ，さらに腱を中央線に沿って分離する 図13 ．FPL腱の橈側半分の腱片を切離し，近位にもっていく．

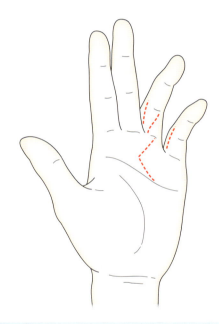

図1 環指A2滑車遠位に斜切開を加える

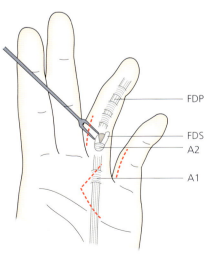

図2 FDS腱の腱交叉を切離する　図3 掌側切開にFDS腱を引き出す

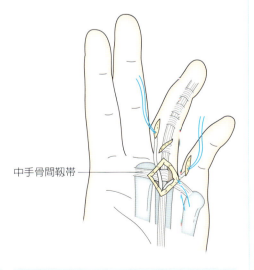

図4 FDS腱を2本に引き裂くように分離する

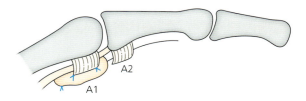

図5 "Lasso" 法（Zancolli 法）

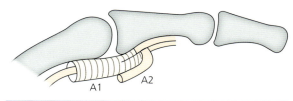

図6 "Lasso" 法（Omer 法）

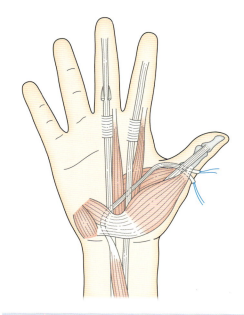

図8 FDS 腱を母指 MP 関節尺側上の切開に引き出す

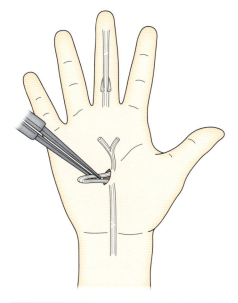

図7 中指 FDS 腱を引き出す

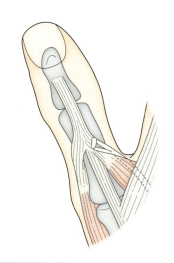

図9 FDS 腱を母指内転筋腱に縫合する

トンネルの作成

背側中央の切開により EPL 腱を露出し，確認する．A1 滑車と背側中央切開の間で部分的 FPL 腱の腱片を母指の橈側皮下のトンネルを通して引き出して，EPL 腱の尺側上を覆うように移動して部分的 FPL 腱を EPL 腱に縫合固定する 図14．最終的な移行の前に母指 IP 関節を 0.045 インチ径の K 鋼線を用いて IP 関節を軽度屈曲位で固定する．

腱固定

残存している尺側 FPL 腱の腱片が弛緩するまで，橈側 FPL 腱の腱片を遠位に引っ張る．その後，緊張を緩めて，移行した橈側腱片と正常な尺側腱片が同じ緊張度となるようにする．移行腱を EPL 腱の下を通し，EPL 腱を横切って戻し固定する 図15A, B．

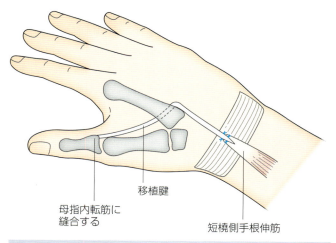

図10 母指内転再建術（Smith 法）

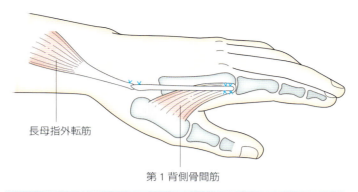

図11 示指外転再建術（Neviasor 法）
長母指外転筋
第1背側骨間筋

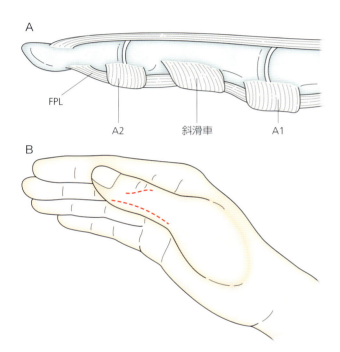

図12 FPL 腱と EPL 腱両方を露出する

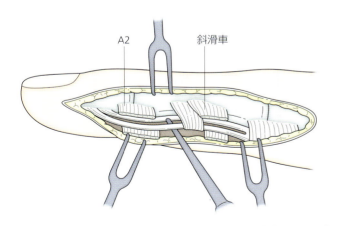

図13 FPL 腱を中央線に沿って分離する

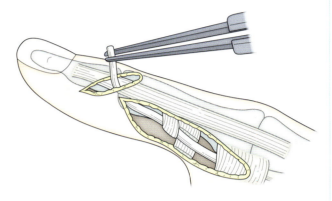

図14 FPL 腱の半切腱をトンネルを通して背側中央切開に出す

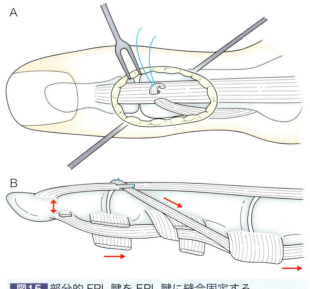

図15 部分的 FPL 腱を EPL 腱に縫合固定する
A．正面像，B．側面像

▶示指外転；EDC（Ⅱ）を用いた ECRL 腱の FDI への移行術

ECRL 腱の採取
示指中手骨の基部の小さな横切開を通して ECRL 腱の停止部を露出する 図16．伸筋支帯を近位部と遠位部に 2 つの小さな横切開を加えて ECRL 腱を第 2 伸筋支帯の遠位で確認する 図16．

EDC（Ⅱ）の FDI への移行およびトンネルを作成
示指 MP 関節上のゆるい弧状切開により EDC 腱の停止部を露出する．尺側には EIP 腱が存在している．伸筋支帯の近位および遠位に加えた切開により EDC（Ⅱ）腱を確認して近位の筋腱移行部で切離して手指中手骨背側に加えた切開に引き出す．

示指 MP 関節背側に加えた切開で FDI 腱の停止部を展開し，採取した EDC 腱を FDI 腱の周囲に縫合する 図16．EDC（Ⅱ）腱を FDI 腱に強く固着し，縫合する．先端が曲がった腱誘導鉗子を用いて皮下組織を通して ECRL 腱の停止部の切開の近位で EDC 腱を通して引き出す．

縫合
示指を軽度屈曲，MP 関節を外転し，手関節中間位で，EDC 腱に強い緊張を掛けて ECRL 腱へしっかりと縫合固定する．示指から尺側に行くに従って少し強めの屈曲とする緊張度とする．

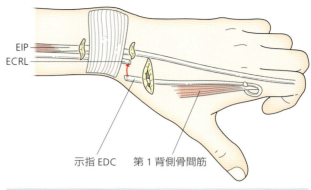

図16 ECRL 腱の採取

MP 関節を最大屈曲とし，母指は軽度屈曲・外転位にて 3 週間ギプス副子固定を行う．3 週後，指の運動は背側ブロック副子を付けて開始する．6 週で母指 K 鋼線を抜釘し，8 週から free motion とする．

高位尺骨神経麻痺

▶指屈筋：FDP 腱の側側移行術（別項目も参照のこと）

FDP 腱の展開
4 本の FDP 腱を前腕遠位掌側に加えた切開で，FDS 腱と正中神経を同定し，これらを橈側へ引き FDP 腱を露出する．

縫合
全指の MP 関節を同様屈曲の緊張で 4 本の FDP 腱を水平マットレス縫合で高さを違えて 2 カ所縫合する．示指から尺側にいくに従って少し強目の屈曲の緊張度とする．

後療法
手関節を軽度屈曲，全指の IP 関節を完全に伸展して

■文献

1) De Abreu LB. Early restoration of pinch grip after ulnar nerve repair and tendon transfer. J Hand Surg [Br]. 1989; 14: 309-14.
2) Hirayama T, Atsuta Y, Takemitsu Y. Palmaris longus transfer for replacement of the first dorsal interosseous. J Hand Surg [Br]. 1986; 11: 84-6.
3) Trevett MC, Tuson C, de Jager LT, et al. The functional results of ulnar nerve repair: defining the indications for tendon transfer. J Hand Surg [Br]. 1995; 20: 444-6.
4) Hastings H, McCollam SM. Flexor digitorum superficialis lasso tendon transfer in isolated ulnar nerve palsy: a functional evaluation. J Hand Surg [Am]. 1994; 19: 275-80.
5) Mahammed KD, Rothwell AG, Sinclair SW, et al. Upper-limb surgery for tetraplegia. J Bone Joint Surg [Br]. 1992; 74: 873-9.
6) 大西信樹．尺骨神経麻痺の再建術．In: 三浪明男編．手・肘の外科: カラーアトラス．東京: 中外医学社．2007．p.390-4.
7) Ozkan T, Ozer K, Gulgonen A. Three tendon transfer methods in reconstruction of ulnar nerve palsy. J Hand Surg [Am]. 2003; 28: 35-43.
8) Taylor NL, Raj AD, Dick HM, et al. The correction of ulnar claw finger: a follow-up study comparing the extensor-to-flexor with the palmaris longus 4-tailed tendon transfer in patients with leprosy. J Hand Surg [Am]. 2004; 29: 595-604.
9) Valero-Cuevas F, Hentz VR. Releasing the A3 pully and leaving flexor superficialis intact increases pinch force following the Zancolli lasso procedures to prevent claw deformity in the intrinsic palsied finger. J Orthop Res. 2002; 20: 902-9.

CHAPTER 6: 腱—腱移行

118 尺骨神経麻痺に対する腱移行術

尺骨神経麻痺は特徴的な手指の変形と強い筋萎縮を招来し，箸がもちづらいとかボタン掛けなどの細かい動作がしづらいなど強い巧緻運動障害を起こす 図1．

尺骨神経麻痺において再建すべき変形・機能としては以下のものがある．全ての機能を再建すべきかどうかについては患者の年齢，性，職業，患者の希望などを総合的に判断して決定すべきである（この項は一部，低位および高位尺骨神経麻痺に対する腱移行術の項と重複している）．
1. 環・小指鉤爪変形の矯正
2. 母指内転機能の喪失
3. 小指外転変形の矯正
4. 環・小指 DIP 関節屈曲機能の喪失，である．

▶環・小指鉤爪変形に対する矯正術

ここでは static correction として掌側板前進術を，dynamic correction として浅指屈筋腱を用いた腱移行術について記載する．

▶掌側板前進術

皮切
環・小指MP関節の遠位手掌皮線に沿ってその少し遠位に3cm程度の横皮切を加える 図2．皮膚および皮下を剝離して指の両側を走行する神経血管束を同定して，これを保護して手術を行う．

展開
神経血管束を愛護的に翻転し，環・小指の屈筋腱腱鞘A1滑車を同定する．A1滑車を切離して，屈筋腱を引っ張りMP関節の掌側板を露出する 図3．

掌側板弁の作製
掌側板のすぐ近位の中手骨頸部を軟部組織と骨膜を剝離して露出する．2本の平行に走る縦の切開を掌側板に加えて，また中手骨骨頭上の近位付着部を剝離して，遠位を基部とする弁を作製する 図4．

固定
中手骨頸部の掌側面にMitek ミニ ボーン アンカーを挿入し，2本のボーン アンカー糸を弁状とした掌側板の

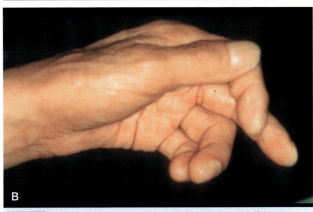

図1 尺骨神経麻痺の特徴的な手指の変形と筋萎縮

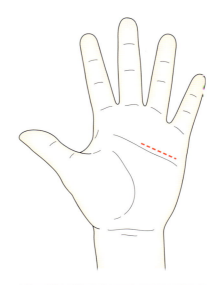

図2 掌側板前進術の皮切

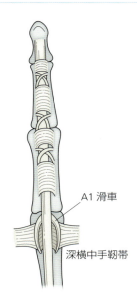

図3 A1 滑車を切離して，屈筋腱を引っ張り MP 関節の掌側板を露出する

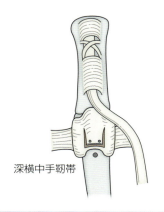

図4 2本の縦の切開を掌側板に加え，遠位を基部とする弁とする

近位端に通し，MP 関節を屈曲位として強く縫合固定する **図5**．手関節は中間位として，患指の関節包弁をボーンアンカー糸を用いて MP 関節を 45-50°屈曲位として中手骨頸部に固定縫合する．環指の屈曲固定肢位は中指のそれよりも少し強めに縫合する．小指はさらに強く屈曲位（50-55°）に固定することとしている．

 コツ

掌側板前進術は静的矯正術である．

後療法

　手関節中間位，MP 関節 50-60°屈曲位で副子固定を行う．PIP，DIP 関節は free とする．抜糸後，次の4週間にわたり着脱式のスプリントを装用して MP 関節を屈曲位に保持する．MP 関節の屈曲は許可する．さらに次の4週間は夜間シーネとする．

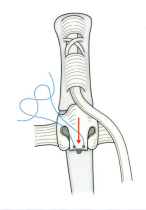

図5 掌側板の近位端を固定する

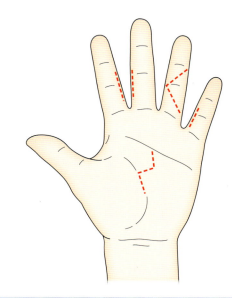

図6 浅指屈筋腱腱固定術の皮切

▶浅指屈筋腱腱移行術（低位および高位尺骨神経麻痺に対する腱移行術の項，参照のこと）

皮切

　環指 PIP 関節掌側にジグザク皮切を加える．皮下を剥離して指神経血管束を同定し，両側に翻転，屈筋腱腱鞘を露出する．2つ目の皮切は近位手掌皮線の近位，手掌中央部に 3 cm 長の縦のジグザク皮切を加える．3つ目の縦皮切を小指基節骨の橈側に加える **図6**．

展開

　最終的に指の橈側神経血管束を尺側に翻転し，腱移行術を縫合する橈側側索を露出するために深くまで剥離を行う．近位に加えた2つ目の皮切で，皮膚および皮下脂肪を剥離し，総指神経血管束と浅掌動脈弓を同定し，保護する．屈筋腱を露出する．3つ目の小指橈側に加えた皮切により，軟部組織を剥離し橈側側索を露出する．

　最初に加えた PIP 関節掌側に加えた環指の皮切により A3 滑車を開放し，浅指屈筋（FDS）腱の別れた2つの腱を同定し，できるだけ遠位で切離する．分かれている両端を止血鉗子で保持して，遠位に引っ張り腱交叉を同

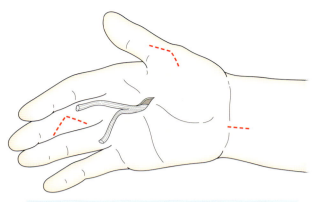

図7 2本に裂いた環指浅指屈筋腱を手掌中央部の皮切部に引き出す

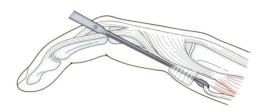

図8 モスキート鉗子を虫様筋管を通して一側のFDS腱を皮切に出す

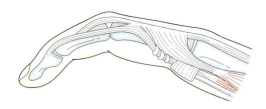

図9 浅指屈筋腱と側索を縫合固定する

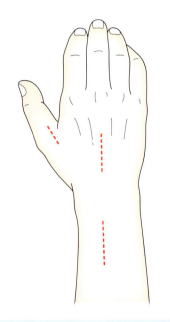

図10 ECRB腱移行による母指内転機能再建術の皮切

定して近位まで2つに分離する．環指FDS腱を2つ目の手掌中央部の皮切部に引き出す **図7**．

環指浅指屈筋腱を用いた腱移行術

深指屈筋（FDP）腱からの虫様筋の起始部を同定する．モスキート鉗子あるいはテンドンパッサーを虫様筋管〔深横中手靱帯の表層（浅層）にある〕を通して虫様筋に沿って手掌部皮切から通し，小指の橈側に加えた皮切に出す．

別のモスキート鉗子の先端を先に虫様筋管に通したモスキート鉗子で摘み，FDS腱の尺側半切腱の遠位端を把持し，小指の橈側の皮切に腱を引き出す．同じ操作を行い，環指の橈側の虫様筋管を通してFDS腱の橈側半切腱を引き出す **図8**．

ここで空気止血帯を解除して止血を丁寧に行う．手掌中央部と環指PIP関節掌側の遠位半分の皮切を閉鎖する．前腕を回内して手関節を中間位，指MP関節を屈曲にして丸めたタオルの上に乗せる．

環指の橈側でFDS腱半切腱を保持している止血鉗子を引いてMP関節を60°とする．PIP関節を伸展位に保持して，まずFDS腱を側索に一時的縫合を行い，手関節を屈伸しつつ緊張を確認し，緊張，つまりMP関節を伸展位としてもPIP，DIP関節の屈曲がほぼ正常に可能であることを確かめる．この緊張が正しければ，FDS腱と側索の間を2-3本，非吸収糸を用いて縫合する **図9**．

創閉鎖

残っている部分（環指PIP関節の遠位半分）の創閉鎖を行う．

後療法

手関節中間位，MP関節60-70°屈曲位，IF関節を伸展位に保持する．抜糸後，術後2週で着脱用副子を装着，次の4週はMP関節を伸展位に保持し，IP関節を屈曲として，以後 free motion とする．

▶短橈側手根伸筋腱移行による母指内転機能再建術

皮切

中指中手骨の尺側基部から遠位へ3 cmの縦皮切を加える．軟部組織を切離して短橈側手根伸筋（ECRB）腱の中指中手骨基部への停止部を露出する．母指MP関節尺側に1 cm長の縦皮切を加える **図10**．

展開

遠位で，中指と環指中手骨間隙上の背側骨間筋筋膜を切離し，骨間筋を露出する．この皮切でECRB腱を伸筋支帯の近位で同定する．母指MP関節尺側に加えた皮切により母指内転筋の停止部を露出する．

遊離腱の採取

手くび皮線の少し近位の1 cm長の横切開により長掌筋（PL）腱を同定し露出する．PL腱の遠位を切離し，絹糸を用いて切断端を保持できるように縫合延長する．

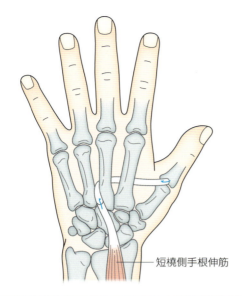

図11 ECRB腱をPL腱移植で延長してⅢ-Ⅳ指中手骨間を通して母指内転筋腱へ縫合する

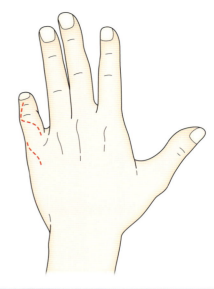

図12 小指外転変形に対する腱移行術の皮切

その後，テンドン ストリッパーを用いてPL腱を採取する（採取法については別の項目参照のこと）．

ECRB腱移行術

ECRB腱停止部で切離し，伸筋支帯の近位に引き出す．PL腱（遊離腱）をPulvertaft法でECRB腱の一端に縫合する．皮下トンネルを腱を通すために伸筋支帯の表層に作成する．曲がっている止血鉗子を母指MP関節尺側から第3・4中手骨間間隙へ皮下トンネルを作製する．このトンネルは母指内転筋の表層（掌側）で屈筋腱の深部（背側）に作製する．止血鉗子でPL腱移植で延長したECRB腱を摘んで母指内転部へ引き出す．手関節を中間位として母指内転筋腱へ移植腱を縫合する**図11**．縫合する緊張度は手関節中間位で示指の掌側に母指が位置するようにする．

閉創

空気止血帯を解除して，全ての皮膚縫合を行う．

後療法

手関節および母指を中間位で手を副子固定する．術後2週より着脱可能な副子固定を4週行う．その後4週間は夜間シーネ固定とする．

▶小指外転変形（Wartenberg兆候）に対する腱移行術

皮切

小指MP関節背側に尺側凸の3 cm長の帽子状切開を加える．皮膚と皮下組織を剥離して小指固有伸筋（EDM）腱を露出する**図12**．小指MP関節の橈側側副靭帯を小指MP関節の橈側上の伸筋腱帽の近位部分に縦切開を加え露出する．

腱移行術

EDM腱の尺側停止部をEDM腱をMP関節の近位2-

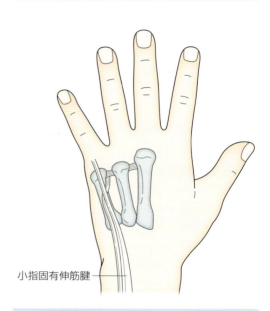

図13 EDM腱を伸筋腱帽から切離・剥離する

3 cm残して近位で伸筋腱帽から切離・剥離する**図13**．この腱を小指MP関節の橈側に到達するようにEDM腱と小指の総指伸筋（EDC）腱の下を通す．腱を手関節中間位で小指を内転位に保持して橈側側副靭帯の指節骨への付着部に縫合する**図14**．

創閉鎖

空気止血帯を解除して止血を丁寧に行い皮膚を閉鎖する．

後療法

手関節中間位，小指・環指MP関節60-70°屈曲位で副子固定する．2週後から4週にわたり着脱式の副子固定を行い，以後は4週にわたり夜間シーネとして日中はfree motionとする．

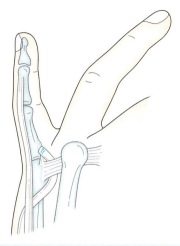

図14 EDM腱を深横中手靭帯の下（深層）を通し，橈側側副靭帯の指節骨への付着部に縫合固定する

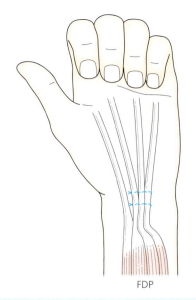

図16 環・小指FDP腱を中指FDP腱へ側側縫合する

示指FDS腱が存在する．示指FDS腱を橈側に，小指FDS腱を尺側に翻転すると示指から小指へのFDP腱が露出する．

腱移行術（側側縫合）

手関節を中間位に保持し，MPおよびIP関節が正常な可動域が得られることを確認し，小指・環指FDP腱を2-3カ所にhorizontal mattress縫合により中指FDP腱に縫合固定（側側縫合）するが，環・小指が中指のFDP腱により十分な屈曲が得られるように縫合の緊張度を調整する **図15** ．最終的にしっかりと側側縫合固定を行う **図16** ．

閉創

空気止血帯を解除し，止血を行い，皮膚を閉創する．

後療法

手関節中間位，MP関節60-70°屈曲位にて背側ブロック副子を装着する．IP関節は自由とする．抜糸後，4週間は背側ブロック副子を装着し，以後freeとする．

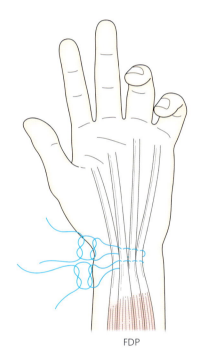

図15 環・小指FDP腱を中指FDP腱へ水平マットレス縫合にて縫合

▶環・小指DIP関節屈曲力の回復のための深指屈筋腱側側腱移行術

皮切

長掌筋（PL）腱の尺側で平行に手くび皮線の近位2cmに4cm長の縦切開を加える．

展開

前腕筋膜を切離し，PL腱を橈側に翻転し，その下（深層）に存在する正中神経を同定する．PL腱とともに橈側に愛護的に翻転し，環・小指へのFDS腱を同定しやはり橈側に翻転する．環・中指のFDS腱のすぐ下に小指・

■文献

1) Hastings H, McCollam SM. Flexor digitorum superficialis lasso tendon transfer in isolated ulnar nerve palsy: a functional evaluation. J Hand Surg [Am]. 1994; 19: 275-80.
2) 大西信樹．尺骨神経麻痺の再建術．In: 三浪明男編．手・肘の外科: カラーアトラス．東京: 中外医学社; 2007. p.390-3.
3) Ozkan T, Ozer K, Gulgonen A. Three tendon transfer methods in reconstruction of ulnar nerve palsy. J Hand Surg [Am]. 2003; 28: 35-43.
4) Smith RJ. Extensor carpi radialis brevis tendon transfer for thumb adduction: a study of power pinch. J Hand Surg [Am]. 1983; 8: 4-15.
5) Travett MC, Tuson C, de Jager LT, et al. The functional results of ulnar nerve repair: defining the indications for tendon transfer. J Hand Surg [Br]. 1995; 20: 444-6.

CHAPTER 6: 腱—腱移行

119 長母指外転筋移行による示指橈側外転再建術

尺骨神経麻痺により母指の内転とともに第1背側骨間筋麻痺による示指の橈側外転も障害される．これらにより母指と示指での摘み動作が障害され，巧緻運動障害が生じることとなる．母指内転筋再建とともに示指の橈側外転の再建もよく行われる手術の1つである．

▶手術適応

尺骨神経麻痺による第1背側骨間筋（FDI）の機能損失により母指-示指間の摘み力の低下が生じる．このような患者に対して示指の橈側外転を再建することにより摘みの際の機能と力が改善されることが期待できる症例が適応となる．

▶手術解剖

第1伸筋区画内には数本の長母指外転筋（Abd PL）腱と1本の短母指伸筋（EPB）腱が存在している．数本あるAbd PL腱の1本を移行腱として用いることにより，示指の橈側側索または橈側矢状索へ移行することが可能である．

▶Abd PL腱移行術

皮切
橈骨茎状突起と示指のMP関節橈側上にV字状切開をそれぞれ加える 図1 ．長掌筋（PL）腱または足底筋（Plan）腱をAbd PL腱を延長するために採取する．

展開
橈骨茎状突起第1伸筋区画上に加えたAbd PL腱の1本（できれば一番太い腱が望ましいが，同じ程度の太さであれば一番尺側寄りの腱が望ましい）を分離・切離する．モスキート鉗子で示指の橈側側索を同定・挙上する．

腱縫合
PL腱またはPlan腱を示指橈側側索または橈側矢状索に3回程度，しっかり編み込み縫合を行う．2つの皮切間の皮下にトンネルを作成し移植したPL腱（またはPlan腱）を遠位皮切から近位皮切まで皮下トンネル内を通して近位皮切に移行腱近位端を引き出す．示指を中等度橈側外転位としてAbd PL腱に編み込み縫合する 図2 ．

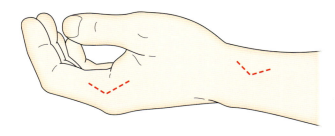

図1 皮切

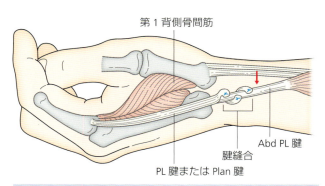

図2 示指橈側側索に縫合したPL腱をAbd PL腱へ示指外転位にて編み込み縫合する

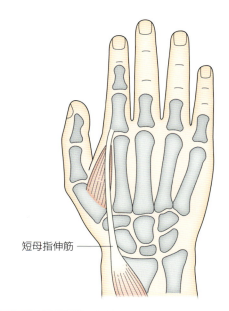

図3 EPB腱を用いた示指橈側外転を再建する（Brunner法）

▶後療法

示指を橈側外転位で4週間固定し，以後 free motion とする．

コツ

別項目を参照してもらいたいが，示指橈側外転再建術として他の方法（短橈側手根伸筋を力源とする）もよく行われるので，どの方法を採用するのかはコンセンサスが得られていない．

▶EPB 腱移行術

EPB 腱を用いた示指橈側外転を再建する Brunner 法も行われる 図3 ．

手技的には Abd PL 腱を用いた場合とほぼ同様である．

■文献

1) Bruner JM. Tendon transfer to restore abduction of the index finger using the extensor pollicis brevis. Plast Reconstr Surg. 1948; 3: 197-201
2) Graham WC, Riordan D. Sublimis transplant to restore abduction of index finger. Plast Reconstr Surg. 1947; 2: 459-62
3) Neviaser RJ, Wilson JN, Gardner MM. Abductor pollicis longus transfer for replacement of first dorsal interosseous. J Hand Surg〔Am〕. 1980; 5: 53-7
4) 大西信樹．尺骨神経麻痺の再建術．In: 三浪明男編．手・肘の外科: カラーアトラス．東京: 中外医学社; 2007. p.390-3.

CHAPTER 6: 腱—腱移行

120 低位および高位正中神経・尺骨神経合併麻痺に対する腱移行術

正中神経と尺骨神経は手関節の掌側を切創した場合，両神経の麻痺が発生することは比較的遭遇する．低位麻痺のことが多く，高位麻痺のことは少ない．

外傷・腕神経叢損傷など神経回復の失敗例，広範な損傷や高齢患者など機能的神経回復が期待できないと判断した例，Charcot-Marie-Tooth病，脊髄空洞症，ハンセン病など神経回復が期待できない"内在筋"マイナス手などが腱移行術の適応となる．

▶罹患筋

解剖学的変異を考えずに正中神経および尺骨神経合併損傷で侵されている罹患筋を高位別に列挙する．

1. 低位正中・尺骨神経合併損傷の麻痺筋
   ① 母指球筋：短母指外転筋（Abd PB），母指対立筋（Opp P），短母指屈筋（浅頭および深頭）（FPB），母指内転筋（斜頭および横頭）（Add P）
   ② 虫様筋（Lum）：全て
   ③ 骨間筋（Int）：3つの掌側骨間筋および4つの背側骨間筋全て
   ④ 小指球筋：小指外転筋（Abd DM），小指対立筋（Opp DM），小指屈筋（FDM），短掌筋（PB）
2. 高位正中・尺骨神経合併損傷の麻痺筋
   低位正中・尺骨神経合併損傷に加えて
   ① 手関節屈筋：尺側手根屈筋（FCU），橈側手根屈筋（FCR），長掌筋（PL）
   ② 母指屈筋：長母指屈筋（FPL）
   ③ 指屈筋：浅指屈筋（FDS），深指屈筋（FDP）
   ④ 回内筋：円回内筋（PT），方形回内筋（PQ）

▶機能再建と移植腱の選択

低位正中・尺骨神経合併麻痺

再建すべき機能と移行腱の選択

Needs（目的とする機能） / Availables（移行腱の選択）

1. 母指対立機能再建
   Abd PB ← FDS（Ⅳ）Royle-Thompson法
   ← or EIP
2. 母指IP関節安定化術
   EPL ← FPL（部分的）
3. 鉤爪手（intrinsic minus position）
   MP関節過伸展矯正 ← ECRL（four tail tendons）Brand法
   or BR（four tail tendons）
4. 示指橈側外転
   FDI ← ECRB（示指EDC腱移植で延長）
   or Abd PL（別項目を参照のこと）

EIP: 示指固有伸筋，EPL: 長母指伸筋腱，ECRL: 長橈側手根伸筋，BR: 腕橈骨筋，FDI: 第1背側骨間筋，ECRB: 短橈側手根伸筋，Abd PL: 長母指外転筋

高位正中・尺骨神経合併麻痺

Needs（目的とする機能） / Availables（移行腱の選択）

1. 母指の安定化
   CM関節固定術
2. 鉤爪手（intrinsic minus position）
   MP関節過伸展矯正 ← EIP & EDM（＋移植腱）
   腱固定術
   関節包固定術
3. 母指屈曲
   FPL ← BR
   FPL腱固定術
4. 指屈曲
   FDPs ← ECRL

以上は低位および高位の正中・尺骨神経合併麻痺に対する代表的な手術術式を記載したものであるが，患者の期待している機能も多岐にわたっていることが予想され，またavailables筋の筋力の程度もあり，患者に予想される最終ゴールを示して個々の患者に臨機応変に対処すべきである．この項目はまさに手の外科医の実力を発揮する醍醐味のあるところである．

▶手術の順序

正中・尺骨神経合併麻痺に対する腱移行術を全て同時

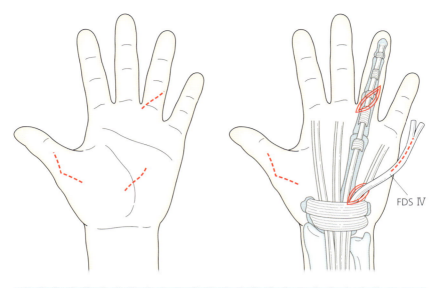

図1　FDS（環指）腱を用いた母指機能再建術（Royle-Thompson法）

に行うことはできない．したがって手術の順序を考慮することはきわめて重要であり，最初の手術の結果によっては次の手術をスキップすることもあり得る．以下に典型的な手術の順序を示す．

1. 低位正中・尺骨神経合併麻痺の場合
　　EPLへの部分的FPLを用いた腱固定術
　　↓
　　EDCで延長したECRBのFDIへの腱移行術
　　↓
　　FDS→　Abd PB母指対立機能再建
　　↓
　　ECRL（four tail tendon）→　指側索

2. 高位正中・尺骨神経合併麻痺の場合
　　母指CM関節固定術
　　↓
　　EPLへの部分的FPLを用いた腱固定術
　　↓
　　ECRL→　FDP（Ⅱ～Ⅴ）
　　↓
　　BR　→　FPL
　　↓
　　EIP　+　EDM　→　指側索

低位正中・尺骨神経合併麻痺

▶Froment徴候矯正術

この項目は別項目を参照のこと．

▶示指外転再建術

示指EDCを移植腱としてECRBを力源として第1背側骨間筋（FDI）への腱移行術を行う．手術手技については別項に記載したECRL腱の停止部ではなくECRB腱停止部を展開する．示指EDC移植腱は同じ方法で準備するが，移植腱はECRB腱に縫合する．移行時の縫合緊張は，手関節を中間位として示指を最大外転位で行う．別項目を参照のこと．

▶対立機能再建術（Royle-Thompson法）

FDS（Ⅳ）を用いた対立機能再建である．手術手技については別項に記載しているので参照のこと．正中神経麻痺に対する対立機能再建術と異なる点は，豆状骨へ付着するFCU腱部の滑車をより遠位に作製することである．より遠位の手掌腱膜に移行するFDS腱を横手根靭帯の遠位縁に沿って手掌腱膜の下を通してAbd PB腱へ停止する．

▶鉤爪変形矯正術（BrandのECRL腱移行術）

ECRL腱採取

第2中手骨基部上に小さな縦切開を加え，ECRB腱の少し橈側に存在する第2中手骨基部に付着しているECRL腱を同定して，これを停止部で切離する．次いで前腕の近位橈背側の切開でECRL腱の筋腱移行部を同定して，ECRL腱をこの皮切に引き出す．

側索の露出

中指，環指，小指の橈側および示指の尺側の基節骨に沿った側正中切開からそれぞれの側索を露出する．

腱移行術

掌側手くび皮線の少し近位に加えた縦切開に前腕近位橈背側の切開に引き出したECRL腱を前腕橈側の皮下

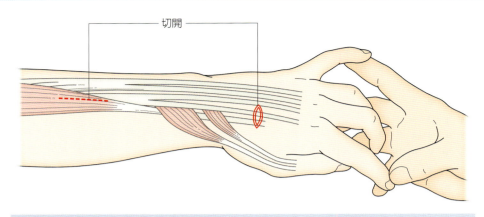

図2 ECRL 腱付着部露出のための皮切

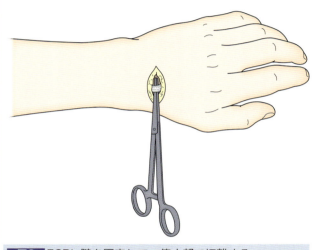

図3 ECRL 腱を固定して、停止部で切離する

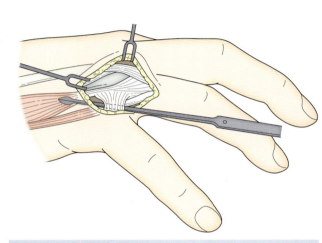

図5 各指の側索を露出する

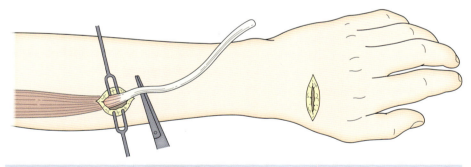

図4 ECRL 腱を前腕近位橈背側の皮切に出す

を通して引き出す 図6 ．足底筋腱を足関節でのアキレス腱の脛骨側（内側）の小さな縦切開で露出して tendon stripper を用いて全長にわたり採取する．足底筋腱は腓腹筋とひらめ筋の間に存在している．腱の停止部を切離して上記したように採取する（遊離腱移植術の項目参照のこと）．足底筋腱を ECRL 腱の遠位端に作製した slit に通して同じ長さに調整して縫合固定する．縫合固定方法にはいろいろな方法があるが、ECRL 腱の遠位端に採取した足底筋腱の中央部を 3-4 回の編み込み縫合で固定する．

次いで手掌中央部に加えた横切開から延長した足底筋膜を引き出す．次いで同じ長さに調整した足底筋腱を 2 本に割いて 4 本、つまり four tail とした 図7 ．

4 本にした細腱を各指に作製した側正中切開に各指間の深横中手靭帯の掌側、さらに虫様筋管に沿ってトンネルを通して各指の適切な側索に移行する 図8 ．

手関節を 30°屈曲位にして、MP 関節を屈曲位に保って側索に編み込み縫合（interlacing suture）固定する 図9 ．緊張度を決定することは困難であるが、最大緊張下で縫合する．縫合固定した後、手関節を掌背屈して MP 関節の屈曲・伸展が tenodesis 効果で良好な可動域が得られていることを確認する．

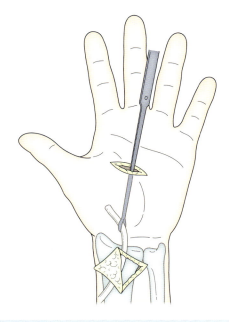

図6 ECRL腱を前腕橈側に加えた皮切に引き出す

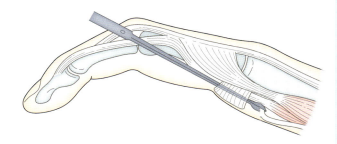

図8 4本にした細腱を各指の側正中切開に皮下トンネルを通して側索に移行する

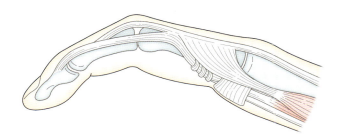

図9 Four tail tendonを側索へ縫合する

▶指屈曲再建術（ECRL腱のFDP腱への腱移行術）

皮切
母指屈曲のためにBR腱のFPL腱への移行術で用いた掌側橈側切開 図10 にて，ECRL腱のFDP腱への移行術に用いることが可能である．

展開
ECRL腱をBR腱の背側で確認する．FDP腱は正中神経とFDS腱を翻転すると深層にFDP腱を見出すことが可能である．

ECRL腱採取
ECRL腱をBR腱の背側で確認したECRL腱を第2中手骨基部で切離して，腱・筋肉を近位まで剝離する．筋肉のmotor pointを損傷しては問題であるが，ツッペルを用いて周囲の筋膜から剝離して，移行筋のexcursionをできるだけ長く確保する．

トンネル作成
展開露出したFDP腱を広く展開する．全ての指の緊張を同じにしてFDP腱を側側縫合して移行術の準備を行う．ECRL腱を掌側切開まで移行するために皮下に十分な太さのトンネルを作成する 図11 ．

移行術
ECRL腱を4本合わせたFDP腱へ少なくとも3回編み込み縫合を行う．縫合は手関節中間位，指を中等度屈曲位に保った肢位で行う．腱固定効果を手関節を掌屈すると手指が伸展し，背屈すると屈曲することで確認する．

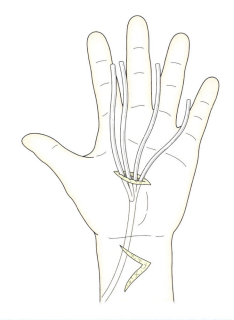

図7 手掌中央部に加えた横切開から延長した足底筋腱をfour tailとして引き出す

高位正中・尺骨神経合併麻痺

▶母指安定化のための母指CM関節固定術
別項を参照されたい．

▶母指屈曲再建術（部分的FPL腱のEPL腱への腱固定術）
FPL腱の半切腱を用いてEPL腱へ腱固定を行い，母指の屈曲を獲得するものであり，別項を参照されたい．

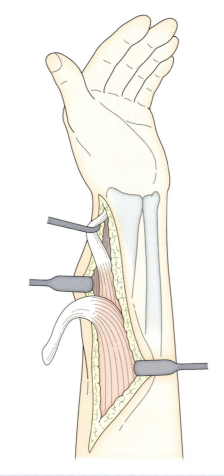

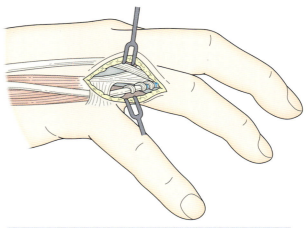

図12 EIPとEDM腱をそれぞれ2本に裂いて各指の側索へ移行した

▶母指屈曲再建術（BR腱のFPL腱への腱移行術）

母指屈曲再建のためのBR腱のFPL腱への移行術については別項を参照されたい．BR自体のexcursionはそれほど大きくなく手関節のtenodesis効果により指の可動域が得られる．

▶鉤爪変形（EIP腱とEDM腱の各指への側索への移行術）

皮切
示指と小指MP関節中手骨骨頭上にC字状の切開を加え，示指と小指のEDC腱の矢状索尺側に存在しているEIP腱とEDM腱を展開する．両腱をEDC腱を損傷しないように注意して切離する．手関節背側（伸筋支帯の遠位）に切開を加え，EIP腱とEDM腱を引っ張って同定してこの部に引き出す．

展開
手関節背側に引き出したEIP腱とEDM腱をそれぞれ2つに裂いて合計4本の腱片を作成してそれぞれの指の側索への移行の準備を行う．

移行術
側索を展開（基節骨側面の側正中切開により）する．それぞれの腱片を深横中手靱帯の掌側の虫様筋管に沿って骨間筋を通してトンネルを作成し，側正中切開から出す．腱片の断端を各指の側索に編み込み縫合を手関節中間位，指のMP関節60°屈曲位で強く縫合する 図12 ．腱固定効果をチェックする．

図10 指屈曲再建術（ECRL腱のFDP腱への移行術）

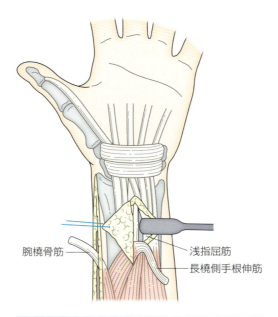

腕橈骨筋　　　浅指屈筋
　　　　　　　長橈側手根伸筋

図11 ECRL腱を掌側切開まで移行するために皮下にトンネルを作成する

▶後療法

手関節を軽度屈曲，手指MP関節屈曲，IP関節伸展位で前腕からギプス副子固定とする．母指は外転位に保持する．固定は3週間続け，3週経過後part-timeの可動

域訓練は行うが，本格的な筋力増強訓練と荷重訓練は 6 週から行う．

■ 文献

1) Brown RE, Zamboni WA, Zook EG, et al. Evaluation and management of upper extremity neuropathies in Charcot-Marie-Tooth disease. J Hand Surg [Am]. 1992; 17: 523-30.
2) McEvitt E, Schwarz R. Tendon transfer for triple nerve paralysis of the hand in leprosy. Leprosy Rev. 2002; 73: 319-25.
3) Omer GE. Tendon transfers for combined traumatic nerve palsies of the forearm and hand. J Hand Surg [Br]. 1992; 17: 603-10.
4) 大西信樹. 末梢神経麻痺に対する腱移行術による再建術. In: 三浪明男編. 手・肘の外科: カラーアトラス. 東京: 中外医学社; 2007. p.390-6.
5) Sandaraja T, Atsuta Y, Takemitsu, et al. Surgical reconstruction of the hand with triple nerve palsy. J Bone Joint Surg [Br]. 1984; 66: 260-4.
6) Wood VE, Huene D, Nguyen J. Treatment of the upper limb in Charcot-Marie-Tooth disease. J Hand Surg [Br]. 1995; 20: 511-8.

CHAPTER 6: 腱—腱移行

121 高位橈骨神経麻痺に対する腱移行術

橈骨神経麻痺はhoneymoon palsyおよび上腕骨遠位1/3部骨折による橈骨神経への圧迫により発生することが多く，比較的遭遇する麻痺の1つである．多くは高位麻痺であり，低位麻痺は後骨間神経麻痺の病像を呈する．

▶手術適応

橈骨神経麻痺は切創などにより橈骨神経が直達的に断裂することよりも，先にも記載しているが，骨折による骨片などにより神経が損傷されたり，honeymoon palsyに代表される圧迫により発生することが多い．切創による橈骨神経麻痺はいわゆるneuronotomesisであるので回復は期待できないが，上腕骨下1/3部に発生したラセン骨折（Holstein型）やいわゆるhoneymoon palsyなどの一時的な圧迫による場合の多くは回復が期待できるので，発症後3カ月は待期すべきと考える．一番悩むのは上腕骨骨折に合併した橈骨神経麻痺で受傷時には存在していなかったが，整復操作後に発症した場合である．骨折部に橈骨神経が挟まり発症したことが危惧されるため，私はこのような状況の場合は観血的整復・内固定（open reduction・internal fixation: ORIF）を行い，神経の損傷状態を直視化に観察すべきであると考えている．

次いで，問題となるのは橈骨神経麻痺に対して，神経そのものに対する処置（神経縫合術，神経移植術，神経移行術など）を行うべきか，あるいは本項のように腱移行術による再建術を選択すべきかの判断である．完全なコンセンサスが得られている訳ではないが，橈骨神経浅枝（知覚枝）の知覚障害が他の神経（正中・尺骨神経など）と比べると比較的無視することができるということで，高齢者あるいは発症から時間が経過（高齢であれば6カ月以上，青壮年では1年以上）している場合は積極的に腱移行による再建術を私は行うこととしている．若年者の場合は発症後1年以上経過していても神経に対する手術を優先的に行うこととしている．

▶手術術式の選択

橈骨頭前方脱臼により発生する肘関節および前腕近位部での橈骨神経損傷は，いわゆる橈骨神経深枝（後骨間神経）麻痺の低位橈骨神経麻痺を呈するが，高位橈骨神経麻痺のうち手関節背屈の再建以外，ほぼ同様の腱移行術であるので，ここでは割愛し，高位橈骨神経麻痺について記載する．

以下にNeedsとAvailablesについて示す

Needs	Availables
示～小指MP関節伸展	← FCR or FCU
母指IP関節伸展	← FDS
母指橈側外転	← PL（Riordan法）
手関節背屈	← PT

代表的な手術術式について記載する

A. Riordan法
  PT ➡ ECRB
  FCU ➡ EDC
  PL ➡ EPL

B. Boyes法
  PT ➡ ECRL＋ECRB
  FDS（Ⅲ） — 骨間膜貫通 ➡ EDC
  FDS（Ⅳ） — 骨間膜貫通 ➡ EPL＋EIP
  FCR ➡ Abd PL＋EPB

C. 田島法
  FDS（Ⅲ）または（Ⅳ） — 骨間膜貫通 ➡ EDC
  PT ➡ ECRB
  PL ➡ EPL（Riordan法と同様）

D. 津下法
  PT ➡ ECRB
  PL ➡ EPL（Riordan法と同様）
  FCR — 骨間膜貫通 ➡ EDC

PT: 円回内筋，ECRB: 短橈側手根伸筋，
FCU: 尺側手根屈筋，EDC: 総指伸筋，
PL: 長掌筋，EPL: 長母指伸筋，
ECRL: 長橈側手根伸筋，FDS: 浅指屈筋，
EIP: 示指固有伸筋，FCR: 橈側手根屈筋，
Abd PL: 長母指外転筋，EPB: 短母指伸筋

私達の方法はRiordan法に準じて津下法の変法（手指伸展をFCUではなくFCRを用いかつ，前腕骨間膜を貫通せず橈側皮下を回している）として行っている．理由としては，1）Riordan法のFCUを使用すると術後手関節の尺屈位変形が出現する．2）津下法ではFCRを骨間膜を貫通して掌側から背側へ出すこととしているが，

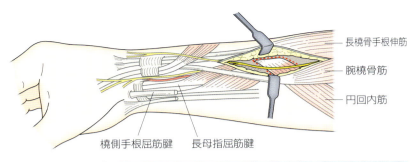

図1 前腕橈側中央1/3部の皮切
この皮切によりPT腱の橈骨付着部を露出する

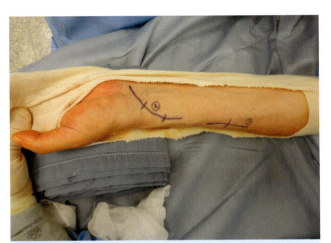

図2 皮切（①の皮切）

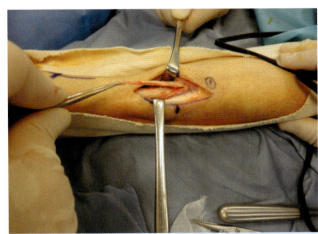

図3 PTのexcursionを得るように近位まで剥離する

　私の経験では（手技上の拙劣さが原因かも知れないが，多くの先生が指摘しているところでもある）どうしても手指の背屈再建がうまくいかないことがあるので，橈骨皮下を通して移行することとしている．

皮切

　まず前腕を回外し，橈骨の中央1/3部の橈側，つまりPT腱の付着部に縦皮切を加える 図1,2①．最初にBRを露出し，これを内側（尺側）または外側（橈側）に牽引するとPT腱が斜めに走って橈骨へ付着しているのをみることができる．橈骨神経浅枝がBRの筋・腱の下面を走行しているので損傷を避ける必要がある．橈骨へのPT腱付着部の遠位まで骨膜をできるだけ採取して少しでも長くする，そしてPTの近位および遠位の筋縁を筋膜上に剥離して近位までツッペルを用いて剥離する．PTの筋膜を切離して十分な滑動性（excursion）を得るようにする 図3．

> **Tips コツ**
> 腱移行を行う場合，移行筋の近位まで十分に筋膜を切離して周囲より剥離して筋のexcursionを得ることが成功の秘訣である．ただし，筋に挿入する支配神経を損傷しないように注意することも重要である．

　次いで，2つ目の皮切を手関節掌側から橈側にかけてJ字状に第1皮切の遠位に加える 図4②．最初の皮切 図4① と連絡させてもよい．橈側に存在するFCR腱を付着部近くで切離し，中枢に向かって筋腹を剥離し，筋膜を切離する 図5．PL腱も同様に付着部近くで切離して，やはり同様に中枢に向かって剥離し筋膜を切離し，これら両筋のexcursionを得るように努める 図6．これで掌側の処置を終える．

　次いで第3の皮切として手関節の少し近位背側に尺側に向かうJ字型皮切，あるいは波状の皮切を加える 図7の③．皮下を剥離した後にできるだけEDC筋の広範な筋膜切除を行う 図8．

> **Tips コツ**
> 筋膜切除は後に行う腱縫合部との間の癒着をできるだけ避けるのが目的である．

　第3区画のEPL腱を筋腱移行部で切離した 図9 後に，第4の皮切として母指MP関節背側に小さな横皮切を加えて 図10の④，EPL腱をこの皮切に引き出す 図11．前腕遠位背側でEDC腱，EIP腱，EDM腱を同定する 図9．EDC腱を1本ずつ牽引して示～小指のMP関節が伸展されることを確認する．小指へのEDC腱の発達が悪い場合にはEDM腱も含めることとする．EIP腱は多くの場合除外する．私は示～小指EDC

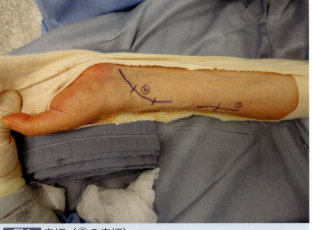

図4 皮切（②の皮切）

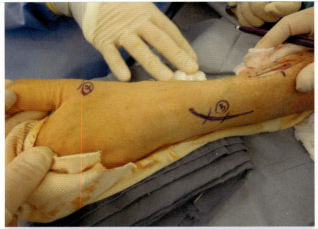

図7 手関節の少し近位背側に③の皮切を加える

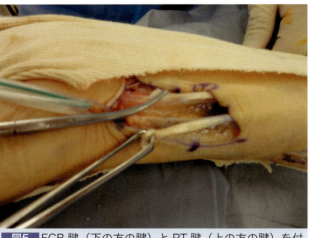

図5 FCR腱（下の方の腱）とPT腱（上の方の腱）を付着部付近で切離して中枢に向かって剥離する

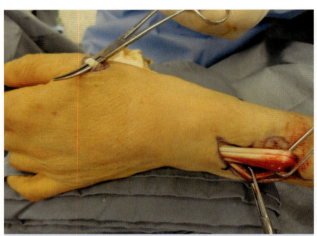

図8 腱縫合部の癒着を起こさないためにEDC上の広範な筋膜切除を行う

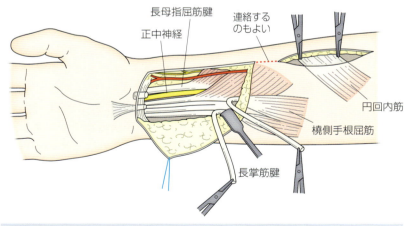

図6 FCRおよびPL腱の良好なexcursionを確保する

腱の緊張を同じとするために全ての腱を一旦，ひとまとめとしておく 図12．

まず，前腕を回内して第1の皮切あるいは第3皮切にPT筋腱を手関節背屈位（30°位）としてECRB腱へ縫合する 図13．この際，PT腱は皮下を剥離してできるだけ長軸方向となるように縫合するとともにBRと ECRLを越えてECRB腱へできるだけ多くinterlacing suture法にて縫合することとしているが，報告者によってはBRとECRLの下を通してECRB腱へ縫合すべきとの報告もある．私は前者の方法を採用している．第4の皮切に出したEPL腱を，同皮切から2つ目の掌側に出す．この際，第2皮切から腱誘導鉗子を第1区画の腱の下に通して第4皮切に出しEPL腱を第2皮切まで引き出す．この際，皮下を充分に剥離して腱の活動性を良好とする．

津下はAbd PL腱を母指外転位にて腱固定し，さらにその先端をFCR腱の切り株に固定してEPL腱のbow stringingを防止することとしている 図14 が，私は第1区画の腱の下を通すことのみとしている 図15．

PL腱と母指伸展・外転位でEPL腱と強く何回もinterlacing sutureを行った 図16．ここで掌側の創を十分に洗浄し閉鎖する．予め，手関節30°背屈位，母指最大外転・伸展位，示～小指MP関節10°屈曲位，PIP，

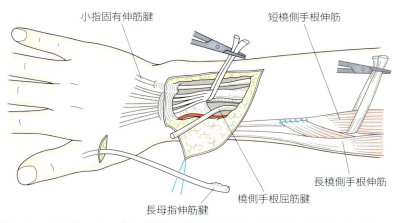

図9 EPL腱を筋腱移行部で切離する．EDC腱も露出する．
（この図ではFCR腱は骨間膜を通しているが私は橈側皮下を通している）

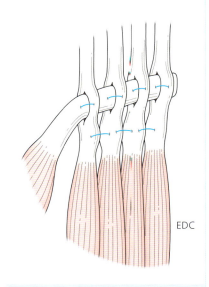

図12 EDC腱の緊張を同じにするために全ての腱をひとまとめにする

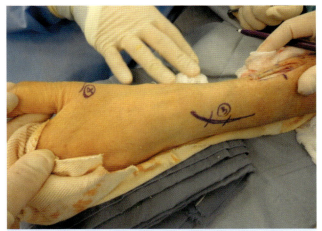

図10 母指MP関節背側に④の小さな横皮切を加える

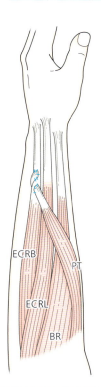

図13 PT腱をECRB腱へ縫合する

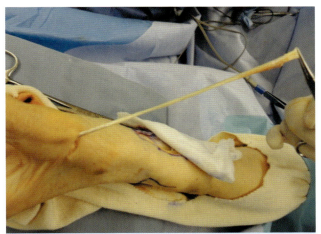

図11 EPL腱をMP関節背側の皮切に出す

DIP関節ほぼ伸展位でのプラスチック（アルミニウム）製スプリント（副子）を滅菌消毒して術中装用させる．これにより安定時に手術が施行可能となるとともに助手の手を浮かすことが可能となる．

最後にひとまとめとしたEDC腱にFCR腱を橈側皮下を十分に剝離して通してinterlacing sutureを行った 図17, 18．手関節背屈30°で手指MP関節10°屈曲位で緊張下に縫合を行う．背側の創洗浄を行った後に創閉鎖を行う．

▶後療法

術後1週間は術中装用したstatic副子で固定した後に，しっかりとしたinterlacing sutureが完遂されている場合には2週目より手関節30°背屈位で，outriggerで示〜小指MP関節を伸展位として，母指外転伸展位で

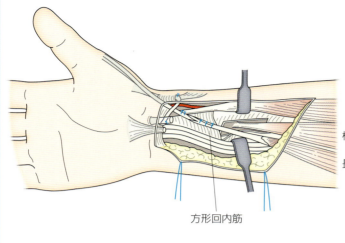

橈側手根屈筋
長掌筋腱
方形回内筋

図14 EPL 腱の bow stringing を防止するために Abd PL 腱を固定して pulley としている（津下法）．
ここでは FCR 腱を骨間膜を通している

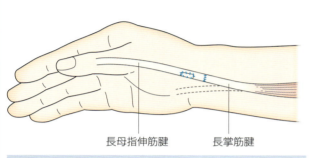

長母指伸筋腱　長掌筋腱

図15 母指伸展再建

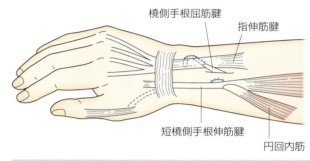

橈側手根屈筋腱
指伸筋腱
短橈側手根伸筋腱
円回内筋

図17 手関節，手指伸展再建

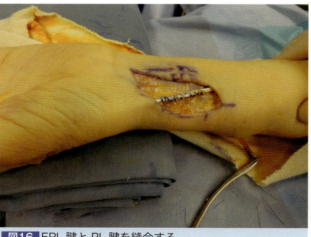

図16 EPL 腱と PL 腱を縫合する

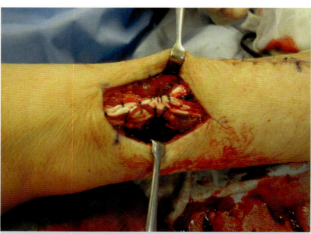

図18 EDC 腱と橈側皮下を回した FCR 腱を縫合固定した

も同様に牽引し，passive extension, active flexion を3週まで行う．以後は日中は free として night splint として6週までとして，6週で完全 free とした．

■ 文献

1) Ishida O, Ikuta Y. Analysis of Tsuge's procedure for the treatment of radial nerve paralysis. Hand Surg. 2003; 8: 17-20.
2) 大西信樹．橈骨神経麻痺の再建術．In: 三浪明男編．手・肘の外科：カラーアトラス．東京: 中外医学社; 2007. p.396-8.
3) Riordan DC. Radial nerve paralysis. Orthop Clin North Am. 1974; 5: 283-7.
4) Riordan DC. Tendon transfers in hand surgery. J Hand Surg [Am]. 1983; 8: 748-53.
5) Tsuge K. Tendon transfers for radial nerve palsy. Aust N Z J Surg. 1980; 50: 267-72.

CHAPTER 7: 神経

122 神経剝離術，神経縫合術，神経移植術

神経損傷の程度に関しては古くからSunderlandの分類が有名である．本書では詳細を割愛するが，程度の軽い順に neurapraxia, axonotomesis, neuronotomesis に分けられ，どの段階の損傷程度であれば神経剝離術 neurolysis，神経縫合術 nerve suture が適応となるかなどが決まる．一般的に末梢神経は高位が 1 cm 違うと神経束パターンが全く異なるので神経縫合を行う場合に念頭に入れるべきである．

▶神経剝離術

神経を瘢痕組織や骨性組織からの圧迫から解放して，神経への血行の改善などを図る目的で神経剝離術を行う．適応としてはaxonotomesisまでの神経損傷である．

神経剝離術は剝離する組織の違いにより，神経外神経剝離術と神経内（神経束間）神経剝離術に分けることができる．一般的には前者であり，後者を行う際には顕微鏡下で行うべきである．私は実際上，神経束間神経剝離術を行う例は神経のくびれが疑われる場合のみである 図1 ．

神経剝離術を行うにあたっては神経への血行を温存すべきであり，また再圧迫を避ける目的で比較的条件のよい軟部組織（例えば脂肪組織）中に神経移行も同時に行うこともある 図2A, B ．

▶神経縫合術

神経縫合術はいったん連続性が断たれた軸索に再生を促すための手術である．神経縫合は神経上膜のみに糸を掛ける神経上膜縫合 図3 と個々の神経束を縫合する神経束縫合 図4 があるが，多くはこれらの中間にあたる上膜および神経束の一部に糸を掛ける神経束グループ縫合を行うことが多い 図5A, B, C ．

▶神経移植術

神経縫合術が不能な場合，あるいは縫合が可能であっても緊張が過度な場合，とくに関節を伸展させた場合に

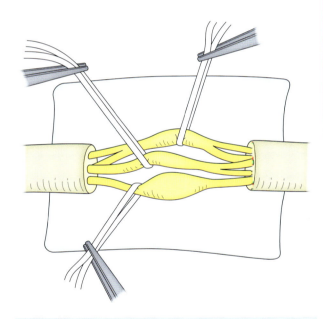

図1 神経束間（神経内）神経剝離術

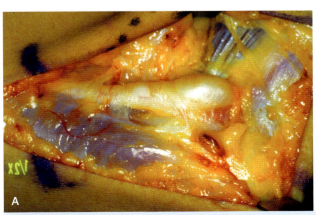

図2 肘部管症候群例
A: 神経外膜まで剝離した．　B: 神経外膜を切離して神経束間神経剝離術を行った．

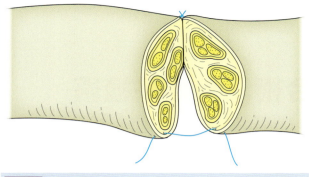

図3 神経上膜縫合

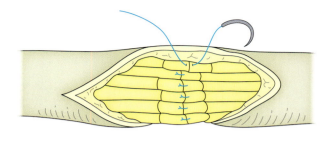

図4 神経束縫合

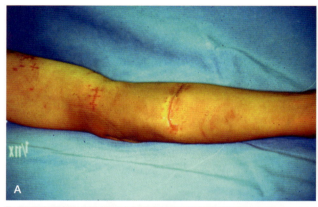

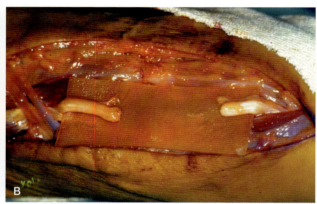

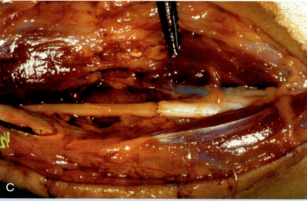

図5 正中神経断裂に対する神経縫合術例
A: 前腕屈側中央部に切創を受けた．　B: 術中．神経は完全に切断されており，断端を正常神経束が露出するまで新鮮化した．　C: 神経束グループ縫合を行った．

神経縫合部の再断裂の危険が疑われる際に神経移植術を行う．人工神経（他項目　参照のこと）などが出現しているが，神経移植の gold standard は自家移植である．ドナーとしては一番多いのが腓腹神経であるが，そのほか，後（前）骨間神経，内側（外側）前腕皮神経，伏在神経などの小径感覚神経が利用される．中枢と遠位の神経束のパターンを同定して神経束移植を行うが，現実的には神経束パターンは不安定であり，対応する神経束を確認できないことが多い 図6A, B, C．

▶神経剝離術，神経縫合術，神経移植術の手術適応の原則

1. 開放性外傷の場合には神経の回復が 3-6 カ月待っても得られない，あるいは待機しても回復が期待できないと判断される場合は神経を展開し，連続性の有無について確認し，神経縫合または神経移植を行う．
2. 有連続性神経損傷（開放性外傷がなく）の場合で，回復が思わしくないときには積極的に神経を展開し，多くは神経剝離術の適応となる．
3. 神経幹断裂の場合には，神経縫合または神経移植の適応となるが，腕神経叢引き抜き損傷など中枢断端の軸索再生能が期待できない場合には，肋間神経，

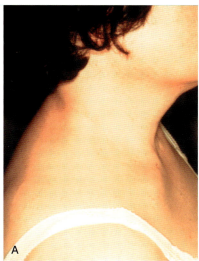
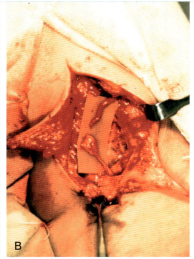
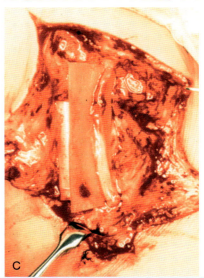

図6 副神経損傷に対する神経移植術例
A: 頚部リンパ節生検による創が頚部三角に存在している．　B: 副神経は完全に切断されていた．　C: 腓腹神経を神経ギャップ間に神経移植を行った．

副神経や尺骨神経の一部の神経束を用いる神経交叉縫合術（別項目　参照のこと）も適応となる．

受傷機転，受傷部位，神経麻痺の詳細な臨床像の把握，受傷からの時間，回復の有無，Tinel 徴候の伸延の有無，年齢などを総合的に判断すべきであるが実際上，手術（展開）すべきかどうかの判断は難しいことが少なくない．

術前準備

展開した際の神経の状態により神経剥離，神経縫合あるいは神経移植を決定することとなるので以下の2点に留意する．

1. 神経移植が必要となる場合もあるので，ドナー神経の採取のための体位（術中での体位変換）を考慮すべきである．
2. 術中，患者に覚醒してもらい，funicular orientation を行うことも考えられる．つまり電気診断を行うこともあるので，術前から麻酔医とよく相談し筋弛緩薬の投与を差し控えてもらうことも考慮する．

 コツ

受傷後1週以上経過すると神経は Waller 変性し，断裂部より末梢の神経を刺激しても筋収縮は得られない．

皮切・展開

基本的には神経損傷部位（開放性外傷の場合などは容易であるが，どこで損傷されているかが不明な場合も少なくない）を中心に近位および遠位の健常な神経を同定して，損傷部位での神経の損傷程度を評価する図7A, B．開放性の創瘢痕などがあるので，これらをうまく利用して術後の瘢痕拘縮の発生などが生じないような皮切を加える必要がある．

損傷神経に対する処置

神経の太さに応じた神経カッターを用いて顕微鏡下に，正常な神経束構造が確認できるまで繰り返し近位および遠位神経断端の新鮮化を進める図8．神経カッターがない場合は幅の薄いカミソリを用いて新鮮化作業を行う．両断端に健常な神経束が露出したところで，神

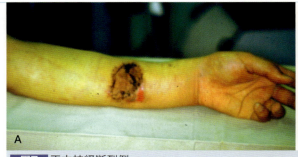
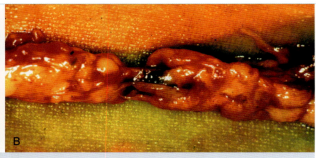

図7 正中神経断裂例
A: 前腕屈側をリヤカーのタイヤでこすられて熱傷を受けた
B: 正中神経は強く広範にわたり障害され，ほとんどの神経束の連絡性は認めなかった

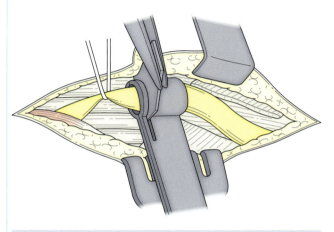

図8 神経断端の壊死・線維組織を切除して正常な神経束が露出するまで新鮮化する

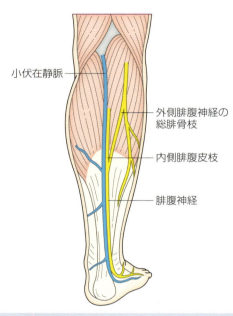

図10 ドナー神経としての腓腹神経の手術解剖

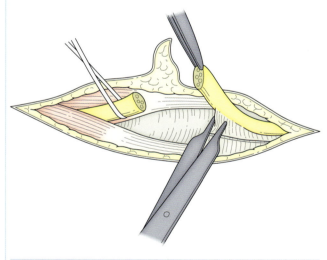

図9 神経の近位・遠位を剥離して神経欠損長を評価する

経断端に軽く緊張を掛けて引き寄せる．

神経の緊張度合いの決定
　神経の両断端の引き寄せが困難な場合，神経剥離を近位および遠位に行い，神経の滑動性（excursion）を確保したり，また関節を軽度屈曲するなどして断端を引き寄せ，できるだけ端端縫合での修復を試みる 図9 ．
　これらの操作によっても神経断端の引き寄せが困難な場合あるいは関節肢位により縫合部に強い緊張が掛かることが予想される場合には神経移植術を行うこととする．

> **Tips コツ**
> 無理な端端縫合は決して行うべきではないことは銘記すべきである．神経縫合部の緊張が関節運動により強いと判断した場合には，積極的に神経移植へ方針を変更すべきである．

移植神経の採取
　私は好んで腓腹神経をドナー神経としている 図10 ．神経断端のギャップを計測し，神経断端の神経束パターンから2-4本の神経束移植を行うとしてギャップ差（cm）×2-4本＝腓腹神経全長（cm）として採取する 図11 ．

神経移植（Cable graft）
　神経の両断端の神経束パターンがおおよそ合致するように2-4本の腓腹神経をcable graftとして移植する．これらの操作は全て顕微鏡下に行う．神経束断端を移植神経束で全て被う本数（太さ）とする．レシピエントの神経周膜に8-0～10-0ナイロン糸を用いて糸を掛けて，次いで移植神経周膜に糸を掛けて，神経束が外にはみ出

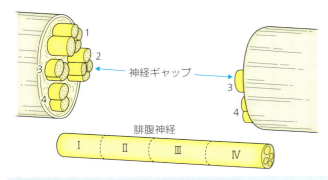

図11 Cable graft とする移植神経を採取する

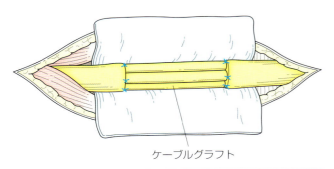

図12 神経移植術（cable graft）

ないように，神経束同士が向かい合うように注意深く神経縫合を行う．縫合は緩めに行うのが原則である **図12**．

縫合部の補強
神経縫合後，縫合部の下にラバーシートを敷いて，フィブリン糊を用いて縫合部を補強する．巻きずしを作る要領でラバーシートで縫合部を覆う．

閉創
神経縫合後，縫合部の近位および遠位の関節を屈曲・伸展して神経の緊張度を確認する．この結果により周囲関節の可動域訓練をどのように行うかを決定し，術後リハビリテーション指示に生かす．また，神経縫合部（移植部）が血流の豊富な組織により囲まれており，新たに絞扼する組織が存在していないことを確認して閉創する．

 コツ

神経縫合部に周囲脂肪組織を血管柄付き有茎として移動することを好んで行っている．

▶後療法

患肢をギプスシーネにて固定する．神経縫合部の緊張に注意しながら，早期から患肢の拘縮防止に努める．

▶合併症

術後，神経支配領域に強い異常感覚 paresthesia が発生したり，complex regional pain syndrome（複合性局所疼痛症候群: CRPS）に陥ることも少なくないので徴候を見つけたら，早期に適切な治療を開始する．

■文献
1) 平澤泰介. In: 臨床医のための末梢神経損傷・障害の治療. 東京: 金原出版; 2000. p.76-90.
2) 平田 仁. 神経損傷の手術. 神経剥離術, 神経縫合術, 神経移植術. In: 三浪明男編. イラストレテッド手の外科. 東京: メジカルビュー社; 2009. p.75-81.
3) 笠島俊彦. 末梢神経損傷の手術治療法. In: 三浪明男編. 手・肘の外科: カラーアトラス. 東京: 中外医学社; 2007. p.281-4.
4) 内西兼一郎, 堀内行雄, 佐々木孝, 他. In: 末梢神経損傷診断マニュアル. 東京: 金原出版; 1991. p.56-65.
5) 山野慶樹. In: 末梢神経の臨床. 東京: 医歯薬出版; 2007. p.69-98.

CHAPTER 7: 神経

123 血管柄付き腓腹神経移植術（腓骨皮弁を含む）

　神経欠損が長大に及ぶ場合には長い神経移植を要することとなる．細い神経であれば数本に分割する必要があったり，あるいは太い神経が移植する際に必要となる．一般的には腓腹神経は血管柄付きで採取することは少ないが，強い瘢痕組織の存在など条件が悪いレシピエントへの神経移植などの場合，腓骨動脈から下腿筋膜への穿通枝を利用して腓腹神経を血管柄付きで採取することが可能である．血管柄付き尺骨神経移植も全型，下位型腕神経叢麻痺（引き抜き損傷）症例においてはよく行われる．

> **Tips コツ**
> 血管柄付き腓腹神経の採取方法は腓骨皮弁の挙上方法とほぼ同様である．したがって本題では腓骨皮弁挙上例を症例として供覧する．

▶解剖

　腓腹神経は下腿の末梢2/3部では下腿筋膜上を走行しており，大部分は小伏在静脈と併走しているので，静脈をメルクマールとして皮切を加える．また部位によって異なった複数の血行支配を受けている．近位部では後脛骨動脈から，遠位部では腓骨動脈の皮枝が下腿筋膜の血管網を介して腓腹神経は栄養されている．臨床的には下腿中央1/3から足関節までの腓骨動脈から血行支配を受けている腓腹神経を血管柄付き神経として用いることが多い．長さとしては約20 cm程度の採取が可能である．

▶血管柄付き腓腹神経の挙上（腓骨皮弁をモニターとして）

　採取方法にあたっては血管柄付き腓骨移植術の項参照のこと．モニター皮弁（腓骨皮弁）挙上にあたっては下腿中央から遠位で腓骨の後縁の後方に存在する腓骨動脈

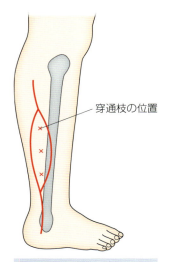

図2　穿通枝の位置により腓骨皮弁をデザインする．

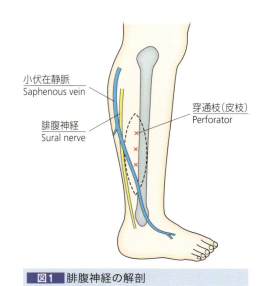

図1　腓腹神経の解剖

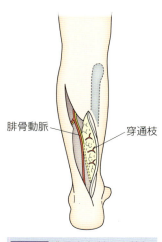

図3　腓骨皮弁付き血管柄付き腓腹神経の挙上．

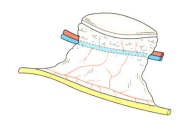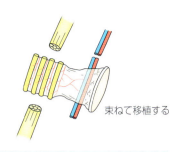

神経のみ分割する　　　束ねて移植する

図4 腓腹神経を数本の細片に切断して束ねて移植する．

皮枝（筋膜を通しての穿通枝）を術前，ドップラー血流計で確認し，その皮枝を含めるようにモニター皮弁となる腓骨皮弁をデザインし，皮切は皮弁を中心に縦方向に延長する 図2．

皮弁辺縁を切開し，下腿筋膜上で皮弁後方へ剥離をすすめる．中枢1/3部から足関節まで20 cmに亘り腓腹神経を露出後，近位および遠位部の神経を切断して必要な神経長を採取する．下腿筋膜下の層を腓骨裏面の深部に向かって剥離して腓腹筋を内側へ，長・短腓骨筋を外側に牽引し，長母趾屈筋内の腓骨動脈に到達する．血管柄を必要な長さまで剥離して，腓骨動静脈付き腓骨皮弁の付いた血管柄付き腓骨神経を挙上する 図3．

▶Cable graft の作成

腓腹神経は細いので，神経移植を行う場合には神経をさらに数本の細片として神経移植を行うことが多い．したがって血管柄付き腓腹神経の場合，神経への筋膜を介しての血行を温存したまま腓腹神経のみを切断して3本あるいは4本に束ねて移植片を作成する 図4．神経移植の方法については別項目を参照のこと．

Tips コツ

下腿筋膜を損傷しなければ腓骨動脈からの腓腹神経の神経内血行は温存されることになる．

▶症例供覧

血管柄付き腓腹神経移植術を行った症例がなかったので腓骨皮弁例を提示する．

症例1　60歳，男性．アキレス腱皮膚欠損例．図5～8

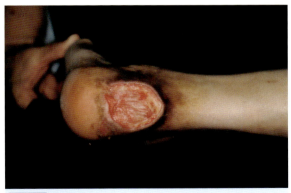

図5 術前外観

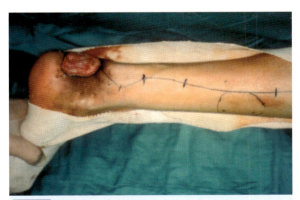

図6 皮弁のデザイン

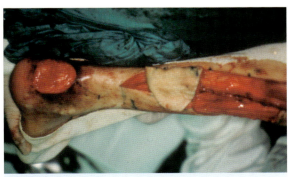

図7 皮弁の挙上

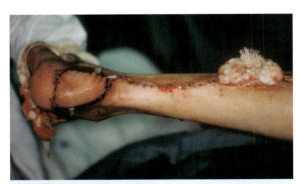

図8 皮膚欠損部の被覆

症例2 70歳，男性．踵部皮膚欠損． 図9〜11

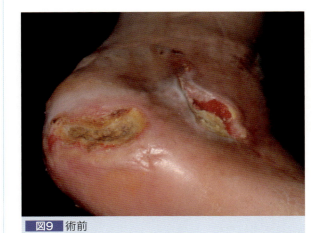

図9 術前

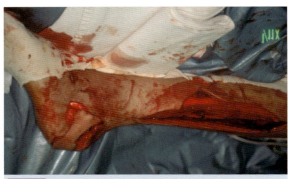

図10 皮弁の挙上

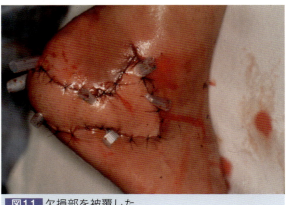

図11 欠損部を被覆した

■ 文献

1) Doi K, Kuwata N, Kawakami F, et al. The free vascularized sural nerve graft. Microsurgery. 1984; 5: 175-84.
2) 土井一輝, 桑田憲幸, 表寛治郎, 他. 血管柄付遊離腓腹神経移植術. 手術. 1984; 27: 415-20.
3) 平瀬雄一. 血管柄付き腓腹神経移植. In: 平瀬雄一編. やさしいマイクロサージャリー. 東京: 克誠堂出版. 2012. p.192-7.
4) Minami A, Kaneda K, Itoga H, et al. Free vascularized fibular grafts. J Reconstr Microsurg. 1989; 5: 37-43.

CHAPTER 7: 神経—肩関節周囲における末梢神経障害

124 肩関節周囲における末梢神経障害の診断と治療

　手根管症候群（正中神経麻痺）や肘部管症候群（尺骨神経麻痺）は外来診療上，最も遭遇する機会が多い上肢における神経障害である．一方，上肢といっても肩関節周囲に発生した末梢神経障害は頻度がそれほど高いものではないこともあり，診断・治療が遅れ不可逆的な麻痺に陥ることも少なくない．本項では肩関節周囲における末梢神経障害のうち，副神経，肩甲上神経，長胸神経，腋窩神経を中心に各神経障害の診断と治療について詳述する．

副神経

　副神経は脳神経の1つであり，第11脳神経と呼ばれる．脊髄根は頭蓋腔で延髄根と合流したのち，頭蓋を頚静脈孔から出て，いく本かの枝に分かれて胸鎖乳突筋，僧帽筋などを支配する運動神経である（腕神経叢麻痺総論を参照のこと）．

▶解剖

　に示すように頚静脈孔から出て胸鎖乳突筋の後方を通りさらに胸鎖乳突筋と僧帽筋の間で形成される後頚三角を通り，数本に分枝して僧帽筋に到達する．後頚三角部では副神経は胸鎖乳突筋の裏側を走り，いずれも胸鎖乳突筋の裏側から反回上行する小後頭神経の遠位，大耳介神経の近位を走行する．

> **Tips コツ**
> 小後頭神経や大耳介神経が副神経と近接した部に存在することは副神経が損傷された場合に耳介の後ろや乳様突起部にシビレなどが存在することがある理由である．副神経損傷の診断の一助となり得る．

　僧帽筋はからもわかるように副神経のみにより支配されているのではなく，第3，4頚神経僧帽筋枝によっても支配されている．

> **Tips コツ**
> このことは副神経が完全断裂したとしても僧帽筋（特に中部および下部線維）が完全麻痺に陥ることはないことを意味している．

▶診断

　診断に重要なことはまず副神経障害に陥った原因について患者に聴取することである．私の経験では頚部リンパ節生検・郭清術に伴って発症することが多い，つまり医原性神経障害の可能性を考慮すべきである．

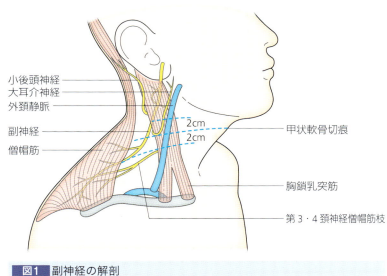

図1 副神経の解剖

Tips コツ

残念ながら経験した症例の多くが経験の浅い若手医師による頸部リンパ節の生検の後に発生したものであった．副神経の存在を理解していない場合，術後，患者との間でトラブルとなることも少なくない．

症状としては自覚的には肩外転筋力低下，肩関節痛，肩こりなどを訴え，他覚的には僧帽筋の筋萎縮や肩関節の自動外転障害を認める．僧帽筋は本来薄く広く体幹の後面を覆っている筋肉なので視診のみでは筋麻痺（筋萎縮）の存在を把握することは容易ではない．肩をすくめてもらうと僧帽筋上部線維の盛り上がりが少なく，鎖骨上窩の凹みが深かったりするのが特徴的である 図2．診断で一番わかりやすいのは 図3 のようにベッドに腹臥位となって貰い，肩を上げる（飛行機の翼のように）ように指示する．患側は僧帽筋の麻痺によりベッドから上腕を離す（持ち上げる）ことができないことを確認することである．

電気生理学検査も有効であるが臨床診断が最も簡便である．

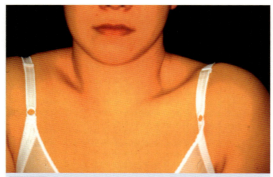

図2 肩をすくめてもらうと患側（左側）の僧帽筋の盛り上がりが少なく，鎖骨上窩の凹みが健側より深いことが分かる．

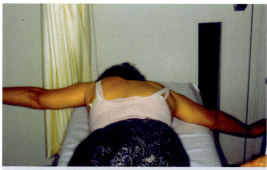

図3 右僧帽筋の筋萎縮が明らかである（本文参照のこと）．

▶症例供覧

症例1 65歳，男性．右下顎癌切除時に頸部リンパ節郭清を同時に行い，副神経も同時に切除された症例である 図4A, B, C．副神経損傷による僧帽筋の完全麻痺例である．

▶治療

前記したように頸部リンパ節生検などが原因の場合，3カ月程度は回復を期待してもいいが，筋萎縮が著明となり，肩関節の運動障害や肩こり・肩関節のだるい感じなどが続く時には神経のintervention を行うべきと考える．

周囲組織との癒着のみで神経の連続性が存在する場合は神経剝離術を行い，明らかな断端神経腫が形成されている場合には神経移植術（普通は腓腹神経を用いている）を行うこととしている（本書の神経剝離術，神経縫合術，

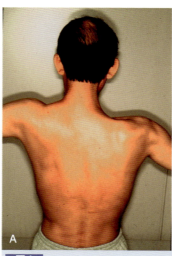
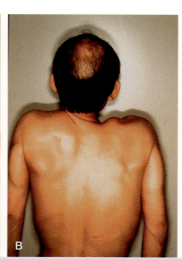
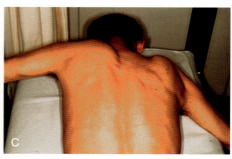

図4
A: 右肩の外転が不十分である．
B: 肩をすくめるとより一層筋萎縮が明らかとなる．
C: 右肩の後挙が全くできない．

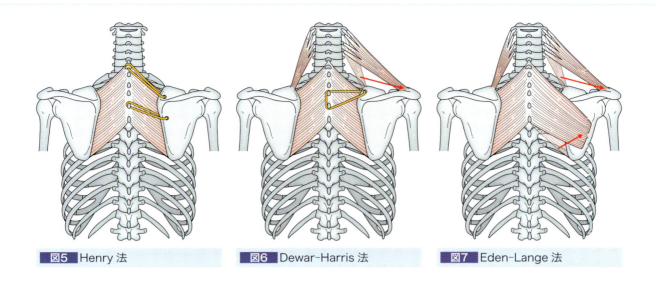

図5 Henry 法　　図6 Dewar-Harris 法　　図7 Eden-Lange 法

神経移植術の項の 図6 は受傷から1.5年を経過して神経移植を行い，良好な回復が得られた副神経損傷症例である）．

> **Tips コツ**
> 副神経は純粋な運動神経であるので神経移植後の神経回復は受傷後かなりの期間を経過しても期待できるのではと考えている．

　一般的には受傷から1年以内の完全麻痺，重度の不全麻痺の場合は神経を展開し修復を図るべきと考える．神経修復不能例や受傷から1年以上経過しており，ADL上の不自由度が強い場合には再建術を行うこともある．Henry 法 図5 ，Dewar-Harris 法 図6 ，Eden-Lange 法 図7 などの術式報告がなされているが，私には Eden-Lange 法の1例のみの経験しかない．肩甲挙筋を肩甲骨上角から肩峰に移行して，肩甲骨の挙上（外転）を可能として肩甲骨脊椎縁に付着している大・小菱形筋を肩甲骨の外側縁に移行して肩甲骨を安定化させるものである．

▶症例供覧

症例2　21歳，男性．近医にて数年前に頚部軟部腫瘍摘出術を受けたが，その後，肩低位を自覚し，肩甲部痛，上肢外転制限が出現した例である 図8A,B,C ．

肩甲上神経

▶解剖

　肩甲上神経は腕神経叢の上神経幹より起こり，後外側に向かい，肩甲骨の上肩甲横靱帯の下で肩甲切痕を通過して棘上窩に入り，棘上筋を支配し，棘窩切痕を迂回して更に下行して棘下筋を支配する．
　肩甲上神経の特徴は腕神経叢上神経幹から分岐後，終枝までの距離が短い（全長約15 cm）ので走行経路中に牽引・圧迫を受けやすい構造であることと運動・知覚両神経の機能を有していることである 図9 ．

▶麻痺の原因

肩甲上神経麻痺の原因としては
1. 肩甲切痕（上肩甲横靱帯）での絞扼
　　一次性
　　スポーツ
　　腱板断裂など
2. Space occupying lesion
　　ガングリオンなど
3. 棘窩切痕での絞扼・圧迫
　　スポーツ　　　　　などがある．

　図10 は肩甲上神経の絞扼部である．肩甲切痕と棘窩切痕を示したものであり，投球動作（肩関節の外転・外旋動作や内転・内旋動作）などになり圧迫を受けやすい．

▶診断

　肩甲上神経麻痺の症状としては肩関節の運動時痛，肩の後外側部の深部痛，夜間痛，筋力低下に加えて棘下窩の痛み・圧痛などがある．棘上筋・棘下筋の萎縮 図11 とともに外転・外旋筋力の低下が明らかである 図12 ．
　後述するが spinoglenoidal notch でのガングリオンによる肩甲上神経への圧迫も有力な原因の1つであるので MRI や超音波検査なども有用であることが多い．

▶治療

　多くは投球動作の休止などの保存療法に反応するが，ガングリオンなどによる神経圧迫例では open としてガングリオンを切除する，あるいはエコー透視下に穿刺す

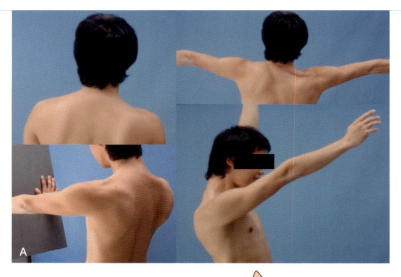

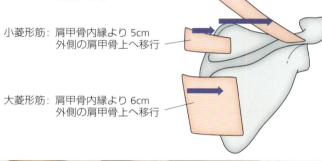

肩甲挙筋：肩峰後角より5cm
　　　　　外側へ移行

小菱形筋：肩甲骨内縁より5cm
　　　　　外側の肩甲骨上へ移行

大菱形筋：肩甲骨内縁より6cm
　　　　　外側の肩甲骨上へ移行

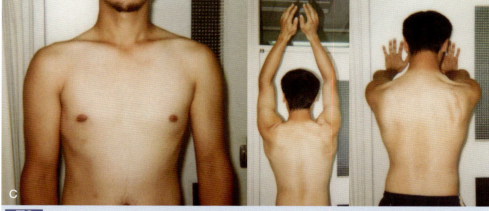

図8
A: 初診時所見．右僧帽筋麻痺により肩外転が不十分である．
B: Eden-Lange法を施行
C: 術後9カ月の肩外転状況である．

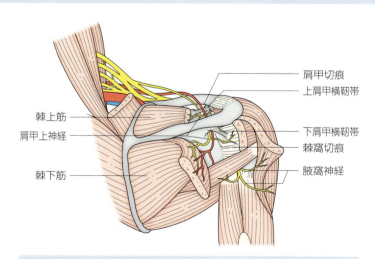

肩甲切痕
上肩甲横靱帯
棘上筋
肩甲上神経
下肩甲横靱帯
棘窩切痕
棘下筋
腋窩神経

図9 肩甲上神経の解剖

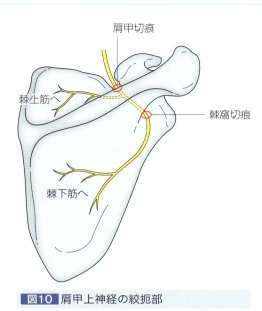

図10 肩甲上神経の絞扼部

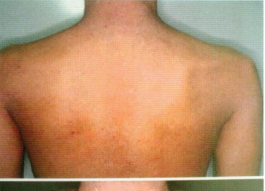

図11 肩甲上神経麻痺の診断: 棘上筋・棘下筋の萎縮が著明である.

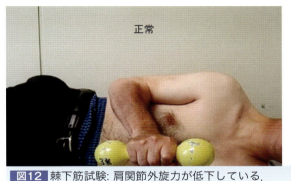

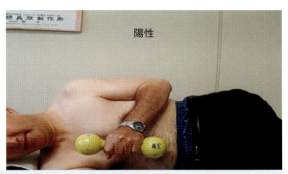

図12 棘下筋試験: 肩関節外旋力が低下している.

るなどの方法がある.

▶症例供覧

症例3 棘窩切痕部のガングリオンによる肩甲上神経麻痺例 図13A, B, C, D

問題点

広範囲腱板断裂例でも棘上筋・棘下筋の筋萎縮や肩関節の外転・外旋筋力低下などを示し，肩甲上神経麻痺と同じような症状を呈するので，鑑別が難しいことがある．

▶広範囲腱板断裂例の検討

末永らは広範囲腱板断裂例に肩関節外側後部に知覚障害が高頻度に存在していることを見出して，腱板断裂に対する手術時に鏡視下上肩甲横靱帯切離を行って，肩甲上神経への圧迫を取り除くと知覚障害が術後著明に改善したことを報告している 図14．腱板断裂と肩甲上神経障害との関係については未だ不明なことが多いが，変形性頚椎症非合併例，電気生理学的検査正常例，棘上筋・棘下筋の筋萎縮が軽度症例には鏡視下上肩甲横靱帯切離が有効であると結論づけている．今後の検討が期待される．

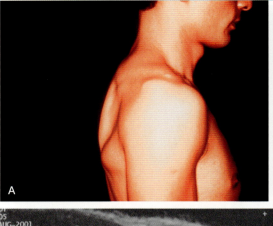
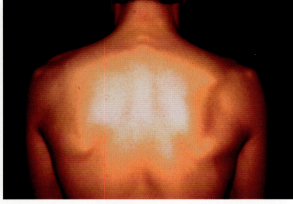
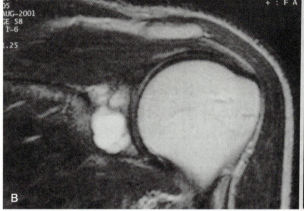
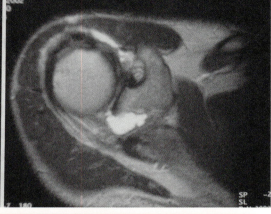
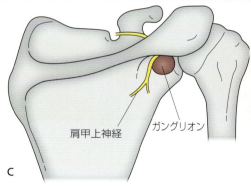
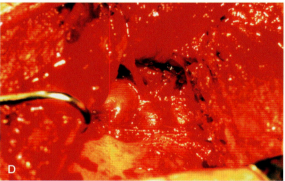

図13
A: 術前外観: 棘下筋の萎縮が著明である．
B: MRI像: 棘窩切痕部にT2強調像でhigh intensityの信号変化が存在する．
C: ガングリオンにより肩甲上神経麻痺が生じたものである．
D: 術中写真: ガングリオン（フックの右に存在）が図下方を走る肩甲上神経を圧迫していた．

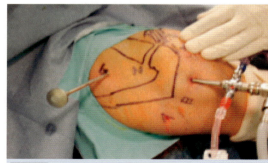

図14 鏡視下上肩甲横靱帯切離術

長胸神経

▶解剖

長胸神経は腕神経叢のC5～7神経根から起こり，前鋸筋を支配している．C5, 6神経根からは中斜角筋を貫き，C7神経根からはその前面を通ることが多い 図15 ．

▶診断

症状としては肩関節の外転障害や脱力感などを訴える．

長胸神経麻痺は別名リックサック麻痺とも言われ，長胸神経が重いリックサックを持ったときに肩ストラップで長胸神経が圧迫されて発生することがある 図16．この場合は多くは自然回復が期待できる．図17 は長胸神経麻痺患者の肩関節外転が十分にできないことを示しており，図18 は前鋸筋麻痺により翼状肩甲が著明なことを示しており，診断が可能である．

▶治療

多くは保存的治療で治癒する．手術としては Whitman法 図19 や肩甲骨固定術 図20 があるが，手術の適応は極めて少ないと考える．私にこれらの経験はない．

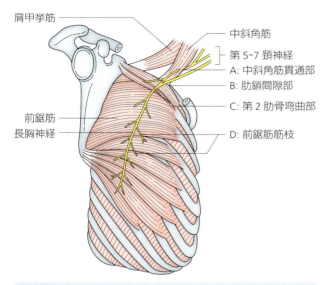

図15 長胸神経の解剖

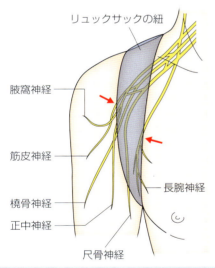

図16 リュックサックのストラップによる長胸神経圧迫

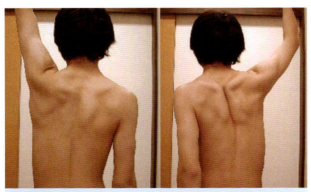

図17 長胸神経麻痺（前鋸筋麻痺）により肩関節（右側）の外転が不十分である．

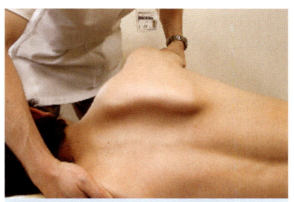

図18 前鋸筋麻痺による著明な翼状肩甲．

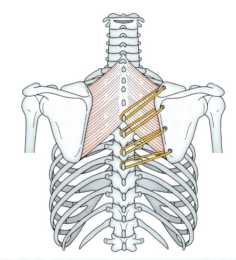

図19 Whitman 法

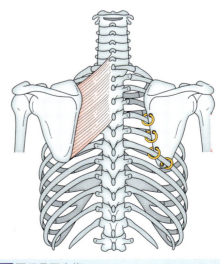

図20 肩甲骨固定術

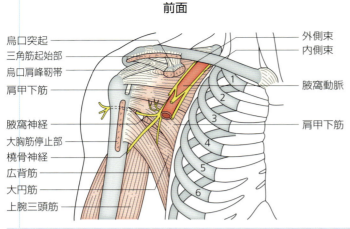

図21 腋窩神経の解剖

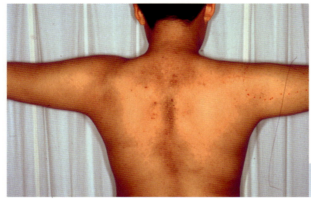

図22 腋窩神経麻痺による三角筋麻痺（右側）．三角筋部に知覚障害を認める．

腋窩神経

▶解剖

腋窩神経は腕神経叢 C5, C6 神経根から直接出て上腕部を走行する末梢神経で，腋窩部を通って上肢の背側，三角筋に到達する．三角筋を支配するので肩の外転を司る．腋窩部の通り道は quadrilateral space と呼ばれ，神経圧迫が最も発生しやすい部位である 図21．

Tips コツ

Quadrilateral space とは 図21 でわかるように，上腕骨外科頸，上腕三頭筋長頭，大円筋，小円筋との間で囲まれた間隙である．

▶診断

上腕の屈曲・外転・伸展運動が難しくなる．三角筋が完全に麻痺しても肩腱板が効いていれば肩外転は全く不可というわけではない 図22．原因として高齢者の肩関節脱臼に合併して発症することも多い．

▶治療

多くは保存療法に反応する．神経断裂が明らかでない場合は quadrilateral space で神経剥離術を行う．

▶症例供覧

症例4 85歳，女性．肩関節脱臼に伴う腋窩神経麻痺例　図23A, B, C, D

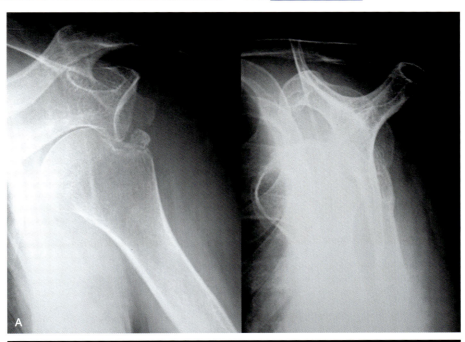

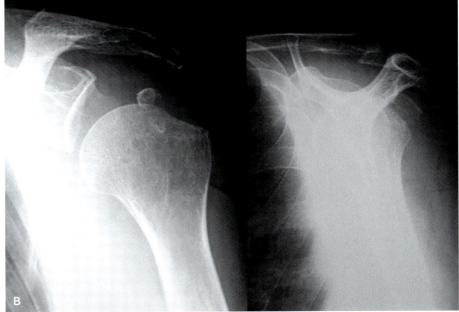

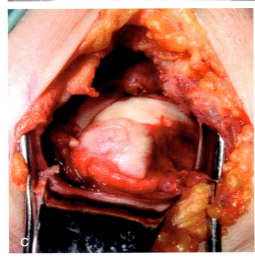

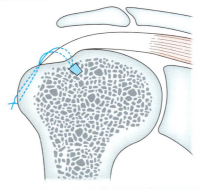

図23
A: 他医初診時 X-P
B: 当科初診時 X-P
C: 手術中所見．腋窩神経が挟まっていた．腱板修復を行った．

124
肩関節周囲における末梢神経障害の診断と治療

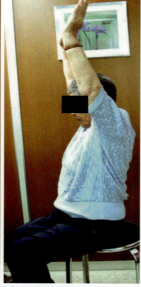
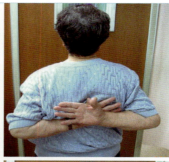
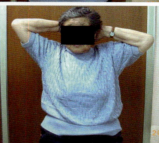

図23
D: 術後15カ月

■ 文献

1) 石田康行, 帖佐悦男, 矢野浩明, 他. 肩関節脱臼後に腋窩神経麻痺を伴った腱板広範囲断裂の治療経験. 整形外科と災害外科. 2007; 56: 525-8.
2) 岩堀裕介, 加藤 真, 梶田幸宏, 他. 投球による腋窩神経障害の発生状況. 肩関節. 2010; 34: 891-4.
3) 浜田純一郎, 小川清久, 秋田恵一. 長胸神経・前鋸筋の解剖と臨床. 肩関節. 2010; 34: 861-5.
4) 荻野利彦, 三浪明男, 加藤博之, 他. 副神経損傷の治療成績―神経修復例と非手術の比較―. 肩関節. 1989; 13: 139-42.
5) Ogino T, Minami A, Kato H, et al. Entrapment of neuropathy of the suprascapular nerve by ganglion. J Bone Joint Surg [Am]. 1991; 73A: 141-7.
6) Ogino T, Sugawara M, Minami A, et al. Accessory nerve injury: Conservative or surgical treatment. J Hand Surg [Br]. 1991; 16B: 531-6.
7) 末永直樹, 大泉尚美, 三浪明男, 他. 肩外側後面の感覚障害は肩甲上神経麻痺の所見として有用か？. 肩関節. 2008; 32: 661-4.

CHAPTER 7: 神経─腕神経叢

125 腕神経叢麻痺（総論）

▶腕神経叢の解剖・展開

別項目に詳細を示したので参照のこと．

▶手術（神経展開）の適応

切創や刺創などの開放損傷，臨床所見，脊髄造影像で1根でも節前損傷が疑われる場合（この場合，他の神経根も引き抜き損傷や神経断裂の可能性が高い），鎖骨下動脈損傷を合併，全型完全麻痺などの場合，診断がつけば直ちに腕神経叢展開術を行う．節前損傷ではなく，明らかな節後損傷例は，受傷後2〜3カ月間回復の状態を確認し，回復不良の場合，腕神経叢展開術（別項目参照のこと）を行う．圧迫損傷は完全麻痺でも保存療法で回復することが多く，手術適応はほとんどない．分娩麻痺の場合は，生後3〜6カ月で上腕二頭筋の回復が見られない例では，腕神経叢展開，神経修復などを考慮する．

> **Tips コツ**
> 一番難しいのは損傷が節前であるのか節後損傷であるかの鑑別である．また節前と節後損傷が合併している（上位神経根は節後であるが下位神経根は節前であるかなど）ことも多く，診断は困難である．

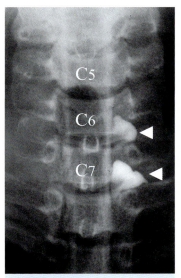

図1 脊髄造影像
◀印が髄膜瘤の存在をしめす．

▶術前検査

運動機能，知覚機能を評価し，損傷部位を推定する．Tinel徴候，Horner徴候の有無をみる．また，横隔神経麻痺の有無をみるため最大呼気・吸気時の胸部X-Pを撮る．節前損傷の有無を調べるため脊髄造影，筋電図，知覚神経活動電位（SNAP）を調べておく．脊髄造影は節前・節後損傷の鑑別に非常に有用で髄膜瘤 図1，根嚢，根，根糸像に異常があれば，対応する神経根の節前損傷が疑われる．長野らの分類 図2 が用いられることが多く，A_3，D，Mは節前損傷の像であり，A_1の75%，A_2の90%は節前損傷である．CTミエログラフィーは病変をより鮮明に抽出できる．最近ではMR像にて節前・節後損傷評価が可能である．筋電図は筋肉の麻痺の有無，程度を確定できるが，脱神経電位の出現は受傷後2〜3週を要する．前鋸筋の麻痺は節前損傷を示唆し（長胸神経が脊髄近くから分岐しているため），また傍脊柱筋の多裂筋は脊髄神経後枝の支配を受けており，引き抜き損傷の際，神経原性の変化を呈しやすい．SNAPは，神経損傷がないときのほかに，節前損傷で知覚が脱出していても，後神経節は破壊されないため，軸索のWaller変性が生じず活動電位が導出される．節後損傷では軸索変性のため導出されない．

▶術中電気生理学診断

腕神経叢が展開されたら，肉眼所見や触診で，各根の状態を診断する．外見上の連続性の有無，瘢痕の有無を確認する．また，一見連続性がある場合でも，内容物がない場合もあり，その場合は触診である程度判断できる．しかし，節前・節後損傷の鑑別，有連続損傷の処置（神経剝離にのみにすべきか神経移植を行うか）の決定には，術中電気生理学的検査が必須である．まず，神経根の表面に電極を置き，M波の有無をみる．運動神経は引き抜き損傷でも節後損傷でも変性するのでM波の測定はできないが，わずかでも刺激に反応があれば，健全な神経線維が残っていることを意味する．ただし，受傷後1週以内の早期では引き抜き損傷でもWaller変性が完了していないためM波が採取できることがある．M波が取れない場合は体性感覚誘導電位（SEP）測定，または脊髄誘発電位（SCEP）測定と神経活動電位（NAP）測定を行う．SEPは麻酔深度に影響されやすく，麻酔が

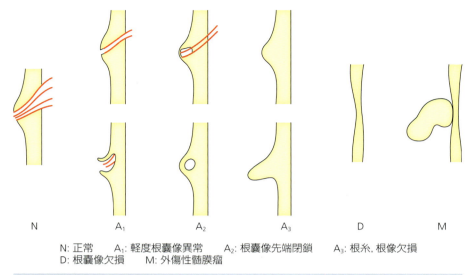

N: 正常　　A₁: 軽度根嚢像異常　　A₂: 根嚢像先端閉鎖　　A₃: 根糸, 根像欠損
D: 根嚢像欠損　　M: 外傷性髄膜瘤

図2 長野の脊髄造影像分類

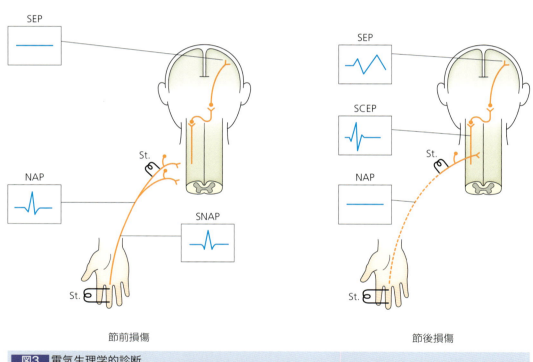

節前損傷　　　　　　　　　　　　　　　節後損傷

図3 電気生理学的診断

深いと SEP が記録されない．SCEP は麻酔の影響を受けないが，硬膜外に電極を挿入しなければならない．神経根刺激により，節前損傷の場合は，SEP または SCEP は導出されず，NAP が記録可能であり，節後損傷の場合は SEP または SCEP は導出可能だが，NAP は記録できない　図3．

▶手術

神経移植

　Sunderland IV度以上の節後損傷の場合，神経移植の適応となる．外見上，断裂している例は，判断に困らないが，有連続損傷の場合，神経移植を必要とするか，判断を要する．外見上はほぼ正常の場合は Sunderland II 度損傷と考え，神経剥離に留める．外見上表面に瘢痕があり，触診上固い場合は顕微鏡下に神経上膜を切開してIII度とIV度の判別を行う．上位根の神経移植の成績は良好であるが，下位根に対する成績は不良である．腕神経叢損傷のタイプにより様々な移植法がある（神経移植の方法については別項目参照のこと）．通常，上位神経幹の前枝・後枝，外側神経束，後束，肩甲上神経，筋皮神経，腋窩神経などに対して神経移植を行う　図4．神経移植に際して，まず，両断端部の神経束を健常部が出るまで十分に瘢痕組織を切除，新鮮化を行う．移植神経の長

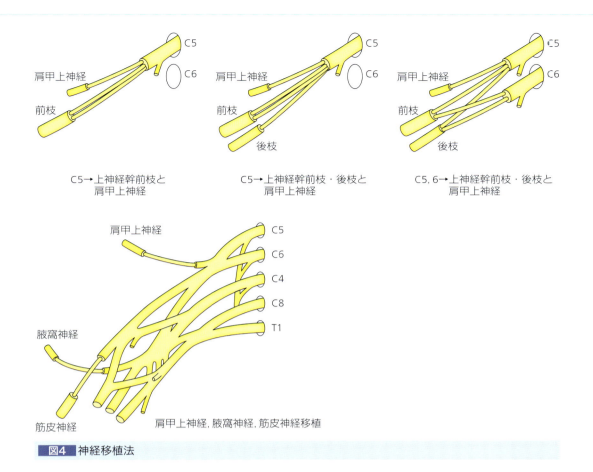

図4 神経移植法

さは神経の収縮を考え，縫合部に緊張が加わらないように，欠損長より15％程長くする．通常，腓腹神経によるケーブル移植が行われる．この際，まず，移植神経をフィブリン糊で固めた後，縫合すると楽である．C8とT1の引き抜き損傷を合併している場合，尺骨神経を移植神経として使用できるが，この場合，血管柄付き神経移植として用いないと，中心部が壊死に陥り，成績は不良である．

肋間神経・副神経移行

節前損傷の場合，神経を直接修復することが不可能なため，他の健常な神経を移行して，機能再建を図る．全型引き抜き損傷の場合，同側の腕神経叢に移行可能な神経がないため，移行神経として，肋間神経，副神経，横隔神経，頸神経叢運動枝，健側のC7根などが用いられている．一般的に肘屈曲の再建のために肋間神経を筋皮神経に移行し，肩甲上神経の再建を行う場合，副神経を肩甲上神経に移行することが多い．

肋間神経を筋皮神経に移行した場合に，肘屈曲力が徒手筋力テストで3以上得られる場合は，施設によって異なるが，70〜80％程度で安定しており，また，若い年齢の患者や受傷から手術までの期間が短い患者の成績は良好であり，よい適応は，余り高齢でない（できれば40歳以下），受傷後6カ月以内（できれば3カ月以内）の症例である．以前は全型の引き抜き損傷のみ適応とされていたが，成績が安定しているため，上位型の引き抜き損傷にも適応される．手術法については別項目参照のこと．

副神経は，純運動神経であり，またその解剖学的位置より肩甲上神経への移行が容易であり，肩関節の再建に適しているが，副神経を移行することにより僧帽筋麻痺による肩甲骨の挙上，内転機能の喪失を危惧する意見もある．僧帽筋は，鎖骨・肩峰に停止する上部線維，肩甲棘に停止する中部線維，肩甲棘根部に停止する下部線維に分けられ，上・中部線維は肩甲骨の挙上，下部線維は肩甲骨の内転に寄与している．そこで，僧帽筋下部線維への枝のみを使用することにより肩甲骨挙上機能は温存できる．

副神経の展開は，通常腕神経叢展開術と同時に行われるため，S状の皮切を中枢に延長する．胸鎖乳突筋と外頸静脈が交差する所から1・2横指近位の胸鎖乳突筋後縁から上方に向かって小後頭神経が，大耳介神経がやや遠位からその前面に迂回して走行している．この近位部で胸鎖乳突筋の深層を剥離すると副神経が同定でき，これを末梢に向かって剥離していく（詳細は別項目参照のこと）図5．僧帽筋上部線維への枝を温存し，終末枝のみを可能な限り末梢まで剥離して切開する．また，副神経同定の際，近位に皮切を延長することなく，僧帽筋の鎖骨付着部を骨膜下に剥離して僧帽筋を後方に牽引し，直接同部位で同定することも可能である．この場合，副神経に伴走する頸横動脈の枝を確認し，電気刺激で神経を刺激し副神経の同定を行う．肩甲上神経をC5根の分岐部で切離し，副神経と縫合する．

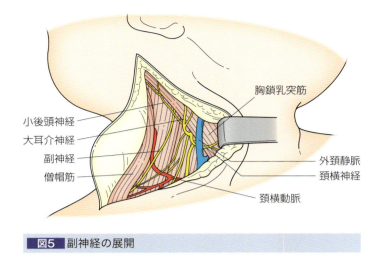

図5 副神経の展開

術後は特別な外固定は必要としない．筋電図上神経の再支配が得られたら，biofeed back 訓練を開始する．副神経の終末枝を使用しているため，肩甲骨の内転に伴う動きから開始して，分離を図る．

部分尺骨神経移行（Oberlin 法）

新鮮腕神経叢麻痺節前損傷に対する肘屈曲機能再建術として，肋骨神経の筋皮神経への移行術が行われているが，手術侵襲の大きさ，筋力回復までに長時間を要するなどの問題がある（別項目　参照のこと）．1994年，Oberlin らは上位型腕神経叢節前損傷に対する肘屈曲再建に尺骨神経の 1～2 本の神経束を直接筋皮神経上腕二頭筋枝に縫合する方法を発表した．その後，多施設で追試が行われており，徒手筋力テストで 3 以上得られる割合は 90％以上と優れた成績が報告されている．Oberlin 法は肋間神経移行術にくらべ，手術侵襲が少なく，神経の展開と神経縫合が容易で手術時間が短い，上腕二頭筋の motor point に近い部位で神経縫合ができるなどの利点を有している．問題点として，健常な尺骨神経を犠牲にするため，術後尺骨神経麻痺を生じる可能性があるが，上腕二頭筋枝の断面積は尺骨神経の 10％程度で，この断面積に相当する 1～2 本の神経束を犠牲にしても，尺骨神経は中枢側ほど多くの神経束間結合が存在するため，尺骨神経の麻痺は一般的に一過性で回復する．また，尺骨神経の知覚線維のみを移行する可能性に関しては，尺骨神経は上腕中央では各神経束に知覚神経と運動神経が混在しているため，移行する神経束の中には運動線維が含まれており問題ない．手術法については別項目参照のこと．

遊離筋肉移植

受傷後 6 カ月以上経過した全型引き抜き損傷患者では，神経筋移行部の変性により，神経移行術を行っても良い成績が得られることは難しい．このような陳旧例に対しては，遊離筋肉移植と神経移行術を組み合わせることにより機能再建を行う．肋間神経や副神経を移行神経に使い，薄筋や大腿直筋を移行筋に使い肘屈曲の再建が行われてきたが，土井らは 2 つの薄筋を用いた double free muscle transfer 法により手関節・手指機能の再建も行った．

Double free muscle transfer 法の適応は，年齢が 40 歳以下で，1 年以上のリハビリに耐えられる患者であり，受傷後 6～8 カ月以内で，鎖骨下動脈，副神経，肋間神経の損傷がない患者である．手術は 2 回に分けて行われ，通常第 1 回目より 2 カ月の時点で 2 回目の筋肉移植を行う．具体的な手術方法については別項目参照のこと．

▶その他の機能再建術（肩および肘関節）

肩関節

受傷後 1 年以上経過しても肩関節周囲筋の回復がみられず，肩関節が不安定で挙上が不能な例や，引き抜き損傷が確定している例では，肩関節の安定，挙上のために，筋腱移行術か関節固定術が行われる．腱移行術は，上位型の不全麻痺で，広背筋，大円筋や大胸筋などの筋力が 3 以上残存している例がよい適応である．女性では，麻痺が強くても，内外旋動作の存続を希望する例や，12 歳以下で，固定術により上肢の成長障害をきたす恐れのある場合などに適応がある．肩関節固定術は，筋腱移行術による再建ができない全型損傷や C5・6・7・8 損傷がよい適応であり，この際，僧帽筋の筋力が十分残存していることが重要である．上位型損傷例でも，男性労働者などで強い安定性を必要とする症例では適応がある．

筋腱移行術は，過去，種々の方法が報告されている．Leo Mayer 法は，三角筋機能を僧帽筋で代償する方法で，僧帽筋剝離後，大腿筋膜で延長し三角筋付着部に固定する方法である．Beteman 法は僧帽筋の末端に肩峰を付着したまま剝離し，上腕骨外側部の骨皮質切除部に固定する方法である．また，Saha は僧帽筋を上腕骨外側に，肩甲挙筋を棘上筋腱に，前鋸筋の上部を肩甲下筋へ移行する multiple muscle transfer 法を報告した図6．現在，麻痺の程度により，様々な筋腱移行術を

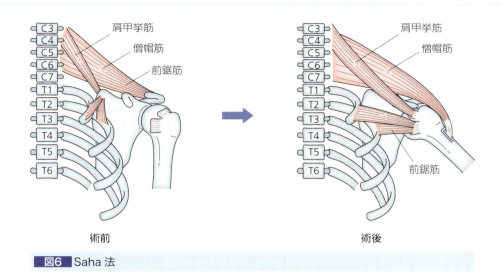

図6 Saha 法

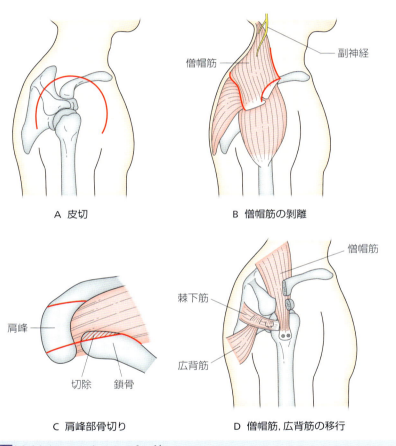

図7 Multiple muscle transfer 法

組み合わせた multiple muscle transfer が行われているが，その中で，僧帽筋の上腕骨外側への移行による肩の prime mover の再建と，広背筋（大円筋）の棘下筋腱への移行による steering 作用の再建はよく行われている術式である．側臥位で saber cut incision を加える **図7A**．皮下を剥離し，僧帽筋，三角筋を露出する．僧帽筋上部線維を鎖骨停止部から肩甲棘内縁まで，上方は筋腹中央を越えるまで皮下組織から剥離する **図7B**．上方の剥離の際，副神経損傷に注意する．僧帽筋の肩峰への付着部を，幅約 4 cm で，ボーンソーで骨切りを行う．この際，鎖骨遠位部も一部骨切りし，同部を切除する **図7C**．鎖骨，肩峰の付着部を切離し，肩峰付着部が十分遠位移動できるようにする．筋膜で表面を覆うために，遠位側の筋膜の前縁と後縁を縫合し筒状にする．次に，広背筋を展開する．広背筋の筋力が弱い場合，大円筋も同時に採取，切離する．三角筋を後方の起始部の肩甲棘から切離し，棘下筋腱を展開する．さらに三角筋を線維方向に分け上腕骨外側正中部を露出し，骨皮質を削る．肩関節を外転し，僧帽筋の付着部の肩峰を上腕外側部のできるだけ遠位に移行し，皮質骨螺子で固定する．

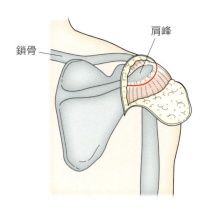
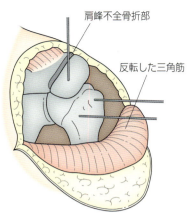

A 皮切，皮弁の反転　　　　B 骨頭-関節窩の仮固定

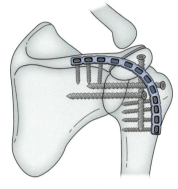

C プレートスクリュー固定

図8 肩関節固定術

次に肩関節を外旋し，広背筋を棘下筋に可及的強い緊張で interlacing suture 法で固定する 図7D ．三角筋を縫合し，創を閉鎖する．術後は外転外旋位で装具固定する．

肩関節固定法には，海綿骨螺子固定，プレート固定，創外固定など数多くの方法がある．創外固定は術後固定角度の変更が可能で，抜去も容易であるが，装着中，包交の必要がある．プレートと螺子の組み合わせ固定は，プレートの厚みのため皮下への突出の問題があり，骨癒合後抜釘を要するが，螺子固定単独に比べ良好な固定性が得られる 図8 ．

側臥位で，saber cut incision を用いる．三角筋を鎖骨，肩峰，肩甲棘より縫いしろを残して切離，反転する 図8A ．肩峰下滑液包を切除し，肩甲下筋から棘下筋まで付着部で切離，上腕二頭筋長頭も付着部で切離し，結節間溝に縫着する．関節包を切開し，骨頭を露出，骨頭と関節窩の軟骨を切除し，肩峰下面の骨皮質も切除する．肩峰上方の皮質骨にノミを入れ，不全骨折を作成し，骨頭側へ徒手的に折り込む．K 鋼線か中空螺子のガイドピンで骨頭-関節窩の仮固定を行う 図8B ．固定角度は，全型腕神経叢麻痺の症例では，内転機能再建を目的としているため 20°の外転，屈曲で，回旋は肘関節を屈曲して手が口に届く肢位にして固定し，上位型の麻痺の症例では，外転角度を 30°〜40°程度に大きくする．仮固定後，術中 X 線撮影にて固定角チェック後，骨頭外側から関節窩に向けて 2 本，肩峰から骨頭へ 1 本の海綿骨螺子か，中空螺子で固定を行う．次に，肩甲棘の僧帽筋付着部を剥離し，肩甲棘から肩峰，骨頭，上腕骨の前外側を，プレートで固定する 図8C ．三角筋を元の位置に戻し，縫合し，創を閉鎖する．術後は，骨癒合が得られるまで，6〜8 週間，装具を装着する．肩関節固定術前後の X-P を示す 図9 ．

肘関節

同側に麻痺を免れている広背筋，大胸筋，前腕屈筋群などがある場合，これらを動力源として，肘の屈曲運動を再建できる．種々の筋肉が動力源となりうるが，広背筋や大胸筋による再建は，手技が煩雑で，大きな手術瘢痕ができ，肩関節機能再建にも使用することが多く，手根屈筋の筋力が 4 以上ある場合，この筋群を第一選択とする．手根屈筋が使用できず，広背筋に十分な筋力がある場合，広背筋を利用する．広背筋を利用する方法として，広背筋を，神経血管束を温存したまま胸壁より剥離，筋腹を筒状にし，そのまま上腕二頭筋腱部に縫合する Hovnanian 法と，上腕付着部も切離し烏口突起部に縫合する Schottstaedt 法がある 図10 ．後者の方がより生理的な筋の走行が得られる．大胸筋を移行する方法として，上腕骨への停止部を切離し，切離端にループ状にした上腕二頭筋長頭腱を接続する Seddon-Brooks 法

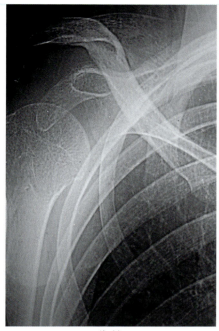

図9 肩関節固定

術前　　　術後

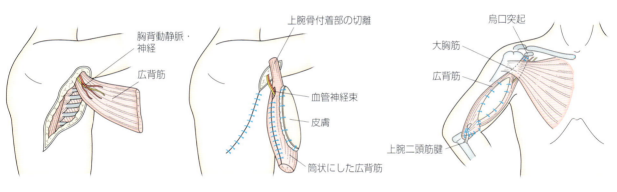

広背筋の剥離　　　広背筋を筒状にし，上腕骨付着部切離　　　広背筋の上腕二頭筋腱，烏口突起への移行

図10 Schottstaedt 法

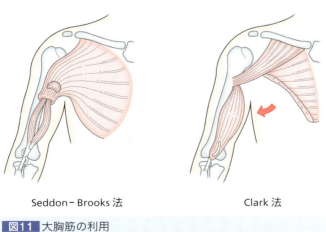

Seddon–Brooks 法　　　Clark 法

図11 大胸筋の利用

と，大胸筋の lower part を，胸壁の起始部より切離して上腕骨の停止部まで剥離し，筋弁を上腕二頭筋腱に縫着する Clark 法がある 図11．その他，上腕三頭筋を力源とする方法として，三頭筋を肘頭から切離後，切離端に筋膜を移植し，上腕外側を回して橈骨結節部に pull out する Bunnell 法と上腕二頭筋に端側縫合する Car-

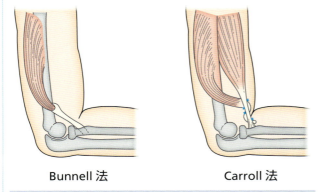

図12 上腕三頭筋の利用

roll法がある **図12**．この方法は肘伸展力を犠牲にするため，上腕二頭筋と三頭筋間にmisdirectionがある症例に行うべきである．

前腕屈筋による再建方法として，Steidler法では，前腕屈筋を上腕骨内上顆より切離後，内側筋間中隔に固定したが，回内拘縮をきたしやすく，Leo Mayer法では，回内拘縮予防のため上腕骨前面のできるだけ外側に固定した．Leo Mayer法（Steindler法）については別項目参照のこと．

■ 文献

1) 笠島俊彦. 腕神経叢麻痺. In: 三浪明男編. カラーアトラス: 手・肘の外科. 東京: 中外医学社. 2007; 285-303

CHAPTER 7: 神経—腕神経叢

126 腕神経叢に対する手術侵入法

　腕神経叢損傷の状態（根引き抜き損傷または神経断裂）を正確に把握することは治療を行うことできわめて重要である．とくに根引き抜き損傷であるか否かを診断することは最も重要であるが，節後損傷，つまり神経断裂であれば積極的に神経移植術を行うこととなる．また，腕神経叢損傷は1カ所で発生するだけではなく2カ所以上で発生し，また1本の神経でも2か所で発生するいわゆる double lesions であることも少なくないので広く神経叢を展開する必要がある．

> **Tips コツ**
>
> 腕神経叢を展開するにあたっては正確な解剖学的知識を理解していなければ，到底，目的を達し得ないことを肝に銘じるべきである．

▶手術解剖

　腕神経叢は第5頸神経（C5），C6，C7，C8，第1胸神経（T1）の5本の神経根により構成されている．脊髄から出た神経根は幹→分枝→束→神経となる．

▶腕神経叢の解剖

　C5，C6神経根が上神経幹（upper trunk）を形成，C7は中神経幹（middle trunk），C8，T1は下神経幹（lower trunk）を形成する ．
　Millesi, Narakas は腕神経叢損傷の部位分類を行っている．
　Zone 1：後根神経節より中枢の障害
　Zone 2：後根神経節，脊髄神経後枝の分岐部より末梢で，幹より中枢の障害
　Zone 3：幹の損傷
　Zone 4：束の損傷
　Zone 5：各末梢神経が叢を出る部の損傷である．

▶表面解剖

　頸部はいくつかの筋によって分けられたいくつかの頸三角を形成している 図2．後頸三角は前方は胸鎖乳突筋後縁，後方は僧帽筋前縁，下方は鎖骨上縁によって区切られている．後頸三角は肩甲舌骨筋筋腹によって上下に分けられ，上部の後頸三角には副神経を含み，下部

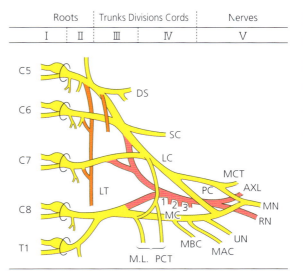

AXL：腋窩神経（Axillary N.）
DS：肩甲背神経（Dorsal scapular N.）
LC：外束（Lateral cord）
LT：長胸神経（Long thoratic N. Bell's N.）（前鋸筋へ）
MAC：前腕内側皮神経（Medial antebrachial C. N.）
MBC：上腕内側皮神経（Medial brachial C. N.）
MC：内束（Medial cord）
MCT：筋皮神経（Musculocutaneous N.）
MN：正中神経（Median N.）
M.,L. PCT：内側・外側胸神経（大胸筋へ）
RN：橈骨神経（Radial N.）
SC：肩甲上神経（Suprascapular N.）
UN：尺骨神経（Ulnar N.）
　後索から分岐する枝
　　1. 上肩甲下神経→肩甲下筋
　　2. 胸背神経→広背筋へ
　　3. 下肩甲下神経→大円筋へ

図1 腕神経叢の解剖と高位分類

の肩甲鎖骨三角には，鎖骨下動脈と腕神経叢の幹が存在している．
　三角筋大胸筋間溝を上方にたどり，鎖骨でその上縁が境される三角筋大胸筋三角の深部には，橈側皮静脈，胸肩峰動脈，小胸筋上縁があり，その下層では外側束が存在している．
　大胸筋下縁で腕神経叢は終わっているが，大胸筋停止部の裏側が zone 5 である．

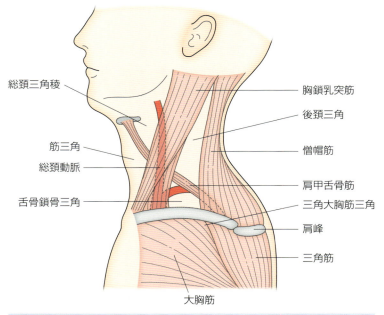

図2 頚三角の解剖

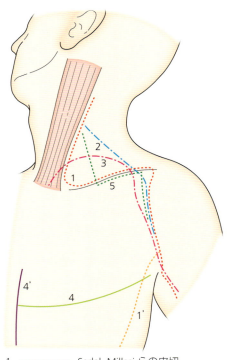

1 ······	Sedel, Millesi らの皮切
1' ······	肋間神経移行術を併用する場合
2 ······	Gurdjian&Webster の皮切
3 ······	Seletz の皮切
4 ······	肋間神経移行術の皮切
4' ······	肋間神経を多数採取する時
5 ······	Bateman の皮切

図3 腕神経叢への各種皮切

> **Tips コツ**
> 第6頚椎横突起前結節は容易に触れることができ，この高位でC5神経根が斜角筋間溝から外側へ出てくる部となる．

▶手術

手術体位

耳介部から後頚部にかけて剃毛し，頭部を健側に向け，上半身に大きな枕を入れて上体を20°ほど起こした semi-Fowler position で手術を行うこととしている．神経移植の準備として下肢には空気止血帯を装着して腓腹神経採取の準備を行う．

消毒を耳介，下顎，患側上肢全体にわたり行い，肋間神経移行術を同時に予定している場合は，同側胸部も消毒する．

器械としては，電気メス，双極電気止血器，SEP (somatoevoked potential) 採取のための神経刺激装置を準備する．SEP は頭皮から採取することとする．

皮切

図3 にいろいろな報告者の皮切を示した．私は腕神経叢を広範に展開することが可能な Sedel のゆるい Z 字状切開を用いることが多い 図4 ．

> **Tips コツ**
> 腕神経叢の展開になれている手の外科医であれば鎖骨上窩の横皮切（カラー皮切）のみで可能であるとの意見もあるが，私は長大であるが Sedel の皮切を用いている．カラー皮切であれば術後の創は当然目立たない．

胸鎖乳突筋後縁に沿い鎖骨上縁に至り，そこから鎖骨の走行に沿って横走し，三角大胸筋三角でこの groove に沿って下降する，大きな Z 字状皮切である．

展開

展開は鎖骨上部，鎖骨部と鎖骨下部とに分けられる．鎖骨上部では瘢痕が強く神経の同定が困難なことが多いので，腋窩部で末梢神経レベルで同定してから逆行性に

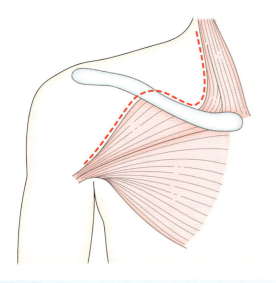

図4 Sedel の皮切

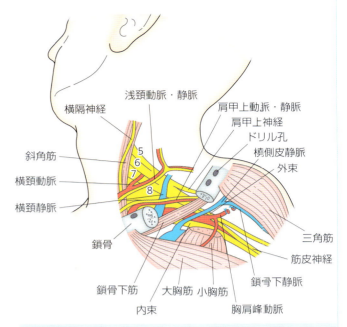

図6 腕神経叢上を横走する血管と神経根との関係

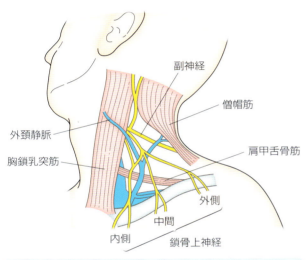

図5 鎖骨上部の表層解剖

中枢へ向かって剥離を進めることも少なくない．

1．鎖骨上部の展開

　Sedel の皮切と同じラインで広頚筋を切り，術野を横断している外頚静脈を結紮切断するか，あるいはペンローズドレインを用いて術中，損傷しないように確保する．鎖骨上神経は神経移植のドナーとなる可能性もあるので，できるだけ温存する 図5 ．

　胸鎖乳突筋の後方を鈍的に引くと細い筋・腱として肩甲舌骨筋が術野を横切っているのを確認できる．肩甲舌骨筋はペンローズドレインを用いて頭側に引くか，あるいは胸鎖乳突筋後縁で末梢を長く残して切断する（後ほど縫合する準備をしておく）．肩甲舌骨筋とほぼ平行に浅頚動静脈が走るので，これらは結紮・切断して術野を確保する．ここで指で深部の C5, 6, 7 を頭側から触れ，神経根を確認する．

　幹の高位では太い横頚静脈が神経叢を横断しており，ペンローズドレインで確保する．横頚動脈は前斜角筋の前面を横断し，根から幹への移行部付近で腕神経叢と直交して走行することが多い．変異は少なくないが，横頚動脈は C7, 8 根の前方を通り，C5, 6 根の後方に潜り込むことが多い．横頚動脈も同様に剥離してドレインで確保する．

　頚三角の真ん中の方へ剥離していくと，前斜角筋が同定され，この前面の筋の走行に一致して，非常に細い横隔神経が前斜角筋の上にへばりつくように走行している．電気刺激することにより横隔膜の収縮が発生し，確認可能である．横隔神経は頭側では前斜角筋外側縁と交叉する．この直下に C5 根が急角度で末梢外側に走っているのを確認可能である．C6 根を C5 根の尾側で深い部を C5 根よりも緩い角度で前斜角筋の後から出る．横頚動脈の下を通る部分で C5 根と合流して上神経幹を形成する 図6 ．C7 根はさらに後面尾側から傾斜を減じて斜角筋間溝から出る．

　次いでさらに下方に存在する C8, T1 根を同定する．C8, T1 は鎖骨，前斜角筋，第 1 肋骨で形成される cost-scalene angle の深部で鎖骨下動脈の近傍でその後面を剥離する 図6 ．正常でも鎖骨下動脈の後面で下神経幹である C8, T1 を剥離することは簡単ではなく，ましてや瘢痕化している場合はさらに困難であり，鎖骨骨切りを行って剥離操作を行うべきである．無理すると動脈損傷の危険が高くなる．

> **コツ**
> 幸いにしてというべきか，C8, T1 は引き抜き損傷が多いため，術前検査で同根の引き抜き損傷が臨床的・画像診断で明らかであれば，無理して剥離操作を行う必要はない．

　根の中枢部を確認するためには横隔神経を挙上して，前斜角筋を横切する必要がある．肩甲背神経は C5 根か

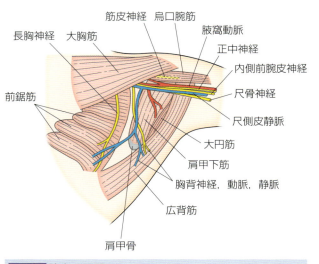

図7 腋窩の展開

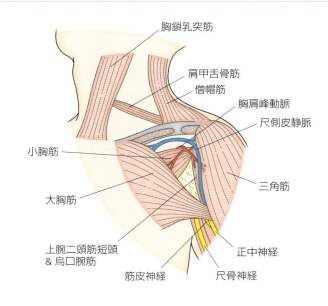

ら出て，中斜角筋を後方へ向かって貫通するため，斜角筋を切離しないで見ることは難しい．長胸神経もC5，6，7根の後方から出て，これらの神経の後面を下降するので頚部での確認は困難であり，展開のためには腋窩から侵入して前鋸筋の上面で確認した方がよいと考える 図7 ．

2. 鎖骨部の展開

腕神経叢の全貌を見るために鎖骨の温存には固執しないこととしている．

鎖骨骨膜を長軸上に縦切し，後の再固定に備えて clavicular plate（4-6穴）を予め鎖骨の弯曲に合わせて当てて drill hole をあけ tapping を行っておくと後ほどの操作が楽である．

鎖骨を電動骨鋸を用いて骨切りし，鎖骨下筋を全周にわたって剝離する．鎖骨下筋は Z 字状に切断し，後ほどの縫合に備える．

鎖骨下筋の上縁には肩甲下動静脈が確認できるのでペンローズドレンを掛けておく．鎖骨下筋の下縁には橈側皮静脈が腕神経叢の内側の鎖骨下静脈に向かって深部へ走る．鎖骨骨切りの両断端を単鋭鉤で持ち上げると腕神経叢の全貌を見ることができる 図6 ．

鎖骨は，索から外束，後束，内束3つの束が始まる部にほぼ一致しており，上幹の位置の目安となるものは外後方へ向かう明瞭な肩甲上神経である．肩甲上神経は外側で肩甲上動静脈，肩甲舌骨筋とともに烏口鎖骨靱帯の円錐部の基部へ向かう．

3. 鎖骨下部の展開

腋窩の切開から腋窩筋膜を切開して神経血管束を同定する 図7 ．頭側の烏口腕筋の表層を正中神経が走り，その裏に腋窩動脈が存在する．前腕内側皮神経は独立した神経として下神経幹の前枝から分岐しており，尺側皮静脈と伴走している．尺骨神経は前腕内側皮神経の尺側後面に存在し，橈骨神経は動脈の丁度裏側に存在する．

筋皮神経は大胸筋の裏側で烏口腕筋に沿って剝離する

図8 鎖骨下部の展開

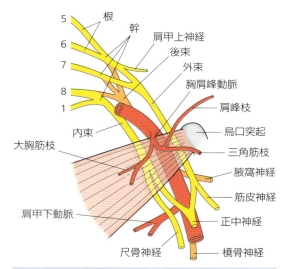

図9 腕神経叢と小胸筋，腋窩動脈の関係

と筋皮神経が烏口腕筋に侵入するのが見える．

次いで deltopectral groove を三角筋，大胸筋を分けて，尺側皮静脈を見出す 図8 ．

> **Tips コツ**
>
> 尺側皮静脈は大胸筋側につけて，内側へよけた方が術野の邪魔にならない． 図8 では尺側皮静脈は静脈を三角筋側についてよけているが，大胸筋側の方がよい．

大胸筋裏面の筋膜を切離して，上腕骨の大胸筋付着部を3-4 cm残す．脂肪組織を分けると胸肩峰動静脈が出現し，3本に分岐しており，それぞれ大胸筋，三角筋，烏口突起方向へ行く 図8,9 ．三角筋側で結紮・切断し，大胸筋への血行は温存する．この下で烏口突起への小胸筋停止部を後で縫合可能なように一部残して切離し，正中に翻転する．

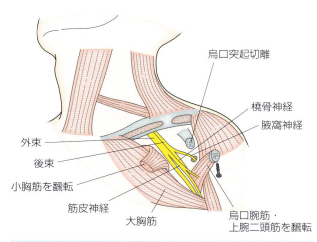

図10 烏口突起骨切りによる外束・後束と腋窩神経の露出

この際に大・小胸筋への神経血管束を損傷しないようにする．

　この部で表層に外束が存在し，その外側から筋皮神経が分岐する．外側の後内側には腋窩動脈があり，胸肩峰動脈を分岐する．内束は腋窩動脈の後内側から前面に向かって外束に接近するように回り込んでいる 図9 ．筋皮神経を分岐した外束の残りと，尺骨神経を分岐した内束の残りが，腋窩動脈の前面で合わさって正中神経となる．

　後束および腋窩神経は，外束の外側を剥離して腋窩動脈の後ろを丁寧に検索すると，容易に同定できる．この付近で神経移植を行う場合には烏口腕筋と上腕二頭筋短頭を烏口突起に付けたままに烏口突起を骨切りしてこれらの筋を一緒に切離・反転する．

烏口突起を予めドリルで穿孔して，AO malleolar screwを浅く刺入して，ノミで骨切りを行い，後ほどの烏口突起固定を容易としておく．

　この操作により腋窩神経が quadrilateral space へ向かう部分まで直視下にみることができる 図10 ．

閉創

　神経に対する展開，神経剥離術，神経移植術を終了後，創内を十分に洗浄し，丁寧に止血を行う．翻転した脂肪組織を神経縫合部の上に乗せる．鎖骨と腕神経叢の間では鎖骨下筋の再縫合を行うが，困難であるので，先に切離した肩甲舌骨筋の末梢端を鎖骨下筋の断端間に架橋縫合する．

　先に切離した烏口突起をスクリュー固定し，鎖骨を予め準備したようにプレート固定を行う．

■文献

1) 伊藤恵康, 堀内行雄, 佐々木孝, 他. 当科における外傷性腕神経叢麻痺の治療. 日手会誌. 1986; 3: 248-51.
2) 伊藤恵康, 内西兼一郎. 腕神経叢麻痺に対する手術侵入路. In: 整形外科 MOOK 51. 1987; p.68-76.
3) 笠島俊彦. 腕神経叢麻痺. In: 三浪明男, 編. 手・肘の外科: カラーアトラス. 東京: 中外医学社. 2007. p.285-303.
4) Millesi H. Surgical treatment of brachial plexus injuries. J Hand Surg. 1977; 2: 367-9.
5) Narakas A. Surgical treatment of traction injuries of the brachial plexus. Clin Orthop Rel Res. 1978; 133: 71-90.
6) Sedel L. The results of the surgical repair of brachial plexus injuries. J Bone Joint Surg [Br]. 1982; 64: 54-66.

CHAPTER 7: 神経—腕神経叢

127 腕神経叢麻痺（引き抜き損傷）に対する肋間神経移行術による肘屈曲再建術

　腕神経叢麻痺に対する肘関節屈曲の再建は昔からいろいろな方法が開発・考案されてきている．その中で，肋間神経移行術は数本の肋間神経を神経移植でaugmentして筋皮神経に移行する方法としてSeddonによって初めて報告された．その後，東大グループの津山，原，長野らが，神経移植を行わずに肋間神経を直接筋皮神経へ移行する手技を開発・報告した．本邦ではこの方法がもっぱら行われている．しかし，肋間神経移植術の成績は良好なものから不良なものまでなかなか安定した成績が得づらいとの報告が少なくない．また別項目にも記載しているが上位型であればSteindler's flexor plastyが行われたり，尺骨神経の一部の神経束を筋皮神経へ移行するOberlin法が開発されたりしたこともあり，最近ではほとんど行われなくなったように思う．

　複数の肋間神経を筋皮神経に移行することによる肘屈曲再建術は前記しているように①肋間神経は運動・知覚神経の混合神経であるのでドナーの運動神経としてベストなものではない，②したがって，どうしても安定した術後成績が得られにくい，③後述するが技術的にドナーとレシピエントの神経口径差が大きいので特に神経縫合が技術的に難しい，④手術そのものの demand が高い，⑤気胸などの合併症が高頻度に発生する，⑥術後療法に専門的技量を要し時間がかかる，などの欠点がある．

▶適応

　上位型および全型腕神経叢損傷の患者で，神経に対する処置が行うことができない Avulsion 型である例，あるいは Rupture 型に対して既に神経移植などが行われているが回復が期待できない例が手術適応である．手術時期については長野らが報告しているが，手術時期は受傷後，早い方がよく（脱神経による筋萎縮が少ない時期），少なくとも受傷後6カ月以内に行う．また若年者に適応があり，40歳以上の成績は不良である．

▶術前準備

　術前に胸部 X-P を撮影し，肋骨骨折の有無を確認し，麻酔の際には筋弛緩剤を用いないように麻酔科医に依頼し，術中に肋間神経を電気刺激して，肋間筋の収縮の有無を観察する．

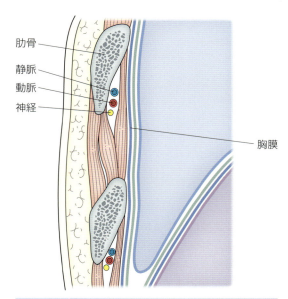

図1 肋間隙での肋間神経の解剖

▶手術

体位
　健側を下にした半側臥位で肩甲骨の下に枕を置き，肩は外転・外旋位とする．患肢と患側胸部までを広範囲に消毒して，肋間神経採取と上腕前面の筋皮神経展開を可能とする．

肋間神経の解剖
　肋間神経は肋骨隙の上の肋間の下縁に沿い，肋間動脈を伴って背側から腹側に向かい走行する．肋間隙では頭側より肋間静脈，肋間動脈，肋間神経の順に位置している **図1** ．後方では胸膜と外肋間筋の間を走行するが，内肋間筋を貫通した後，内肋間筋と最内肋間筋の間を走行する．胸骨に近づくと内肋間筋と胸膜の間を走行して内肋間筋を貫いて前皮枝となる **図2** ．
　肋間神経の最大の枝は前腋窩線レベルで分枝する外側皮枝である．外側皮枝は知覚線維が豊富である．

皮切
　大胸筋の下縁から前腋窩線を通り，上腕内側に至る切開を加える，腋窩では瘢痕形成を防ぐためジグザグ切開とする **図3** ．

肋間神経採取
　採取する肋間神経は普通2～3本であるが，長さ（肋

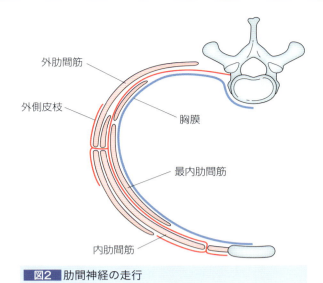

図2 肋間神経の走行

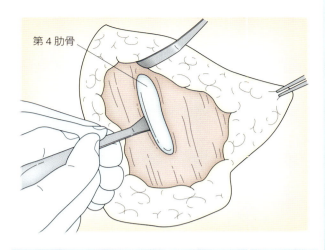

図5 肋骨の剥離

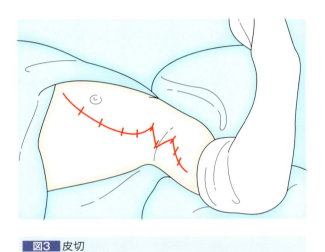

図3 皮切

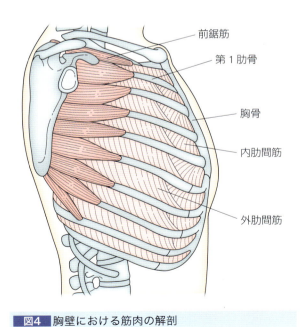

図4 胸壁における筋肉の解剖

間神経を剥離して上腕へ移行するための距離）の関係から最上位は第3肋間神経であり，第5肋間神経までを採取する．側前胸部に縦に皮切を加えることもあるようであるが，私は 図3 のように加える．皮膚を切開した後，皮下組織を切開し，胸壁に達する．次いで大胸筋の筋膜を切開して，胸壁より十分に剥離する．肋骨の位置は小胸筋の付着部が第3～5肋骨である 図4 ．

肋骨の処理

肋骨骨膜を電気メスにて切離する．前鋸筋に肩甲骨の安定性に重要な役割を演じているので前鋸筋を損傷しないように注意して前鋸筋の筋束の間より肋骨を展開する．

肋骨骨膜を電気メスにて切離後，全周性に肋骨剥離子を用いて肋骨を骨膜から剥離する 図5 ．肋骨をガーゼなどで上方に持ち上げて裏面の骨膜の下1/3部を横切すると肋間神経と肋間動静脈が露出する．血管はwoozingすると神経の操作がやりづらいのでfineな電気凝固子を用いて結紮する．

肋間神経の処置

神経に血管テープをかけて電気刺激を行い肋間筋の収縮具合を確認する．神経の剥離の際は末梢は前胸部まで，中枢は前腋窩線レベルまで剥離を行う．前腋窩線レベルで，肋間神経の最大の枝である外側皮枝を分岐するが，知覚再建も行う際は可能な限り末梢まで剥離しておく．この操作を第4と第6肋骨に行い3本の肋間神経をドナーの神経として用いることとする．肋間神経の捻れに注意して前鋸筋に作製した孔より腋窩部に引き出す．神経を長く採取するために前方で神経を切離して，側方〜後方へと神経を損傷しないように剥離して生食加ガーゼで包んで保護する．

> **Tips コツ**
> 肋間神経の剥離で重要なことは胸膜を損傷し気胸を発生させないことである．

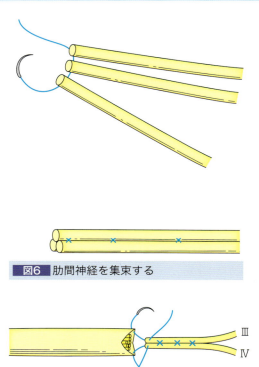

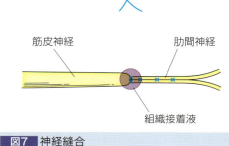

図6　肋間神経を集束する

図7　神経縫合

てほぼ同じ長さとして3本を組織接着液（ティシールグルー）を用いて1本として 図6 皮下を通して筋皮神経近傍まで移動し，手術用顕微鏡下に10-0ナイロン糸を用いて神経縫合を行う．

> **Tips コツ**
> 神経を損傷しないように上腕部に移動するときはソフラチューでくるんで行うと容易である．

　神経縫合は本手術におけるハイライトである．この成否は本手術の結果を左右するといっても過言ではない．上腕二頭筋の筋皮神経のmotor pointに近い部位の方が有利であるが，余裕が全くない場合には神経縫合部の断裂が起こるので長さに多少余裕を持たせて行う．

　3本の結合した肋間神経の先を含み込むように筋皮神経を形成してfish-mouth型に縫合する 図7 ．肘関節を屈伸しても縫合部に緊張が加わらないこと，また，どの程度肩を外転すれば，縫合部に緊張が掛かるのかを確認しておく．少なくとも70°程度の肩外転を行っても神経縫合部が離開しないようにする．

▶術後療法

　術後2週程度は肘を90°屈曲位でバストバンドで体幹に固定する．その後，徐々に肘の屈伸・肩の30-50°程度の外転を許可する．またその間，肋間神経に低周波療法を行い，筋萎縮の防止と神経回復を図ることとする．神経回復は肘より遠位2 cmで中枢へ放散すると叩打痛があり，神経回復を実感できる．

> **Tips コツ**
> エレバトリウムを用いた肋骨の骨膜の剝離操作は外肋間筋と内肋間筋の付着走行を考えて剝離すると骨膜を損傷しないで剝離することができる．

上腕部での筋皮神経の展開

　上腕内側部における筋皮神経の露出についてはOberlin法と同様である．上腕二頭筋と上腕筋の筋間を剝離すると筋皮神経を容易に露出することができる．神経の中枢で烏口腕筋を貫通しているが切離してもよい．筋皮神経の上腕二頭筋枝のみを使用すべきとの考えもあるが筋皮神経本幹を外側神経束分岐部まで剝離して，これを腋窩方向に移行する．

神経縫合

　3本の肋間神経を肋骨後方までできるだけ長く剝離し

■ 文献

1) Doi K, Sakai K, Kuwata N, et al. Double free-muscle transfer to restore prehension following complete brachial plexus avulsion. J Hand Surg [Am]. 1665; 10A: 108-14.
2) 原　徹也，高橋雅足，赤坂嘉久，他．肋間神経交差縫合と遊離筋移植の併用手術による非回復性腕神経叢損傷の治療．日手会誌．1986; 3: 238-42.
3) 原　徹也，津山直一．外傷性腕神経叢麻痺（引き抜き損傷）に対する肋間神経移行術．手術．1969; 23: 1087-96.
4) 服部康典，土井一輝．腕神経叢損傷に対する肋間神経移行術による肘屈曲機能再建術．In．別府諸兄編．東京：メジカルビュー社．p211-9.
5) Seddn HJ. Nerve Grafting. J Bone Joint Surg [Br]. 1963; 45B: 447-61.

CHAPTER 7: 神経―腕神経叢

128 全型腕神経叢麻痺（引き抜き損傷）に対する Double Muscle Transfer 法

交通事故（特にオートバイ事故）や労災事故がさまざまな要因により減少し，腕神経叢麻痺の患者が減ってきている．この項目における全型腕神経叢麻痺（引き抜き損傷）に対する従来（私が入局時）の治療法は筋皮神経への肋間神経移行術により肘屈曲再建（別項目　参照のこと）を行い，そして肩関節固定術により肩関節の安定性・可動性を獲得することであった（別項目　参照のこと）．これらはもちろん今も行われている方法であるが，全型腕神経叢麻痺（引き抜き損傷）に対して Doi らは肘関節屈曲，手関節・手指の屈伸を2つの筋肉を遊離移植して神経支配を行い，機能させるという新しい手術方法，double muscle transfer 法を開発した．

Tips コツ

ここで紹介する方法は Doi らの原法というべき方法であるが，その後，さまざまな改良がなされ遊離筋肉の選択やレシピエント神経の選択に変遷があることを承知してもらいたい．

本法は2段階に分けて行われている．治療のアルゴリズムを に示す．

▶手術

手術は5つの手技より構成されている．
(1) 腕神経叢の展開（別項目　参照）：脊髄誘発電位のモニタリングと可能であれば神経根の修復（神経移植を含む）を行う．
(2) 第1段階：肘関節屈曲と手指伸展を獲得するために副神経を用いた遊離筋肉移植術．
(3) 第2段階：手指屈曲の獲得のために第5，第6肋間神経を用いた遊離筋肉移植術．
(4) 肘関節の伸展獲得のために第3，第4肋間神経を用いた上腕三頭筋の筋枝への移行術（第2段階の遊離筋肉移植術と同時に行う）．
(5) 手指の知覚獲得のために腕神経叢の内側枝に正中または尺骨神経への鎖骨上神経または肋間神経知覚枝の移行術（第2段階の遊離筋肉移植術と同時に行う）．

第1段階

移植筋（薄筋のことが一番多い）は，近位は肩峰と鎖骨外側部に縫合し，腕橈骨筋と手関節伸筋を滑車として

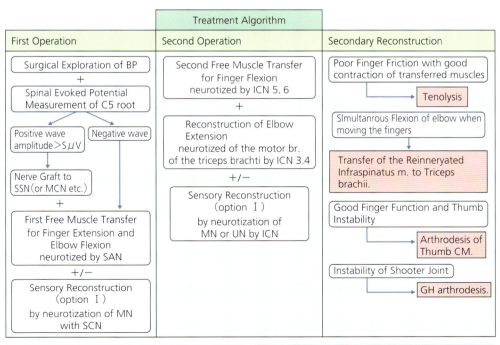

図1　治療アルゴリズム

（Doi K, et al. J Bone Joint Surg [Am]. 82-A より引用）

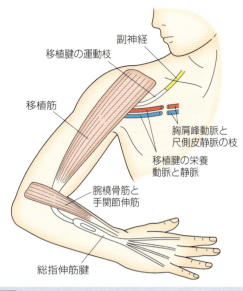

図2 First operation

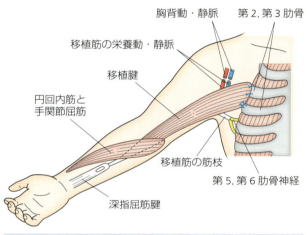

図3 Second operation

これらの下を通して遠位は前腕で総指伸筋腱へ縫合する．**図2**．レシピエントの栄養血管としては胸肩峰動脈と尺側皮静脈を採用し，運動枝は副神経に縫合する．

第2段階

第2段階は第1段階の手術後2～6カ月後に行う **図3**．

移植筋（健側の広背筋あるいは第1段階で採取した反対側の薄筋のことも多い）の近位は第2，3肋骨に強く縫合し，円回内筋と手関節屈筋を滑車として，遠位は深指屈筋腱へ縫合する．遊離筋肉の栄養血管を胸背動脈とその伴走静脈へ縫合し，運動神経は第5，6肋間神経と縫合する．

▶後療法

上肢を移植筋，神経縫合部，血管縫合部に緊張がかからないように4週間固定する．その後，肘関節と手指MP関節の他動運動を開始する．術後は手関節を中間位，手指PIP関節を伸展位に保つためにプラスチック製副子で固定する．

移植筋の再教育・再支配を促す目的で術後3～8カ月はEMGを用いたbiofeedbackを行う．以後次第に移植筋の動きが出現した段階，またはEMGで電位が採れるようになったらリハビリを加速する．

▶2次的手術

2次的手術として遊離腱縫合部での腱剥離術，肩関節固定術，母指CM関節固定術，PIP・DIP関節固定術などを行っている．

> **Tips コツ**
>
> 私はdouble muscle transfer法の全ての手術を行ったのは5例のみである．極めて難しい手術で，良好な動きが得られなかったり，強い癒着が起きたり，なかなか，術後成績全てが満足するものではなかった．もちろん，開発者の行う手術よりは残念ながら成績が劣るのはやむを得ないかと思う．

> **留意点**
>
> 前記したように本手術の難易度は高い．また最近，Oberlin法（別項目　参照のこと）に代表される神経移行術が開発されたことによるmultiple nerve transferというべき多くの方法が発表されている．したがって本法を行う機会は非常に少なくなった．

■文献

1) Doi K, Muramatsu K, Hattori Y, et al. Restoration of prehension with the double free muscle technique following complete avulsion of the brachial plexus. Indications and long-term results. J Bone Joint Surg [Am]. 2000; 82A: 655-66.
2) Doi K, Sakai K, Kuwata N, et al. Double free-muscle transfer to restore prehension following complete brachial plexus avulsion. J Hand Surg [Am]. 1995; 20A: 408-14.

CHAPTER 7: 神経—腕神経叢

129 上位型腕神経叢麻痺の肘屈曲再建における部分尺骨神経・筋皮神経交叉縫合術（Oberlin法）

上位型（C5-C6）腕神経叢麻痺の新鮮節後損傷例に対しては損傷された神経の直接的な修復（神経縫合または神経移植）術を行う．しかし，節前損傷では回復の可能性はないため肋間神経や副神経を筋皮神経へ縫合する神経交叉縫合術（別項目，参照のこと）あるいは有茎・遊離筋肉移植術による再建術（別項目，参照のこと）が行われている．Oberlinらは新しい型の神経移行術というべき方法，つまり麻痺を免れた下神経幹の尺骨神経の一部の神経束を筋皮神経に移行することにより罹患筋（上腕二頭筋）の回復を図る手術手技を発表し，きわめて良好な成績を報告した．本項ではこのいわゆるOberlin法について記載する．

コツ

Originalの Oberlin 法の発表以来，正常な神経束の一部を麻痺筋を支配している神経へ移行するという多くのvariationが発表されている意味で Oberlin は先駆的な仕事を行ったということができる．Oberlin 法以外のいろいろな組み合わせの神経交叉縫合が発表されているので，他の論文も参照してもらいたい．

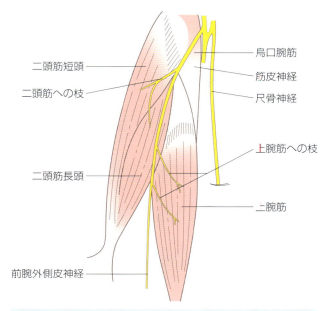

図1 筋皮神経の解剖

▶手術選択

肋間神経や副神経を用いた筋皮神経への神経交叉縫合術は手術侵襲が大きく，神経の口径が大きく異なることによる神経縫合の困難性，そして術後成績が不安定であるなど問題点が少なくない術式である．とくに肋間神経を用いる場合，神経縫合術は副神経のそれと比較すると比較的難しく，副神経を用いる場合より成績は不安定である．これは神経縫合の困難さのみではなく，肋骨神経が副神経と異なり運動知覚混合神経であることも理由の一つと考えられる．したがって，以前の肋間神経よりも副神経が好んで用いられる傾向にある．しかし，副神経は上位型麻痺での肩機能再建における副神経・肩甲上神経交叉縫合術の重要なドナーとなる神経なので肘屈曲再建に用いるべきでないことも少なくない．

また，上位型腕神経叢麻痺例で効いている前腕の屈筋・回内筋群を用いた Steindler 屈筋形成術（別項目参照のこと）や広背筋（別項目参照のこと）を用いた筋肉移行術などがあるが，ここで記載する Oberlin 法と比べると先程の肋間神経神経交叉縫合術と同様に高侵襲，技術的困難性などが圧倒的に高いといえる．

▶Oberlin 法の特徴

Oberlin 法の特徴は，①手術手技の容易さ，②機能回復の確実性，③尺骨神経の一部分を用いても神経脱落症状が少ないことより，最近，上位型腕神経叢麻痺例に対する肘屈曲機能再建術として広く用いられている．

▶手術解剖

筋皮神経の上腕二頭筋筋枝は common type の1本の場合と separate type の2本の分枝になっている2つの型に分けることができる 図1 ．Oberlin の論文によれば，肩峰から平均 13 cm の部分の筋皮神経から common trunk が起始していると記載している．Common trunk はそれから2本の枝に分岐して1本は二頭筋短頭に，もう1本は二頭筋長頭を支配する．この型を示したのが20例中11例であったと報告している．

残りの9例においてはいろいろなレベルで筋皮神経から上腕二頭筋の2つの頭の筋枝は別々に起始していたとしている．短頭への枝は肩峰下 11 cm から起始して筋腹の深層に分岐している．長頭への枝はその遠位 2 cm から起始していた．

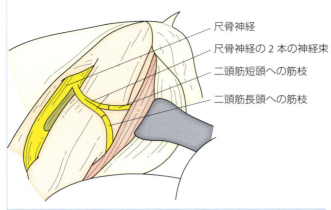

図2 Separate type の場合の神経交叉縫合術

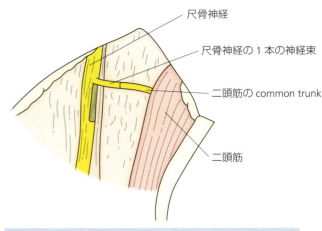

図3 Common trunk の場合の神経交叉縫合術

▶手術

皮切

　仰臥位にて手術を行うが，駆血帯は用いることができない．上腕中枢1/3部の上腕二頭筋筋腹の内側に縦切開を加えると，尺骨神経を容易に同定することが可能であり，尺骨神経を剥離する．神経はできるだけ栄養血管も一緒に付けて剥離する．

Tips コツ

念のため神経を同定した後，電気刺激で刺激し尺骨神経であることを確認する．

展開

　次いで筋皮神経を露出する．筋皮神経は同じ皮切で上腕二頭筋と上腕筋の間から入って露出し，近位および遠位方向まで上腕二頭筋へ入る部まで剥離する．正中神経は筋皮神経の内側（尺側）よりに走行しているのがわかる．これも念のため神経を電気刺激し，正中神経であることを確認する．

　2本の separate type の場合は2本の神経が1本の common trunk になるところまで剥離するが，各枝に尺骨神経の2本の神経束を別々に縫合する 図2 ．1本の common trunk の場合はできるだけ筋肉への神経挿入部近くで縫合することとなる 図3 ．

　1本の common trunk となったところで，尺骨神経に十分届く距離で筋皮神経を切断する．

　筋肉への re-innervation ができるだけ早期に得られるために，神経縫合部を筋肉への神経挿入部の距離を短くする．筋皮神経筋枝を正中神経の下を通して，尺骨神経の上に置き，尺骨神経と縫合するおおよその位置を決定する．

神経縫合

　尺骨神経はこの部（上腕中央部）では知覚と運動神経の混合神経であるが，できれば代償の効くFCUへの神経線維を選択することとしている．したがって，尺骨神経の後外側部の神経束（funiculus）を縫合する神経とし

ており，この部の神経束は筋皮神経との距離が一番短くて都合がよいと考えている．

Tips コツ

尺骨神経のどの神経束を選択するかは極めて重要な操作であるが，術中，繊細な神経刺激装置を用いても，なかなかはっきりとFCUへの枝と同定することは困難である．私は経験がないが，マイクロの電極を使用すると可能であるかもしれない．

　尺骨神経の神経束を切離するときに，結合組織の存在に注意して正確に神経束の太さを確認して，筋皮神経の上腕二頭筋筋枝 common trunk と同じ外径の尺骨神経の神経束を選択する．

　尺骨神経のどの神経束を選択するかを決定したら，その上の神経外膜 epineurium を切離する．次いで，神経束の perineurium の剥離を行い1本1本に分ける．神経束を大体2cmくらい剥離する．

Tips コツ

尺骨神経の神経束を選択したときに遠位にこの神経束と残りの神経束間に神経束間結合があれば，術後の尺骨神経の脱落症状が少ないことが期待される．

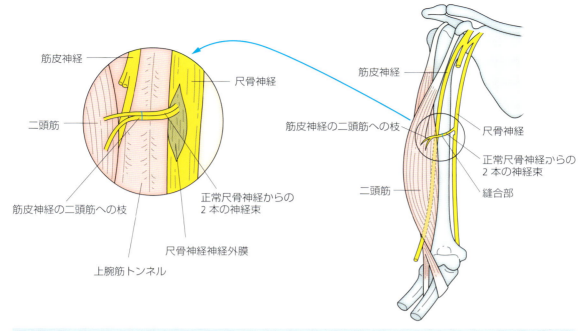

図4 部分尺骨神経・筋皮神経交叉縫合術

最終的に選択した神経束を電気刺激して運動神経が含まれていることを確認し，神経束を遠位で切離して刺激した中枢の部まで剝離する．

神経縫合は perineural suture を 10-0 ナイロン糸を用いて顕微鏡下に行う　図4．一般的に尺骨神経側は monofascicular，つまり神経束は 1 本であるが，筋皮神経は 3-4 本であることが多いので 1 本 1 本慎重に perineurium を合わせて縫合を行う．

神経縫合後，肘や肩関節を他動的に動かしても神経縫合部に緊張がないことを確認する．

▶術後療法

Oberlin 法のみであれば，本来的には外固定は不要であるが，私は創の安静と，万一の intensional な肘関節の伸展を防ぐために抜糸までは肘関節 90°屈曲位での long arm splint 固定を行う．

術後，注意すべきは尺骨神経支配領域の知覚および運動麻痺の評価であるが，私の小経験では術直後多くは軽度の知覚障害と軽度の運動麻痺が存在していることもあるが，最長でも 1 カ月以内くらいにはほとんど回復している．

■文献

1) Al-Quatton MM. Oberlin's ulnar nerve transfer to the biceps nerve in Erb's birth palsy. Plast Reconstr Surg. 2002; 109: 405-7.
2) Leechavengvongs S, Witoonchart K, Uerpairojkit C, et al. Nerve transfer to biceps muscle using a part of the ulnar nerve in brachial plexus injury (upper arm type): a report of 32 cases. J Hand Surg [Am]. 1998; 23: 711-6.
3) Minami M, Ishii S. Satisifactory elbow flexion in complete brachial plexus injuries: Produced by suture of third and fourth intercostal nerves to musculocutaneous nerve. J Hand Surg [Am]. 1987; 12: 1114-8.
4) Nagano A, Tsuyama N, Ochiai N, et al. Direct nerve crossing with the intercostal nerve to treat avulsion injuries of the bracial plexus. J Hand Surg [Am]. 1889; 14: 980-5.
5) Oberlin C, Beal D, Leochavengvonys S, et al. Nerve transfer to biceps muscle using a part of ulnar nerve for C5-C6 avulsion of the Brachial plexus: Anatomical study and report of four cases. J Hand Surg [Am]. 1994; 19: 232-7.
6) Sungpet A, Suphachatwong C, Kawinwonggowt W, et al. Transfer of a single fascicle from the ulnar nerve to the biceps muscle after avulsion of upper roots of the brachial plexus. J Hand Surg [Br]. 2000; 25: 325-8.
7) 魚住律，加藤博之，三浪明男，他．腕神経叢損傷に対する Oberlin 法の 3 例．中部整災誌．2004; 47: 465-6.

CHAPTER 7: 神経—尺骨神経

130 肘部管症候群に対する尺骨神経前方移行（所）術

肘部管は内側は上腕骨内上顆，外側は肘頭内側面，上面は尺側手根屈筋（FCU）の上腕頭と尺骨頭の筋膜に連続する上腕骨内側上顆と肘頭の間に張っている線維性腱弓，下面は肘関節内側側副靱帯後斜走線維により形成されている上腕骨内側の尺骨神経溝である．この管の中を尺骨神経が走行し，変形性肘関節症による骨棘や外反肘により肘部管が狭小化し，神経が牽引され，圧迫を受けたり，神経が引き伸ばされたりして尺骨神経の麻痺を生じたものが肘部管症候群である．これら以外に滑車上肘筋などの破格筋や筋肉が発達した上腕三頭筋の筋腹などにより尺骨神経が慢性的に圧迫や牽引を受けた場合にも発症することがある．

このうち，小児期の肘周辺部骨折（主に，上腕骨外側顆骨折）などの後，長い年数を経過して麻痺を発症するものを特に遅発性尺骨神経麻痺と呼称している．最近では上腕骨外側顆骨折後の外反肘変形に加えて上腕骨顆上骨折後の内反肘変形による尺骨神経麻痺も多く認められる．

肘部管症候群は四肢に発生する絞扼性神経障害の代表的な疾患であり，手根管症候群に次いで多く，日常診療で比較的よく遭遇する疾患である．

> **雑感**
> 私が整形外科医となったころは変形性肘関節症に伴う肘部管症候群の症例が多いため，若い研修医が神経に対する最初の手術として行われることがしばしばあった．

▶鑑別診断

鑑別すべき疾患としては，①Guyon 管症候群，尺骨（神経）管症候群，②Struthers' arcade または Struthers' ligament による絞扼性神経障害，③平山病，若年性一側性側索硬化症，④C8 神経根障害を呈する頚椎症性神経根症，⑤胸郭出口症候群などがあるが，鑑別診断については他の成書で詳細な報告がなされているのでここでは具体的な鑑別については割愛する．

▶治療

極めて早期であれば神経賦活剤投与や肘伸展装具が有効なこともあるが，肘部管症候群と診断されると基本的には手術治療が基本である．術前の神経障害が軽度で

表1 肘部管症候群の手術法

1. 腱弓切離術
   a．Osborne 法
   b．鏡視下補助肘部管開放術
   c．小切開法
2. 上腕骨内側上顆切除術（King 法）
3. 上腕骨内側上顆切除術＋神経剥離術（King 変法）
4. 前方移行（動）術
   a．皮下前方移行術（血管柄付き）
   b．筋層下前方移行術（Learmonth 法）
5. 肘部管形成術

（長野　昭．肘部管症候群．In: 最新整形外科学大系．第 14 巻　上腕・肘関節・前腕．東京: 中山書店; 2008．p.306-10 より）

あっても，逆に重度で筋萎縮などの回復がほとんど望めないような状態であっても，診断がつけばできるだけ早く手術を行うべきであろう．

▶手術方法の選択

どのような手術方法が最も良いのかについては術者の好みやその手術に対する思い入れもあり，必ずしもコンセンサスは得られていない．尺骨神経を除圧するという意味では同じ趣旨であるが，術者の好みにより術式が決まるといっても過言ではない．私は北大整形外科で伝統的に好んで行われてきた，尺骨神経皮下前方移行術を行っている．**表1** に長野らが分類した手術法を列挙したので参考にしてもらいたい．

代表的な手術術式の要点と手術適応について私の個人的見解であるが以下に記載する．

1) 腱弓切離術

FCU の 2 頭，上腕頭と尺骨頭間に張っている腱弓を切離して尺骨神経に対する除圧を行うというものである．本操作は単独で行うというよりも神経を剥離する際にほとんど行われるものと思う．

2) 上腕骨内側上顆切除術＋神経剥離術（King 変法）

当初は主に外反肘変形に伴う肘部管症候群に対する手術として行われた経緯があり，内側上顆を骨膜下に露出し，切除するのみで尺骨神経が前方に移動することを期待するものであった．しかし，その後，内側上顆切除の

みでは尺骨神経は前方に移動しないことが多いために変法として内側上顆切除に加えて尺骨神経を近位・遠位にわたり剥離するか，あるいは神経を内側上顆の前方に移行することもある．とくにOsborne ligamentから剥離することが一般的に行われている．

> **Tips コツ**
> 内側上顆切除を行うに当たり，余り深く（内側上顆を奥深く）まで切除すると肘内側側副靱帯を損傷するおそれがあるので慎重に行う必要がある．

私も以前にはよく行っていたが，尺骨神経を確実に前方に移動する操作ではないこと，および内側上顆を肘内側側副靱帯を損傷しない程度の量を切除することでは尺骨神経の前方への移動は余り起こらないことより，単独手術としては最近はほとんど行っていない．

3）神経管形成術

変形性関節症などによる骨棘で尺骨神経溝が浅くなり，結果的に尺骨神経が圧迫された例などが最もよい手術適応と考える．尺骨神経溝に形成されている骨棘，骨堤などを切除して尺骨神経の通り道を広く開放しようというものである．尺骨神経を除圧するという点では同じであるが，神経を本来の走行から変化させないという点が特徴的である．良好な成績との報告もあるが，まだ一般的な方法とは言い難い．またいずれ，骨棘が再形成されて再び尺骨神経の圧迫が発生，つまり再発が起こりやすいのではとの危惧も強い．私に本法の経験はない．

4）尺骨神経筋層下前方移行術

上腕骨内側上顆に起始する前腕屈筋・回内筋群のうち円回内筋の尺骨頭は残して，それ以外の屈筋群を内側上顆あるいは内側上顆の少し遠位で円回内筋・総屈筋群を切離して剥離した尺骨神経を翻転した筋群の下に移動して切離した筋群を元の位置に戻すという手術である．本法は今までの手術の中で一番侵襲が強くまた円回内筋・総屈筋群を元の位置に戻すので術後少くとも3-4週は外固定の必要があるので，皮下前方移行術後あるいは他の方法のsalvage手術として私は用いることとしている．

5）皮下前方移行術（血管柄付き）

私達が従来より好んで用いている術式である．あらゆる病期の，そして原因を問わず全ての肘部管症候群に対処可能と考えている．私は尺骨神経への血流を温存した方が術後回復に有利であるとの考えから，可及的に血管柄付きとしている．一部の先生から本法は強い拒否反応を受けているが，本法によって重大な合併症を私は経験していない．ちなみに本法は津下健哉名誉教授によると行ってはいけない手術と記載されている．

前準備

空気止血帯を用いるが，肘部管での圧迫所見がない場合にはStruthers' ligamentなどの検索を要することもあり，上腕近位までの皮切を要することもあるので，できるだけ近位に止血帯を装着することが大事である．腕

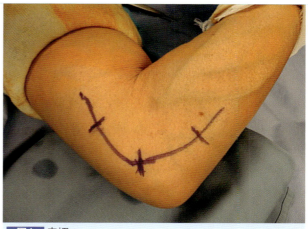

図1 皮切

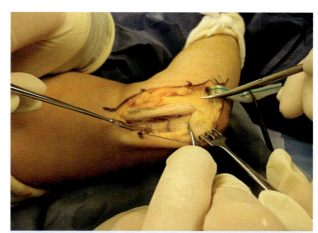

図2 皮切遠位でペンローズにより保護した神経が前腕内側皮神経である

が太かったり短か目の場合には，滅菌トニケットを用意した方がよいかも知れない．肘関節内側に皮切を加えることとなるので肩が90°外転不能であり外旋も拘縮のため動かない例は手術操作が難しいので注意を要する．

皮切

上腕骨内側上顆を中心に近位は少し中央に，遠位は尺骨茎状突起と結んだ尺側に，近位および遠位ともにそれぞれ5-6 cm長の皮切を加える 図1．皮切を小さくしている術者もいるが，尺骨神経の走行を急峻でなくスムーズに走行させるためには，この程度の皮切は最低限必要と考えている．術後の術創による疼痛のことも考えて内側上顆の真上を避けて少し前方にずらすことも好んで行っている．

展開

皮下を剥離して神経に到達する前に内側上顆の遠位の皮下を剥離する際に手術創を斜めに近位橈側から遠位尺側に走行する前腕内側皮神経を同定し，術中，これを保護して手術を行う 図2．内側皮神経の多くは同名の細い動静脈を伴走しているので，これを参考にして同定すると容易である．

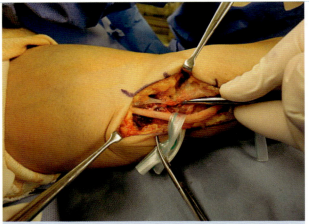

図3 尺骨神経（ペンローズで保護している）の上面に内側筋間中隔が存在している（攝子の先）

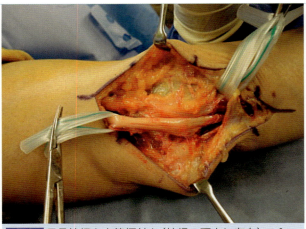

図6 尺骨神経を血管柄付き（神経の下方に存在）でfreeとした

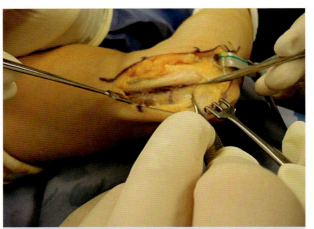

図4 尺骨神経の後面に尺側側副動静脈が伴走している（攝子の先）

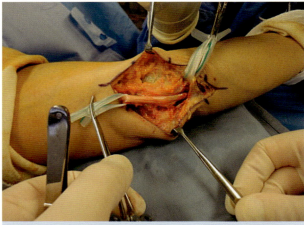

図5 尺骨神経を近位・遠位まで十分に剥離・遊離とする

> **落とし穴**
> 前腕内側皮神経を損傷すると前腕尺側のシビレ感が残存し，書字や日常生活上に不自由を訴えることがあるので損傷しないように手術操作を行うべきであることに留意すべきである．

次いで近位で上腕三頭筋を同定し，この内側縁に筋膜を透して尺骨神経を同定することができる．尺骨神経の上（屈側）面に上腕内側筋間中隔が存在している．尺骨神経を前方に移動できるように中隔を十分な長さにわたって切除する **図3**．

> **Tips コツ**
> この際，筋間中隔の底部には太い静脈叢が存在しており，これらを損傷しないように留意すべきである．一度損傷するとジワジワと出血するので十分，注意する．

尺骨神経をその底面（裏）に伴走する尺側側副動静脈を付けたまま尺骨神経に太目のテープをかけて，近位の剥離を終える **図4**．上腕骨内側上顆部では伴走血管が細かったり，神経とかなり離れた部に存在していることが多いので，同部では血管柄付きとできない場合も少なくない．遠位ではFCUの2頭筋間の腱弓（Osborne arcade）を切離して血管柄付き尺骨神経として剥離する．FCUの筋膜を遠位まで切離して筋鉤で両筋頭を引いて尺骨神経を少くともFCUへの筋枝の分岐部まで剥離し移動を容易とする **図5**．これで全長にわたり尺骨神経を血管柄付きのままでfreeとすることができる **図6**．

> **Tips コツ**
> 尺骨神経の前方移行の障害となる可能性としてFCUへの筋枝がある．近位の筋枝1本程度を切離しても術後の筋力に大きな影響はないとの指摘もあるが，近位に向かって筋枝神経束を神経内剥離を行うことにより切離を避けることができる．

前方移行術

尺骨神経は主に尺骨神経溝部からOsborne arcadeにかけての部で強く圧迫されていることが多く，その近位に偽神経腫が形成されている．**図7**は別の症例であるが，強い偽神経腫が形成されている．内側上顆から起始している屈筋・円回内筋群の筋膜上を橈（外）側まで十分に剥離し神経のためのポケットを作製する

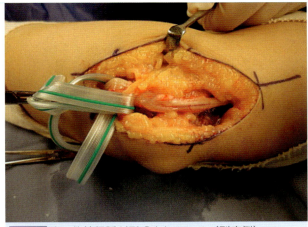

図7 強い偽神経腫が形成されている（別症例）

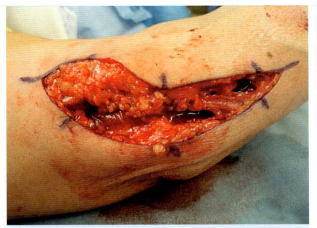

図10 尺骨神経が元の位置に戻らないように皮弁皮下組織と内側上顆筋膜を縫合する

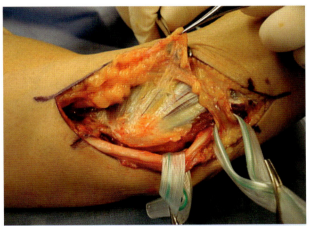

図8 屈筋・回内筋群筋膜上を剥離する

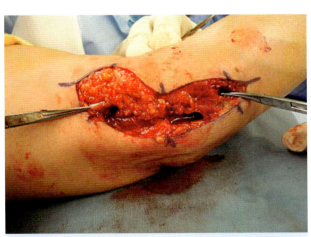

図11 神経が縫合されていないことと十分な可動性があることを確認する

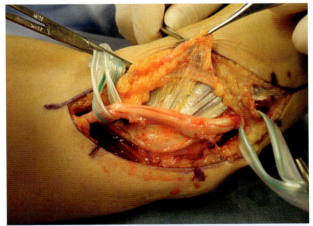

図9 尺骨神経を前方の筋膜上に移動する

図8．皮下組織の皮弁に前腕内側皮神経を含めて翻転して尺骨神経を血管柄付きとして筋膜上に移動する
図9．最後に剥離した皮弁の皮下組織（脂肪組織を含む）と内側上顆の起始部あるいは筋膜を数針結節縫合して神経が元の位置に戻らないようにする 図10．

> **Tips コツ**
> この際に神経を縫合しないように注意し，神経が引っ掛かっていないことおよび十分な可動性があることを確認する 図11．

また尺骨神経溝も閉鎖する．

皮下の軟部組織が脆弱で縫合できないと判断された場合には屈筋・円回内筋筋膜を尺側ベースに挙上して堤防のようにして尺骨神経が元の位置に戻るのを防ぐようにすることもあるが，筋膜の辺縁により再び尺骨神経を圧迫することが危惧されるためにできるだけ行わないようにしている．

閉鎖

創を洗浄し，皮膚を閉鎖する．

滑車上肘筋が原因と思われる肘部管症候群を示す．
46歳，女性の主婦で数か月前から特に誘因なく，右環指・小指のシビレを自覚するようになった．症状や所見から明らかな尺骨神経麻痺であり，肘屈曲試験陽性であった．尺骨神経伝導速度は患側 42.7 m/sec（健側 72.7 m/sec）あった．保存的に経過観察行ったが，症状

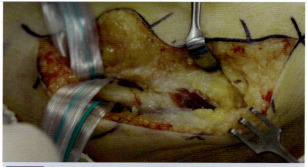

図12 滑車上肘筋による肘部管症候群．内側上顆から肘頭に掛けて尺骨神経を覆い隠すように走行する滑車上肘筋を認める．

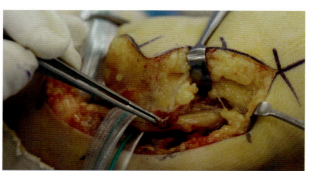

図13 滑車上肘筋を切離して尺骨神経を全長にわたり剝離した．

改善が得られなかったので手術（尺骨神経前方移行術）を行った．

尺骨神経を展開すると，内側上顆から肘頭に掛けて尺骨神経を覆い隠すように走行する滑車上肘筋を認め，尺骨神経を強く圧迫していた 図12．滑車上肘筋を切離開放後に尺骨神経を遠位・近位へ剝離して，Osborne ligament を切離して上腕骨内側上顆部に起始している回内屈筋群筋膜上の皮下へ前方移行した 図13．

▶後療法

術後1週間，肘関節を90°屈曲位として長上肢ギプス副子固定を行う（手関節はfreeとしている）．抜糸後徐々に肘関節の可動域訓練を行う．術後2週目より肘関節を－30°以上伸展しないようにして，術後3週までは夜間シーネ装用としている．3週以降は完全freeとする．

■文献

1) Chalmers J. Unusual causes of peripheral nerve compression. The Hand. 1978; 10: 168-75.
2) King T, Morgan FP. Late results of removing the medial humeral epicondyle for traumatic ulnar neuritis. J Bone Joint Surg［Br］. 1969; 41: 51-5.
3) Learmonth JR. A technique for transplanting the ulnar nerve. Surg Gynecol Obstet. 1942; 75: 792-3.
4) Minami A, Sugawara M. The humeral trochlear hypoplasia secondary to epiphyseal injury as a cause of ulnar nerve palsy. Clin Orthop Rel Res. 1988; 228: 227-32.
5) 長野 昭. 肘部管症候群. In: 最新整形外科学大系. 第14巻 上腕・肘関節・前腕. 東京: 中山書店. 2008. p.306-10.
6) 中川種史, 長野 昭, 三上容司, 他. 肘部管症候群の術後長期観察例の成績―とくに筋力回復について. 日手会誌. 1990; 7: 381-4.
7) 西村春来, 平澤英幸, 善家雄吉, 他. 症例 滑車上肘筋による肘部管症候群の治療経験. 整形・災害外科. 2016; 61: 443-7.
8) 大庭 浩, 長野 昭, 立花新太郎. 肘部管症候群―King変法症例の予後について. 日手会誌. 1985; 2: 195-7.
9) 大西信樹. 肘部管症候群. In: 三浪明男編. 手・肘の外科: カラーアトラス. 東京: 中外医学社. 2007. p.377-80.
10) Osborne G. Compression neuritis of the ulnar nerve at the elbow. Hand. 1970; 2: 10-3.
11) 志摩隆之, 山下優嗣, 豊島良太. 滑車上肘筋が原因と考えられる肘部管症候群の1例. 整形外科と災害外科. 2015; 58: 662-4.
12) 谷口泰徳. 小切開による肘部管症候群の治療経験. 日肘会誌. 2000; 7: 95-6.
13) 辻野昭人, 伊藤恵康, 宇沢充圭, 他. 遅発性尺骨神経麻痺に対する肘部管形成術. 日肘会誌. 1996; 3: 23-4.
14) 鶴田敏幸, 浅見昭彦, 渡辺英夫, 他. 肘部管症候群に対する鏡視を利用した新しい手術方法. 日手会誌. 1995; 12: 380-2.

CHAPTER 7: 神経—尺骨神経

131 Guyon 管（尺骨神経管）症候群に対する手術

Guyon 管症候群は肘部管症候群と症状が酷似しており，本症の存在が念頭になければ診断を誤ることがあるので注意を要する．とくに Guyon 管症候群は肘部管症候群と比べると圧倒的に発生頻度が低いので診断を見過ごしてしまうことが多い．

▶手術解剖

Guyon 管（尺骨神経管）は手関節掌尺側部に存在しており，豆状骨の橈側にあり三角形を呈している．尺側の壁は豆状骨で底面は横手根靱帯，背面は掌側手根靱帯により形成されている．尺骨神経は豆状骨のすぐ橈側を走行し，そのすぐ橈側に尺骨動脈が併走している 図1．さらに末梢の有鉤骨鉤レベルでは尺側は小指外転筋（Abd DM），掌側は短掌筋（PB），背側は鉤に付着する横手根靱帯と豆鉤靱帯（pisohamate ligament: PHL）が存在する．

> **Tips コツ**
> 留意すべきは尺骨神経管は有鉤骨鉤の先端より必ずしも尺側に位置するとは限らないことと，尺骨動脈は鉤の直上や尺側を走行することが多いので，有鉤骨鉤骨折に対して鉤切除を行う際は損傷しないように注意を要する（別項目参照のこと）．

Guyon 管出口では有鉤骨鉤から豆状骨に向かう短小指屈筋（FDM）の中枢端の腱弓（pisohamate hiatus）が存在する．尺骨神経は尺骨神経管に入った後は浅枝（知覚枝）と深枝（運動枝）に分岐するが，運動枝は Abd DM に枝を出した後にこの hiatus の下を通過して背側・橈側にその走行を変える．浅枝は小指球筋筋膜上を遠位に走行する 図2．

この部で尺骨神経が何らかの原因（多くはガングリオンを中心とした軟部腫瘍などの占拠病変）により尺骨神経が圧迫されて Guyon 管症候群が発症する．

また，自転車のグリップを持つ際に手関節の背屈が強制され，手関節背屈位でグリップにより尺骨神経が圧迫されて発生することもある．競輪の選手などに発生する場合が多い．自転車の運転により発生することから，cyclist's palsy とも言われる．手関節を背屈することで Guyon 管が狭小化し，慢性的に神経が圧迫されて発症すると考えられる．

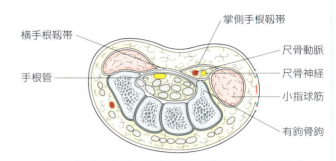

図1　Guyon 管の解剖（横断像）

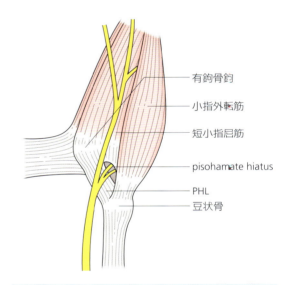

図2　Guyon 管の解剖（前額像）

▶分類

津下の分類が本邦では最もよく知られている 図3．
尺骨神経がどの部位で圧迫されるかによって多彩な麻痺症状を呈するために，詳細な臨床所見の聴取と解剖学的所見の相同性を正確に吟味していくことが重要である．

▶原因

本症の原因は大きく分けて，占拠性病変と慢性的な圧迫によるものの2つである．前者としてはガングリオンが最も多く，そのほか偽性動脈瘤，脂肪腫，破格筋がある．後者には反復動作を行う職業（ドライバーを回す，ハンマーを打つ，ナイフを持つなどの職業）と関係のあ

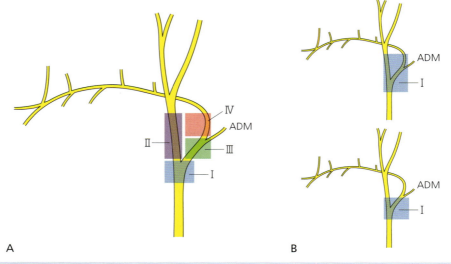

図3 津下の分類
Ⅰ型: 主神経幹の障害型（A-Ⅰ）．ただし，障害が広範囲に及ぶときも同様の麻痺型となる（B）
Ⅱ型: 浅枝の障害型
Ⅲ型: 深枝の障害型（小指球筋部またはそれ以前）
Ⅳ型: 深枝の障害型（小指球筋部より末梢）

る場合が多く，また前述しているが cyclist's palsy のこともある．

もう一つの原因は外傷である．転倒した際に手掌尺側に直達外力が加わり Guyon 管症候群が発生することもある．また，外傷性尺骨動脈偽性動脈瘤による圧迫で発生したり，有鉤骨鉤骨折，豆状骨骨折，橈骨遠位端骨折変形治癒後などにも合併して発症することもある．

▶臨床所見

1．知覚障害

尺骨神経がどの部位で障害を受けているかによって知覚障害の有無が異なる．普通，小指と環指尺側の掌側部にシビレ感を訴える．知覚枝を分岐した後での運動枝のみに障害が及ぶ場合には知覚障害はない．

> **Tips コツ**
> 重要なことは，尺骨神経背側枝は手関節の近位平均 7 cm で分岐するため，手背に知覚障害を訴えることはないことである．したがって尺骨神経麻痺が疑われ，尺側指・手背に知覚障害がなく掌側にのみ知覚障害が存在している場合には，まず本症を疑うべきであろう．

2．運動麻痺

尺骨神経支配の手内在筋（Abd DM 筋を中心とする小指球筋，掌側および背側骨間筋，環・小指虫様筋）麻痺により手の巧緻運動が障害される．母指内転筋（Add P）麻痺により Froment's sign が陽性となる．環・小指のかぎ爪変形も存在する．

> **Tips コツ**
> 手指に発生する運動麻痺の形態は肘部管症候群とほぼ同様である．しかし，肘部管症候群とは異なるのは手外在筋（尺側手根屈筋，環・小指の深指屈筋）の麻痺がないことが特徴的である．

▶検査

1．電気生理学的検査

神経（運動および知覚）伝導速度検査では Abd DM と第 1 背側骨間筋（FDI）の終末潜時 distal latency を計測する．FDI の終末潜時の異常値を示す割合は Abd DM のそれと比して頻度が高いと一般的に言われている．

2．画像診断

有鉤骨鉤骨折や豆状骨骨折は X 線撮影（手根管撮影）と CT で診断可能である．ガングリオンを中心とする占拠病変に対しては超音波検査や MR 像が有用な検査である．

▶診断

局所所見としては尺骨神経管に限局した圧痛と Tinel 様徴候の有無，知覚障害，運動障害についての詳細な診察が重要である．

知覚障害がある場合には小指と環指尺側の手掌部に存在しており，手背には存在しないことを確認する．筋力テストで運動麻痺がどの筋に存在しているかを確認する．

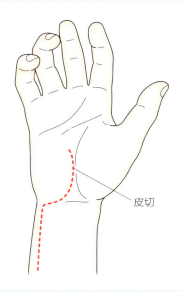

図4 皮切

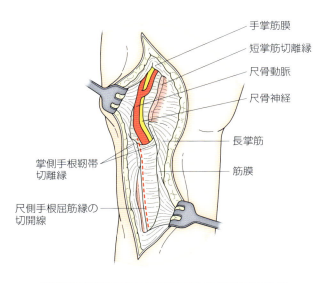

図5 展開

 コツ

Pisohamate hiatus よりも末梢で障害されることが多いので，Abd DM 筋力よりも FDI 筋力の低下が著しいことが多い．

鑑別診断

尺骨神経麻痺を呈する疾患が鑑別診断の対象となる．先述したように肘部管症候群との鑑別が重要である．そのほか，下部頸椎症性神経根症，胸郭出口症候群，Pancoast 腫瘍，motor neuron disease との鑑別を要する．

治療

圧迫が原因と考えられる場合には，尺骨神経管部の圧迫がかかる肢位を避けるように指導することが重要であり，多くは保存療法で症状は徐々に軽快する．

占拠性病変による神経障害の場合は，診断がつき次第，原則として手術を行うこととしている．

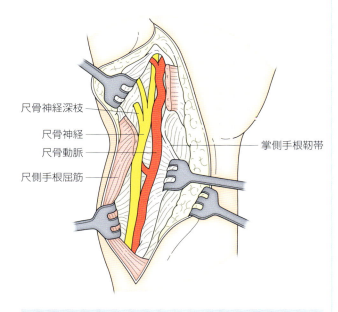

図6 Guyon 管の開放により尺骨神経，動脈を露出する

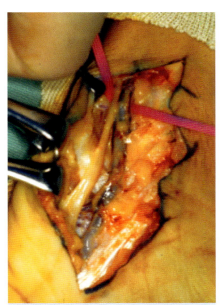

図7 Guyon 管における占拠病変（ガングリオン）により神経圧迫認めた

▶手術治療

神経剥離

皮膚切開は小指球の橈側を通り，手くび皮線より近位に向かう弓状切開を加える．中枢側で FCU 腱の橈側で神経血管束を同定して，末梢に向かって剥離していく．尺骨神経の浅枝と深枝の分岐を確認した後に，Abd DM への枝を損傷しないように注意しながら，腱弓を切離する．深枝の走行に沿って剥離を末梢に進める 図4-6．占拠性病変がある場合は摘出する 図7．

閉創

Routine に閉創する．外固定は不要である．

■ 文献

1) Cobb TK, Carmichael SW, Cooney WP. Guyon's canal revisited: An anatomic study of the carpal ulnar neurovascular space. J Hand Surg [Am]. 1996; 21: 861-9.
2) Gross MS, Gelberman RM. The anatomy of the distal ulnar tunnel. Clin Orthop. 1985; 196: 238-47.
3) Kalisman M, Laborde K, Wolff TW. Ulnar nerve compression secondary to ulnar artery false aneurysm at the Guyon's canal. J Hand Surg [Am]. 1982; 7: 137-9.
4) McFarland GBJr, Hoffer MM. Paralysis of the intrinsic muscles of the hand secondary to lipoma in Guyon's tunnel. J Bone Joint Surg [Am]. 1971; 53: 375-6.
5) Nakamichu K, Tachibana S. Ganglion-associated ulnar tunnel syndrome treated by ultrasonographically assisted aspiration and splinting. J Hand Surg [Br]. 2003; 28: 177-8.
6) Netscher D, Polsen C, Thornby J, et al. Anatomic delineation of the ulnar nerve and ulnar artery in relation to the carpal tunnel by axial magnetic resonance imaging scanning. J Hand Surg [Am]. 1996; 21: 273-6.
7) 大西信樹．尺骨神経管（ギオン管）症候群．In: 三浪明男編．手・肘の外科: カラーアトラス．東京: 中外医学社; 2007. p.379-81.
8) Richmond DA. Carpal ganglion with ulnar nerve compression. J Bone Joint Surg [Br]. 1963; 45: 513-5.
9) Santoro TD, Matloub HS, Gosain AK. Ulnar nerve compression by an anomalous muscle following carpal tunnel release: A case report. J Hand Surg [Br]. 2000; 25: 740-4.
10) Shea JD, McClain EJ. Ulnar-nerve compression syndromes at and below the wrist. J Bone Joint Surg [Am]. 1969; 51: 1095-103.
11) 立花新太郎，長野昭，落合直之．尺骨神経管症候群―自験例 47 例の臨床的検討．日手会誌．1985; 2: 180-4.
12) 津下健哉．尺骨神経管症候群（Ulnar tunnel syndrome）．In: 津下健哉．手の外科の実際．改訂第 5 版．東京: 南江堂; 1974. p.553-5.
13) Uriburi IJ, Morchio FJ, Marin J. Compression syndrome of the deep motor branch of the ulnar nerve.（Piso-Hamate Hiatus Syndrome）. J Bone Joint Surg [Am]. 1976; 58: 145-7.

CHAPTER 7: 神経—橈骨神経

132 橈骨神経管開放術

橈骨神経管症候群の診断は非常に難しい．理由としては，①腕橈骨筋部の橈骨神経走行部位はいわゆるツボ（圧痛点）が存在しており，正常でも圧痛が存在していること，②これが一番重要であるが，上腕骨外側上顆炎（テニス肘）を合併していることが多く，区別がほとんど不可能であることである．また，治療する上で難しい点は手術的に神経剝離術を行っても術後，不快な異常知覚 paresthesia が持続することが稀ではないこともある．したがって，手の外科手技に精通した医師が手術を行うべきである．

雑感
そもそも本症は存在していないと断言する手の外科医もいる．

▶手術適応
前腕近位での腕橈骨筋（BR）の前縁から 2-3 cm の筋腹上で，上腕骨外側上顆の遠位 3-4 cm 付近に存在する圧痛（深部痛）および運動痛であり，多くはないが前腕を回外すると同部の深部痛と橈骨神経浅枝への放散痛などがある場合で，安静などの保存療法が無効の場合が手術適応である．

コツ
しかし，本疾患は上腕骨外側上顆炎の関連痛であるとの考えもあり，手術適応に関しては手の外科医にとって未だ統一した一致をみていないのが実情であろうと考える．

▶所見
BR は前腕を中間位として肘関節を屈曲すると浮かび上がる筋肉である．BR と長橈側手根伸筋（ECRL）の間に陥凹が存在している ．外側上顆の遠位 5 cm のこの陥凹部に圧痛が存在する．中指を伸展し抵抗を加えると近位前腕上の疼痛が惹起されることもある．

橈骨神経の運動枝である後骨間神経が回外筋の近位縁［線維性バンドである Frohse のアーケード（arcade of Frohse）と呼称される］により圧迫されるので前腕を回外し抵抗を加えると，同じような有痛性症状が再現される．局所麻酔薬を用いて橈骨神経をブロックし，疼痛の軽減が得られると橈骨神経管症候群の可能性が高いと考

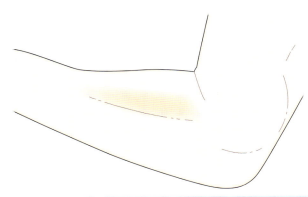

図1 前腕近位での BR と ECRL 間に陥凹が存在し，外側上顆の遠位 5 cm のこの陥凹部に圧痛が存在する．

えられる．

橈骨神経管症候群と橈骨神経深枝（後骨間神経）麻痺の違いについても議論の分かれるところである．前記したように外側上顆炎患者のほとんどの例で回外筋部，とくに Frohse のアーケードにも圧痛がある．したがって外側上顆の圧痛がない．あるいは軽いものが橈骨神経管症候群というべきと考える一方，麻痺が強く出現すると後骨間神経麻痺というべきであろうか．

▶手術解剖
橈骨神経は腕神経叢の後束から起始し，上腕の遠位1/3 部で上腕骨の後方（橈骨神経溝）を通過し，肘関節外側で BR と上腕筋の間を走行して肘外側から前方へと走行する．前方に至ると橈骨神経はただちに浅枝（知覚枝）と深枝（運動枝＝後骨間神経）に分岐する．浅枝は BR の下を前腕と平行に走行し，手関節の近位約 7 cm の部分で BR と ECRL の間の皮下を走行する．ECRL は橈骨神経本幹（浅枝・深枝分岐前）により支配されていることが多いが，ECRB 以下の前腕伸側に存在する伸筋・外転筋群は全て橈骨神経深枝が支配している ．

コツ
この橈骨神経深枝（後骨間神経）の解剖学的神経支配より本神経の麻痺では ECRL が麻痺を免れるために手関節の背屈（橈屈寄りとなるが）障害は発生しないこととなる．しかし，支配筋には時々，変異（variation）があるので注意を要する．

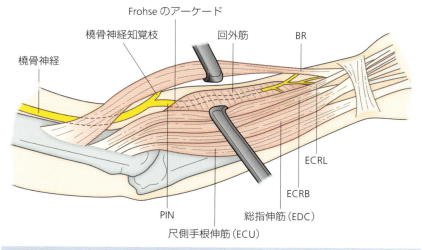

図2 橈骨神経の走行（手術解剖）

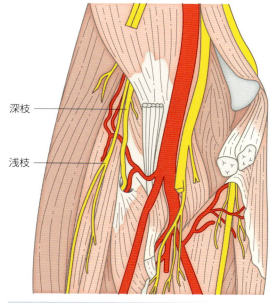

図3 橈骨神経の解剖

一般的に発生する後骨間神経への圧迫部位は回外筋の近位縁であり，この部は Frohse のアーケードとして知られており，硬い線維性の弓を呈している 図2 ．またもう一つの重要な圧迫要素としては Henry の革ひも (leash of Henry) とよばれる血管がある．Frohse のアーケードの近位を横断し，橈骨神経を圧迫することがある．橈側反回動静脈あるいは分枝による圧迫が主なものであるが，BR, ECRB などへの横走枝も神経の圧迫に関与する．これらの扇状の血管束をいう 図3 ．

その他の橈骨神経の圧迫原因としては ganglion, ECRB の尺側縁，上腕骨・腕橈骨筋間腱膜，脂肪腫，神経鞘腫などがいわれている．橈側反回動静脈は橈骨神経剝離時に結紮切断する．

橈骨神経管は内側は橈骨粗面に停止する上腕二頭筋腱により，外側は内側から ECRL, ECRB, BR により境界づけられ，底面（床）は腕橈関節包により形成され，長さは約 5 cm である．

皮切

2 つの方法が提唱されている．外側上顆炎の治療のために ECRB の切離を後骨間神経（PIN）と Henry の革ひもを展開することが可能となる後方筋切離侵入法と皮切を BR 筋の前方に加える前外側侵入法の 2 つである．後者は外側上顆炎病変の展開には不向きであるが，橈骨神経を明瞭に同定でき，圧迫が生じる可能性が 4 カ所の部位（①橈骨頭の前方に存在する線維性バンド，② Henry の革ひもを形成する橈骨反回血管である扇状ひも，③ECRB 腱の腱性辺縁，④Frohse のアーケード）を展開可能である．

多くは Frohse のアーケード上での PIN 侵入が容易であり，上腕骨外側上顆炎病変部に到達可能な後方筋切離侵入法を採用している 図3 ．

展開

前腕中間位で肘を屈曲させることにより BR 筋と ECRL 筋を術前に同定し，これら 2 つの筋の間の陥凹は縦の数 cm の切開により同定できる．

外側上顆炎手術

BR 筋と ECRL 筋間で橈骨神経管を，近位では上腕骨外側上顆を露出する．まず外側上顆炎に対する処置を行う．詳しくは外側上顆炎の手術療法（別項目）を参照してもらいたいが，ECRB 腱の外側上顆への付着部から切除する．露出した外側上顆にドリルを数カ所にわたり刺入し，骨よりの出血を促し骨髄間葉系幹細胞による同部の治療を期待する．Nirshl 法ではとくに縫合などを行わずそのままとする．

神経剝離術

BR と ECRL の間隙を展開した後，筋鉤により下層に存在する回外筋を露出する．橈骨神経深枝が回外筋の辺縁である Frohse のアーケードの辺縁に入っている部分を切離して，PIN を露出しアーケードの辺縁を切離して PIN を除圧・剝離する．また Henry の革ひもに対しても結紮することにより PIN への圧迫の可能性を除外す

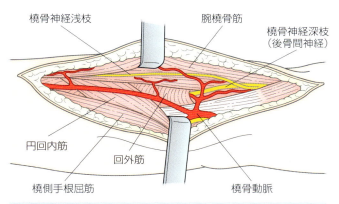

図4 回内筋およびHenryの革ひもにより後骨間神経が圧迫されることがある

る 図4 .

閉創

創を洗浄後，閉創を行う．特別なリハビリテーションは必要ない．

■ 文献

1) 赤堀 治．橈骨神経管症候群．In: 長野昭編．図説整形外科診断治療講座，第13巻: 末梢神経障害，東京: メジカルビュー社; 1991. p.126-33.
2) Dang AC, Rodner CM. Unusual compression neuropathies of the forearm, Part I : radial nerve. J Hand Surg [Am]. 2009; 34: 1906-14.
3) Lister GD, Belsole RB, Kleinert HE. The radial tunnel syndrome. J Hand Surg. 1979; 4: 52-9.
4) 長野 昭．橈骨神経管症候群．In: 高岸憲二他編．最新整形外科学体系14: 上腕・肘関節・前腕，東京: 中山書店; 2008. p.311-2.
5) 大西信樹．橈骨神経管症候群．In: 三浪明男編．手・肘の外科: カラーアトラス．東京: 中外医学社．2007. p.382-3.
6) Prasartritha T, Liupolvanish P, Rojanakit A. A study of the posterior interosseous nerve (PIN) and the radial tunnel in 20 Thai cadavers. J Hand Surg [Am]. 1993; 18: 107-12.
7) Spinner R. Nerve entrapment syndromes. In: Morrey BF editor, The Elbow and Its Disorders. 3rd ed, Philadelphia: WB Saunders; 2000. p.839-62.

CHAPTER 7: 神経—手根管症候群

133 手根管症候群の診断・治療

手根管症候群（carpal tunnel syndrome: CTS）は手根管部で正中神経が何らかの原因により圧迫され，正中神経が支配している運動筋麻痺と知覚麻痺（知覚異常）を訴える疾患である．閉経後の中高年女性に好発する．

▶臨床症状・所見

典型的な症状としては手掌から母指～環指橈側指先にかけての知覚異常である．しかし，正中神経掌側枝が支配している母指球基部の知覚障害は免れる．運動麻痺としては母指球部の短母指外転筋（Abd PB）を中心として母指対立筋（Opp P），短母指屈筋（FPB）（浅頭）が罹患する．母指球部の筋萎縮とともに Abd PB と Opp P の麻痺により母指対立運動が制限され，小銭を数える，字を書く，小さなボタンを掛けるなどの巧緻運動障害が招来する．また症状として夜間痛が強いことも CTS 患者に特徴的である．

▶特殊な検査

CTS と診断するためのいくつかの特殊な検査がある．

1. Phalen 試験: 手関節を最大掌屈位に1分間あるいは症状発現まで保持すると，正中神経支配域に一致してシビレ感や異常知覚が発現する．時には正中神経支配域全体というよりは示指とか中指とかある一定の指に強くシビレ・痛みが出現することもある．一般的には手根管の内腔は手関節を掌屈すると狭くなるとされており Phalen 試験が陽性となる．一方，逆に手関節を背屈位に保持しても同様の症状が発現することもあり，reverse Phalen 試験という．
2. Carpal tunnel compression test: 検者の母指指腹部で手根管部を直接強く圧迫し続けると，Phalen 試験の場合と同様に正中神経支配域に一致してシビレ感や異常知覚が発現する．
3. Tinel 様兆候: 検者の示指または中指を用いて直接的に手根管部を叩打すると正中神経支配域に一致して疼痛が放散する．叩打または圧迫する部位として最も陽性となる部位は掌側手くび皮線部で橈側手根屈筋（FCR）腱と長掌筋（PL）腱の間である．また Tinel 様兆候（神経が断裂している場合の Tinel 兆候とは異なる）を検査する場合は，正中神経の走行に沿って末梢から1秒間に1回の割で近位まで叩打していくのが原則である．
4. 2点識別能（two point discrimination: 2 PD）検査: 静的および動的 2 PD が存在する．手指指腹部の橈側と尺側について各指ごと検査し 2 PD を測定する．一定の距離に保たれた2つの端子をもつ器具を神経の走行方向，つまり指であれば縦方向（近位-遠位方向）にあてて測定する．動的 2 PD を測定することもあるが，静的 2 PD の値と比べると値は良好な値を示すことが多い．一般的には静的 2 PD の値で示す．術後の改善を具体的に表現するときに有用である．一般的には 6 mm 以下を正常としている．
5. Semmes-Weinstein monofilament test: いくつかの monofilament の重量での圧迫閾値で表現する．2 PD より感受性が高いとされている．

▶画像診断

1. 単純 X-P: 3方向の手関節撮影（正面，側面，斜位像）に加えて手根管撮影の4方向の撮影を行い，手根管を狭小化するような骨性の病変がないかをチェックする必要がある．とくに有鉤骨鉤骨折・偽関節，大菱形骨結節骨折の存在や手根管内での石灰沈着などの有無を検索する．
2. CT 撮影: 単純 X-P で骨性の異常が疑われる場合には病変をより明らかにする目的で CT 撮影を行うことがある．
3. MR 検査: 発症年齢が典型的なものや妊娠・透析などにより発生した CTS の多くの場合には MR は不要であるが，患者の年齢が若いとか男性であるなど非典型的な発症の場合には，手根管部の占拠病変 space occupying lesion の有無の検索の目的で撮影することがある．MR の横断像では神経周囲や腱周囲の浮腫の存在の検索にも有用である．
4. 神経伝導速度（NCV）・筋電図（EMG）検査
   ① 終末（遠位）潜時: 正中神経の神経伝導速度には運動神経と知覚神経があるが，一般的に知覚神経伝達速度の終末潜時で 3.5 m/sec 以上，運動神経伝達速度の終末潜時で 4.5 m/sec 以上に遅延していれば CTS の存在を示唆する．必ずしも終末潜時の絶対値のみではなく当然であるが健側（両側罹患例のこ

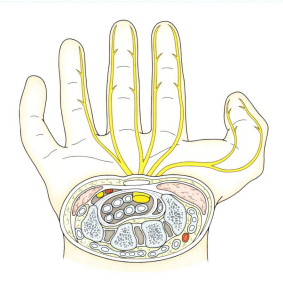

図1 手根管部の解剖（横断面）

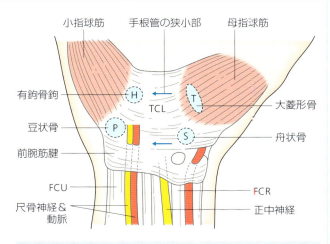

図2 手根管部の解剖（前額面）

とも少なくないが）との比較も重要である．正中神経が脱髄化すると伝導速度の遅延をもたらし，軸索の欠損が生じると電位の低下を示す．

CTSによるAbd PB筋の麻痺程度が極めて強い場合には終末潜時が測定できない（反応しない）ことも多い．

②EMG検査：CTSの場合に母指球筋のEMG検査により神経障害性変化，例えばfibrillation電位，棘波，高い刺入時電位などが存在することもある．最近は侵襲的検査であるEMG検査は嫌われる傾向にあるが，重要な検査であることに変わりない．

▶外科解剖（機能解剖）

外科解剖に関していくつかの重要な点について列挙する．

1. 手根管はこの管の中に正中神経と母指・手指の9本の屈筋腱が含まれる線維性骨性トンネルである 図1．屈筋腱は長母指屈筋（FPL）腱と示指から小指までの浅・深指屈筋（FDS・P）腱のそれぞれ2本の8本，合計9本が存在している．小指のFDS腱は低形成または欠損していることが少なくないので注意を要する．手根管の天井（屋根）は屈筋支帯であり，屈筋支帯の近位は豆状骨と舟状骨結節であり，遠位は有鉤骨鉤と大菱形骨結節である 図2．これら4角から台形の背面下を9本の屈筋腱が通過することとなる．

2. 屈筋支帯は一般的に3つに分けることが一般的である．つまり，近位は深前腕筋膜への直接的な連続性を呈しており，中央部は線維が横走している横手根靱帯である．遠位は母指球と小指球筋の間の手掌腱膜である．一般的には屈筋支帯と横手根靱帯は同義語である．

3. 解剖学的に手根管が最も狭いのは有鉤骨鉤の高位であり，次いで横手根靱帯の近位縁部である．これらの部での圧迫が多く発生する 図2．

4. CTSの手術〔開放的手根管開放術（OCTR）はもちろんであるが鏡視下手根管開放術（ECTR）にはとくに重要である〕には，手根管および手掌部の重要なランドマークや腱周囲の神経血管構造を知ることは重要である．

5. 手関節掌側で最も明らかなランドマークは手くび皮線の小指球部の基部に存在している豆状骨と，これに対応するように橈側，母指球部の基部に存在する舟状骨結節である．これらを結ぶ線が横手根靱帯（屈筋支帯）の近位縁部つまり手根管の入口部に相当する．その意味でこれら2つはきわめて重要なランドマークである 図2．

6. 有鉤骨鉤はバットあるいはゴルフのシャフトなどを握って地面などを強く叩いた場合に骨折が起こることがある部であるが，豆状骨の遠位1cmの橈側に存在している．同部は厚い皮膚が表面を覆っているので少し触れ難いが慎重に強く押すと触れることが可能である．

この部に対応するように舟状骨結節の遠位に大菱形骨結節が存在しているが，同部を皮下に直接触れることはできない．しかし，有鉤骨鉤と大菱形骨結節を結んだ線は手根管の遠位（出口）に相当している．手掌部中央部の皮膚を触れると横手根靱帯の硬い部から遠位の軟かい部を触れることができ，この部が手根管の出口である 図2．このことはECTRにおけるexit portalの部位を決定する際にきわめて重要である．また有鉤骨鉤の1cm遠位が屈筋支帯の遠位に相当している．

7. 手掌部に重要な2つの線が存在する．Kaplan cardinal lineとcardinal lineの2つである．Kaplan cardinal lineは母指を強く外転して母指の第1指間の基部と有鉤骨鉤を結んだ線であり，この線は普

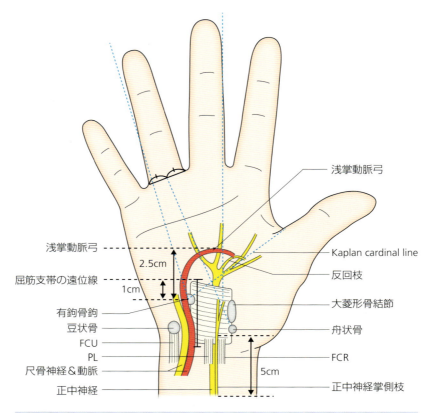

図3 手掌部の表面解剖

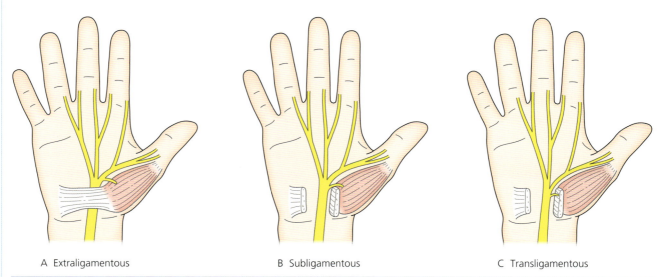

A Extraligamentous　　　B Subligamentous　　　C Transligamentous

図4 反回枝の走行と横手根靱帯との関係

通は近位手掌皮線と並行である **図3**．
　Cardinal line は同様に母指を最大外転位として母指の第 1 指間の基部から手掌部に横に走る線（前腕の長軸に垂直な線）である．この部分は浅掌動脈弓の少し近位を走行しており，やはり ECTR における exit portal の位置決定に重要な line となっている．浅掌動脈弓は有鉤骨鉤の 2.5 cm 遠位に存在している **図3**．

8. 正中神経の母指球筋への運動枝（反回枝）は中指の橈側縁を伸ばした垂線（前腕に対して）と Kaplan cardinal line との交点の表面に位置している

図3．反回枝は正中神経の掌・尺側方向から起始して横手根靱帯部では以下の 3 つの走行を呈する．一番多いのは extra ligamentous（45％）（靱帯を越えて遠位から起始する）であり，それ以外では subligamentous（31％）（靱帯の下で反回枝が分枝されて，靱帯の遠位から母指球へ終止する）そして transligamentous（23％）（反回枝が横手根靱帯を貫いて母指球へ終止する）の 3 つである **図4**．Extra ligamentous の場合は横手根靱帯部の遠位から反回枝が分岐しており，OCTR および ECTR においても神経を損傷する危険は少ない

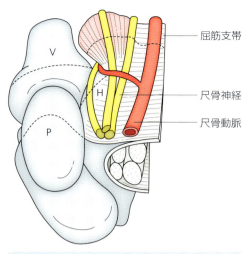

図5 Guyon管の解剖

が，subligamentous，transligamentousの場合では横手根靱帯の下（背側）およびそのものを貫いて反回枝が走行することから手根管開放術を行うにあたっては術中の神経損傷に細心の注意を払うべきである．とくにECTRを施行する際の合併症として重要である．

意見

論文の中では反回枝のsubligamentousあるいはtransligamentousの場合を合わせた頻度が約半数であるとの報告であるが，私の臨床経験でこれらの例をほとんど経験したことがない．とくにtransligamentousの症例は今まで1例のみであった．このことは反回枝を注意するなということではないが，それほど頻度が高いものではないと思っている．

9. 正中神経の最も尺側の枝である第3総指神経は環指の掌側近位指節皮線の中点と舟状骨結節を結ぶ斜めの線から分枝している 図3 ．この神経はいつもKaplan cardinal lineの遠位，大体0.5 cmの部に常に存在している．この事実はECTRを行う際に留意すべきである．
10. 正中神経の掌側枝は手くび皮線近位5 cmの正中神経の橈側から分枝している 図3 ．分枝後は2 cm位は正中神経と並行して走行し，前腕筋膜下でPL腱とFCR腱の間に存在している．手くび皮線の大体8 mm近位で前腕筋膜を貫ぬき，屈筋支帯の近位に存在する．
11. 尺骨神経と動脈は尺側の屈筋支帯上，手掌横靱帯の下に，尺側は有鉤骨鉤という三角形の中に存在している 図5 ．いわゆるGuyon管内に存在している（Guyon管症候群の項を参照のこと）．屈筋支帯上に存在していることはECTRの際に損傷のリスクが高い．神経は尺骨動脈の尺側に存在している 図1 ．

意見

本項でのCTS，手指のHeberden結節，Bouchard結節，ばね指，de Quervain病，母指CM関節変形性関節症などは特徴的に更年期から更年期以降の女性に好発する疾患である．近年，これらは女性ホルモンの1つである黄体ホルモン（プロゲストロン）が更年期で急速に欠乏することにより滑膜増生が起こり発症すると考えられている．黄体ホルモンの補填のため，類似物質であるイソフラボン代謝産物（エクオール）の補給により，これらの疾患の発症予防に有効であるとの報告がなされ，注目されている（詳しくは別項目　参照のこと）．

■ 文献

1) Chow JCY. Endoscopic carpal tunnel release. Hand Clin. 1994; 10: 637-46.
2) 木村　元, 笹　益雄, 泉山　公, 他. 鏡視下手根管開放術における合併症, 再発例の検討. 日手会誌. 2001. 18: 398-401.
3) 大西信樹. 手根管症候群. In: 三浪明男編. 手・肘の外科: カラーアトラス. 東京: 中外医学社; 2007. p.384-9.
4) Schmelzer RE, Della Rocca GJ, Caplin DA. Endoscopic carpal tunnel release: : A review of 753 cases in 486 patients. Plast Reconstr Surg. 2006; 117: 177-85.
5) Yueying Li, wenqi Luo, Guangzhi Wu, et, al. Open versus endoscopic carpal tunnel release: a systematic review and meta-analysis of randomized controlled trials. BMC Musculoskelet Disord. 2020; 21: 272-88.

CHAPTER 7: 神経—手根管症候群

134 手根管症候群に対する鏡視下手根管開放術

▶手術手技

鏡視下手根管開放術(endoscopic carpal tunnel release: ECTR)

　手根管症候群（CTS）に対する手根管開放術には開放（観血的）[open carpal tunnel release (OCTR)]あるいは鏡視下[endoscopic carpal tunnel release (ECTR)]にて行う2つの方法が存在する．OCTRについても多くの変遷がある．以前は近位手掌皮線に沿って皮切を加え，手首皮線でZ字状として前腕遠位まで加えるという長大な皮切である．この皮切は現在広く行われているOCTRの皮切と比べるとかなり長いものである．とくに手くび皮線をまたぐように加える皮切は術後のpillar painの原因となるので最近は好まれていない．再発例で長い距離にわたって正中神経の剝離を必要とする場合に限られている．最近では近位手掌皮線に沿った小皮切あるいは有鉤骨鉤を触れて2-3 mm橈側に縦皮切を加える方法などが行われている．OCTRで上記したように1つの皮切ではなく手くび皮線に沿って少し近位に小さな横皮切を2つ目の皮切を加える場合もある．

体位・麻酔

　通常の仰臥位で，腋窩伝達もしくは鎖骨上窩伝達麻酔でもいいが，局所麻酔（エピネフリン加キシロカイン）でも十分可能である．エアトニケットは使用してもいいが，それほど出血は多くないので使用しなくても可能である．私はエアトニケットを装着しておき鏡視しずらい場合には手術中に送気することとしている．

　ECTRは手術侵襲を軽減するために採用されるが，先ほども記載したようにOCTRでも最近はきわめて小さな切開で行われるようになったので，以前よりはminimum invasive operation最少侵襲手術という利点があるとは言い難くなっている．

> **Tips コツ**
> ECTRを行う際，重要なことは創を小さくすることよりも安全に手術を行うことである．したがって，手関節の背屈が制限されてポータルの挿入が困難である場合や腱・血管損傷の危険が高いと思われる場合には，すみやかにOCTRに術式を変更することが重要である．術前に患者にしっかりICすることも重要である．とにかく1つの方法，ECTRに固執しないことが重要である．

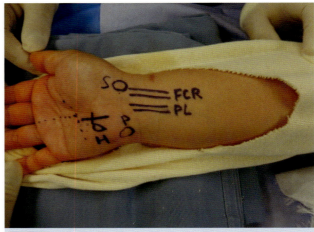

図1　FCR腱，PL腱，舟状骨，豆状骨，有鉤骨鉤をマーキングする

▶適応

　ほとんどのCTS例がETCRの適応となる．しかし以下のような場合にはECTRの施行に慎重であるべきである．このような場合にはOCTRの適応も考える．

1. 手関節に強い拘縮が存在している．とくに背屈制限が強い症例．
2. 年齢が若い症例．
3. 男性の発症例．
4. 術前の画像診断で手根管内の腫瘍性病変（ガングリオンなど）が疑われるような症例．
5. 母指球筋の高度萎縮が存在し，対立機能再建術を同時に行う必要性がある症例．

▶手術手技（Chow法，Two portal法）

ポータルの位置の決定

　Entryポータルを作製する際は皮膚上にPL腱，FCR腱，FCU腱の走行をマークする　図1　．次いで手くび皮線の走行では尺側で豆状骨，橈側で舟状骨結節を触れてマークする．豆状骨の遠位で慎重に触れると皮下の深い所に有鉤骨鉤を触れ，これをマークする．有鉤骨鉤は厚い手掌の皮膚の深部に触れることができるが，それほど簡単ではない．手掌部で有鉤骨鉤の少し橈側を遠位から近位に慎重に触れていくと抵抗がないところから近位で硬い部分（屈筋支帯の遠位端）を触れることが可能で

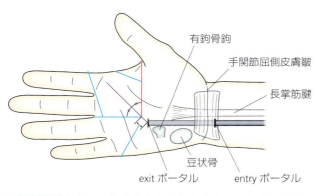

図2 Entryポータル部に横皮切を加える，またexitポータルの位置を決定する

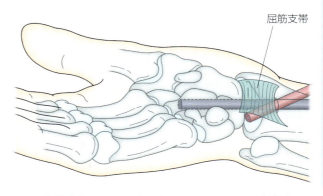

図4 ディセクターの先端部で屈筋支帯の線維を確認する

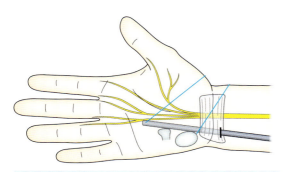

図3 Exitポータルの先の位置が橈側に寄らないようにする

ある．この部分より遠位がexitポータルの位置となる．以上のマーキングを終えた後，手くび皮線より1cm中枢のPL腱の尺側の部位に1cmの横皮切を加えentryポータルの挿入口とする 図2．

Chow（Two portal法）のoriginal paperでは豆状骨中枢縁より1cm中枢から0.5-1cm橈側に皮切を加えると記載している．また手くび皮線より1cm近位のPL腱直上に皮切を加えるべきとの記載もあるが，前に記載した手くび皮線1cm近位，1cm尺側とする皮切が確実であると考えている．

Exitポータルは母指を最大外転位として母指尺側縁から手くび皮線と平行な直線を引く．次いで中指・環指指間（第3指間）から前腕軸に平行な直線との交点を通る角2等分線上の1cm中枢にデザインする 図2．このexitポータルは環指のちょうど中央線上に相当する．

Tips コツ

この際の注意点は手関節を橈尺屈中間位として前腕軸に平行な直線を描くべきことである．多くは手関節が尺屈位となることが多いこと，このことはポータルが橈側へ移動し神経損傷の危険が増大することを銘記すべきである．

Entryポータル部位に皮切を加えた後，皮下を翻転するとまず前腕筋膜が露出される．前腕筋膜を切開するとこの深部に滑膜に被覆された正中神経が存在していることがわかる．プローベで神経周囲線維を十分に避けるよ

うにすると安全である．筋鈎で形成したディセクター刺入部の層を確保してカニューラを挿入する．次の段階はentryポータルにディセクターを刺入する．ディセクターを刺入する際は正中神経および屈筋腱がカニューラの深部に存在しており，完全にディセクターの浅い部つまり皮膚側にはこれらの組織が存在していないことを確認する．したがってディセクターを刺入する際に抵抗が強い場合は，その理由をしっかりと確認した後に手術を進行すべきである．とにかく無理やりディセクターを刺入することは厳に避けるべきであることを強調したい．

Tips コツ

Entry portalが尺側によると有鉤骨鉤がカニューラの支点となり，カニューラ先端部が結果的に橈側寄りに向いてしまうのでPL腱と平行に刺入することが重要である 図3．このことは手関節背屈が制限されている症例ではこの傾向が強くなる．ディセクターが横手根靱帯の下層（深層）に挿入されているかどうかを確認するためにディセクターの先端部で屈筋支帯（横手根靱帯）の線維（横走している）を近位から遠位に下層から触れて洗濯板の表面を触れているような感じで確認することが重要である 図4．

Exitポータルを作製するときは前にも記載しているが，手関節がどうしても尺屈位を呈することが多いので橈側にカニューラ先端が向かないように十分注意することが重要である．カニューラ内筒の先端が容易にexitポータルに出ない場合は強引に貫いて出すことなく，小切開を加えてカニューラ内筒をexitポータルから引き出す．

Tips コツ

この際，この部で指神経や浅掌動脈弓を損傷しないように剥離しながら，内筒の先端が皮膚面に出るように愛護的に操作を行うべきである．したがって皮下に屈筋支帯の遠位端をしっかり触れておくことが重要である 図5．

屈筋支帯切離

内視鏡の電源を入れてwhite balanceを調整した後にカニューラ内筒を引き抜いて，外筒のみを残し，内視

鏡をまず近位方向からゆっくり挿入して遠位方向から近位方向へとカニューラスリッドを通して観察する 図6 ．正確な位置にカニューラが挿入されていれば最遠位方向には脂肪組織が存在し，次第に近位に移るとTCLの遠位が，次いでTCLそのものが横走する線維として観察され，やがて近位へと抜ける様子がわかる．

> **Tips コツ**
> 内視鏡を挿入する際には一部脂肪組織などがスリッドを通して入り込んだりするために鏡視しずらいことがあるので綿棒を用いてこれらを視野から取り除くことも有効な手段である．

> **Tips コツ**
> 起こり得る事象としてカニューラのexitポータルが近位に位置して，屈筋支帯を越えていなくてカニューラが屈筋支帯の遠位を貫通することがある 図7 ．この場合，最遠位方向の鏡視で脂肪組織が存在していないので，再度exitポータルの位置を確認することが重要である．

術野に正中神経や屈筋腱の介在を認める場合はカニューラスリッドから観察できる介在組織の尺側をプローベで十分に判断して，内筒を挿入し直して，いろんな方向に回転させて介在組織を避ける操作を行う．これによっても介在組織の存在がスリッドから観察される場合は，もう1度最初からやり直すように屈筋支帯の下層に触れるようにカニューラ先端を挿入すべきである．

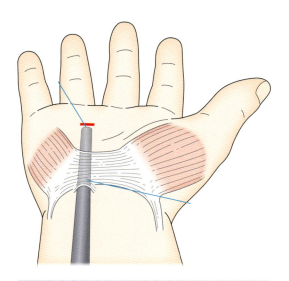

図5 カニューラ内筒の先端が容易にexitポータルに出ない場合は愛護的に操作する

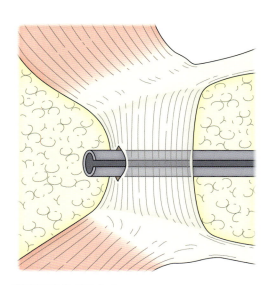

図7 Exitポータルが屈筋支帯を越えていなくて遠位を貫通することがある

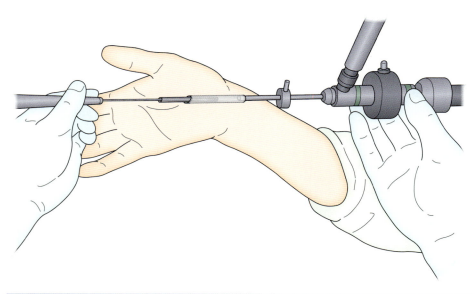

図6 内視鏡を挿入する

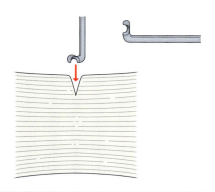
図8 押し切りナイフを用いて屈筋支帯末梢5mm程度を切離する

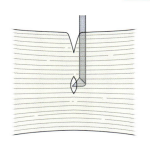
図9 三角刀を用いて屈筋支帯中央部を切離する

図10 引き抜き刀を用いて屈筋支帯全層を切離する

> **Tips コツ**
> 以上のような操作を行っても正中神経，屈筋支帯および滑膜組織などが介在しているような場合には，ECTRからOCTRへと術式を変更すべきである．

　次いで屈筋支帯の切離へと移行する．Chow法のキットには押し切りナイフ，三角刀，引き切り刀の3つのナイフがセット（disposable）されている．

1) 浅掌動脈弓の損傷を避ける目的で，内視鏡を近位方向から入れて，末梢からまず押し切りナイフをカニューラ内に挿入し，ナイフの直角に曲がっている一番先端を屈筋支帯の下面に押しあてるようにしながら末梢にゆっくりと引いていくと，屈筋支帯末梢縁より遠位で抵抗がなくなり，遠位縁の位置をしっかりと確認できる．押し切りナイフを屈筋支帯末梢縁に確実においてから5mm押し込んで5mm切離を行う 図8 ．

> **Tips コツ**
> この操作によって，万一カニューラが浅掌動脈弓末梢に出ていても動脈に損傷および指神経損傷の可能性を低減することが可能である．

2) 次いで三角刀を用いて屈筋支帯の近位1/3から先ほどの押し切り刀で切離した部まで一気に切離する 図9 ．

3) ここで内視鏡の挿入方向を変えて遠位方向から挿入する．最後に引き抜き刀を用いてすでに切離されている屈筋支帯の近位1/3部から近位縁まで屈筋支帯を全て切離する 図10 ．いずれの切開においても，切開された部位からは脂肪が垂れ下がり，鏡視がきわめてしずらくなる．確実に引き切り刀で屈筋支帯全層を捉えて切開する．

　内視鏡を引き抜いて，プローベを用いて屈筋支帯の不完全切離がないか確認し，20Frのトロッカーカテーテルを挿入し，切離部遠位端を確認する．

> **Tips コツ**
> 鏡視下で屈筋支帯切離を行う際には術中，カニューラスリッドの位置が橈側方向に向くことは避けるべきで，掌側〜尺側気味に向くように留意すべきである．万一，橈側に向くと正中神経・屈筋腱損傷の危険が高くなる．

閉創

　遠位および近位ポータルから生食水で洗浄を行う．出血の有無を確認する．出血が明らかに動脈性で止まらない場合には，創を開放として出血点を確認．止血を確実に行う．この際，万一，神経損傷の存在が確認された場合には神経縫合を行う．

> **Tips コツ**
> 指神経損傷に対する神経縫合の意味はないとの考え方もあるが，完全に回復しなくても protective sensation の獲得が可能と考え，私は行うべきと考えている．

　手根管部全体を圧迫し止血を行う．皮膚のみの閉創を行う．

▶後療法

　術後 bulky dressing で固定するのみとの考えもあるが，私は2-3日手関節軽度背屈位で短上肢シーネ固定を行うこととしている．日常生活動作を行うことは許可するが，3-4週程度は過激なスポーツ，重労働などは避けるように指導する．

> **Tips コツ**
> ECTRは順調に手術が推移すれば15分程度で終える手術である．しかし当然であるが，正中神経がどの部位でどの程度圧迫されているのかを観察することができない．したがって適応をしっかりと患者に説明し，いつでもECTRからOCTRへと移行可能としておくべきであることが重要である．

Tips コツ

手掌部の皮膚は他の皮膚と異なり厚い傾向があり瘢痕を形成することが多いので，術後症状（ピリピリと感じたり押したりすると疼痛があるなど）を訴えることが少なくないので術前に説明しておくことも重要である．

Tips コツ

ECTR 後の症状の改善率は 95-100％と報告されており，合併症率は 1-3％と報告されている．

▶症例供覧

症例 63 歳，女性．特発性 CTS 例．Exit ポータルの皮切を少し大き目とした ECTR 施行例 図11-17．

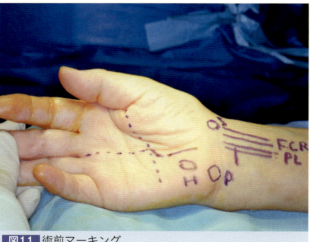

図11 術前マーキング

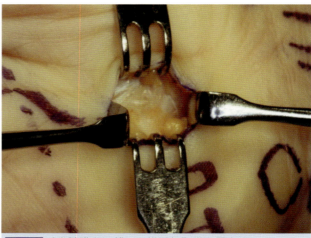

図13 手掌腱膜を切離して横手根靭帯を露出する

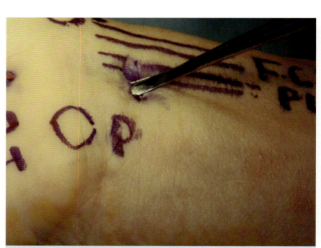

図14 Entry ポータルを作製する

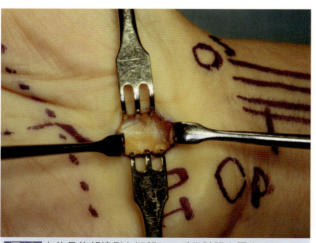

図12 有鉤骨鉤部橈側を切離して手掌腱膜を露出する

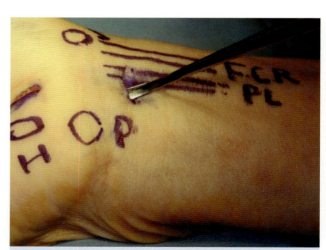

図15 ディセクターにて正中神経を剥離する

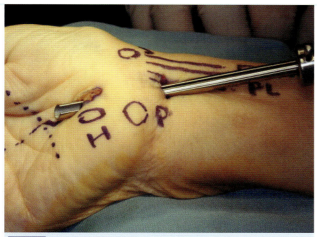
図16 カニューラを挿入し，ECTR を行う

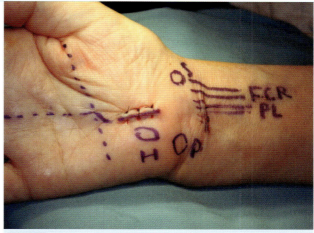
図17 閉創

■文献

1) Chow JCY. Endoscopic carpal tunnel release. Hand Clin. 1994; 10: 637-46.
2) 木村　元, 笹　益雄, 泉山　公, 他. 鏡視下手根管開放術における合併症, 再発例の検討. 日手会誌. 2001; 18: 398-401.
3) 大西信樹. 手根管症候群. In: 三浪明男編. 手・肘の外科: カラーアトラス. 東京: 中外医学社; 2007. p.384-9.
4) 奥津一郎. USE system を用いた手根管症候群の鏡視手術. 整・災外. 2002; 45: 1093-101.
5) Schmelzer RE, Della Rocca GJ, Caplin DA. Endoscopic carpal tunnel release: : A review of 753 cases in 486 patients. Plast Reconstr Surg. 2006; 117: 177-85.
6) Yueying Li, wenqi Luo, Guangzhi Wu, et, al. Open versus endoscopic carpal tunnel release: a systematic review and meta-analysis of randomized controlled trials. EMC Musculoskelet Disord. 2020; 21: 272-88.

CHAPTER 7: 神経—手根管症候群

135 手根管症候群に対する開放的手根管開放術

　手根管症候群（CTS）に対して鏡視下手根管開放術（endoscopic carpal tunnel release: ECTR）の手技が導入され，OCTRは下火になったきらいがあった．しかし，ECTR手技が導入されたことによって，かえってECTRの皮切でOCTRが可能となることが判明し，小切開で行うOCTR手技が盛んに用いられるようになったと思われる．以前は近位手掌皮線に沿って皮切を加え，手くび皮線でZ字状として前腕遠位まで加えるという長大な皮切であった．ここで紹介するOCTRは有鉤骨鉤の橈側の1.5-2 cm長の小切開で行う方法である．

▶手術手技

皮切

　ECTRで示した手関節から手掌部のメルクマールで，長掌筋（PL）腱，橈側手根屈筋（FCR）腱，舟状骨結節（S），豆状骨（P），有鉤骨鉤（H）をメルクマールとして皮膚上にマークする．また有鉤骨鉤の橈側で屈筋支帯の遠位端を触知しておく　図1　．

　有鉤骨鉤の少し橈側で遠位は屈筋支帯の遠位縁として近位は手くび皮線の遠位まで1.5-2 cm長の縦切開を加える　図2　．この切開の設置位置は本手術の基本であ

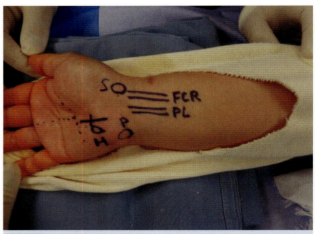

図1　皮膚表面のメルクマールと皮切のマーキング

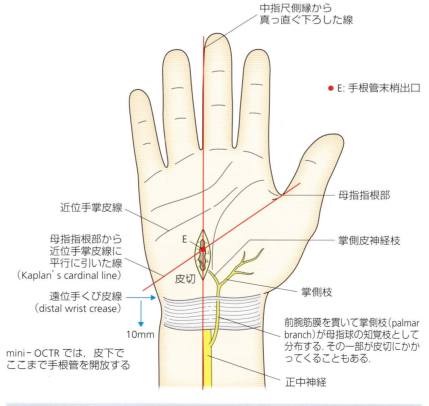

図2　皮切のシェーマ

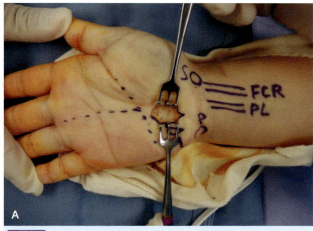
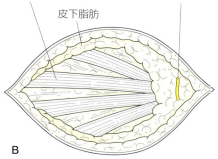

図3
A: 創を開いて手掌腱膜を露出する．　B: 手掌腱膜を露出する（シェーマ）

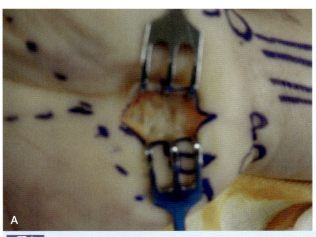

図4
A: 横走するTCLを露出する．　B: 屈筋支帯を露出する（シェーマ）

りきわめて重要である．

展開

皮切を加えた後，皮下を剝離して2双皮膚鉤を用いて開いて深底の手掌腱膜を露出する 図3A, B ．手掌腱膜は縦に走行しており，かなり疎な組織である．手掌腱膜を同じ皮切で切離して鈍鉤で橈尺側に翻転すると横走する屈筋支帯が露出される．皮膚を遠位および近位方向に牽引し，横手根靱帯（TCL）の近位端・遠位端を露出する 図4A, B ．

 コツ

この際，確認するために有鉤骨鉤が屈筋支帯の切離部より尺側に位置していることを確認することが重要である．

屈筋支帯の切離

有鉤骨鉤の少し橈側の屈筋支帯を一部縦に切開を加える．メスの刃が深くいかないように注意して正中神経・屈筋腱が露出される．安全のために小さなエレバトリウムをこの切離した屈筋支帯の下部に挿入して，神経や屈筋腱が巻き込まれていないことを確認して，屈筋支帯を切離する 図5 ．少し深か目の筋鉤を創の遠位および近位の皮下に挿入して皮膚を持ち上げるようにして屈筋支帯の遠位縁を露出して，遠位まで剝離剪刀を用いて切離し，次いで同様の操作で近位縁を露出して切離する 図6 ．特に遠位では浅掌動脈弓を見ることができるまで行う 図7 ．また近位では手掌腱膜から前腕筋膜へ移行する部を含めて可及的近位まで切離する．

Tips コツ

屈筋支帯の近位や遠位端の切離を行う際には，手関節を背屈しながら筋鉤で皮膚を持ち上げて屈筋支帯をしっかりと確認することが重要であり，盲目的に行うことは避けるべきである．この点がOCTRかECTRと異なる点であるので，この利点を生かすべきである．

Tips コツ

屈筋支帯の切離が完全に行われているかどうかを最終確認する目的で，プローベを用いてECTRのときと同様に切離した屈筋支帯の近位・遠位が階段状に触れることがないことを確認する．

屈筋支帯の完全切離後，正中神経を確認する．多くは正中神経への圧迫痕を観察可能である．同部の神経は充

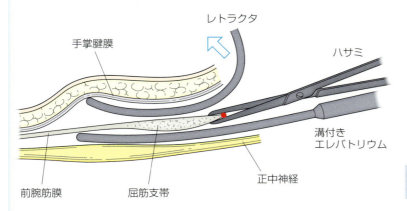

図5 屈筋支帯の下層にエレバトリウムを挿入して支帯を切離する

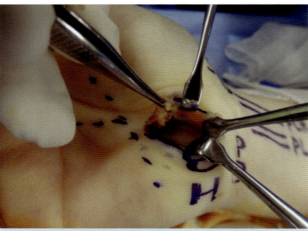

図6 屈筋支帯を近位・遠位縁まで完全に切離する

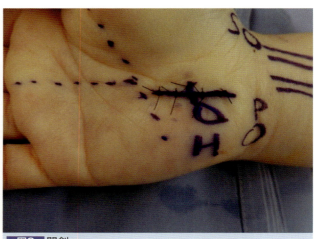

図8 閉創

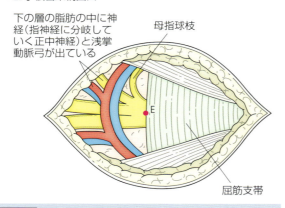

● E: 手根管末梢出口

図7 屈筋支帯の遠位縁に浅掌動脈弓が存在している

血しており，強い圧迫の場合は同部の近位に偽神経腫が形成されている．

Tips コツ

OCTRの利点として，特に母指球部の筋萎縮が知覚障害と比べて著明である場合には創の橈側を引き，反回枝（運動枝）への圧迫の有無について観察することもある．しかし，本手技を行うことはきわめて稀である．

閉創

創を洗浄後，皮膚縫合を行う 図8 ．Bulky dressing後，術後，手関節軽度背屈位で短上肢副子を装用する．2-3日の固定で十分のことが多い．手指の運動は許可する．1カ月以降，ADL上の制限はない．6週後は前職に復帰させる．

Tips コツ

OCTRを行う際の留意点は創が手くび皮線を越えないようにすることが重要である．皮膚を越えると pillar pain が出現し，頑固な症状をきたすことが多い．創癒痕の留意点については ECTR の術後と同様である．

■ 文献

1) Ikeda K, Osamura N, Tomita K. Segmental carpal canal pressure in patients with carpal tunnel syndrome. J Hand Surg [Am]. 2006; 31: 925-9.
2) 池田和夫, 納村直希, 富田勝郎. 手根管症候群に対する手掌部小皮切手根管開放術について. 日手会誌. 2009; 25: 593-5.
3) 神谷行宣, 三浪明男, 東條泰明, 他. 手根管症候群に対する手術成績の検討（第2報）. 多施設前向き検討. 日手会誌. 2017; 34: 311-5.
4) 大西信樹. 手根管症候群. In: 三浪明男編. 手・肘の外科: カラーアトラス. 東京: 中外医学社; 2007. p.384-9.
5) 奥津一郎. USE system を用いた手根管症候群の鏡視手術. 整・災外. 2002; 45: 1093-101.
6) Vasiliadis HS, Xenakis TA, Mitsionis G, et al. Endoscopic versus open carpal tunnel release. Arthroscopy. 2010; 26: 26-33.

CHAPTER 7: 神経—手根管症候群

136 手根管症候群に対するOCTR＋母指対立機能再建術（Camitz法）

手根管症候群（CTS）の進行例では母指球筋の筋萎縮が著明となり，母指の掌側外転が制限されることにより細かい動作がしずらいという巧緻運動障害がシビレや痛みとともに主訴となることも多い．

▶手術適応

CTSに対して手根管開放術とともに母指対立機能再建術を合併して行うべきかどうかについてコンセンサスは得られていない．1つは，横手根靱帯（TCL）をopenあるいはscopicに切離するのみで母指球筋の萎縮が強い例でも時間がかかるが回復が期待できるので母指対立機能再建術は行う必要がないとの考え方である．もう1つは強度の母指球筋の筋萎縮の回復はほとんど期待できない，また回復したとしても長期間にわたり不自由が続き，かつ回復したとしても完全ではないことが多いので手根管開放術と同時に積極的に母指対立機能再建術を行うべきであるとする考え方がある．私はどちらといえば後者に近い考えで，万一（患者にとっては喜ばしいことではあるが）母指球筋の高度萎縮が改善して対立機能が回復したとしても，母指対立機能再建術を行ったことが支障とはならない．つまりinternal splintの役目も担えるので同時に母指対立機能再建術を行うべきと考えている．

Tips コツ

最近，かなり強度な母指球筋萎縮例であっても，時間がかかるが回復が期待できると考えているので，ほとんど母指対立機能再建術を行うことは少ない．

したがって手術適応は母指球筋の筋萎縮が著明で巧緻運動障害が主訴となっているCTS症例である 図1 ．

▶術式の選択

母指対立機能再建術としてどのような術式を選択すべきかも非常に悩しい問題である．母指対立機能再建術には多くの術式が報告されているが，CTSに対するOCTRに合併して行う場合にはこれから詳述する長掌筋（PL）腱を用いた，いわゆるCamitz法が好んで行われている．

Camitz法がOCTRに合併して好んで用いられる理由はOCTRと同様の皮切（もちろん，OCTRよりは皮切は少し長大となるが）で移行腱の採取が可能であることと，ドナーのmorbidityがほとんどないとの2点である．

▶皮切

皮切はいわゆる以前行っていた手関節の手くび皮線を越えるジグザグ皮切を加える．つまり近位手掌皮線よりわずかに離して同じラインに加えて，掌側手くび皮線の少し遠位で尺側へ振って前腕の長掌筋（PL）腱の尺側にジグザグ皮切を加える 図2 ．横手根靱帯の近位縁が見える部までで十分であり，前腕遠位部の皮切は小さくても問題はない．

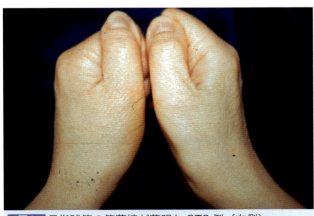

図1 母指球筋の筋萎縮が著明なCTS例（右側）

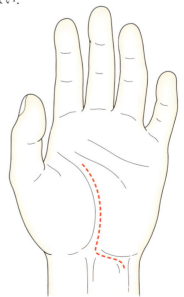

図2 手掌部皮切．近位はもっと短くしてもよい

▶展開

まず手掌部で皮膚・皮下組織を丁寧に剥離して手掌腱膜を損傷しないように母指MP関節の高さを越える位（腱移行を容易にするために），つまり近位手掌皮線と中央手掌皮線が交叉する部分の少し遠位まで手掌腱膜を幅1.5-2 cm位にわたり剥離する．次いで手掌腱膜とPL腱の連続性を保ったまま，PL腱の尺側でTCLを全長にわたり切離する．

次いで手掌腱膜を1.5-2 cm幅で切離してPL腱を付けたままとして，手掌腱膜を遠位で切離して近位に翻転する．ここで正中神経を剥離するとともに手指屈筋腱の腱鞘切除術を行うこともある．正中神経は一般的に強く圧迫されており，近位には偽神経腫が形成されていることが多い．手掌腱膜～長掌筋腱を把持してPL筋の筋膜を切離して，小さなツッペルで近位まで十分に剥離して筋のexcursionを得るように十分に剥離する 図3．当然であるが，近位で筋損傷を起こすことを避けるべきである．十分なexcursionが獲得されたことを確認後，生食ガーゼで腱をくるんでおく．

母指MP関節橈背側に掌側凸の皮切を加える 図4．橈骨神経浅枝の存在に留意して剥離する．母指MP関節背側から橈側に長母指伸筋（EPL）腱の腱成分とその近位に筋膜に覆われた短母指外転筋（Abd PB）腱を露出する．Abd PB筋の腱成分筋膜上から腱誘導鉗子を皮下に挿入して，舟状骨結節の尺側の皮下から最初の皮切に通して，皮下を十分に剥離して移行腱が通りやすくする．腱誘導鉗子の先を開いて手掌腱膜遠位を束にして，

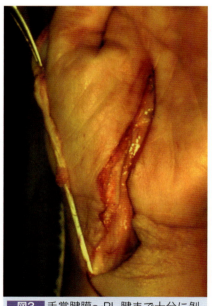

図3 手掌腱膜～PL腱まで十分に剥離する

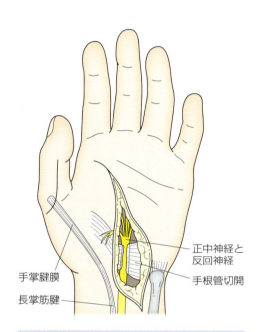

図5 手掌腱膜で延長したPLを母指MP関節橈側皮切に出す

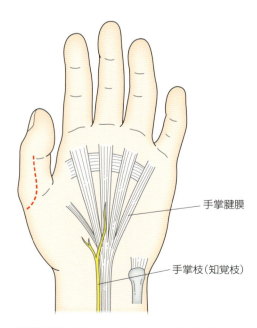

図4 母指MP関節橈背側の皮切

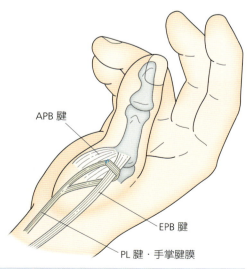

図6 PL腱・手掌腱膜をAbd PB腱へ縫合固定する

これを掴んで母指 MP 関節橈側の皮切に出す 図5．

次いで tendon passer を Abd PB 腱および筋膜に入れて手掌腱膜を3回位編み込み縫合を行う．このときに腱縫合のための緊張度は手関節中間位で母指最大橈側外転位にて縫合した．移行腱が皮下に浮き上がったように見える 図6．

Tips コツ

移行腱の浮き上がりは有効な母指外転（対立）機能を減じていることが予想されるため，舟状骨結節部あるいは尺側手根屈筋腱部に pulley を作成すべきとの報告者もいるが，私は移行腱の浮き上がりが起こる程度の方が手術が有効となっていると考えている．

手関節を背屈，掌屈して母指が腱固定効果で外転・内転することを確認する．両方の創を洗浄して創閉鎖する．

▶後療法

術後手関節を中間位から軽度屈曲位として母指を最大外転対立位にて背側から短上肢ギプス副子固定を行う．母指と示指の間に丸めた包帯を握らせるようにする．

術後，2週間ギプス副子固定を行い，その後，手関節，母指の可動域訓練，巧緻運動訓練を行う．その後2-3週間までは夜間副子固定を行い，術後6週経過後 free motion として，3カ月には ADL 制限を外す．

■文献

1) Camitz, H. Surgical treatment of paralysis of opponens muscle of thumbs. Acta Chir Scand. 1929; 65: 77-81.
2) 堀切健士，普天間朝上，伊佐智博，他．Camitz 変法による母指対立再建術．日手会誌．2009; 25: 865-7.
3) Lee DH, Oakes JE, Ferlic RJ. Tendon transfers for thumb opposition: a biomechanical study of pulley location and two insertion sites. J Hand Surg［Am］. 2003; 28: 1002-8.
4) 大西信樹．正中神経麻痺の再建術．母指対立の再建法．In: 三浪明男編．手・肘の外科: カラーアトラス．東京: 中外医学社; 2007. p.394-5.
5) Park IJ, Kim HM, Lee SU, et al. Opponensplasty using palmaris longus tendon and flexor retinaculum pulley in patients with severe carpal tunnel syndrome. Arch Orthop Trauma Surg. 2010; 130: 829-34.

CHAPTER 7: 神経—神経くびれ

137 神経束のくびれによる神経麻痺

　後骨間神経麻痺や前骨間神経麻痺はFrohseのアーケードなどによる圧迫や円回内筋などによる圧迫のほかに，前駆症状として麻痺側と同じ側の肩～上腕～前腕にかけての激しい痛みを訴えることがある．多くはこれらの前駆症状が数日続いた後に気がつくと後骨間神経や前骨間神経麻痺を呈するものである．詳細に所見を取ると後骨間神経あるいは前骨間神経の麻痺のみではなく，これらの神経の中枢に存在する本幹である橈骨神経や正中神経の支配する筋にも軽度～中等度の麻痺症状が存在していることが多い．したがって，慎重かつ綿密な臨床所見の聴取が重要である．

　これらの神経麻痺例に対して罹患神経を展開すると，神経束にくびれを認めることが多く，このことが，本症の病因ではないかと考えられるようになってきた．理由は明らかではないが，これらの神経束のくびれは運動神経および運動・知覚神経の混合神経に発生するが，症状としては知覚が障害されることはないかあるいは軽度であり，決まって運動麻痺である．

　これらに対して以前はneuritisやneuralgic amyotrophyと診断されてきた．多くは保存療法（経過観察）により回復するとされてきた．しかしその後，これらの麻痺例に対して神経を展開して観察すると先にも記載したが，神経束にくびれ（絞扼輪）が1カ所～数カ所認めることがあることが報告されて以来，顕微鏡下に神経束間神経剥離術（別項目，参照のこと）が行われる傾向にある．

　以前にも記載したが，後骨間神経（PIN）や前骨間神経（AIN）に限局した麻痺のように見えてもその中枢の橈骨神経や正中神経の部分的麻痺を呈していることも多い．このことに関連して神経束のくびれは必ずしもPIN，AINに限局しておらず近位の神経の一部にくびれを認めることも多い．したがって，手術に際して1カ所のくびれを認めても必ずその中枢および末梢の神経の状態をチェックすべきである．

オピニオン
尺骨神経に発症することは経験していない．手関節部まで運動・知覚の混合神経だからでしょうか．

▶くびれの病因
　ウィルス感染による神経炎，感染，外傷説などが提唱されているが，いずれの考えも全てを完全に説明することができない．伊藤らは運動神経束はすぐ近くの支配筋のmotor pointに進入するため，ここで固定され遊びが少ない．結果として筋枝が近位からの牽引力で他の神経束より大きな損傷を受けると考えている．非常に合理的で興味ある意見であるが，この説明を持ってしてもくびれの発生要因を全て説明できるものではないと考える．

▶治療
　疼痛を伴って発症したPINやAIN麻痺の多くは神経束のくびれにより発生していると思われるので，私は発症後，3カ月経過をみて回復傾向がない場合は積極的に局所を展開することとしている．私たちは疼痛を伴って発症した非外傷性AIN麻痺に対する保存療法の成績について報告している[6]．それによると全例，何らかの回復が得られたが，最終的に完全回復した症例は早期に回復徴候を認めた例であった．したがって，3カ月以内に回復徴候がない場合には完全回復は期待できず局所展開すべきと考える．

　最近，OchiらはPIN麻痺症例50例の神経束間神経剥離術の成績を分析している．その結果，50歳未満の患者では72％がgoodであり，50歳以上では82％がpoorであり，発症した年齢が重要であることを報告している．いずれにしても未だ保存療法と手術療法のどちらを選択すべきかについてのコンセンサスは得られていない．

　手術としては必ず顕微鏡下に神経束間剥離術を行う．前にも記したがくびれは1カ所ではなく，数カ所にわたっていることが多いので，くびれがはっきりしない時には十分な範囲の神経を展開すべきである．

Tips コツ
以前はほぼ全例，前駆症状として激しい疼痛を伴っていたが，最近は痛みを伴わない特発性神経麻痺例も経験している．

■ 文献

1) 二見俊郎, 小林明正, 只野 功, 他. 前骨間および後骨間神経症候群の治療—保存的治療. 日手会誌. 2002; 19: 111-4.
2) 堀内行雄, 伊藤恵康, 浦部忠久. 橈骨神経深枝麻痺手術例の検討. 日手会誌. 1985; 2: 622-7.
3) 長野 昭, 柴田圭三, 時村文秋, 他. 砂時計様くびれを伴う特発性前骨間神経麻痺. 末梢神経. 1994; 5: 63-7.
4) Nagano A. Spontaneous anterior interosseous nerve palsy. J Bone Joint Surg [Br]. 2003; 85: 313-8.
5) Ochi K, Horiuchi Y, Tazaki K, et al. Surgical treatment of spontaneous posterior interosseous nerve palsy: a retrospective study of 50 cases. J Bone Joint Surg [Br]. 2011; 93: 217-23.
6) 佐々木勲, 三浪明男, 高原政利, 他. 非外傷性前骨間神経麻痺例の検討. 日手会誌. 1992; 9: 429-32.
7) 島潟泰仁, 宝積 豊, 檜山建宇, 他. 前骨間神経麻痺・後骨間神経麻痺を主徴とする neuralgic amyotrophy について. 整形外科. 1976; 27: 1134-7.
8) 田崎憲一, 堀内行雄, 市川 亨, 他. 神経束の「くびれ」による前骨間神経麻痺および後骨間神経麻痺. 日手会誌. 1996; 13: 788-92.
9) 渡 捷一, 松石頼明, 津下健哉, 他. 橈骨神経深枝麻痺の治療経験. 臨・整・外. 1975; 10: 589-94.

CHAPTER 7: 神経—神経くびれ

138 前骨間神経麻痺に対する手術（神経束間神経剝離術）

　とくに誘因なくあるいは比較的強い疼痛後に母指IP関節および示指DIP関節の自動屈曲が不可となるのが典型的な前骨間神経麻痺である．知覚（正中神経の）障害は認めないか，あるいは存在していても軽度であることも特徴的である（神経束のくびれによる神経麻痺の項，参照のこと）．

すのが特徴的な所見である 図1 ．知覚障害は一般的には存在しないが，一見，前骨間神経麻痺のような様相を呈している症状であっても，その高位である正中神経にくびれ（くびれは1個所でないことも多い）が生じている場合，先に示した筋の他，正中神経の支配している筋肉の筋力低下や軽度の知覚障害が生じることがあるので注意を要する．

▶病態

　原因としては①スポーツによる肘関節の過度使用，②手を使う重労働後，これらに加えて③従来のneuralgic amyotrophyといわれたものが代表的である．最近はneuralgic amyotrophyとよばれなくなったが，とくに誘因なく急に肩から前腕にかけての激烈な上肢痛が出現し，その後，数日経過すると母指IP関節，示指DIP関節の屈曲が不可となるものが典型的である．原因については諸説があり，まだ明らかではない（別項目，参照のこと）．近年，回復が思わしくない前骨間神経麻痺例に対して神経を展開すると神経束に"くびれ"が認められるとの報告が散見され，神経束のくびれが本病態の本態である可能性が高いのではないかと考える．

Tips コツ

母指IP関節および示指DIP関節の自動屈曲が不可となる．つまりじゃんけんの"ちょき"の肢位が典型的な前骨間神経の病像であるが，罹患指が母指のみあるいは示指のみのこともあり麻痺型にvariationが存在していることを念頭に入れるべきである．単指が罹患している場合には，屈筋腱断裂との鑑別診断が重要である．

▶治療

　保存療法を推奨する報告も多いが，今では3-6カ月（私は3カ月と考えているが）保存的に治療を行い，回復傾向を認めない，あるいは非常に不完全な場合には手術的展開を勧める傾向にある．

▶診断

　激しい上肢痛が先駆症状として存在しており，数日から2週間後に前骨間神経が支配している筋肉，つまり長母指屈筋，示・中指深指屈筋，方形回内筋の麻痺をきた

▶手術（神経束間剝離術）

皮切

　肘関節尺側から円回内筋前縁に沿って皮切を加える 図2 ．皮下には正中肘静脈などの太い静脈と多数の

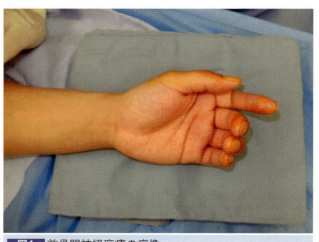

図1　前骨間神経麻痺の病像

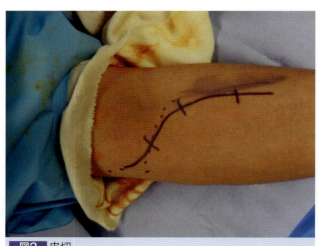

図2　皮切

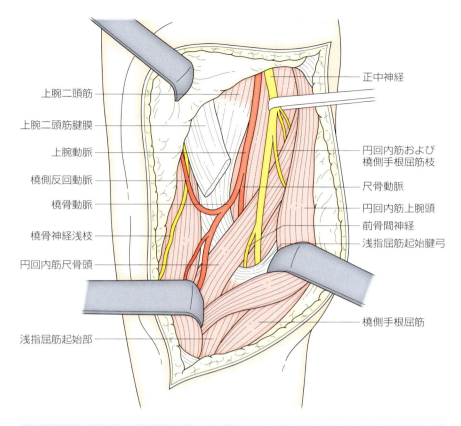

図3 正中神経と上腕動脈を露出する

（ラベル：上腕二頭筋、上腕二頭筋腱膜、上腕動脈、橈側反回動脈、橈骨動脈、橈骨神経浅枝、円回内筋尺骨頭、浅指屈筋起始部、正中神経、円回内筋および橈側手根屈筋枝、尺骨動脈、円回内筋上腕頭、前骨間神経、浅指屈筋起始腱弓、橈側手根屈筋）

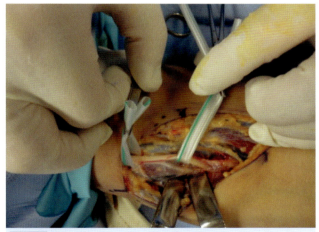

図4 前骨間神経の神経束間剥離術を行う

皮下神経が走行しているので，これらを損傷しないように注意する．

展開

上腕二頭筋腱膜を切開して正中神経と上腕動静脈を露出する 図3．正中神経は一般的には円回内筋の浅頭（上腕筋）と深頭（尺骨頭）の間を通っている．円回内筋の浅頭を尺側へ引くと正中神経を見出すことができ，すぐに比較的太い2-3本の神経束からなる前骨間神経を見ることができる．円回内筋への筋枝が存在しているので見間違いしないように，また損傷しないように留意する．前骨間神経に対しては顕微鏡視下に神経束間剥離術を行う 図4．また遠位で浅指屈筋の起始部腱弓を縦切して前骨間神経を展開することも行う．くびれの部位は種々であるが，前骨間神経が正中神経本幹から分岐する高位より近位に見られることが多いので，注意深く神経外膜を切離して神経束間剥離術を行う．

閉創

創を洗浄後，丁寧に皮膚縫合を行う．

> **Tips コツ**
>
> 前骨間神経麻痺のほか，同様の所見が後骨間神経に発症することもある．

> **オピニオン**
>
> 本項では当該神経に対する神経剥離術について紹介したが，陳旧性前骨間神経麻痺に対しては腱移行術（一般的には腕橈骨筋→長母指屈筋，示指深指屈筋→中指深指屈筋へ側側縫合）が行われる．

■ 文献

1) 浅見昭彦, 園畑素樹, 石井英樹, 他. 前骨間神経麻痺の臨床的検討. 日手会誌. 1996; 20: 726-30.
2) 二見俊郎, 小林明正, 只野 功, 他. 前骨間および後骨間神経症候群の治療―保存的治療. 日手会誌. 2002; 19: 111-4.
3) Miller-Breslow A, Terrono A, Millender L. Nonoperative treatment of anterior interosseous nerve paralysis. J Hand Surg [Am]. 1990; 15: 493-6.
4) 長野 昭, 柴田圭三, 時村文秋, 他. 砂時計様くびれを伴う特発性前骨間神経麻痺. 末梢神経. 1994; 5: 63-7.

5) Nagano A, Shibata K, Tokimura M, et al. Spontaneous anterior interosseous nerve palsy with hourglass-like fascicular constriction within the main trunk of the median nerve. J Hand Surg [Am]. 1996; 21: 266-70.
6) 佐々木 勲, 三浪明男, 高原政利, 他. 非外傷性前骨間神経麻痺例の検討. 日手会誌. 1992; 9: 429-32.
7) 柴田圭一, 長野 昭, 山本精三, 他. 特発性前骨間神経麻痺における神経線維束間剥離術の必要性. 日手会誌. 1994; 10: 985-9.
8) 田崎憲一, 堀内行雄, 市川 亨, 他. 神経束の「くびれ」による前骨間神経麻痺および後骨間神経麻痺. 日手会誌. 1996; 13: 788-92.

CHAPTER 7: 神経—腫瘍

139 神経鞘腫（Schwannoma）切除術

神経鞘腫は上肢・下肢に単発性あるいは多発性に発生することが多い，原発性良性神経腫瘍である．

原発性良性神経腫瘍は大きく2つに分類可能である．いく本からの神経束の集合体である神経の神経束（1本のことが多いが）から発生する神経鞘腫（schwannomaあるいはneurilemmoma）と神経全体から発生する神経線維腫（neurofibroma）である．神経鞘腫の多くは知覚神経あるいは混合神経であっても知覚枝（神経束）から発生する．したがって1本の神経束を犠牲にしてmarginal resection（辺縁切除）可能である．一方，神経線維腫の場合には術後の麻痺は必発であるので強く悪性が疑われるようなvon Recklinghausen病に合併した多発性神経線維腫のような場合には切除されるが，それ以外の場合はbiopsyにとどめることが少なくない．

腫瘍切除により機能障害が出現する可能性が高い場合には切除術をすべきかどうかの判断は非常に難しい．

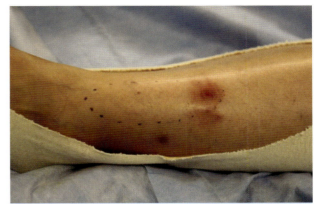

図1 下腿に発生した神経鞘腫の外観（点線部分が腫瘍である）

▶手術適応

神経鞘腫を切除するかどうかについて，統一したコンセンサスは得られていない．一般的には，①最近，腫瘍が急速に大きくなってきた，②腫瘍の存在により，血管・神経を圧迫し，末梢に重大な知覚障害（paresthesisを中心とした）や運動麻痺をきたしている場合，③腫瘍による自発痛が強い場合には切除の適応となる．整容的な問題も含め，切除することにより発生が危惧される当該神経の麻痺症状と腫瘍の存在による神経症状あるいは悪性の可能性なども考慮に入れて手術適応を決定する．

本項では上肢に発生したものではないが，最近，経験した下腿前面の深腓骨神経から発生した神経鞘腫例と指橈側指神経に発生した神経鞘腫例の切除術について記載する．

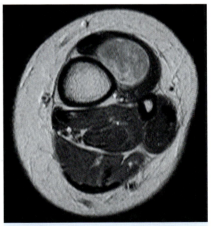

図2 MR像（Axial view）

▶症例供覧

症例1は28歳，女性．8年前に下腿遠位前外側に小指頭大の硬い軟部腫瘍に気づく，他の部位に明らかな軟部腫瘍や特有な皮膚色素沈着などは存在していない．その後，きわめて徐々に腫瘍は増大していたが，それほど大きくなった訳ではなかったので放置していた．しかし，6カ月くらい前より腫瘍は急速に大きくなるとともに足背〜第1趾間（母趾と第2趾間）のparesthesiaが出現し，当科受診した．

皮膚からの腫瘍の大きさは縦径に長くソーセージ様の形態を呈しており，大きさは長さ8 cm，幅2.5 cm，高さ2 cmほどであった．経過から考えて悪性の可能性もあったため，needle biopsyを行った．その結果，malignantの要素がなくbenign schwannomaの病理結果であり，marginal resectionを行うこととした．

腫瘍は下腿遠位前外側に存在していた 図1 ．腫瘍はMR T2強調像で前脛骨筋（TA）と長趾伸筋（EDL）の間に，強信号域として存在しており 図2 ，またT1強調像で脛骨下端から距骨前面にソーセージ状を呈した境界明瞭な低信号域の腫瘍として存在していた 図3 ．

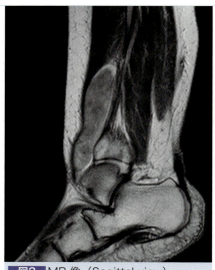

図3 MR像（Sagittal view）

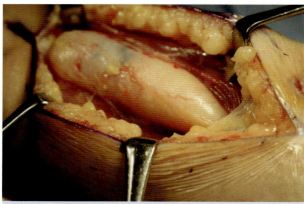

図4 腫瘍を露出した

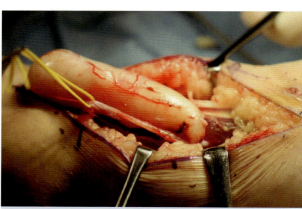

図5 正常神経束を神経腫瘍から剝離する

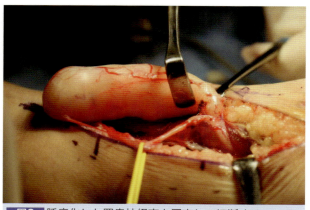

図6 腫瘍化した罹患神経束を同定して切断する

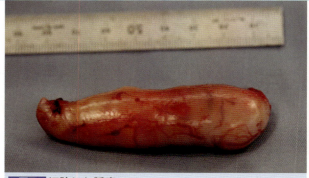

図7 切除した腫瘍

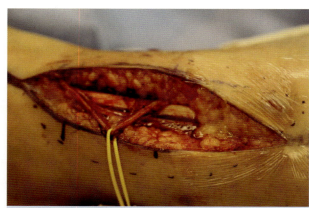

図8 腫瘍を切除した後のintactな神経束は連続性が存在していた

皮切・展開

皮切は腫瘍の存在を中心に縦にTAとEDL間に加える．腫瘍は薄い外膜に覆われており剝離すると淡黄色のソーセージのような形状を呈しており，表面は平滑で小血管が豊富であり，電気凝固器で止血しながら腫瘍を剝離した 図4．

神経鞘腫の特徴であるが，神経束が腫大した神経束（神経鞘腫）の周りにへばりつくように存在しており，正常な神経束を損傷しないように剝離・温存する 図5．

切除

腫瘍化している神経束を同定して近位・遠位で切断する 図6．本症例では近位のみを同定することができた．

 コツ

この作業は顕微鏡下に行い，正常神経束を慎重に罹患神経束から剝離するようにする．本手術の肝であり，この手技が術後の神経麻痺の程度を決定するといっても過言ではない．

腫瘍を切除した 図7 ， 図8 ．組織学的にはbiopsyと同様に良性神経鞘腫であった．

症例2は71歳，男性の母指橈側指神経から発生した神経鞘腫例である 図9．腫瘍はMRIでT1 low，T2 high intensityを示した 図10, 11．腫瘍は母指橈側指神経から発生しており健常な神経束との区別が困難であった 図12．神経外膜を切開して顕微鏡下に腫瘍を摘出して切除した 図13．

図9 母指 MP 関節橈側 MP 関節に有痛性の腫瘤を認めた．

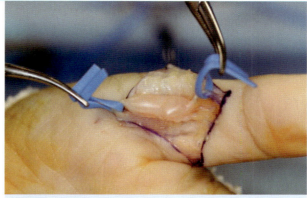

図12 母指橈側指神経より発生している．Tape は腫瘤近位と遠位の健常な指神経である．

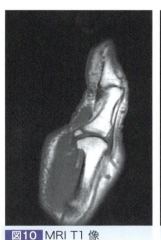
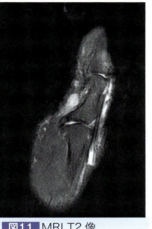

図10 MRI T1 像　　**図11** MRI T2 像

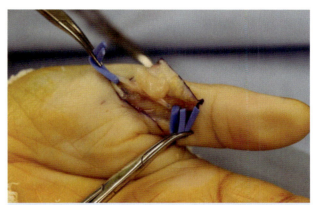

図13 腫瘤を enucleation するようにして切除した．

■ 文献

1) Adani R, Tarallo L, Mugnai R, et al. Schwannomas of the upper extremity: analysis of 34 cases. Acta Neurochir (Wien). 2014; 156: 2325-30.
2) Adani R, Baccarani A, Guidi E, et al. Schwannoma of the upper extremity: diagnosis and treatment. Chir Organi Mov. 2008; 92: 85-8.
3) Nowak A, Dziedzic T, Czernicki T, et al. Strategy for the surgical treatment of verstibular schwannomas in patents with neurofibromatosis type 2. Neurol Neurochir Pol. 2015; 49: 295-301.
4) 大西信樹，三浪明男，荻野利彦，他．腕神経叢に発生した神経鞘腫．肩関節．1988; 12: 237-40.
5) 山根慎太郎，三浪明男，加藤博之，他．腕神経叢に発生した神経鞘腫．日手会誌．2002; 19: 167-70.

CHAPTER 7: 神経—腫瘍

140 手に発生した断端神経腫に対する外科治療

断端神経腫は①明らかな外傷による神経損傷の既往がある，②罹患神経の知覚支配域へ放散する痛みを伴う局所的な圧痛，③機能制限を伴う，④保存療法にても改善が得られないなどが特徴的である．

▶手術適応

以下の損傷により発生した断端神経腫が手術適応となる．
1) 外傷（修復できない神経損傷，切断など）
2) 医原性（de Quervain 病，弾発指，経皮的ピンニング，神経に対する不適切な修復，手根管症候群などによる神経損傷）
3) 慢性的刺激による疼痛（代表的なものとしてはボーラー母指）

Tips コツ
ボーラー母指とは，ボーリングの指穴のうち母指を入れるサムホールに母指尺側指神経が刺激され発生するシビレや痛みのことである．

Tips コツ
有痛性神経腫そのものが手術適応となることはない．

▶臨床所見

瘢痕に伴う痛みと異常知覚．断端神経腫上の圧痛による痛みや Tinel 徴候が主訴であることが多い．

▶画像診断

臨床所見が重要であり，多くは余り必要ではないが，超音波検査あるいは MR 上にて神経腫の位置を確認することも可能である．

▶外科解剖

手関節および手に発生した神経腫は部位により 3 つの Zone に分けられる 図1 ．
Zone Ⅰ: MP 関節より遠位の指に発生した神経腫．
Zone Ⅱ: 手掌部と背側は主に前腕遠位尺側部に発生した神経腫．
Zone Ⅲ: 手関節の橈側縁・手背の Zone Ⅱ以外の部と前腕の伸側，屈側．

したがって，罹患神経としては Zone Ⅰ は指神経，Zone Ⅱ は総指神経，正中神経掌側枝，尺骨神経の掌側枝・背側枝である．Zone Ⅲ は橈骨神経浅枝，前腕外側皮神経，前腕内側皮神経，後前腕皮神経である．

▶治療法の選択

いろいろな治療法が提唱されているが，代表的な治療法を記載する．
1) 神経移植: 神経の末梢断端が同定できた場合は神経腫を切除し欠損部に神経移植を行う．神経移植のための周囲組織の環境が悪い場合には，神経移植部を静脈，人工神経管，局所脂肪弁などにより神経移植部を包むようにする．
2) 移行術: 神経の末梢断端が明瞭でない場合には，神経腫を切除し神経の近位端を移行する．近位端の移行部位は解剖学的な損傷部位による．
   a. Zone Ⅰ 遠位（末節骨および中節骨部）の神経腫の場合: 近位端を瘢痕化していない組織中の近位に翻転する．
   b. Zone Ⅰ 近位（基節骨および遠位中手骨骨幹部）の神経腫の場合: 近位端を中手骨内に穴を開けて埋没する．
   c. Zone Ⅱ の神経腫の場合: 神経腫の近位端を方形回内筋内に埋没する（移行する）．
   d. Zone Ⅲ の神経腫の場合: 神経腫の近位端を腕橈骨筋内に埋没する．
3) Centro-centralization 手技: 神経腫を切除して指神経をお互いに縫合するものである．縫合部位の近位 5-10 mm の指神経の 1 本を切離して縫合する．本来の神経修復部位で神経腫が形成されることを防ぐために神経移植片を介在させることが有用である 図2 ．

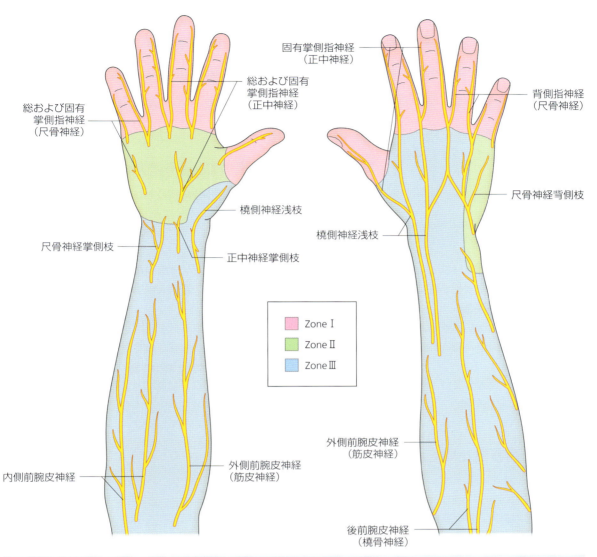

図1 手関節および手に発生した神経腫の Zone 分類

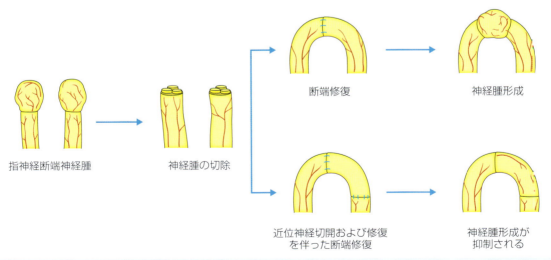

図2 Centro-centralization 手技

▶神経の末梢断端が同定できた場合の手術手技

皮切
以前の瘢痕上に皮切を加え，近位および遠位に皮切を延長する．

展開
近位および遠位で正常な神経を同定した後，全ての周囲瘢痕組織から罹患神経を剝離する．

 コツ
この際，当該神経の知覚神経支配域が正常な知覚機能を有している場合には，神経の連続性を維持することとする．

この場合には神経を静脈移植で被覆し局所組織の環境を改善し，神経周囲の瘢痕化を防ぐこととする．

静脈移植採取・神経被覆
3-4 cm長の静脈移植を局所的に採取し，静脈片を開き，8-0ナイロン糸を用いて瘢痕化した神経を被覆する．

閉鎖
皮切の下に神経を位置しないようにして創を閉鎖してbulky dressingで患部を覆う．

▶神経の末梢断端が同定できない場合の手術手技

皮切
皮切は圧痛部に加え，神経腫を同定して移動する．

 コツ
先にも記載しているが，ここでは当該神経の正常な知覚が存在していない場合に対する手術法ということである．

展開
神経腫を切除し，神経近位端を緊張のかからない筋肉〔例えば橈側手根屈筋（FCR）など〕内に埋没することとする．

 コツ
腕橈骨筋は肘の屈曲により動き（緊張の程度）が激しいのであまり神経を埋没する筋としては適していない．

神経に対する処置
損傷神経の神経束を愛護的に分離してFCRなどの筋肉の裏面に8-0ナイロン糸を用いて数カ所の縫合を行い，神経が再び移動しないように同定する．この縫合部での緊張を減じるため（緊張がかかって神経が抜けて近位に移動しないように）近位で神経と筋膜の縫合を行うこととする．

閉創
閉創は普通に行うが，神経が創縁とぶつかることを防ぐことと，局所に麻酔薬を浸潤させた方が術後の瘢痕の軽減に役立つと思われる．また，できれば神経を脂肪組織（弁）により被覆することも重要である．

▶神経のCentro-Centralization法

指切断による神経腫に対してよく用いられる方法である **図2** ．したがって指切断例に対するcentro-centralization法について記載する．

皮切
指の両側を走行する指神経を展開するために，両側側正中切開に加え，掌側皮弁を挙上する．

展開
皮切の近位で指神経を同定し，遠位まで追求すると神経断端に神経腫が形成されていることが判明する．

Centro-centralization法
両神経腫を近位で切断し，お互いの神経でloopを作るように8-0ナイロン糸にて結節縫合を行う．

コツ
この際，神経束が神経外膜から飛び出さないように留意する．

閉創
通常通りである．

▶後療法

副子を装用することはしていない．早期に指を動かすこととしている．これにより縫合した神経周囲組織との癒着を防止することが可能となる．

■文献

1) Delon AL, Mackinnon SE. Treatment of the painful neuroma by neuroma resection and muscle implantation. Plast Reconstr Surg. 1986; 77: 427–38.
2) Eberlin KR, Ducic I. Surgical algorithm for neuroma management: A changing treatment paradigm. Plast Reconstr Surg Glob Open. 2018; 6: e1952.
3) Gorkisch K, Boese-Landgraf J, Vaubel E. Treatment and prevention of amputation neuromas in hand surgery. Plast Reconstr Surg. 1984; 73: 293–9.
4) Sood MK, Elliot D. Treatment of painful neuromas of the hand and wrist by replantation into the pronator quadratus. J Hand Surg［Br］. 1998; 23: 214–9.

CHAPTER 7: 神経—知覚神経移行術

141 知覚神経移行術

知覚神経移行術は正常な知覚神経を犠牲にして重要な部の知覚を獲得しようとするもので，手術としてはかなり特殊な手術というべきであろう．最近はmicrosurgeryの技術を用いた知覚皮弁が行われる傾向にある．

▶手術適応
1) 正常なドナー神経が存在している手の知覚障害例．
2) 一次的神経修復が不能である例．

▶正常なドナー神経の条件
1) 障害されている知覚神経の近くに存在している．
2) ドナー神経を用いても，つまりドナー神経の支配している部の知覚脱失があっても支障が少ない．
3) 純粋な知覚線維により構成されている．
4) レシピエントの神経とドナー神経の口径がほぼ等しい．

したがってドナー神経の選択は必然的にかなり限定される．

▶ドナー神経の候補
1) 橈骨神経浅枝
2) 尺骨神経背側枝
3) 第4指間の指神経がドナー神経としての候補である．

▶手術解剖
図1 は正中神経，図2 は尺骨神経，図3 は橈骨神経の手の知覚領域である．主要な各神経の手術を行うにあたって重要な走行上の特徴について列記する．
1) 正中神経は手根管から出たときに母指から環指橈側まで支配する固有指神経に分岐する 図4 ．
2) 尺骨神経背側枝は手関節の約7-9 cm近位で掌側から背側に回り，尺側手背側部を支配している．
3) 橈骨神経浅枝は前腕の遠位1/3部で長橈側手根伸筋（ECRL）腱と腕橈骨筋（BR）間の筋膜下から皮下に出てくる．その後，手背上で母指橈側枝と尺側枝，示指と中指への橈側枝に分かれる 図5 ．橈側手背では橈骨神経浅枝と筋皮神経の知覚枝である前腕外側皮神経の両神経が重複支配している．

皮切
罹患神経部の多くは瘢痕などが存在しているのが一般的であり，末梢の神経幹を露出するための皮切を加える．しかし，関節や指間部では瘢痕拘縮が最小になるように留意する．ドナー神経採取のための皮切は走行に沿ってジグザグに加える 図6 ．

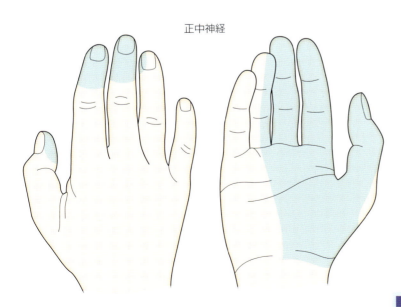

図1 正中神経の知覚領域

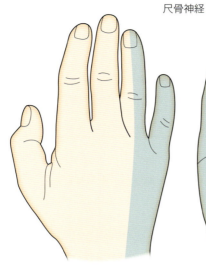

図2 尺骨神経の知覚領域

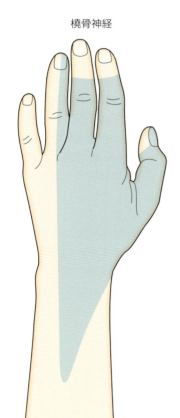

図3 橈骨神経の知覚領域

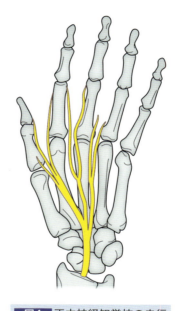

図4 正中神経知覚枝の走行

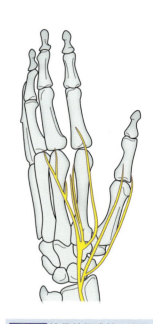

図5 橈骨神経浅枝の走行

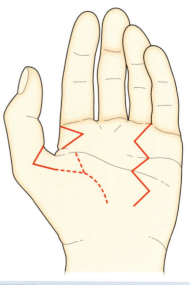

図6 ドナー神経採取のための皮切

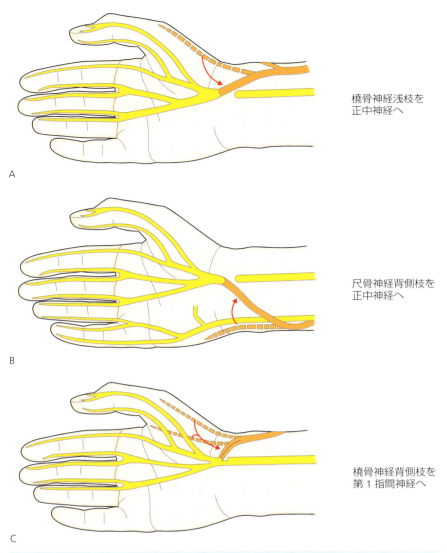

図7 レシピエント神経が正中神経である場合の知覚神経移行術

（A：橈骨神経浅枝を正中神経へ／B：尺骨神経背側枝を正中神経へ／C：橈骨神経背側枝を第1指間神経へ）

展開

知覚神経移行術は患者の受けた損傷によるが，ドナー神経としてどの神経を選択するかにより展開は大きく変わる．図7はレシピエント神経が正中神経である場合のいろいろな方法の知覚神経移行術を示している．

知覚神経移行術

知覚神経移行術を行うにあたっての要点を列挙する．

1) ドナーの神経を緊張のない移行に十分な長さを得るために剝離して遊離とする．
2) レシピエントの神経の太さに応じてドナーの神経に対して神経内神経束剝離術を行い，太さの調整を行うことも考慮すべきである．
3) ドナー神経はできるだけ遠位でレシピエント神経をできるだけ近位で横切することにより，適切な長さと可動性を得ることとする．
4) ドナー神経を無理なくレシピエント神経へ移行するために皮下トンネルを作成する．
5) 止血鉗子をレシピエント部を展開した遠位からドナー神経を展開した近位に通して，ドナー神経の神経外膜のみを把持して愛護的にそして大きく屈曲することなく，できるだけ自然な走行にドナー神経をレシピエント部に引き出す．
6) 神経修復は顕微鏡下に 9-0 または 10-0 ナイロン糸を用いて神経外膜縫合術を行う．

閉創

皮膚閉鎖は神経縫合部を圧迫しないように縫合し，bulky dressing を行う．

▶後療法

　包帯は術後10日目に除去し，手を愛護的に使うことを許可する．知覚回復はTinel徴候が遠位に進行することによりモニターする．知覚の再教育re-educationは，知覚神経再生に伴う知覚過敏を治療する上で，また触覚認識の増強を図る上で重要である．

■文献
1) Brunelli GA. Sensory nerves transfers. J Hand Surg [Br]. 2004; 29: 557-62.
2) Hollie AP, Ida KF, Lorna CK, et al. Restoration of sensation and thumb opposition using nerve transfers following resection of synovial sarcoma of the median nerve. J Hand Surg Glob Online. 2019; 1: 185-9.
3) Voche P, Quattara D. End-to-side neurorrhaphy for defects of palmar sensory digital nerves. Br J Plast Surg. 2005; 58: 239-44.

CHAPTER 7: 神経―神経再生

142 神経再生誘導チューブを用いた神経再建術

　Neurotmesis 以上の末梢神経損傷に対しては一般的には神経縫合による修復以外で神経再生を得ることはできない．神経修復は末梢神経の近位と遠位の断端同士を直接縫合するのが基本であるが，関節を屈曲したり，近位・遠位の神経剥離などを行っても直接縫合できないことも少なくない（別項目　神経剥離術，神経縫合術，神経移行術を参照のこと）．重要なことは無理に神経を引っ張って縫合しても，有用な神経回復は望めないことである．

　神経縫合時の縫合部での緊張がどの程度であれば許されるのか，つまりどの程度の緊張での縫合であれば良好な神経回復が期待できるのか，多くの報告があるが緊張のない縫合の目安のコンセンサスは得られていない．神経縫合部での過度な緊張は断端の阻血・壊死・瘢痕形成により軸索の良好な伸展は得られず，神経回復は望めない．この意味からも，緊張下での無理な縫合よりも神経移植を用いた縫合部に緊張のない縫合（Tension free repair）の方が，良好な回復を期待できる．

 コツ
このことはほぼコンセンサスが得られている．

神経再生誘導チューブ（人工神経）の利点

　神経欠損時の神経移植材料としては自家神経を用いることが Gold standard である．自家神経の donor としては腓腹神経，前腕内側皮神経，後骨間神経など感覚神経があるが，欠点としては①採取するために健常部に新たな創の作成を要す，②採取可能な長さや本数に限界があること，③採取した donor 部位に感覚障害や近位断端に断端神経腫の形成の可能性などである．この問題点を解決する目的でいろいろな種類の神経再生誘導チューブ（人工神経）が開発されている．利点としては①Donor 部の問題がないこと，②採取のために新たな皮切を必要とせず，採取に時間がかからない，などがある．

手術適応

　人工神経の問題点は果たして自家神経と同等あるいは凌駕するだけの神経回復が期待できるかという点である．つまり，人工神経の使用の適応であろう．松井らの論文によると人工神経の理想的な適応は①レシピエントができれば純粋な感覚神経であること，②神経欠損長が 20 mm 以下であること（少なくとも 30 mm を超える場合には使用しない），③適応部位としては手部よりも遠位の総指神経・固有指神経であると記載している．私もこの意見にほぼ同意できる．

 問題点
しかし上記の適応を厳格に運用しようとすると，実際上は適応がかなり限定される．

▶神経再生誘導チューブを用いた神経再建術

皮切
　神経損傷当該部に皮切を加える．一般的に手術用顕微鏡下に手術を行う．皮下を慎重に剥離して損傷神経を露出し，近位および遠位神経断端を同定する．

損傷神経断端の新鮮化
　神経損傷程度により，どこまで両断端を切除すべきかの範囲を決定することは非常に難しい．良好な神経束（funiculus）が出るまで顕微鏡下に両端を新鮮化して，神経欠損が大きく，神経断端周囲の神経剥離を加えても，端端縫合（epineural suture）が不可と判断した場合には人工神経を用いて架橋移植を計画する．

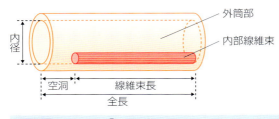

図1 RENERVE® の形状と構造
原材料はオールコラーゲンで外筒部は線維束で構成されている．

▶コラーゲン使用吸収性神経誘導材（RENERVE®）を用いての神経移植

RENERVE® の特徴

RENERVE® は外筒部と線維束により構成されており，原材料はすべてコラーゲンである．特徴としては①優れた生体適合性があり，体内で約 3 カ月で分解・吸収されて消失する，②高い柔軟性があるため，取り扱いやすく，周囲組織に優しく，関節をまたぐ部位にも使用可能である，③半透明なので人工神経内の管腔に引き込んだ神経を目視できるなどの利点がある 図1 ．

> **Tips コツ**
> 私の知る限りではナーブリッジ®という人工神経もあるが，私に使用経験はない．

RENERVE® 使用の前処置

神経欠損部の直径を計測し，示された膨潤時内径とほぼ同じあるいは少し太目の人工神経を選択する 図2 ．

生理食塩液に 3 分以上人工神経を浸漬することにより使用可能である 図3 ．その後，室温での保存が可能なため，一般的な医療機器と同様に保存可能である．生理食塩水への浸潤により 図4 のように線維束が内腔を満たすことになる．

神経を引き込むためのスペースを作るため，繊維束を動かして，両端に神経を引き込むための空洞を作成する 図5 ．

▶神経縫合

先に人工神経両端に作成した空洞に近位および遠位の神経断端を引き込み縫合固定する． 図6 のように両断端ともに 2 mm ほど神経を引き込み，縫合は 8-0〜10-0 ナイロン糸を用いて水平マットレス縫合を行う．

図では水平マットレス縫合 180°の対角線上に設置しているが，一方は水平マットレス縫合で他方は 2 カ所程度，人工神経と神経の epineurium を結節縫合してもよい．いずれにしても結紮の際に過度な力をかけすぎて人工神経管腔内で神経が歪んでしまうことを避ける．

関節をまたいでいる場合には指を屈伸させても人工神経管腔から神経が引き出ないことを確認し，閉創する．

▶術後療法

関節をまたぐ場合には術後 1 週は指をほぼ伸展位のギプスシーネとして，以後は急な過度の伸展・屈曲を避けるように指導して基本的には free とする．3 週までは夜間シーネとし，以後は完全な free motion とする．

▶症例供覧

症例 69 歳，女性．総指神経損傷例．

小指屈筋腱断裂に対して環指浅指屈筋腱を用いた腱移行術を行う．その後，十分な小指の屈曲が得られないことより術後，6 カ月目に腱剥離術を行い，良好な手指の屈曲・伸展が得られたが，手術瘢痕部に強い Tinel 徴候を伴った症状が出現し，環指尺側と小指橈側への放散痛が出現した．症状が継続し，ADL の disabilities が強くなってきたため，3 年後神経剥離術とともに周囲組織か

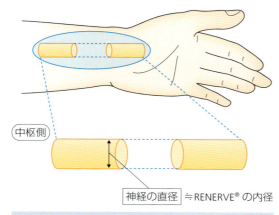

図2 人工神経のサイズの選択

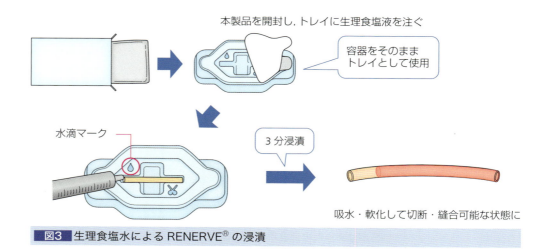

図3 生理食塩水による RENERVE® の浸漬

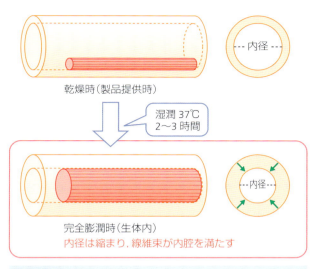

図4 膨潤時の内径変化

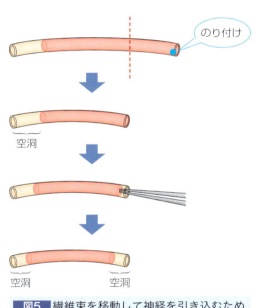

図5 繊維束を移動して神経を引き込むためのスペースを作成

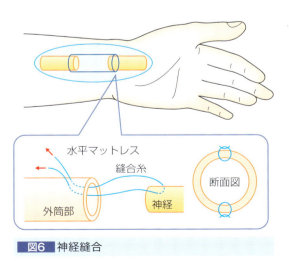

図6 神経縫合

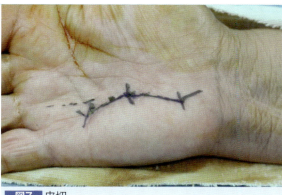

図7 皮切

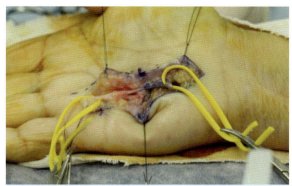

図8 総指神経の露出. 総指神経を露出したが神経線維はほとんど存在していなかった.

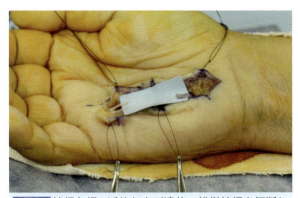

図9 神経欠損. 近位および遠位で総指神経を切断したところ, 末梢では指神経まで切断しなければ健常神経束が露出されなかった.

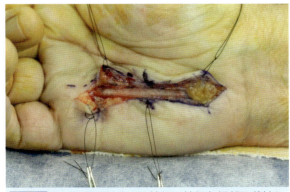

図10 人工神経移植. 人工神経を神経欠損部に移植し両断端を, 8-0ナイロン糸を用いて縫合固定した.

らの脂肪移植を行ったが，ほとんど効果が得られなかった．今回，人工神経を用いた神経移植を行った． 図7 のように皮切を加え，環・小指への総指神経を露出した 図8 ．近位および遠位の健常神経束を出した 図9 後，人工神経を移植した 図10 ．

■ 文献
1) 松井裕帝．ナーブリッジ®の手外科領域における臨床使用経験—Tension free repair の重要性—Case Report．2018; 8: 1-6.
2) Saeki M, Tanaka K, Imatani J, et al. Efficacy and safety of novel collagen conduits filled with collagen filaments to treat patients with peripheral nerve injury: A multicenter, controlled, open-label clinical trial. Injury, Int J Injury. 2018; 49: 766-74.

CHAPTER 8: 関節リウマチ—手関節

143 リウマチ性手関節の手術治療体系

手関節は上肢機能のうち，肩関節・肘関節のリーチ機能と手指の持つ把持・巧緻運動機能を結ぶ「要め石」(key stone)の役割を演じており，極めて重要な関節である．したがって手関節が強く障害されると上肢機能は著しく低下することになる．

リウマチ(RA)性手関節の手術治療体系のコンセンサスは得られていないので私の考え方をここに記載する 図1．

Larsen grade Ⅰが手術適応となることはほとんどない．滑膜切除術（別項目を参照のこと）はRA手関節に対する手術としては基本中の基本でほとんどの手術の場合に行われる手術である．

私は手根中央関節に関節裂隙が存在し可動性を認める場合にはまず橈骨月状骨間固定術（別項目を参照のこと）が行えるかどうかを考慮する．手関節を最大掌背屈し橈骨・月状骨・有頭骨のラインで橈骨手根関節，手根中央関節でどの程度の可動域を分担しているかを測定して，手根中央関節に可動性があれば積極的に橈骨月状骨間固定術を行うこととしている．

また，手根中央関節が保たれていることに加えて特に橈骨月状骨窩にパンヌスが形成（このような変化は比較的よく遭遇する）され，橈骨月状骨間が接触しているように関節裂隙が消失しており，かつ，月状骨が橈骨から尺側方向へ滑り落ちるように偏位しており，橈骨舟状骨関節の関節裂隙が比較的保たれている場合が橈骨月状骨間固定術の最もよい適応と考えている．

手根中央関節の関節裂隙が消失あるいは手根骨全体が一塊となっている場合には滑膜切除術（別項目を参照のこと）のみとするか，全手関節固定術（別項目を参照のこと）を行う．

次いで遠位橈尺関節（DRUJ）について考えたい．尺骨遠位端が安定している場合，つまり三角線維軟骨複合体（TFCC）がintactである場合にはBowersのいうhemiresection-interposition arthroplasty（HIA）（別項目を参照のこと）を行うこととしている．もしTFCCが破壊されており，かつ再建することができない場合，つまり，尺骨遠位端が不安定な場合にはSauvé-Kapandji procedure（S-K手術）（別項目を参照のこと）を行うこととしている．

> **Tips コツ**
> これらHIAおよびS-K手術によりRA手関節において尺側安定性を保持し，手根骨全体の尺側偏位を防止することが可能となる．

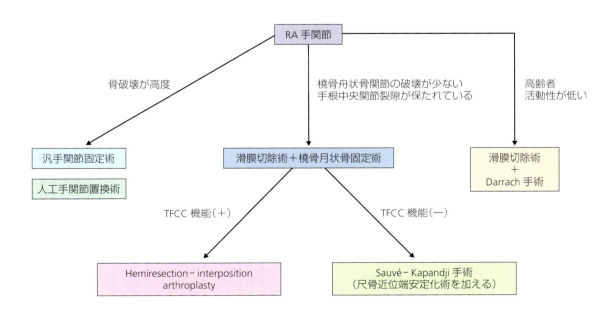

図1 RA手関節の手術治療アルゴリズム

橈骨S状切痕の遠位面がtraction spurのような棚を形成し，この部分に月状骨が乗っているような場合にはDRUJへの操作（HIAやS-K手術）を行う必要がないことが多い．橈骨・月状骨間固定術を行う場合，Darrach手術はRAに罹患している手関節においてDRUJはほとんどの例で侵されているので行っている．しかしDarrach手術単独では尺骨遠位端切除により手関節の尺側安定性を失うこととなるので，若年者に単独で行うことは推奨されない．したがって私はDarrach手術単独の手術適応は年齢が高く活動性が低い患者と考えている．HIAやS-K手術を合併する場合以外にはほとんど合併手術として行うのは前に記載した通りである．

　橈骨手根関節および手根中央関節の骨破壊が高度で他の方法の選択肢がない場合には，全手関節固定術が適応となる．私が北海道大学整形外科在職中に開発した新規人工手関節（DARTS® 人工手関節）を用いた人工手関節置換術が医師主導型臨床治験を終え厚生労働省PMDAから，2015年医療機器として認可され，本邦における本格的人工手関節（別項目参照のこと）となった．2016年から一定条件下ではあるが多くの施設で使用されている．

CHAPTER 8: 関節リウマチ—手関節

144 手関節滑膜切除術

　関節リウマチ（RA）の薬物治療が劇的に変化した．つまりDMARDsの登場に引き続いて，サイトカインなどの阻害に基づく各種生物学的製剤の出現である．RA患者を臨床的寛解へと導くことが可能となってきたことである．これによりRAの外科的治療は不要となるとの極論がある．しかし実際上，整形外科手術件数が極端に少なくなってきた印象は全くない．とくに上肢に対する手術は私の経験では減少しておらず，手指の手術などはむしろ増加傾向にある．患者さんのADL上の不自由に対する改善の欲求が強くなってきたことも理由の1つかもしれないと考えている．手指の再建術などはよく行うようになったが，手関節を含め滑膜切除術単独の手術はやはり少なくなってきたと思われる．RA手関節の手術治療に関しては「手術治療体系」の項目に詳細に記載しているので参照されたい．

▶滑膜切除術の成績

　手術を行うに当たり，滑膜切除術の成績について患者に術前インフォームド・コンセント（IC）を行う必要がある．私達の手関節滑膜切除術の長期成績（10年以上）は以下のようにまとめることができる．
①除痛効果は高く，10年以上の経過観察で80-90％の患者において痛みの改善が持続していた．
②手関節の可動域（背屈・掌屈）は低下する．
③前腕の可動域（回内・回外）は比較的維持される．
④滑膜炎の再燃・再発は10年以上の経過観察で10-20％以下であった．
⑤手関節のX線学的変化は悪化する．
である．
　術前，これらについて患者に十分に説明して同意を得ることが重要である．

▶滑膜切除術の意義

　滑膜切除術の意義について必ずしもコンセンサスが得られている訳ではないが，除痛効果が高いことであろうと考える．以前，滑膜切除術を病期早期に行うことにより，他の部位の滑膜炎阻止に効果があるとされていたが，この考えは今は完全に否定されている．前にも記載したが，滑膜切除による骨破壊の防止はほとんど期待できないと考えられている．

▶滑膜切除術の適応

　3-6カ月の系統だったRAに対する薬物療法を行ったにもかかわらず，持続する有痛性滑膜炎が存在している症例が手術適応である．できれば罹患している関節が少数例であること，手関節のみの変化が強く近位，遠位はintactであるが，侵されていても軽度であること，術後リハビリテーションに対して協力的であること，などの存在は理想的であるが，これらは必ずしも絶対条件ではない．
　X線学的変化ではできるだけ骨破壊が少ない，つまり橈骨手根関節および手根中央関節の関節裂隙がよく保たれていることが理想的な適応であるが，私達はLarsen分類stage Ⅲ以降の病期が進行した症例であっても適応があると考えている．

▶手術方法

　症例　79歳，女性．環指伸筋腱断裂を伴ったRA手関節例である．
　Larsen stage Ⅲである　図1A, B．

皮切

　以前は橈骨手根関節で横切し，その近位は尺側，遠位で橈側の縦切開とする"S"字状切開を用いていたが，本皮弁では尺側の角の皮膚が壊死に陥ることより最近は用いていない．きわめて緩いlazy "S" incisionか，あるいはほぼ直線上の皮切を加えることとしている．私は第2CM関節部から尺骨遠位端の3-4 cm近位に縦の切開を加える　図2．

> **Tips コツ**
> RA患者の皮膚はステロイド剤投与などの影響もあり，きわめて薄くなっていることが多いので，皮膚に十分に皮下組織を付けて両側に翻転する．

展開

　皮膚と皮下組織を翻転して，縦に走っている皮下静脈をできるだけ温存することが重要である．伸筋支帯を露出するために障害となる横に走っている静脈は結紮することはやむを得ない．私は静脈にペンローズドレーンを

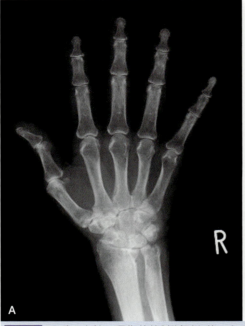
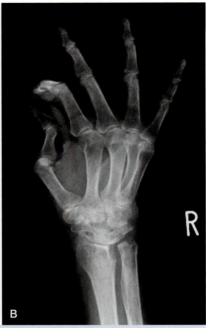

図1 79歳，女性．環指伸筋腱断裂を伴ったRA手関節例である．Larsen stage III．術前X-P．
A: 正面像　B: 斜位像．DRUJはscallop signを呈している

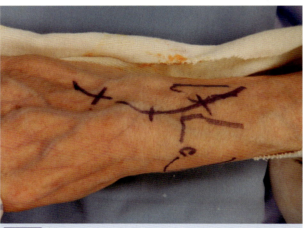

図2 皮切
DRUJ滑膜炎による環指伸筋腱断裂もあったために手関節滑膜切除術とともに伸筋腱形成術を行うための皮切とした

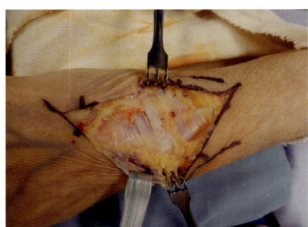

図3 皮膚に十分の皮下組織をつけて両側に翻転して伸筋支帯を露出する

掛けて術中，保護することに努めている **図3**．

> この静脈系の温存は術後手背部・手指の腫脹防止，ひいては手指の拘縮予防に重要な操作である．

　メスの方向を工夫して伸筋支帯を橈側，尺側に十分に露出する．橈側は第2区画まで，尺側は第5区画まで展開する．第5区画を開放する **図4A, B**．この際，女性の小指伸筋（EDM）腱はきわめて細いことが多いので安易にこの操作を行うと腱を切ってしまうことがあるので注意する．伸筋支帯の尺側切離縁を翻転するように橈側へ引く．そして，EDM腱を尺側に翻転して第4区画の尺側の伸筋支帯を切離して第4区画内の腱〔総指伸筋（EDC）腱＋示指固有伸筋（EIP）腱〕を開放する．その

後，Lister結節の橈側を走る長母指伸筋（EPL）腱を剥離するが，このときに伸筋支帯の連続性を保つと同時にEPL腱を損傷しないように留意する．最終的にEDM腱にペンローズドレーンを通して尺側に引き，EDC腱，EIP腱，EPL腱を橈側に引き手関節背側関節包を露出する．さらに第2区画の長・短橈側手根伸筋（ECRL・ECRB）腱も一緒に橈側に引いて関節包を幅広く露出する．

　これらの操作中にEDC腱を翻転するとその下に橈骨骨膜上を縦に走行する後骨間神経とその動静脈が露出するので手関節からその中枢にわたって2 cm位，切除，つまり除神経術denervationを行う（別項目に記載しているので参照のこと）．この際，神経とともに伴走している後骨間動静脈も一緒に分節的に切除し，近位と遠位を

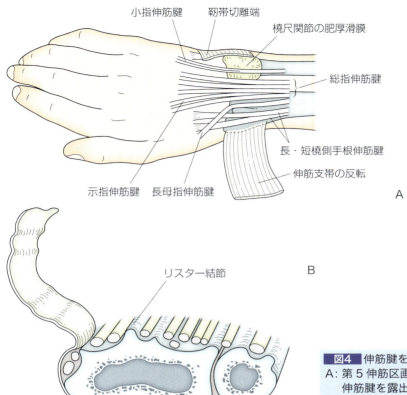

図4 伸筋腱を露出する．
A：第5伸筋区画を開放し，伸筋支帯を橈側へ翻転し，伸筋腱を露出する
B：伸筋支帯の翻転を行っている軸射像

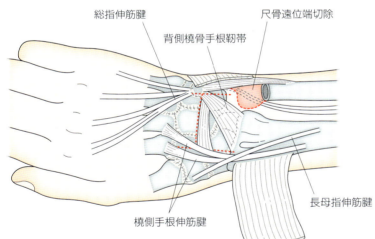

図5 関節包をH字状に切開する

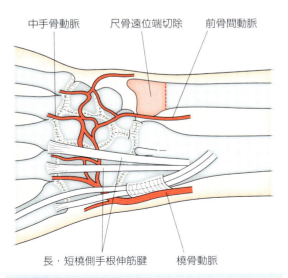

図6 背側関節包の血行

電気双極凝血器を用いて凝固する．

次の操作は関節包切開を行い，手根骨を露出することである．重要なことは手関節背側の関節包とともに密に走行している背側手根骨間靱帯と橈骨手根靱帯を損傷しないとすることである．これらは右手でいうと丁度">"字状となっているのでこれらを避けるためにH字状あるいは>字状に皮切を加えることとしている 図5 ．

Tips コツ

>字の頂点は三角骨に一致していることが重要であり，間違えると展開がきわめて難しいことに留意すべきである．

関節包は血管が豊富で出血も多いので丁寧に止血する 図6 ．背側手根骨と付着している関節包靱帯構造をH字型に切る 図5 ．Hの横の切開は手根中央関節に一

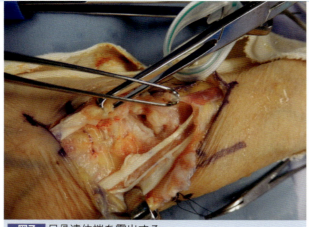

図7 尺骨遠位端を露出する

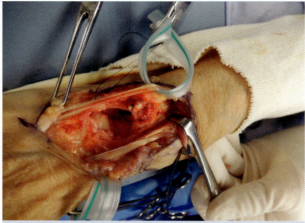

図9 Darrach手術（尺側遠位端切除術）を行った後，DRUJ部の滑膜切除を丁寧に行う

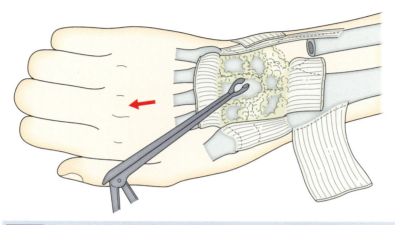

図8 橈骨手根関節，手根中央関節，手根骨間関節の滑膜切除を丁寧に行う

致させる．橈側の縦切開は第2区画のECRL・ECRB腱を十分に橈側に引いて舟状骨と大菱形骨関節の部に加える．尺側の縦切開は尺骨遠位端の切除術（Darrach手術）をほとんどの場合，施行することが多いのでこの延長線上，つまり三角骨と有鉤骨関節付近に加える 図7 ．関節包靱帯構造を手根骨の直上で鋭的あるいは鈍的に弁状に橈側，尺側に，また近位は橈骨遠位背側部まで，遠位はCM関節部付近まで手根骨が全て露出するように剝離する．この関節包靱帯構造には多くの場合，滑膜炎が及んでおり滑膜が浸潤していたり，なかにはこれらの組織を突き破って滑膜の増殖が露出していることもあるので弁状の関節包靱帯構造が途中で切れることはなく弁状に翻転するように努める．この構造体に及んでいる滑膜の増殖を構造体の連続性を損うことなく丁寧に切除する．

次に助手に手指を持って遠位に牽引してもらって関節裂隙を開くようにして増殖した滑膜を残存している関節軟骨を損傷することなく切除していく 図8 ．私は滑膜切除は小さなリュエル，脊椎用髄核鉗子などを用いて橈骨手根関節，手根中央関節，手根骨間関節の間を丁寧に完全に行うようにする．当然であるが滑膜切除を100％行うことは不可能であるが可及的完全な滑膜切除

を行うことを原則としている．ちょうど，岩についているコケを丁寧に切除するのと同じようであると考えている．

> **Tips コツ**
>
> 滑膜切除を完全に行うことにより術後再発（再燃）を阻止できると考えている．ただしこのことは必ずしもエビデンスがある訳ではない．

この操作の前あるいは後でもいいがH字型の尺側の縦切開を尺骨遠位端の3-4cm近位まで延長する．尺側に翻転していたEDM腱とその近位の筋腹を，いったん橈側に引いて尺骨遠位端を露出する．遠位2-3cmの骨膜を切離してラスパトリウムで滑膜下に尺骨遠位端の骨切り部を露出し，小レトラクターで軟部組織を保護する．歯科用のサジタルプレーンソー（ボーンソー）を用いて橈側に向けて斜め30°位（尺側を長く）で切離する．骨把持鉗子を用いて骨切りした尺骨遠位端を保持して遠位方向に持ち上げるように骨膜下に尺骨遠位端を切除する（Darrach手術の項目を参照のこと） 図9 ．

尺骨遠位端には手根骨との間に尺骨手根靱帯が，また尺側側副靱帯が付着しているので，これらの靱帯を骨膜

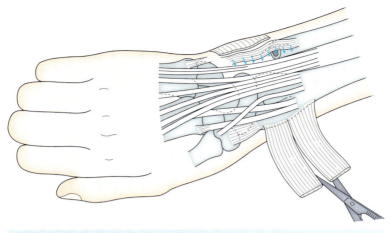

図10 尺骨遠位端の骨膜を丁寧に縫合する

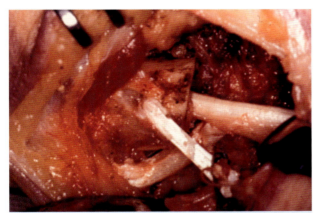

図11 尺骨遠位端をECU半切腱を用いて安定化術を行う（詳しくは本文参照）

の連続性を保つように切除すべきである．このように行うことにより術後の尺骨遠位端の不安定性を少しでも防止することが可能となる 図10．

尺骨遠位端の切除量であるが，Darrach法の原著は橈骨遠位端骨折後の尺骨遠位端切除について記載し，切除量は1インチ（2.54 cm）としている．しかし尺骨遠位端の術後不安定性のことを考えるとできるだけ短くすべきであろう．私は橈骨S状切痕の近位端に尺骨切除端がぶつからない程度で十分と考えている．当然であるが術前の尺骨バリアンスにより切除量は左右される．

切除後の尺骨遠位端の尺側部分は突出することとなるので，リュエルおよびヤスリを用いて先端を滑かにする．尺骨切除後にDRUJおよび尺骨手根関節間に十分な空隙を作ることができるので，同部の滑膜炎を掌側の関節包を損傷することなく完全に切除することとする 図9．

橈骨手根関節，手根中央関節，手根骨間関節，遠位橈尺関節に滑膜炎の残存がほぼなくなったことを確認する．

次いで尺骨遠位の近位端から1.5-2.0 cmの部の尺骨背側骨皮質に2.8-3.5 mm直径のドリルを用いて骨孔を作製する．ECU腱部分を尺骨切除端を中心に近位・遠位と剥離する．切除端の遠位2 cm位の部でECU腱の橈側半分を中枢を基部にして半切腱としたものを尺骨骨孔を通して尺骨骨髄内を通して遠位に出して元来のECU腱の中にテンドンパッサーを通して編み込み縫合を少くとも3回行う 図11．ECU腱をできるだけ遠位に引いて緊張を強い状態で編み込み縫合を行うこととしている（詳細については別項目を参照のこと）．

> **Tips コツ**
> これによりECU腱の近傍で尺骨遠位端の安定性を得させるようにして，術後の尺骨遠位端の不安定性を防止することとする．

閉鎖

創を十分に洗浄し，トニケットを降して止血を丁寧に行った後に，関節包を吸収糸を用いて閉鎖縫合する．前にも記載したが，関節包に滑膜炎が及んでおり一部断裂している場合にも丁寧に閉鎖することとしている 図12．この症例ではEIP腱を環指EDC腱へ腱移行を行った 図13．EPL腱以外の手指伸筋腱を元の位置に戻して伸筋支帯を縫合閉鎖する．EPL腱は窮屈な区画を通ることとなるので支帯の背側に出すこととしているが，支帯の中に入れてもかまわない．

関節包に欠損があり手根骨などが露出している場合には伸筋支帯を2枚におろすようにして近位あるいは遠位を伸筋腱の下に通して腱のattritionを防ぐこととしている 図14．

> **Tips コツ**
> しかし，この操作は関節包を温存できれば不要な操作ということができる．

皮下組織を4-0吸収糸で縫合し，皮膚はsurgical tapeで閉鎖する．出血制禦のために創内にペンローズドレインを1-2本挿入する．短上肢ギプス副子固定を行う．

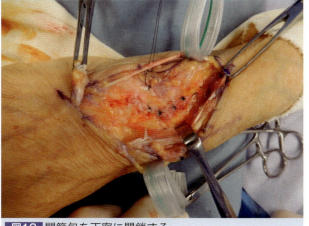
図12 関節包を丁寧に閉鎖する

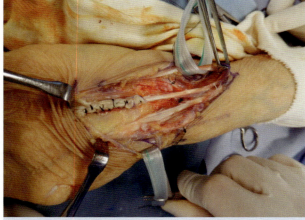
図13 EIP腱をEDC腱（環指）へ腱移行を行った

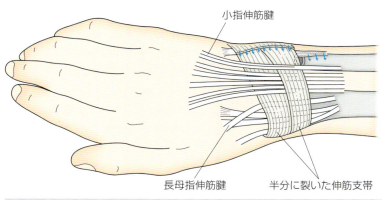
図14 伸筋支帯を閉鎖する

小指伸筋腱
長母指伸筋腱
半分に裂いた伸筋支帯

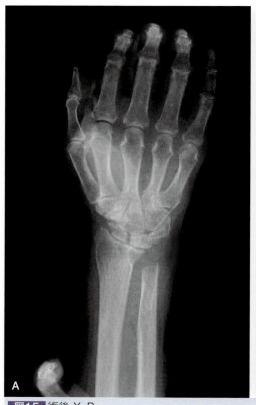
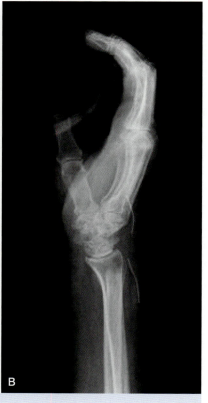
図15 術後X-P
A: 正面像　B: 側面像

▶後療法

翌日，ペンローズドレーンを抜去し，ギプス副子固定を続ける．10日-2週で抜糸を行った後，無理をしない程度の自動運動（手関節の掌背屈，前腕の回内外）と愛護的他動運動を行う．3週後からは次第に運動を強めていき，6週まで night splint（夜間副子）として6週から完全に free とする．この間，日常生活の制限はしないが，重労働や重量物を持つなどは避けることとする．

図15A, B は術後 X-P である．

■文献

1) Adolfsson L. Arthroscopic synovectomy of the wrist. Hand Clin. 2011; 27: 395-9.
2) Gogna R, Cheung G, Arundell M, et al. Rheumatoid hand surgery: is there a decline? A 22-year population-based study. Hand [N Y]. 2015; 10: 272-8.
3) 岩崎倫政. 手関節リウマチ. 滑膜切除術. In: 三浪明男編. 手・肘の外科: カラーアトラス. 東京: 中外医学社; 2007. p.458-61.
4) Lee HI, Lee KH, Koh KH, Park MJ. Long-term results of arthroscopic wrist synovectomy in rheumatoid arthritis. J Hand Surg [Am]. 2014; 39: 1295-300.
5) 太田裕介, 井上一, 橋詰博行, 他. 慢性関節リウマチにおける手関節滑膜切除術の長期成績. リハビリテーション医学. 1996; 33: 782-6.
6) Thirupathi RG, Ferlic DC, Clayton ML. Dorsal wrist synovectomy in rheumatoid arthritis—a long-term study. J Hand Surg [Am]. 1983; 8: 848-56.

CHAPTER 8: 関節リウマチ—手関節

145 リウマチ性手関節における伸筋腱滑膜切除術と尺骨遠位端切除術（Darrach手術）

尺骨遠位端切除術（Darrach手術）は種々の原因により発生した遠位橈尺関節（DRUJ）障害に対して行われる手術である．当初は橈骨遠位端骨折変形治癒により橈骨短縮が起こり，結果的に尺骨がプラスバリアンスを呈した症例に対して，原著では1インチ（約2.4cm）尺骨遠位端を切除する手術術式としてDarrachが報告したものであるが，今では橈骨遠位端骨折変形治癒というよりも関節リウマチ（RA）によるDRUJ障害などに対して広く用いられている．しかし，後述するが近年，Darrach手術による術後の問題点も指摘されており，どちらかと言えばDarrach手術を行う機会は減少傾向にあるといえる．

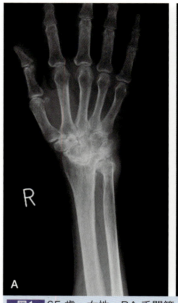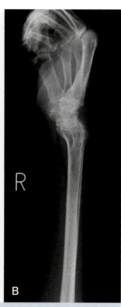

図1 65歳，女性，RA手関節．Larsen stage IV. 橈骨月状骨間に骨癒合が得られている．術前X-P
A．正面像　B．側面像

▶手術適応

橈骨遠位端骨折後のDRUJ障害，DRUJ変形性関節症（OA），尺骨突き上げ症候群，RAに伴うDRUJ障害などが手術適応である．先ほども記載したが，以前は尺骨遠位端切除術はほとんどのDRUJ障害に対して行われてきたが，本法の術後合併症として，尺骨遠位端を切除することにより手関節尺側支持性の喪失が生じる．結果として，①手根骨の尺側偏位，②尺骨遠位断端の不安定性，③握力低下をきたすことがある．尺骨遠位断端不安定性による断端部痛，前腕回旋に伴う有痛性軋音，手指伸筋腱断裂，尺骨神経背側枝損傷なども重大な合併症として存在する．

Tips コツ

したがって，最近では他のDRUJ形成術（例えばSauvé-Kapandji手術など）が好んで行われることが多く，尺骨遠位端切除術の適応は年齢が高く，活動性が低い患者に限られると考えている．

▶手術方法

本項ではRA手関節のうち手指伸筋腱の著明な滑膜炎と，DRUJに限局した滑膜炎による障害が存在していた症例に対して行った伸筋腱滑膜切除術と，尺骨遠位端切除術について記載する．自然に橈骨月状骨間固定が完成していたため，手関節尺側支持性の構築の必要性がないことより伸筋腱に対する滑膜切除術とDarrach手術を行うこととした 図1A, B．

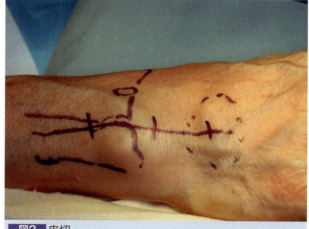

図2 皮切
点線で囲んだ部分に伸筋腱滑膜炎が存在していた

皮切

尺骨頭を中心にDRUJに平行に縦に皮切を加えた（本例では伸筋腱滑膜切除も予定していたので手背部まで遠位方向に皮切を延長している）図2．伸筋支帯直上まで皮下組織を皮膚に含めて，皮膚を尺側に翻転する．このさい，尺骨頭遠位背側に尺骨神経背側枝が掌側から

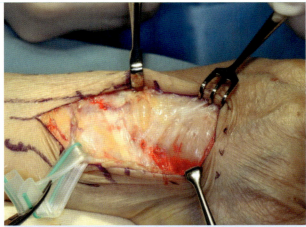

図3 伸筋支帯直上まで剥離する．ペンローズドレーンで皮下静脈を保護している

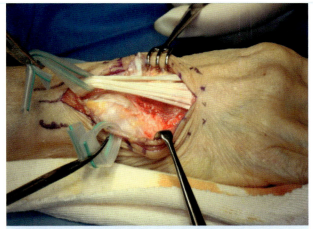

図6 EDCおよびEIP腱の増生した滑膜を徹底的に切除した

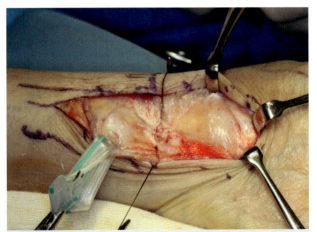

図4 第5区画内を開放する．その遠位には伸筋腱周囲の滑膜炎が著明に存在していた

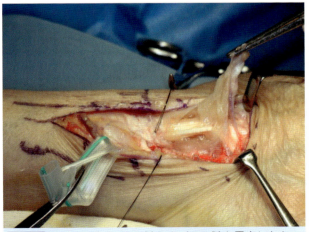

図5 第4区画内のEDC腱およびEIP腱を露出したところ，著明な腱滑膜炎が存在し，滑膜の増生が著明であった

展開（手指伸筋腱滑膜切除術）

第5区画を同定して開放し，小指固有伸筋（EDM）腱を露出する 図4．一般的には尺側方向に引っ張りEDM腱下腱床を露出する．本例はEDM腱はDRUJ関節包部で断裂し癒着していた．次いで，第4区画中隔の尺側を切離して総指伸筋（EDC）腱および固有示指伸筋（EIP）腱を露出した 図5．EDCおよびEIP腱周囲および関節包上に存在する増生した滑膜を徹底的に切除した 図6．

展開（Darrach手術）

DRUJ関節包を露出した後，尺側基部を有茎として"コ"状に切離してDRUJを露出し，かつ尺骨頭の近位部骨膜を縦に切離して骨幹端部を骨膜下に露出した 図7,8．

> **Tips コツ**
> RAの場合，関節包を突き破って尺骨頭（骨棘）や滑膜炎が露出していることが少なくない．本例は比較的，関節包は残存していた．

骨切り

原著では尺骨頭から1インチ切除すべきとしているが，術前手関節X-P前後像で橈骨S状切痕に尺骨切除断端が接触しない範囲での尺骨遠位端を切除することとしている．

> **Tips コツ**
> 術後の尺骨遠位端の安定性の喪失をできるだけ少なくする上からも可能な限り遠位で尺骨の骨切りをすべきと考える．

骨切り部を骨膜下に露出してエレバトリウムにて保護する 図9．骨切りであるが，以前はK鋼線で骨切りラインに沿って骨孔を作成した後，骨ノミにて骨切りを行うこととしていたが，私は今では電動鋸にて骨切りを行うこととしている 図10．骨切りラインは前後方向面では尺側から橈側方向へ，橈尺側方面では近位背側から遠位掌側へ斜め方向の骨切りを行うこととしている．

回って走行しており，本背側枝を皮弁に含めることにより損傷を回避することとする 図3．あるいはしっかりと尺骨神経背側枝を同定して，損傷を免れることも可能である．また，縦走する皮下静脈は術後の腫脹軽減のためにできるだけ温存する．

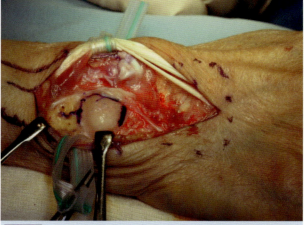

図7 DRUJ関節包を切離してDRUJを露出するとともにDarrach手術の骨切り部を骨膜下に露出するための作図を行った

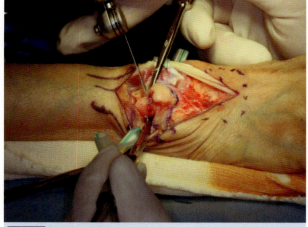

図10 電動鋸で骨切りを行う

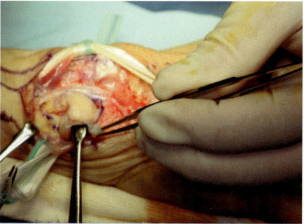

図8 DRUJ関節包を有茎として尺側に翻転して尺骨頭を露出した

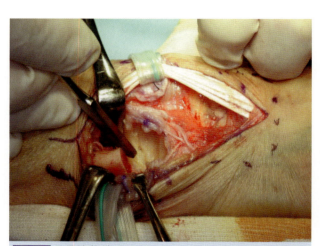

図11 尺骨遠位端を切除する．断端をヤスリで円滑化する

遠位端をヤスリで円滑化する．

> **Tips コツ**
> 骨膜上に尺骨遠位端を切除すべきであるとか，三角線維軟骨複合体（TFCC）付着部を可及的に温存すべきとの意見もあるが，私は手関節尺側支持性を温存すべきと考え，骨膜下に切除することとしており，可及的に周囲の軟部組織を温存すべきと考えている．

尺骨遠位端の安定化術

尺骨遠位端から約1cm近位の背側骨皮質に2.8〜3.2mm径の骨ドリルを用いて骨孔を作成する 図12．ECU腱の橈側半分の半切腱を近位を有茎として（遠位を横切して）翻転する 図13．半切腱をその骨孔から尺骨断端の髄腔遠位に導き 図14，ECU腱の近位に3〜4回interlacing sutureを行い，尺骨遠位端安定化のための腱固定を行う 図15．

図9 エレバトリウムで尺骨骨切り部を露出する

> **Tips コツ**
> これにより術後の重篤な合併症である手指伸筋腱断裂を防ぐことが可能となる．

骨切り後，リュエルを用いて切除端を持ち上げるようにして骨膜下に尺骨遠位端を全切除する 図11．尺骨

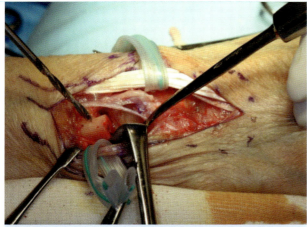
図12 尺骨遠位端の背側にドリルで骨孔を作成する

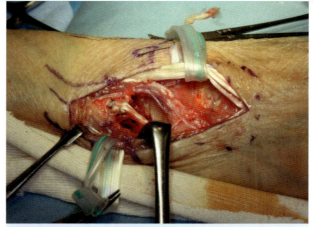
図15 尺骨遠位端腱固定を行った

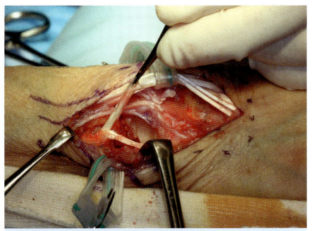
図13 ECU 腱から半切腱を作成する

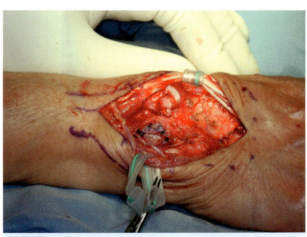
図16 DRUJ 関節包を閉鎖する

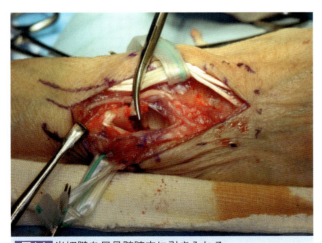
図14 半切腱を尺骨髄腔内に引き入れる

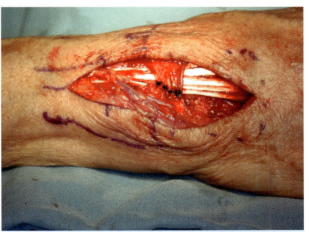
図17 伸筋支帯を閉鎖する

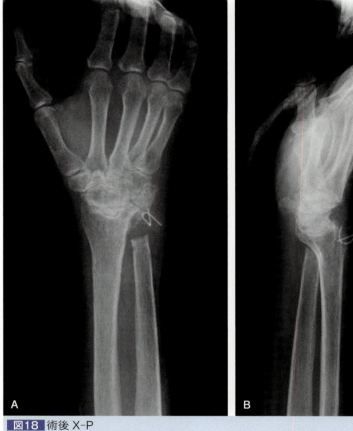

図18 術後 X-P
A. 正面像　B. 側面像

創閉鎖

DRUJ 関節包を修復し，尺骨遠位端の骨膜を閉鎖する 図16．伸筋支帯を閉鎖する 図17．本症例では存在していないが EDM 腱は伸筋支帯の上に置くことが多い．図18A, B は術後 X-P である．

▶後療法

創を安定化させるため，短上肢ギプス副子を1週間装用した後，ほぼ手関節および前腕を free motion とした．特別なリハビリテーションは要しないことが多い．

▶合併症

前記しているが本手術の術後合併症として重要なものは尺骨遠位端の不安定性に起因する症状である．私は完全ではないが，尺骨遠位端の ECU 腱を用いた安定化術を行うことにより，不安定性の解消を図ることとしている．

■文献

1) 岩崎倫政．手関節リウマチ．In: 三浪明男編．手・肘の外科：カラーアトラス．東京: 中外医学社．2007．p.458-67.
2) Mckee MD, Richards RR. Dynamic radio-ulnar convergence after the Darrach procedure. J Bone Joint Surg [Br]. 1996; 78: 413-8.
3) Mikic ZD, Helal B. The value of the Darrach procedure in the surgical treatment of rheumatoid arthritis. Clin Orthop Relat Res. 1977; 127: 175-85.
4) Minami A, Ogino T, Minami M. Treatment of distal radioulnar disorders. J Hand Surg [Am]. 1987; 12: 189-96.
5) Minami A, Iwasaki N, Ishikawa J, et al. Treatment of osteoarthritis of the distal radioulnar joint: long-term results of three procedures. Hand Surg. 2005; 10: 243-8.

CHAPTER 8: 関節リウマチ—手関節

146 人工手関節置換術

関節リウマチ（RA）性手関節炎に対する治療アルゴリズムについては別項目に記載しているので見ていただきたい．それによると人工手関節置換術（total wrist arthroplasty: TWA）は全手関節固定術と同様のカテゴリーに属している．つまり，全手関節固定術が適応となる症例がTWAの適応となると考えている．

人工手関節の歴史は人工股関節や膝関節と比べると浅い．また股関節や膝関節が比較的単純な球関節，蝶番関節であるのに対して狭義の手関節であっても橈骨と多数の手根骨により構成されており，完全に手関節の動きをシュミレートするのはきわめて難しいといわざるを得ない．したがって欧米で使用されている人工手関節の中期・長期成績は他の人工関節のそれと比較するとかなり悪い．TWA後の成績悪化の理由としては，①手根骨側ステムの弛みが高頻度に発生する，②手関節や手指の伸筋腱が弱いため，人工手関節が掌側方向に（亜）脱臼することが少なくないことによる．

本邦で従来使用可能な人工手関節はほとんどなく，現実的にはTWAの手術は本邦では全く行われていなかった．

私達は厚生労働省（厚労省）の許可を得て，医師主導型臨床治験として新規に開発した（DARTS® 人工手関節）人工手関節を用いたTWA手術を2施設で合計20症例のRA手関節炎に対して行い，2015年，厚労省から製造承認が認められ，現在多くの施設でDARTS® 人工手関節が使用されている．DARTS® 人工手関節の基本コンセプトは手関節の生理的運動であるダートスロー（投げ矢）運動を模したことである ．ダートスロー運動を行うことにより人工手関節に掛かる負荷を軽減し，術後の弛み防止を期待している．

▶新規人工手関節の構造

DARTS® 人工手関節の詳細は私が多くの本に紹介しているので，ここでは割愛するが，基本的には①橈骨ステム，骨頭，手根骨ステムの3つの要素から構成されている，②手根骨部分（Co-Cr合金製）は第3中手骨に長いステムが挿入され，その橈・尺側の第2中手骨と第4中手骨にもスクリューを刺入して安定化させるとともに，掌側にfringeを設けてストレスを吸収することとしている，③橈骨ステム（HDP製）は橈骨遠位端のulnar inclinationに合わせた形態を呈しており，ダートスロー運動を得るために，橈骨遠位関節面の形態を形成している 図2．

> **Tips コツ**
> DARTS® 人工手関節は卵円形表面置換型半拘束型人工関節である．

▶手術適応

Larsen grade Ⅳ以上のRA手関節炎を手術適応としている．Figgieのスコアで50点以下で，ほぼ全手関節

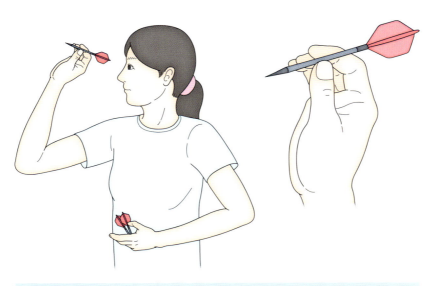

図1 Dart throw motion

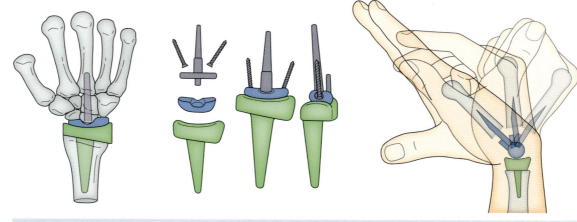

図2 新規人工手関節

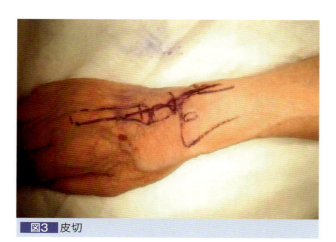

図3 皮切

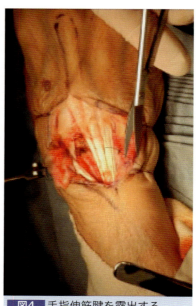

図4 手指伸筋腱を露出する

固定術以外の手術法がない場合に手術適応があると考えている．若年者および活動性の高いRA患者は適応としていないが，全手関節固定術が適応となる両側手関節罹患例で動き（可動性）の温存を強く希望する例は適応と考えている．TWAのもう一つの適応は進行した変形性関節症（OA）であるが，TWAの長期臨床成績の信頼性が明確ではないが，日本手外科学会の人工手関節使用のガイドラインで適応に採用されている．

手関節の手術解剖については他の項目に多く記載しているので，ここでは割愛する．

皮切
橈骨遠位端背側のLister結節を中心に縦切開を加える．近位は橈骨遠位端の近位4-5 cm，遠位は第3中手骨骨幹部まで皮切を加えた 図3 ．

展開
皮下の縦に走る静脈を可及的に温存しつつ伸筋支帯まで皮膚に皮下組織を付けて一気に到達する．伸筋支帯上を剥離するように皮膚と皮下組織を剥がさずに一緒に橈尺側に翻転すると皮膚の壊死を防ぐことができ，また橈骨神経浅枝および尺骨神経背側枝も保護可能である．

第4区画の伸筋支帯尺側を切離して区画内の総指伸筋（EDC）腱および示指固有伸筋（EIP）腱を露出する．次いで橈側は伸筋支帯を橈側基部として第3区画，第2区画まで開放し，尺側は第5区画まで伸筋支帯尺側を基部として開放する．これによりほぼ全指の伸筋腱が露出することになるので，滑膜炎が存在すれば丁寧な滑膜切除を行う 図4 ．

> **Tips コツ**
> 術後の伸筋支帯の閉鎖を容易とするために4-0ナイロン糸で対応する伸筋支帯切離縁にマーキングをしておく 図4 ．

EDC，EIP，小指固有伸筋（EDM）腱を尺側に，長母指伸筋（EPL）腱，長・短橈側手根伸筋（ECRL・B）腱を橈側にペンローズドレインを用いて引いて手関節背側関節包を露出する 図5 ．

関節包を遠位を基部として 図6 のように反転し，橈骨遠位端，橈骨手根関節，手根中央関節，CM関節まで露出する．ここで各関節間に存在する増生した滑膜を徹底的に切除（滑膜切除）する．

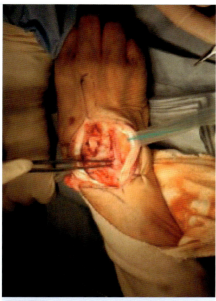

図5 伸筋腱を橈・尺側に翻転して手関節背側関節包を露出する

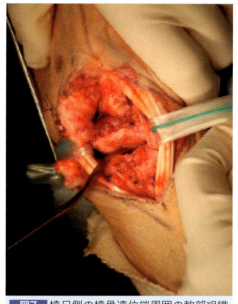

図7 橈尺側の橈骨遠位端周囲の軟部組織を剝離して露出する

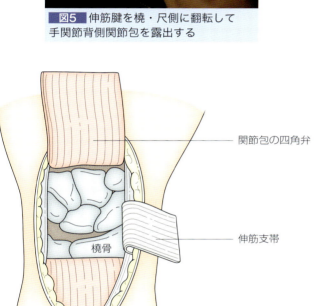

関節包の四角弁
伸筋支帯
橈骨

図6 関節包を遠位を基部として反転し，橈骨遠位端，手根骨を露出する

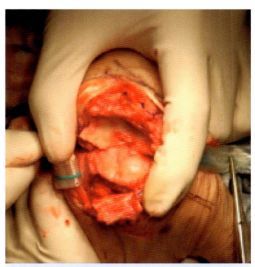

図8 手関節を屈曲し，橈骨遠位端関節面をend-on方向に露出する

> 橈骨遠位端は橈骨ステムを挿入するために切除することとなるので当然であるが，関節包の近位切離縁は骨切り線よりも近位ということとなる．

　橈骨の掌側，橈尺側の軟部を十分に剝離して橈骨遠位端を広範に露出して遠位端切除に備える 図7 ．手関節を屈曲することにより橈骨遠位端を背側に脱臼し遠位端関節面を直視する 図8 ．

> この際，橈骨遠位の掌側を十分近位まで剝離することにより容易に橈骨遠位関節面を直視できる．

▶橈骨骨切り

　橈骨遠位端の骨切りを行う前に橈骨遠位関節面に存在する骨棘をリウエルを用いて丁寧に切除する．その後，橈骨遠位関節面から橈骨長軸に直径2mmのガイドピンを刺入する 図9 ．

> 橈骨遠位関節面は掌側に傾斜（dorsal tilt）しているので，ガイドピンを関節面の上方（背側）に刺入すべきである 図10 ．ガイドピンを刺入後，X線透視にてガイドピンの位置が正しいかどうかをチェックする．

　次いで，ガイドブロックをガイドピンに沿って橈骨遠位関節面に設置する 図11 ．ブロックのフックが橈骨掌側骨皮質に掛かるように設置する．また，この際，遠

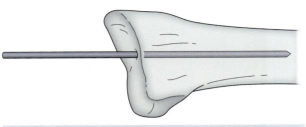

図9 橈骨遠位関節面から長軸にガイドピンを刺入する

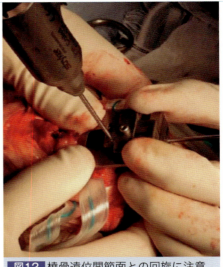

図12 橈骨遠位関節面との回旋に注意して設置する

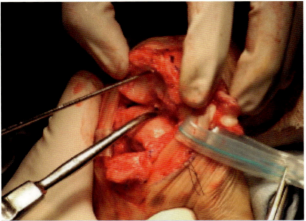

図10 ガイドピンは橈骨遠位関節面の背側寄りに刺入すべきである．エレバトリウムは掌側関節面の位置である

図13 橈骨用ラスプ

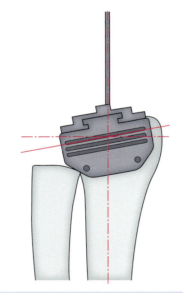

図11 ガイドブロックを橈骨遠位関節面に設置する

位関節面との回旋に注意して設置する 図12．

ガイドブロックに左右があるので注意する．

　ガイドブロックの正しい設置位置を確認後，直径2mmの固定ピンを刺入して橈骨へブロックを固定する．ここでガイドピンを抜去し，サジタルプレーンソーを用いて橈骨遠位端の骨切りをブロックの骨きり用溝（ス

リット）に沿って行うが，まずは4mmの場所から骨切りを行った方が安全である．

橈骨髄腔のラスピング・ステムトライアルの挿入

　橈骨遠位端骨切り後，橈骨用ラスプ 図13 を用いてラスピングを行う．最初に中手骨用ラスプをスターターとしてSサイズから順に使用して髄腔を拡大していく 図14 ．硬い場合にはエアバーにて削る．ラスプは前にも記載したが，背側骨皮質の直下の髄腔をラスピングすることが重要である 図15 ．骨切り面とラスプの角度は垂直方向で尺側に10°となるようになる 図16 ．

　橈骨コンポーネントは尺側が低く，橈側が高くなっており，橈骨ステムトライアルが3種類存在している 図17 ．ステムトライアルを橈骨ステム打ち込み器を用いて打ち込む．この際に橈骨遠位端にぴったりとフィットするようにチェックし，余分な骨や骨棘などを切除する 図18 ．

月状骨摘出

　手根骨が強直していない場合はまず月状骨を摘出後，舟状骨と三角骨を太いK鋼線を用いて遠位手根列を固定する 図19 ．

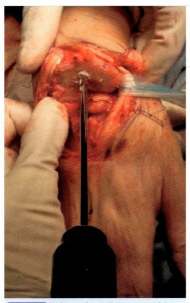
図14 最初に中手骨のラスプをスターターとして使用して髄腔のラスピングを行う

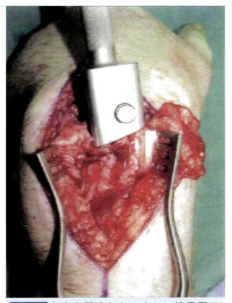
図15 左右を間違えないように橈骨用ラスプを用いて髄腔のラスピングを行う

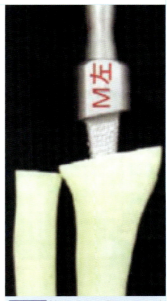
図16 橈骨骨切り面とラスプの角度は10°となっている

橈骨ステムトライアル

橈骨ステム打ち込み器

図17 橈骨ステムトライアルと橈骨ステム打ち込み器

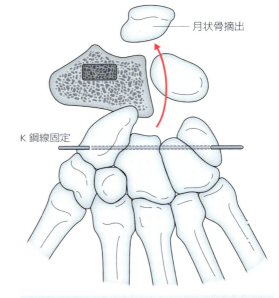
図19 月状骨を摘出し，舟状骨と三角骨を遠位手根列同士で固定する

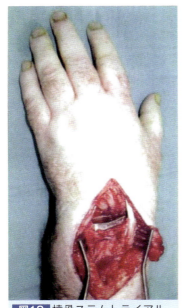
図18 橈骨ステムトライアルを橈骨髄腔に挿入する

中手骨髄腔のラスピング・手根骨ステムトライアルの挿入

手根骨掌側の軟部組織を剥離し，第3中手骨の中心に直径2mmのガイドピンを挿入する．その際に，専用ドリルガイドを用いる 図20 ．X線透視で有頭骨側の刺入部を確認後，第3中手骨骨頭を狙って，フリーハンドでガイドピンを挿入する 図21 ．ガイドピンの位置をX線透視で確認後，カニュレーテッドドリルにてドリリングを行う 図22 ．

専用スプレッダーにカッティングガイドを装着した後に2mm径の固定ピンを用いてカッティングガイドを固定する．スプレッダーを抜いてサジタルプレーンソーを用いて骨切りを行う 図23 ．

> **Tips コツ**
> 手根骨の骨切りラインはテンションで決めるのではなく，有頭骨の先端が少し離れるくらいの設置位置とする 図24．

手根骨用ラスプでラスピングを行う．第3中手骨長軸と一致するようにSサイズから次第に太い順にラスピングを骨皮質を突き抜けないように注意して行う 図25．手根骨ステムのトライアルを挿入する 図26．トライアルの掌側のフリンジの部分が当たる場合にはリウエルにて骨を破壊して，この部分を切除する．

最終トライアルの挿入
橈骨と中手骨にトライアルを挿入し 図27，手関節を屈伸して緊張度，バランスを確認し，必要に応じて追加の骨切りや軟部組織の剝離を行い，掌背屈がそれぞれ50°ずつの他動運動が得られることを確認する 図28．

中手骨スクリューのドリリング
第3中手骨髄腔内に中手骨ステムトライアルのみを挿入し，2.5 mmドリルを用いて，橈尺側にあるドリル孔からスクリューの下穴を作製する 図29．デプスゲージを用いて長さを計測する．スクリュー長は第2中手骨は最長38 mm，第4中手骨は18-20 mmくらいの長さを用いている．

> **Tips コツ**
> 第4指のCM関節には可動性があるので短か目のスクリュー刺入としているが，強固な固定性を得るためにCM関節を固定して長目のスクリューを用いるべきと今は考えている．

インプラントの挿入
中手骨ステムのセメントマントルを作成するため，髄腔内に鋭匙を入れ，中の海綿骨を除去する．次いで十分に洗浄した後に橈骨遠位背側に関節包縫着用の骨孔をK

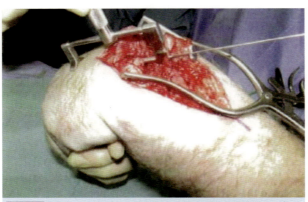

図20 専用ドリルガイドを用いて第3中手骨髄腔へガイドピンを挿入する

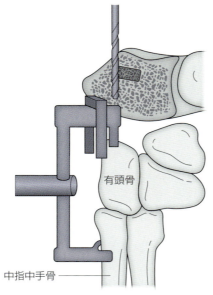

図21 有頭骨側から第3中手骨髄腔へガイドピンを挿入する

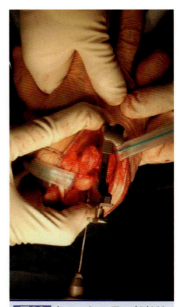

図22 カニュレーテッドドリルを用いてドリリングを行う

  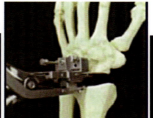 

図23 専用スプレッダーにカッティングガイドを装着して，サジタルプレーンソーを用いて手根骨の骨切りを行う

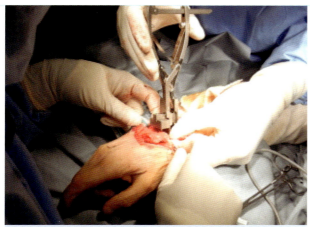

図24 インプラント挿入のための間隙をテンシノメーターで決定する．

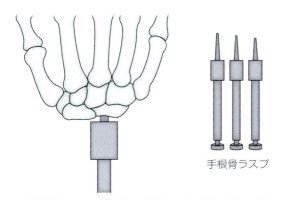

図25 第3中手骨髄腔のラスピング

手根骨ラスプ

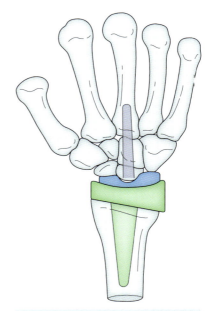

図27 橈骨・中手骨にトライアルインプラントを挿入する

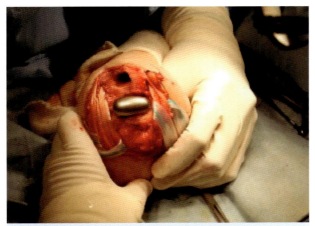

図26 手根骨ステムトライアルを挿入

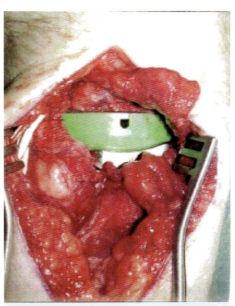

図28 トライアルインプラント挿入後で緊張状態をチェックする

鋼線を用いて4-6個開け，3-0バイクリルプラス糸を穴に通しておく．

　手根骨側からセメントを入れた後に，そのまま橈骨にもセメンティングを行い，用意した大きさの手根骨インプラントを直ちに挿入後，第2および第4中手骨に予め用意したスクリューを刺入する．最後に橈骨にもインプラントを橈骨ステム打ち込み器で深く挿入して，骨頭を手根骨インプラントに設置して手関節を整復する図30．余分な骨セメントを除去する．最終的に他動的運動をチェックする．

コツ

セメントは硬化する前に用いるべきである．とくに中手骨側の髄腔は狭いので注射器などを用いて硬化する前に，つまり軟らかいうちに十分な量を挿入すべきである．

　Darrach手術後の尺骨遠位端の安定化術に関しては別項目を参照のこと．

閉創

　最終的に充分洗浄し，関節包をしっかりと縫合し，伸筋支帯，皮膚閉鎖を行う．

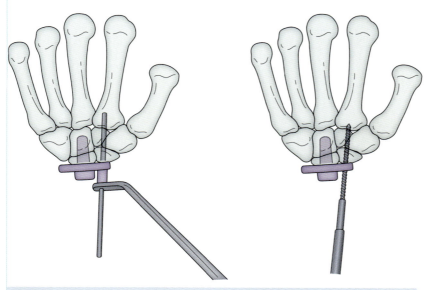

図29 中手骨ステムトライアルを挿入し，両側にスクリューの下穴を作成する

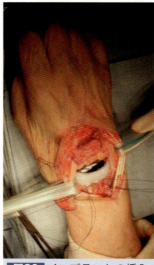

図30 インプラントの挿入と整復

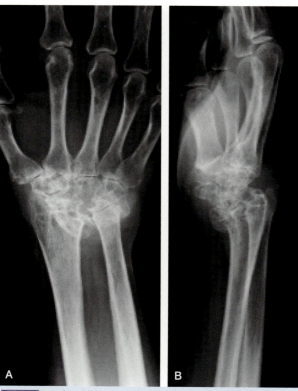

図31 51歳，女性．RA性手関節炎（Larsen grade V），Figgie score 27/100
術前 X-P
A: 正面像　B: 側面像

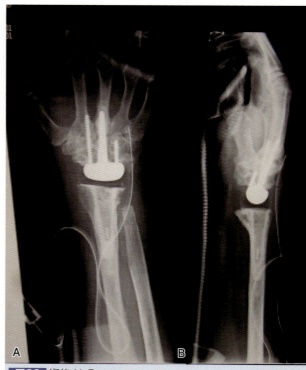

図32 術後 X-P
A: 正面像　B: 側面像

▶後療法

2週間の外固定後，自動運動と愛護的他動運動を行う．この間，夜間シーネを装着し，6週からは積極的に可動域訓練を行う．

▶症例供覧

症例1 51歳，女性．RA性手関節炎（Larsen grade V），Figgie score 27/100

術前 X-P 図31
　A． 正面像
　B． 側面像

人工手関節置換術後 X-P 図32
　A． 正面像
　B． 側面像

症例2　60歳女性．RA性手関節炎（Larsen Grade V）Figgie score 27/100　図33　図34

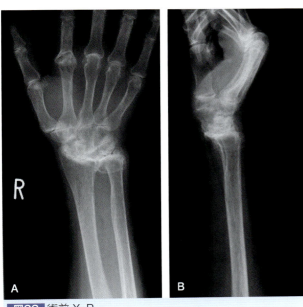
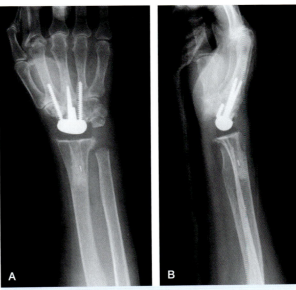

図33 術前 X-P
A: 正面像　B: 側面像

図34 人工手関節置換術術後 X-P
A: 正面像　B: 側面像

症例3　73歳女性．RA性手関節炎（Larsen Grade V）Figgie score 35/100　図35　図36

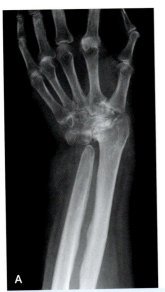
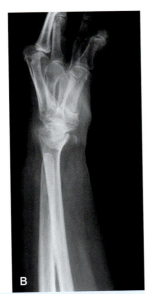
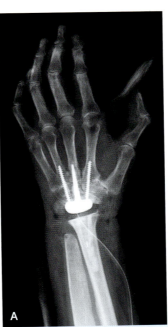
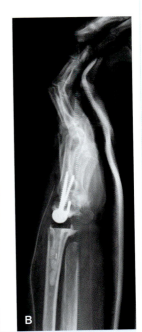

図35 術前 X-P
A: 正面像　B: 側面像

図36 術後 X-P
A: 正面像　B: 側面像

■文献

1) Badmer S, Andresen R, Sparmann M. Total wrist arthroplasty in patients with rheumatoid wrist. J Hand Surg ［Am］. 2003; 28: 789-94.
2) Divelbiss BJ, Sollerman C, Adams BD. Early results of the Universal total wrist arthroplasty in rheumatoid arthritis. J Hand Surg ［Am］. 2002; 27: 195-204.
3) Matsui Y, Minami A, Kondo M, et al. A minimum 5-year longitudinal study of a new total wrist arthroplasty in patients with rheumatoid arthritis. J Hand Surg ［Am］. 2020; 45: 255.e1-7.
4) 三浪明男，岩崎倫政，石川淳一．新規人工手関節の開発研究と臨床応用．関節外科．2013; 32: 446-51.
5) Murphy DM, Khoury JG, Imbriglia JE, et al. Comparison of arthroplasty and arthrodesis for the rheumatoid wrist. J Hand Surg ［Am］. 2003; 28: 570-6.
6) Vicar AJ, Burton RI. Surgical management of rheumatoid wrist-fusion or arthroplasty. J Hand Surg ［Am］. 1986; 11: 790-7.

CHAPTER 8: 関節リウマチ—母指

147 リウマチ母指ボタン穴変形に対する MP 関節形成術（Swanson Implant による）

　母指は手指を使って行う機能のうち約50%を担っており，どちらかというと可動性よりも支持性が重要である．関節リウマチ（RA）に罹患した母指は Nalebuff が分類しているようにボタン穴変形とスワンネック変形（次項目参照のこと）が最も多い．そのうち，ボタン穴変形の頻度が最も高い．スワンネック変形は母指 CM 関節が責任病巣であるが，ボタン穴変形は母指 MP 関節に対する治療が主体となる．

▶RA 母指に対する再建術の基本原則

1. MP および IP 関節単独の固定術は非常に良好な成績が期待できる．
2. CM 関節固定術は MP，IP 関節が intact であれば良好な成績が得られるが，多くの RA 母指では CM 関節のみが罹患していることが少ないので，固定術よりも関節形成術の方が勧められる．
3. IP，MP，CM 関節中，2 関節以上の固定は機能的に棒のような母指を作ることになるので，固定関節は 1 関節のみにとどめるべきである．ただし，ムチランス変形の場合は 2 関節の固定が可能である．

▶手術適応

　母指 MP 関節が強く屈曲し，IP 関節が過伸展となり ADL 上の支障が強く存在する場合が手術適応となる．ここでは RA 母指のボタン穴変形に対して，関節破壊が進行している Larsen grade Ⅲ以上の例に対する，Swanson implant を用いた MP 関節形成術に IP 関節固定術を加えた手術法について記載する．

▶術前準備

　MP 関節に使用するインプラントは Swanson Flexible Hinge Implant with Grommets（Wright Medical Technology 社製）が母指の髄腔との適合性がよく，安定性があるため用いるべきと石川らは推奨している．しかし，私の経験では日本人女性の場合，上記したサイズでは入らないことも少なくないので Swanson Finger Joint Implant with Grommets の一番大きいサイズのものを用いることも多い．IP 関節固定術については別項

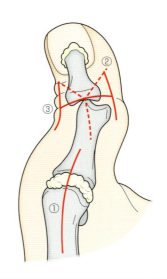

図1　皮切

に記載しているので参照されたい．

▶Swanson implant を用いた MP 関節形成術

皮切

　母指 MP 関節背側に縦皮切を加える（図1中の①）．図1は IP 関節固定術のための皮切も加えている（図1中の②．または③）．

展開

　短母指伸筋（EPB）腱と長母指伸筋（EPL）腱の間から入り，EPB 腱はその基節骨基部の付着部から切離し図2，指背腱膜腱帽と関節包との間を分け，関節包を露出し，関節包に縦切開を加える図3．関節包は多くの場合，滑膜炎のため菲薄化しているが，できるだけ関節包は後での縫合閉鎖のため残存するようにすべきである．しかし，時には関節包を滑膜とともに止むを得ず切除することもある．増殖した滑膜を滑膜切除鉗子を用いて丁寧に完全に切除する図4．MP 関節を可及的屈曲して側副靱帯起始部や付着部そして掌側板付着部などのいわゆる bare area の滑膜切除を徹底的に行う．中手骨骨頭を側副靱帯付着部を残すように骨の長軸に対して垂直に 5-6 mm 切除した後に，基節骨基部は掌側板付着部および関節包付着部を損傷しないように，中手骨骨頭と平行になるように 1-2 mm とわずかな量の切除を行う

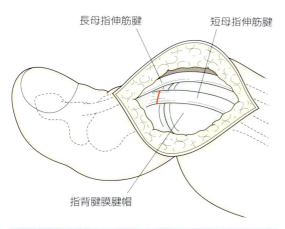

図2 EPB腱の付着部からの切離・翻転

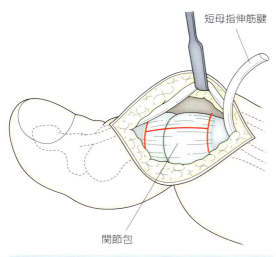

図3 MP関節包の切開

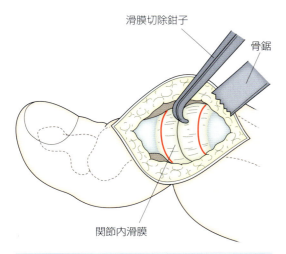

図4 MP関節滑膜切除とインプラント挿入のための骨切除

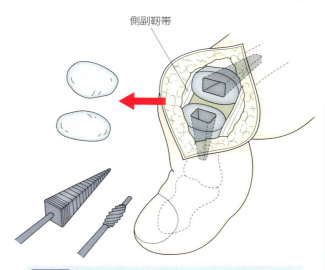

図5 中手骨骨頭と基節骨基部の切除と両骨髄腔のリーミングとラスピング

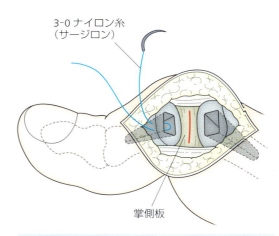

図6 掌側板の横切開

図5．これにより，軟骨（余り残存していないことが多いが）と骨皮質が切除され，髄腔が露出する．

インプラントの挿入

専用のブローチ，ラスプ，バーを用いて，髄腔のリーミング，ラスピングを行い，トライアルのインプラントを挿入する **図5**．掌側板に横切を加え **図6**，そこから長母指屈筋（FPL）腱を露出し，単鈍鉤で背側に引きだし，存在すれば腱鞘滑膜切除を行う **図7**．

> **Tips コツ**
> FPL腱の滑膜炎は必ずしも強いことは少ないので，私は本操作（FPL腱の腱鞘滑膜切除術）は割愛することも多い．

トライアル・インプラントを挿入して，関節の緊張度をチェックする．トライアル・インプラントをグロメットを付けて **図8** 挿入し，MP関節を伸展位として，インプラントが変形するほどの圧迫が掛かっていないことにより適度な緊張度といえ，きつい場合には側副靱帯の切離・骨切りの追加などを行う．

> **Tips コツ**
> インプラントが入っていない状態で，牽引を加えて，骨切り断端同士が10-12 mm前後開く位のスペースが得られていることが重要である．

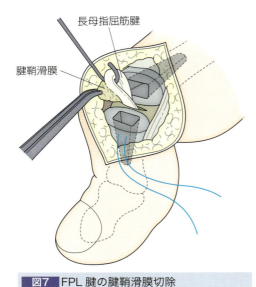

図7 FPL 腱の腱鞘滑膜切除

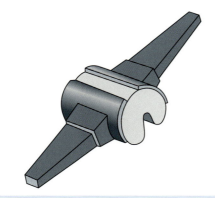

図8 グロメット付きインプラント

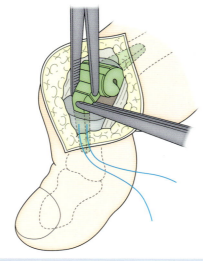

図9 インプラントの挿入

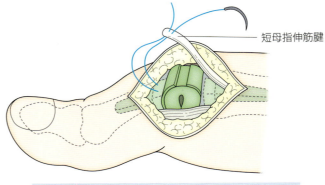

図10 EPB 腱の再縫着

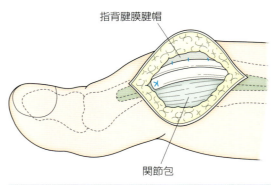

図11 指背腱膜腱帽の縫合

トライアル・インプラントを抜去し，十分洗浄・髄腔を乾燥し，EPB 腱を再縫着するための骨孔を基節骨基部背側に径 1.2 mm の K 鋼線を用いて開け，3-0 ナイロン糸（またはサージロン）を通しておく 図6．

グロメット付きスワンソン・インプラントを挿入する 図9．遠位ステムが長くて IP 関節固定の際に，邪魔になりそうな場合には，ステム先端をカットして用いる．

挿入にあたっては，MP 関節屈曲位で，無鉤攝子を用いて，まず近位ステムを挿入する．その後，遠位ステムの基部を攝子ではさみ，近位方向に押し付けてもらい，遠位方向にインプラントが飛び出てこないようにして，遠位ステムを基節骨の中に挿入し，MP 関節伸展位とする．手袋を装用のまま直接に触れない，いわゆる non-touch technique を用いる．

閉鎖

背側関節包が残っていれば，インプラントの表面を覆って縫合し，EPB 腱を少し遠位方向に緊張を掛けた状態で基節骨に再縫着する 図10．尺側方向に転位している EPL 腱を MP 関節背側中央部に戻して指背腱膜腱帽と縫合する 図11．創を閉じる．

IP 関節固定術

関節固定術については別項を参照していただきたい．

▶後療法

術後 4 週，MP と IP 関節を固定する thumb-spica-cast を装用する．その後，MP 関節を free とし，IP 関節のみ固定用装具を更に 2 週間程度，骨癒合が完成するまで装着する．IP 関節固定が強力であれば母指 MP 関節の ROM 訓練を術後早期より開始することもある．

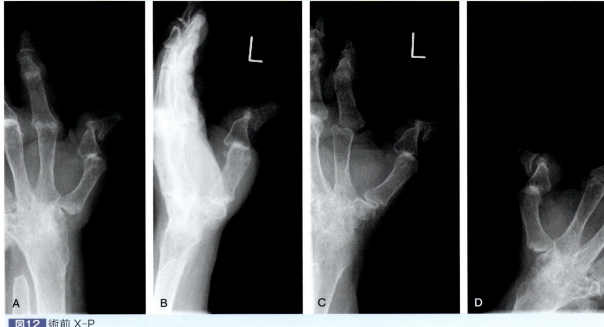

図12 術前 X-P
A: 側面像　B: 正面像　C: 斜位像（1）　D: 斜位像（2）

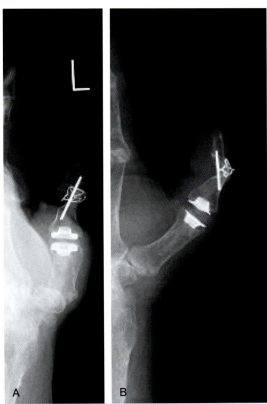

図13 術後 X-P．MP 関節形成術に加えて IP 関節固定も同時に行った
A: 正面像　B: 側面像

▶症例供覧

症例　65歳，女性．母指ボタン穴変形．MP 関節に対する implant arthroplasty と IP 関節に対する固定術（two dimentional interosseous wiring 法を用いる）を行う．

図12A, B, C, D　術前 X-P
図13A, B　術後 X-P

■文献

1) Clayton ML. Surgery of the thumb in rheumatoid arthritis. J Bone Joint Surg［Am］. 1962; 44: 1376-86.
2) 石川 肇. 母指変形（ボタン穴変形）. 新 OS Now Orthopaedic Surgery 手指の外科. 2000; 22: 122-7.
3) Larsen A, Dale K, Eek M. Radiographic evaluation of rheumatoid arthritis and related conditions by standard reference films. Acta Radiol Diagn. 1977; 18: 481-91.
4) Larsen A. How to apply Larsen score inevaluating radiographs of rheumatoid arthritis in long-term studies? J Rheumatol. 1995; 22: 1974-5.
5) 南川義隆. 関節リウマチ手指関節. In: 三浪明男編. 手・肘の外科: カラーアトラス. 東京: 中外医学社. 2007. p.469-80.
6) Nalebuff EA. Diagnosis, classification and management of rheumatoid thumb deformities. Bull Hosp Joint Dis. 1968; 29: 119-37.
7) Terrono A, Swanson AB, Hernden JH. Flexible (silicone) implant arthroplasty of the metacarpophalangeal joint of the thumb. J Bone Joint Surg［Am］. 1997; 59: 362-8.

CHAPTER 8: 関節リウマチ—母指

148 リウマチ母指スワンネック変形に対する手術治療

▶母指変形の分類

NalebuffはRA母指の変形を以下の5型（ムチランス変形を加えて6型）に分類した．

Type Ⅰ： 母指ボタン穴変形．MP関節病変が原因で，MP関節屈曲，IP関節過伸展変形．母指変形の中で最も多い（別項目参照のこと）．

Type Ⅱ： 母指ボタン穴変形の亜型．CM関節病変が原因で，CM関節橈側亜脱臼，MP関節屈曲，IP関節過伸展変形．きわめてまれな変形である．

Type Ⅲ： 母指スワンネック変形．CM関節病変が原因で，CM関節亜脱臼，MP関節過伸展，IP関節屈曲変形．ボタン穴変形に次いで多く発生し，本項ではこの変形に対する手術治療について記述する．

Type Ⅳ： Gamekeeper母指変形．MP関節病変が原因で，MP関節橈屈，IP関節中間位，第1中手骨内転変形．比較的まれな変形である．

Type Ⅴ： MP関節病変が原因で，MP関節過伸展，IP関節屈曲変形．まれな変形である．

ムチランス変形： 高度な骨吸収により動揺関節をきたし，指は特徴的なtelescoping test陽性となる変形である．

▶母指スワンネック変形のメカニズム

CM関節の滑膜炎により，長母指外転筋（Abd PL）腱の弛緩，橈側手根中手靱帯，中手骨間靱帯の弛緩が生じ，母指内転筋（Add P）の牽引によりCM関節の橈側亜脱臼（第1中手骨の内転）が生じる．MP関節では，掌側靱帯の弛緩と繰り返しの母指摘み動作によって過伸展となり，IP関節は屈曲となる 図1 ．

▶手術適応

最近のRAに対する治療は旧来のものとは根本的に異なっており，"treat"と言うよりも"cure"を目指すものへと変わってきた．この理由としては基準薬であるメトトレキサートとIL-6を中心とした各種サイトカインをターゲットとした生物学的製剤の出現であろうと考える．したがって，手術治療を行う前に薬物治療やリハビリテーションなどの保存療法を系統だって行い，それでも6カ月以上持続する疼痛，関節の不適合，可動域制限，不安定性などが原因でADLおよび社会活動などに強い不自由を感じている場合に手術適応となる．

上肢に限っての絶対的手術適応としては，①手指の腱断裂（おもに手指伸筋腱断裂），②神経麻痺（手根管部での正中神経麻痺や肘関節部での尺骨神経麻痺）がある．

また，手術の効果を期待するうえでは以下の条件の存在が重要である．

(1) RAの滑動性が良好にコントロールされていること，あるいは病勢をコントロールできる方向性が見えていること．

(2) 内科系リウマチ専門医およびハンドセラピストが常在していること．

(3) 患者の治療に対するモチベーションが高いこと．

(4) 手術により効果およびその効果の持続が期待でき，他の治療よりも優れているとのエビデンスがあること．　などである．

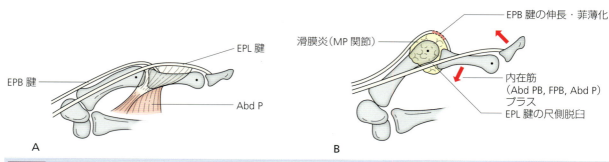

図1　母指スワンネック変形の発生メカニズム　A: 正常　B: RA

▶手術

Larsen grade Ⅲ，ⅣのCM関節には，切除関節形成術あるいはインプラント（腱球）を用いた関節形成術が行われるが，私はもっぱら切除関節形成術を行っている．両手術の手術術式を記述する．

▶インプラント（腱球）を用いたCM関節形成術　図2

皮切
母指CM関節背側に縦に皮切を加える．皮下に橈骨神経浅枝が存在しているので術中，保護して行う．

骨切除
CM関節包を皮切と同様のラインで切離して開いて，第1中手骨基部および大菱形骨遠位の骨切除と滑膜切除を行う　図2A．

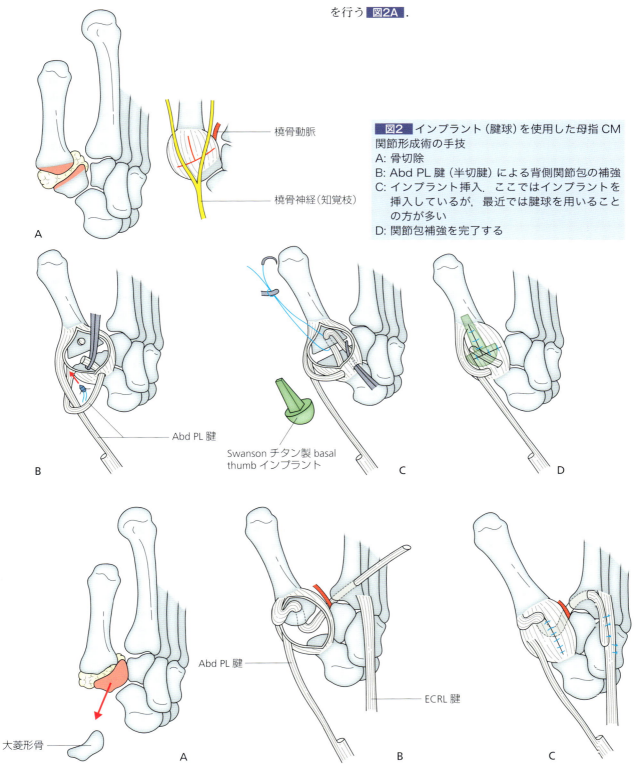

図2　インプラント（腱球）を使用した母指CM関節形成術の手技
A: 骨切除
B: Abd PL腱（半切腱）による背側関節包の補強
C: インプラント挿入．ここではインプラントを挿入しているが，最近では腱球を用いることの方が多い
D: 関節包補強を完了する

図3　母指CM関節形成術（suspensionplasty）
A: 大菱形骨切除　B: Abd PL腱（中手骨付着腱）を第1および第2中手骨に作成した骨孔に通す　C: ECRL腱に縫合する

腱形成による背側関節包の補強

Abd PL 腱を近位で切離して半切腱を用いて，大菱形骨上の関節包を通して第 1 中手骨髄腔から第 1 中手骨背側骨皮質の骨孔を通す 図2B．

インプラント挿入

Swanson チタン製 basal thumb インプラントを第 1 中手骨基部に挿入する 図2C．骨吸収の著しい場合は，インプラントではなく，長掌筋（PL）腱を用いた腱球を挿入する．

> **Tips コツ**
>
> 私はインプラントが将来的なシリコンインプラントによる滑膜炎発生の可能性が高いことよりもっぱら PL 腱を用いることとしている．

先ほどの第 1 中手骨背側骨皮質の骨孔を通した Abd PL 腱を背側関節包を通して関節包背側に強く縫合して関節包を補強する 図2D．

▶母指 CM 関節形成術（suspensionplasty） 図3

基本的には何本かある Abd PL 腱のうち 1 本を用いた Thompson 法に準じている（別項目も参照のこと）．

皮切

CM 関節を中心に縦切開を加える．

展開・大菱形骨切除

CM 関節包を露出して，これを骨膜下に切開し CM 関節を露出する．大菱形骨を一塊として切除することが困難であれば piece-by-piece に切除する 図3A．

Suspensionplasty

Abd PL 腱の半切腱あるいは数本存在していたうちの 1 本の Abd PL 腱を用いて（第 1 中手骨基部の付着部を損傷しないように注意して）第 1 中手骨近位背側骨皮質に作成した骨孔から基部髄腔に出し，次いで小菱形骨遠位で第 2 中手骨基部橈掌側から背側に作成した骨孔内を Abd PL 腱を通して 図3B，第 2 中手骨基部背側に停止している長橈側手根伸筋（ECRL）腱に強く interlacing suture を行い縫合固定する 図3C．

> **Tips コツ**
>
> 最近は ECRL 腱に interlacing suture せずに interference screw（TJ screw）を用いて腱固定を行うこととしている．

閉鎖

関節包を強く縫合閉鎖した後に皮膚縫合を丁寧に行う．

▶後療法

別項，参照のこと．

母指 MP 関節過伸展に対する治療としては，関節固定術もあるが MP 関節掌側関節嚢を用いた制動術が行われることがある．

中手骨頚部掌側の骨皮質をノミで切除して掌側板を挿入するための骨溝を作製する．MP 関節の過伸展を矯正して軽度屈曲位として掌側板に No. 34 ワイヤーを用いて pull-out wire で固定をする．最近では pull-out wire 法ではなく suture mini anchor で中手骨頚部に固定することが行われている 図4．

▶症例供覧

症例 65 歳，女性．RA による母指スワンネック変形例．

術前の母指変形 図5A．図5B は握り動作を行っているところであるが，完全には不可である．図5C は術前 X-P である．

CM 関節に対して大菱形骨を切除し suspensionplasty を行い，IP 関節は固定術を行った 図5D．同時に手関節に対しても固定術を行っている．

術後 2 年 X-P 正面像 図5E，側面像 図5F である．CM 関節裂隙は比較的保持されている．

術後 2 年，母指と示指との間での key pinch が可能となった 図5G．同様に母指と中指との摘み動作も可能となった 図5H．

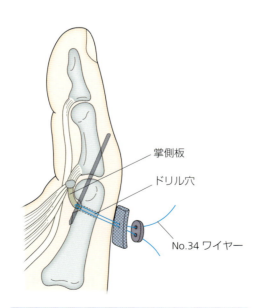

図4 MP 関節過伸展に対する掌側関節嚢を用いての制動術

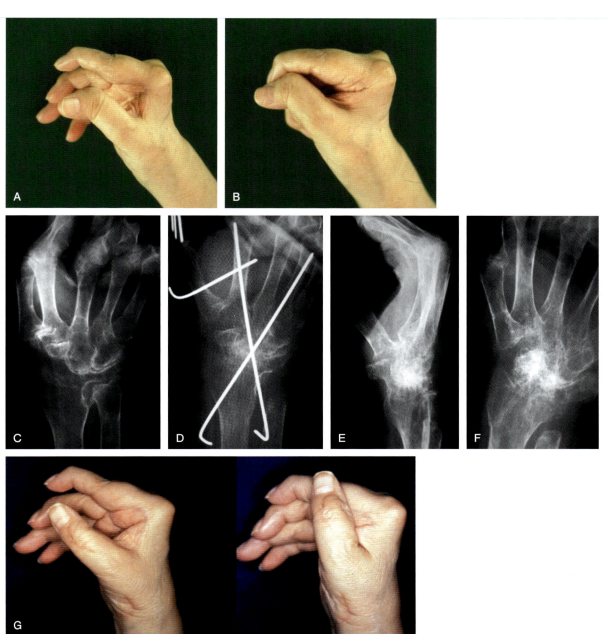

図5 65歳,女性,RAによる母指スワンネック変形例
A: 術前の母指変形
B: 術前の握り動作
C: 術前 X-P
D: CM関節に対してsuspensionplastyを行う．IP関節固定術も同時に行った．
E: 術後2年 X-P 正面像
F: 術後2年 X-P 側面像
G: 術後2年,母指と示指との間のkey pinch動作
H: 母指と中指のつまみ動作

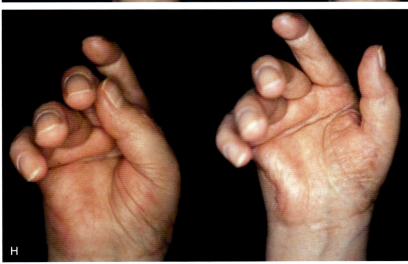

■ 文献

1) 南川義隆. 関節リウマチ 手指関節. In: 三浪明男編. 手・肘の外科: カラーアトラス. 東京: 中外医学社. 2007. p.469-80.
2) Nalebuff EA. The rheumatoid thumb. Clin Rheum Dis. 1984; 10: 589-607.
3) Swanson AB, de Swanson G, DeHeer DH, et al. Carpal bone titanium implant arthroplasty, 10 years' experience. Clin Orthop Relat Res. 1997; 342: 46-58.
4) Thompson JS. Suspensionplasty. J Orthop Surg Tech. 1989; 4: 1-13.

CHAPTER 8: 関節リウマチ— MP 関節

149 手指 MP 関節インプラント関節形成術

　関節リウマチ（RA）手指 MP 関節は特徴的な Kruckenberg 変形を呈しており，疼痛とともにつまみ動作などの日常生活上の不自由が多く出現する．このため手術適応となることも多い．MP 関節に対する手術治療には多くの方法が報告されているが，私は Swanson の implant arthroplasty を好んで行っている．本項ではこの implant arthroplasty について記載する．

> **雑談**
> RA 手指 MP 関節の典型的な変形，つまり MP 関節で尺屈，掌側（亜）脱臼，屈曲変形を私は Kruckenberg 変形とよぶことと理解していたが，ある学会でこの変形は Kruckenberg 変形とは言わないとの指摘がありました．私は原著をチェックしていないので，どなたか知っておられる方がいらっしゃれば教えていただきたい．

▶手術適応

　手術適応としては，MP 関節に強い疼痛を認め，
1. 関節が固定，あるいは拘縮している場合
2. 関節の強い破壊や亜脱臼を認める場合
3. 強い尺側偏位を軟部組織の手術のみで矯正できない場合
4. 内在筋，外在筋腱組織の拘縮が存在している場合
5. IP 関節の拘縮を伴う場合

である．
　手指 MP 関節に対して Swanson implant arthroplasty を行う場合を想定して術式について記述する．

皮切

　手背の中手骨頸部上（MP 関節のわずかに近位）に波状の横皮切を加える 図1 ．横皮切ではなく，第 2 と第 3 中手骨の間と第 4 と第 5 中手骨の間に 2 本の縦皮切を加えることもある．単指の場合は当然であるが，当該手指 MP 関節上に縦切開を加える．

展開

　皮下組織を用いて背側の縦走する静脈や指への神経を保護しながら各指の伸筋腱を露出する．中手骨頭間の静脈を縦方向に鈍的に剝離し，筋鉤で注意深く側方によけて，指背腱膜腱帽を基節骨の基部まで露出する．普通，伸筋腱は尺側に偏位・亜脱臼しており，指背腱膜腱帽の橈側が伸長している．MP 関節が尺屈しているので尺側骨間筋腱移行部を切離・剝離し MP 関節を矯正・整復する．尺側骨間筋膜を中手骨頸部近位で深部を探ると腱成分が同定できる．単鈍鉤で引き上げて筋腱移行部で切離する 図2 ．

> **Tips コツ**
> 切離した骨間筋膜を尺側隣接指の骨間筋膜へ移行する crossed intrinsic transfer を尺側偏位の矯正のために行う術者も多いが，私はほとんどの例で行っていない．

関節の展開

　指背腱膜腱帽の橈側縁を関節包を損傷しないように切離し，腱帽と関節包間を橈側・尺側方向に剝離して MP 関節の関節包を全体にわたり露出する 図3 ．

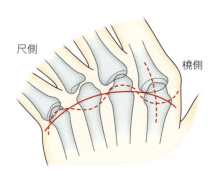

図1　皮切

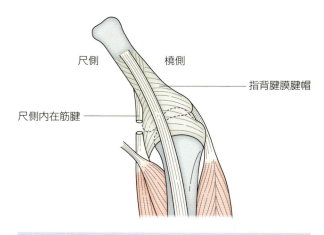

図2　尺側内在筋腱の切離

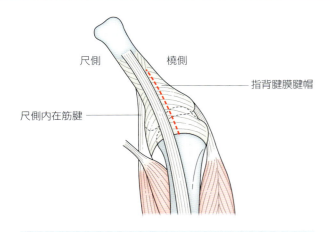

図3 橈側指背腱膜腱帽の切離・関節包の展開

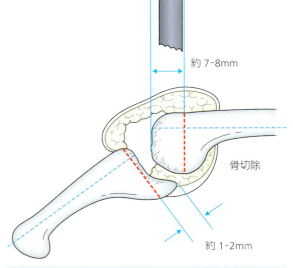

図5 中手骨頸部と基節骨基部の骨切除

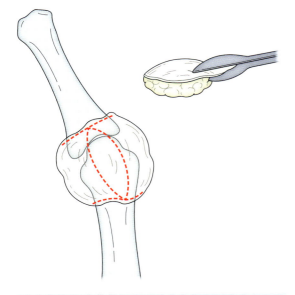

図4 関節の展開

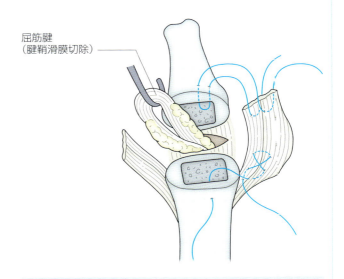

図6 屈筋腱腱鞘滑膜切除

> **Tips コツ**
> 関節包は関節内の滑膜炎の存在により非常に菲薄化しており，関節包を無傷に剥離することは簡単ではないが，術後のインプラント被覆を考えると可及的に関節包を温存すべきである．

　関節包を紡錘状に縦に切開する．この際も関節包を下層の滑膜から注意深く剥離し，鉤で橈側によけ，関節を露出し，中手骨頭を確認する ．

骨切除

　両側の側副靱帯の起始部を損傷しないように中手骨頸部全体を広範囲に骨膜下に露出する．電気鋸を用いて骨頭を垂直に切り，骨頭を切除する．中手骨骨頭を掴んで肥厚した滑膜と一緒に取り出す．骨頭切除により関節裂隙が開大することとなるので滑膜切除がより容易となる．一般的には骨頭は 7-8 mm ほど切除する 図5．

　基節骨基部を完全に露出するために周囲軟部組織を剥離して中手骨の背側に基節骨基部を移動する．

> **Tips コツ**
> 掌側板を基節骨基部から慎重に剥離すると基部を露出することが容易となる．

　基節骨基部は掌側板付着部を無傷に保つように注意して電気鋸を用いて 1-2 mm 切除する 図5．

> **Tips コツ**
> 指を遠位に牽引して関節裂隙が大体 10-12 mm 程度となるようにするのがコツである．

屈筋腱腱鞘滑膜切除

　屈筋腱滑膜腱鞘炎が見られる患者では，掌側板を横に切離し，この間から屈筋腱を単鈍鉤で引き上げて，屈筋腱腱鞘滑膜切除と腱鞘の癒着剥離を行う ．

インプラント挿入

　中手骨髄腔をラスプ，鋭匙，ブローチ，サージア

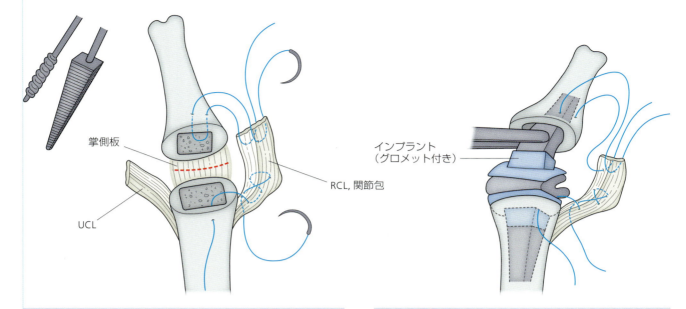

図7 インプラント挿入のための骨髄腔の作成

図8 グロメット付きインプラントの挿入

ムでインプラントが挿入可能なように長方形に拡大する．サイズ別に用意されているサイジングセットから適切なサイズを選択してトライアルインプラント（サイザー）を挿入する．インプラントの中央部断面が骨切除端に接するようにステム部分が骨髄腔にしっかり収まるようにしなければならない．

> **Tips コツ**
> インプラントステムの先が骨髄腔の奥にぶつかって挿入できないようであれば，ステムの先を短く切除する．

インプラントは適合する最も大きなサイズのものを使用する．サイズが決まったら，今度は基節骨基部に長方形のステム挿入口を作成する．骨髄腔は中手骨と同じようにラスプでリーミングして，中手骨側で選択したトライアルの遠位側ステムが収まるようにする．

私は小指は難しいとしても，他指にはできるだけグロメットを使用することとしている．サイザーを外した後に適合するサイズのグロメットがプレスフィットするように骨髄腔を拡大する必要がある 図7 ．

> **Tips コツ**
> グロメットの形態をみるとわかるが背側の方がフランジのかぶりが多いので上・下を間違えないように，また近位・遠位を間違えないように注意する．グロメットに"P"，"D"と印字されている．

グロメットのスリーブとやや彎曲しているフランジが骨断端に正確に適合するように中手骨と基節骨の切除面をダイヤモンドバーを用いて丁寧に形成する．

> **Tips コツ**
> 骨髄腔をリーミングする際に示・中指では回外の状態で，小指はやや回内位にインプラントが入るように長方形にリーミングすることが重要である．

トライアルインプラントを挿入して適合具合を確認する必要がある．関節を伸展させた時に中央部が強くはさみ込まれた場合はきついので骨切除や軟部組織の解離が必要である．

創を抗生物質加生食水で髄腔を中心に洗浄し，近位側のグロメットを中手骨に，次いで遠位側のグロメットを基節骨にプレスフィット後，フレキシブルインプラントを nontouch technique（直接指で触れない）で骨髄腔に挿入する．始めにインプラントステムを中手骨髄腔に挿入した後，指を屈曲，遠位方向に牽引して関節裂隙を拡げて，遠位側ステムを基節骨髄腔へ挿入し，良好なalignmentと良好な可動域が無理なく得られるように最終確認する 図8 ．

指背腱膜腱帽の縫縮

示指については橈側側副靱帯と関節包を基節骨背側より切離してMP関節を整復した後に前進して骨に強く固定する 図7 ．

個々の指背腱膜腱帽の矢状線維を橈側で束ねるように縫縮し，伸筋腱が関節の正中よりやや橈側に位置するように，4-0非吸収糸を用いて結節縫合する 図9, 10, 11 ．

閉創

創を最終的に洗浄後，創閉鎖を行う．

▶後療法

術後1〜2週はMP関節が橈屈するように指間にテープを挿入して，MP関節をほぼ伸展位に保持するギプス

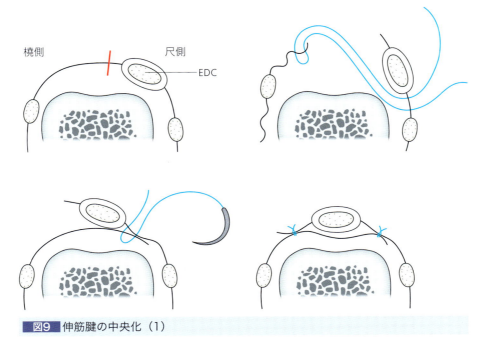

図9 伸筋腱の中央化（1）

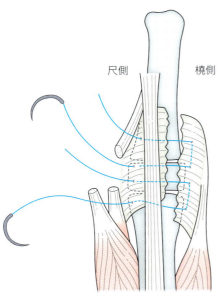

図10 伸筋腱の中央化（2）

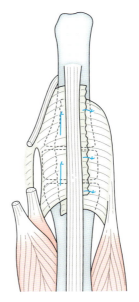

図11 伸筋腱の中央化（3）

副子固定を行う．その後，Outrigger 付き装具により MP 関節伸展・橈屈位に保持しつつ自動的に屈曲可能な装具を装用し，night splint は 6 週まで続ける．

▶症例供覧

症例1　32 歳，女性．RA stage Ⅲ．
術前手指変形 図12
術前手指 X-P 図13
術前手指 CT 図14
Swanson implant arthroplasty 術後 2 年 X-P 図15
術後 2 年・手指屈曲・伸展 図16

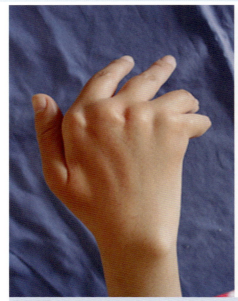

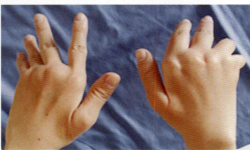

図12 術前手指変形

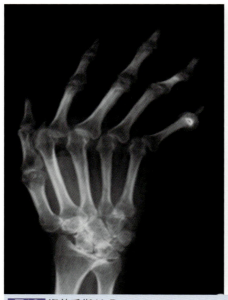
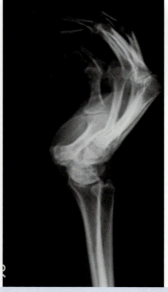
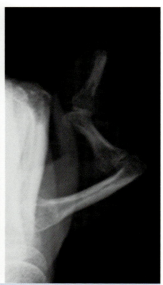

図13 術前手指X-P

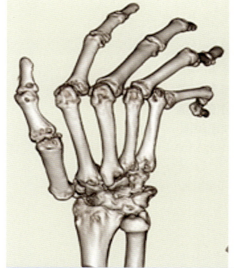
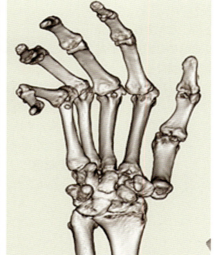
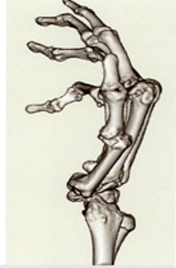

図14 術前手指CT

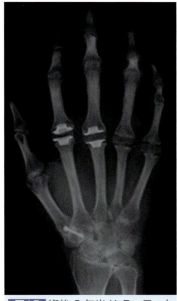

図15 術後2年半X-P. 示・中指にはグロメットを付けることができたが,環・小指には付けることができなかった.母指CM関節に対しては関節固定術を施行した.

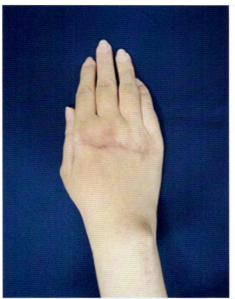

図16 術後2年手指伸展－屈曲

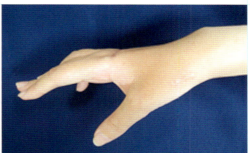
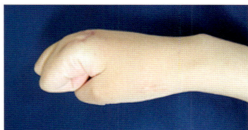

症例2　53歳,女性. RA stage V　図17-19

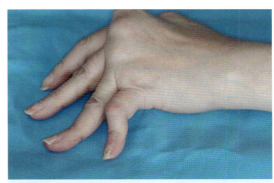

図17 術前手指変形

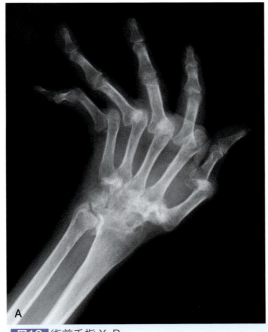
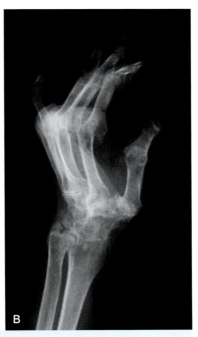

図18 術前手指X-P
A: 正面像　B: 斜位像

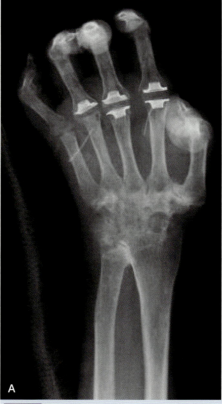
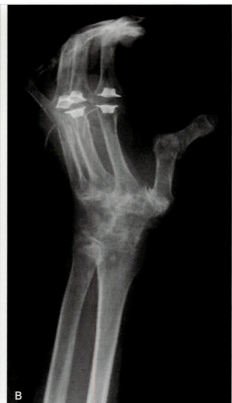

図19 術後手指 X-P
A: 正面像　B: 斜位像

■ 文献

1) Chung KC, Kowalski CP, Myra KH, et al. Patient outcomes following Swanson silastic metacarpophalangeal joint arthroplasty I the rheumatoid hand. A systematicoverview. J Rheumatol. 2000; 27: 1395-402.
2) 石川肇．Swanson flexible implant．骨・関節・靭帯．2001; 10: 991-8.
3) 南川義隆．関節リウマチ．手指関節．In: 三浪明男編．手・肘の外科: カラーアトラス．東京: 中外医学社; 2007. p.507-9.
4) Swanson AB, de Groot Swanson G, Ishikawa M. et al. Use of grommets for flexible implant arthroplasty of the metacarpophalangeal joint. Clin Orthop Rel Res. 1997; 342: 22-33.

CHAPTER 8: 関節リウマチ—PIP 関節

150 手指ボタン穴変形に対する横支靱帯を用いた中央索再建術

手指ボタン穴変形は関節リウマチ（RA）に合併して発生することが多いが，そのほか，PIP 関節背側での外傷性中央索損傷においても発生する．

> **雑感**
> ボタン穴変形に対する手術には多くの手術方法がある．このことはそれだけこれはという方法が無いとも言えるのではないかと思う．ここでは Salvi 法変法と言うべき Ohshio 法について記載する．

▶手術適応

ボタン穴変形を Nalebuff は以下の 3 つの stage に分類している．
Stage 1: 軽度変形; PIP 関節における伸展制限角は 20°以内であるが，他動的に矯正可能である場合．
Stage 2: 中等度変形; PIP 関節における伸展制限角は 30-40°であるが，他動的に矯正可能である場合．
Stage 3: 重度変形; 他動的に矯正不可な強い変形である場合．

再建手術の適応となるのは，PIP 関節のボタン穴変形を他動的に伸展可能な場合あるいは手術時の解離術により伸展可能な場合であり，X 線学的に関節破壊が強い場合や屈曲拘縮が強く，矯正不可である場合には PIP 関節固定術（別項目参照のこと）や人工指関節を用いた関節形成術（別項目参照のこと）が勧められる．

PIP 関節が他動的に伸展可能であるかどうかは再建術を行うか，関節固定術・形成術を行うかの判断にとって重要である．またこのことは術後成績を大きく左右する．

▶画像診断

X-P にて MP, PIP, DIP 関節の状態を検討し，PIP 関節の破壊が強く存在していれば，関節固定術または関節形成術が適応となる．MR 像および超音波撮影は PIP 関節の滑膜炎を評価するのに有用である．

▶手術解剖

伸筋腱の中央索の破綻により PIP 関節が屈曲すると側索が掌側に偏位することとなり，伸展機構が近位方向に

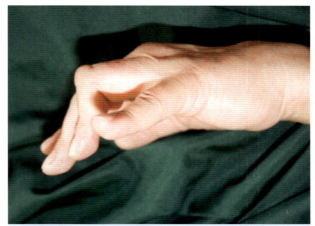

図1 典型的なボタン穴変形

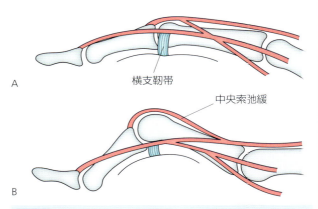

図2 ボタン穴変形　A．正常　B．ボタン穴変形

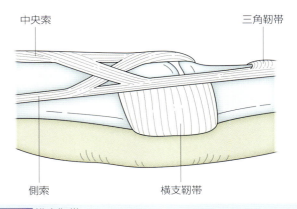

図3 横支靱帯

偏位し，DIP関節が過伸展となり，典型的なボタン穴変形を招来する 図1,2．

横支靱帯は屈曲すると掌側方向へ移動する側索を保持する役割を担っており，PIP関節の掌側板と屈筋腱腱鞘に停止しているきわめて重要な構成体である 図3．

麻酔

腕神経叢ブロックで手術は可能であるが，移行する横支靱帯の量および緊張を決定するためには局所麻酔および指神経ブロックで行うべきである．

皮切

PIP関節を中心に背側にゆるい"C"字状皮切を加える．

展開

PIP関節背側で伸展機構を側索およびその掌側の横支靱帯まで広く展開する 図4．この際，皮下の静脈系を可及的温存することとする．

横支靱帯縫合術

中央索は多くの場合，弛緩していたり，断裂したりしており，PIP関節の背側関節包を直接観察することができる．次いで，両側深く剥離することにより掌側に偏位している側索と横支靱帯を確認する．横支靱帯は薄い膜状のこともあるので同定は慎重に行う 図4．両側の横支靱帯は側索から掌側板へ停止しており，これを分離する 図5．

両側の横支靱帯を掌側板で切離してPIP関節の背側方向に翻転することにより掌側に偏位・転位している側索を背側に持ち上げることとして背側でお互いを縫合する 図6．図7 に手術手技をシェーマで示す．

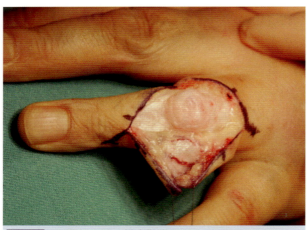

図4 PIP関節側面で横支靱帯を同定する

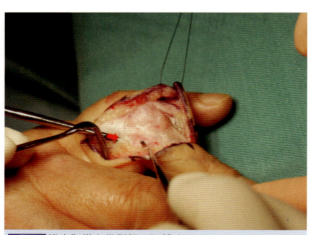

図5 横支靱帯を掌側板で切離する

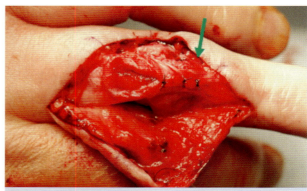

図6 横支靱帯を背側で縫合する

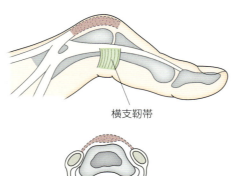

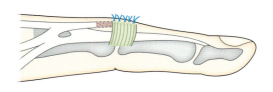

図7 横支靱帯を用いた中央索再建術のシェーマ

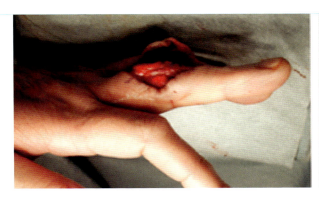
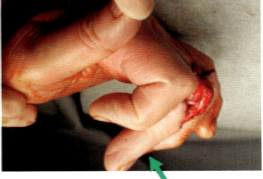

図8 縫合後の緊張のチェック．PIP関節を屈曲するとDIP関節の屈曲が得られていない

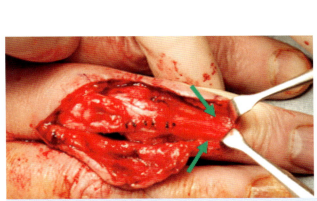
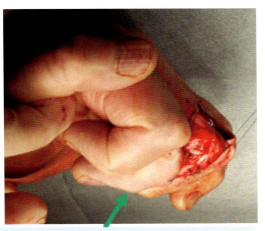

図9 側索の遠位部を部分的に切離してPIPおよびDIP関節の屈曲が得られた

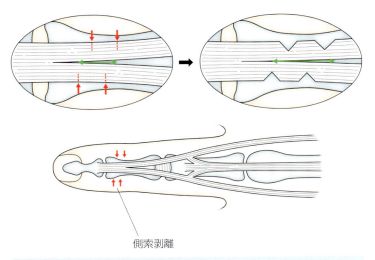

図10 終止腱に横皮切を加える

縫合緊張の決定

縫合の緊張度合いを決定することが本手術の最も重要な点である．PIP関節の完全自動伸展が得られるようにする．縫合の緊張度によりPIP関節とDIP関節の屈曲・伸展が術中自動的にどの程度得られるかにより緊張を決定する．つまり縫合がきついとPIPとDIP関節の伸展拘縮をきたしてしまうこととなる．図8は横支靱帯を背側に持ち上げて縫合後，自動的にPIP, DIP関節を屈曲したが，DIP関節の十分な屈曲が得られなかったことを示している．側索の遠位部を部分的切離して緊張をゆるめることによりDIP関節の屈曲が可能になった 図9．

横支靱帯を縫合後，側索の緊張についてはDIP関節の自動屈曲をチェックする．DIP関節の屈曲が制限されている場合にはPIP関節とDIP関節の間で側索を部分的に切離して，DIP関節の屈曲をチェックする 図9．

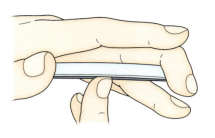
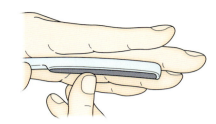

4週間夜間
PIP 関節伸展位固定

3日目 DIP 関節運動開始

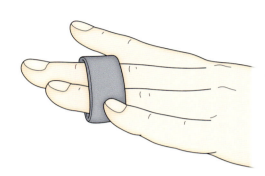

7日目 PIP 関節屈曲・伸展
運動開始

図11 後療法

　この際，側索に小さな横皮切を DIP 関節が自動的に 30°屈曲するまでいくつか加える 図10 ．術後，PIP 関節を K 鋼線または掌側副子で 14 日間，伸展位で固定する．

▶後療法

　DIP 関節の自動屈曲運動を PIP 関節を固定したまま，術後 3 日以内に開始する．術後 14 日で K 鋼線を抜釘，または外固定除去後，PIP 関節の自動屈曲運動を優しく開始する．しかし，PIP 関節の自動伸展運動は避ける．PIP 関節を動的副子で日中は完全伸展として装用し，夜間は数週（少なくとも 6 週）までは静的副子装用とする．副子を完全に除去後，指の自動運動を行うこととする 図11 ．

■文献

1) 加藤博之, 三浪明男, 岩崎倫政, 他. リウマチ性ボタン穴変形の治療. 関節外科. 2008; 27: 58–63.
2) 南川義隆. 関節リウマチ手指関節. In: 三浪明男編. 手・肘の外科: カラーアトラス. 東京: 中外医学社. 2007. p.480–5.
3) Nalebuff EA, Millender LH. Surgical treatment of the boutonniere deformity in rheumatoid arthritis. Orthop Clinic North Am. 1975; 6: 753–67.
4) Ohshio I, Ogino T, Minami A, et al. Reconstruction of the central slip by the transverse retinacular ligament for boutonnire deformity. J Hand Surg [Br]. 1990; 5: 407–9.
5) Salvi V. Technique for the buttonhole deformity. Hand. 1969; 1: 96–7.

CHAPTER 8: 関節リウマチ—PIP 関節

151 リウマチ手指における白鳥の頚変形に対する手術

手指は関節リウマチ（RA）に長期間罹患しているため，いろいろな変形をきたすことが多い．白鳥の頚変形はその代表的な変形の一つであり，PIP 関節過伸展，DIP 関節屈曲の変形をきたしたものである．

▶手術適応

白鳥の頚変形を治療する上において，PIP 関節の過伸展変形が他動的に矯正可能な変形であるか，関節軟骨の状態（破壊程度）の判断はきわめて重要な点である．

RA による白鳥の頚変形の分類はどのような外科治療を選択するかを決定する上できわめて有用である．Nalebuff は RA による白鳥の頚変形を病期により 4 型に分類した．この分類は外科治療の選択に大きな参考となるので重要である．

Nalebuff の分類とそれに対応する手術を含めた治療を以下に記載する．

Type 1: MP 関節の肢位に関わらず PIP 関節は屈曲可能である場合．
PIP 関節の過伸展を制限する手技（副子，皮膚固定術，浅指屈筋腱を用いた腱固定術）や DIP 関節の伸展を制限する手技（腱皮膚固定術，関節固定術）などが適応となる．

Type 2: MP 関節の肢位によっては PIP 関節の屈曲が制限される場合．
Type 1 の手技に加えて手内筋解離術や MP 関節形成術が適応となる．

Type 3: MP 関節の肢位に関わらず PIP 関節の屈曲が制限される場合．
PIP 関節の屈曲を要するために側索移動術や中央索延長術が適応となる．

Type 4: PIP 関節が強直気味であり，X 線学的には骨破壊が強い．
PIP 関節の関節固定術が適応となるが，PIP 関節のインプラント関節形成術は上記のどの type でも適応となる．

コツ

以前は PIP 関節に対して Swanson の implant arthroplasty をよく行ったが有用な ROM が得られないことが多かった．したがって，本法は最近全く行っていない．最近では PIP 関節に対する有効な人工指関節（self locking finger＝SLF など）も開発されている．

▶臨床所見

MP 関節を伸展位と屈曲位で保持して PIP 関節の自動・他動可動域をチェックする（イントリンシック タイトネス テスト）（別項目 参照のこと）．これにより手内筋が PIP 関節の運動制限にどの程度関係しているかを知ることができる．MP 関節を橈屈・尺屈することにより同じテストを行うとどちら側（橈側あるいは尺側）の方の手内筋が tight であるかを知ることができる．

屈筋腱の癒着の有無は PIP 関節の可動域が自動と他動で異なる場合に疑われる．MP 関節が屈曲位で PIP 関節の他動屈曲が制限されている場合には PIP 関節に拘縮があることとなる．

Intrinsic tightness の検査で PIP 関節の屈曲が制限される場合には intrinsic muscle の tightness が存在していることとなる．

▶X 線所見

単純 X 線写真により MP 関節と PIP 関節の骨破壊の程度を把握する必要がある．

▶白鳥の頚変形の発生メカニズム

PIP 関節の滑膜炎により掌側板，側副靱帯および浅指屈筋腱の停止部の伸張，脆弱化，破壊が生じ，PIP 関節の掌側部分の支持性が喪失し，結果的に正常な伸筋腱の力により PIP 関節の異常な過伸展をきたす．

また MP 関節の滑膜炎により同じように掌側板の脆弱化をきたし，MP 関節の掌側亜脱が発生し，掌側亜脱は次第に手内筋の短縮をきたし，最終的に PIP 関節が過伸展し，典型的な白鳥の頚変形となる．DIP 関節の滑膜炎により伸筋腱終止腱の脆弱化および断裂により槌指変形をきたす．終止腱が近位に偏位し移動することにより側

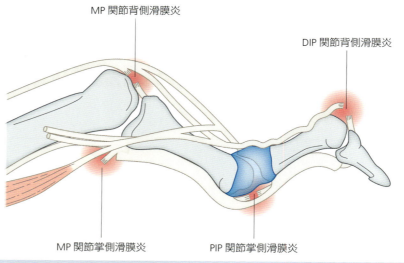

図1 白鳥の頚変形の発症機序とその変形

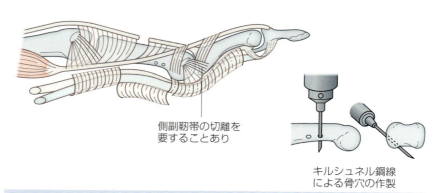

図2 浅指屈筋腱固定術（1）．基節骨の遠位 1/3 部に掌側から外側に向けて骨孔を作製する

索が弛緩する．総指伸筋腱の全ての力は中節骨へ停止する中央索へ向かい，さらに PIP 関節の掌側機構が弱くなり，PIP 関節はますます過伸展し白鳥の頚変形に陥る 図1．

最終的に手根骨の圧潰により指伸筋腱および屈筋腱は延長し，骨間筋は手外筋の活動を強くして MP 関節は屈曲位となり，PIP 関節は伸展位をとることとなる．

▶掌側板前進術（本項については別項目も参照のこと）

本法は PIP 関節の過伸展を防ぐための手術手技で，Type I から III の白鳥の頚変形に対して適応がある．

皮切
ジグザグ皮切を middle finger crease に加える．皮膚と皮下組織を一緒にして屈筋腱腱鞘まで一気に到達し露出する．

展開
PIP 関節部での屈筋腱腱鞘の副靱帯（掌側板に付着している）を同定し掌側板部で切離する．掌側板を屈筋腱腱鞘全体とともに外側へ翻転し，基節骨骨頭を露出する．

固定
関節面の近位 5-7 mm の基節骨掌側面の中央部に Mitek mini 骨アンカーを刺入する．骨アンカーの 2 本の針糸のうち 1 本は掌側板の背外側面から刺入して，掌側板の中央部をしっかりと把持する．それから先に切離した副靱帯の辺縁を通す．お互いに，強く縫合を行うことにより 10°屈曲位で PIP 関節を保持する．もう 1 本の縫合針糸を別の側に同じように返す．2 本目の縫合を行った後，PIP 関節を屈曲 10-15°位で保つ．最初の縫合ループを 2 つ目の縫合ループに十分な緊張を与えるように内側に移動する必要がある．

▶浅指屈筋腱腱固定術（本項については別項目も参照のこと）

皮切は前の方法と同様である．屈筋腱腱鞘を開放し浅指屈筋 (FDS) 腱を露出する．FDS 腱は 2 つに分かれて中節骨掌側基部に付着している．FDS 腱の一方の腱をA2 滑車 (A2 pully) の近位で切離し半切腱を作成する．基節骨の遠位 1/3 部に掌側から外側に向けて骨孔を作製する 図2．FDS 腱の半切腱をこの骨孔を通して掌側から外側に通し PIP 関節を軽度屈曲位にて強く縫合する

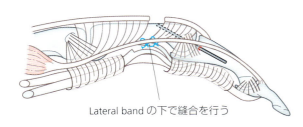

図3 浅指屈筋腱固定術（2）．FDS 腱を骨孔に PIP 関節軽度屈曲位に強く固定する

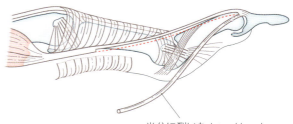

図4 支靱帯再建術（1）．切離した側索を PIP 関節の回転軸の掌側へ移動する

図5 支靱帯再建術（2）．側索を A2 pully へ強く縫合する

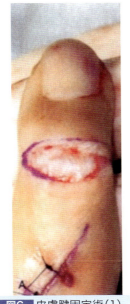

図6 皮膚腱固定術（1）紡錘状に皮切を加え，同部の皮膚を切除する

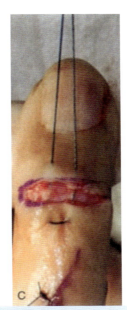

図7 皮膚腱固定術（2）皮膚およびその下の終止腱を一緒にしてマットレス縫合を行う

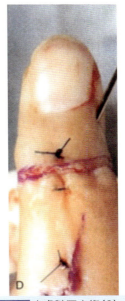

図8 皮膚腱固定術（3）ナイロン糸を強く縫合する

方法である **図3**．

▶支靱帯再建術

皮切は同様である．基節骨中央部で尺側側索を切離する．切離した側索を遠位まで剥離して Cleland 靱帯の下を通して，尺側側索は PIP 関節の屈曲を保つため PIP 関節の回転軸の掌側へ移動する **図4**．側索を PIP 関節を 15-20°屈曲位に保つため A2 pully あるいは基節骨の骨へ強く縫合する **図5**．

▶Dermatotenodesis（皮膚腱固定術）

DIP 関節変形に対する矯正術であり，Nalebuff 白鳥の頚変形 Type Ⅰ-Ⅳに適応がある．DIP 関節の背側に紡錘状に皮切を加え，同部の皮膚を切除する **図6**．皮下

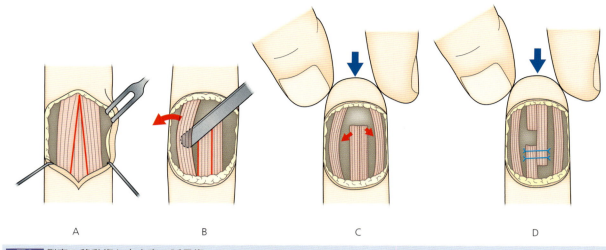

図9 側索の移動術と中央索の延長術

を短い範囲にわたり，剝離して3-0ナイロン糸を用いて縦に皮膚およびその下の終止腱を一緒にしてマットレス縫合を行う 図7．DIP関節を伸展位として保持し，ナイロン糸を強く縫合して皮膚の両端を縫合する 図8．DIP関節を伸展位として保持するために斜めにK鋼線を刺入する．

▶側索移動術

Nalebuff Type 3の強直した白鳥の頚変形に対する矯正術である．PIP関節を中心とした背側弧状皮切により伸筋腱機構を露出する．

> コツ
> この際，術後の腫脹を少しでも軽減するために皮下の静脈（とくに縦に走行するもの）を温存するように努めるべきである．

側索は側方から背側方向に転位して中央索とほぼ同じような走行となっている．これによりPIP関節は伸展位を呈してることとなる．側索を中央索から鋭的に切離して遠位から近位まで分離する 図9．ここでPIP関節を軽度屈曲すると側索は側方および掌側に移動可能となる．

本症例の適応は軽度なTypeにのみ適応となる．

▶中央索のstep-cut（Z）延長術

PIP関節のマニプレーションと側索の移動術後にPIP関節屈曲を制限している中央索が短縮しているので，中央索のstep-cut延長術を考慮すべきである．中央索のZ状切離術を中節骨の停止部が近位3-4 mmから始めて近位へ1-1.5 cmにわたり行う．関節包と側副靱帯の背側部分を含む背側関節包の剝離を行う．PIP関節を軽度屈曲位とし，延長した中央索を多数の横切したマットレス縫合を用いて修復する 図9．

▶後療法

術翌日より，できるだけ早くから自動運動を開始することを原則とする．術後2週，つまり抜糸して創が落ち着くまで背側extension block副子を装用とし，さらに8週，術後10週までは8字体副子の装用を続ける．

Type 3変形に対するPIP関節のマニプレーションまたは側索の移動術後，PIP関節を副子で1-2週屈曲位で保持すべきである．中央索延長術を行った例以外では自動屈曲を続けるべきである．これらの患者さんでは3-4週固定を行う．

> コツ
> いずれの手術を行うかは別であるが，白鳥の頚変形において術後PIP関節の屈曲がどの程度改善し，DIP関節の伸展がどの程度改善するかが重要である．

■文献

1) De Bruin M, van Uliet DC, Smeulders MJ, et al. Long-term results of lateral band translocation for the correction of swan neck deformity in cerebral palsy. J Pediatr Orthop. 2010; 30: 67-70.
2) Kiefhaber TR, Strickland JW. Soft tissue reconstruction for rheumatoid swan-neck and boutonniere deformities: long term results. J Hand Surg［Am］. 1993; 18: 984-9.
3) 南川義隆．関節リウマチ 手指関節．In: 三浪明男編．手・肘の外科: カラーアトラス．東京: 中外医学社．2007．p.487-95.
4) Ozturk S, Zor F, Sengezar M, et al. Correction of bilateral congenital swan-neck deformity by use of Mitek mini anchor: a new technique. Br J Plast Surg. 2005; 56: 822-5.

CHAPTER 9: 先天異常

152 手の先天異常（総論）

手の先天異常 congenital anomaly は胎児期に原因がある手の異常の総称である．主に器官の形成過程における発生，分化の異常によって生じる．ヒトの手の発生と分化は，受精後 4 週から 8 週にかけて行われる．この期間に，上肢芽，手板，指放線，指間間凹の形成が順次行われる 図1 ．この発生過程において，肢芽の外表にある外胚葉頂堤 apical ectodermal ridge（AER）が肢芽の深層にある中胚葉の分化を誘導すること，手板の極性化活性域 zone of polarizing activity（ZPA）で，retinoic acid, sonic headgehog の発現が橈尺側のパターン形成に関与すること，BMP2, 4, FGF4, 8 などの発現が指列の形成に関与している．手の正常発生過程の特定の時期に特定の障害が生じると特定の先天異常が生じることが知られている．先天異常を引き起こす臨床的な誘因としては，1）特定の単一遺伝子の異常（20％），2）薬物（抗てんかん薬，抗凝固剤，合成 vitamine A，抗がん剤），放射線，感染，酸素欠乏などの環境因子の曝露（10％），などがあげられるが，多くは 3）遺伝と環境の相互作用（30-70％）によると考えられる．

胎齢 A: 28 日, B: 34 日, C: 40 日, D: 44 日

E: ectoderm（外胚葉）
M: mesoderm（中胚葉）
AER: apical ectodermal ridge（外胚葉頂堤）
PCD: programmed cell death
DR: digital ray（指放線）

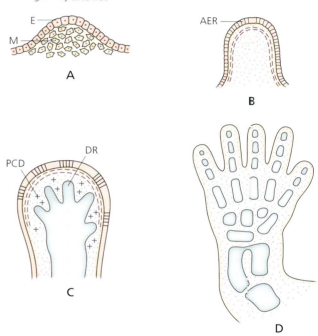

図1 手の発生

▶分類

手の先天異常分類は上述した発生学を基盤に取り入れた分類が試みられている．1976 年に Swanson が発表した分類法はその代表的なものである．その後，この分類法は国際手の外科連合の分類法として修飾が加えられ，現在本邦で用いられているのは 2000 年に報告された日本手の外科学会先天異常委員会の改良分類法である 表1 ．

▶治療原則

先天異常手の治療においては，障害をもって生まれた子への人格的配慮を十分に行わないと思わぬトラブルを招くことになる．両親，親族に対しては，障害の発生機序と将来の問題，遺伝的相談，治療方針，手術方法を時間をかけて説明する．特に母親に対しては，障害児の誕生は不幸ではなく，また母親や患児の責任ではないことを説明する．手の障害は患児の個性であり，健常児と同様の扱いをするように指導する．また親族，地域社会，学校に患児がそのまま受け入れられる環境づくりに協力する．治療方法としては，橈側列形成障害，重複，指列形成障害，過成長，絞扼輪症候群においては手術が原則である．しかし，合短指症，尺側列形成障害，低成長などでは，個々の患者の障害の重症度，両親の希望などにより保存治療か手術治療かを選択する．握り母指症，屈指症，拘縮などは装具治療を第一選択とする．手術においては，機能改善（握り，つまみ動作の改善，手が目標物の到達）と整容的改善の両面を考慮してゴールを設定する．手術時期は，疾患，家庭環境，就学状況などにより異なる．機能改善を目的とする手術はできるだけ早期に行う方が，手術成績がよい．その理由としては，術後の手の機能を患児が受け入れて手を使用する頻度が高くなるためである．整容的改善を目的とする場合は患児が手術適応を自分で判断できる中学生頃まで待ち，手術適応を患児，両親と相談して決定する．手術施行時期の目安としては，橈側列形成障害における radialization（生

表1 Modified IFSSH (International Federations of Socieities for Surgery of the Hand) Classification による手の先天異常分類（2000）

I. 形成障害 Failure of formation of parts
　　横軸形成障害（合短指症）
　　長軸形成障害（橈側列形成障害，尺側列形成障害）
II. 分化障害 Failure of differentiation of parts
　　先天性骨癒合（近位橈尺骨癒合症）
　　先天性橈骨頭脱臼
　　指節骨癒合症
　　多発性関節拘縮
　　握り母指症
　　屈指症
　　Madelung 変形
　　腫瘍類似疾患
III. 重複 Duplication
　　母指多指症
　　小指多指症
IV. 指列誘導障害 Abnormal induction of digital ray
　　皮膚性合指症
　　骨性合指症
　　中央列多指症
　　裂手
V. 過成長 Overgrowth
　　巨指症
VI. 低成長 Undergrowth
　　短指症
VII. 絞扼輪症候群 Constriction band syndrome
VIII. 骨系統疾患および症候群の部分症 Generalized skeletal abnormalities & parts of syndrome
IX. その他（分類不能を含む）

後 6 カ月），皮膚性合指症・母指多指症の手術（生後 6-10 カ月），中央列多指症・裂手症・絞扼輪症候群（10 カ月-2 歳），母指形成不全に対する母指化術（2 歳前後），母指形成不全に対する対立再建術（2-6 歳），巨指症（3-6 歳），近位橈尺骨癒合症（4-5 歳），短指症に対する指仮骨延長（10-14 歳）としている．

■ 文献

1) Kato H, Ogino T, Minami A, et al. Experimental study of radial ray deficiency. J Hand Surg [Br]. 1990; 15-B: 470-6.
2) Minami A, Sakai T. Camptodactyly caused by abnormal insertion and origin of lumbrical muscle. J Hand Surg [Br]. 1993; 18-B: 310-1.
3) Ogino T, Minami A, Fukuda K, et al. Congenital anomalies of the upper limb among the Japanese in Sapporo. J Hand Durg [Br]. 1986; 11-B: 364-71.
4) Ogino T, Minami A, Fukuda K. Abductor digiti minimi opponensplasty in hypoplastic thumb. J Hand Surg [Br]. 1986; 11-B: 372-7.
5) Ogino T, Minami A, Kato H. Clinical features and roentgenograms of symbrachydactyly. J Hand Surg [Br]. 1989; 14-B: 303-6.

CHAPTER 9: 先天異常—先天性橈尺骨癒合症

153 先天性橈尺骨癒合症に対する前腕の骨折回旋矯正術と回旋矯正骨切り術

先天性橈尺骨癒合症のほとんどは近位で橈骨と尺骨が癒合する（橈尺骨癒合症のCleary分類については別項目，参照のこと）．両側罹患例が多く，男性に多くみられる．1/3の例にはさまざまな全身合併奇形が存在する．20％の症例に家族内発生がみられる．遠位のこともあるがきわめて稀である．幼児期には本症の存在はほとんど気づかれることはないが，"ちょうだい"ができないとか，お茶碗の持ち方がおかしいなどに両親が気付き病院を受診することがほとんどである．

Tips コツ

前腕の回旋（回内・回外）は尺骨の周りを橈骨が回旋することにより得られる．しかし，手関節のlaxityにより代償作用として見かけ上の回内・回外が得られる．したがって，強い回内位あるいは回外位での癒合でなければ意外とADL上の不自由が少ないことも手術適応を決定する際に重要である．前腕の骨折回旋矯正術や回旋矯正骨切り術はこの手関節の回内外の代償機能を利用することとなる．

▶治療法

手術以外の治療法はないが，手術適応については意見の一致をみていない．手術方法には，回旋骨切り術と授動術がある．回旋骨切り術では，前腕の骨切り後に利き手側では前腕中間位に，非利き手側ではやや回外位固定とする．骨切り部位には近位橈尺関節癒合部を骨切りする方法と橈骨単独の骨切り術，あるいは橈骨と尺骨の両方を骨幹部で骨切りする方法がある．授動術は橈尺骨癒合部を解離し橈骨を骨切り固定して橈骨頭整復後に，解離した橈尺骨の間隙に血管柄付き上腕筋膜脂肪弁を充填する方法，あるいは遊離筋膜脂肪弁の代わりに後骨間動脈脂肪弁を充填する変法がある．

▶手術適応

ADL上に不自由を感じるほどの前腕の回外や回内位固定が手術適応である．例えば，お茶碗を持つには前腕を回外しなければならないが，回内位に固定されている場合にはお茶碗の端を持ち上げるようにしか持つことができない などである．両側あるいは片側の前腕が60°以上の重度回内位で癒合している場合は手術適応である．片側の前腕が軽度回内位から中間位で癒合している場合には，手術適応は少ない．コツの欄にも記載し

図1 先天性橈尺骨癒合症．近位部で橈尺骨が癒合し，前腕が回内位で固定され，回外位でコップを把持できない

たが，前腕が先天性橈尺骨癒合症により固定されていても，手関節の回内外方向の代償機能によりADL上の不自由が少ない場合には手術適応とはならない．

▶所見

前腕回旋の計測は"前ならえ"のように肘関節を脇に付けて橈骨茎状突起と尺骨頭で行うべきである．

落とし穴

前腕回旋を計測する際に手に長い棒を持って行うことが教科書などに記載されているが，手関節のlaxityおよび手指CM関節の動きによる代償作用を測定していることとなるので正確ではないことを注意すべきである．

X線学的所見は橈尺骨癒合症に対する授動術の項にも記載しているが，ほぼ全例近位で橈尺骨癒合症が，発生している．橈骨頭は下（後）方に（亜）脱臼していることが多い．

▶前腕の骨折回旋矯正術

X線透視下に橈骨遠位1/4部にK鋼線を用いて数回刺入し，用手的に骨折させて望ましい肢位まで矯正して長上肢ギプス固定を行うものである．図2のように前腕中央橈側から遠位に約5cmの皮切を加える．骨膜を

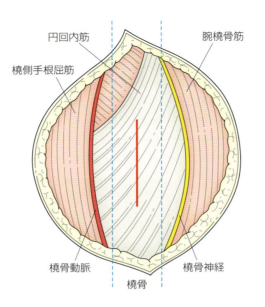

図2 皮切を前腕中央橈側から遠位に約5 cm加える

図3 橈骨の骨膜を愛護的に縦割する

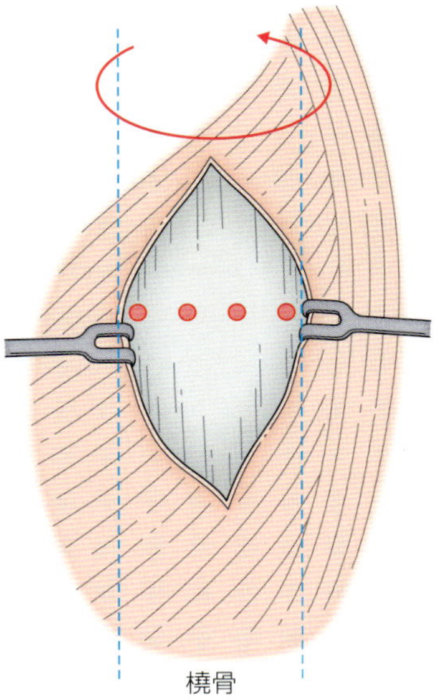

図4 橈骨を露出して，K鋼線を用いて数回刺入し，用手的に骨折を起こす

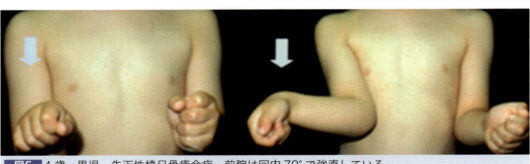

図5 4歳，男児．先天性橈尺骨癒合症　前腕は回内70°で強直している

愛護的に縦割して 図3 ，橈骨を露出し，K鋼線を用いて数回刺入し用手的に骨折を起こす 図4 ．他の手術方法と比べるときわめて容易であり，合併症も少ない利点がある．

症例 は4歳，男児であり，右前腕は回内70°位で強直している 図5, 6A ． 図6B は術前CT像である． 図6C は骨折回旋矯正術直後X-Pである． 図7 は前腕の骨折回旋矯正術後3年の状態である．前腕は10°回内位に固定されているが，手掌面は見かけ上であるが，回内70°，回外45°と良好な結果が得られた 図8A, B ． 図9 は術後3年の状態であり，良好な機能が獲得されている．

▶前腕回旋矯正骨切り術

皮切

橈尺骨癒合部上の尺骨骨稜上に縦皮切を加える 図10 ．

展開

皮切を加えた後，尺側手根伸筋（ECU）と尺側手根屈筋（FCU）の間から骨膜を鋭的に縦割して癒合部を露出して尺骨を露出する 図11 ．あるいは曲がりエレバトリウムを癒合部に挿入する 図12 ．ここで骨切り部位をX線透視下で確認する．

骨切り術・鋼線固定術

スムースSteinmannピン（直径0.062インチ）をX線透視下に経皮的に肘頭から尺骨の髄腔内へ刺入して骨切り予定部の近位まで挿入する 図13 ．

骨切り部をエレバトリウムで軟部組織から保護し，生食水を同部にかけながら電動鋸を用いて横方向に骨切りを行う 図14 ．骨切りを行い，数mm骨短縮を行うこともある．前腕を望ましい肢位（できれば前腕中間位）まで回旋する 図15 ．途中まで刺入したピンを骨切り部を越えて前進させる．前進させると遠位は橈骨髄腔に挿入されることにより，回旋矯正が得られたこととなる 図16 ． 図16 は鋼線が尺骨近位から遠位へ刺入されているが，矯正がなされると尺骨から橈骨へ挿入される

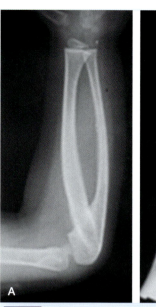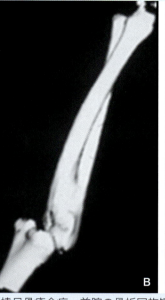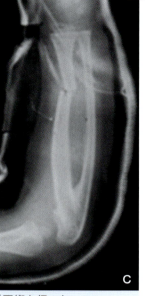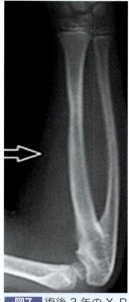

図6 4歳，男子，先天性橈尺骨癒合症．前腕の骨折回旋矯正術を行った
A: 術前 X-P
B: 術前 CT: 近位にて橈尺骨が癒合している．橈骨頭は後方に亜脱臼している．
C: 骨折回旋矯正術直後 X-P

図7 術後 3 年の X-P

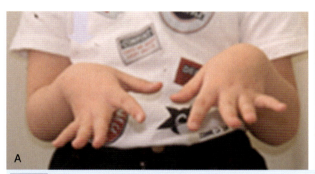

図8 右前腕の骨折回旋矯正術後の前腕の回旋
A: 回内（手掌面）70°　B: 回外（手掌面）45°

図9 前腕の骨折回旋矯正術後 3 年．食事，洗顔，書字動作が容易となった

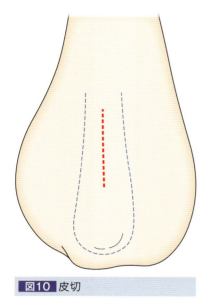

図10 皮切

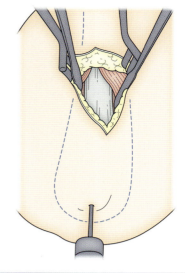

図13 肘頭から経皮的にスムース Steinmann ピンを骨切り予定部まで挿入する

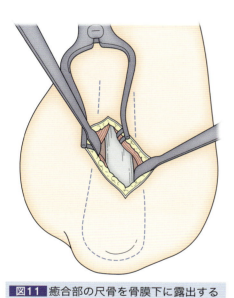

図11 癒合部の尺骨を骨膜下に露出する

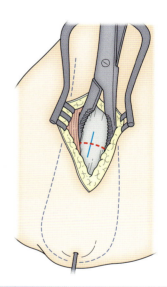

図14 骨癒合部を骨切りする

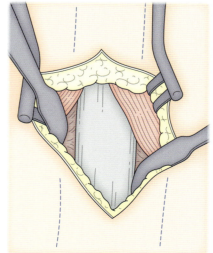

図12 癒合部を幅広くエレバトリウムで露出する

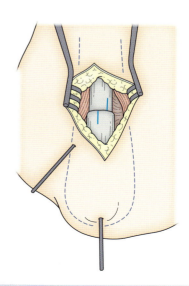

図15 前腕を望ましい肢位まで回旋する

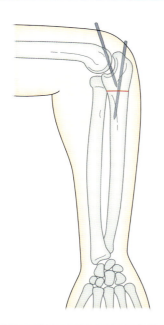

図16 ピンを骨切り部を超えて前進させる

ことが多い.

 コツ

骨切り後の前腕の肢位としては中間位が望ましいが，90°以上の矯正を行うことは癒合部付近を後骨間神経（PIN）が走行しているので術後麻痺を招来する危険があるので留意する.

さらに回旋制御のために斜めに 1.2 mm 径の K 鋼線を骨切り部を越えて X 線透視下に経皮的に刺入することもある 図16 ．ギプスで固定しても構わない．

▶後療法

創を閉鎖後，肘 90°屈曲位にて副子または長上肢ギプスで上腕から手指まで固定する．術後，神経血管系のモニターを慎重に行う．とくに PIN 麻痺が疑われる場合には矯正した回旋角度を少し緩めることを考慮する．

術後 6 週でギプスと鋼線は抜去する．以後，ADL での使用を許可し，とくに特別な理学療法は必要ない．

■文献

1) Bolano LE. Congenital proximal radioulnar synostosis: treatment with the Ilizarov method. J Hand Surg [Am]. 1994; 19: 977–8.
2) Cleary JE, Omer GE Jr. Congenital proximal radio-ulnar synostosis. Natural history and functional assessment. J Bone Joint Surg [Am]. 1985; 67: 539–45.
3) Green WT, Mital MA. Congenital radio-ulnar synostosis: surgical treatment. J Bone Joint Surg [Am]. 1979; 61: 738–43.
4) 加藤博之. 先天性近位橈尺骨癒合症. In: 三浪明男編. 手・肘の外科: カラーアトラス. 東京: 中外医学社; 2007. p.568–71.
5) Ogino T, Hikino K. Congenital radio-ulnar synostosis: compensatory rotation around the wrist and rotation osteotomy. J Hand Surg [Br]. 1987; 12: 173–8.
6) Simmons BT, Southmayd WW, Riseborough EJ. Congenital radioulnar synostosis. J Hand Surg [Am]. 1983; 8: 829–38.

CHAPTER 9: 先天異常—先天性橈尺骨癒合症

154 先天性橈尺骨癒合症に対する血管柄付き筋膜脂肪弁移植と橈骨骨切り術を用いた授動術

図1 に先天性橈尺骨癒合症の分類（Cleary 分類）を示す．先天性橈尺骨癒合症に対する授動術は古くからいろいろな方法が試みられている．癒合部の切除のみではほぼ全例で再癒合することはよく知られており，授動術には橈尺骨の癒合部を切除・解離後，両骨間に再癒合を防止するための筋肉など介在物を挿入する介在法（interposition arthroplasty）と人工物であるスペーサーなどを挿入する方法が報告されている．萩荘，田島らは橈尺骨分離部にシリコン膜を挿入し再癒合を防ぎ 5 年以上経過した 4 例で平均 41° の回旋可動域を得たと報告した．矢部は解離部に肘筋を介在する手術法を開発し 1 年以上経過した 3 例の可動域は平均 55° であったと報告している．私の経験では私の手術の仕方がよくなかったかも知れないが，肘筋介在法では再癒合に陥った例も少なくなかった．

金谷は橈尺骨癒合部の骨切除・解離後，同部の再癒合を防止する目的で介在物として生きている（viable）筋膜脂肪弁移植を血管柄付きとして移植し，さらに亜脱臼・脱臼している橈骨頭を整復するため橈骨骨切りを行うという新しい手術手技を開発し，良好な成績を報告している．

> **Tips コツ**
> 先天性橈尺骨癒合症に対する金谷法による授動術は技術的には高難度の手術であるので，手の外科およびマイクロサージャリーの経験豊富な手の外科医が行うべきである．そのような医師が行ってもなお，腕橈関節を整復位に保つことは簡単ではないことを知るべきである．

▶手術

皮切
肘関節に対して後外側皮切を加える（皮切の詳細については肘関節形成術の項を参照のこと）．後外側皮切により肘筋を露出し遠位から骨膜下に剝離する．この際，骨膜は遠位までできるだけ長めにつけることが重要である．肘筋を近位へ翻転する．

癒合部の露出・分離
骨癒合部を中心に尺骨骨幹部を尺側手根伸筋（ECU）と尺側手根屈筋（FCU）の間で露出する 図2 ．癒合部の近位縁と遠位縁を注射針を用いて確認する．橈尺骨癒合部の骨膜を剝離し，近位縁と遠位縁をしっかり確認しながらこの両端を結ぶように電動バーを用いて丁寧に癒合部を分離する 図3 ．どうしても橈骨を多く切除する傾向にある．

> **Tips コツ**
> まず最初に近位縁と遠位縁を連続するように狭く縦割し，次いでこの部が見やすいように回外位にして必要量を削った方が展開が容易で安全である．

近位橈尺関節の形成
円滑な前腕の回旋運動を得るために，近位橈尺関節（PRUJ）を形成する．橈骨頭と尺骨切痕の関節面を円形に電動バーを用いて形成し，良好な PRUJ を得る．金谷によれば，骨癒合部分離により形成される間隙は長さ 4-5 cm，幅 1-1.5 cm に及ぶとされている．

> **Tips コツ**
> 橈骨を多く掘削することとなるが，正常の 1/2-1/3 の太さまで掘削しても問題はないが，術中操作中，骨折の発生に注意する．

前方部分の操作
次いで肘関節前方のゆるい S 字状皮切を加えて，橈骨神経，正中神経，上腕動脈から橈骨動脈を露出する．骨癒合部解離後の間隙に挿入する血管柄付き筋膜脂肪弁のレシピエントの血管である橈側反回動静脈を確保剝離しておく（侵入法について，別項目参照のこと）．

上腕二頭筋腱は橈骨の二頭筋結節と丁度骨癒合部に停止しているため，先ほどの背側からの骨癒合部の掘削により二頭筋腱付着部の約 2/3 は遊離となる．尺骨の橈側で骨膜を切離し遊離した上腕二頭筋腱に絹糸を掛けて背側に引き出しておく．

> **Tips コツ**
> 二頭筋腱停止部全てが剝がれてしまうことがあるので，その場合には Mitek suture anchor を用いて再縫着する準備をする．

橈骨頭の整復
橈骨頭は前方あるいは後方に脱臼している．橈骨頭を上腕骨小頭部に前腕を回内・外してもしっかり整復位を

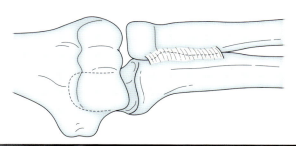

A Type Ⅰ

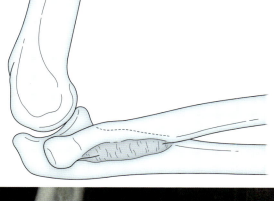

C Type Ⅲ

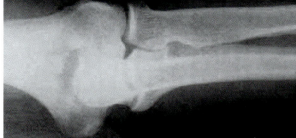

B Type Ⅱ

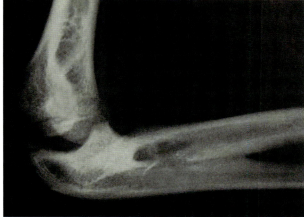

Cleary 分類　Type Ⅰ：線維性癒合で前腕回旋運動が軽度可能なもの（A）
　　　　　　Type Ⅱ：骨性癒合で橈骨頭脱臼がない（B）
　　　　　　Type Ⅲ：骨性癒合で橈骨頭後方脱臼がある（C）
　　　　　　Type Ⅳ：骨性癒合で橈骨頭前方脱臼がある（D）

D Type Ⅳ

図1 橈尺骨癒合症の分類

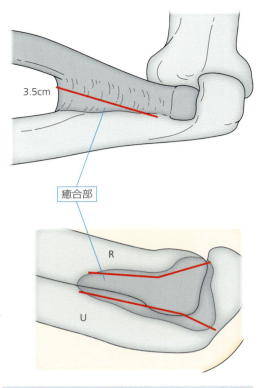

図2 橈尺骨癒合部の露出

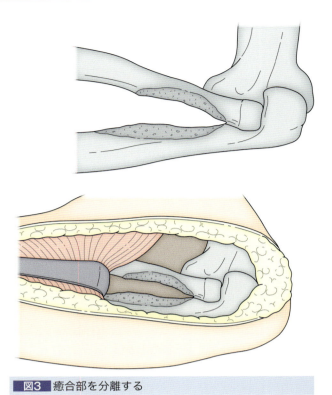

図3 癒合部を分離する

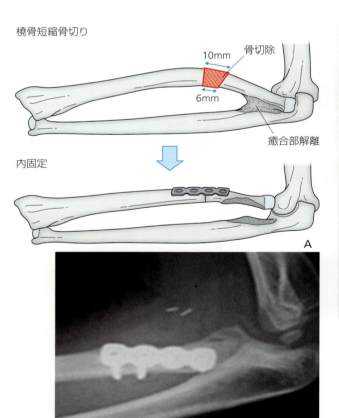

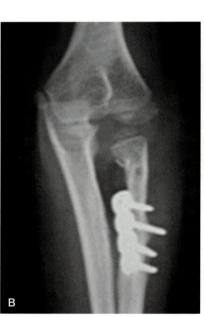

図4 橈骨頭の整復のために橈骨矯正骨切り術を行い，プレート固定する
A: 橈骨短縮骨切り術（シェーマ）　B: 正面像　C: 側面像

保つべく，橈骨を短縮し，楔状あるいは台形状に骨片切除を行う．骨切り部は回外筋と回内筋付着部の間とすべきである．遠位骨片の血行を阻害しないために回外筋をできるだけ温存する．獲得した回内外可動域の中央が軽度回内位となるように骨切り部を4穴のスモールプレートを用いて固定する 図4A, B, C．

血管柄付き筋膜脂肪弁の採取

金谷は同側または反対側より血管柄付き上腕外側筋膜脂肪弁（別項目，参照のこと）を採取している．2×1 cmのmonitoring flapを付けて，上腕中央部の最も分厚い部から6×4 cm大の筋膜脂肪弁を採取する 図5．私たちは血管縫合が不要な後骨間動脈脂肪弁を用いることもある 図6．

 コツ

金谷の話では橈尺骨癒合部には分厚い大量の脂肪を介在されるべきとしており，その意味では後骨間動脈脂肪弁よりも上腕外側筋膜脂肪弁の方が有利であろうと考える．しかし，何よりも血管縫合を要することである．

上腕二頭筋腱の再固定

橈骨背側骨皮質にsuture anchorを用いて遊離した上腕二頭筋腱を再縫着する．

肘筋・筋膜脂肪弁の充填

肘筋を骨癒合切除部近位の間隙に，二頭筋の遠位・尺側の間隙に遊離血管柄付き筋膜脂肪弁を充填する 図7．Monitoring flapに絹糸を掛けて筋膜脂肪弁を掌側から背側に向けて橈尺骨間隙に引っ張って間隙なく充填する．上腕深動脈を橈側反回動脈に，2本の伴走する静脈をそれぞれ橈側反回動脈の伴走静脈と皮下静脈に顕微鏡下に縫合する．

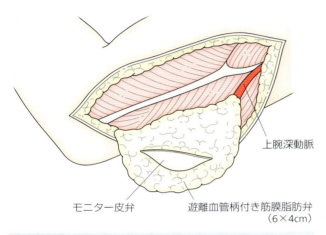

図5 血管柄付き筋膜脂肪弁を橈・尺骨間隙部に挿入する

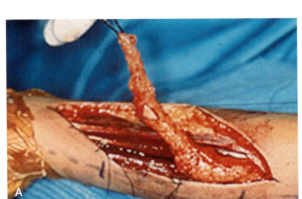

図6 後骨間動脈脂肪弁の採取　A: 術中写真　B: 血管造影所見

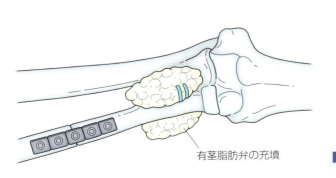

図7 有茎脂肪弁の充填

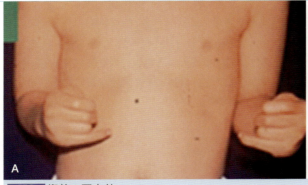

図8 術前の回内外
A: 回内　B: 回外

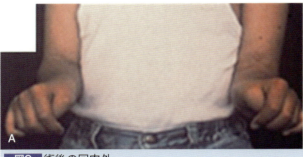

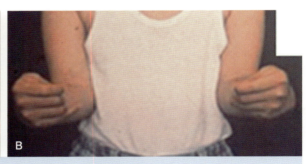

図9 術後の回内外
A: 回内　B: 回外

▶後療法

肘関節90°屈曲位，回内外中間位で上腕ギプス固定を行う．術後4週でギプスを除去してリハビリテーションを開始する．以後，骨癒合が得られた後に次第にリハビリテーション（とくに前腕の回旋運動）を加速する．

▶症例供覧

術前の前腕回内外　図8A，B

術後の前腕回内外　図9A，B　術後，80°の前腕回旋可動域が得られた．

■文献

1) Cleary JE, Omer GE Jr. Congenital proximal radio-ulnar synostosis. Natural history and functional assessment. J Bone Joint Surg [Am]. 1985; 67: 539-45.
2) 萩荘則行，田島達也，吉津孝衛，他．先天性橈尺骨癒合症に対する手術術式と成績検討．日整会誌．1991; 65: S554.
3) 金谷文則，普天間朝上，森山朝裕，他．血管柄付き筋膜脂肪弁移植と橈骨骨切り術を用いた先天性橈尺骨癒合症授動術の短期成績．整・災外．1995; 38: 697-703.
4) Kanaya F. Mobilization of congenital proximal radio-ulnar synostosis: a technical detail. Tech Hand Up Extrem Surg. 1997; 1: 183-8.
5) Kanaya F, Ibataki K. Mobilization of a congenital proximal radio-ulnar synostosis with use of a free vascularized fascio-fat graft. J Bone Joint Surg [Am]. 1998; 80: 1186-92.
6) 加藤博之．先天性橈尺骨癒合症．In: 三浪明男編．手・肘の外科: カラーアトラス．東京: 中外医学社; 2007．p.568-71.
7) 矢部　裕．先天性橈尺骨癒合症に対する新手術法．整形外科．1971; 22: 900-3.

CHAPTER 9: 先天異常—母指

155 橈側列形成不全に対する中央化術

橈側列形成不全に対する中央化術（centralization）は以前は比較的よく行われていた手術であるが，最近ではIlizarov創外固定器を用いた創外固定により手関節の橈屈を徐々に矯正する方法が好んで用いられている．私にはこの経験はないので中央化術について記述する．成長帯を含む骨軟骨移植術により橈側列骨を再建する方法も報告されているが，思ったほどの効果は得られていないのではと考える．

> **Tips コツ**
> 本手術は専門的な知識と経験を要する手術である．また術後，再発も高頻度に発生する．

▶手術適応

Blauthの橈側列形成障害で橈骨の部分的または完全な欠損を示すタイプⅢ，Ⅳが最もよい適応である．できれば，他動的に強制的に矯正して手骨がA-P, lateral方向で残存する尺骨遠位端上に整復できる場合が適応となり，この条件下で良好な結果が期待できる．

手術前には数回の矯正ギプス固定や牽引装置（Ilizarov創外固定）を用いて，橈側軟部組織の緊張を取り除くようにすると術中，橈側軟部組織構造の解離が容易となる．

> **Tips コツ**
> これらの処置により中央化手術の際の骨切除の量を最小化することができるのできわめて有用である．

▶術前評価

術前手関節のX-Pにより橈骨がどの程度残存しているかを評価する．つまり部分的欠損か全欠損かを評価する．橈骨とともに尺骨の長さと形状を評価する 図1．尺骨は強く橈側にbowingしており，30°以上のbowingの場合，通常，中央化手術とともに尺骨を尺側方向へ矯正骨切り術を行う．

▶手術

皮切
橈側および尺側の手関節部の操作を要するので手関節背側に尺側へ突出したジグザグ皮切を加える 図2A, B．広く皮下を剝離する．

展開
まず最初に尺骨神経の背側枝を同定し保護する．伸筋支帯上まで皮下組織を皮膚に含めて深く剝離し，伸筋支帯を露出する．尺骨頭の背尺側部で比較的太い尺側手根伸筋（ECU）腱を確認し，これを遠位まで追って第5中手骨基部の停止部で切離する 図3．

> **Tips コツ**
> ECU腱は手関節が強く橈屈して変形しているので伸筋支帯の遠位で同定する方が比較的容易である．

伸筋支帯を第6区画で縦に切離して弁状に橈側方向に翻転する．これにより橈側方向まで指伸筋腱を確認することができる．第4区画までの伸筋腱は存在することが多いが，第3区画内の長母指伸筋（EPL）腱，第2区画内の長・短橈側手根伸筋（ECRL・B）腱および第1区画の伸筋・外転腱は欠損しているか，あるいは細い紐状の索状物として周囲の骨あるいは瘢痕化した軟部組織へ癒着している．

尺骨手根関節部に横走する関節切開を行い，尺骨頭を露出する．手根骨は尺骨頭の掌側・橈側に存在しており，深部まで観察しないと手根骨の正確な構築を同定できない．尺骨の成長帯の遠位で軟部組織を剝離して手根骨を背側・尺側に整復する．尺骨頭周囲，尺骨手根関節から手根骨の整復の障害となる余分な線維組織を切除し，用手的に手根骨（できれば月状骨）を尺骨頭上に乗せる，つまり新しい尺骨手根関節を作成する．

> **Tips コツ**
> 橈側軟部組織および尺骨頭周囲の十分な剝離を行ったにも関らず整復が得られない，あるいは整復の保持が困難な場合はそもそも本手術の適応がないともいえる．

遠位尺骨の成長帯の損傷を避けるために無理やり整復することなく，手根骨（多くは月状骨）を一部切除あるいは掘削して尺骨頭が容易に整復されるようにする．

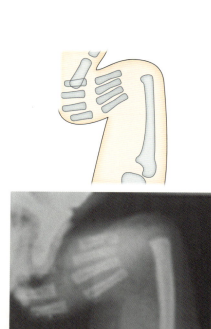
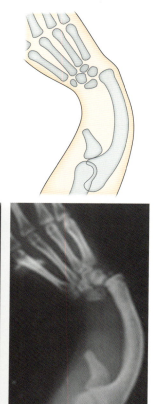

TypeⅠ：橈骨全欠損　　TypeⅡ：橈骨部分欠損

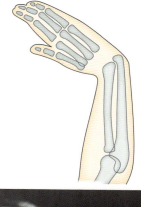
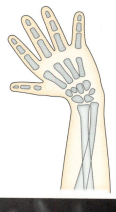

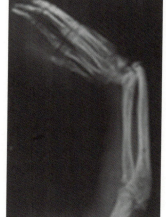
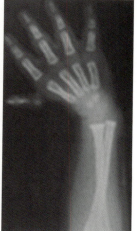

TypeⅢ：橈骨低形成　　TypeⅣ：橈骨正常（母指形成不全）

図1　橈側列形成不全（Blauth）

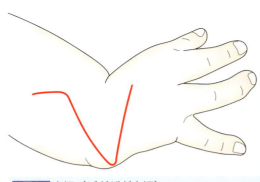
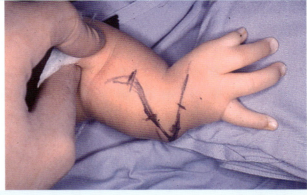

図2 皮切（ジグザグ皮切）

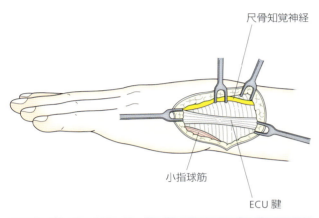

図3 手関節尺側部でECU腱を確認し，第5中手骨基部停止部で切離する．

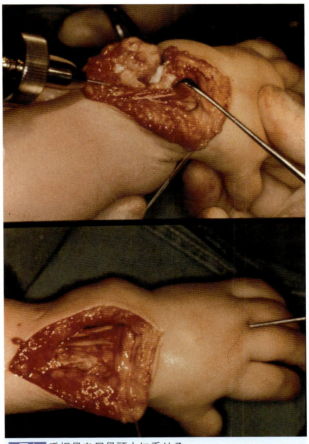

図4 手根骨を尺骨頭上に乗せる

固定

2-3 mm径のK鋼線あるいはSteinmann pinを手根骨から第2または第3中手骨へ順行性に通し，尺骨手根関節を整復した後，尺骨骨幹へ逆行性に通して整復を維持する 図5 ．

先にも記載したが，尺骨の橈側方向へのbowing（角状変形）が30°以上の場合，尺骨の曲がりの頂点で骨幹部楔閉じ矯正骨切り術を行い，やはりK鋼線またはSteinmann pinを用いて固定する．

縫合・閉鎖

手関節の関節包を縫縮する．伸び切っているECU腱を前進（縫縮）させて再縫着して，手関節尺側部の軟部組織を緊張させて縫合する．橈側に翻転した伸筋支帯を指伸筋腱の下を通して，手関節の関節包を補強する．尺側の余分な皮膚と皮下組織を大胆に切除して，皮膚は吸収性縫合糸で閉鎖する．

▶後療法

術後8週間は最低固定する．K鋼線が自然と抜ける恐れがあるので注意しながら長上肢ギプス包帯を巻行する．以後，少なくとも3カ月間は手関節を尺側へ保持，つまり橈屈への再発を防止するために着脱式の長上肢オルソプラスト副子を装用する 図6 ． 図7A, B に術後外観を示す．

▶術後合併症

本法（本法というよりは本症というべきと考える）の合併症は再発と成長障害であり，これらを完全に予防することは残念ながら困難であると言わざるを得ない．それほど本症の治療は困難である．

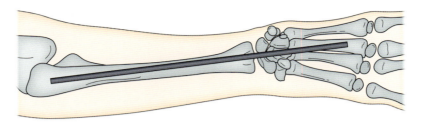

図5 固定

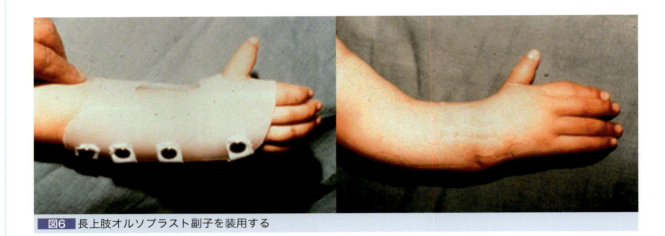

図6 長上肢オルソプラスト副子を装用する

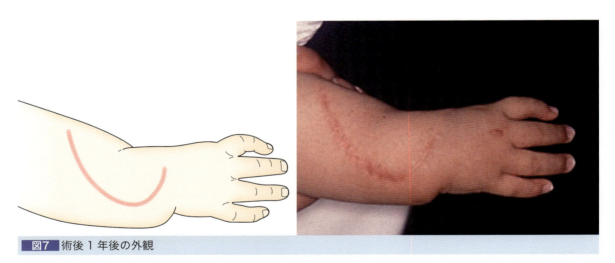

図7 術後1年後の外観

■ 文献

1) Damore E, Kozin SH, Thoder JJ, et al. The recurrence of deformity after surgical centralization for radial clubhand. J Hand Surg［Am］. 2000; 25: 745–51.
2) Geck MJ, Dorey F, Lawrence JF, et al. Congenital radius deficiency: radiographic outcome and survivorship analysis. J Hand Surg［Am］. 1999; 24: 1132–44.
3) Goldfarb CA, Klepps SJ, Dailey LA, et al. Functional outcome after centralization for radius dysplasia. J Hand Surg［Am］. 2002; 27: 118–24.
4) Nanchahal J, Tonkin MA. Pre-operative distraction lengthening for radial longitudinal deficiency. J Hand Surg［Br］. 1996; 21: 103–7.
5) Kato H, Ogino T, Minami A, et al. Ex-perimental study of radial ray deficiency. J Hand Surg［Br］. 1990; 15: 470–6.
6) 加藤博之. 長軸欠損（橈側列形成障害）. In: 三浪明男編. 手・肘の外科: カラーアトラス. 東京: 中外医学社. 2007. p.554–9.
7) Pickford MA, Scheker LR. Distraction lengthening of the ulna in radial club hand using the Ilizarov technique. J Hand Surg［Br］. 1998; 23: 186–91.
8) Ogino T, Minami A, Fukuda K. Abductor digiti minimi opponensplasty in hypoplastic thumb. J Hand Surg［Br］. 1986; 11: 372–7.
9) Smith AA, Greene TL. Preliminary soft tissue distraction in congenital forearm deficiency. J Hand Surg［Am］. 1995; 20: 420–4.
10) Tonkin M. Surgical reconstruction of congenital thumb hypoplasia. Indian J Plast Surg. 2011; 44: 251–65.
11) Vilkki SK. Distraction and microvascular epiphysis transfer for radial club hand. J Hand Surg［Br］. 1998; 23: 445–52.

CHAPTER 9: 先天異常―母指

156 母指低形成に対する示指の母指化術

示指（極めてまれに中指のこともある）の母指化術は手の外科領域の手術の中で最も手の外科の醍醐味のある手術のうちの1つであると私は思っている．手の外科の専門知識と卓越した手術技術を要する手術である．

▶手術適応

Blauthの分類（分類の詳細については別項目を参照のこと）でタイプⅢB，Ⅳ，Ⅴの母指低形成が手術適応である．

オピニオン

本手術を患者の家族に勧める際，どうしても問題となるのは小さいながら，また機能がないながら存在している低形成の母指を犠牲とすることに対する家族の戸惑いである．何としても5本の指を希望する場合が圧倒的に多い．したがって別項にも記載しているが足指の関節をmicrosurgeryを用いて移植し母指基部を再建する手術についてもお話すべきである．私は機能を重視する上からも示指の母指化術を勧めている．

▶術前評価

母指化する示指がよく動くことが新しい良好な母指を作製する上で重要である．TypeⅢAとⅢB母指の鑑別も重要である．CM関節が存在するか欠損しているかが本手術のキーポイントである．

▶母指化術

皮切

私は古典的なBuck-Gramcko法の皮切 図1, 2 以外の経験はないが，今ではEzaki & Carterによって修飾された皮切のデザインが好んで用いられているようである．

コツ

本手術において皮切のデザインはきわめて重要であり，母指化術を行うことにより立体的にどのような最終的な出来上がりとなるのかをイメージすることが重要である．

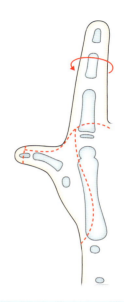

図1 示指の母指化術の皮切（掌側面）

展開

掌側展開

掌側皮切を最初に加える 図1 ．まず示指の橈側神経血管束を同定し分離する．この神経血管束は低形成なこともあるがまず確保する．次いで第2指間（示指・中指間）への総指血管（common digital vessels）を確認するために，尺側方向へ剥離を進め，尺側神経血管束を同定する．この動脈は示指への血行を確保する意味できわめて重要なものである．総指動脈（common digital artery）を遠位まで慎重に剥離して示指尺側と中指橈側への固有指動脈を同定する．また，示指尺側の固有指動脈を近位方向まで追い，十分に移動可能となるように剥離しておく．最終的に固有指神経は神経束単位で分離（裂くように）して総指神経まで剥離する．

また，総指動脈から中指への固有指動脈への分岐部の遠位で結紮して総指動脈から示指への固有指動脈をintactとして連続性を保つこととする．

示指のA1 pullyを切離した後に示指・中指間の深横中手靱帯を総指動脈を傷つけないように切離して示指を移動しやすくする．

背側展開

次いで示指背側の展開に移るが，できるだけ多くの背側静脈を温存しつつ，背側皮膚を挙上する 図2 ．示指

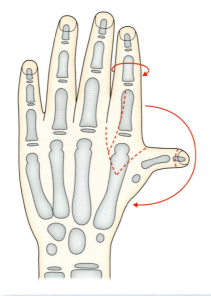

図2 示指の母指化術の皮切（背側面）

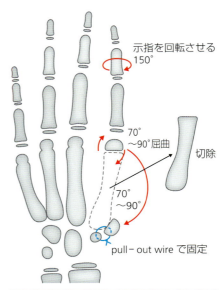

図3 母指CM関節の再建
第2中手骨は基部から頚部までを全切除し示指の全長を短縮する．母指尖端が尺側隣接指のPIP関節より短くする．第2中手骨頭は70°から90°屈曲させて結果的にMP関節を過伸展位としてから，その角度を保つように掌側の関節包と一緒にpull out wireを用いて，大菱形骨に緩く固定する．

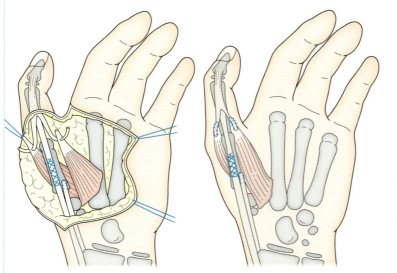

図4 腱縫合を行い，新しいMP関節の安定性を得る．
母指CM関節とMP関節の機能再建．切離した骨間筋の縫合による母指外転筋，母指内転筋の再建，指伸筋腱の縫着と示指固有伸筋腱の短縮を行う．

伸筋腱〔総指伸筋（EDC）腱および示指固有伸筋（EIP）腱〕との腱間結合が存在していれば切離して，直線上に引っ張ってみて引っかかりが存在しないことを確認する．

示指中手骨，MP関節から第1背側骨間筋（FDI）および掌側骨間筋（FPI）を挙上する．これらの腱が側索として伸筋矢状索に沿って，停止部へと剥離し矢状索の一部分とともにそれらを剥離し，きたるべき腱移行を行いやすいように腱を延長して採取する．PIP関節背側で骨間筋のための停止部を分離する．

指移行術

示指中手骨をその基部と成長帯を残して切除する．骨幹端部で垂直に中手骨を切断する．中手骨を成長帯の近位から遠位へ鋭的に剥離し，隣接する側副靱帯を保持しつつ，成長帯を通して中手骨の遠位切断を行う ．

Tips コツ
成長帯の切除（骨端線固定術）により，母指化された示指が過度に成長しないようにすることができる．

成長帯と背側関節包を通して設置した非吸収糸を用いて，示指のMP関節を過伸展位（70°-90°）とする 図3 ．

Tips コツ
正常母指CM関節は過伸展しないので移行する示指MP関節を過伸展に設置することにより，これを防ぐことができる．この考えはBuck-Gramckoの大発見と言えるほど素晴らしいアイデアと思う．

示指中手骨骨端部を残存する中手骨基部に適合させ

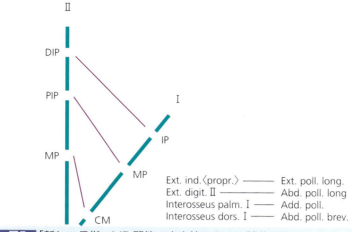

図5 「新しい母指」MP関節の安定性のための腱移行術

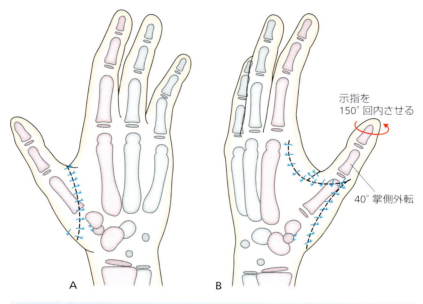

図6 皮膚閉鎖
A: 掌側面　B: 背側面

る．この際，正常母指のアライメントを再形成するために，移行する（母指化する）示指を45°外転，100-150°回内位に慎重に設置する 図3 ．アライメントを整えた後，適合させた中手骨骨端部と基部との間に骨内非吸収糸を入れて縫合する．次いで，先に延長剝離したFDIを橈側側索へ，FPIを尺側側索へ移行する腱移行術により新しい母指のMP関節の安定性を得られるようにする 図4 ．

新しい母指への腱移行術によるMP関節の安定性を図示すると 図5 のようになる．

閉鎖

神経血管束の捻じれや位置などに十分注意して，母指化術の掌側部に沿って皮膚閉鎖を行う．背側皮膚は最後に閉鎖する．皮膚については余分な皮膚を切除して全体の外観を調整する 図6A, B ．

> **Tips コツ**
>
> 術中，血管の操作を行うこととなりどうしても攣縮が発生することがある．一般的には示指への血流は早期に回復するが，なかなか回復に時間がかかることもあるので留意すべきである．時間がかかり，また術野に出血が起こり，手間はかかるが手術途中に空気止血帯を解除して血流の回復，血管の攣縮を取ることも重要である．

術後固定

小児の場合，ギプスシーネが抜けないこととするために，肘を強く屈曲した状態で長上肢副子固定とする．

▶後療法

ギプス包帯は術後4-5週で除去し，その後，理学療法を開始する．短上肢母指ギプス包帯を作製する．

▶症例供覧

症例1　4歳，男児．浮遊母指である 図7 ．図8 は掌側皮切．図9 は術直後の外観である．Pollicization術後1年の外観である 図10, 11 ．

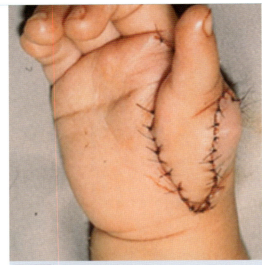

図9　示指の母指化術を行った

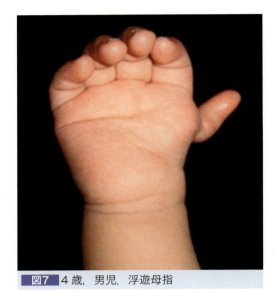

図7　4歳，男児．浮遊母指

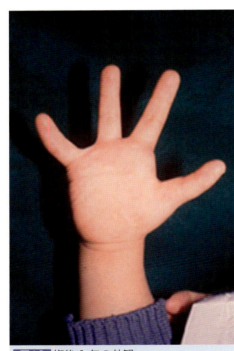

図10　術後1年の外観

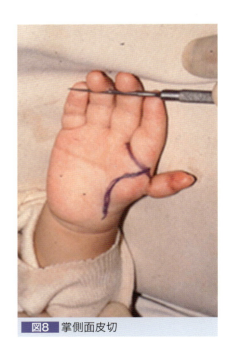

図8　掌側面皮切

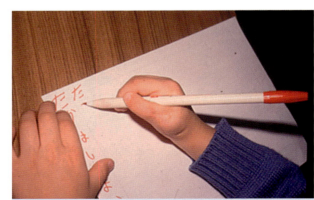

図11　書字も自由に行えるようになった

症例2 4歳，男児．浮遊母指である 図12 ． 図13 は policization 術後 1 年の外観である．

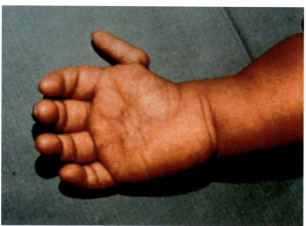
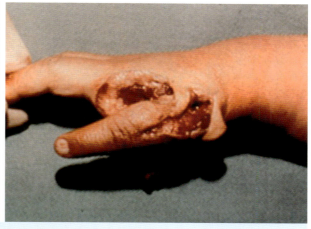

図12 術前および術中フォト

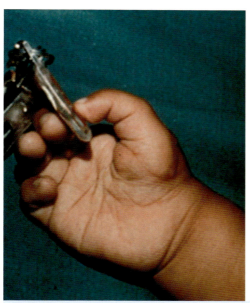
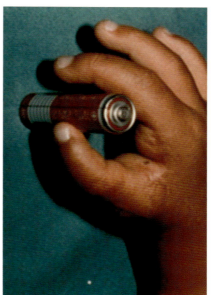

図13 術後 1 年の摘み動作

■文献

1) Buck-Gramcko D. Pollicization of the index finger: method and results in aplasia and hypoplasia of the thumb. J Bone Joint Surg [Am]. 1971; 53: 1605-17.
2) Clark DI, Chell J, Davis TR. Pollicization of the index finger: a 27-year follow-up study. J Bone Joint Surg [Br]. 1998; 80: 631-5.
3) Foucher G, Medina J, Navarro R. Microsurgical reconstruction of the hypoplastic thumb, typeIII. J Reconstr Microsurg. 2001; 17: 9-15.
4) 加藤博之．母指形成不全．In: 三浪明男編．手・肘の外科: カラーアトラス．東京: 中外医学社．2007．p.560-7.
5) Kozin SH, Weiss AA, Webber JB, et al. Index finger pollicization for congenital aplasia or hypoplasia of the thumb. J Hand Surg [Am]. 1992; 17: 880-4.
6) Manske PR, Rotman MB, Dailey LA. Long-term functional results after pollicization for the congenitally deficient thumb. J Hand Surg [Am]. 1992; 17: 1064-72.
7) McCarroll HR. Congenital anomalies: a 25-year overview. J Hand Surg [Am]. 2000; 25: 1007-37.

CHAPTER 9: 先天異常—母指

157 母指形成不全に対して遊離足趾関節移植術＋Huber-Littler法を用いた母指対立機能再建術

先天性母指形成不全は母指が健側よりわずかに小さいくらいのものから完全に欠損しているものまで種々の程度を呈している．Blauthは 表1 のように母指形成不全の重症度別の分類を行い，それに対する治療法について報告している．今でも非常に有用な分類法であり，示唆に富んだ治療法のoptionと考える． 図1 はBlauthの分類に基づく骨格形態と母指球筋の形成を示したものである．後にも記載するが母指形成不全例に対する手術を決定する際に重要なことはCM関節の安定性の有無である．

本項では母指球筋の形成不全例に対する小指外転筋を用いた母指対立機能再建術（Huber-Littler法）について記述する．

特にBlauth Type ⅢB母指形成不全に対して母指化術（別項目を参照のこと）を勧めるも母指を失うことを拒否する患者の家族は少なくない．このような症例に対して，unstableなCM関節に対して足趾MTP関節あるいはPIP関節を血管柄付き関節として移植してstableなCM関節を再建し，母指低形成の程度により，母指対立機能再建術を行うなども行われている．私に多くの経験はないが，北大時代に新潟大学形成外科 柴田実先生（現：名誉教授）に手術していただいた血管柄付き関節移植により母指CM関節を再建した母指形成不全症例があるので症例提示する 図2A〜F ．

> **Tips コツ**
> 血管柄付き関節移植によりunstableなCM関節を再建・修復する手術はmicrosurgeryの技術はもちろんであるが，高度な手の外科の知識と技術を必要とする高難度の手術手技である．

▶手術適応

母指CM関節がstableであることがHuber-Littler法による母指対立機能再建術の手術適応である．手術適応を決定する上で，一番重要なことはstageⅢA，ⅢBのどちらかであるかということである．

その他の重要な軟部組織の問題としては，①第1指間の狭小化，②母指球筋の強い筋萎縮による母指対立機能の喪失，③MP関節尺側側副靱帯（UCL）の形成不全によるMP関節不安定性である．これらについても同時に再建・修復をすべきである．

▶手術時期

緻密な手術の必要性から手術時期は2-4歳が至適と考える．二次的手術を必要とすることも多いので最終的手術が小学校入学前に終えることが望ましい．

> **Tips コツ**
> 橈側列形成不全は他の重要な奇形（例えば血液疾患，心疾患，脊椎異常，鎖肛，気管・食道裂孔など）を合併する症候群（Holt-Oram syndrome, TAR: thrombocytopenia-absent-radius syndrome, VACTERL: vertebral abnormalities, anal atresia, cardiac abnormalities, tracheo-esophageal fistule and/or esophageal atresia, renal agenesis and dysplasia, and limb defects syndrome, Fanconi anemia）のチェックを行うべきである．

表1 母指形成不全に対するBlauthの分類と治療方法

Type	Features	Treatment Options
I	Mild hypoplasia with all elements present	No treatment
II	Narrow first web, ulnar collateral ligament（UCL）insufficiency, and absence of thenar intrinsic muscles	No treatment Z-plasty of first web, UCL strengthening/reconstruction, and opponensplasty
III	Type II plus extrinsic tendon deficiencies and/or skeletal deficiency	
ⅢA	Stable CM joint	Same as type II
ⅢB	Unstable CM joint	Pollicization
IV	Absent metacarpal and rudimentary phalanges "Pouce flottant"	Pollicization
V	Total absence	Pollicization

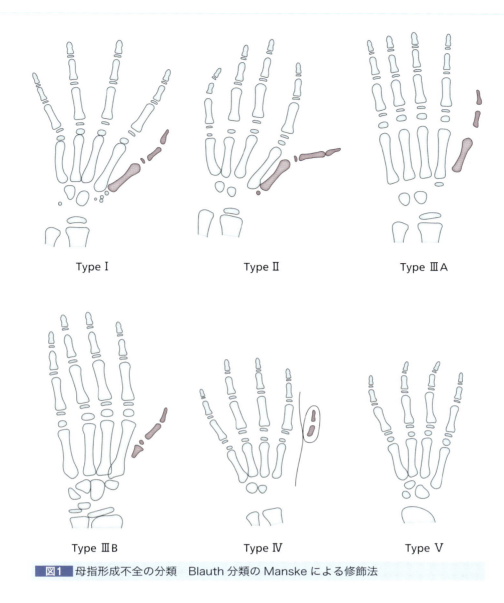

図1 母指形成不全の分類　Blauth分類のManskeによる修飾法

▶外科解剖

図1 にBlauthの分類に基づく骨格系の形態異常を示したが，Type IIおよびIIIでは母指MP関節UCLの形成不全が存在し，MP関節の不安定性を認める．Type IIおよびIIIでは母指球筋（短母指外転筋 Abd PB，母指対立筋 Opp P，短母指屈筋 FPB，母指内転筋 Add P）に形成不全があり，Type IVおよびVでは欠損している．Type III母指においては長母指屈筋 FPLと長母指伸筋 EPLは低形成であり，MP関節レベルでFPLとEPLの間に異常な連結 pollex abductusがしばしば存在しており，これによりUCLは弛緩し，能動的なIP関節運動を制限することとなる．

▶手術

皮切

まず狭小化している第1指間を開くため 図3 のようなfour-flap Z-plastyを用いている．程度が軽度な場合には大きなsingle Z-plastyでも構わない．Four-flap Z-plastyのための皮切は母指基部から示指基部に加える．この皮切により母指MP関節の脆弱したUCLも露出することができる．

小指球部の筋腹の縦の形態に一致して筋肉の橈掌側にC字状に皮切を加え，近位は豆状骨を越え尺側手根屈筋（FCU）腱の橈側まで延長する．小指外転筋（Abd DM）を低形成母指基節骨基部に移動して母指対立機能再建術（Huber-Littler法）を行う 図4 ．

展開

Four-flap Z-plastyの皮切により第1骨間筋上の突っ張っている筋膜を切離して，母指内転拘縮を解離する．第1指間部に加えた皮切でMP関節近傍でAdd P腱と伸筋腱腱帽を露出してAdd P腱を腱唱への停止部で切離してこれを尺側に翻転してUCLを露出する．

MP関節安定化術

0.045インチ径K鋼線でMP関節を中間位で固定する．弛緩したUCLを縫縮するためにhorizontal mattress縫合で強く縫合する．最終的にはAdd P腱を移動

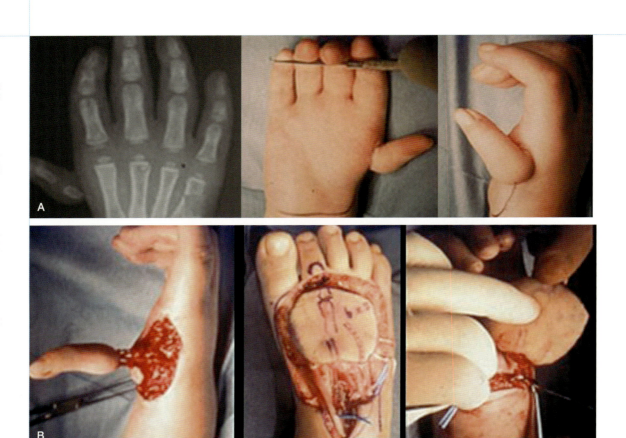
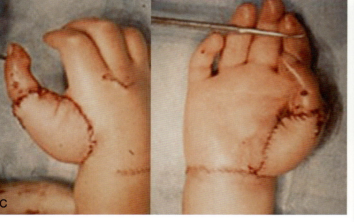
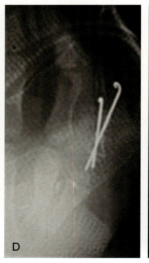
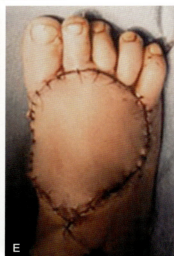
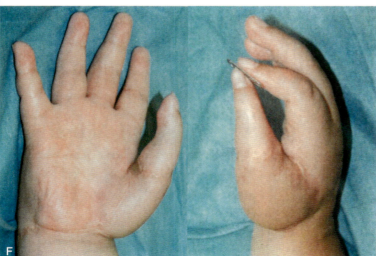

図2
A: 母指形成不全　Blauth IV例
B: 形成不全母指を神経血管束のみとして剥離後，第2足趾の足背皮弁をつけたMTP関節を血管柄付きで採取し母指CM関節へ移植する．
C: 足趾のMTP関節を血管柄付きで移植後の状態．母指基部の皮膚欠損部は足背皮弁で被覆した．
D: 術後X-P
E: 足背の皮膚欠損は鼡径皮弁で被覆した．
F: 術後1年の外観

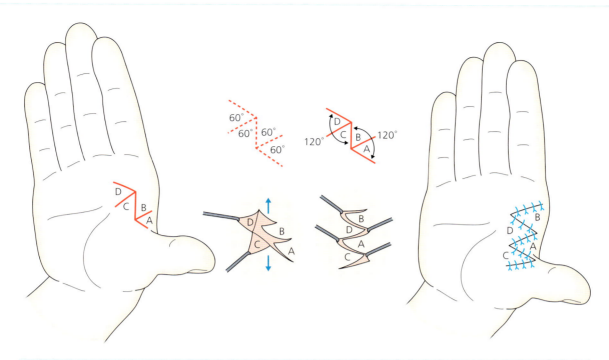

図3 狭くなっている第1指間を開くためのfour-flap Z-plastyのための皮切．ここではfour-flapとしているが狭少化がそれほどではないときには大きなsingle Z-plastyでもかまわない

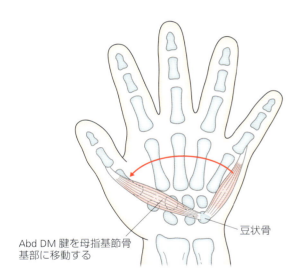

図4 Abd DMを母指基部に移行する（Huber-Littler法による母指対立機能再建術）

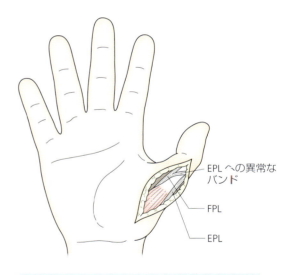

図5 Pollex abductusの同定・切離

し，前進し，最もUCLを強固に再建するためにUCLと伸展機構へ縫合する．ここでfour-flap Z-plastyを縫合閉鎖する．

MP関節掌側のFPL腱と背側のEPL腱の間に異常なband（pollex abductus）が存在している場合は切離する．

対立機能再建

同じ皮切でAbd PB腱を露出する．小指球筋筋腹の中央部で皮下の一番浅い部に存在するAbd DMを同定する．Abd DMは最も尺側の表層に存在している．Abd DMを他の小指球部から分離する．Abd DM腱を支配している尺骨神経および尺骨動脈の枝は筋の橈背側から入っており，これらを同定して，損傷することなく筋肉全体を拳上する．

Tips コツ

Original paperでは豆状骨までとして，かつ，この部を切り離さないでいるが，私は（というよりは荻野利彦山形大学前教授のアイデアであるが），豆状骨のさらに近位のFCU腱の一部も付けて近位からAbd DMを拳上する 図6．

近位で神経血管束を付着したまま豆状骨およびFCU腱の一部を付けて拳上後，遠位は小指MP関節を越えた尺側への付着部まで十分に長く採取すると神経血管束のみを付着したまま，完全に遊離となったAbd DM筋を拳上できたこととなる．

曲がったモスキート鉗子を豆状骨から母指MP関節橈側皮下に挿入して筋肉が入る十分な広さの皮下トンネルを作製して，挙上したAbd DM筋を本を開くように（book-open）180°裏返しとする 図7．Abd DMの遠位端を母指MP関節橈側から通したモスキート鉗子でMP関節に到達させる．Abd DM腱をAbd PB腱の停止部まで通し，Abd PB腱へAbd DM腱遠位腱をinterlacing sutureで固く縫合する．

次いで母指を対立位に保持してAbd DM近位腱（FCU腱の一部を含む）を長掌筋腱にinterlacing suture法で強く縫合する．この際，Abd DMへの神経血管束に過度な緊張が掛からないように近位および遠位を縫合することが重要である．

創閉鎖

創を洗浄し，止血を丁寧に行い創閉鎖する．手関節軽度屈曲位，母指は最大掌側外転位でthumb-spica-splint固定する．

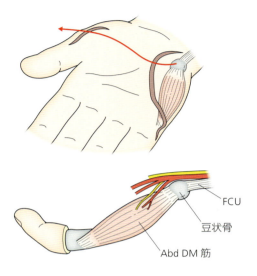

図6 Abd DM筋の挙上

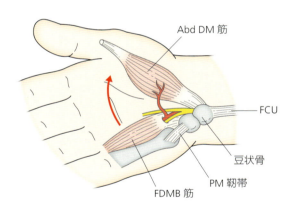

図7 Abd DM筋を本を開くように180°裏返しにして母指球筋と同じ走行とする．

▶後療法

Thumb-spica-splintを4週続ける．K鋼線を4週で抜釘して装具装用とする．4週以降，手指の可動域訓練を行う．

▶症例供覧

症例 母指形成不全例．Blauth type Ⅱ 図8．母指球筋の形成不全が著明で母指と他指との対立運動ができない 図9．Huber-Littler法による母指機能再建術を行った 図10．術後，母指の対立運動が可能となった 図11．外観上も母指球の筋腹がしっかり形成されている 図12．

別の症例であるがHuber-Littler法を行い母指対立機能を再建したものである 図13．

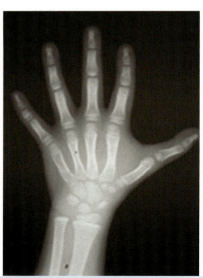

図8 母指形成不全例，Blauth Type Ⅱ

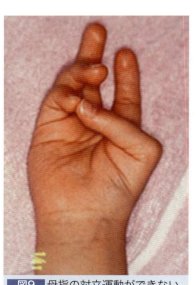

図9 母指の対立運動ができない．

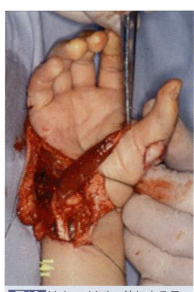

図10 Huber-Littler法による母指対立機能再建術を行った．

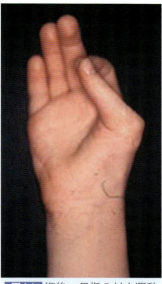

図11 術後,母指の対立運動が可能となり,母指球筋のレリーフもより正常に近くなっている

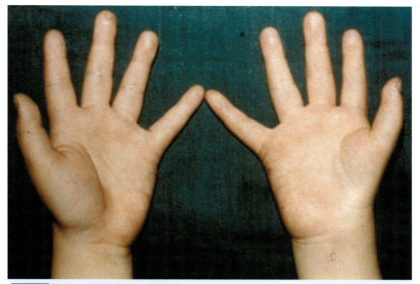

図12 術後の外観（右側が患側）

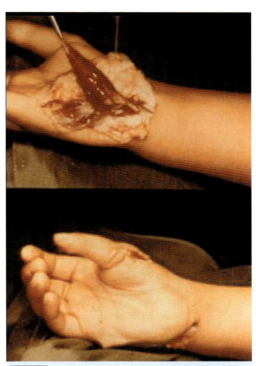

図13 Huber-Littler法による母指対立機能再建術を行っている（別の症例である）

Tips コツ

Abd DM腱を遠位のみではなく近位もfreeとすることにより筋腹が手掌を斜めに走行するのではなく,より母指球の膨らみに合うようにする.整容的にも重要であるが,機能的にも重要であると考えている 図14 .

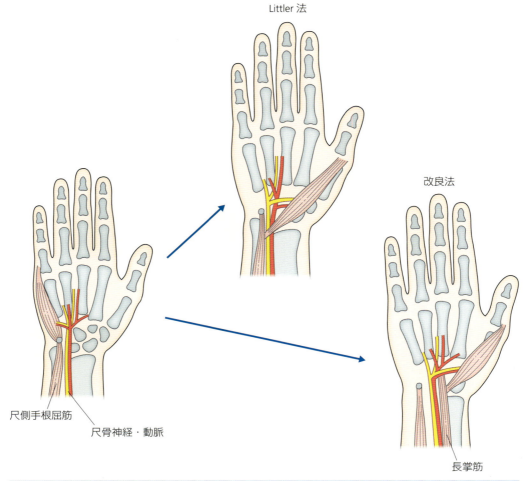

図14 Abd DM 筋近位腱を豆状骨から有茎とするのではなく，遊離して Abd DM 腱を PL 腱へ付着して母指球筋の走行をより自然とする

■ 文献

1) Abrel-Ghani H, Amro S. Characteristics of patients with hypoplastic thumb: a prospective study of 51 patients with the results of surgical treatment. J Pediatr Orthop. 2004; 13: 128-38.
2) Fraulin FO, Thomson HG. First webspace deepening: comparing the four-flap and five-flap Z-plasty. Which gives the most again? Plast Reconstr Surg. 1999; 104: 120-8.
3) 加藤博之. 母指形成不全. In: 三浪明男編. 手・肘の外科: カラーアトラス. 東京: 中外医学社. 2007. p.560-7.
4) Ogino T, Minami A, Fukuda K. Abductor digiti minimi oppo-nensplasty in hypoplastic thumb. J Hand Surg [Br]. 1986; 11: 372-7.
5) Wall LB, Patel A, Roberts S, et al. Long term outcomes of Huber opposition transfer for augmenting hypoplastic thumb function. J Hand Surg [Am]. 2017; 42: 657. e1-e7.

CHAPTER 9: 先天異常—母指

158 母指多指症矯正手術

日本人では最も頻度が高い手の先天異常である．罹患頻度は男：女＝5：1，右：左＝2：1である．軸前性多指症（preaxial polydactyly）とも呼ばれている．

母指多指症に対する手術時期について一定のコンセンサスは得られていないが，私の施設では中手骨や指節骨に対する骨切りおよび関節包縫縮，腱・靱帯固定術などの緻密な処置が必要となる場合には1.0-1.5歳時くらいに手術を行うこととしている．上記のような処置が不要の場合には麻酔の危険が少なくなった月齢での手術が可能である．

> **雑談**
> 整形外科医は1.0-1.5歳時くらいに手術を行うのに対して形成外科医はもっと早い時期に手術を行う傾向にあると思う．

▶母指多指症の分類

重複母指の高位（レベル）により分類されている．Wassel分類によると末節骨での部分的分離であるType Iから，中手骨の完全分離であるType VIまである．他の分類法とWassel分類を整合して検討するとdistal phalangeal typeがType IIであり，proximal phalangeal typeがType IV，metacarpal typeがType VIということになる．Type VIIは三指節母指である．にWassel分類とその頻度について示した．

> **Tips コツ**
> 三指節母指（Wassel分類 Type VII）以外では，母指多指症に遺伝的素因はない．この事実は母指多指症では遺伝相談は一般的に不要であることを示している．

▶手術の基本

1. 母指多指症の多くはType IVであり，橈側に存在する母指の方が尺側母指より小さいことが多く，一般的には橈側を余剰指として切除することが多い．

2. 橈側母指を切除する場合，残存指のMP関節での術後尺側偏位を防止する目的で切除母指の橈側側副靱帯（RCL）および関節包からの骨膜弁を近位側を有茎として付けたままにして残存母指を橈側に矯正しRCLを再建する 図2 ．

3. 中手骨が二頂骨頭を呈している場合には，橈側骨頭（軟骨部分）をメスで剥ぎ取るように切除して形成する 図2 ．残存母指の基節骨基部が容易に中手骨頭部に矯正されない場合には術後のジグザグ変形の防止の意味からも中手骨頚部の矯正骨切り術を行うこととする 図3 ．

Wassel Type IVの母指多指症に対する手術手技について記載する 図4 ．母指多指症の中で最も多いType

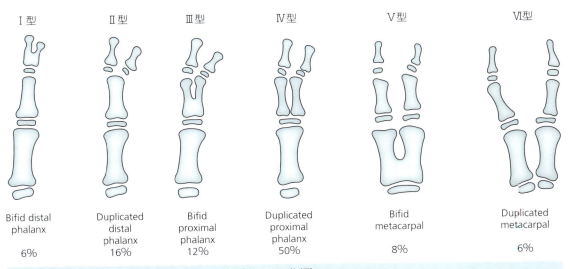

図1 母指多指症のX線分類と各型の頻度（Wassel分類）

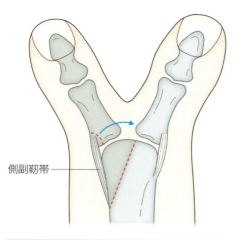

図2 中手骨の二頂骨頭を形成し，切除母指の RCL および関節包からの骨膜弁を近位側を有茎として付けたままにして挙上する

側副靱帯

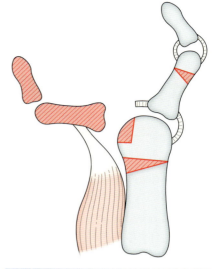

図3 中手骨二頂骨頭の橈側骨頭を部分切除して，中手骨頚部での矯正骨切り術を行う

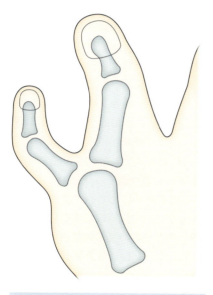

図4 典型的な Wassel Type IV型の母指多指症（橈側母指が尺側母指よりも低形成である）

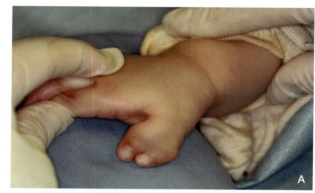

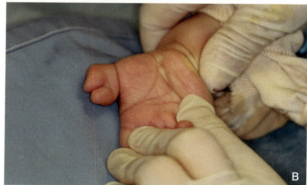

図5 1歳，男児．Wassel Type IVの母指多指症例
A: 背側面　B: 掌側面

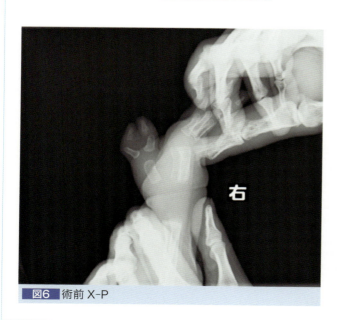

図6 術前 X-P

である．図5A, B は1歳，男児の Wassel Type IV の母指多指症例である．図6 は術前 X-P である．

皮切

尺側母指の方が橈側母指よりも大きい場合が圧倒的に多いので橈側母指を余剰指として切除することとしてい

るが，残存母指である尺側母指でも健側母指よりも小ぶりであることが多い．そのために切除母指の余分な軟部組織を温存し，残存母指を少しでも増強するためにカーブ切開を加える．切除する皮膚は残存母指の橈側と余剰（切除）母指の尺側となるように切開を加える 図7．尺側母指上の線状瘢痕を防ぐために，Z形成術またはカーブ状皮切閉鎖を行うことが可能なように皮切を加える．この切開は，爪や指節骨を切除するために爪部まで延長する 図8A, B．

> **Tips コツ**
> 津下は残存母指背側のジグザグ切開部の瘢痕は意外と目立つことが多いために直線状とすべきことを推奨している．私も同感である．

展開・余剰指切除・骨切り・固定

尺側母指の末節骨および基節骨を切除し，骨膜下切開を切除母指のRCL上に加え，残存させて母指のRCLを補強するために，弁状として将来的にRCLを縫合することとする 図9, 10．

中手骨骨頭は二頂骨頭となっているため，中手骨の橈側骨頭を切除すべく斜めに骨切り（骨切除）を行う 図11．骨切り術は，メス刃で橈側中手骨を切ることで，ノミなどで骨切りを行わなくても可能である 図12．中手骨骨頭の部分的骨切りを施行後も中手骨

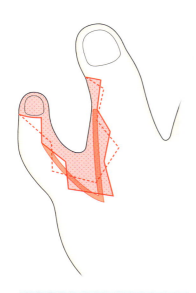

図7 皮切（シェーマ）

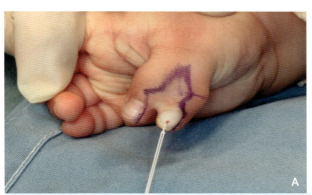
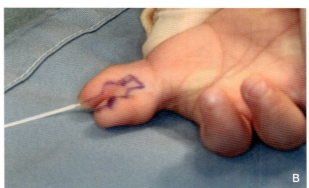

図8 皮切
A: 背側面　B: 掌側面

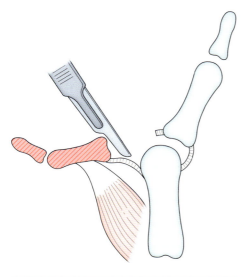

図9 余剰指（末節骨および基節骨）を切除し，余剰指のRCLを弁状として保護する．

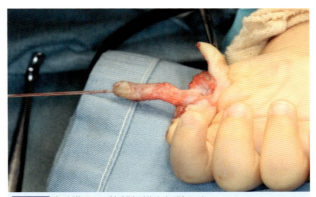

図10 余剰指から軟部組織を切除した．

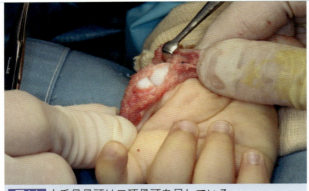

図11 中手骨骨頭は二頂骨頭を呈している

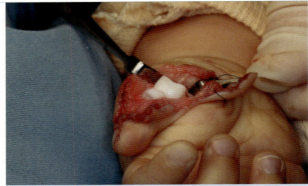

図12 二頂骨頭を呈した中手骨骨頭の橈側部を切除した

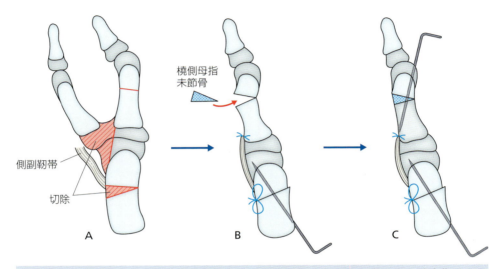

図13 RCLの縫縮とともに中手骨頚部に対する外側開き矯正骨切り術を行い残存指のMP関節の尺側偏位を矯正する．これで矯正が不十分な場合は基節骨頚部にも骨切りを加え楔状の骨移植を行う．A:中手骨頚部の骨切りを行う．B:骨切り部の骨接合を行う．C:中手骨頚部の骨切り部をK鋼線で固定する．図の例は基節骨頚部にも骨切りを行い鋼線固定を行っている．

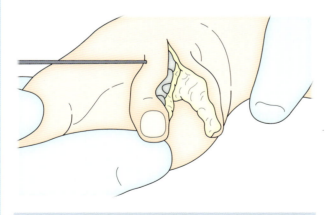

図14 K鋼線を用いて中手骨頚部骨切り部を固定した

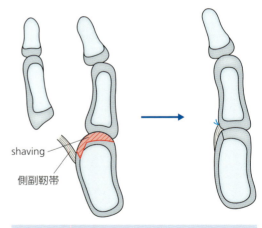

図15 余剰指のRCLを残存母指基節骨橈側基部に強固に縫合固定する

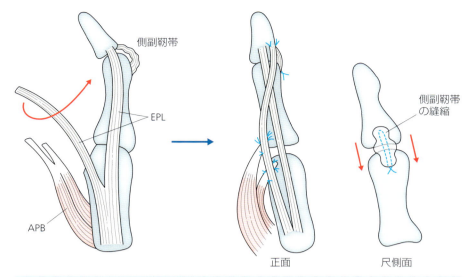

図16 余剰指のAbd PB腱付着部を残存母指基節骨橈側基部に強固に縫合固定する

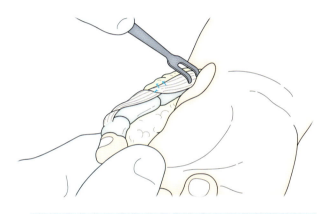

図17 Abd PB腱およびRCLを強固に縫合固定した

尺側骨頭と残存母指基節骨基部との整復が困難であったり，整復位保持が困難な場合には中手骨頚部で外側開き楔状骨切りを行い矯正する．

> **Tips コツ**
> 中手骨頚部の骨切り術を行うことは手技上，煩雑であるが，術後のジグザグ変形を防ぐためには積極的に行うべきであると考えている．また，中手骨頚部の骨切りのみで，残存母指にアライメントの矯正が不十分である場合には中手骨に加えて基節骨頚部にも骨切りを加えるべきであろう 図13 .

MP関節のアライメントを合わせて，また骨切りのアライメントを調整して，長軸上に0.045インチ径C鋼線で固定する．ほとんど1本の鋼線固定で十分であるが，骨切りの回旋不安定性が強い場合には斜めにC鋼線固定を行うことも有用である 図13,14 .

余剰指橈側で弁状にした短母指外転筋腱付着部を含むRCLを残存母指基節骨橈側基部にMP関節のアライメントを矯正しつつ強固に縫合・固定する 図15,16,17 .

切除した母指の伸筋腱（多くはMP関節背側で橈側・尺側母指の方に枝別れして走行している）を，残存母指

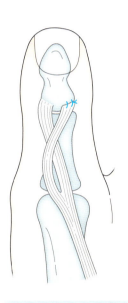

図18 余剰指のEPL腱を用いたIP関節矯正術

の背側皮下を通して末節骨尺側へ縫合し，ジグザグ変形となるIP関節での橈屈変形を防止するようにバランスをとることもある 図16,18 が，今回提示した症例では行っていない．

> **Tips コツ**
> この手技を行うためには残存母指背尺側に皮切を加えなければならないことと，余り術後の効果が得られないのではないかとの指摘や，どうしても術後IP関節の可動域が低下する傾向を助長する可能性，などから不要であるという術者も少なくない．

創閉鎖

余分な軟部組織を切除して，余剰指から作成した皮弁を残存母指の橈側部へ挿入して，皮弁をトリミングしながら，残存指の大きさ（太さ）の増強を図り，線状瘢痕

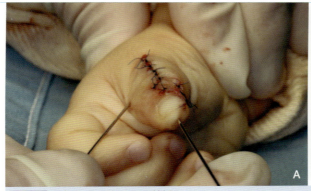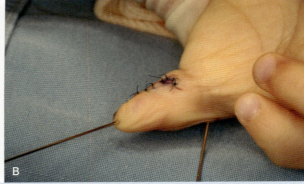

図19 皮膚形成を終了した外観
A: 背側面　B: 掌側面

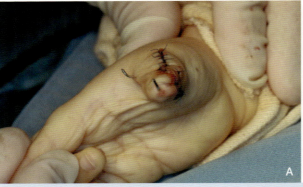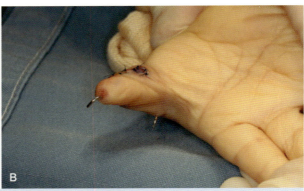

図20 出来上がり．本例では骨切りを行わずに IP 関節を矯正して長軸上に K 鋼線固定を行った．
A: 背側面　B: 掌側面

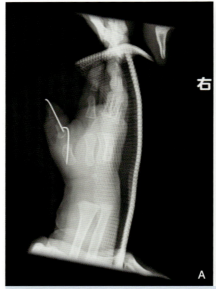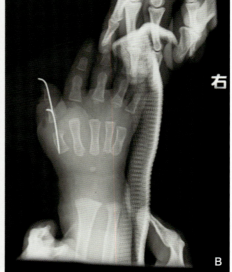

図21 術後 X-P
A: 正面像　B: 側面像

を作らないように注意し，所々に Z 形成術を加えて，創閉鎖を行う 図19A, B ， 図20A, B ．皮膚縫合は最近は術後抜糸の不要なポリグラクチン 910（バイクリル ラピッド®）を用いている．術後 X-P を 図21A, B に示した．

Tips コツ

余剰指（切除指）の軟部組織と皮膚を余りにも残存母指に付けすぎると，かえって母指が bulky となって整容上，問題があるので注意を要する．

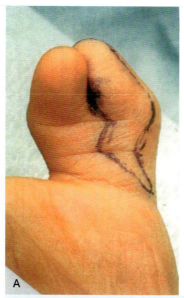
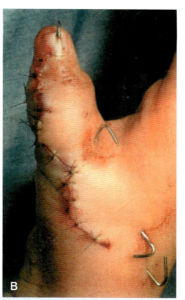

図22 別の症例の母指多指症例
A: 術前（皮切を加えている）　B: 術後

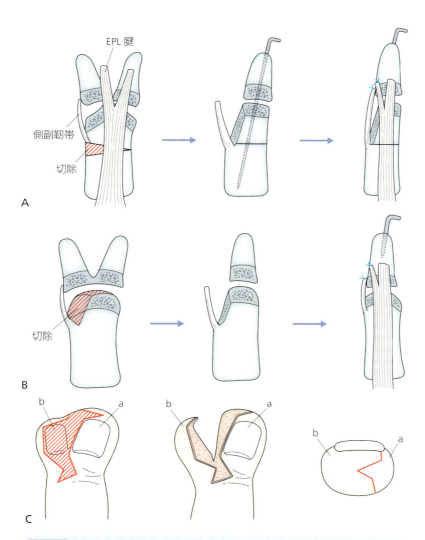

図23 母指多指症末節型の術式
A: 橈側母指の切除と基節骨骨切り術
　　長母指伸筋（EPL）腱の移行と側副靱帯の修復
B: 橈側母指の切除と基節骨のIP関節面のshaving
C: Fillent flapのデザインと縫合

▶後療法

外固定はギプスが脱げてしまうことが多いので長上肢ギプス固定とする．固定期間は3週程度で十分である．将来的にジグザグ変形が出現した場合にはType IVでは中手骨頚部で矯正骨切り術を行う．

▶症例供覧

別の症例の術前 図22A と術後 図22B である．
図23A, B, C 母指多指症末節型の術式

■文献

1) 加藤博之. Duplication: 重複. 母指多指症. In: 三浪明男編. 手・肘の外科: カラーアトラス. 東京: 中外医学社. 2007. p.572-9.
2) Miura T. An appropriate treatment for postoperative Z-formed deformity of the duplicated thumb. J Hand Surg. 1977; 2: 380-6.
3) Miura T, Duplicated thumb. Plast Reconstr Surg. 1982; 69: 470-9.
4) Ogino T, Minami A, Fukuda K, et al. Congenital anomalies of the upper limb among the Japanese in Sapporo. J Hand Surg [Br]. 1986; 364-71.
5) Ogino T, Ishii S, Takahata S, et al. Long term results of surgical treatment of thumb polydactyly. J Hand Surg [Am]. 1996; 21: 478-86.
6) 津下健哉. 先天異常. In: 津下健哉 著 私の手の外科: 手術アトラス. 改訂第4版. 東京: 南江堂; 2006. p.701-813
7) Wassel HD. The results of surgery for polydactyly of the thumb: a review. Clin Orthop Rel Res. 1996; 64: 175-93.
8) Watt AJ, Chung KC. Duplication. Hand Clin. 2009; 25: 215-27.

CHAPTER 9: 先天異常—手指

159 合指症分離手術

合指症は手の先天奇形の中で母指多指症に次いで多いものであり，中・環指間に最も多く発生する．指間の深さが少し高い（末梢である）程度であれば，指間部の皮膚移植による色素沈着のおそれを考えると，手術を行わない場合もある．

▶合指症の臨床像

1. X線写真により骨性合指症であるか皮膚性合指症であるかを判定する．骨性で骨あるいは関節が癒合した合指症であれば技術的に骨性癒合の分離も要することとなり，手術としてはより難しくなる．
2. 複雑な合指症は多指症や裂手症などを合併していることも多い．
3. Apert症候群（頭蓋顔面の変形，手と足の先端合指症）なども先端に骨癒合があり1枚の板状の形態を手指は呈している．

> **Tips コツ**
> 合指症の分離手術（指間形成術）を行うに当たって，指間の正常な形態はいわゆるU字状で中手骨骨頭から基節骨中央に向かって掌側に45°傾斜しており，水かきを形成していることを銘記すべきである 図1 ．このことはしなやかな皮弁により被覆すべき指間を形成する上で重要なことである．

最も頻度が高い中・環指皮膚性合指症に対する分離手術のうち代表的な方法であるBauer法について紹介する．

▶Bauer法

近位に基部をもつ背側皮弁をデザインする 図2 ．皮弁の長さは中手骨骨頭から基節骨中央まで伸ばす．指間は作成した皮弁下を剝離して皮弁をゆったりと移動可能とする．背側皮弁から合指症先端までジグザグに皮切を加える．

次いで，掌側皮膚の近位指皮線部を近位とする矩形皮弁を環指の橈側部を被覆できるように掌側皮膚上に皮切をデザインする 図3 ．基本的には環指橈側の皮膚を皮弁により被覆することを原則とする．皮膚移植部は中指尺側部とする．

> **Tips コツ**
> 母指と中指あるいは環指の摘み動作を考えると，母指と対立する指の部位はいずれも橈側であるので，中・環指皮膚性合指症の場合，環指橈側皮膚は植皮ではなく，皮弁で被覆すべきである．

指間皮弁を指のIP関節上に皮弁の先端が位置するように皮弁をデザインする．環指橈側と中指尺側を指癒合部に作成したジグザグ皮弁により覆うこととするが，中指基部の皮膚欠損は全層皮膚移植となる 図4 ．

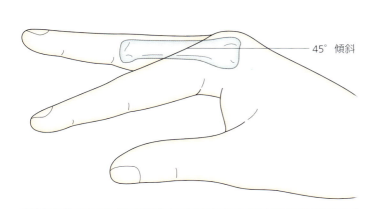

図1 指間部の傾斜

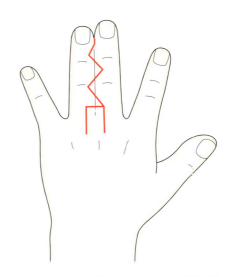

図2 Bauer法．背側皮切

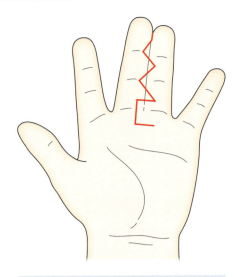

図3 Bauer 法，掌側皮切

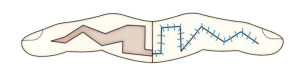

図4 Bauer 法により分離した指間部．中指尺側は植皮を行う

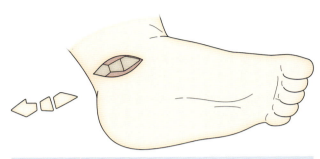

図5 足内果部からの全層植皮の採取

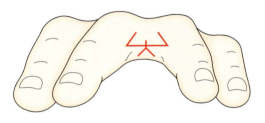

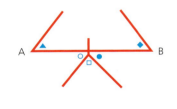

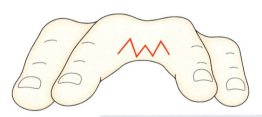

図6 Z-plasty を組み合わせた指間形成術

 コツ

全層植皮は以前は鼠径部あるいは臍下から採取していたが，色素沈着が起こり，整容上の問題があるので足関節内果下方から全層皮膚を採取することとしている．図5 （別項目参照のこと）．

　細い注射針を用いて，指先を皮弁基部の中央部上に刺入して，掌側皮膚上の皮弁の先端を同定する．重要なことは背側および掌側に作成する皮弁のジグザグ方向を同じ方向に入れるということである．

　皮弁を剝離剪刀を用いて縦走する指神経・動脈構造を確認しながら指間の横に走行する線維組織を切離する．

　皮弁を閉鎖した後に，前述しているが足関節内果の少し下から紡錘状の全層皮弁を採取して遊離植皮を行う．

閉創

　皮膚閉鎖は吸収糸（バイクリルラビット，ジョンソン・エンド・ジョンソン株式会社）を用い，抜糸はしないこととし，3週となるとボロボロと糸が落ちてくる．

▶後療法

　皮膚移植部も含め均一に圧迫するように bulky dressing し，1週間後くらいに第1包交を行うこととする．足関節内果の採取部は一次縫合し，1週間足関節をギプス副子固定としている．

コツ

創のマッサージや浸潤クリームの使用は，創瘢痕が柔らかくなるまで数カ月は続ける．

　指間がそれほど浅くない場合には皮膚移植が不要な Z-plasty を組み合わせた手技 図6 を用いられることがある．

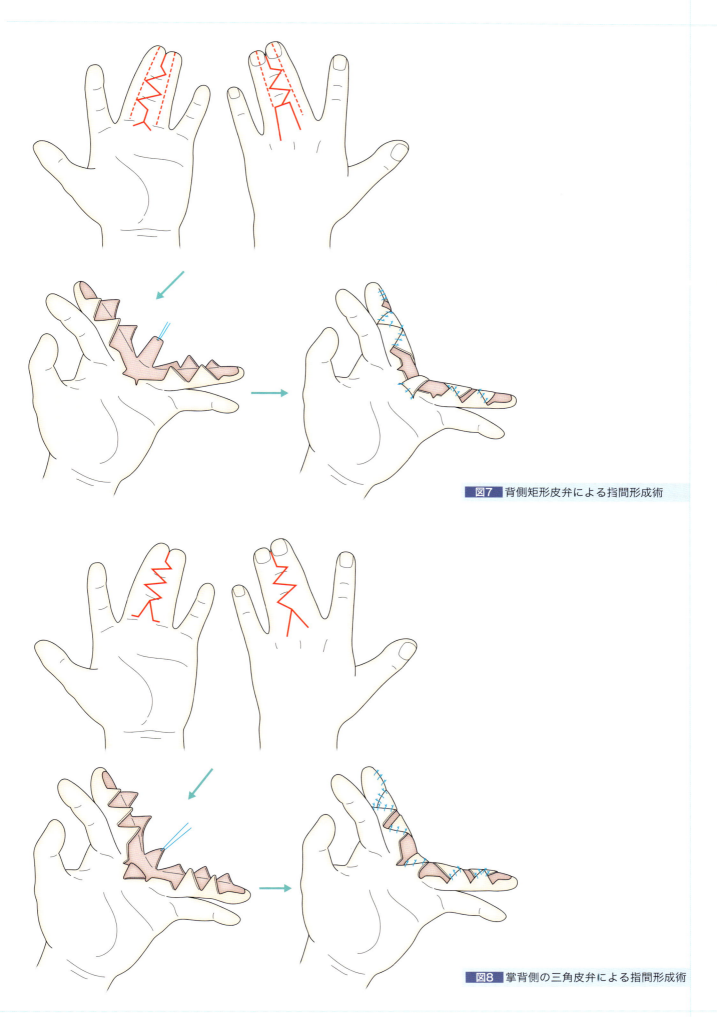

図7 背側矩形皮弁による指間形成術

図8 掌背側の三角皮弁による指間形成術

その他の方法としては背側矩形皮弁による指間形成 図7 や掌背側の三角皮弁による指間形成術 図8 などがある．

図9 に爪甲部の合指症に対する分離法を記載する．指腹のzig-zag皮切により三角皮弁を作成し，爪側部を被覆する．

▶ 症例供覧

症例1　2歳，男児．中環指皮膚性合指症 図10, 11

症例2　2歳半，男児．中環指皮膚性合指症 図12, 13

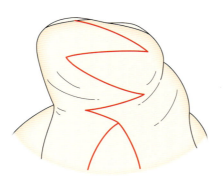
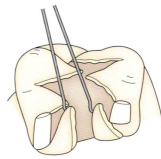

図9　爪甲部の合指症に対する分離法

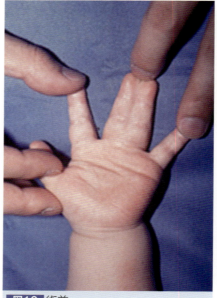

図10　術前

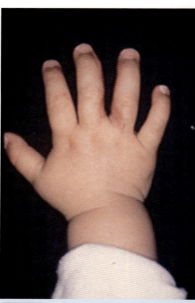

図11　術後

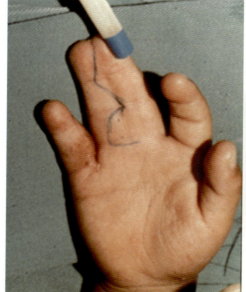

図12　術中作図

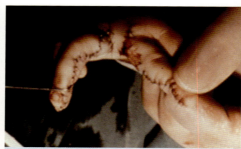

図13　術中・術後

症例3 3歳，女児．Apert症候群による先端合指症 図14, 15

■ 文献

1) Bauer R. A contribution to the clinical aspects of acrocephalosyndactylia（Apert）. Arch Orthop Unfallchir. 1967; 6: 281-8.
2) Cronin TD. Syndactylism（results of zig-zag incision to prevent post-operative contraction）. Plast Reconstr Surg. 1956; 18: 460-8.
3) Frediani P, Lenzi L, Valtancoli F. The Bauer-Tondra-Trustler method, modified by Flatt in the separation of syndactyly. Minerva Chir. 1983; 38: 981-3.
4) 加藤博之. 指列誘導傷害. In: 三浪明男編. 手・肘の外科: カラーアトラス. 東京: 中外医学社; 2007. p579-83.
5) Ogino T, Minami A, Fukuda K, et al. Congenital anomalies of the upper limb among the Japanese in Sapporo. J Hand Surg [Br]. 1986; 11: 364-71.

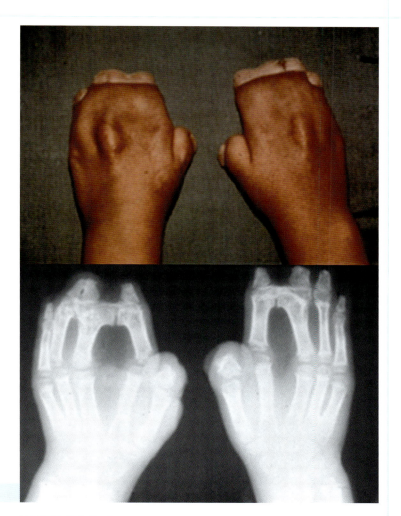

図14 術前

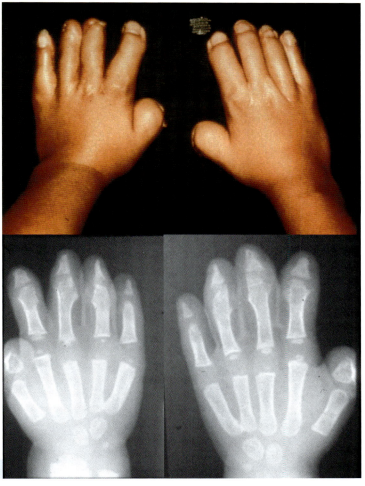

図15 全指分離手術後

CHAPTER 9: 先天異常—手指

160 裂手症手術

　裂手症は外見上の手の先天異常（奇形）の呼称であり，X線学的には指列に属する手指骨（中手骨〜末節骨）が欠損している場合もあれば指節骨などがcross boneとなっている場合など多岐にわたっている．また裂手症に他の奇形（多指症，合指症など）を合併していることも多い．

⚠️ 留意点
裂手症には強い遺伝的素因があるので，遺伝相談は必ずすべきである．

▶手術時期
　手術の時期は母指が示指との合指症を合併した裂手症の場合にはできるだけ早や目に母指を単独指とするために示指との分離手術を行うこととしている．母指を巻き込んでいない裂手症の場合には1.5-2歳時に行うこととしている．手術時期が遅れると裂手部で物を把持するというくせが付いてしまうのでその前に手術を行うべきである．

　裂手症は前記したように他の手奇形，つまり，多指症や合指症などを合併していることが多いので，手術は一様ではなく症例ごとに違い，応用問題を解くような繊細な術前計画が重要である．

▶手術
　示指・環指間の中央列裂手症が一番多いタイプである．中央列裂手症の場合，多くは母指-示指間の指間が狭いことが多い．したがって示指と環指間の裂手の閉鎖とともにこの部で生じた余分な皮膚を用いて母指-示指間の指間形成を行うべきである．中指-環指間などに合指症が伴っていることも多いがその場合には二期的手術して後ほど行う必要がある．

Tips コツ
一般的には同一指の橈側および尺側に対する広範な操作を要する手術を同時に行うことは，指への血行不全が危惧されるので手術を2回に分けて，できれば3カ月間程度の間隔をおいて行った方が安全である．

皮切
　示指-環指間の裂手部に背側および掌側に平行な皮切をデザインする 図1A, B ．この皮膚は基本的に切除すべきものであるが，これを母指-示指間の指間を開いた後の皮膚欠損部に移動するものである．裂手を閉鎖するときに示指と縫合し，指間を形成するために遠位を茎とする小さな矩形皮弁を環指にデザインする 図2 ．

　母指と示指間に 図1 のように切開を加え，皮下から深部まで剥離して拘縮を解離する．この部の皮膚欠損部に先ほど作成した掌側を茎とした皮弁を掌側橈側に回旋して挿入する．これにより母指-示指間を十分に解離することが可能となる．このためには母指内転筋の母指側への停止部あるいは筋膜を切離して母指-示指間を開くことが重要である．また掌側の手掌腱膜も切離すると解離も容易となる．

　背側切開により背側皮膚を掌側を茎として剥離し，この示指-環指間の有茎皮弁の移動を容易とする．このためには皮弁の移動を制限する筋膜を切離する必要はあるが，神経血管束を温存するべきである．

展開
　開いている（離れている）中手骨頭を閉鎖するにはいくつかの方法がある．背側から中手骨骨頭内に非吸収糸を 図3 のように刺入して接近閉鎖する．

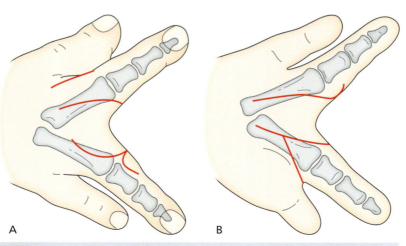

図1　皮切　A: 背側　B: 掌側

> **Tips コツ**
> 幼児期の骨内に非吸収糸を刺入することは難しくはないが，示指および環指の中手骨骨頭を過度にきつく縫合すると指間が寄り過ぎることと，指を屈曲したときに他指あるいはお互いの指が交差する原因となるので注意する．

もう1つの方法は深横中手靭帯を再建する目的で屈筋腱腱鞘A1滑車を閉鎖する指間の両指の反対側で腱鞘を切離して中手骨骨頭を引き寄せてお互いに縫合するものである 図4．この場合，両中手骨頸部にK鋼線を刺入して一時的に整復位を保持する．

閉鎖

皮膚閉鎖は自然に脱落するクロム酸製縫合糸を用いることにより抜糸を割愛する．掌側を茎とした矩形皮弁を開いた母指-示指の指間に移動する．次いで背側皮膚を縫合閉鎖する．裂手部は矩形皮弁で閉鎖されている．遠位を茎とした皮弁を反側指の切開に引き上げるように縫合し，指間のゆるやかな傾斜を作製する 図5A, B．

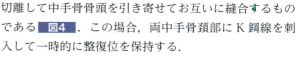

図2 矩形皮弁を環指にデザインする

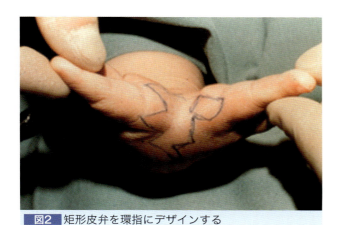

図3 中手骨骨頭を非吸収糸を用いて引き寄せる

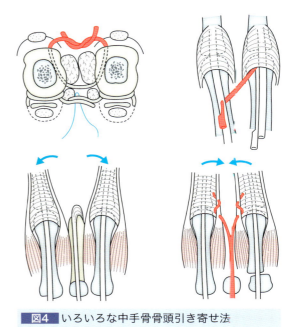

図4 いろいろな中手骨骨頭引き寄せ法

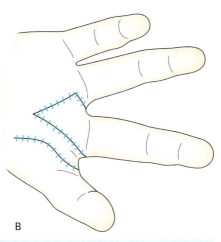

A B

図5 皮膚縫合終了後外観　A: 背側　B: 掌側

▶症例供覧

症例1　2歳，男児．典型的裂手症　図6, 7

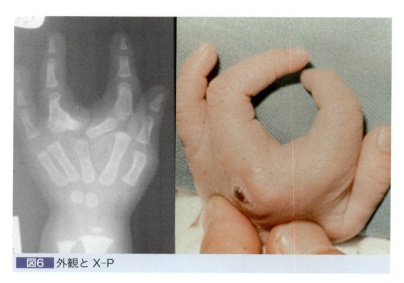

図6　外観と X-P

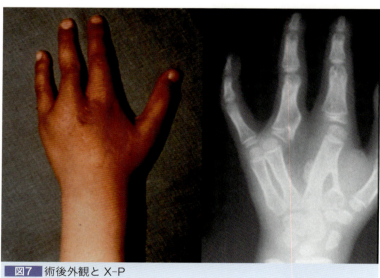

図7　術後外観と X-P

症例2　2歳，男児．裂手症　図8, 9, 10, 11

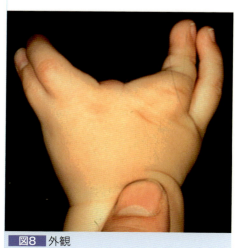

図8　外観

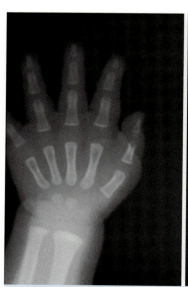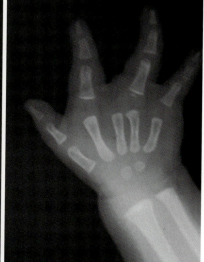

図9　X-P（患側は右手）

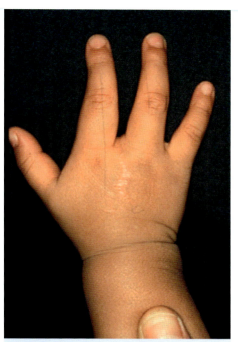

図10 術後外観

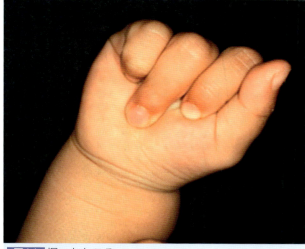

図11 握ったところ

■文献

1) Ogino T, Minami A, Fukuda K. Congenital anomalies of the upper limb among the Japanese in Sapporo. J Hand Surg [Br]. 1986; 11: 364-71.
2) Ogino T. Cleft hand. Hand Clin. 1990; 6: 661-71.
3) Rider MA, Grindel SI, Tonkin MA, et al. An experience of the Snow-Littler procedure. J Hand Surg [Br]. 2000; 25: 376-81.
4) Satake H, Ogino T, Takahara M, et al. Occurrence of central polydactyly, syndactyly, and cleft hand in a single family: report of five hands in three cases. J Hand Surg [Am]. 2009; 34: 1700-3.

CHAPTER 9: 先天異常—手指

161 先天性絞扼輪症候群に対する矯正術

先天性絞扼輪症候群は手・足に軽度な絞扼輪を形成するものから手・足の指の切断に至るものまでいろいろな程度の病像を呈する．Pattersonの4徴，絞扼輪の形成，先端合指（趾）症，指間の開窓形成，切断の存在により診断可能となる 図1 ．

▶先天性絞扼輪症候群の特徴

絞扼輪の深さは症例によりさまざまであり，深いものでは骨まで及んでいるものもあり，さまざまな指周囲の軟部組織，とくにリンパ管，神経，血管系への圧迫が生じる．したがって，結果としてリンパ浮腫，神経学的症状が出現し，さらに進行すると切断に陥ってしまうこととなる 図2 ．

軽度から高度の絞扼輪が存在するが，中等度ではリンパ管は障害されているが，血管系は正常である．リンパ浮腫は絞扼輪の遠位部分に認められる．高度となると血管系も障害され，最終的には絞扼輪以遠は切断に陥る 図3, 4 ．

絞扼輪の遠位部分の動脈血供給は深層に存在する指動脈から分岐する貫通枝によりなされており，この血液供給は正常な指動脈と伴走静脈により維持されている 図5 ．

ここでは絞扼輪の矯正術について記載するが合指（趾）症に関しては他の合指症に対する解離術と同様である．

▶絞扼輪の矯正術

皮切

それぞれの絞扼輪に皮切をZ形成術またはW形成術で加える 図6 ．Z形成術による皮弁作成に当たっては血液供給途絶の危険を回避するために一周に作成することは避けるべきである．絞扼輪が浅い場合はこの限りではない．

> **Tips コツ**
> 絞扼輪を切除するとZ形成術を行う際に皮膚が不足することがあるので注意深く行うべきである．

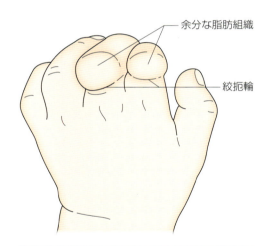

図2 先天性絞扼輪症候群の形態

a Lymphoedema, b Amputation, c Constriction ring, d Acrosyndactyly

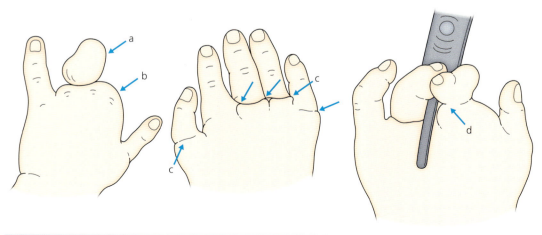

図1 絞扼輪の臨床症状

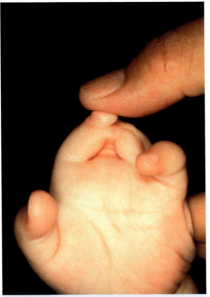

図3 典型的な先天性絞扼輪症候群．絞扼輪形成，先端合指症，先天性切断を伴っている

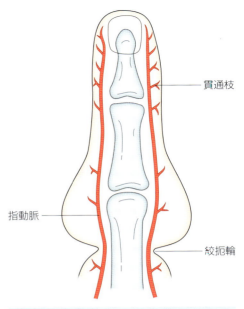

図5 絞扼輪遠位の血液供給

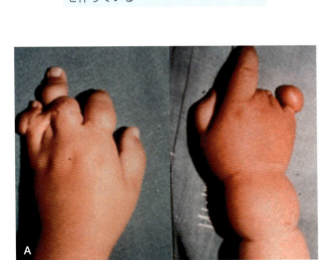

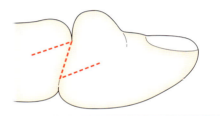

図6 絞扼輪部にZ形成術またはW形成術をデザインする．絞扼輪が深い場合には1回の手術で全周の絞扼輪を形成することは避けた方が安全である．

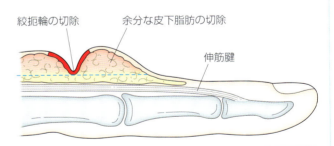

図7 絞扼輪遠位に存在する余分な皮下脂肪を切除する

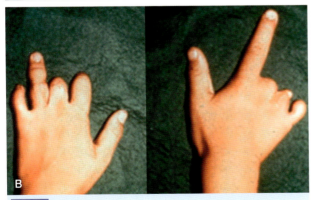

図4 A: 術前　B: 術後

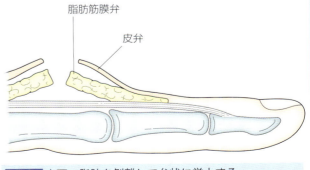

図8 皮下で脂肪を剥離して弁状に挙上する

両手先天性絞扼輪症候群　図1A, B

　Z形成術の皮切を加え，絞扼輪部の皮下を剥離して近位および遠位皮弁を翻転する．絞扼輪部遠位に存在する余分な皮下脂肪を外形の変形を修正するために切除する 図7 ．皮下で脂肪を剥離して弁状に挙上する 図8 ．まず余分な皮下脂肪を切除した後に弁状となった皮下

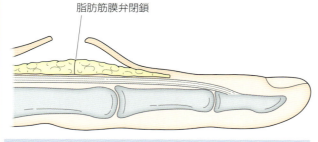

図9 近位と遠位の脂肪筋膜弁を引き寄せて，絞扼部分を充填するように縫合する

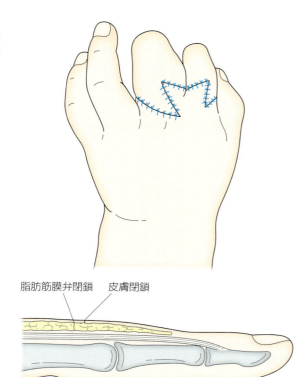

図10 最終的にZ形成術を行い創を閉鎖する

脂肪弁を引き寄せて絞扼部分をお互いに縫合する 図9．この操作により絞扼輪は消失することとなる．最終的にZ形成皮弁を前進させて入れ替えてZ形成を行う 図10．これにより絞扼輪部の陥凹が矯正可能となる．

第2段階として残りの絞扼輪に対して同様のZ形成術を行うこととしている．私は最低6カ月は待機することとしている．

Tips コツ

本手術においては絞扼輪部の余分な皮下脂肪の切除と皮下脂肪弁の作成が肝要である．

▶症例供覧

症例 下腿に発生した絞扼輪修正術.
術前 図11A
術後 図11B

■文献

1) DiMeo L, Mercer DH. Single stage correction of constriction ring syndrome. Ann Plast Surg. 1987; 19: 469-74.
2) Hall EJ, Johson-Giebing R, Vasconez LD. Management of the ring constriction syndrome: a reappraisal. Plast Reconstr Surg. 1982; 69: 532-6.
3) 加藤博之．Constriction hand syndrome．In: 三浪明男編．手・肘の外科: カラーアトラス．東京: 中外医学社; 2007. p.583-6.
4) Light TR, Ogden JA. Congenital constriction hand syndrome. pathophysiology and treatment. Yale J Biol Med. 1993; 66: 143-55.
5) Ogino T, Saitou Y. Congenital constriction hand syndrome and transverse deficiency. J Hand Surg [Br]. 1987; 12: 343-8.
6) Patterson TJS. Congenital ring-constrictions. Br J Plast Surg. 1961; 14: 1-31.
7) Upton J, Tan C. Correction of constriction rings. J Hand Surg [Am]. 1991; 16: 947-53.

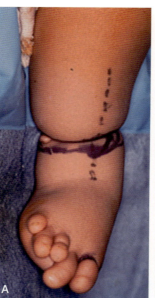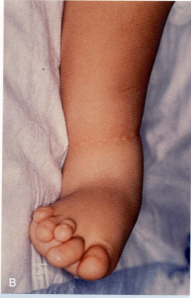

図11 下腿に発生した絞扼輪修正術
A: 術前　B: 術後

CHAPTER 10: 血管柄付き骨・(筋)皮弁(マイクロサージャリー)

162 Microsurgery を用いた遊離組織移植術の術前・術後のプランニング

顕微鏡下で血管・神経を縫合する microsurgery の技術は導入された頃はもっぱら切断肢・指再接着術に用いられたが，近年ではこれらに加えて遊離組織移植術に応用されるようになってきた．遊離組織移植術も当初は単に組織欠損に対する補填・修復術として用いられてきたが，最近では機能再建術として飛躍的に発展してきた．現在では microsurgery 技術はなくてはならない手術手技の一つである．しかし，microsurgery を用いた遊離(複合)組織移植術が万一，不成功に終わった場合，レシピエントの移植組織を失うばかりではなく，ドナー組織から採取した組織も失うこととなり，その損失はきわめて大きいものとなる．したがって術前に十分な説明と同意，すなわち，インフォームド・コンセントが重要である．

オピニオン

Microsurgery の技術は整形外科領域においてなくてはならない手術手技と思うが，最近では若手医師は全く重要視せず，他科(特に形成外科)に依頼する傾向があることを非常に問題であると思っている．老 Microsurgeon の嘆きとお考えください．

▶インフォームド・コンセントの要点

1. 術式の選択

遊離複合組織移植術を選択する場合には，従来の conventional な術式との比較において有利な点と不利な点について十分に説明する必要がある．治療法の最終選択は患者自身が決定すべきであるから上記の点についても十分な説明を行い同意を得るべきである．つまり，遊離複合組織移植術を行うにあたって，有茎組織移植術ではできないか，とくに骨の再建の場合，組織再建術としての Ilizarov 法による骨移動術(bone transport)，仮骨延長法などでは対処できないかなどについて，また患者の年齢，性，職業，全身状態，モチベーションなども総合的に判断して決定すべきである．

Tips コツ

Ilizarov 法による仮骨延長法は血管柄付き骨移植術に代わるものとして脚光を浴びている．したがって，本法の利点，欠点を microsurgery を用いた血管柄付き骨移植術と比較して丁寧に説明すべきである．

ドナーの morbidity を考える際，①移植組織の選択のためにはレシピエント組織に必要な条件(組織の性状など)を把握し，②移植組織採取に伴う困難性(血管の変異が多いことや体位を手術途中で変換する必要があることなど)，③採取に伴うドナーの morbidity が低いなどを考えて条件に最も合致した組織を選択すべきである．

再手術のリスクファクターは以下のような場合である．つまり，①静脈血栓を起こしやすい下腿がレシピエントの場合，②レシピエントに瘢痕や血管損傷が存在しておりレシピエントの血管が見つけづらい場合や血管縫合しても血栓を起こしやすい環境にある場合，③動脈血栓を生じやすい鼠径皮弁や静脈血栓を起こしやすい腓骨移植を行う場合，④動脈硬化が強く血栓形成を起こしやすい喫煙者・肥満・高齢者に手術を行う場合などであるので術前のインフォームド・コンセントの際に留意すべきである．

2. 手術リスクの説明

Microsurgery を用いた遊離複合組織移植術を成功に導くためにはレシピエントとドナー間で吻合した血管の開存の維持が必須である．術後の血流障害の発生率は文献的に 10-15％ 程度であり，遊離移植組織術の血流維持の観点からの失敗率(移植組織の壊死・損失)は 4-8％ とかなり高率であることを説明すべきである．したがって，万一，血流障害が発生した場合あるいは発生が疑われた場合にはただちに再手術や salvage 手術を行うことも説明すべきである．

▶術前のプランニング

術前プランニングにおいて重要ないくつかの点について記載する．

1. 術前プランニング

実際に遊離複合組織移植術を行う上の術前プランニングで重要なことは，①組織欠損あるいは機能についてどの範囲，どの程度補填・再建するかについて検討すべきである，②予想されるドナーの morbidity を考えて，適切な移植組織のドナーをどこにすべきか，③ドナーとレシピエントの間の骨などの接合，血管の縫合位置などを決定することである．

これらの事項を確実に行うにあたって，術前プランニングによって，静脈移植採取の準備や内固定金属あるい

は創外固定などの手術器具を準備する必要がある．また，MRや骨シンチグラフィーも，骨・軟部腫瘍や骨髄炎の罹患範囲，つまりどの範囲の骨・軟部組織を切除すべきかを決定する上で重要な情報を提供してくれる．

2．ドナーの選択

ドナーを選択する場合，瘢痕や開放創などが存在しているような部位をドナーとすることはあり得ない．

レシピエントに対する術前プランニングにおいて，レシピエントとなる部の多くには瘢痕，皮膚欠損，創，感染などが存在しているために，縫合血管の選択を予めプランニングすることが重要である．ドナーの血管茎の長さから考えて，レシピエントに適当な血管が存在していない場合には静脈移植を予めプランニングするなどの対応をしておく必要がある．レシピエントの血管選択のリスクが高いような症例については術前の血管造影は必須であると考えている．

> **Tips コツ**
> 術前にドプラー聴診器で血管の走行をマジックインクで印を付けておくと，手術がスムーズに進行する．

3．感染部への移植

感染性（欠損）偽関節に対して，感染に対する抵抗性が高いこと，そして，長大な骨欠損の補填が可能などの理由により，血管柄付き骨移植術は好んで用いられる．

しかし，骨髄炎が存在している，あるいは既往がある場合，感染の鎮静化が得られてから手術を行うべきとの考えに，ほぼコンセンサスが得られている．私は以前にも何回か報告しているが，以下の3つの条件がすべて得られた場合を感染の鎮静化が得られたと規定している．①抗菌薬の投与を中止し，創部（開放創）からの浸出液の細菌培養により，細菌の存在が否定されること，②赤血球沈降速度が15 mm/1時間以下であること，③C反応性蛋白が陰性であることの3つである．私の経験では，骨髄炎の既往のある症例で，これら3つの条件を満たし，かつ，これらの条件が1カ月以上持続した場合に行った血管柄付き骨移植術において感染の再燃は認めていない．

> **オピニオン**
> 膿汁が貯溜している中であっても血管縫合を行っても構わないとの考えのmicrosurgeonもおられるが，私は普遍的な考えとは思わない．

4．血管縫合

縫合血管の理想は，ドナーとレシピエントの吻合血管の口径がほぼ等しいことや移植組織の血管がレシピエントの血管と十分に縫合できる位置のものを選択すべきであること，血管縫合の部位は外傷の既往がなく瘢痕も存在していないことである．とくに，レシピエントの血管としてどの血管を選択するか予め決定しておくことは手術時間の短縮に重要である．

血管縫合は動静脈とも端端吻合が基本であるが縫合に適切な口径の血管が存在しないときや末梢へ温存されている血管が1本しかないなどの場合は，動脈は端側吻合でも問題はない．しかし，静脈は端側吻合は避けるべきであり，原則端端吻合とすべきである．

▶周術期合併症の防止策

周術期における遊離複合組織移植術の最大の合併症は，術後の血行障害である．一般的には，10-15%の術後血行トラブルが発生し，そのうち半分程度は移植組織の完全あるいは部分壊死が生じ，失うことがあることも銘記すべきである．

1．術後血行障害

術後の血行障害には動脈および静脈血栓あるいは動静脈同時血栓によるものがある．そのための術後モニター法は主観的な方法と客観的な方法とに分類される．主観的な方法としては皮弁の色（蒼白またはうっ血），温度，出血の観察，capillary refillの存在などがある．客観的な方法としては，laser Doppler法，キセノンクリアランス法，水素クリアランス法，電磁流量計を用いた方法，超音波ドプラー法，経皮的組織pH測定法，皮膚温モニター法，経皮的酸素分圧測定法，組織反射スペクトル解析法などがある．後者の客観的モニター法は，現時点では誰でもどこでも普遍的に行えるものとはいい難く，評価の方法も難しいなどの欠点がある．

1）動脈血栓

動脈に血栓が生じると，皮弁の場合pale flapとよばれる蒼白色で，皮弁自体の弾力性，膨隆が消失し，皺ができ，皮弁を圧しても色調のもどり（capillary refill）がない，などの特徴がある．動脈血栓の経時的変化は一般的にゆるやかで，術後早期には皮弁が少し蒼白になる程度であり，判断に迷うことが多い．Capillary refillの多くは判断困難で，やがて，数時間経過すると皮弁周囲に赤色の斑点（cherry red spots）ができる．この時点を過ぎると，やがて静脈にも血栓が生じ，皮弁は一様にチアノーゼ色を呈し，最終的には皮弁は壊死に陥ることとなる．

2）静脈血栓

静脈に血栓が生じ，遊離複合組織の静脈還流が途絶すると，皮弁の場合にはblue spotとよばれ，皮膚の色はチアノーゼの群青色で皮弁は浮腫状に膨隆し，早期にはcapillary refill（venous return）が極端に早くなり，やがて毛細血管の血栓のため皮弁を圧しても色は退色しなくなる．

血栓が発生してからの経時的変化は動脈血栓の場合より静脈血栓のほうが早く，術後2-3時間で皮弁辺縁の変化，多くは暗赤色を呈する，が始まる．6-8時間後には皮弁全体がチアノーゼ色となる．

重要なことは，適切に対処する時期を失すると組織損失が待っているということを肝に銘じるべきである．

2. 術後血行障害に対する対処

1）局所の圧迫除去

術後出血，腫脹などにより吻合血管が局所的に圧迫されていると考えられる場合，圧迫を除去するために，まず包帯除去，創縁・皮弁辺縁などの抜糸などを行う．これで色調が改善しない場合（これらの処置で改善することは多くないが）は早期に創内を展開し，吻合血管部の血流状況を観察するべきである．瘢痕や血管吻合による血管攣縮を防止するため，鎮痛薬投与，局所神経ブロックを行うことも重要である．

吻合血管の血栓が疑われるときは，再手術を躊躇しないことが重要である．

血栓が，動脈血栓か静脈血栓か，あるいは両方ともが血栓に陥っているか原因確認を行い，吻合部を抜糸して血栓を除去して，再吻合して血流状況をよく観察する．スムーズな血流が持続するようであれば，そのままでいいが，再吻合よりも縫合部位が2カ所となるが，静脈移植を積極的に活用したほうがかえって早い解決が得られることも少なくない．

再吻合することにより縫合直後に良好な血流が得られたとしても，しばらくすると再血栓が形成されることも少なくないので，一定期間は観察することが重要である．

2）再灌流障害

再灌流障害（no-reflow phenomenon）は血管内膜の内皮細胞の損傷による毛細血管での血栓形成が原因で発生する．再灌流障害に陥ると血行再建はきわめて困難となるので，本障害に陥る前に再手術を行うことが重要である．最悪の事態に遭遇したら，失敗を覚悟して血管吻合を確実に行い，術後の抗凝固療法に頼るしかないのが実情である．

3. 抗凝固療法

当科で原則的に行っている抗凝固療法の1例を示す．もちろん，術中血管の状態が悪い場合には再接着術と同様にヘパリンを用いる．

①ウロキナーゼ投与：術後4日間は1日量24万単位，次の2日間は12万単位，最後の1日間は6万単位点滴投与し，7日間で離脱する．
②プロスタグランジン投与：1 µg を7日間点滴投与する．
③ボルタレン坐薬投与：術後14日間はボルタレン坐薬50 mg を定期的に1日2本投与する．
④低分子デキストラン投与：7日間は低分子デキストラン500 mL 1本を点滴する．

4. レシピエント部の障害

レシピエント部の創治癒遅延は，下腿・足部よりの皮弁の採取などの場合に起こりやすい．また，瘢痕拘縮，阻血性拘縮（腓骨採取の場合の長母趾屈筋腱の拘縮が代表的），神経損傷，足趾欠損などの機能的合併症，醜状瘢痕の存在による美容的合併症なども考慮に入れるべきである．

先天性脛骨偽関節症などの若年者に血管柄付き腓骨移植術を行う場合，腓骨採取により，将来的に足関節の外反変形が発生する危険性が高いので遠位での脛腓間固定術を行うべきである．また，腓骨頭を含めて採取する場合には膝関節の外側側副靱帯不全に陥らないように靱帯修復を丁寧に行う必要がある．

▶晩期術後合併症

晩期術後合併症としては，①骨・軟部腫瘍切除後の腫瘍再発，②骨髄炎などに対して行った骨髄炎の再燃，③移植骨の骨折などが存在する．このうち移植骨の骨折は，下肢（大腿骨，脛骨）に血管柄付き骨移植を行った場合，20-40％の頻度で発生することが知られている．骨髄炎の再発については先に記載しているのでここでは割愛する．

術後の移植腓骨の再骨折は重要な問題である．北大病院で脛骨に移植した血管柄付き腓骨移植術後の骨癒合後骨折について分析した結果，発生率は35％であった．そのリスクファクターは，①移植腓骨長が長い場合，②下腿アライメントが不良の場合，であった．骨折は移植骨と腓骨の接合部近くの移植骨部に発生し，ほとんどは骨癒合後1年以内に発生していた．したがって，骨癒合後骨折の防止策としては，下肢の長軸上のアライメントに留意して手術を行い，骨癒合後1年は protective support を行うべきである．

オピニオン

全ての手術に通じるものであるが，周到な術前準備・計画が手術を成功に導くものであることを肝に銘じるべきである．

■文献

1) 土井一輝．遊離複合組織移植術．術前・術後計画．In: 別府諸兄編．整形外科医のためのマイクロサージャリー基本テクニック．東京: メジカルビュー社; 2000．p.61-70．
2) Minami A, Kimura T, Matsumoto O, et al. Fracture through united vascularized bone grafts. J Reconstr Microsurg. 1993; 9: 227-32.
3) 三浪明男．Microsurgery を用いた組織移植術の周術期管理．In: 菊地臣一，三浪明男，佛淵孝夫編．整形外科医のための周術期管理のポイント．東京: メジカルビュー社; 2002．p.30-6．
4) 三浪明男．術前・術後のプランニング．In: 別府諸兄編．整形外科医のための新マイクロサージャリー Basic to Advance．東京: メジカルビュー社; 2008．p.120-5．
5) 矢島弘嗣．組織移植術の血行不全とその対策．In: 別府諸兄編．整形外科医のためのマイクロサージャリー基本テクニック．東京: メジカルビュー社; 2000．p.71-9．

CHAPTER 10: 血管柄付き骨・(筋)皮弁(マイクロサージャリー)―切断指

163 切断指・肢の再接着術

　私が整形外科に入局して microsurgery の技術を習得した頃には，もっぱら切断指の再接着を月に1～2回のペースで行い，毎日夜遅くまで，ある時には徹夜で手術を行ったのを覚えている．最近，私自身は切断指・肢に対する再接着術を行うことはほとんどないが，microsurgery の技術を習得したばかりの手の外科医は必ず行うべき臨床的修練と考える．

> **オピニオン**
> 切断指・肢再接着術は長時間を要する手術である．したがって出来れば2交替制で休息を取りながら手術を行うべきである．このことが患者への負担軽減ともなるし，手術を成功に導くこととともなると考える．

▶手術適応

　切断指・肢の再接着術の適応は患者の年齢，性，合併症を含めた全身状態，切断指が何指であるか，切断レベル，断端の状況（ギロチン切断，挫滅・汚染の程度），阻血時間と切断指・肢の保存状態（冷却されていたかあるいは室温で保存されていたか）などから総合的に判断すべきである．一番重要なのは術者の技量とともに患者のモチベーションであろう．

1) **絶対的適応**: 手指 MP 関節レベルより近位での切断，母指，多数指切断，小児に発生した切断例は絶対的適応である．
2) **禁忌**: 重篤な合併症が存在していることにより全身状態が不良である場合，制御不能な精神疾患の存在，degloving 損傷を含む高度挫滅，高度な汚染損傷の存在などは禁忌である．
3) **年齢・性**: 高齢者の多くは内科的合併症や既往などを有していることも多く，そのような場合には禁忌となり得るが，年齢は絶対的な禁忌ではない．性の関係ではやはり女性の場合は可能な状態であれば積極的に再接着を行うべきと考えている．
4) **多数指切断例**: 全指切断の場合，状態の良好な切断指を用いて母指と中指を中心に再建し，摘み動作や把持動作を可能とする．
5) **切断レベル**: 母指 IP 関節，指の中央部から末梢での切断は機能的には不自由が少ないので絶対的手術適応ではないが，最近は supermicrosurgery の技術が高くなってきたので，手指の爪のレベルでの切断であっても積極的に再接着を行うべきとの考えもある．
6) **阻血時間と切断指・肢の保存状況**: Major amputation では筋組織を多く含むので，温阻血6時間を超えると筋の不可逆性変化が生じ，最終的には metabolic acidosis をきたし，生命そのものを危険に陥れる可能性（replantation toxemia）もあるので長時間の温阻血後の major amputation の再接着には慎重であるべきである．
7) **上肢・下肢切断例**: 上肢に関しては肘より遠位，つまり前腕部での切断例は知覚の回復は種々であるが，手指の機能は良好であり，再接着の良い適応と考える．肘より近位での切断例では神経機能の回復が期待したほどではないことが多い．しかし，腕がないことの精神的および機能的損失を考慮すると，できるだけ再接着を試みることとしている．一方，かえって手が残ることによるシビレなどの症状が残存する可能性が高いことを術前にしっかり IC（インフォームドコンセント）を行うべきである．特に小児の場合，再生能力が旺盛で良好な神経回復が期待できるので，ほぼ絶対的適応である．

　下肢切断例の場合，replantation toxemia の危険が高く，また足底の知覚の回復が不良なことが予想されること，また義足は機能的に優れていること，さらに再接着では回復までの時間がかかり社会復帰までに長時間を要することなどより適応は限定される．砂川らは足底の知覚が温存されている症例，あるいは小児例に適応を限っているが，私も全く同感である．

▶術前準備

1) **切断指・肢の保存方法および運搬方法**: 術前準備で重要なことは切断指・肢の保存・運搬方法の指示を正確に搬送者に伝えることである．切断指・肢をきれいなガーゼで包み，ビニール袋またはナイロンの袋に入れ，水が入り込まないように（ふやけることを防いで）して，氷水を入れたジャーのような容器（瓶）に入れて運搬する．組織の凍結は避ける．患者の切断指・肢の断端部分は決して挫滅を加えるような止血鉗子などでの止血操作などは避けて，大量のきれいなガーゼを用いて圧迫止血を行うように指導する．

2) **患者の全身状態のチェック**: 前にも記載しているが，一般的に再接着術の手術時間が長いこともあり，心疾患，肝・腎疾患，脳疾患などの既往や糖尿病などの全身状態の検査を慎重に行う．阻血時間のことを考えるとどうしても短時間に検査を行う必要があり，各科の迅速な協力をお願いすべきである．

3) **患者および家族への手術説明**: 患者および家族に対する丁寧で十分なICを行う．内容としては一般的な手術の危険性に加えて，特に①輸血の可能性，②静脈や神経移植の可能性（ドナーの採取），③植皮の可能性，④術後感染症発生の可能性，⑤さらに手指の動きや神経回復などの機能予後について説明し，また再手術や追加手術の可能性についても説明すべきである．

4) **術後抗凝固療法**: 多くの場合，術後抗凝固療法を行うこととなるので内頚静脈から中心静脈栄養を確保しておくことが望ましい．上肢あるいは下肢からの点滴静注では血管炎が高率に発生し，早期に閉鎖してしまうことが多いためである．

5) **麻酔方法**: 手術は長時間に及ぶことが多いので原則は全身麻酔で行う．術後の疼痛制御および血管攣縮の予防を目的に腕神経叢ブロックあるいは腋窩神経部に0.75％塩酸ロビバカイン（アナペイン®）を用いた持続的神経ブロックを行うことが望ましい．

▶手術手技

切断指・肢の処置

切断指・肢は冷温保存する．冷温での保存ということで氷の上で切断指・肢に対する操作を行う術者がいるが，組織が凍ってしまうことがあるので厳に行うべきではない．切断指・肢の断端を無菌的に洗浄，最小限のデブリドマンを行い，顕微鏡下に神経，血管を同定し，8-0ナイロン糸でマーキングしておく 図1．

> **Tips コツ**
> 出血すると術野が極めて見づらくなるのでわかりやすいようにマーキングしておくべきである．切断指・肢側の神経，血管などを正確に同定しておくと手術を少しでも早く終了することが可能となり，患者への負担を軽減することができる．

切断指の静脈の同定は難しいことが少なくない．指背部で吻合可能と思われる多くの静脈をできるだけ確保する．困難な場合には，動脈縫合後の静脈環流により静脈の位置を知ることもある．

切断中枢端の処置

切断中枢端の洗浄，デブリドマン後，断端の状態を評価する．顕微鏡を用いて切断指・肢と同様に神経，血管の同定を行い，やはりナイロン糸にてマーキングする．

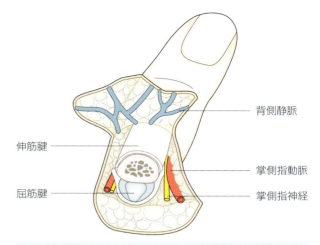

図1 切断指・肢での血管，神経の同定

> **Tips コツ**
> 指高位での切断の場合，動脈，神経を同定することが困難であることが少なくない．指の屈筋腱，腱鞘の両側に神経が存在しており，比較的容易に同定できる．その僅か深層に動脈が存在していることを理解しておく必要がある 図2A, B．

接合の順序

切断指・肢の接合・縫合の順序は骨，腱，血管，神経の順序が一般的であるが，筋を含むmajor amputationの場合，骨の次に動脈を縫合し，早めに血流再開を図るべきであるとの考えもある．また，切断指の機能において神経機能回復はきわめて重要であるとの考えから血管縫合の前に神経縫合を術野がクリーンで術者の疲労がないうちに行うべきであるとの考えもある．

骨接合

骨接合の基本は強固でかつ簡便であることが基本である．また，神経および血管吻合を確実に行うために骨は短縮して接合すべきである．

骨の固定法は切断指の場合，2-3本のKirschner鋼線（K鋼線）による交差固定 図3 が簡便であるが，固定力は弱いので早期の自動運動を開始することができない欠点がある．Cross wiring法は切断端から1.0 cm径のK鋼線を逆行性に刺入，骨折部を整復後，順行性に刺入固定する．私は固定に時間がかかるが，two dimensional interosseous wiring（TDIW）法（別項目を参照のこと）を用いて，強固に固定するものとしている．これにより血管吻合部が落ち着いた段階で早期より運動を開始することとしている．別の骨接合術としては 図4，図5 のような方法も有用である．

> **Tips コツ**
> いずれの方法にしても指の屈曲による指交叉を避けるためにも，指の回旋変形が生じないように骨接合時には指のアライメント（RotationとDisplacement）に留意する．

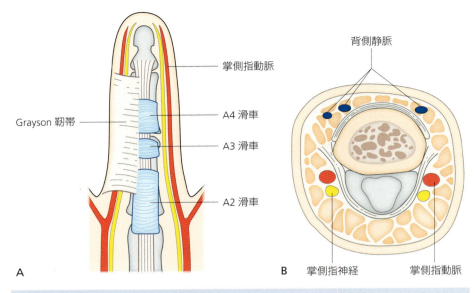

図2 指における血管・神経の解剖
A: 前額像　B: 軸射像

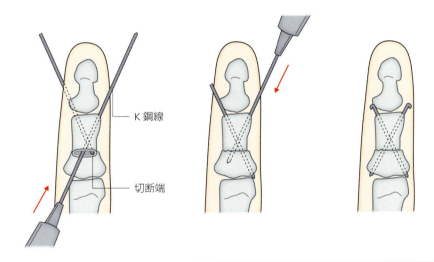

図3 K鋼線による交差固定による骨接合術

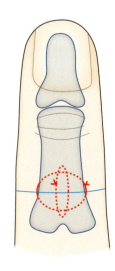

図4 Two dimension での interosseous wiring 法による骨接合術

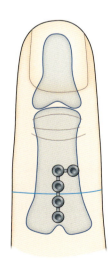

図5 指骨プレートを用いた骨接合術

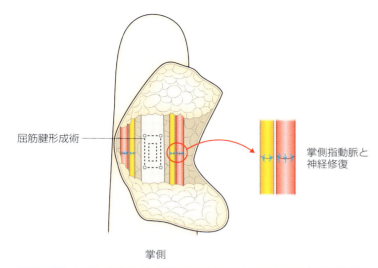

図6 指掌側での掌側指動脈と神経修復

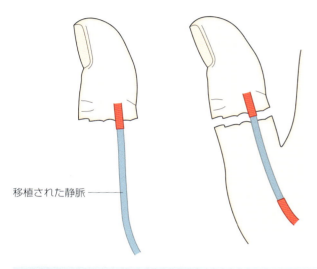

図7 静脈移植を用いた血行再建

腱縫合

腱縫合は全て一次縫合することを原則とする．屈筋腱のうち深指屈筋腱の縫合は当然であるが，浅指屈筋腱は容積の減量のために切除することもある．屈筋腱の縫合法としては以前は4-0ループ状ナイロン糸を用いた津下法を2カ所において行う，つまり4-strands縫合としていたが，最近はYoshizu I法，つまり4-0ダブルループ状ナイロン糸を用いて，まずKessler変法で縫合し，もう1本は津下法にて縫合するという方法であり，縫合部断端は6-strandsとなる（屈筋腱損傷の項目参照のこと）．これによって早期自動屈曲運動が可能となった．

屈筋腱と比べると伸筋腱の縫合の方が難しいことが多い．腱の厚さが十分であれば津下法を2カ所で行うこととしているが，薄い場合にはマットレス縫合を行うこととしている．

> **Tips コツ**
>
> 腱縫合の重要性は当然のことであるが，重要なことは早期運動療法に耐え得るtensile strengthが縫合後，維持されているかどうかである．しかし，血管縫合部に加わる緊張の関係もあるので早期運動療法をすべきかどうかについても慎重に判断すべきである．

血管吻合

動脈吻合

一般的には切断指・肢の血行をできるだけ早期に再開すべきであること（これはmajor amputationの場合には嫌気性解糖によるmetabolic acidosisの進行を防止し，replantation toxemiaの発生を防ぐ効果がある）と動脈の血行により切断の指静脈の断端からの静脈還流を見ることにより静脈吻合を容易に行うことができることから，まず動脈の吻合を最初に行う．吻合する血管数については議論が分かれるところであるが，縫合可能な血管は全て縫合することとしている．最低でも動脈1本，静脈2-3本は縫合すべきである 図6 ．

> **Tips コツ**
>
> 術後の血流障害のほとんどは静脈系の障害であることを銘記すべきである．

また，皮膚の連続性が一部でも存在している場合には，静脈還流にとって重要であるので皮膚を切離することなく必ず温存すべきである．

動脈吻合を行うにあたり，顕微鏡下に切断端の内膜損傷や硬化性病変のないことを確認し，内腔が正常と確認できるところまで切り込んで損傷部分を切除する．切断端が良好であると判断した時点で，駆血帯を外し，中枢切断端から良好な勢いの出血があることを確認する．

> **Tips コツ**
>
> ここで出血がちょろちょろしているようであれば再接着術の成功は期待できない．縫合のためには血管長に余裕があることが望ましいが，このことを重視し過ぎるとどうしても切り込みが遠慮がちになる傾向がある．このような場合には術後のことを考えると静脈移植を積極的に行うべきであり，それが術後の再手術の機会を少なくすることと銘記すべきであろう 図7 ．

切断端近位での血管の損傷あるいは内腔が近位で閉塞しているなどの原因が考えられる場合には，適切に対処すべきである．

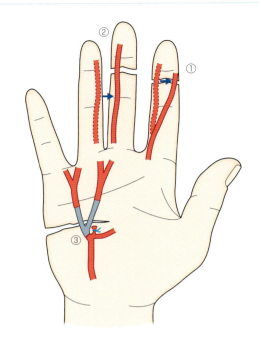

図8 動脈端端吻合が不可能な場合の処置

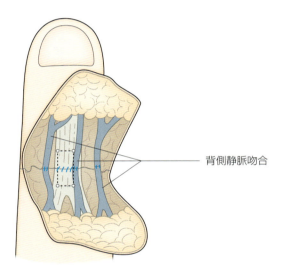

図9 指背側での静脈吻合

高齢者の場合，血管内腔の硬化性病変（血管壁の硬化や内膜の剝離など）はどうしても存在しているので，剝離した内膜などは血管吻合の技術で対処することも可能である．

指切断の場合で両側の指動脈が同定できている場合には普通，中指側の方が太いため，こちらから吻合するが，縫合が体位などの関係で容易である，損傷程度が軽微である，動脈からの出血が良好であるなどにより，最も生着が期待できる動脈から縫合を開始することとしている．端端縫合が困難な場合には手関節部掌側から採取した静脈を移植したり，反対側の指動脈や隣接指の指動脈を移行して血行を再建することもよく行われる 図8 ．

静脈吻合

手指の引き抜き損傷や挫滅が強い切断例においてはしばしば静脈移植が必要となることが多い．

 コツ

静脈移植は端端吻合であれば縫合が1回で済むものを2カ所について縫合するものであり，煩雑であり時間もかかるということで躊躇する場合があるが，血行不良で再手術を行わなければならないことを考えると積極的に用いる手術法であることを力説したい．

静脈吻合は動脈吻合後に良好な静脈還流が得られている静脈（勢いのある）を選択すべきである．静脈吻合を緊張なく縫合するためには，十分に近位まで剝離し，不要な分枝を結紮・切断し，静脈の可動性を確保し，緊張なく静脈吻合を行うのが成功の鍵である 図9 ．

指切断で爪部にかかる末節部切断例でも最近のsupermicrosurgery の発達の観点からは静脈吻合は可能である．しかし，不可能な場合には指尖部を切開（fish mouth形成）あるいは定期的に瀉血を促したり，医療用ヒルを使用して指尖部から出血を促すこともなされている．

神経縫合

先にも記載したが，神経縫合を血管吻合の前に行うべきとの考えもある．手関節以遠のレベルでは epineural suture（神経縫合の項目を参照のこと） 図6 を，さらに近位では epiperineural suture を行う．端端吻合が困難な場合には近傍の皮神経または下腿後外側からの腓腹神経を用いて神経移植を行う．神経も縫合できるものは全て顕微鏡下で8-0以下のナイロン縫合糸で縫合することとしている．

創閉鎖

血管吻合部に緊張がかからないように創は疎に縫合する．皮膚に緊張があったり，腫脹が強くて創閉鎖が難しい場合には，無理に創閉鎖を行うことなく全層植皮や局所皮弁で創を閉鎖すべきである．

コツ

血管縫合部直上に遊離植皮を行うことも大きな問題はない．もちろん tie-over 法を行って縫合部を圧迫することは厳に行うべきではない．

血腫予防のためにドレーンあるいは血管吻合部と離れた位置にチューブを挿入しておく．ドレッシングはbulky として局所的な圧迫を行わないようにして，ギプス副子固定を行う．

▶後療法

抗凝固療法：血流再開直後から始める．
　以下の治療法は私が行っている抗凝固療法である．
① 低分子デキストラン：500 mL を毎日1週間点滴静注投与
② プロスタグランディン：毎時間60 μg を持続点滴で

3日間，その後，20μgを1日2回，4日間で1週間投与

③ヘパリンは切断指再接着後のみ投与としている．その場合，5000単位を1回投与，以後は1日10,000単位を持続投与することとしているが，術後の血行状態により増減する．

> **Tips コツ**
> 抗凝固療法を行うとガーゼに大量の出血が発生し，それにより血管縫合部に圧迫が起こることが危惧されるのでその場合には頻回に包交を行うべきである．

一般的な補液として500 mL×2本点滴静注し，この2本の中にbroadに有効な抗生物質1 g×2回，投与する．点滴は少なくとも1週間持続投与し，1日1,500-2,000 mL投与する．当然であるが尿のin-out量を厳重にチェックする．

禁煙：最低でも術後3カ月間は禁煙を徹底する．私の経験で指の再接着後，21日目にタバコを吸い，結局，壊死となった症例があり，術後禁煙を徹底すべきである．

リハビリテーションとして，罹患指の早期運動療法の安全性は確立していないが，私の施設では外固定期間は術後1週程度として，その後，自動運動を行うこととしている．

▶術後管理

患指・肢のモニタリングは術直後から数日（できれば1週間）は3時間毎に表面温度とcapillary refill（爪や指尖部を圧迫して虚血として血液が還流する速度や程度を見る方法）を観察して，万一，皮膚の表面温度が2℃以上低下したら循環障害を疑い，直ちに吻合部を展開し，血行をチェックするべきである．

▶術後合併症

1) 循環障害：動脈および静脈の血栓形成がある．吻合部血栓が疑われる時には躊躇することなく手術場で顕微鏡下に吻合部を確認し，早期に対処して切断指・肢のrescueを行う．

　一般的には再縫合では解決することは稀で，積極的に静脈移植や血管移行を行うべきと考える．

2) Replantation toxemia：先にも記載したがmetabolic acidosisや高K血症をきたし，心停止や急性腎不全に陥る症例があるので，全身管理に習熟する必要がある．

3) 追加手術：皮膚壊死に対する植皮や皮弁移行，偽関節に対する骨移植や腱癒着に対する腱剥離，腱移植，腱移行術などが必要となる．

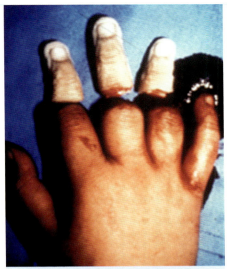

図10 示・中・環指の中節部でのギロチン切断例

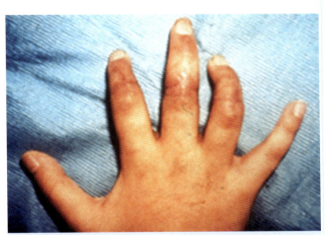

図11 再接着術後

▶症例供覧

症例 示・中・環指の中節部でのギロチン切断例 図10．再接着後 図11．

■文献

1) 生田義和，土井一輝，吉村光生．In: 微小外科，改訂第2版．東京：南江堂; 1993．
2) 生田義和，砂川　融．マイクロサージャリー．In: 整形外科手術書 第8巻A 手の外科 I．東京：中山書店; 1995．
3) 児玉　祥，石田　治，砂川　融．上肢完全切断再接着症例の検討．日本マイクロサージャリー学会会誌．2005; 18: 62-6．
4) 三浪明男．術前・術後のプランニング．In: 別府諸兄編．整形外科医のためのマイクロサージャリー．Basic to Advance．東京：メジカルビュー社．2008．p.120-5．
5) 砂川　融，來嶋也寸無．切断指・切断肢の再接着．In: 別府諸兄編，整形外科医のための新マイクロサージャリー Basic to Advance．東京：メジカルビュー社; 2003．p.110-8．
6) 吉津孝衛，勝見政寛，田島達也．整形外科領域におけるmicrosurgeryの現況．災害外科．1977; 20: 1127-43．

CHAPTER 10: 血管柄付き骨・(筋)皮弁(マイクロサージャリー)—骨移植

164 血管柄付き腓骨移植術
(血管柄付き骨のドナー選択を含む)

　血管柄付き骨，つまりviableな骨は骨癒合に有利であるとの考えは以前からあり，特に筋肉を有茎とした骨を移植するという手技はよく行われてきた．しかし，1960年から1970年にかけてmicrosurgery手技の導入により骨を血管柄付きとして遠隔部に移動する考えが発表され，整形外科医にとってきわめて有力・有効な手術手技を手に入れることができたというべきであろう．

　本邦においては整形外科医が主にmicrosurgeryを応用した組織移植術を行ったこともあり，骨移植を血管柄付きで行うことは盛んに行われてきた経緯がある．血管柄付き骨のうち，腓骨は長管骨に用いることが有利であることもあり，よく行われている手術の1つということができる．

▶血管柄付き骨の特徴

　血管柄付き骨は文字通り血行を有する骨でありviable boneであることが最も重要でかつ本質的な特徴である．つまり血管柄付き骨移植を行うということは一般的な便宜的な(conventional)骨移植とは異なり，移植骨が一旦壊死に陥り，周囲組織からの血行により骨内血流が再開して生骨となるという過程，いわゆるcreeping substitutionがなく，たとえば受容骨と移植骨間は普通の骨折と同じ状態になるということである．

　このことにより移植骨は壊死に陥ることなく骨癒合に有利であったり，感染に対する抵抗性を高くすることが可能となる．しかし，難点は血管柄付き骨のドナーが限られること，移植骨の長さ，太さや大きさも限られること，また最も重要な欠点は移植骨の採取および移植に際して高度な技術(主にmicrosurgeryの技術)を要することである．

▶血管柄付き腓骨の特徴

　腓骨は膝関節および足関節の採取後の不安定性を考慮して，ある程度，残すとすると成人の場合約25 cm長は採取可能である．また腓骨頭も含めて採取すると，成人男子の腓骨長(腓骨頭から外果先端まで)は約36 cmであり，遠位脛腓関節を無傷で残すとすると27-28 cm長の腓骨を採取することが可能である．腓骨はほぼ直線状であり，骨皮質が多く強度がきわめて強く，血管の連続

表1 主な血管柄付き骨のドナー選択

	腓骨	腸骨	肩甲骨
欠損長	◎	△	△〜○
力学的強度	◎	△	◎
血管柄の安定性	◎	◎	◎
血管茎の長さ	○	△	○
Monitoring皮弁 大きさ	△	○	○
Monitoring皮弁 移動性	△	△	◎
採取の容易さ	○	○	○
ドナーの障害	○	△	○
固定方法	◎	△	◎

性をintactとするならば分割して使用することも可能である．有茎(順行性および逆行性)とすることも可能であり，その場合，大腿骨下部，膝関節，脛骨，足関節まで使用できる．

　私が頻繁に用いている主な血管柄付き骨のドナー(腓骨，腸骨，肩甲骨)の長所・短所を比較したものが表1である．ドナー選択の目安としていただきたい．

▶栄養血管

　腓骨への栄養動静脈は腓骨動静脈である 図1．腓骨動脈の口径は，約1.5-2.5 mmであり，腓骨静脈は3-4 mmの口径を有する．特徴的なことは動脈の口径と比べて圧倒的に静脈の口径が太いことである．このことは移植するレシピエントの血管の動脈の口径はほぼ同じことが多いが，静脈の口径は違っており静脈縫合に困難性がある．

　腓骨動静脈から腓骨へ入る血管は長母趾屈筋(FHL)の筋肉内を貫通する枝が数本入り，その部位は藤巻らによれば腓骨近位端より平均13.6 cm(10-22 cm)とされる．血管茎の長さは3-4 cmとそれほど長くはないが，腓骨動脈が近位の膝窩動脈より分岐する部位からより遠位部で腓骨を採取すると，血管茎を長くすることが可能である．しかし，一般的には前脛骨動脈から腓骨動脈に分岐する部で採取可能ではあるが，多くは分岐後，ただちに腓腹筋へ筋枝としてきわめて太い血管が挿入しているので，この筋枝の血管遠位で切離することが一般的である．

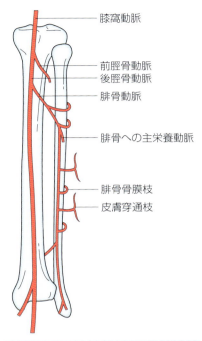

図1 下腿後面における動脈の走行

膝窩動脈
前脛骨動脈
後脛骨動脈
腓骨動脈
腓骨への主栄養動脈
腓骨骨膜枝
皮膚穿通枝

コツ

近位まで採取する場合は，腓骨を有茎の状態で展開後，腓骨前外側面の骨膜を縦切し，血管茎とともに遠位へ剥離する．

▶適応

適応を決定するにあたっては，他の方法がないかどうか，そしてその方法とのメリット，デメリットを比較検討する．最も悩むのは四肢長管骨再建にあたっての骨移動術 bone transport による再建との優劣である．患者の年齢，性，職業，合併症の有無，過去の手術方法，受傷からの経過年数，局所の軟部組織の状態，局所の血行状態などいろいろな因子を考慮して治療法を選択する．基本的にはできるだけ短期間の治療期間であり，確実な方法を選択するべきであろう．

適応について以下に列挙する．

① 感染性偽関節，巨大骨欠損性偽関節
② 軟部組織欠損および皮膚欠損を伴う偽関節（骨癒合が得られにくいと判断したもの）
③ 悪性骨・軟部腫瘍の広範切除後の長管骨・下顎骨の骨格再建
④ 骨盤周囲に発生した悪性骨・軟部腫瘍切除後および外傷後の骨盤再建
⑤ 先天性脛骨偽関節症
⑥ 椎体固定のための前方支柱骨移植
⑦ 骨癒合を得ることが難しい疾患（von Recklinghausen 病や Charcot 関節）の関節固定
⑧ 骨壊死（大腿骨頭無腐性壊死，大腿骨顆部，距骨など）の再建
⑨ 骨端線移植（尺骨遠位端に発生した骨軟骨腫による内反手，先天性橈側列形成不全）などである．

▶術前準備

レシピエントは手術の既往があることが多いため血管造影は原則として行い，縫合すべき血管の位置や縫合方法（end-to-end, end-to-side など）を術前にしっかりプランニングを行う．この術前のプランニングが手術の成否を決定するといっても過言ではない（別項目を参照のこと）．とくに，先にも記載したが，腓骨に伴走する腓骨静脈は口径がきわめて太いために，下肢に腓骨移植を行う場合，前脛骨動脈の伴走静脈とは口径差が大きいことより，2本の静脈縫合のうち，1本は大伏在静脈を移行して使用する方が確実と考えている．

ドナーの血管造影は一般的には行わない．術後の腓骨への血行状態のモニター用として皮弁（腓骨皮弁）を付けて採取するため，術前に予めドプラー血流計にて皮膚への穿通枝をマークしておく．穿通枝については吉村らが詳細な報告を行っているので術前に確認しておくべきである．

穿通枝には筋肉を貫通して皮膚に到達する枝と腓骨動脈から筋間を通して直接皮膚に到達する枝の2種類があり，もう1つはこの混合型の3型が存在している．最も皮枝としての有用性のあるものは筋間を通して走行し直接皮膚に到達する枝（Type C）を利用すべきとしている 図2 ．この皮枝は下腿の中央1/3部に多く存在しており，これを目指してドプラー血流計にて術前，皮枝をマークしておくと皮弁をつける際に有利である．

移植腓骨の固定法も術前から検討しておく．一般的に四肢再建では移植腓骨をレシピエント骨へスクリューや K 鋼線などで簡単に固定し，Ilizarov 創外固定器に代表される創外固定を使用するために，術前に予め，創外固定器の組立てを終了し，滅菌消毒しておくことが必要である．当然であるが，実際的には血管縫合部位，ドナーやレシピエントの血管の走行，移植骨の部位と使用するピンとの関係を考慮する必要がある．

▶血管柄付き腓骨の挙上

手術体位

手術は全身麻酔で行う．手術はドナーとレシピエントの2チームにより同時進行で行う．仰臥位として腓骨採取側の殿部に少し硬い枕などを入れて浮かせ気味とする．股関節を外転・内旋位，膝関節を90°屈曲位として，手の外科用手術台のうえに足をのせて，その頭側に術者は座り，下腿後外側の展開をやりやすくする 図3 ．

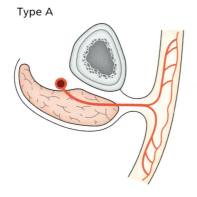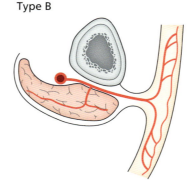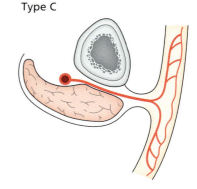

Type A: musculocutaneous branch
Type B: septocutaneous branch
Type C: septocutaneous branch

図2 皮膚穿通枝の分類

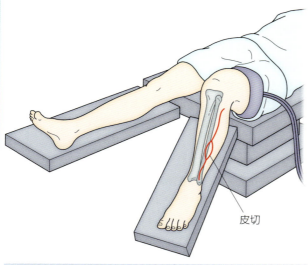

図3 手術時の体位

手術手技

手術にあたっては，血管縫合時の顕微鏡使用以外では2.5-3倍程度のルーペを使用する．私はそのほかの手術でも必ず自分の慣れたルーペを使用している．

皮切

術前のドプラーにより検索した皮膚への血管穿通枝が確認されてマークした点を含めてモニター皮弁をデザインするが，多くはモニターのみであることが多いのでドナーの皮膚を一次的に閉鎖可能な大きさとすることが重要である．腓骨の後方に沿ってほぼ縦の皮切を加えるが，近位では膝窩部の方で下腿後方中央に向かい，遠位腓骨は少なくとも，遠位脛腓関節の安定性を考慮して4-5 cm以上は残すこととする．モニター皮弁の部位および腓骨への栄養血管を長く採取するようにするために腓骨はできるだけ遠位から挙上することとしている 図4 ．

展開

皮切の際に，小伏在静脈，腓腹神経を損傷しないように注意して，皮弁の後方皮切よりヒラメ筋筋腹まで鋭的に切離する．この筋膜を切離する際，ひらめ筋と腓骨筋間の筋間中隔を上がってくる皮膚穿通枝を前側にみて切離することが重要である．万一，筋腹切離が前側に寄るとこの穿通枝を切ってしまい皮膚への血行が障害されることとなるので注意する．

筋膜前方切離縁と前方皮膚の皮下を数個所縫合し，皮膚血行のintentional damageが生じることがないようにする．ヒラメ筋筋膜深層または筋肉内を腓骨動静脈より立ち上がってくる数本の皮膚への栄養血管を確認し，この枝を筋膜および皮弁に含めるように皮弁の最終デザインを行い，初めの皮切を修正する 図5 ．この時点でレシピエントの骨欠損に近位・遠位それぞれ3 cmずつ加えて移植腓骨の長さを決定し，骨切り部を最終決定する．

腓骨の採取

腓骨外側で腓骨に付着する長および短腓骨筋を骨膜上で，わずかなmuscle sleeveを残して剝離剪刃を用いて削ぐように移植腓骨全長にわたり剝離する 図6 ．この過程で小さな血管が時に出現するが，バイポーラを用いて丁寧に止血しながら進める．腓骨の近位部で内側についているヒラメ筋の腓骨付着部を剝離し，後方へ筋鉤にて引いて腓骨動静脈，脛骨動静脈本幹を展開する．

腓骨動静脈が腓骨の後面に沿ってFHL内に入り込むのが確認できる．腓骨動静脈を血管テープにて固定しておく．

> **Tips コツ**
> 腓骨の栄養血管および皮膚への穿通枝はFHL内を貫通するため，FHL腱の筋腹の一部は移植腓骨に付ける必要がある．

次いで，腓骨前方の剝離を行う．伸筋群が存在しており，これらは腓骨筋と異なり，腓骨とは密な接触は少なく，骨間膜より前方へ剝離する．この時，前脛骨動静脈，深腓骨神経が腓骨と近隣した部を走行しているので損傷しないように留意する．

腓骨の切断

腓骨の骨切断部の骨膜をできるだけ長く移植骨側を剝

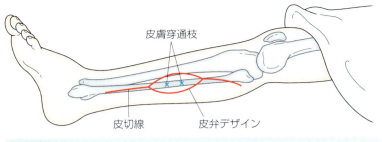

図4 皮切

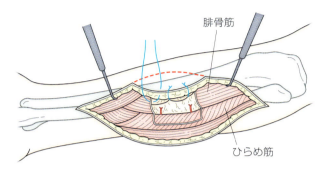

図5 皮膚穿通枝の確認

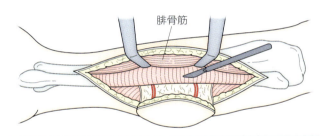

図6 腓骨外側の展開

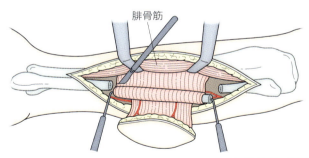

図7 腓骨を切断後の前方の展開

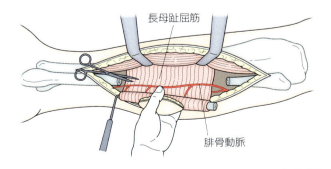

図8 長母趾屈筋の切離

くように剥離し，腓骨の近位・遠位端を骨鋸あるいはGigli sawにて切断する．移植腓骨遠位部でFHL内を走行する腓骨動静脈を見出して慎重に結紮することにより以後の操作を容易にすることが可能となる．その後の操作は切断した移植腓骨を回旋しながら行うこととする 図7 ．

再び腓骨の前方部分の剥離を行うこととなる．骨間膜を切離すると後脛骨筋が露出する．近位から腓骨動静脈を損傷しないように腓骨側に付けて血管束より外側のFHLを切離する 図8 ．

この時，腓骨動静脈から非常に太い血管がヒラメ筋を栄養しており，損傷しないように結紮する．また，FHLへの非常に細い神経は損傷しないように注意する．

最終的に腓骨の両端を持ち上げると後脛骨筋の筋線維が羽根状に存在し，その中を腓骨動静脈を損傷しないように最小限腓骨側に付けて切離し，これで腓骨を一部の筋と血管茎を付けた状態となる．腓骨動静脈を付けたまま腓骨を持ち上げながら，さらに腓骨動静脈を近位まで剥離し，後脛骨動静脈との分岐部まで剥離する．この時に動脈と静脈を同定しておき，将来的な血管縫合に備える 図9 ．

移植床側の処置

移植腓骨を反対側脛骨へ移植することを例として記述する（この状態が最もよく行われる状態である）．

脛骨偽関節部を中心に前脛骨筋とFHLの間の下腿前外側面に弧状切開を加える 図10 ．

レシピエント血管の同定

前脛骨筋とFHL間で前脛骨動静脈を同定し，確保する 図11 ．この過程で筋肉や脛骨への小さな枝が存在しており，これらをバイポーラにて丁寧に凝固して前脛骨動静脈を遊離して縫合しやすくしておく．前にも記載しているが，伴走静脈は通常縫合する腓骨静脈よりかなり細いため，腓骨静脈の1本は前脛骨静脈に，もう1本は大伏在静脈を内側より展開し縫合部位に移行して使用するようにしている 図12 ．脛骨前方より偽関節部を展開し，骨膜も含めて一塊として切除する．移植腓骨を近位脛骨髄腔内に挿入することは容易であるが，中央部は髄腔が細いため，サージアトームで髄腔を拡大する必要がある．

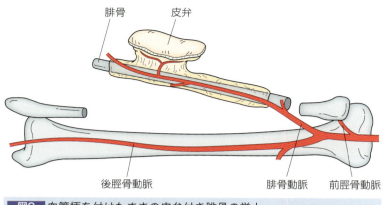

図9 血管柄を付けたままの皮弁付き腓骨の挙上

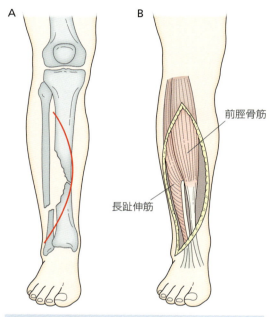

図10 移植床側の皮切

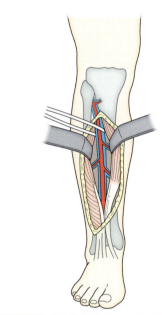

図11 前脛骨動静脈の剥離

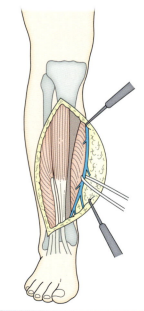

図12 大伏在静脈の展開

> **Tips コツ**
> この時点で血管縫合部位が決定され，縫合部位からの移植骨への距離を測定し，移植腓骨側の血管切離部位を決定する．

ここで駆血帯を解除して，丁寧な止血を行う．

移植方法

足関節のアライメント（脛骨関節面と距腿関節面）に注意しながら脛骨に移植腓骨をinlay graftを行う．移植腓骨の脛骨への固定は細い皮質骨用スクリューで近位および遠位に挿入して固定する．スクリューは脛骨前方骨皮質→移植腓骨→脛骨後方骨皮質へ通すこととなる．成人の場合，2-3 cmの移植腓骨を脛骨髄内に挿入することにより安定化を得ることとしている 図13A, B, C．

Ilizarov創外固定器の仮固定

血管縫合の高位，位置などを決定した後に血管縫合を行う前にIlizarov創外固定器をおおよそ装着し，前方部

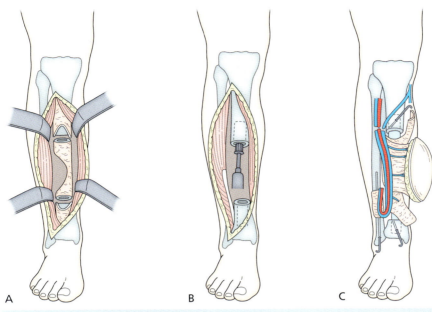

図13 移植床への血管柄付き腓骨の固定
A: 罹患骨を切除
B: 移植腓骨を脛骨髄腔に挿入するため，髄腔を拡大する
C: 移植腓骨を脛骨に inlay graft を行い固定する

図14 Ilizarov 創外固定器の装着

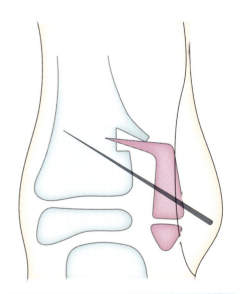

図15 脛腓間固定術

分を外して血管縫合に備える．

血管縫合

前脛骨動脈と腓骨動脈，前脛骨動脈の伴走静脈の太い方と大伏在静脈を，細い方をもう1本の腓骨静脈の細い方の静脈にそれぞれ顕微鏡下に縫合する．前脛骨動静脈は近位では非常に深部に存在しているのでそれぞれの長さを調節してできるだけ浅い層で縫合すべきである．動脈を先に縫合すると直ちに良好な静脈環流が得られるとともにモニター皮弁の色調がピンク色となる．次いで静脈を2本縫合することとなる．

Ilizarov 創外固定器の装着

貫通ピンはすべて直径1.5 mmのものを使用する．装着期間が長くなるため，ピン刺入する際には氷水で冷却して刺入する．先ほども記載しているが血管縫合部や血管の走行に注意して刺入する 図14．最終的な下腿アライメントを調整する．

閉鎖

創内を温食で洗浄しモニター皮弁を用いて創をゆったりと縫合閉鎖する．

▶小児例

先天性脛骨偽関節症の場合，腓骨採取側の足関節の外反変形予防のため，脛腓間固定を行うこととしている 図15．腓骨先端を差し込む部位の脛骨骨皮質を弁状に起こし，その間隙に腓骨の遠位部を折り曲げ上端を挿入する．外果から脛骨へK鋼線を刺入して固定する．

▶術後療法

術後1週は，抗凝固療法を行う．ウロキナーゼ24万単位を4日間，12万単位2日間，6万単位1日間投与する．またボルタレン坐薬50 mg（大人量）1日2回投与7日間，プロスタダラジン1 mgを7日間投与する．モニター皮弁の色調レーザードプラーによる血流のモニターを行う．

成人では骨移植部位が十分な強度を有するまで（約6カ月）創外固定器にて全荷重歩行させる．

▶症例供覧

症例1 16歳，女性．脛骨近位部に発生した骨肉腫例 図16A-C

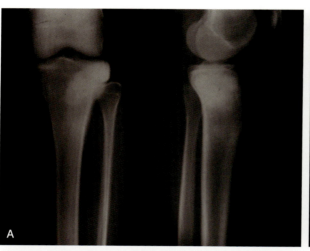
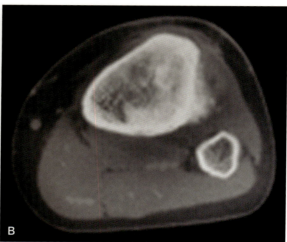
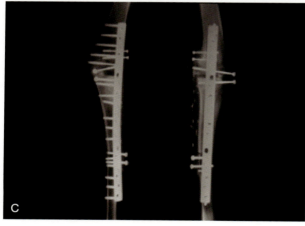

図16 16歳，女性．脛骨近位部に発生した骨肉腫例
A: 術前 X-P
B: 術前 CT
C: 切除骨をオートクレーブで処理し血管柄付き腓骨移植を行い1年6カ月後X-P．骨癒合は得られている．

症例2 16歳，男性．大腿骨遠位部に発生した骨肉腫例 図17A-I

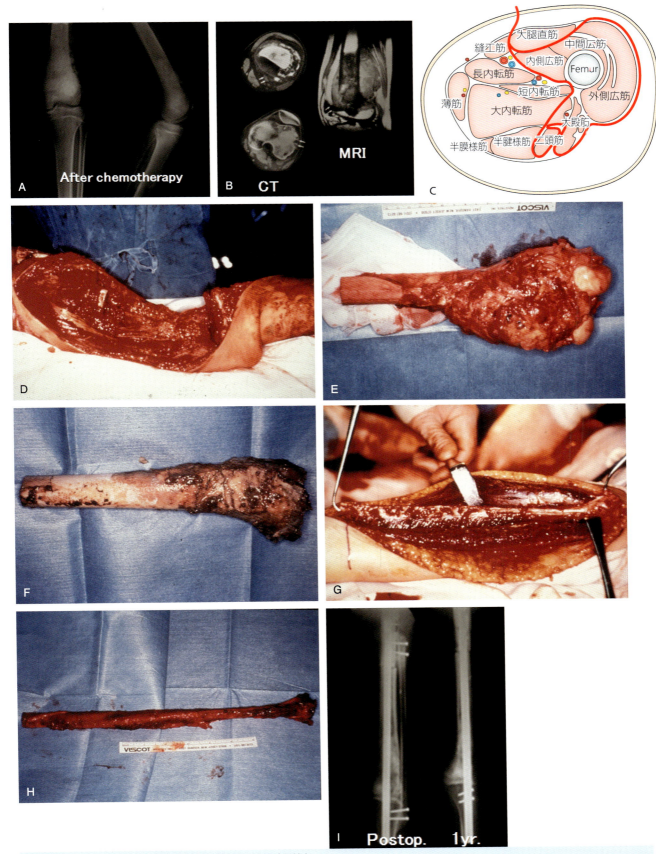

図17 16歳，男性．大腿骨遠位部に発生した骨肉腫例
A: 術前X-P　B: 術前CTおよびMR像　C: 術前計画した腫瘍切除範囲　D: 広範切除を行った　E: 切除した大腿骨遠位部
F: 切除骨をオートクレーブで処理した　G: 血管柄付き腓骨を挙上した　H: 腓骨を遊離としたところ　I: オートクレーブ骨を戻して，血管柄付き腓骨移植を行い1年後X-P．骨癒合は得られている．

症例3　53歳，女性．橈骨骨幹部に発生した血管肉腫例　図18A-F

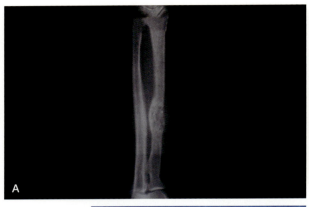
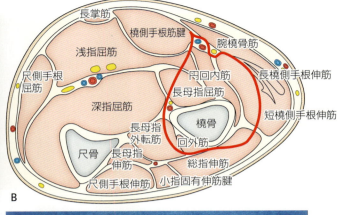
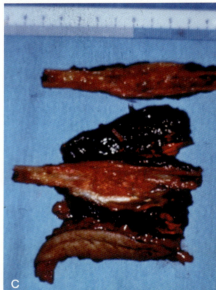
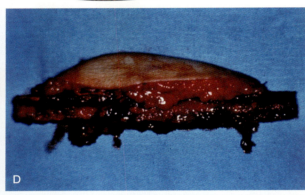
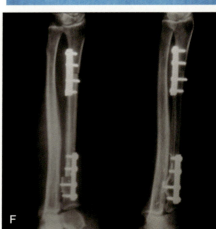
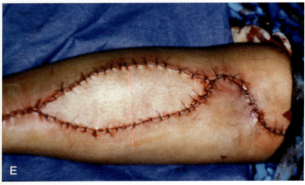

図18　53歳，女性．橈骨骨幹部発生の血管肉腫例
A: 術前 X-P
B: 術前切除範囲
C: 広範切除を行った
D: 皮弁付き血管柄付き腓骨を遊離として挙上する
E: 移植直後（外観）
F: 術後1週（左）と5年後（右）の X-P

症例4 24歳，男性．脛骨骨髄炎例 **図19A-C**

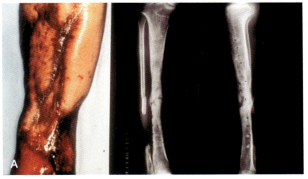
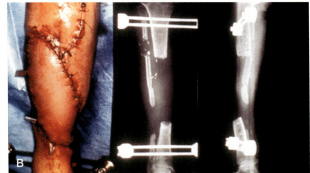
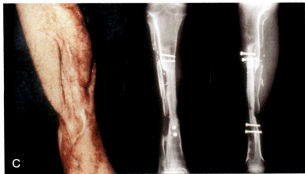

図19 24歳，男性．脛骨骨髄炎例
A: 術前外観とX-P
B: まず罹患骨および皮膚を広範に切除して広背筋皮弁で被覆した
C: 血管柄付き腓骨移植術後10年の外観とX-P

症例5 9歳，女性．大腿骨骨髄炎例 **図20A-C**

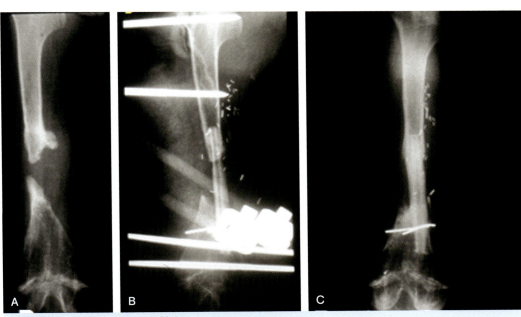

図20 9歳，女性．大腿骨骨髄炎
A: 術前X-P
B: 血管柄付き腓骨移植術後X-P
C: 術後6カ月X-P

症例6 9歳，男性．脛骨骨肉腫例 図21A-C

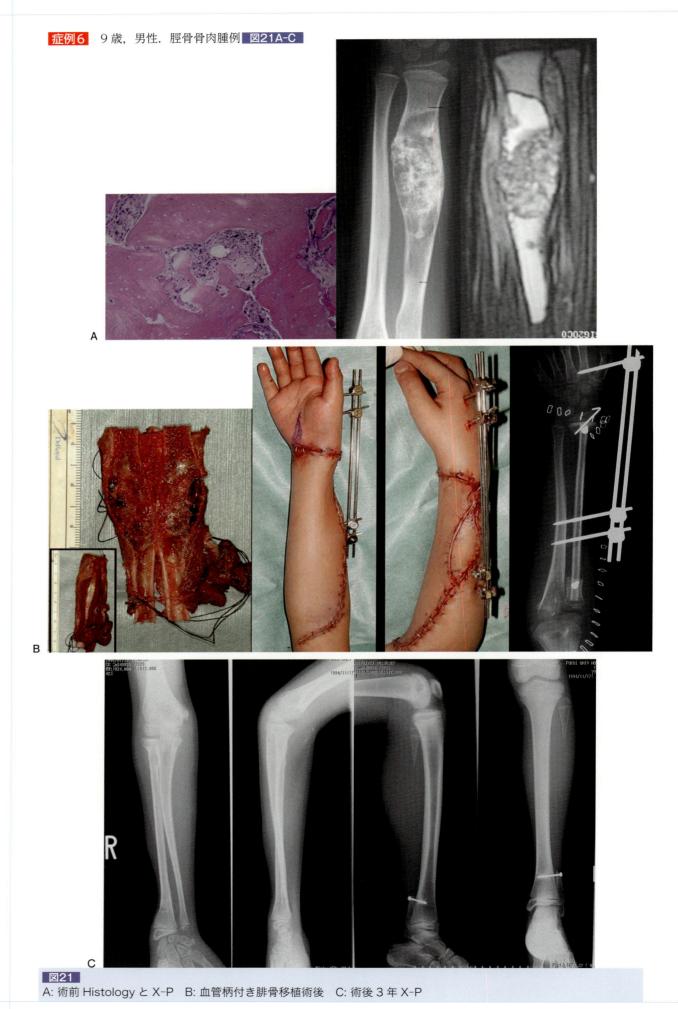

図21
A: 術前 Histology と X-P　B: 血管柄付き腓骨移植術後　C: 術後3年 X-P

症例7 38歳，女性　橈骨遠位端骨巨細胞腫　図22A, B

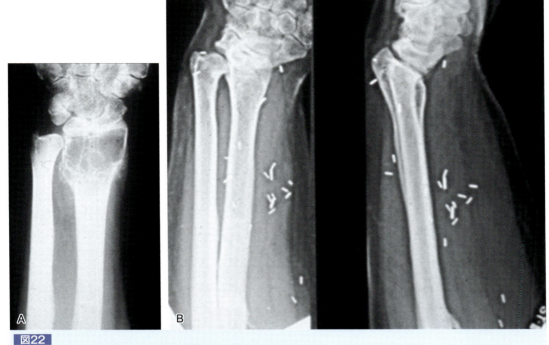

図22
A: 術前 X-P　B: 血管柄付き腓骨頭移植による手関節形成術後 15 年

■ 文献

1) 藤巻有久. 骨欠損部に対する血管柄付骨移植. 災害医学. 1977; 20: 537-42.
2) Kaneda K, Kurakami C, Minami A. Free vascularized fibular strut graft in the treatment of kyphosis. Spine (Philadelphia 1976). 1988; 13: 1273-7.
3) Kasashima T, Minami A, Kutsumi K. Late fracture of vascularized fibular grafts. Microsurgery. 1998; 18: 337-43.
4) Minami A, Usui M, Ogino T, et al. Simultaneous reconstruction of bone and skin defects by free fibular graft with a skin flap. Microsurgery. 1986; 7: 38-45.
5) Minami A, Ogino T, Sakuma T, et al. Free vascularized fibular grafts in the treatment of congenital pseudarthrosis of the tibia. Microsurgery. 1987; 8: 111-6.
6) Minami A, Kaneda K, Itoga H, et al. Free vascularized fibular grafts. J Reconstr Microsurg. 1989; 5: 37-43.
7) Minami A, Itoga H, Suzuki K. Reverse-flow vascularized fibular graft: a new method. Microsurgery. 1990; 11: 278-81.
8) Minami A, Kaneda K, Itoga H. Treatment of infected segmental defect of long bone with vascularized bone transfer. J Reconstr Microsurg. 1992; 8: 75-82.
9) Minami A, Kutsumi K, Takeda N, et al. Vascularized fibular graft for bone reconstruction of the extremities after tumor resection in limb-saving procedures. Microsurgery. 1995; 16: 56-64.
10) Minami A, Kato H, Suenaga N, et al. Distally-based free vascularized tissue grafts in the lower leg. J Reconstr Microsurg. 1999; 15: 495-9.
11) Minami A, Kato H, Iwasaki N. Vascularized fibular graft after excision of giant-cell tumor of the distal radius: wrist arthroplasty versus partial wrist arthrodesis. Plast Reconstr Surg. 2002; 110: 112-7.
12) Minami A, Kato H, Suenaga N, et al. Telescoping vascularized fibular graft: a new method. J Reconstr Microsurg. 2003; 19: 11-6.
13) Toh S, Harata S, Ohmi Y, et al. Dual vascularized fibula transfer on a single vascular pedicle: a useful technique in long bone reconstruction. J Reconstr Microsurg. 1988; 4: 217-21.
14) Yajima H, Tamai S, Ono H, et al. Free vascularized fibula grafts in surgery of the upper limb. J Reconstr Microsurg. 1999; 15: 515-21.

CHAPTER 10: 血管柄付き骨・(筋)皮弁(マイクロサージャリー)—骨移植

165 血管柄付き腸骨移植術
(深腸骨回旋動脈を血管茎とする)

腸骨は遊離移植骨としては非常によく使われるドナー骨である．私は血管柄付き骨のドナーとして腓骨に次いで2番目に多く用いている．血管茎が短かい欠点はあるが，8 cm以下の骨欠損例，大きな皮膚欠損例の修復にはとくに有用である．他の血管柄付き骨との相違(適応，利点，欠点)については別項を参照のこと．

▶血管柄付き腸骨移植術の特徴

1. 腸骨稜として最長10-12 cmの血管柄付き骨の採取が可能であるが，上前腸骨棘を含めても後方(奥)7-8 cmの部で大きく内側に弯曲するので8 cm以上の骨欠損の長管骨への移植には不向きであり，そのような場合には腓骨や肩甲骨の方がよい適応となる．
2. 血管系は大腿動脈から分岐する深腸骨回旋動脈 (deep circumflex iliac artery: DCIA) が栄養血管であり，その伴走静脈が還流血管である．分岐部での血管の口径は動脈で1.2-1.5 mm，静脈では2-3 mmであり，十分に血管縫合が可能である口径である．大腿動脈からの分岐部から上前腸骨棘までの血管茎の長さは6-7 cm程度とそれほど長いものではないが，腸骨翼を後方部分から採取すると血管茎の長さはさらに長く採ることができる．このことを利用して大腿骨頭無腐性壊死症に対する有茎血管柄付き骨移植として用いられる．

> **Tips コツ**
> 腸骨の栄養血管としてDCIAが主であるが，そのほか，上殿動脈，浅腸骨回旋動脈，第4腰動脈などがある．

3. 利点として
   ①幅広の扁平なtricortical移植骨を採取することができるため，荷重にも強いので長管骨の8 cm以下の骨欠損への移植に適している．
   ②腓骨と比べて海綿骨に富むため骨癒合が起こりやすいと期待される．
   ③骨欠損の補填のみならず広範な皮膚欠損にも対処可能である．
   ④大きな皮弁を採取してもほとんど採皮部を一次閉鎖が可能である．
   ⑤血管の口径も太く，長い血管柄付き移植骨が採取可能である．

4. 欠点としては
   ①腸骨部は皮下脂肪が厚いため，皮弁そのものがかなりbulkyである．
   ②移植骨の最長は10-12 cm程度と腓骨と比べて短い．一般的には最長8 cmくらいである．
   ③長管骨への移植骨への固定が腓骨などに比べると難しいことが多く，強固な固定ができないことが少なくない．
   ④骨の採取側の閉鎖に際して筋肉の縫合が困難で腹壁ヘルニアを起こす危険性がある．とくに肥満患者では腸骨の採取は慎重であるべきであり，移植骨採取後の創閉鎖には注意を要する．
   ⑤大腿前外側部の知覚は大腿外側皮神経によるが，同神経は深腸骨回旋動静脈の深層を走行することが多いので血管剝離時に神経を損傷しないように慎重に行う必要がある．移植採取時に同部に神経が存在していることを銘記すべきである．

▶手術適応

1. **感染性偽関節・骨髄炎**: 7-8 cm以下の骨欠損を伴った偽関節と骨髄炎が最もよい適応である．これ以上の長管骨の長い骨欠損の場合は腸骨では長さが足りないので腓骨あるいは肩甲骨移植が適応となる．
2. **大きな範囲の皮膚欠損を伴った骨欠損**: 腸骨には大きな鼠径皮弁を付けることが可能なので比較的大きな皮膚欠損を被覆可能である．

> **Tips コツ**
> 腸骨への栄養血管はDCIAが主動脈であり，その上の鼠径皮弁への血流はそれほど大きいものではない．したがって，腸骨に大きな皮弁を付けたい場合には，私の経験では幅10 cmを越える場合には浅腸骨回旋動脈 (superficial circumflex iliac artery: SCIA) を付けた方が皮弁の生着が安全であると考えている．逆に鼠径皮弁のみの場合には，DCIAのみでは信頼が低くなる．

3. **大腿骨頭壊死症**: 大腿骨頭壊死症に対しては血管柄付き腓骨が支柱となり，血行も付与できるということで好んで用いている術者もいるが，腓骨の場合は当然遊離となり血管縫合が必要となる．一方，腸骨の場合は有茎での移植が可能となり，有用性が高いことから利用されることが多い．

> **オピニオン**
>
> 大腿骨頭壊死症に対して果して血管柄付き骨移植を行い，血行の再開を図ることの意味については未だ賛否が分かれているが，ここではこの議論はおくこととする．

▶手術解剖

DCIA は鼠径靭帯の 1 cm 頭側付近の大腿動脈，または外腸骨動脈より分岐して鼠径靭帯に沿って上前腸骨棘の方向に向かって直線的に走行する 図1 ．一般的に DCIA は腹横筋膜を貫いて，内腹斜筋と腹横筋膜の間を走行する．上前腸骨棘の約 2-3 cm 中枢で上行枝を出す．上行枝は腸骨翼から離れる傾向にあるが，DCIA 本幹と誤ることがあるので注意を要する．

DCIA は上前腸骨棘の直前で上前腸骨棘への枝を出した後，腸骨筋内に入り腸骨稜の約 2-3 cm 内側縁の腸骨筋内の腸骨上を腸骨翼の 2 cm くらい深部を後方に向かって走行する．

DCIA は上前腸骨棘に近づく少し前で大腿外側皮神経の表層を走行するので，DCIA を慎重に剝離して神経を損傷しないように注意する 図2 ．DCIA は遠位に行くと（大体，上前腸骨棘の約 10 cm 後方）内・外腹斜筋を貫いて皮下に出るので，この枝を使うと大きな皮弁を採取することが可能となる．

> **コツ**
>
> 腸骨動脈または大腿動脈の内側の鼠径靭帯上で，外腹斜筋膜と内腹斜筋膜，腹横筋膜の間には鼠径管があり，男性では精索が，女性では子宮円靭帯が通っているので，鼠径部の内側で DCIA の血管剝離時には注意する．教科書的にはこれらのことを力説しているが，私は実際にこのような場面に遭遇したことはない．

▶術前準備

鼠径靭帯の走行に一致して上前腸骨棘まで約 1 cm 近位（頭）側に栄養血管である DCIA が走行しており，ドプラー血流計を用いて走行をチェックすることが可能であるので血管造影は普通必要ない．

鼠径部や腸骨部に手術の既往がある場合には術前に血管造影を行い，大腿動脈から上前腸骨棘に向かい直線状に走行する DCIA の存在を確認するか，ドナーを異なる部位に変更する必要がある．

▶手術体位

全身麻酔下，仰臥位として採取する側の殿部の下に枕を挿入して，腰部を浮かして採取側の腸骨を少し高くして，下後腸骨棘まで十分に露出しておくことにより長い骨の採取が可能となる．

▶血管柄付き腸骨の挙上

デザイン

特殊な場合を除いて上前腸骨棘は少なくとも 2 cm 程度は残すように腸骨を採取することとしている．これ以上，短くすると同部での骨折を経験している．これ以外にも上前腸骨棘は術後の腹壁ヘルニア発生防止のための筋肉を縫着させるための鼠径靭帯の付着部であるので，極力温存するように努力する．

腸骨のみではなく，レシピエント側の創閉鎖および血行のモニターの観点から皮弁は付けることとしているが，DCIA を栄養血管とした場合，腸骨への血流は良好であるが，その上の皮弁への血流の信頼性は高いものではない．したがって，採取腸骨上にデザインし，術中，intensional な外傷を防ぐ意味で絹糸で腸骨とその上の皮弁がずれないように stay suture を加えておくことが重要である 図3 ．皮弁を後方にデザインすると皮下脂肪が多くなり bulky となることと，栄養血管が皮弁に到達しないこともあるので採取腸骨の前方で直上に皮弁を付けるようにデザインを加えるべきである．

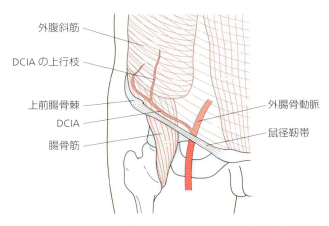

図1 DCIA の走行

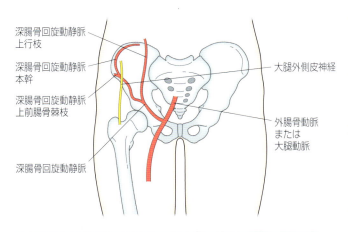

図2 大腿外側皮神経と DCIA の解剖学的位置関係

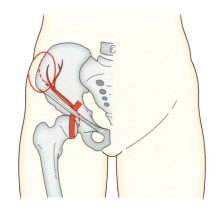

図3 皮切．モニター（鼠径）皮弁をデザインする

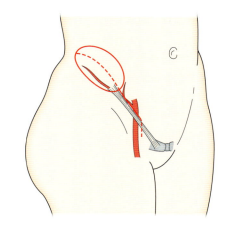

図4 DCIAを血管柄とする腸骨移植のための皮切（前外側面から見たところ）

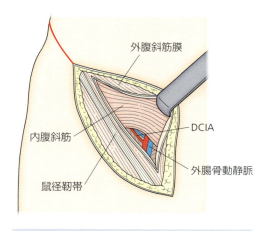

図5 大腿動脈の外側でDCIAを見出す

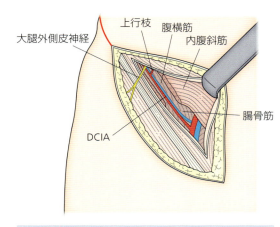

図6 DCIAを内腹斜筋膜と腹横筋膜の間で見出す

に一致して外腹斜筋膜を切開する．

　大腿動脈の2cm外側で，外腹斜筋の下層にある内腹斜筋，腹横筋膜を注意深く剥離すると，拍動しているDCIAをみつけることが可能である **図5**．この操作は意外と手間取ることが多いが，もし見つからない場合には，DCIA・DCIVは内腹斜筋膜と腹横筋膜の間を走行していることが多いのでこれら2つの筋膜間を慎重に剥離すると見出すことが可能であることが多い **図6**．DCIA・DCIVに血管テープを掛けて，内腹斜筋，腹横筋膜を鼠径靭帯から鈍的に外側に向かって慎重に剥離する．

> **Tips コツ**
> 先にも記載しているが，この操作の際にDCIAの表層を大腿外側皮神経が走行しているので損傷しないように留意する **図7**．

▶血管柄付き腸骨の採取

　上前腸骨棘を越えて，さらに腸骨翼の方，つまり後方へ剥離すると，内腹斜筋・腹横筋膜間を頭側方向に向かうDCIA上行枝を認める **図8**．この枝をDCIAの本幹と見誤ることがあるので注意を要する．DCIAの本幹は上行枝を出した後，やや深層の腸骨筋の中に入っていくのを認めることができる．ここで腸骨稜に付着する外腹斜筋膜，内腹斜筋膜，腹横筋膜をDCIAの外側で腸骨稜より約1-1.5cmの部分で切離する **図9**．腸骨稜にはこれらの1-1.5cm長の筋膜と腸骨筋およびDCIAが付いていることとなる．腸骨の外側では，腸骨外板に付いている大腿筋膜張筋，殿筋を骨膜上で切離する．この部の筋肉弁は付着する必要はない **図10**．

　DCIAの拍動を手指で腸骨の方に触れながら，その深層で腸骨筋を腸骨内板の骨膜まで電気メスで慎重にDCIAを損傷すること（焼灼すること）なく，注意して切離する．

皮切・展開

　皮切は腸骨稜後方部分からモニター皮弁を作製し，上前腸骨棘から鼠径靭帯上を走り，大腿動静脈の拍動を触れる部分（DCIAの分岐部）まで加える **図4**．DCIAは前にも記載しているが，鼠径靭帯の頭側1-2cmの部を鼠径靭帯の走行に沿って走行しているので，大腿動静脈の拍動を触れる部から上前腸骨棘までDCIAの走行

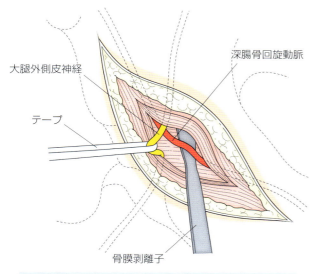

図7 DCIAを剥離する際，大腿外側皮神経の損傷に注意する

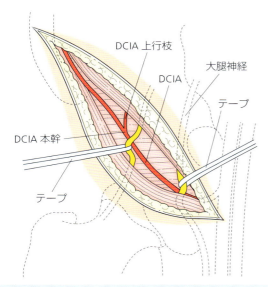

図8 DCIA上行枝を認め，これを結紮する

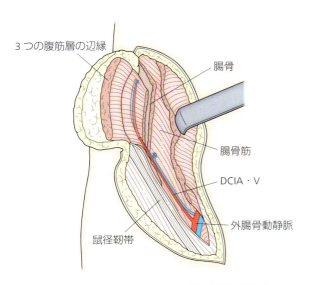

図9 腸骨稜の内側で外腹斜筋膜，内腹斜筋膜，腹横筋膜を付けてDCIAの下方で切離する

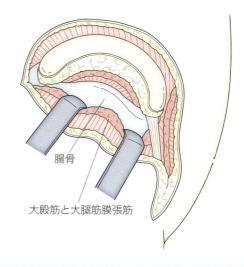

図10 腸骨外板は骨膜上で切離する

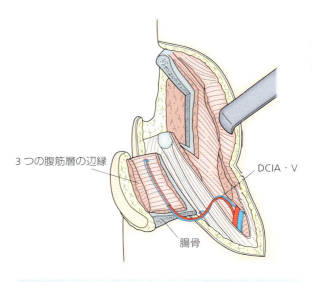

図11 DCIA・Vを血管茎として腸骨稜を挙上する

　上前腸骨棘の2 cm後方から必要な長さの腸骨長をノミで印を付けて，その遠位でDCIA・DCIVを結紮する．先ほど露出したDCIAの深部での腸骨内板をノミで骨切りを行う．この操作中，腹膜は腸ベラで引っ張って損傷しないようにする．腸骨内板と同様の深さで腸骨外板の骨切りをノミで行うことにより，内板の骨切りと連絡させ，最終的に上前腸骨棘から2 cmの部から必要な腸骨稜を垂直に骨切りし，移植骨を挙上する **図11**．

> **Tips コツ**
> この際，骨切り操作中に腸骨翼の腸骨筋を走行するDCIA・DCIVを損傷しないように慎重に取り扱うことが重要である．

　最終的にDCIA・DCIVが付いている腸骨を持ち上げるように大腿動静脈の中枢に向かって，DCIAの分岐部まで慎重に剥離して，血管柄付き腸骨皮弁の挙上が完成する．

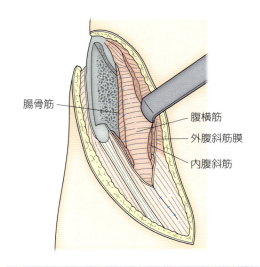

図12 採取（腸骨）部では，一番深層で腹横筋膜と腸骨筋膜を縫合する

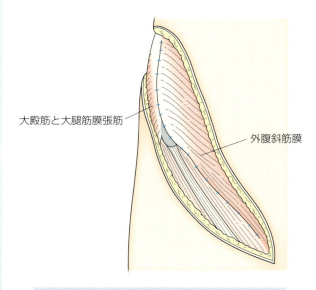

図13 浅層で，内腹斜筋と外腹斜筋を，大腿筋膜張筋と腸骨筋膜を縫合する

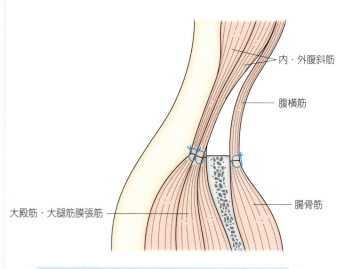

図14 腸骨採取後の創部の閉鎖（横断面）

創閉鎖

　腸骨欠損部にセラミックスペーサーを挿入して再建すべきとの意見もあるが，腹壁筋膜・筋肉の閉鎖が筋膜および皮膚などの緊張が強くなり，かえって困難となることもあるので，私は普通用いてはいない．一番重要なことは術後，腹壁ヘルニア，鼠径ヘルニアを起こさないように切離した筋膜・筋肉を層別にしっかり修復することである．

　腸骨部では，一番深層で腹横筋膜と腸骨筋膜を縫合し 図12 ，次の層で内腹斜筋と外腹斜筋を，大腿筋膜張筋と腸骨筋膜を縫合する 図13 ．一番深層の腸骨筋は糸を掛けることが難しいので慎重に行う．最後に腹横筋膜と内腹斜筋膜を鼠径靭帯の深層に，外腹斜筋を鼠径靭帯の表層にしっかりと縫合して腹壁の修復を終えることとなる． 図14 は血管柄付き腸骨採取後の創部の閉鎖の横断面である．

> **Tips コツ**
> 術後は腹壁ヘルニアの予防のため，腹帯等を巻くことも必要である．術後，抜管時に，大きな咳嗽反射や腹圧の上昇を引き起こすことのないようにする．

▶症例供覧

症例1 36歳，男性．慢性脛骨骨髄炎例．
　術前 X-P 図15 ．脛骨骨欠損を伴った慢性骨髄炎である．
　術前外観 図16 ．下腿前面に皮膚潰瘍が存在する．
　血管柄付き腸骨皮弁採取のための皮切デザイン 図17 ．
　DCIA を血管茎として腸骨を皮弁付きで挙上した 図18 ．
　術直後 X-P 図19
　術直後外観 図20
　3年後 X-P 図21
　手術3年後外観 図22

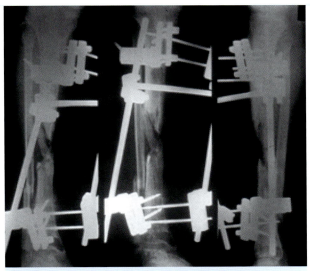

図15 症例1. 36歳, 男性. 慢性脛骨骨髄炎例 術前X-P. 脛骨骨欠損を伴った慢性骨髄炎である

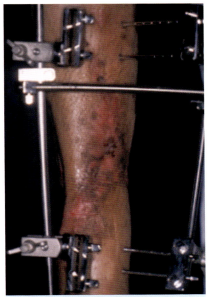

図16 術前外観. 下腿前面に皮膚潰瘍が存在する

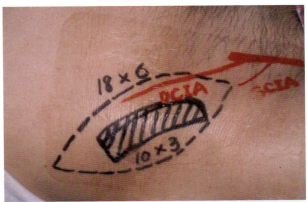

図17 血管柄付き腸骨皮弁採取のための皮切デザイン

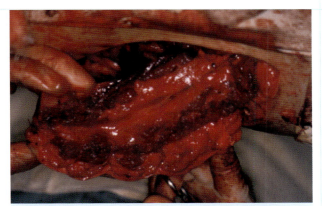

図18 DCIA・Vを血管茎として腸骨を皮弁付きで挙上した

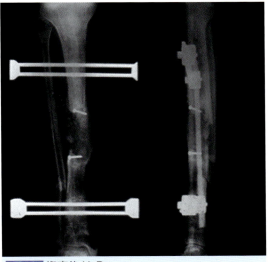

図19 術直後X-P

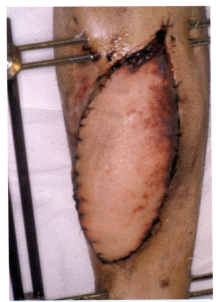

図20 術直後外観

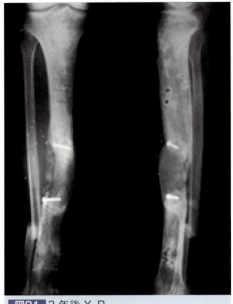

図21 3年後 X-P

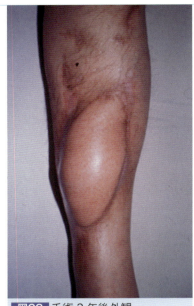

図22 手術3年後外観

症例2　57歳，男性．上腕骨偽関節例（過去3回手術が行われている）．

術前 X-P 図23 ．上腕骨骨欠損を伴った偽関節例である．

血管造影での DCIA の描出 図24 ．

血管柄付き腸骨皮弁採取のための皮切デザイン 図25

DCIA を血管茎として腸骨を皮弁付きで挙上した 図26 ．

術後2年 X-P 図27

腸骨採取部の創閉鎖 図28

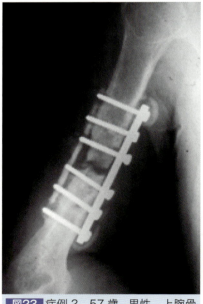

図23 症例2．57歳，男性．上腕骨偽関節例　術前 X-P

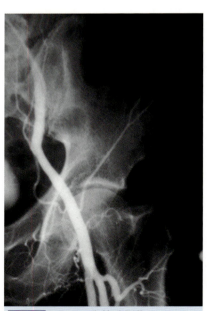

図24 DCIA の血管造影像

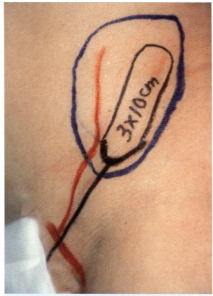

図25 血管柄付き腸骨皮弁採取のための皮切デザイン

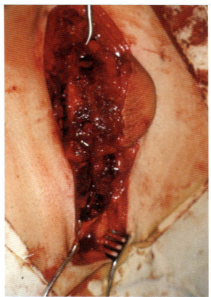

図26 DCIA・Vを血管茎として腸骨を皮弁付きで挙上した

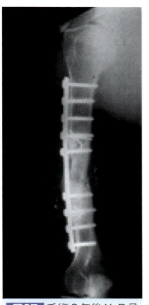

図27 手術2年後X-P 骨癒合は得られている

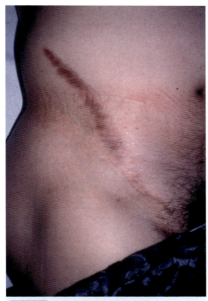

図28 腸骨採取部の創閉鎖

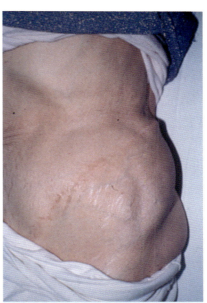

図29 腸骨採取部の腹壁ヘルニア

　別の例であるが72歳，女性に対して血管柄付き腸骨皮弁移植術を行い，採取部に腹壁ヘルニアが発生した例である 図29 ．

■ 文献

1) 柿木良介．血管柄付き腸骨移植術．In: 別府諸兄編　整形外科医のためのマイクロサージャリー　Basic to Advance．東京: メジカルビュー; 2009．p.162-74．
2) Minami A, Ogino T, Itoga H. Vascularized iliac osteocutaneous flap based on the deep circumflex iliac vessels. Experience in 13 cases. Microsurgery. 1989; 10: 99-102.
3) 三浪明男，笠島俊彦．血管柄付き腸骨移植術・肩甲骨移植術．In: 別府諸兄編，整形外科医のためのマイクロサージャリー基本テクニック．東京: メジカルビュー; 2000．p.136-44．
4) Taylor GI, Townsend P, Corett R. Superiority of the deep circumflex iliac vessels as the supply for free groin flaps: experimental work. Plast Reconstr Surg. 1979; 69: 595-604.
5) 藤　哲，熊沢やすし．大腿骨頭壊死症に対する血管柄付き腸骨移植．MB Orthop．1992; 5: 57-69．

CHAPTER 10: 血管柄付き骨・（筋）皮弁（マイクロサージャリー）—骨移植

166 Angular Branch を利用した血管柄付き肩甲骨移植術

　私は整形外科医であるのでどうしても骨に対する手術を行うことが多い．したがって，血管柄付き骨移植術を行う機会も必然的に多くなる．以前，私は血管柄付き骨のドナーとして腓骨を多用してきた．次いで腸骨を用いており，肩甲骨を使用することはなかった．

　本項での肩甲骨は形成外科医の間では比較的以前から使用されたようであるが，整形外科医の間ではそれほど使用されていなかったのではと考える．私はどちらかと言うと整形外科医のなかで，早や目に本法を用いた一人ではないかと考える（もちろん私の前にも肩甲骨をドナーとして考えておられた方もいたが）が，その理由などについては後述する．今では本法はきわめて有用な手術術式であり，是非，試みていただきたい手術の1つと考えている（広背筋皮弁の項も参照のこと）．

▶Angular branch を利用した血管柄付き肩甲骨移植術の特徴

　肩甲骨を用いた骨移植は従来は肩甲回旋動静脈（CSA・V）を血管柄とする方法が広く用いられていたが，Coleman らがその後，胸背動脈から肩甲骨下角に向かう angular branch（角枝）を血管柄とする肩甲骨移植の手術手技を発表した 図1A, B ．

　CSA を血管柄とした肩甲骨に比べての利点としては，①血管茎が長いため，移植床への移動自由度が高い，②肩甲骨への栄養孔が小さいが，数が多く存在しており，骨の採取と血管柄の剝離が比較的容易である，③肩甲骨外側縁から採取可能な骨長は肩甲回旋動脈を血管柄とした場合と同じくらいの長さを採取可能である，などである．

　肩甲骨下角から採取可能な angular branch を血管柄とする方法の方が，手技が容易であり，血管柄を長く採取可能であるので少なくとも肩甲骨を用いた血管柄付き骨移植についてはCSAと比較して欠点はないと考える．

　他の利点としては広背筋皮弁および前鋸筋皮弁も肩甲骨と同時に採取可能であるので，大きな軟部組織欠損を伴う感染性偽関節に応用可能である．Angular branch で栄養される肩甲骨と胸背動脈で栄養される広背筋皮弁を自由な位置に置くことができるのも大きな利点である．また，有茎移植として，上腕骨や鎖骨にも移植可能である，などである．

　肩甲骨外側縁から移植骨を採取することとなるが，幅2 cm で最長12 cm 程度まで採取可能である．肩甲骨そのものは当然であるが扁平骨である．しかし，肩甲骨外側縁は腓骨と比較してもしっかりとした骨皮質を有しており，荷重骨への移植にも使用可能である．

▶手術適応

1. 広範な皮膚欠損を伴う感染性・欠損性偽関節
　10 cm 以下程度の骨欠損の補填に最もよい適応がある．とくに皮膚を含めた軟部組織が広範に欠損している場合には，自由度が高い大きな広背筋皮弁の移植も可能であるので適応が高い．
2. 上腕骨および鎖骨偽関節
　有茎で用いることができ，有用な適応である．
3. 下顎再建
　採取した肩甲骨を骨切りすることにより，いろいろな形での移植が可能となり，とくに下顎の再建にはきわめて有用である．

▶術前準備

　麻酔は全身麻酔で行う．体位は半側臥位として，同側上肢は挙上・外転位として反対側に設置した手台の上に乗せて，術中，自由に動かせるようにする 図2 ．採取側に手術の既往がなければ血管造影は一般的に不要である．

▶手術

皮切

　私は angular branch を血管柄とする肩甲骨に胸背動静脈を血管柄とする広背筋皮弁をほとんどつけることとしているので，この手術手技について記載する．

　広背筋前縁に沿ったデザインを作成し，また肩甲骨外側縁の下角から必要とされる長さの肩甲骨の部もデザインする．腋窩は将来的な外転制限を防止する目的でジグザグ切開として肩甲骨外側縁の前方で胸背動脈の走行に沿う皮切として，ここに広背筋皮弁をデザインする 図3 ．

　広背筋皮弁を挙上する皮切と同様に皮弁の前縁を切開

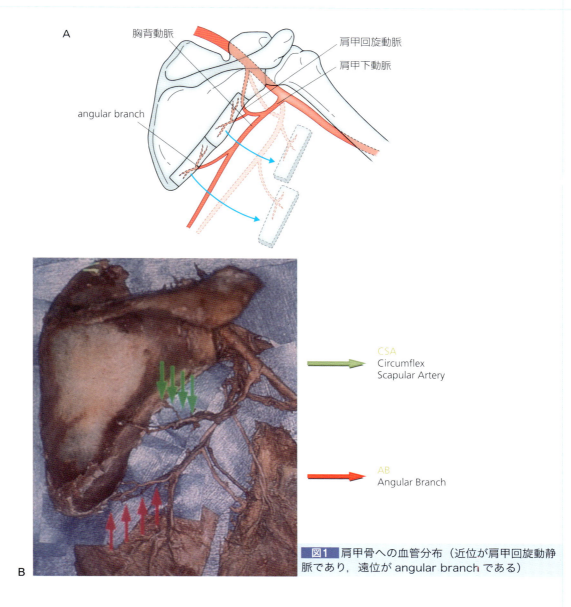

図1 肩甲骨への血管分布（近位が肩甲回旋動静脈であり，遠位がangular branchである）

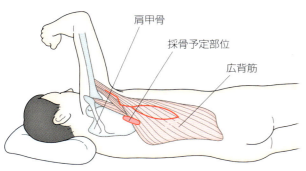

図2 血管柄付き肩甲骨採取のための体位と皮切

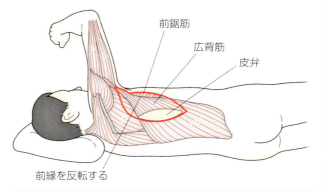

図3 皮弁の切開

し，広背筋の前縁を同定して，筋膜をめくるように底面（胸郭面）をみると前縁の 2-3 cm の部に広背筋の筋線維方向に一致して走行する拍動している胸背動脈を見出す．そして最終的に皮弁全周を切開する．

血管系の同定

広背筋を後方に引くと前鋸筋（独特の筋の形状をしているので容易に同定可能である）の上を走る前鋸筋枝を中枢方向に探っていくと広背筋枝を見出すことができる．Angular branch の分岐方向には 2 つのパターンがあるが，多くは胸背動脈が広背筋枝と前鋸筋枝に分かれる周辺で肩甲骨下角方向に分岐している 図4 ．Satomi らの解剖学的検討では広背筋枝と前鋸筋枝の分岐部から平均 17.8 cm の部位に angular branch があり，半径 26 mm 以内に 75％，半径 33.5 mm 以内に

90％の確率でangular branchの分岐部があるという結果を報告している 図5．Angular branchが前鋸筋枝から分岐する場合もあるが，筋枝から分岐されていないと判断された場合には前鋸筋枝を結紮する．

Angular branchの同定

先にも記載したが肩甲骨下角付近のangular branchを直接見出すことは容易でないことが多いので，まずは広背筋皮弁を先に剝離，展開する方が容易である．広背筋枝を確認した後に広背筋皮弁を末梢から遊離翻転して，前鋸筋から剝離する．この方法の方が，つまり広背筋を末梢から中枢の方へ肩甲骨下角の方へ行くと，大円筋との境界がわかりやすく，下角に付着する大円筋が確認できる．

前鋸筋の表面をangular branchが走行しているので，肩甲骨下角へ剝離を進める 図6．下角に近づくと数本の枝となる．大円筋の中に入り，同定が困難となるが，下角外側縁を背側に牽引すると，下角の腹側で

angular branchが肩甲骨を栄養しているのが判明する 図7．

胸背動脈の中枢への剝離は，大円筋を切離あるいは挙上して進める．血管柄をさらに長く採取する場合には近位に向かって剝離を進め，肩甲骨方向へのCSAの分岐部を確認・結紮し，肩甲下動静脈が腋窩動静脈に分岐するところまで剝離可能となる 図8．ここまで剝離すると血管柄は肩甲骨まで15 cmと長い血管柄の採取が可能となる．

移植骨の採取

肩甲骨外側縁の下角から近位に向かって骨切除長を決定する．肩甲骨下角外側縁には腹側に前鋸筋，背側には大円筋と広背筋が，近位では腹側に肩甲下筋，背側には小円筋が骨を被覆している．Angular branchは特徴的に腹側（胸郭側）から肩甲骨を栄養しているため，背側に存在する大円筋や小円筋を剝離しても血管を損傷することはない．ここで，肩を外転位として単鋭鈎で下角外側縁を背側に持ち上げて牽引して，血管を保護して必要な長さの肩甲骨外側縁表面を露出する．背側から電動鋸を用いて腹側の骨膜は温存しながら下角から中枢に向かって骨切りを行う 図9．

背側から肩甲骨外側縁の幅1.5 cm程度の位置になるとangular branchからの栄養血管は骨栄養孔に入り込んだ後なので骨への血行の妨げにならないし，安全に移植骨を血管柄付きで挙上可能である．Angular branchは肩甲骨下角に近づくと大円筋のなかに入るので下角周囲の前鋸筋と大円筋の一部を切離して血管柄と一緒に挙上することとなる．骨片の最大幅は2.0 cm，長さは12 cm程度までの採取が可能である 図10．

閉鎖

肩甲骨から移植骨を挙上した後の切断端はかなり鋭的であるのでボーンワックスを塗布して円滑にすることと

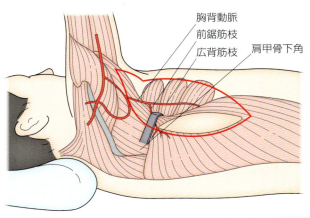

図4 胸背動脈が広背筋枝と前鋸筋枝に分かれる周辺で肩甲骨下角方向にangular branchが分岐している

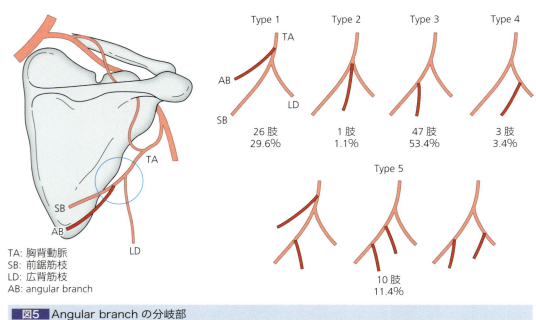

図5 Angular branchの分岐部

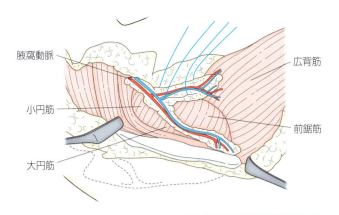

図6 Angular branch の同定

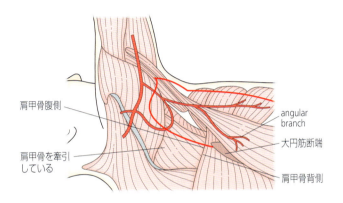

図7 Angular branch が肩甲骨を栄養しているのがわかる

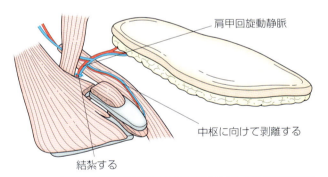

図8 胸背動脈を中枢へ剥離し血管柄を長く採取する

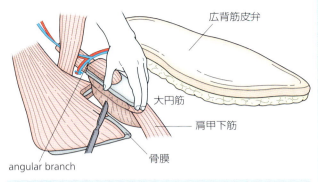

図9 肩甲骨外側縁の骨採取

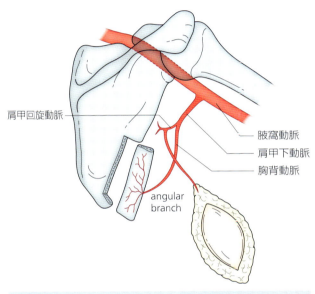

図10 広背筋枝と angular branch を血管柄とした肩甲骨の挙上

止血を徹底する．その後，この切断面の背側および腹側を覆うように大・小円筋を周囲の筋で密に縫合する．

▶後療法

肩甲骨切断面は筋肉により縫合・被覆されているので，術後 2 週程度は採取側上肢を三角筋とバストバンドを用いて肩関節を固定する．その後，愛護的他動運動から自動運動へと運動を許可する．

▶術後合併症

肩関節可動域制限，血腫形成を起こすことがある．

▶本手術の留意点

1. Angular branch をみつけづらい場合には胸背動脈から広背筋や前鋸筋への枝を最初にみつけて，近位に検索していくと比較的容易である．
2. Angular branch から肩甲骨下角の胸郭面へ数本の枝を出しているので，これらの枝をひっくるめて骨へ入るように採取することとしている．この際に angular branch を損傷しないように十分留意する．

▶症例供覧

症例1 70歳，男性．肘関節結核例．
肘関節内側から排膿している 図11．
X-P では骨破壊が著明である 図12．
広背筋皮弁と angular branch を血管柄として肩甲骨

を有茎として挙上した 図13.
　有茎で上腕骨と尺骨間に血管柄付き肩甲骨を移植し，プレートで固定した 図14.
　図15 は術後7カ月目の外観（広背筋皮弁が生着している）とX-Pであるが，骨癒合は得られている.

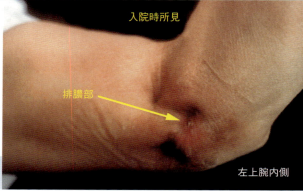

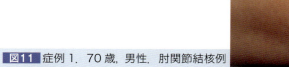

図11 症例1．70歳，男性．肘関節結核例 術前外観

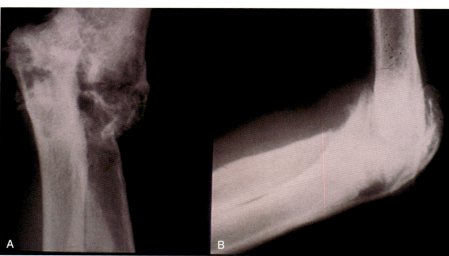

図12 X-P所見．骨破壊が著明である
A: 正面像，B: 側面像

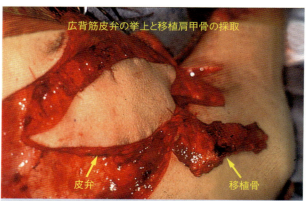

図13 有茎として広背筋皮弁と angular branch を血管柄とした肩甲骨を挙上した

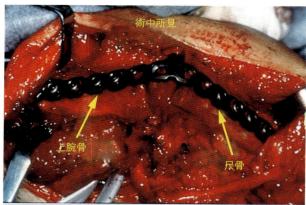

図14 有茎で上腕骨と尺骨間に移植し，プレートで固定した

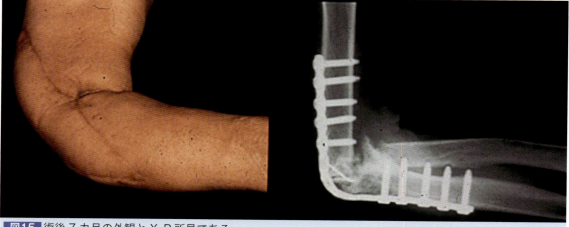

図15 術後7カ月の外観とX-P所見である

症例2 54歳，女性．下腿開放性粉砕骨折例．術前外観 図16．術前 X-P 図17．
血管柄付き広背筋皮弁と angular branch を血管柄とした肩甲骨移植術施行直後の外観 図18 とその X-P 図19．術後2年の下腿外観 図20 とその X-P 所見 図21 であり，骨癒合は得られている．

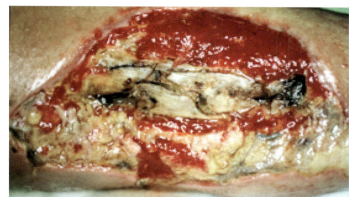
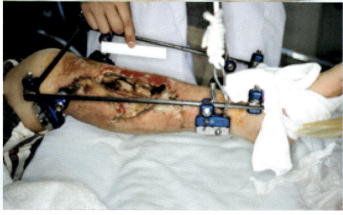

図16 症例2．54歳，女性．下腿開放性粉砕骨折例 術前外観．下腿前面の皮膚は広範に欠損し脛骨は露出している．

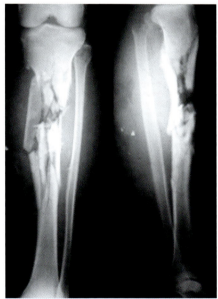

図17 術前 X-P．骨欠損が存在している

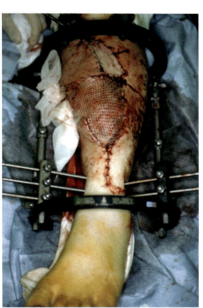

図18 血管柄付き広背筋皮弁と angular branch を血管柄とした肩甲骨移植術施行直後の外観

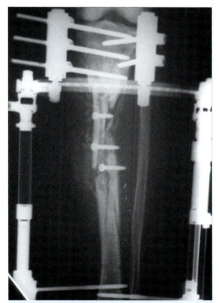

図19 術直後の X-P

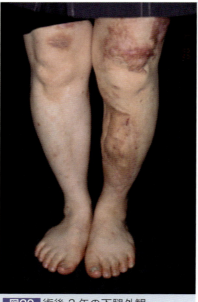

図20 術後2年の下腿外観

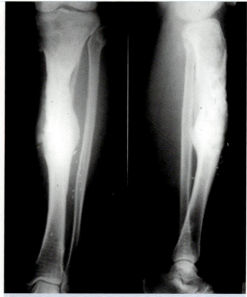

図21 術後2年のX-P．骨癒合は得られている

症例3　46歳，男性．上腕骨開放骨折後偽関節例　図22-26

術前 X-P 図22

有茎血管柄付き広背筋皮弁と angular branch を血管柄とした肩甲骨を挙上した 図23

その後，骨欠損部に移植骨を挿入し，プレート固定，広背筋で同部を被覆した 図24

術直後 X-P 図25

術後2年 X-P 図26

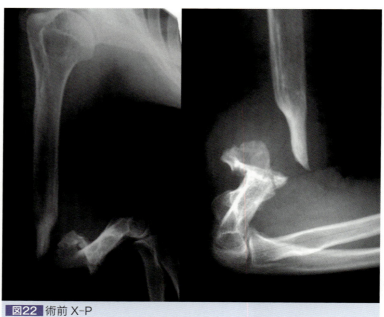

図22 術前 X-P

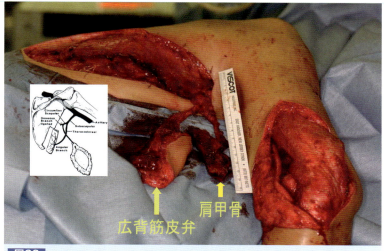

図23 有茎血管柄付き広背筋皮弁と angular branch を血管柄とした肩甲骨を挙上した

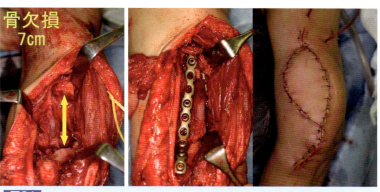

図24 その後，骨欠損部に移植骨を挿入し，プレート固定，広背筋で同部を被覆した

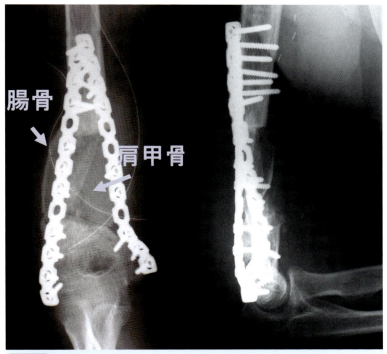

図25 術直後 X-P

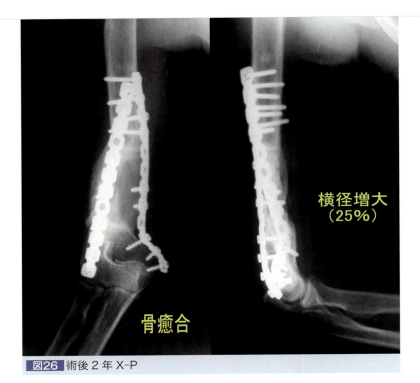

図26 術後2年 X-P

■文献

1) Coleman JJ 3rd, Sultan MR. The bipedicled osteocutaneous scapula flap: a new subscapular system free flap. Plast Reconstr Surg. 1991; 87: 682-92.
2) 平瀬雄一. 肩甲皮弁（肩甲骨移植）. やさしいマイクロサージャリー―遊離組織移植の実際―. 東京: 克誠堂出版; 2004. p.77-94.
3) 三浪明男, 笠島俊彦. 血管柄付き腸骨移植術・肩甲骨移植術. In: 別府諸兄編. 整形外科医のための新マイクロサージャリー 基本テクニック. 東京: メジカルビュー; 2000. p.136-44.
4) Satomi Y, Shimizu H, Beppu M, et al. Clinical anatomical study of pedicled vascularised scapular bone graft using the angular branch. Hand Surg. 2007; 12: 19-28.
5) Seitz A, Papp S, Papp C, et al. The anatomy of the angular branch of the thoracodorsal artery. Cells Tissues Organs. 1999; 164: 227-36.
6) 関口順輔, 小林誠一郎, 高田裕子, 他. 骨移植の基礎と臨床 臨床編 血管柄付肩甲骨移植術の術式と適応について. 形成外科. 1992; 35: 391-8.

CHAPTER 10: 血管柄付き骨・(筋)皮弁(マイクロサージャリー)―筋皮弁

167 浅腸骨回旋動静脈を血管茎とした Groin Flap

Groin flap は私の知る限りでは最も古い血管柄付き皮弁の1つと思われる．おそらく鼠径部は古くから最も頻用される遊離植皮のドナー部とされていたこともその理由の1つであろうと類推している．

浅腸骨回旋動脈（SCIA）を血管茎とする groin flap は当初は盛んに行われてきたが，SCIA の起始，血行に variation が強いため，かなり難しい皮弁と評価された時期があった．しかし，ドナーの morbidity が圧倒的に少なく，大きな皮弁を採取しても一期的閉鎖が可能であるなど血管柄付き皮弁として極めて有用な皮弁であることが再認識されて，再び脚光を浴びた皮弁ということができると考えている．

▶手術の適応

1. 手部および足部を含む上肢，下肢の腱，骨の露出を伴う広範な皮膚欠損，挫滅創
2. 熱傷瘢痕拘縮
3. 顔面・頭頸部組織欠損　などに対して手術適応があると考える．

▶手術解剖

Groin flap は5つの動脈系により栄養されている．①浅腸骨回旋動脈（SCIA），②浅下腹壁動脈（SEA），③第4腰動脈，④深腸骨回旋動脈，⑤上殿動脈　である．①〜③の動脈を動脈系として groin flap の挙上が可能であるが，SCIA を動脈系として採取する方法が一般的であり，本項も SCIA・V を血管茎とした groin flap の挙上について記載する．

SCIA は鼠径靭帯の下方2 cm の部で大腿動脈の前外側から起始している 図1 ．上前腸骨棘までまっすぐ走行し，起始から1.5 cm 以内で2つに分岐（浅枝と深枝）する．浅枝はただちに皮下レベルを鼠径靭帯の下2 cm の部で平行に横行する．深枝は鼠径靭帯の下1.5 cm の部で平行に深層筋膜の下を走行する．深枝は大腿外側皮神経を横切り，縫工筋に枝を出し，縫工筋の外側縁で深層筋膜を貫いて皮下に出て，腸骨翼に小さな枝を出す 図2 ．

SEA は鼠径靭帯の1 cm 下の部で大腿動脈の前面から起始し，篩状筋膜を貫通し，靭帯の前面を上行し，腹壁

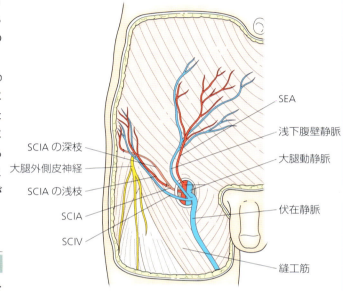

図1　鼠径部の血管系

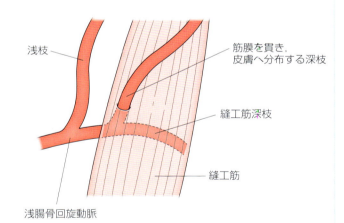

図2　SCIA と縫工筋との関係

の表層筋膜の2つの層の間を臍部まで走行する．SEA を動脈系とする groin flap は私には経験がない．

Groin flap の静脈系は浅腸骨回旋静脈（SCIV）と浅下腹壁静脈（SEV）である．

▶Groin flap の利点・欠点

利点
1. 比較的大きな皮弁である

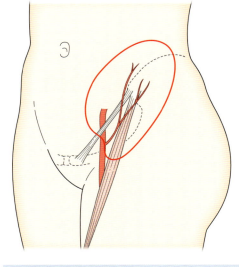

図3 皮弁のデザイン

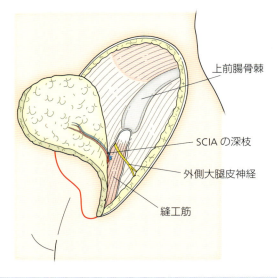

図5 SCIAの縫工筋への枝を結紮し，縫工筋の一部の筋膜あるいは筋肉を含めて皮弁を挙上する

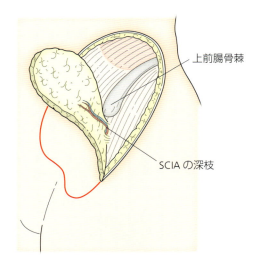

図4 皮弁の外側縁から深筋膜上で縫工筋外側まで挙上する

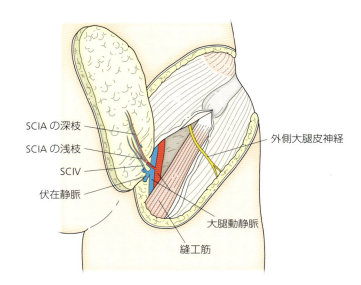

図6 SCIA・Vを血管茎としてgroin flapを挙上する

2．採取に際して体位変換を要さない
3．皮弁デザインの自由度が高い
4．皮弁の血行は豊富で安定している
5．採取部は一期的に閉鎖可能である
6．採取部は無毛（内側は恥毛が存在している）であり，目立ちにくい
7．複合組織移植としても利用可能である

欠点
1．皮弁の皮下脂肪は厚くbulkyである
2．皮弁への血管にvariationが比較的多く，縫工筋部での操作が複雑で採取が難しいこともある

▶手術

皮弁のデザイン

SCIAの表在性解剖は鼠径靭帯の下方2.5-2 cmの部で大腿動脈の部から上前腸骨棘を結んだ線状に存在する．この描いた線より少し高位に皮弁の中心軸を描く．皮弁の下縁はこの中心線より5 cm下方で鼠径靭帯と平行とし，大腿動脈上あるいは1-2 cm外側を内側縁とした．上縁および外側縁は必要な皮弁の大きさによりデザインを決める **図3** ．一般的には10×20 cm大くらいであるが，最大であれば22×31 cm大の皮弁まで採取可能といわれている．

皮弁外側の剝離

皮弁の外側縁を上前腸骨棘まで深層筋膜の表層で挙上し，縫工筋外側に到達する **図4** ．縫工筋の外側縁ではSCIAを皮弁に含めるために慎重に剝離を行う．縫工筋への分枝を結紮して，皮弁に縫工筋の一部分の筋膜あるいは筋肉を含めてSCIAを皮弁に入れて剝離する **図5** ．剝離をSCIAの拍動に沿って腸骨筋の筋膜上の疎性組織を通して大腿動脈の起始部まで行う．SCIAの

起始部を剝離してから SEA を同定し剝離する．SEA は皮弁に含めず結紮することも多い．

皮弁血管茎の剝離
皮弁の内側縁を切離して表在性の皮下静脈を露出する．SCIA を同定して温存する．Groin flap を SCIA・V を血管茎として挙上する 図6．

皮弁血管茎の結紮・切離
最後に皮弁の血管茎を結紮・切離を行う．血管茎をできるだけ長く太く採取するために大腿動静脈からの起始部で切離する．

閉創
持続吸引ドレーンを創内に留置し，閉創する．

▶後療法
一般的な microsurgery を用いた遊離組織移植術の際の抗凝固療法を行う．

▶術後合併症
1．皮弁採取部の知覚障害
大腿外側皮神経は温存するように努めるが，陰部大腿神経の大腿枝は皮弁血管茎よりも浅層に存在しているため，皮弁採取時に切断が余儀なくされる．しかし，多くは術後1年程度で回復する．

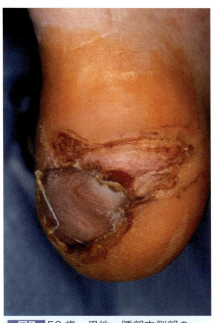

図7 50歳，男性．踵部内側部の皮膚欠損例

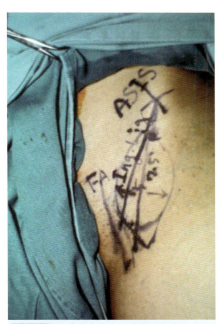

図8 Groin flap の皮切デザイン

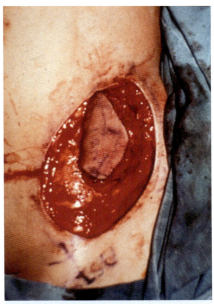

図9 Flap を挙上した

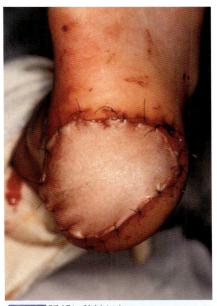

図10 踵部に移植した

2．皮弁採取部の閉創

幅 10 cm 程度以下であれば皮弁採取部の一期的縫合は可能であるが，これ以上であれば股関節を軽度屈曲すると閉創が可能である．術後 2 週程度は股関節を伸展することを制限し，創の哆開を防止する．

Microdissection を行い，SCIA の穿通枝を利用する (superficial circumflex iliac artery perforator flap) ことにより，groin flap の欠点である薄い皮弁を得ることが主に形成外科分野では行われているが，私に経験はない．

▶症例供覧

症例 50歳，男性．踵部内側部の皮膚欠損例 図7 ． 図8 は groin flap の皮切デザインであり， 図9 は flap を挙上したところである． 図10 は groin flap を移植したところである．

■文献

1) Daniel AK, Taylor GI. Distant transfer of an isolated flap by microvascular anastomoses. A clinical technique. Plast Reconstr Surg. 1973; 52: 111-7.
2) Koshima I, Nanba Y, Tsutsui T, et al. Superficial circumflex iliac artery perforator flap for reconstruction. Plast Reconstr Surg. 2004; 113: 233-40.
3) Minami A, Ogino T, Itoga H. Vascularized iliac osteocutenous flap based on the deep circumflex iliac vessels. Experience in 13 cases. Microsurgery. 1989; 10: 99-102.
4) 山下 建，磯貝典孝．Groin flap．In: 別府諸兄編．整形外科医のための新マイクロサージャリー Basic to Advance．東京: メジカルビュー; 2008．p.66-76.

CHAPTER 10: 血管柄付き骨・(筋)皮弁(マイクロサージャリー)―筋皮弁

168 薄筋皮弁

薄筋皮弁（gracilis musculocutaneous flap）は波利井らによって顔面神経麻痺に対する機能的筋肉移植による再建に利用されて以来，機能的筋肉移植に用いられる代表的筋皮弁として用いられてきた．皮弁への血行の信頼性は劣るが，筋への血行は良好である．

▶皮弁の特徴

薄筋皮弁には以下の利点・欠点がある．

利点
1. 薄筋の同定に少し困難性があるが，同定さえできれば，その剝離は容易で，安定した血管茎・神経茎を確保できる．
2. 筋採取によるドナーの機能的損失はほとんどない．
3. 大腿内側部に手術瘢痕が形成されるので創は目立たない．
4. 適度な太さなので顔面・上肢での運動筋の再建に最も適している．

欠点
1. 筋皮弁として皮膚を同時に採取する場合，皮弁への血行がきわめて不安定であり，皮弁が壊死に陥ることが少なくない．
2. したがって，monitoring flap として皮弁を用いることは可能であるが，大きな皮膚欠損の修復には不適である．
3. 筋力としてはそれほど強大なものではないので，大きな筋力を必要とする症例には適応とならない．

▶手術解剖

薄筋の起始部は恥骨結合であり，付着部は脛骨内顆下方の内側近位面である薄いひも状の筋肉である．薄筋の長さは平均 42 cm（筋腹 32 cm，腱成分 10 cm），幅 4 cm，厚さ 1 cm である．薄筋の前方に縫工筋，後方に半膜様筋と半腱様筋が存在する．

薄筋の主要栄養血管は多くの場合は内側大腿回旋動脈の枝である．長内転筋と短内転筋の間を下内側に通り，坐骨結節の遠位 8-10 cm の部，つまり近位 1/3 部の筋に入る．筋の遠位部に大腿動脈からのいく本かの枝があるが移植の際の血管系として用いることはできない．動脈の口径は 1.2-1.8 mm，静脈還流は 2 本の伴走静脈であり，口径は 1.5-2.0 mm である．血管茎の長さは 6 cm 採取可能である 図1 ．

運動神経は閉鎖神経の前枝であり，血管茎が筋に入り込む部の約 2 cm 近位に存在する 図2 ．

> **コツ**
> 薄筋を栄養する血管および支配する神経はいずれも筋肉の深部（裏側）から入っていることを留意すべきである．

薄筋上の皮膚は monitoring flap として薄筋移植の際につけることが多いが，皮膚への血行は広背筋などとは異なり septocutaneous flap であるので単に筋の上の

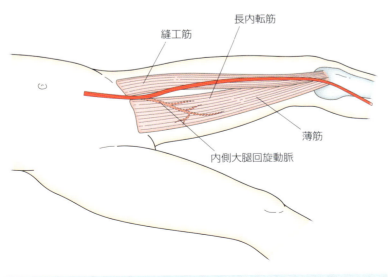

図1 薄筋の栄養血管

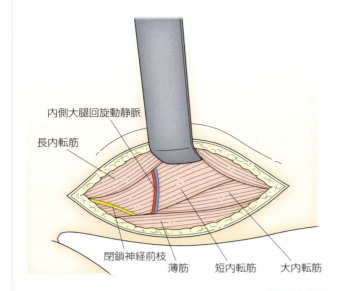

図2 栄養血管と支配神経の固定

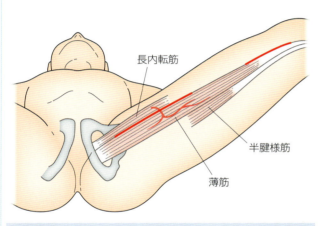

図3 皮切

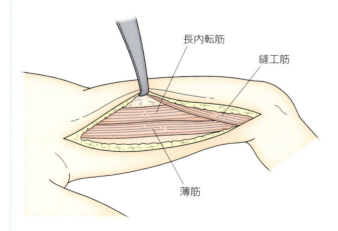

図4 遠位皮切で縫工筋を同定してから薄筋を同定する

皮膚を付けたのでは壊死に陥ることに留意すべきである．

手術体位
仰臥位として下肢を伸展して外転・外旋位とする．下肢を開いた状態でその間に術者が入る格好でドナー採取の手術を行う．

皮切
近位では坐骨結節での長内転筋腱の後方部分から遠位では膝関節の内側での半腱様筋の間に線を描くと，それが薄筋の前縁に相当する．一般的にはこの線上の近位10 cm部に皮切を加える 図3 ．薄筋を全長にわたり採取する場合には2つ目の皮切を大腿骨内顆部に加える 図3 ．

栄養血管・支配神経の同定
デザイン（皮弁を付ける場合は後述する）に沿って皮膚を切開して，長内転筋と薄筋上の筋膜を切離してこの中隔を同定する．長内転筋を外側へ翻転した後に，坐骨結節の遠位10 cmの部に短内転筋の前面上に内側近位から外側遠位に走行する内側大腿回旋動静脈とその近位2 cm位の部に閉鎖神経の前枝を容易に同定することができる 図2 ．

> **Tips コツ**
> 皮膚直下には長内転筋が最初に現れるが，薄筋はその後方に存在し，ひも状の形態を呈している．

> **Tips コツ**
> 薄筋の同定が困難な場合には皮切を末梢まで加え，大腿遠位1/3部で前上方から後下方に斜めに走行している縫工筋を同定し，これを前方に引くと，後方に薄筋を見出すことが容易となる 図4 ．

筋弁の挙上
長内転筋を持ち上げて薄筋との間を剥離して薄筋へ入り込む血管と閉鎖神経前枝を同定して，できるだけ中枢まで剥離して血管・神経茎を長く確保して完全に遊離とする 図5, 6 ．大腿浅動脈からの枝は結紮する．

筋皮弁として採取する場合の皮弁のデザイン
体位によって皮弁のデザインを間違えてしまうことがあるので留意すべきである．薄筋上に皮弁をデザインする際は股関節・膝関節を伸展位として，中枢2/3部の薄筋上の皮膚を皮弁としてデザインする 図7 ．膝関節を屈曲位としたままで皮弁をデザインすると皮弁は前方にデザインされることとなり，septocutaneous flapとして血行を受けることができない 図8 ．

薄筋皮弁の前方部分は先の薄筋前縁の線上の前方2-3 cmおよび後方は6-9 cmを越えて採取すると皮弁の壊死に陥る危険が高いので留意する 図9 ．しかし，遠位は筋成分が乏しいことより皮弁は近位1/3部を中心に採取すべきである 図10 ．

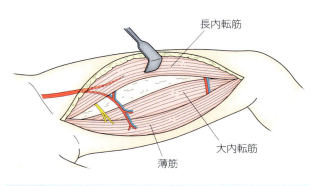

図5 血管・神経束の剥離

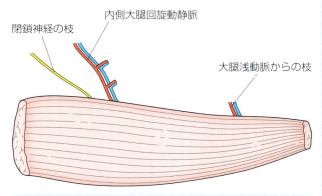

図6 薄筋弁の挙上

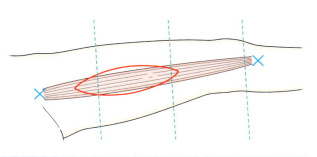

図7 膝伸展位での皮弁デザイン

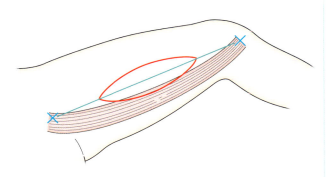

図8 膝屈曲位での皮弁デザイン

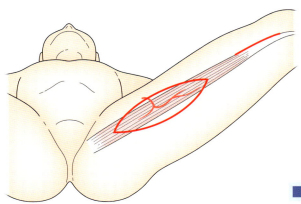

図9 薄筋皮弁のデザイン

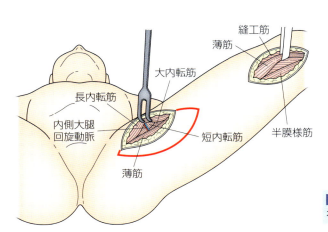

図10 薄筋皮弁挙上のための血管・神経系の剥離

▶ **症例供覧**

症例 12歳，男子．前腕 Volkmann 拘縮例
術前 図11
大腿内側の動脈系と薄筋の前縁の走行ライン 図12
皮弁のデザイン 図13
術中所見: 内側大腿回旋動脈と閉鎖神経前枝が薄筋に入っている 図14
前腕への移植 図15
術後3年の手指の屈曲 図16．伸展 図17

図14 薄筋への血管および神経

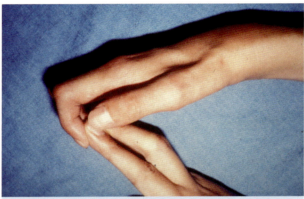
図11 12歳，男子，前腕 Volkmann 拘縮例．術前

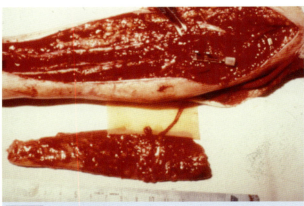
図15 前腕への移植

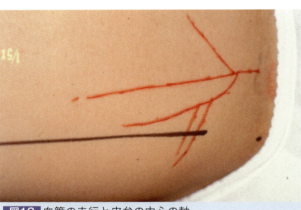
図12 血管の走行と皮弁の中心の軸

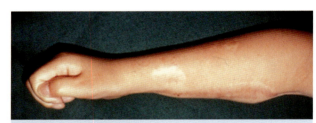
図16 術後の手指屈筋

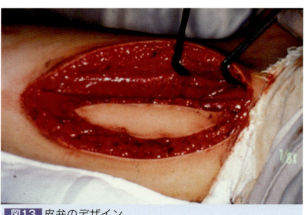
図13 皮弁のデザイン

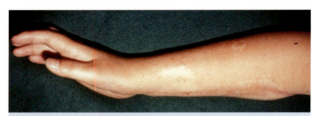
図17 術後の手指伸展

■ **文献**

1) Buncke HJ, Alpert B. Gracilis muscle transplantation. In: Buncke HJ editor., Microsurgery: Transplantation-Replantation; An atlas-Text. Philadelphia/London: Lea and Febiger; 1991. p.368-93.
2) Harii K, Ohmori K, Torii S. Free gracilis muscle transplantation with microvascular anastomoses for the treatment of facial paralysis. Plast Reconstr Surg. 1976; 57: 133-43.
3) O'Brien BM, Franklin JD, Morrison WA. Cross-facial nerve grafts and microvascular free muscle transfer for established facial palsy. Br J Plast Surg. 1980; 33: 202-15.
4) Wechselberger G, Schoeller T, Nauer T, et al. Surgical technique and clinical application of the transverse gracilis myocutaneous free flap. Brit J Plast Surg. 2001; 54: 423-7.

CHAPTER 10: 血管柄付き骨・(筋)皮弁（マイクロサージャリー）―筋皮弁

169 前外側大腿皮弁

前外側大腿皮弁（anterolateral thigh flap）は代表的な穿通枝皮弁であり，長い血管茎を有するほぼ一様な薄い比較的大きな皮弁として採取可能であり，臨床的に好んで用いられる皮弁である．しかし，後にも記載するが，栄養血管の解剖学的変異が多く，皮弁の採取に習熟した術者が行うべきである．

▶皮弁の特徴

前外側大腿皮弁には以下の利点・欠点がある．

利点
1. 血管茎が太く長く，かつ薄い大きな皮膚の採取が可能である．
2. 皮弁の採取は仰臥位で可能なため，多くの場合，移植床の準備と同時に行うことが可能である．
3. 外側大腿皮神経を含めると感覚皮弁とすることが可能である．
4. 手術の途中で大腿筋膜張筋皮弁へと変更可能である．

欠点
1. 穿通枝の位置や数に個人差が大きく，術中，臨機応変な対処を要することがある．
2. 皮弁の幅が 8 cm を越えるとドナー部の一次縫合閉鎖は困難であり，植皮を要する．また，大腿前面部に醜状瘢痕をきたすことがある．
3. 男性では皮弁は有毛部である．

▶手術解剖

大腿前外側面の皮膚を栄養している筋膜皮枝（fasciocutaneous branch）は外側大腿回旋動脈の下行枝から起始している．外側大腿回旋動脈は大腿深動脈あるいは大腿動脈から分岐し，上行枝と下行枝に分かれる．下行枝は大腿直筋と外側広筋間を下降し，これらの2つの筋にいくつかの筋枝を出して，皮膚への筋膜皮枝（穿通枝）を出すこととなり，これを利用して挙上する皮弁が前外側大腿皮弁である．下行枝は大腿の近位1/3部のレベルで大腿直筋，外側広筋，大腿筋膜張筋により形成される筋間中隔から表面に出現する 図1 ．

外側大腿回旋動脈の下行枝からの穿通枝が上記した筋間中隔から出ている場合の同定・剥離は容易であるが，外側広筋の筋肉内を貫通して穿通枝を出している場合に

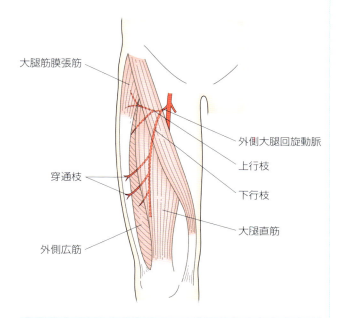

図1 外側大腿回旋動脈の下行枝の走行

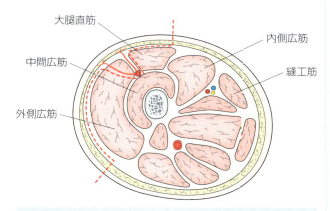

図2 Fasciocutaneous flap として前外側大腿皮弁を挙上する

は穿通枝を筋肉内で剥離することとなり複雑な操作を要する 図2 ．さらにこの穿通枝の存在位置や数には個体差が大きく，術前にドプラー血流計で存在部位のマーキングを行うが確実な方法とは言い難い．

Tips コツ
穿通枝が大腿直筋内を貫通する場合には，本反弁から同じ動脈系を利用した別の皮弁（例えば，大腿筋膜張筋皮弁）へ変更すべきである．

皮切

術前に大腿直筋と外側広筋間で穿通枝をドプラー血流計により少なくとも2本をマーキングして，皮弁デザインを行う．

上前腸骨棘から膝蓋骨の外側縁に直線を描く 図3 ．この線上で大腿の近位1/3部でドプラー血流計で確認した穿通枝の位置を皮弁の中央とするように皮弁のデザインを行う．

展開

皮弁の前方に皮切を加え，大腿直筋の筋膜まで切開する 図4 ．皮膚と筋膜間の解離が生じることがあるので数カ所に stay suture を加える．皮膚・筋膜を筋肉上で外側へ翻転して，大腿直筋と外側広筋間の筋間中隔あるいは外側広筋・大腿直筋間を貫通して大腿筋膜に入っ

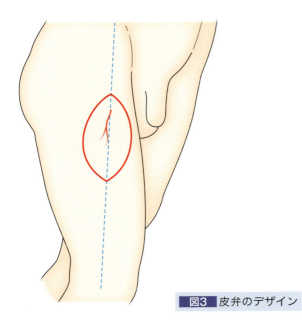

図3 皮弁のデザイン

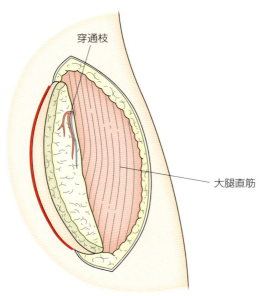

図4 皮弁への穿通枝を確認する

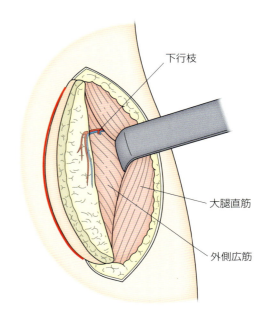

図5 穿通枝を損傷しないように下行枝を中枢の分岐部まで剥離する

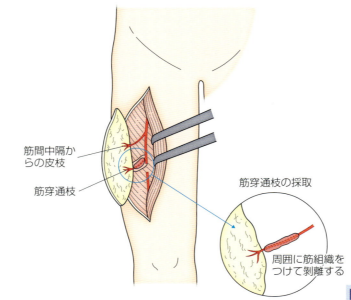

図6 筋穿通枝の場合の採取

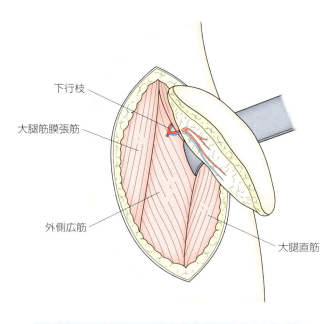

図7 皮弁の外側部を切開して皮弁を挙上する

ている穿通枝を確認する．

 コツ

これらの穿通枝の位置により最終的な皮弁のデザインを行う．

貫通枝を確認して損傷しないように大腿直筋の外側縁を内側に引いて，下行枝から大腿直筋への筋枝を結紮して，外側大腿回旋動脈の下行枝をその起始部に向かって剝離する 図5 ．

 コツ

穿通枝が筋間中隔を通っている場合の剝離はそれほど困難ではないが，外側広筋内を貫通している場合には穿通枝の周囲に筋組織をわずかに付けて慎重に剝離する 図6 ．

▶皮弁の挙上

最後に皮弁の外側（後方）部分を外側広筋や大腿筋膜張筋の筋膜まで一気に切開して，皮弁全体を血管茎のみとして挙上する 図7 ．大腿外側回旋動脈までの血管茎は大体 8 cm 程度である．

■文献

1) Kimura N, Satoh K. Consideration of a thin flap as an entity and clinical applications of the thin anterolateral thigh flap. Plast Reconstr Surg. 1996; 97: 985-92.
2) Kohshima I, Fukuda H, Yamamoto H, et al. Free anterolateral thigh flaps for reconstruction of head and neck defects. Plast Reconstr Surg. 1993; 92: 421-30.
3) Zhou G, Qiao G, Chen GY, et al. Clinical experience and surgical anatomy of 32 free anterolateral thigh flap transplantations. Br J Plast Surg. 1991; 44: 91-6.

CHAPTER 10: 血管柄付き骨・(筋)皮弁(マイクロサージェリー)—筋皮弁

170 足背皮弁

　足背の皮膚は非常に薄くまたしなやかであり，知覚皮神経により支配されており，2PD（2点識別能）は約10 mmである．移植可能な皮弁の大きさは約10×10 cmであり，最大14×15 cm位まで可能である．皮膚の性状や皮弁の知覚を供与できることなどにより，手部への移植が適応となることが多い．

> **Tips コツ**
> 多くの皮弁は bulky であるが，足背皮弁はその点は非常に有利である．

> **Tips コツ**
> 皮弁の大きさを最大とする場合には delay procedure（2期的手術）を要することもある．

　血管茎の長さは十分であり，必要であれば下腿の方まで延長することが可能である．血管（動脈および静脈）の口径は血管縫合するのに十分な太さである．皮弁の静脈還流は豊富であり，大および小伏在静脈や動脈の併走静脈を含んでいる．皮弁の生着には1本の静脈のみで十分であるが，念のため2本の静脈を縫合すべきである．
　足背皮弁に第2中足骨や足趾伸筋腱を含めて骨皮弁や腱皮弁として挙上することも可能である．また，よく経験する足指および周囲組織移植などの際にレシピエントの皮膚欠損を同時に覆うために足背皮弁は血管系が同様であるので頻用される．

▶解剖

動脈
　足背動脈（DPA）は足関節の遠位で前脛骨動脈（ATA）から続いている．足関節内果と外果の中央部で伸筋支帯の下を通り，通常長母趾伸筋（EHL）腱の下を通る．伸筋支帯の下縁で外側および内側足根動脈を分岐し，足根骨上を短趾伸筋（EDB）の下を通って第1と第2中足骨の間の方向に走行する．第1背側骨間筋の2頭により形成されている筋のアーチの中を通り，ここでは第1背側中足動脈（FDMA）となる．動脈は深足底動脈となり，足底部で足底弓と連結している．この連結の前に弓状動脈を分岐している．FDMAは一般的に深足底血管の起始部でDPAから起こっている．FDMAは遠位まで走行して，第1指間の第1骨間筋内を（深かったり，浅かったりするが）走行する．そこでFDMAは第1と第2足指への背側趾動脈に分岐する．

静脈
　静脈ドレナージは表在性のものと深部の2種類が存在する．足背皮弁の静脈系としては一般的に表在性のものの方が口径が太くて失敗の危険性が少ないので選択される 図2 ．
　背側趾静脈は中足骨の近位部を横断する背側静脈弓へ連なる背側中足静脈を形成するために底側趾静脈からの枝を受けている．それから中枢にいくと小と大伏在静脈へと繋がっている．
　深部は動脈の併走静脈であり，前記したように遊離移植に用いる場合は表在性の静脈系を用いることが多い．

神経
　浅腓骨神経は総腓骨神経の分枝である．大体，下腿遠位1/3部で深部筋膜を貫いて内側および外側背側皮神経の2つに分岐する．外側背側皮神経は足関節の前外側部で足関節の前面に位置している．これらの神経は第1趾間と足部の外側部分を除いて足背全体のほとんどの知覚を支配している 図2 ．

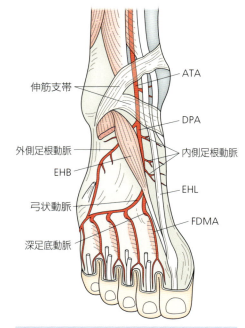

図1　足背部の動脈系の解剖

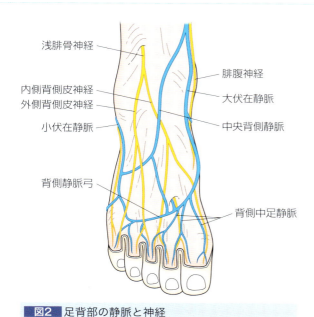

図2 足背部の静脈と神経

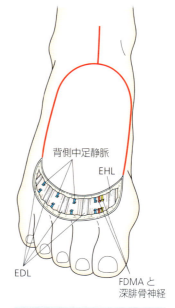

図4 遠位皮弁の切離

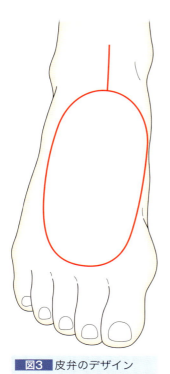

図3 皮弁のデザイン

Tips コツ
FDMAの走行のvariationについては遊離足指移植の項に詳しく記載しているので参考のこと．

▶足背皮弁

皮弁のデザイン
皮弁のデザインはDPA-FDMA動脈系軸を皮弁の中央に位置するように加える 図3 ．最も大きな皮弁を挙上する場合の皮弁の最遠端は趾間部スペース，近位端は伸筋支帯部，幅は静脈弓の辺縁を少し超えた部位である 図3 ．

Tips コツ
足背皮弁の遠位，つまり，足背動脈の拍動を触れる部の遠位はしっかりとした動脈により栄養されたものではなくrandom patternであることに注意すべきである．

Tips コツ
骨間筋の表層にFDMAがない場合には安全な移植のためにはdelayを要することもある．

皮弁の挙上
切開は遠位から行う．まず第1趾間から始める．ここでFDMAと深腓骨神経を同定する．一般的には表層に存在している．血管や神経を結紮する．浅腓骨神経の終枝は2, 3, 4趾間部で切離する 図4 ．

皮弁の中にFDMAおよび深腓骨神経を損傷しないようにしっかりと含めて，皮弁を全趾伸筋腱のパラテノン上で遠位から近位へと挙上する．EHB腱はDPA-FDMA動脈系と皮膚の間を走行しているので遠位で切り離して皮弁の中に入れる 図5 ．

Tips コツ
伸筋腱のパラテノンをintactとすることにより採取後の分層植皮の生着を良好とすることができる．

次に皮弁内側の処置に移る．大伏在静脈とともに皮弁を 図6 のように挙上する．EHL腱の真上で，腱の外側縁に接してそして足根骨上で深く切離し下面から足背血管束を同定する．

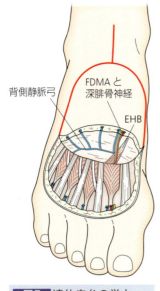

図5 遠位皮弁の挙上

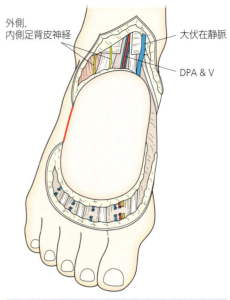

図7 近位皮弁の挙上

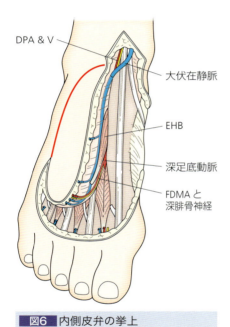

図6 内側皮弁の挙上

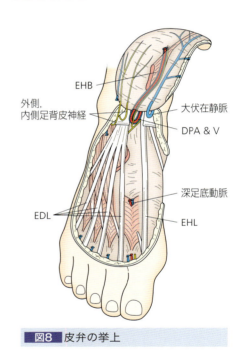

図8 皮弁の挙上

 コツ

血管束をしっかり皮弁の中に入れて，決して分離させないことが重要である．

　FDMA が起始し，深足底動脈が足底弓の下に入る場所の間に向かって血管束と足根骨の間に剥離をすすめる．深足底動脈は FDMA に枝を出した後に深部で結紮する．

　皮弁の近位では皮切を近位に延長して深腓骨神経とともに DPA & V をさらに剥離する．深腓骨神経の枝である内側と外側背側皮神経，大・小伏在静脈，内側足背静脈を同定して分離する．背側上の静脈系として表在性の静脈（普通は大伏在静脈）を選択し，他の静脈は結紮する **図7** ．

　背側神経血管束，皮神経，選択した静脈をレシピエント部に必要とされる適切な長さまで分離する．

　最後に皮弁の外側縁を EDL 腱のパラテノン上で挙上する．第 2 足指の EDL 腱の内側縁に到達したら，EHB を切離して弓状動脈とともに外側足根動脈を結紮する．深腓骨神経の筋枝をその主幹から分離する．足根骨の骨膜上で剥離をすすめ，皮弁の下面で EHB と足背血管束を intact のままに皮弁につけて足背皮弁を血管束をつけて最終的に挙上する **図8** ．

▶ドナーの処置

分層植皮移植によるドナーの被覆はかなり目立つが，それほどの不自由はないことが多い．わずかな患者さんはドナー足の不自由を訴えることがある．皮膚移植床が腱のパラテノンまたは同じような血管床を含む組織により適切に被覆されていない場合には，時として第1趾間やEHL腱上の創治癒にトラブルが発生することがある．

Tips コツ

最近では，まずドナーの背側皮膚欠損部を人工皮膚でcoverして，後程遊離植皮を行う．あるいはgroin flapを用いて一期的にcoverするなどを好んで行っているmicro-surgeonもいる．

▶症例供覧

症例 20歳，女性．右小指球部に発生した動静脈瘻（A-V malformation） 図9, 10, 11, 12

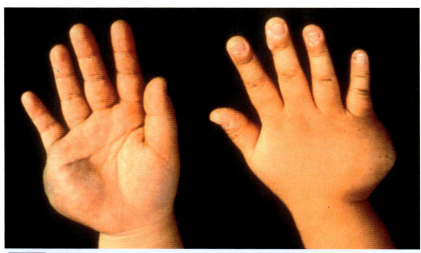

図9 術前

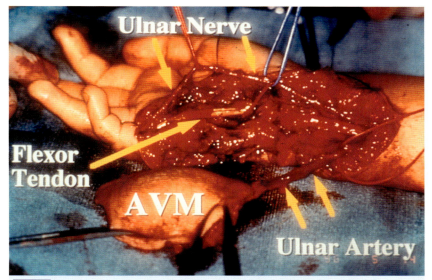

図10 A-V malformationを指神経および手指屈筋腱を温存して皮膚を含めて根治的に切除した

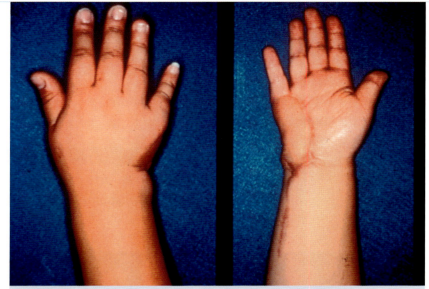

図11 術後．Dorsalis pedis flap は薄くて無毛であるのでマッチングは良好である

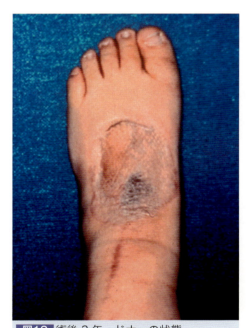

図12 術後3年．ドナーの状態

■ 文献

1) Daniel RK, Terzis J, Midgley RD. Restoration of sensation to an anesthetic hand by a free neurovascular flap from the foot. Plast Reconstr Surg. 1976; 57: 275-8.
2) 平瀬雄一．足背皮弁．In: 平瀬雄一著．やさしいマイクロサージャリー．東京: 克誠堂出版; 2012．p.199-210.
3) Strauch B, Yu H-L. Dorsalis pedis flap. In: Atlas of Microvascular Surgery. New York, Thieme Medical Publishers, Inc. 1993.; 314-35.
4) Taylor GI, Corlett RJ. Microvascular free transfer of a dorsalis pedis skin flap with extensor tendons. In: Strauch B. Vasconez LD. Hall-Findlay Eeds. J. Grabb's Encyclopedia of flaps, Vol Ⅱ. Upper Extremities. Little Brown and Company, Boston, 1990. 1109-11.

CHAPTER 10: 血管柄付き骨・(筋)皮弁(マイクロサージャリー)―筋皮弁

171 肩甲皮弁

　肩甲回旋動脈 circumflex scapular artery (CSA) により栄養される肩甲皮弁 (scapular flap) は栄養血管の解剖が安定しており，血管茎の剝離が容易で血管の口径と長さが理想的な最も頻用される皮弁の一つである．
　比較的薄い大きな皮弁の採取を目的とした場合，それまで頻用されてきた鼠径皮弁，腹壁皮弁は，本皮弁の出現により，とって代わったと言っても過言ではないくらい，頻用されている皮弁である．皮弁の大きさは横方向には 10×25 cm 大の肩甲皮弁と縦方向にも同じくらいの大きさの傍肩甲皮弁 (parascapular flap) の 2 つがあるが，ほぼ採取の手順に差がないので本項では肩甲皮弁について記述することとする．

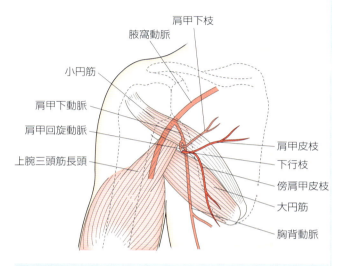

図1 肩甲回旋動脈の手術解剖

▶利点・欠点

利点
1. 血行が安定した安全で信頼性の高い皮弁である
2. 採取部は一期的に閉鎖可能である
3. ドナーの morbidity が低い
4. 比較的大きな皮弁 (10×25 cm 大) 採取が可能である
5. 採取は比較的簡便で，血管系の変異もほとんどない
6. 皮弁とともに複合組織 (骨や筋皮弁など) を同時に採取可能である
7. 採取部が背中であるので創瘢痕が目立たない

欠点
1. 採取のための体位は腹臥位あるいは側臥位であるので，多くの場合，術中の体位変換を必要とする
2. 肥満の患者では血管系まで深く，採取に手間取り，皮弁が極めて bulky となる
3. 皮弁に神経支配を付けられず，感覚皮弁として用いることはできない

▶手術解剖

　肩甲回旋動脈 (CSA) は腋窩動脈での起始部から 3-4 cm の肩甲下動脈から起始している．CSA は triangular space (上方は小円筋，下方は大円筋，外側は三角筋の長頭により囲まれている) を通して後方へと向かう 図1 ．
　この space 内で CSA は次の枝を分岐する．

1. 肩甲下枝: 肩甲下筋の深部の肩甲下窩に入る
2. 大円筋・小円筋へ 1-2 本の筋枝を出す
3. 下行枝: CSA から triangular space を通って後方に出て 2 本の主要な皮枝を出す．1 本は肩甲皮弁の栄養血管となる肩甲皮枝であり，肩甲骨の後方へ水平に走行する．他の 1 本は傍肩甲皮弁の栄養血管である傍肩甲皮枝である．この皮枝は肩甲骨の下角に向かって縦に走行する．
4. 肩甲骨外側縁へのいくつかの小さな枝である．

　肩甲皮弁の栄養動脈は 2 本の静脈を伴っており，動脈・静脈ともに起始部は十分に縫合可能な口径を有している．

▶手術

体位
　手術体位は腹臥位あるいは側臥位で可能であるが，腕 (上肢) を自由に動かす (主に外転方向に) ことが可能な側臥位を好んで用いている．腕を高くした手台の上に乗せて外転，挙上させて，腋窩部の展開を容易にすると手術を行いやすい．

皮弁のデザイン
　肩甲皮弁は triangular space から背中の棘突起部分まで長さ (大体 25 cm)，幅は 15 cm くらいまで横方向

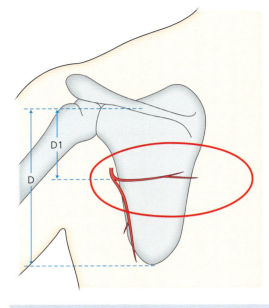

図2 肩甲皮弁のデザイン

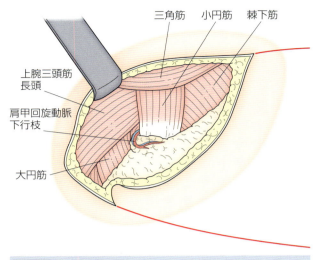

図3 線維脂肪組織内のCSAの皮枝を同定する

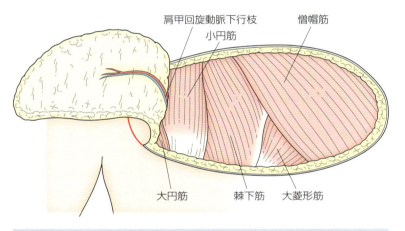

図4 肩甲皮弁を内側縁から外側に向けて挙上する

の皮弁として採取可能である．しかし，一期的に閉鎖可能な皮弁の大きさは長さ20 cm，幅8-10 cm程度であるので，この程度の大きさの皮弁をデザインする．皮弁には必ずtriangular spaceを含めてデザインすることが重要である 図2．図2のD1，Dはtriangular spaceの位置決めの計算式に用いる距離である．肩甲骨の肩甲棘の中央部から肩甲骨下角までの距離（D）を2で割った値がD1であり，この部がtriangular spaceの部である．

皮弁の挙上

最初の皮切は紡錘状デザインの上外側部に加え，三角筋の後方縁を同定して，これを上方に翻転し小円筋を露出する．小円筋の表層に沿って剝離をすすめ，CSA・Vの皮枝が線維脂肪組織を通して露出する 図3．

皮弁の内側縁をデザインに沿って皮切を加え，棘下筋と大円筋の表在性筋膜上で皮弁を外側まで持ち上げるように挙上する 図4．外側縁に到達したところで CSA・Vが小円筋と大円筋の間の線維脂肪組織の中に存在していることを同定する．

血管系を損傷しないように皮弁の残りを挙上する．線維脂肪組織内の血管を剝離する必要はない．血管茎を分離するための最も適切な方法は筋肉層に隣接して存在したままとすることである 図5．

さらに三角筋の長頭，大円筋，小円筋を翻転して長い血管茎を得ることとする 図6．さらに長い血管茎を要する場合には腋窩部に5 cmの皮切を加え，肩甲下動脈を同定して，胸背動脈を結紮して肩甲下動脈まで採取することができる 図7．これにより肩甲皮弁挙上が完了する．

閉創

創内を洗浄，十分に止血して創を一時的に閉創する．Triangular spaceには術後血腫形成を見ることが多いので，持続吸引ドレーンを5日間程度留置することとする．

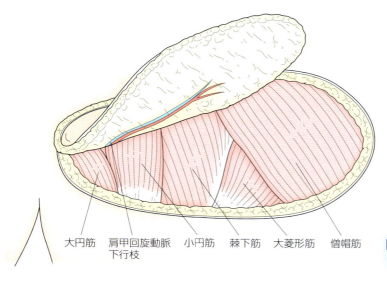

図5 残りの皮弁を血管茎を損傷しないように注意して挙上する

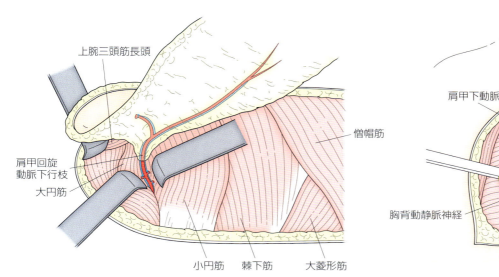

図6 CSA・Vの血管茎を長く採取するために三角筋・大・小円筋を引いて露出する

図7 さらに長い血管茎を採取するために肩甲下動脈まで露出する

■ 文献

1) Barwick WJ, Goodkind DJ, Seraffin D. The free scapular flap. Plast Reconstr Surg. 1982; 69: 779-87.
2) 平瀬雄一. 肩甲皮弁（肩甲骨移植）. In: 平瀬雄一編. やさしいマイクロサージャリー. 東京: 克誠堂出版; 2012. p.77-93.
3) Koshima I, Soeda S. Repair of a wide defect of the lower leg with the combined scapular and parascapular flap. Br J Plast Reconstr. 1985; 38: 518-21.
4) 三浪明男, 笠島俊彦. 血管柄付き腸骨移植術. 肩甲骨移植術. In: 別府諸兄編. 整形外科医のためのマイクロサージャリー. 基本テクニック. 東京: メジカルビュー社; 2000. p.136-44.
5) Urbaniak JR, Koman LA, Goldner RD, et al. The vascularized cutaneous scapular flap. Plast Reconstr Surg. 1982; 69: 772-8.

CHAPTER 10: 血管柄付き骨・(筋)皮弁(マイクロサージャリー)—筋皮弁

172 広背筋皮弁移植術

広背筋皮弁は安定した，しかも比較的同定しやすい血管茎（柄）を有しており，大きな筋皮弁の挙上が可能である．機能損失がきわめて少なく，皮弁の幅にもよるが創の一時閉鎖が可能であることなどの理由で私は本筋皮弁を好んで頻用している．

▶手術適応

1. 有茎として挙上する場合

広背筋皮弁は比較的長い血管茎を付けることが可能なので有茎として用いた場合，肩関節周囲の軟部組織欠損が最もよい適応であるが，遠位は前腕中央部まで，近位は下顎まで，前方は肋骨下縁まで，後方は患側腋窩付近まで移動・被覆可能である．

2. 遊離として挙上する場合

外傷性あるいは腫瘍切除後の広範な軟部組織・皮膚欠損を被覆する際に最も有用である．これら軟部組織の欠損を伴う中等度の骨欠損例や表在性の骨髄炎例などがよい適応と考える．遊離での広背筋皮弁は下腿骨の軟部組織欠損例によく用いられる．軟部組織のみではなく，同様の血管系の中枢側を用いることにより肩甲骨を用いた骨移植術も可能である（骨移植については別項目参照のこと）．

3. 機能的筋皮弁として用いる場合

有茎として用いる場合，最も適応となるものは上腕二頭筋つまり，肘の屈筋の再建である．二頭筋と同様に上腕三頭筋の再建もそれほど多いことではないが，施行される．有茎の場合，三角筋の再建に用いられることもある ．

遊離として用いる場合，健側の広背筋を用いての上腕二頭筋再建や下肢では大腿四頭筋の再建などが適応として多い．

> **コツ**
> 以前にVolkmann拘縮に対する前腕屈筋の再建のための遊離筋肉移植術に広背筋皮弁を用いたこともあったが，筋成分が多すぎることでbulkyとなることや広背筋とレシピエントの腱縫合がむずかしいことなどにより最近では薄筋を好んで用いている．

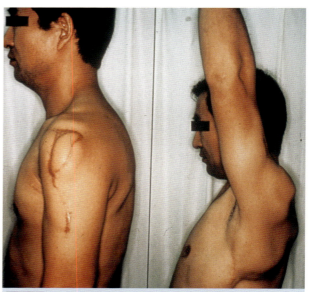

図1 35歳，男性．陳旧性腋窩神経麻痺例．有茎広背筋皮弁移植による三角筋再建を行い，肩の前方挙上が可能となった．図は術後3年10カ月の状態である．

> **コツ**
> 広背筋を機能的筋皮弁として用いる場合，多くの例では遠位のレシピエントの腱への縫合は広背筋長が長いので筋成分となることが多く，筋の緊張度の決定および腱との縫合が難しい．

▶手術

体位

手術は全身麻酔で行う．体位は側臥位で，上肢は指先まで消毒し，自由に動かせるようにする．私は側臥位での手術は技術的には容易であるが，下腿への遊離広背筋皮弁の場合には，下腿は仰臥位での手術を行うことが多いため採取側の臀部に枕を入れて浮かした状態で上肢を前方に引きつつ，消毒は棘突起部の背面近くまで施行し，背側の皮膚を必要とする場合には，上半身を側臥位方向に引きつつ操作を行うこととしている．

> **コツ**
> 私は全ての手の外科手術の場合はルーペを用いて行うが，マイクロサージャリーの手術には特にそのことが求められており，常に2〜4倍のルーペを用いている．

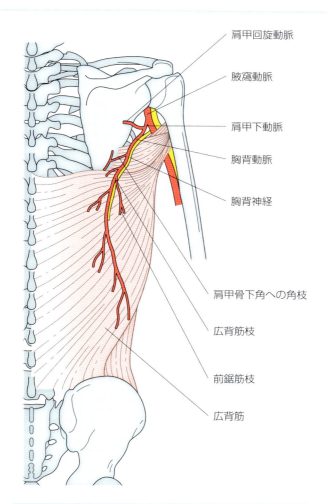

図2 広背筋の血管系（実際は広背筋の裏側，胸郭側に血管系は存在している）

（肩甲回旋動脈／腋窩動脈／肩甲下動脈／胸背動脈／胸背神経／肩甲骨下角への角枝／広背筋枝／前鋸筋枝／広背筋）

術前準備

広背筋の栄養血管である胸背動脈は必ず存在し，また血管径も太く術中，見過ごすことはない．一般的には血管造影は要さないことが多いが，腋窩部に手術侵襲が及んでいるような手術の既往（例えば，乳がんのリンパ節郭清など）がある場合には血管造影を行うことがある．

広背筋皮弁の特徴

利点

1. **血管系**: 肩甲下動脈の枝である胸背動脈が広背筋皮弁の血管系である．腋窩動脈から胸背動脈へと分岐した後，ただちに肩甲回旋動脈を肩甲骨外側に分岐する．胸背動脈は大円筋の背側を下降し，肩甲骨下角付近で肩甲骨下部を栄養する角枝（angular branch）を出して，前鋸筋へ栄養枝を出した後，広背筋に入る 図2 ．

   長い血管柄を確保したい場合には腋窩動脈からの途中の上記した枝を結紮すると約10 cm以上の血管柄を確保することが可能である．

2. **創閉鎖**: 広背筋皮弁は筋の走行から島状皮弁として採取することが多い．そのためドナー部は一般的に成人男子であれば約10 cm幅の皮弁の一次的創閉鎖が可能である．長径についてはあまり問題にならない．下腿前面に厚い筋腹の広背筋を移植する場合，一次閉鎖は困難であるのでmonitoring flapの意味も含めて皮弁は一次閉鎖可能な幅とすべきである．皮弁でレシピエント側を覆いきれない場合は広背筋筋膜上に遊離全層移植を行うこともある．皮膚採取部を一次閉鎖することが可能であるとともに，露出部でないので整容的に問題とならない．

3. **機能的筋皮弁**: 広背筋皮弁の栄養動脈は胸背動脈であるが，支配神経も同名神経であり，動脈と血管神経束を形成している．また，同定はきわめて容易であり，機能的筋皮弁として使用可能である．上腕骨の起始部から腸骨翼への付着部まで長大な筋を用いることができるが，一般的には筋腹幅をスリムとし，遠位は筋腹成分で切離することが多い．したがって，遠位は筋肉成分と腱成分の縫合を要し，技術的に困難であり，断裂も発生しやすい欠点がある．

4. **豊富な筋量**: 広背筋はきわめて長大な筋肉長であり，筋肉量も非常に多い．したがって，筋肉量は調整可能であり，悪性骨・軟部腫瘍広範切除後に発生した大きな死腔を補填することが可能である．

5. **骨付き筋皮弁**: 前記しているが，骨（肩甲骨）を付けることも可能である（別項目　参照のこと）．

欠点

欠点としては豊富な筋量ゆえに移植部が余りにもbulkyとなることと感覚皮弁としての移植が不可ということであるが，他の皮弁と比べても比較的欠点が少ない筋皮弁と言える．

▶手術

体位については前記している．

皮切

必要な皮弁の大きさを作図するが，広背筋そのものの筋量は大きいので，実際に予想される皮膚欠損の大きさよりも大きな皮弁を作製しておいた方が安全であることが多い．

有茎の場合，胸背動脈が広背筋に入り込む部位とpivot pointまでの距離を予め推定する．上腕を外転して肩甲骨前縁から広背筋前縁を同定する．

腋窩部の皮切は術後の瘢痕形成を防ぐためジグザグ切開とし，遠位方向に肩甲骨前縁に沿って広背筋前縁と平行に肩甲骨下角レベルまで皮切を加える 図3 ．次いでこの後方（背面）に紡錘状に皮弁のための皮切を加える．皮弁の近位はそれほど近位に加えず，広背筋の筋膜上に置くようにする 図4 ．また遠位，つまり腸骨翼部では広背筋からの皮弁への垂直に走る枝（皮枝）が少ないので皮弁の作成はしない方が安全である．よく同部の皮弁は壊死に陥る．

動脈の同定

広背筋の前縁を同定し，前縁の少し内側の広背筋の裏

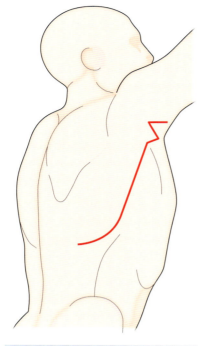

図3 広背筋弁のための皮切

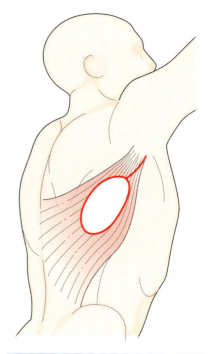

図4 広背筋皮弁のための皮切

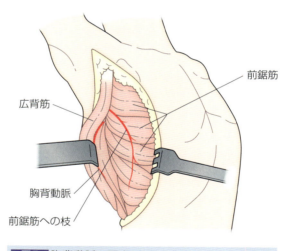

図5 胸背動脈の同定

面をめくるようにすると縦に走行する胸背動脈を確認することができる 図5．胸背動脈を確認後，広背筋に入るまで動脈を剥離した後，広背筋が肩甲骨下角に一部付着しているので，広背筋を肩甲骨および胸郭から剥離する．この際，胸郭から肋間動脈の穿通枝が広背筋に向かって入っているので，これらを同定して電気凝固あるいは結紮する．

広背筋皮弁の挙上

肩甲骨下角から広背筋前縁に沿ってさらに遠位まで広背筋を持ち上げるように胸郭から剥離した後に作成した皮弁の辺縁と下層の広背筋筋腹を絹糸にて符合し，皮弁と広背筋筋腹間に intensional な剥離が起こらないように丁寧に数カ所にわたり，縫合を行う 図6．広背筋上に皮弁を作成する場合，皮弁の前縁と広背筋の前縁を一致されるようにすべきである．

> **Tips コツ**
> 機能的筋皮弁として広背筋を使用する場合，上肢を外転して広背筋の筋線維に沿って5 cm おきにマーキングを行うと，後に筋移植する際の tension を決定する際に有用である．

皮弁の末梢端に皮切を加えた後に，その下の広背筋を皮弁よりも約2 cm くらい，長くなるように筋腹を付けて電気メスで広背筋を末梢から切離する．

次いで，広背筋を末梢から中枢に剥離・挙上していく．胸背動脈の pivot point まで広背筋を末梢から剥離し，

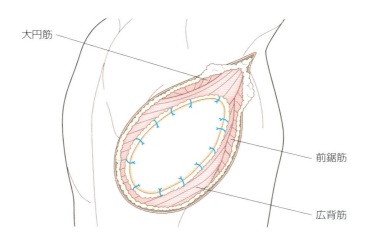

図6 皮弁と広背筋に anchoring suture を加える

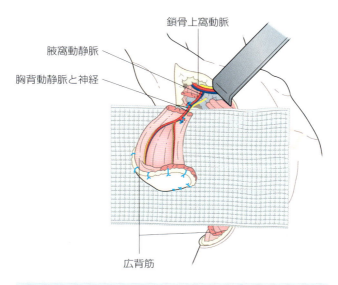

図7 広背筋皮弁の挙上

皮弁に十分な血流が存在していることを確認する．

最終的に筋皮弁を血管束のみを付着したままで，広背筋皮弁を挙上する 図7．この際，近位で血管束と広背筋の剝離を慎重に行い，血管束の損傷に留意する．

有茎として移行する場合

筋皮弁への血管柄のねじれがないように皮下トンネルを十分に広く作成して，そのトンネルの中をくぐらせて軟部組織欠損部に移行する．

 コツ

この際，血管柄にねじれや過度の緊張がないことを確認する．

閉創

広背筋皮弁移行後，レシピエントの皮膚を皮弁と疎に縫合する．筋皮弁採取部はどうしても死腔となり止血を十分に行っても血腫形成が発生しやすいので吸引ドレーンを留置すべきである．

一次閉鎖は多くの場合，緊張が強いこともあるが可能である．

▶**後療法**

皮弁の血流を術後最低3時間ごとに観察する．皮弁がうっ血あるいは蒼白となった場合には，血栓形成が疑われるので，直ちに創を展開して原因を確かめる．

▶**術後管理**

術後，プロスタグランディン製剤を点滴で投与する．1日 生理食塩水100 mLに対してプロスタグランディン製剤40 μgを1日2回 点滴静注する．1日ボルタレン坐薬®(50 mg) 2本 挿入することとしている．

遊離筋皮弁の場合は術後1週間，床上安静とする．皮

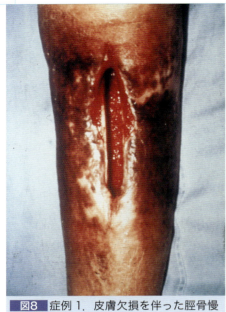
図8 症例1．皮膚欠損を伴った脛骨慢性骨髄炎例

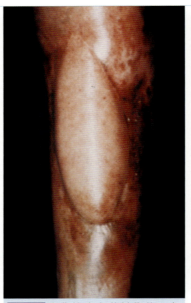
図9 広背筋皮弁移植術後8年半の外観である

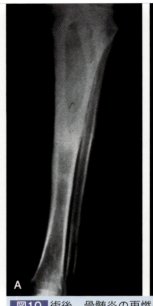
図10 術後，骨髄炎の再燃は認めていない
A: 正面像　B: 側面像

弁の色調は1日数回観察する．

▶症例供覧

症例1 58歳，男性．皮膚欠損を伴った脛骨慢性骨髄炎例 図8 ．図9 は広背筋皮弁移植を行い8年半後の外観である．骨髄炎の再燃はない 図10A, B ．

症例2 53歳，男性．右脛骨骨折に対してプレート固定を行ったが皮膚欠損を伴いプレートが露出した 図11 ．15×8 cm大の広背筋皮弁を採取した 図12 ． 図13 は術後3年の外観である．

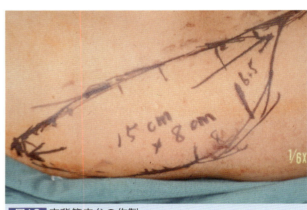
図12 広背筋皮弁の作製

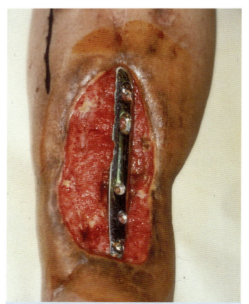
図11 症例2．プレートが露出した下腿皮膚欠損例

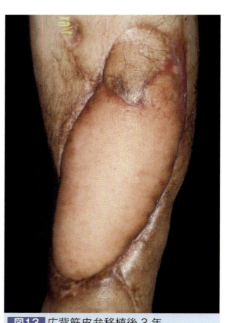
図13 広背筋皮弁移植後3年

症例3 30歳，男性．舌癌による広範囲郭清後，鎖骨偽関節を発症した例 図14．広背筋皮弁を作製した 図15．鎖骨偽関節手術を行い，広背筋皮弁を有茎として挙上した 図16．有茎広背筋皮弁にて偽関節部を被覆した 図17．図18 は術後3カ月の状態である．

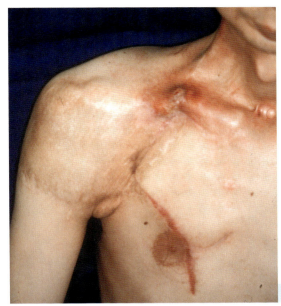

図14 症例3．鎖骨偽関節例

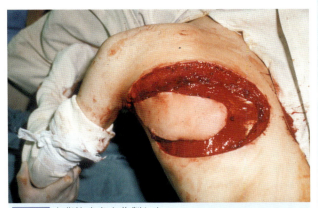

図15 広背筋皮弁を作製した

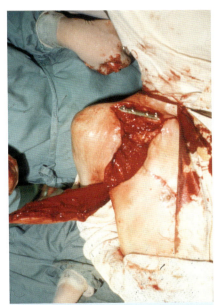

図16 鎖骨偽関節を修復後，有茎広背筋皮弁を挙上した．

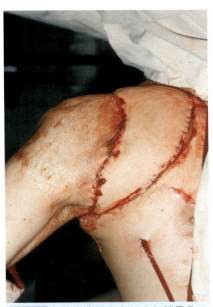

図17 有茎広背筋皮弁により鎖骨偽関節部を被覆した

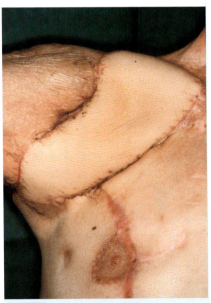

図18 術後3カ月の外観

■文献

1) Hevnanian AP. Latissimus dorsi reconstruction for loss of flexion or extension at the elbow: a preliminary report on technic. Ann Surg. 1956; 143: 493-9.
2) 平瀬雄一．広背筋皮弁．In: やさしいマイクロサージャリー―遊離組織移植術の実際―．東京: 克誠堂出版; 2004. p.35-48.
3) Masquele AC, Gilbert A. An Atlas of Flaps in Limb Reconstruction, Martin Dunitz editor. 1995. p.204-10.
4) Masquele AC, Gilbert A. Atlas of Flaps of the Musculoskeletal System, Informa Health Care. 2001. p230-9.
5) Minami A, Ogino T, Ohnishi N, et al. The latissimus dorsi musculocutaneous flap for extremity reconstruction in orthopedic surgery. Clin Orthop Relat Res. 1990; 260: 201-6.
6) 高橋聖仁，中村博亮，山野慶樹．Degloving injury を伴う下腿完全切断に対して遊離広背筋皮弁を用いた断端形成術の1例．日本足の外科学会誌．1997; 71: 31-3.
7) 高松賢仁．広背筋皮弁．In: 別府諸兄編．整形外科医のためのマイクロサージャリー Basic to Advance．東京: メジカルビュー社; 2008. p.99-109.

CHAPTER 10: 血管柄付き骨・(筋)皮弁(マイクロサージャリー)—筋皮弁

173 上腕外側皮弁移植術

上腕外側皮弁は上腕骨外側上顆から外側筋間中隔を含めた上腕骨外側遠位部からの安定した血管からの血流が期待できる皮弁であり，皮弁の挙上の信頼性が高く，血管径が太く，血管茎も長いという特徴がある．皮弁のみではなく骨膜・皮質骨も同時に採取でき，また知覚皮弁としての採取も可能であり，きわめて有用性の高い皮弁である．有茎としてはもちろんのこと，逆行性皮弁としても挙上可能であり，口径の太い血管により栄養されているため遊離皮弁として用いることも可能である．

▶手術解剖

上腕動脈から分かれた上腕深動脈は上腕骨遠位外側部にある橈骨神経溝で2本の終枝に分岐する．中央側副動脈 middle collateral artery は上腕三頭筋(TR)の内側頭の実質内を下降するが，橈側側副動脈 radial collateral artery は橈骨神経に伴走する．橈側側副動脈がTRの前外側に到達すると，ここで掌側・背側枝 anterior・posterior branch に分かれる．掌側枝はさらに橈骨神経と伴走して上腕筋(Br)と腕橈骨筋(BR)の間を走行する．背側枝はBRとTRの間の外側筋間中隔に入り，最終的に外側上顆の方まで走行する 図1 ．

上腕外側皮弁はこの橈側側副動脈の背側枝が2-3本の筋膜皮弁を出し，上腕の下部外側の皮膚を支配している部分を利用するものである．これらの枝の最も近位は前腕の後前腕皮神経と密接に関係している．皮膚の静脈還流は橈側側副動脈の1-2本の伴走静脈と橈側皮静脈である．

下部上腕部の知覚は橈骨神経の枝により支配されており，三角筋(DL)の停止部の後ろでTRの外側頭を貫通する．肘関節前面を通り，橈側皮静脈に接近し，上腕外側の下半分の皮膚の知覚を支配している．

▶皮弁の特徴

利点
1. 皮弁の血行支配の信頼性が高く，血管径も太く(上腕深動脈末梢部で口径2～2.5 mm，静脈は口径2 mm前後)，血管茎も長い(長さ11 cm程度は採取可能である)．
2. 本皮弁は上腕の外側筋間中隔における橈側側副動

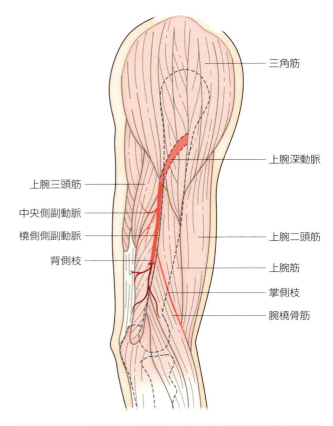

図1 上腕外側部の血管走行

脈背側枝を血行支配とした中隔筋膜皮弁 septofasciocutaneous flap である．
3. 主要血管を犠牲とせず，上肢から皮弁を採取可能である(この点は橈側前腕皮弁との大きな差である)．
4. 皮弁の皮膚の特徴は薄く，柔軟性に富み，同部は無毛である．
5. 皮弁内に存在する安定した皮神経を通して知覚を付与することができる．
6. 順行性有茎皮弁は腋窩後方や肩峰まで，逆行性有茎皮弁は肘部，前腕中枢部まで利用できる．

欠点
1. 術後，後前腕皮神経領域の paresthesia，橈骨神経と接近した血管茎を剝離するため，一過性の橈骨神経麻痺を起すことがある．
2. 半袖を着用すると上腕外側の創瘢痕が目立つ．

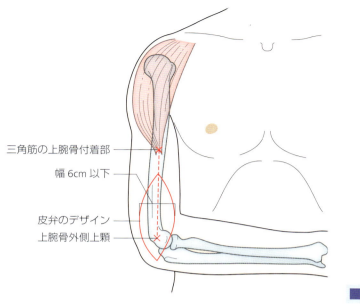

図2 皮切

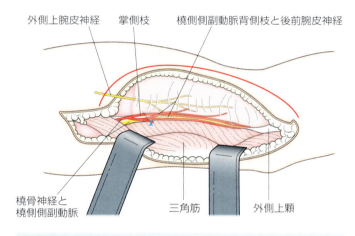

図3 皮弁後方からの展開

▶手術適応

1. 基本的には頭頸部の再建および手部の皮膚欠損の被覆を目的とする場合（皮弁の大きさは一般的には15×6 cm程度であるが，もっと大きな皮弁も理論的には挙上可能である）
2. 知覚神経を伴った筋膜皮弁を要する場合
3. 筋膜のみあるいは1.5 cm幅のDL腱の中央部を利用した腱筋膜皮弁として利用する場合
4. 小さい範囲の骨欠損や偽関節例の修復を目的とする場合

▶手術

皮切

皮弁の軸の中心はDLの上腕骨停止部から外側上顆の線上とする．皮弁の大きさは上腕骨遠位外側に作成する 図2 ．皮弁の大きさとしては20×14 cm大まで可能であるが，ドナーの一次閉鎖が可能なのは幅としては6 cmくらいまでである．

展開

滅菌駆血帯を上腕のできるだけ近位に装着して手術を行う．皮弁の後方の皮切からTRの筋膜まで一気に切離する．そこで筋膜とTRを剥離して前方の外側筋間中隔に到達する．筋膜を皮弁に含めて前方へ反転する．ここで筋間中隔内に透見できる皮弁の血管柄となる橈側側副動脈背側枝とその伴走静脈を同定する 図3 ．橈側側副動脈背側枝からTRへの分枝は結紮する．

皮弁前方でBrとBRの筋膜を切開して筋膜下に後方へ剥離しつつ筋間中隔に到達して上腕骨まで剥離する 図4 ．筋膜は皮弁に含めて後方へ反転する．

Tips コツ

筋膜と皮弁が剥がれないように数カ所のanchoring sutureを行う．

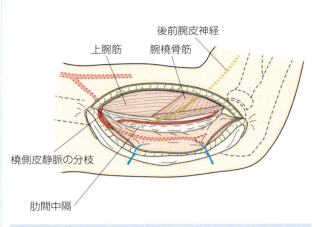

図4 皮弁前方からの展開　　図5 筋間中隔の切離

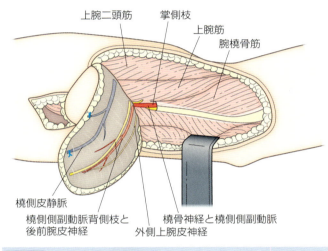

図6 皮弁の末梢からの挙上

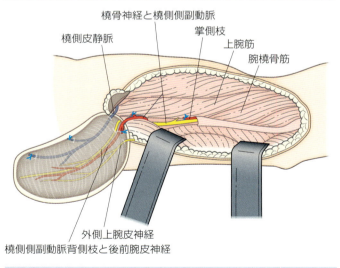

図7 上腕外側皮弁を血管柄と皮神経を含めて挙上する

皮弁の作成

　皮弁末梢部で前腕伸筋群筋膜を切開して，筋膜下に近位方向に剥離して外側上顆まで到達する．外側上顆部で後前腕皮神経を切離し，橈側側副動脈背側枝を結紮して，筋間中隔内の血管を損傷しないようにして上腕骨外側縁から筋間中隔を上腕中央部まで切離していく．この際に上腕骨外側上顆部で橈側側副動脈背側枝からの骨栄養血管が入り込んでいるので凝固切離する 図5．

　皮弁を遠位から橈骨神経本幹を損傷しないように挙上していく 図6．

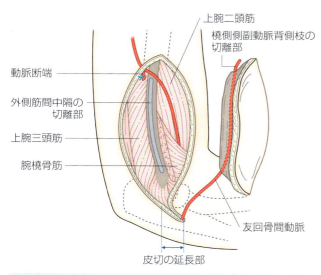

図8 逆行性皮弁

（ラベル：上腕二頭筋、橈側側副動脈背側枝の切離部、動脈断端、外側筋間中隔の切離部、上腕三頭筋、腕橈骨筋、友回骨間動脈、皮切の延長部）

血管柄付き皮弁の挙上

上腕中央部に到達すると筋間中隔を後方から前方に貫通し，BrとBR間の橈骨神経に到達する．このすぐ中枢・後方で上腕深動脈は橈側側副動脈背側枝と掌側枝に分岐し，背側枝は筋間中隔内に入って下行し，掌側枝は橈骨神経とともに前方へ走行する．ここで上腕深動脈，栄養血管と橈骨神経を剥離温存し，筋間中隔を切離する．最終的に橈側側副動脈・伴走静脈，後前腕皮神経を皮弁内に入れて挙上する 図7 ．

> **Tips コツ**
> 順行性皮弁，逆行性皮弁 図8 ，血管柄付き皮弁，腱付き皮弁などいろいろなvariationがあるが，基本的には同様の手技である．

皮弁の採取，閉創

皮弁の血行に問題がないことを確認する．最終的に血管柄を結紮・切離して皮弁を採取する．皮弁採取部はどうしても縫縮できなければ植皮を行う．しかし植皮部を直接縫合しにくい場合には，軽く縫合して湿性ドレッシングを行い，腫脹が軽減した1-2週後に直接縫合することも一つの方法である．

■ 文献

1) 金谷文則．上腕外側皮弁・前腕皮弁．In: 別府諸兄編．整形外科医のためのマイクロサージャリー 基本テクニック．東京: メジカルビュー社; 2000. p.95-104.
2) Katsaros J, Schustrman M, Beppu M, et al. The lateral upper arm flap: Anatomy and clinical application. Ann Plast Surg. 1984; 12: 489-500.
3) Ribet D, Buffet M, Martin D, et al. The lateral arm flap: An anatomic study. J Reconstr Microsurg. 1987; 3: 121-32.
4) 酒井和裕．局所皮弁（上肢）広背筋皮弁．MB Orthop. 2004; 17: 35-42.
5) 酒井和裕．上腕外側皮弁．In: 別府諸兄編．整形外科医のためのマイクロサージャリー Basic to Advance 東京: メジカルビュー社; 2008. p.77-88.
6) Serafin D. The lateral arm flap. Atlas of Microsurgical Coposite Tissue Transplantation. WB Saunders Company; 1996. p.375-87.

CHAPTER 10: 血管柄付き骨・(筋)皮弁(マイクロサージャリー)―筋皮弁

174 橈側前腕皮弁移植術

橈側前腕皮弁は手指への主要な血行である橈骨動脈を犠牲とする大きなデメリットがあるが，皮弁への血流は安定しており，非常に薄い皮弁を採取できるという大きなメリットが存在する．また皮弁とともに腱や骨などを血管柄付きで付けることもできる．前腕皮弁は Chinese flap とも呼称される．

▶本皮弁の特徴

1. 前腕皮弁を採取する際にどうしても橈骨神経浅枝を止むを得ず切離したり，皮弁に加えなければならない時もあり，要すれば腓腹神経を用いた神経架橋移植を追加することもある．
2. 術前の Allen test により橈骨動脈を犠牲にしても手指の血行に問題がないことは確認しているが，前腕皮弁を切り離し後，橈側手指の血行が思わしくない場合には，静脈移植を行い，橈骨動脈を再建した方がよい．
3. 大きな皮弁を採取し，採皮部の一次縫合が困難である場合，腱のパラテノンの温存が不十分であると遊離皮膚移植が困難であり，人工真皮を貼付して二期的に植皮を行う方が良好な結果が得られる．

▶手術解剖

橈側前腕皮弁の栄養血管は橈骨動静脈である．橈骨動脈は前腕近位では円回内筋の尺骨頭の下（掌側面）から遠位では腕橈骨筋（BR）と橈側手根屈筋（FCR）の間を直線上に縦に走行する 図1 ．橈骨動脈の同定は極めて容易であることが本皮弁の重要な特徴であるが，橈骨動脈は筋間を走行する動脈で橈側前腕皮弁は筋膜皮弁であるため皮弁と血管茎の連絡はきわめて脆弱である．したがって，私は皮弁への血行の安全性を担保するために皮弁が多少 bulky となるが，BR と FCR の筋膜の一部を付けて採取することとしている 図2 ．橈骨静脈は動脈に伴走して 2 本存在しているが，一般的に血管径が細いため，遊離皮弁とする場合には可能であれば径が太い皮静脈を含んだ皮弁とすることとしている．

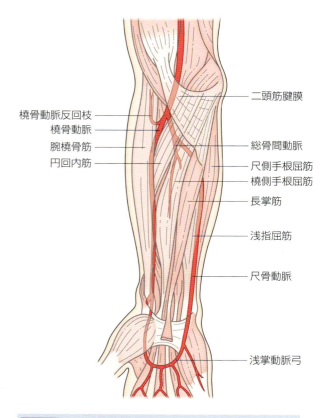

図1 橈骨動脈の走行（前腕屈側部の解剖）

▶手術適応

1. 頭頸部再建

頭頸部に発生した悪性腫瘍などの広範切除により生じた骨・軟部組織欠損例に対して好んで用いられる．この理由としては薄い皮弁であること，皮弁の皮膚はしなやかで，無毛部であるため，口腔内の裏打ちや喉頭再建に好都合であることである．おもに形成外科領域で扱う．

2. 知覚再建

前腕皮弁に橈骨神経浅枝あるいは筋皮神経の終枝である前腕外側皮神経を含めて挙上すると知覚皮弁として利用可能である．橈骨神経を使うと将来的にドナーに知覚障害による disability が出現することも少なくないので，橈骨神経よりは細く，わかりずらいが前腕外側皮神経（筋皮神経の終枝）を皮弁に含めることもある．

3. 腱・骨付き皮弁

前腕皮弁に長掌筋（PL）腱，FCR 腱（これは稀であ

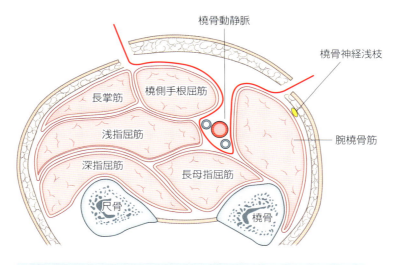

図2 橈側前腕皮弁挙上時の前腕横断面

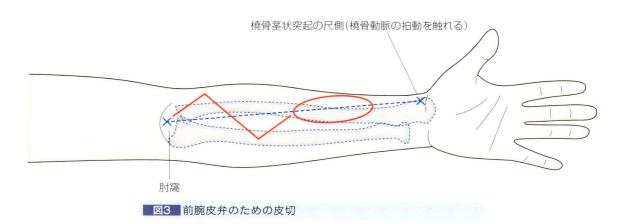

図3 前腕皮弁のための皮切

る）を含めて挙上することも可能である．腱付き皮弁として手背，足背の伸筋腱再建を行う際に利用可能である．骨は橈骨の一部を付けて骨付き皮弁として挙上することが可能である．

> **Tips コツ**
>
> 橈骨の一部を切除することによる術後骨折発生の危険性が高いので，切除範囲を考慮すべきである．

▶術前準備

術前の血管造影は原則として不要であり，Allen testを行い，尺骨動脈が開存し手指の血行に問題がないことを確認することが重要である．術前に橈骨動脈の走行をドプラー血流計を用いてマーキングしておく．

▶手術

体位・麻酔

遊離皮弁の場合，どの部位へ移植するかにより体位は異なるが，前腕皮弁の採取は仰臥位で前腕回外位にて行う．一般的には非利き手側から採取することが多い．麻酔は全身麻酔で手術を行う．

皮切

ドプラー血流計にてマーキングした橈骨動脈の走行を目安に，遠位ではFCRの橈側で橈骨茎状突起の尺側で橈骨動脈の拍動を触れる部を，近位では肘窩中央部の上腕動脈を結んだ直線を皮弁の中心軸とする 図3 ．皮静脈については橈側皮静脈の走行を予めマーキングしておき，皮弁に含まれるように皮弁のデザインを行う 図4 ．

皮弁は多くの場合，遠位1/3を遠位としてこの中枢に作成するようにしている．近位に皮弁のデザインを行うと血管柄がBR筋腹の下層に位置して非常に採取しずらくなることと，遠位では採取部に植皮を行う場合，腱露出部分への皮膚移植となるなどが理由である．皮弁の近位に血管柄を長く採取するために橈骨動脈および皮静脈を展開するためのジグザク切開を加える．

展開

作成した皮弁の尺側縁の方から橈骨動脈を目指して皮弁を挙上する 図5 ．

私は尺側の筋膜は橈側のそれよりも厚くしっかりとしているので皮弁の尺側の方から挙上することとしている．真皮までメスで切離したところで脂肪疎織内の皮静

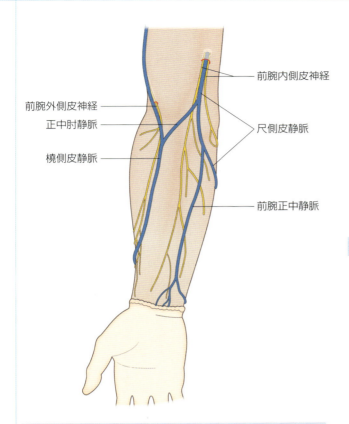

図4 前腕屈側の静脈系

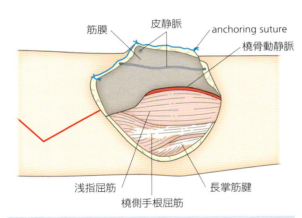

図5 尺側からの皮切

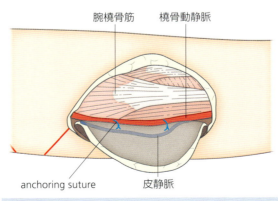

図6 橈側からの皮切

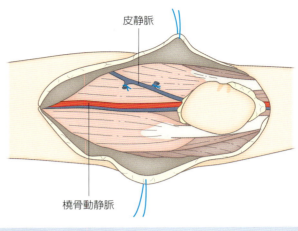

図7 皮弁の挙上

脈を温存して皮弁の尺側縁に沿って皮切を加える．皮切は筋膜まで一気に加える．皮弁と筋膜が剝がれないように数カ所に anchoring suture を加える．

切離した皮弁の尺側縁から筋膜下剝離を橈側方向に進める．皮静脈の剝離も同様に行う．尺側からの筋膜下剝離で長掌筋および FCR の橈側まで進めたら，ここで剝離を一旦中止して橈側からの皮切および剝離へと移行する．

皮弁の橈側縁に皮切を加え，BR 筋の筋腹まで到達する 図6 ．橈側縁からの剝離の際には BR 筋の筋膜上あるいは筋膜を横切って走行する橈骨神経浅枝を同定し，皮弁に含まないように温存して，神経前方で筋膜切開を加え，BR 筋の尺側まで筋膜下剝離を行い，脂肪組織により囲まれた血管束を確認する．

皮弁の挙上・遊離

皮弁は橈骨動脈のみで前腕と繋がっている状態となり，ここから剝離剪刀などを用いて橈骨動静脈を含む脂肪組織の両側を橈骨骨膜まで深く進んで，血管束下で皮弁と筋膜と血管束を付けた状態で挙上する 図7 ．

次いで皮弁中枢に加えたジグザグ切開により，橈骨動静脈束と橈側皮静脈を同定して中枢まで追求して，血管茎を確認する．

ここで駆血帯を脱気して皮弁への血行が良好であることを確認する．皮弁遠位の橈骨動静脈をクランプして皮弁の血行と静脈還流が良好であることおよび手指とくに橈側指の血行が良好であることを確認する．また，皮静脈からの静脈還流も有効に機能していることを確認する．

皮弁の遠位で橈骨動静脈を結紮して皮弁を挙上する．Flow-through flap として皮弁を利用する場合には皮弁の遠位の血管束を長くすることとしている．

有茎皮弁・逆行性皮弁とする場合

前腕皮弁は有茎皮弁・逆行性皮弁としてよく用いられる．とくに逆行性皮弁は手背部の再建などによく使われる 図8 ．

逆行性皮弁の挙上も基本的には遊離皮弁の挙上と同様であるが，唯一，皮弁のうっ血つまり静脈還流に不安が

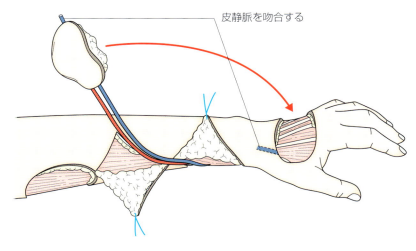

皮静脈を吻合する

図8 逆行性前腕皮弁による挙上

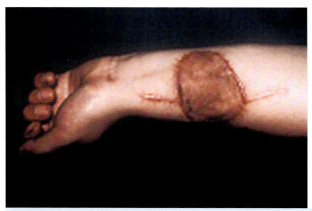 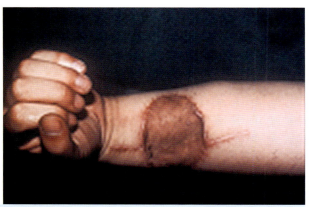

図9 採皮部皮膚移植部の色素沈着．手関節の運動制限はない．

あるので，皮弁近位の橈側皮静脈を温存して，静脈吻合を追加することがある．

皮弁採取部の閉鎖

前腕の皮膚欠損部を一期的に縫縮閉鎖できるのは皮弁の幅が3～4cmまでで，それ以上となると前腕の手指屈筋腱筋膜の圧迫を避ける意味からも植皮を行うべきと考えている．筋膜は皮弁に含まれているが，屈筋腱のパラテノンを温存していると植皮は生着可能である．後述するが生着が困難であると判断されれば，まず人工真皮を貼付して，二期的に植皮を行うことを勧めている手の外科医も多い．

また，皮膚移植部に色素沈着が発生し，整容的に大きな問題となることも留意点である 図9 ．

▶後療法

術後，外固定は皮膚移植生着の促進と創の安静目的で1週間程度外固定を行い，この時期は手関節の運動も制限する．

▶症例供覧

症例1　40歳，男性．手背部皮膚欠損例．伸筋腱が露出している 図10 ．前腕近位1/3部から前腕皮弁を有茎で挙上し，手背部に移行した 図11 ．

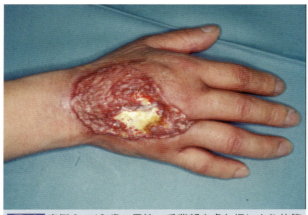

図10 症例1．40歳，男性．手背部皮膚欠損により伸筋腱が露出している

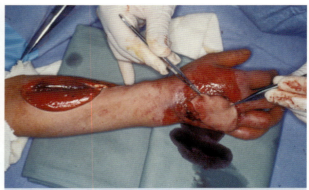

図11 逆行性前腕皮弁を有茎で挙上し手背部に移行した

症例2　36歳，女性．手背部皮膚が欠損し伸筋腱が露出している 図12 ．逆行性前腕皮弁を挙上し，近位血管をクランプして皮弁の血行動態をチェックした 図13 ．逆行性前腕皮弁を手背部に移植し，前腕部に遊離植皮を行った 図14 ． 図15 は手術3カ月後の外観である．

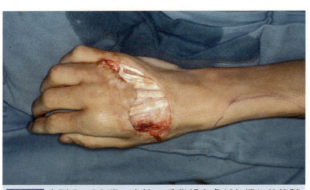

図12 症例2．36歳，女性．手背部皮膚が欠損し伸筋腱が露出している

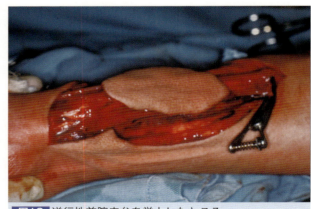

図13 逆行性前腕皮弁を挙上したところ

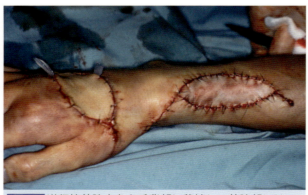

図14 逆行性前腕皮弁を手背部に移植し，前腕部には遊離皮膚移植を行った．

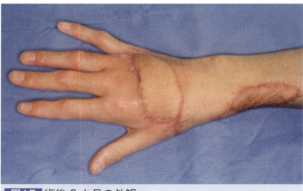

図15 術後3カ月の外観

症例3 52歳，男性．長趾伸筋腱欠損を伴った足背部の皮膚欠損例 図16．PL腱を含めた腱付き前腕皮弁の作図 図17．PL腱付き前腕皮弁を遊離として挙上した 図18．図19 は皮弁移植後3カ月の状態であるが，足趾の伸展は可能である．

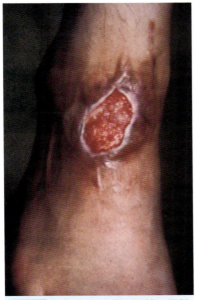
図16 症例3．52歳，男性．長趾伸筋腱欠損を伴った足背部皮膚欠損

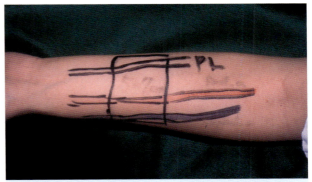
図17 PL腱を含む腱付き前腕皮弁のデザイン

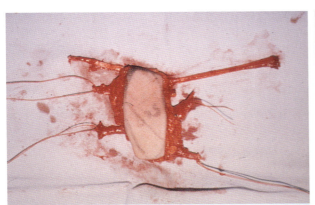
図18 PL腱付き前腕皮弁を遊離として挙上した

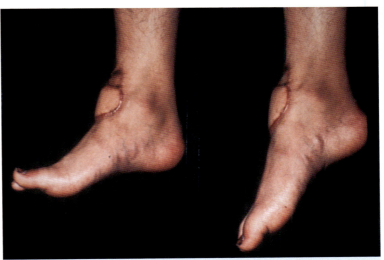
図19 術後3カ月であるが足趾の伸展が可能となった

■文献

1) 藤川昌和．前腕皮弁による手の再建．In: 形成外科ADVANCEシリーズI-2 四肢．形成外科最新の進歩，東京: 克誠堂出版; 2005. p.107-13.
2) 平瀬雄一．橈側前腕皮弁．In: やさしいマイクロサージャリー―遊離組織移植の実際―．東京: 克誠堂出版; 2004. p.109-24.
3) Mhbauer W, Herndl E, Stock W. The forearm flap. Plast Reconstr Surg. 1982; 70: 336-41.
4) Song R, Gao Y, Song Y, et al. The forearm flap. Clin Plast Surg. 1982; 9: 21-6.
5) 横田和典．前腕皮弁―遊離橈側前腕皮弁を中心に―．In: 別府諸兄編，整形外科医のための新マイクロサージャリー Basic to Advance. 東京: メジカルビュー社; 2008. p.89-98.

CHAPTER 10: 血管柄付き骨・(筋)皮弁(マイクロサージェリー)―筋皮弁

175 (逆行性)後骨間動脈皮弁

　逆行性後骨間動脈皮弁は1986年Penteadoらによってはじめて発表された皮弁である．前腕をドナーとした皮弁のうち，橈側前腕皮弁が橈骨動脈という前腕・手の主要な血管を犠牲にするのと異なり後骨間動脈を栄養血管として使用するものであり，有用な皮弁である．

▶解剖

　後骨間動脈（PIA）は前腕近位1/3部で総骨間動脈より分岐して骨間膜を貫通し，回外筋遠位端の下を通って後骨間腔に入る．すぐに上行枝を分岐した後，PIAは尺側手根伸筋（ECU）と小指固有伸筋（EDM）との間の筋膜中枢を走行して遠位橈尺関節（DRUJ）の少し近位で前骨間動脈（AIA）の背側枝と吻合する．それまでの間に前腕背側で筋膜を貫く10数本の皮枝を分岐する．この皮枝が皮弁を栄養することになる．したがって，逆行性後骨間皮弁は後骨間動脈とその伴走静脈を遠位とする筋膜皮弁である．

▶後骨間動脈皮弁の挙上

皮弁デザインの作成

　PIAは上腕骨外側上顆とDRUJを結んだ線上の前腕背側を走行している．尺骨茎状突起の2.5cm近位がAIAとの吻合部であり，この部が皮弁のpivot pointとなる．このpivot pointから皮下トンネルを通して手部皮膚欠損部まで到達させるためにどの程度のpedicleが必要であるかを考慮して，それより近位で皮弁を作成する　図2　．

皮弁の挙上

　皮切を遠位より始め，まずPIAのAIAとの吻合部を同定・剥離してPIAのpedicleを近位方向に剥離する．

> **Tips コツ**
> 前腕遠位1/2でPIAは非常に表層を走行するのでpedicleを損傷しないように留意する．血管損傷を避けるためにpedicleに筋膜中隔を大きく含める必要がある．

　前腕中央部でPIAは深部を走行しており，またこの部で皮弁を栄養する太い皮枝が1本分岐している．皮弁の大きさが5×10cm程度の皮弁ではこの太い皮枝のみで十分である．しかし，長い皮弁を必要としている場合では2本以上の皮枝を含めるべきである．回外筋遠位端部まで丁寧に剥離し，この近位部でPIAを結紮・切断する．

> **Tips コツ**
> この部位で後骨間神経は深層を走るがECUへの枝が動脈と交差することが多いので損傷しないように丁寧にPIAを剥離する．

　駆血帯を解放して皮弁への血行を確認後，pivot pointまで皮弁を遠位方向に翻転して，pedicleが捻れないように注意して，皮弁を皮下トンネルを通して皮膚欠損部を覆う．

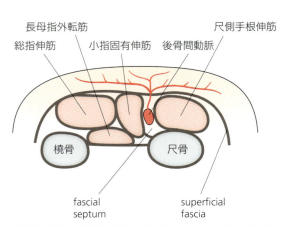

図1　前腕中央1/3部の横断像

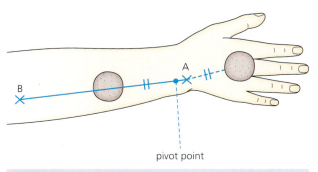

図2　皮弁のデザイン（詳細については本文参照のこと）．PIAはA（DRUJ）とB（上腕骨外側上顆）を結んだ線上を走行している．DRUJの近位2.5cmの部が皮弁のpivot pointである．

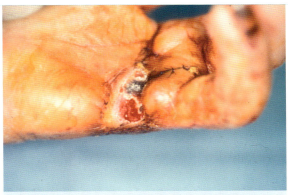

図3 術前．環・小指 MP 関節部〜小指球部までの皮膚欠損を呈している．

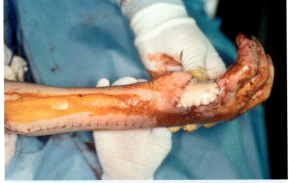

図5 皮弁移植後．皮弁採取部は一次縫合した．

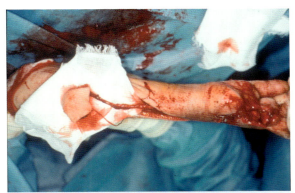

図4 逆行性後骨間動脈皮弁の挙上

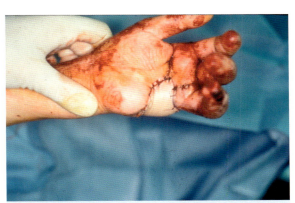

図6 皮弁移植後

▶ドナーの処置

皮弁の幅が 4 cm 以内であれば，ドナーを一次縫合可能であるが，それ以上の場合は遊離植皮で cover する．

▶症例供覧

症例 42 歳，男性．右小指球部挫滅創後皮膚欠損 図3-6．

■文献

1) Costa H, Gracia ML, Vranchx J, et al. The posterior interosseous flap: a review of 81 clinical cases and 100 anatomical dissections-assessment of its indications in reconstruction of hand defects. J Hand Surg [Br]. 2001; 54: 23-33.
2) El-Sabbagh AH, Zeina AAE, El-Haddidy AH, et al. Reversed posterior interosseous flap: safe and easy method for hand reconstruction. J Hand Microsurg. 2001; 3: 66-72.
3) 井上五郎．逆行性後骨間動脈皮弁．日手会誌．1995; 12: 535-7.
4) Penteado CV, Masquelet AC, Chevrel JP. The anatomic basis of the fascio-cutaneous flap of the posterior interosseous artery. Surg Radio Anat. 1986; 8: 209-15.

CHAPTER 10: 血管柄付き骨・(筋)皮弁(マイクロサージャリー)―筋皮弁

176 側頭筋膜弁

側頭筋膜弁は頭頚頭部で大きな薄い被覆材料を必要とする部の再建に極めて有用な筋膜弁である．歴史的には形成外科領域において耳介，顔面，口腔内組織欠損の再建に有茎皮弁として好んで用いられてきた．遊離皮弁としては腱や骨などが露出した手・足の被覆に有用である．筋膜弁は浅層の temporoparietal fascia（TPF）と深層の deep temporal fascia（DTF）の 2 層からなるが，一般的に側頭筋膜弁は TPF 弁の方を指している．

TPF 弁は側頭・頭頂領域を広く栄養する浅側頭動脈（STA）を利用した筋・筋膜弁であり，その豊富な血管網ゆえ，生着の信頼性は高く，先にも記述しているが，形成外科領域では頭部・顔面の再建手術でしばしば利用されている．

> **Tips コツ**
> ドナーの部位が耳の上部ということで，つまり顔面に近いので，整形外科医にとってはとっつきずらい筋膜弁といえる．

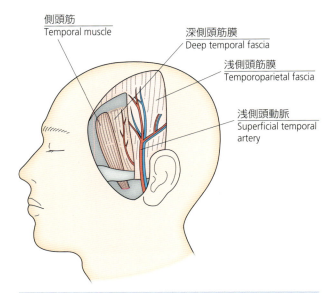

図1 浅・深側頭筋膜，側頭筋と浅側頭動脈との関係
（平瀬雄一．側頭筋膜弁．やさしいマイクロサージャリー―遊離組織移植の実際―．東京；克誠堂出版；2012: p.13-34．より）

▶解剖

TPF 弁の大きさは一般的には扇の形をした側頭筋とほぼ同じ大きさであるので縦 10 cm，横 12 cm，厚さ 3 mm 位である．TPF 弁の栄養血管は側頭部筋膜の上を走行する浅側頭動脈（STA）である 図1 ．ここでは DTF 弁については割愛する．

STA は下顎骨関節突起部の後方から起始して，耳珠の前方では皮下に存在する．耳珠前方付近では皮下に容易にその拍動を触知できる．普通，STA は頬骨弓上方 3-4 cm の部で 2 つ，あるいは 3 つに枝分かれし筋膜全体に広がっている．伴走する静脈は動脈よりさらに浅層に存在している．起始部での STA の口径は約 2 mm で，伴走静脈はさらに太い 図2 ．

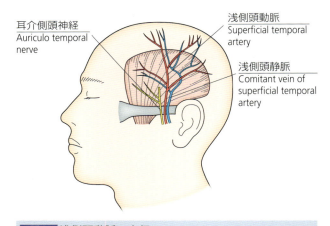

図2 浅側頭動脈の走行
（平瀬雄一．側頭筋膜弁．やさしいマイクロサージャリー―遊離組織移植の実際―．東京；克誠堂出版；2012: p.13-34．より）

> **Tips コツ**
> 側頭筋膜の展開にあたっては顔面神経の側頭枝を損傷しないように細心の注意を払うべきである．一般的には外耳道孔と眉毛の外側縁の上方 1.5 cm を結ぶ線を引いて，この線を前方に越えないように注意すべきである 図3 ．

> **Tips コツ**
> 耳珠前方付近で STA の走行に一致して，側頭部の知覚を担う側頭耳介神経は皮弁挙上時に切断することになる．

▶TPF 弁採取手技

STA のおおよその走行をドップラー血流計あるいは指による触知で把握する．皮切は STA の走行の少し後方に加える．皮切の周囲の毛髪は少しずつ輪ゴムで束ね視野に入らないようにしておく．術野となる部分を消毒する 図4 ．皮切は通常，耳前部から頭頂部へ直線的に

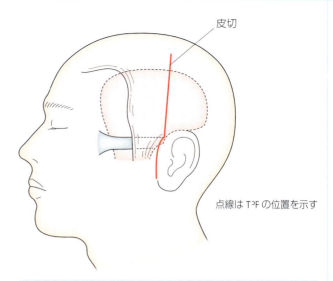

図3 顔面神経側頭枝の保護
(平瀬雄一. 側頭筋膜弁. やさしいマイクロサージャリー－遊離組織移植の実際－. 東京; 克誠堂出版; 2012: p.13-34. より)

図5 皮切
(平瀬雄一. 側頭筋膜弁. やさしいマイクロサージャリー－遊離組織移植の実際－. 東京; 克誠堂出版; 2012: p.13-34. より)

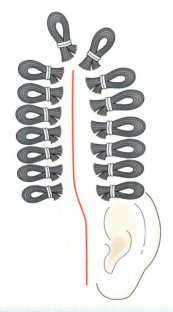

図4 毛髪の処置と消毒
(平瀬雄一. 側頭筋膜弁. やさしいマイクロサージャリー－遊離組織移植の実際－. 東京; 克誠堂出版; 2012: p.13-34. より)

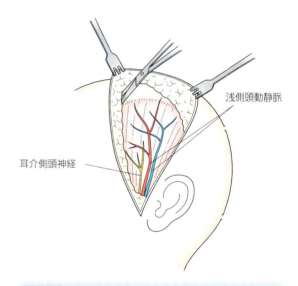

図6 筋膜弁の展開（1）
(平瀬雄一. 側頭筋膜弁. やさしいマイクロサージャリー－遊離組織移植の実際－. 東京; 克誠堂出版; 2012: p.13-34. より)

加える 図5 ．皮膚切開を耳珠前方部から開始してSTAと側頭筋膜を見つけ，筋膜や動脈より表層を走行する伴走静脈を同定する 図6 ．血管茎同定後，展開を上方へ向かって行う．

耳珠より上方の有毛部を展開する際にメスの刃を皮膚に垂直に切開を加えると毛根を傷つけ，後に脱毛の原因となるので毛髪の流れと平行に加えなければならない 図7 ．有毛部皮下での剥離は鋭的に行い，注意深く皮枝をバイポーラで止血する．

前方・後方に十分に剥離したところで採取したい皮弁の大きさにあわせて筋膜弁の前方・後方を展開する 図6 ．

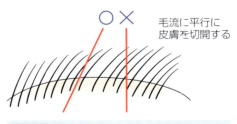

図7 切開の方向
(平瀬雄一. 側頭筋膜弁. やさしいマイクロサージャリー－遊離組織移植の実際－. 東京; 克誠堂出版; 2012: p.13-34. より)

筋膜弁の前縁の切開時には顔面神経側頭枝を損傷しないように確認する 図6 ．筋膜弁の前・後・上縁を切開した後，筋膜弁を下方に翻転しながら筋膜後面の切離を行う 図8 ．TPF弁を下方に剥離を進めれば既に同定

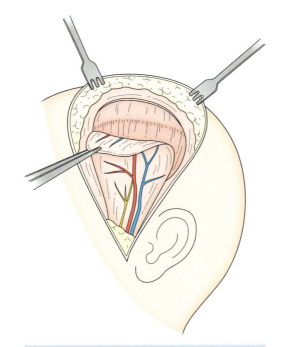

図8 筋膜弁の展開（2）
（平瀬雄一．側頭筋膜弁．やさしいマイクロサージャリー－遊離組織移植の実際－．東京; 克誠堂出版; 2012: p.13-34．より）

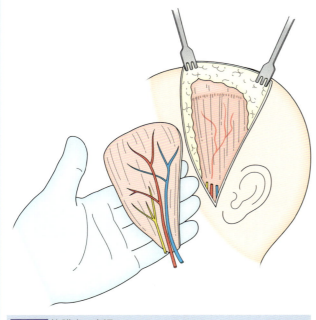

図9 筋膜弁の採取
（平瀬雄一．側頭筋膜弁．やさしいマイクロサージャリー－遊離組織移植の実際－．東京; 克誠堂出版; 2012: p.13-34．より）

した耳珠前方部でのSTAとその伴走静脈につながっている．血管茎を切離して，筋膜弁を採取する 図9 ．

▶ドナーの処置

ドナーの閉鎖は持続吸引ドレーンを留置した後，頭皮の深層を中縫い縫合する．

 コツ

このとき，毛根を巻き込まないように小さな縫合で中縫いを行う．

皮膚表面は縫合糸ではなく，手術用ステープラーを用いてゆるく縫合する．

▶利点・欠点

利点は①donor部が毛髪部で創が目立たず美容面で優れている．②栄養血管が表在性にあることから触知しながら筋膜弁採取ができ，採取が容易である．③再建部位がbulkyとはならない．④筋膜弁のみではなく，皮膚・筋・骨弁へと応用可能であることである．一方，欠点としては①筋膜皮弁採取が顔面神経側頭枝に近いので損傷される危険がある．②血流が豊富であるゆえに術後出血やうっ血を起こしやすい．③donorの毛根を損傷して脱毛となることがある．④整形外科医が採取に直接関与することは現実的にできないことなどである．

▶症例供覧

症例 35歳，男性の母指球部に発症した動静脈瘻例である 図10 ．単純X-Pで明らかな骨破壊は認めない 図11 が，血管造影検査では橈骨動脈と皮静脈の異常交通を認めた 図12 ．Thermographyでは母指球部の動静脈瘻部が高温を示したが，末梢の母指指尖部は低温を示した 図13 ．母指球部の動静脈瘻を指神経や屈筋腱を温存して皮膚を含めて根治的に切除した 図14 ．右側頭部よりTRF弁を採取した 図15 ．腫瘍切除部と皮膚を含めて完全に切除した後に血管柄付き側頭筋筋膜弁を移植し，皮膚欠損部には筋膜弁上に遊離植皮を行った 図16A,B,C ．術後2年後の手指とdonorの側頭部の外観である 図17A,B ．

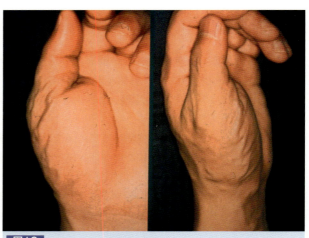

図10
35歳，男性．左母指球部に発生した動静脈瘻．大きさは8×5cm大で腫瘤部にはthrillやbruitを触れた．

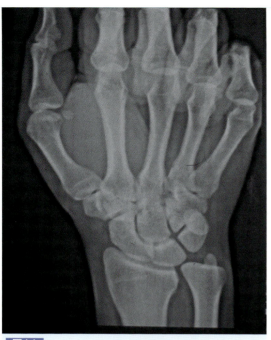

図11
単純 X-P. 骨破壊などは認めない.

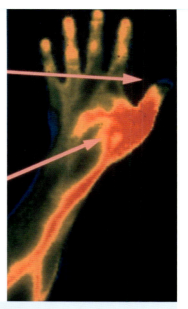

図13
Thermography 所見. 母指球部は高温を示したが, 母指指尖部は血行不良のため低温を示した.

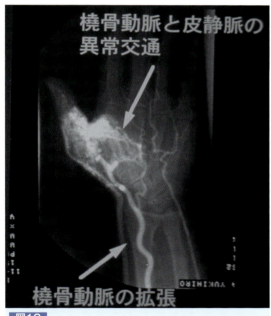

図12
血管造影所見. 血管造影では橈骨動脈と皮静脈の異常交通を認める.

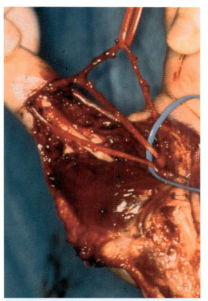

図14
動静脈瘻を切除. 動静脈瘻を皮膚を含めて根治的に切除した.

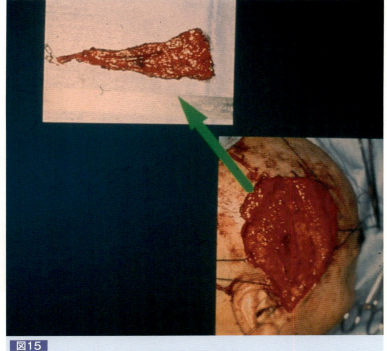

図15 TRF弁の採取．TRF弁を血管柄付きで採取した．

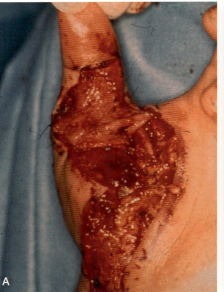
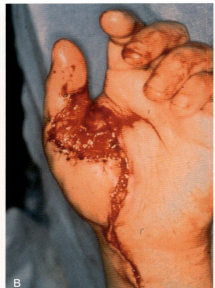
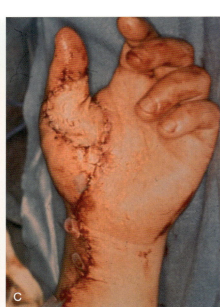

図16 TRF弁移植・遊離皮膚移植術
A: 動静脈瘻を切除後，TRF弁移植を行った．
B: TRF弁上の閉鎖
C: 筋膜上の皮膚欠損に遊離植皮を行った．

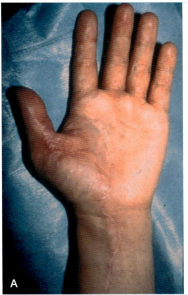
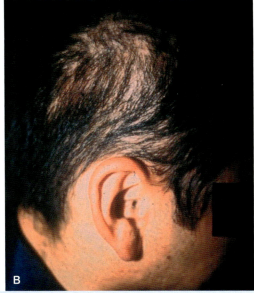

図17 術後 recipient と donor の外観
A: 術後2年の母指球部の外観．再発を認めていない．
B: 術後2年の側頭部の状態．創は髪にかくれて全く目立たない．

■ 文献

1) Brasley P, Brockbank J. The temporalis muscle flap in oral reconstruction. A cadaveric, animal and clinical study. J Maxillofas Surg. 1981; 9: 139-45.
2) 平瀬雄一．側頭筋膜弁．In: 平瀬雄一．やさしいマイクロサージャリー−遊離組織移植の実際−．東京; 克誠堂出版; 2012: p.13-34.
3) 亀井宗太郎，竹市夢二．側頭筋移行による再建舌・軟口蓋の吊り上げ．口咽科．2003; 3: 309-14.
4) 森鼻哲生，太田有美，大薗芳之，ほか．側頭・頭頂筋膜弁を用いて人工内耳術後感染創を一期的に閉鎖し得た例．Otol Jan. 2018; 28: 702-7.

CHAPTER 10: 血管柄付き骨・（筋）皮弁（マイクロサージャリー）—筋皮弁

177 静脈皮弁（Venous Flap）

　重要な深部組織の露出を伴う手指の皮膚欠損に対しては，cross-finger flap, rotation flap, palmar flap, flag flap などの有茎皮弁が用いられている．しかし，これらの手術は少なくとも皮弁の切り離しなど数回の手術を要することが多く，一定期間の外固定を要することなどによる関節拘縮発生の欠点などが存在している．
　Nakayama らは皮下の静脈網を含む皮弁（静脈皮弁，venous flap）に動脈血を流入されることにより，静脈網を介してこの皮弁が生着することを実験的に報告した．その後，手指の皮膚欠損に対して多くの臨床適応がなされ，良好な成績が報告されている．

▶静脈皮弁のパターン

　静脈皮弁は血液循環動態パターンに応じて，AA（動脈-動脈）型，VV（静脈-静脈）型，AV（動脈-静脈）型の double-pedicle type と A 型，V 型の single-pedicle type に分類可能である 図1 ．これらのうち single-pedicle type の A 型は生着が難しいとされている．一般的には AV 型，つまり皮弁内の静脈の一方を動脈に他方を静脈に吻合した AV 型がもっとも生着に安全であるとの報告が多いので私もこの type のこの方法に準じて venous flap を用いている．しかし AV 型と他の型の成績に差がないとの報告もある．

▶静脈皮弁の利点・欠点

利点: 1. 皮弁の挙上が他の遊離皮弁より容易である．
　　　2. 採取に際して動脈を犠牲にする必要がない．
欠点: 1. 大きな皮弁を挙上することは困難である（一番大きな皮弁でも幅 1.0〜1.5 cm × 長さ 6 cm 程度である）．
　　　2. 皮弁血行が不安定で術後経過で生着するかどうかよくわからないことも少なくない．

　一方，たとえ venous flap が壊死に陥っても遊離植皮での対応が可能であるので，皮膚欠損の被覆には有用であるとの意見も多い．

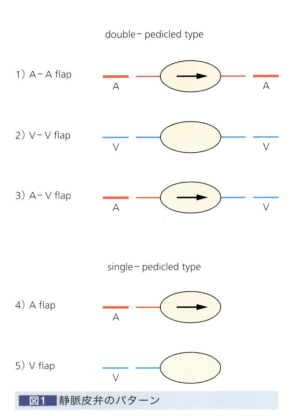

図1　静脈皮弁のパターン

▶本皮弁の適応

　皮弁の大きさが限られているので，手や足の皮膚の小欠損例で腱や骨などが露出している場合，歩行や手指の屈伸などの点から適応とすべき皮弁であろう．

▶静脈皮弁の採取部

　臨床的に静脈皮弁を成功に導く条件としては①静脈の net-work の多い部位をドナーに選択すること，②流入・流出静脈の数をできるだけ多く縫合すること，③静脈圧差のある部位に移植することなどとされている．したがって皮弁の採取部としては前腕部が好んで用いられる傾向にあるが，そのほか，足背部がよく用いられる．皮膚欠損の大きさと周囲の血管の状況によりどちらかを適宜選択することとしている．

▶症例供覧

（本項目の2症例とも新潟手の外科研究所病院　坪川直人先生からの提供を受けています）

症例1　指MP関節化膿性関節炎（犬咬創による）
図2, 図3A, B, C, 図4.

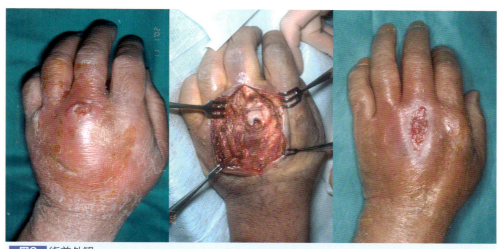

図2　術前外観

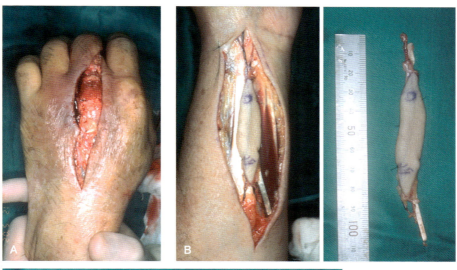

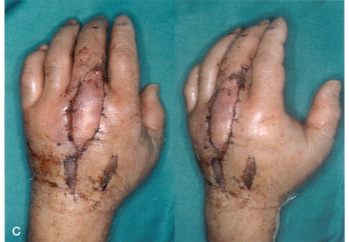

図3　長掌筋腱を含んだ静脈皮弁（A-V型）を採取する.
A: 皮膚・伸筋腱欠損　B: 長掌筋腱を含む静脈皮弁を挙上　C: 静脈皮弁を移植する.

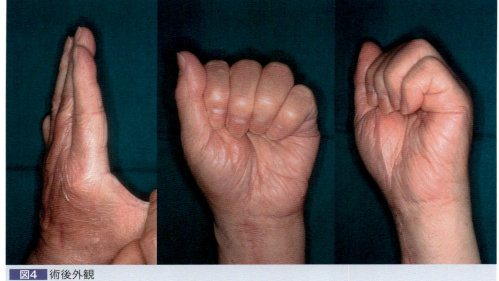

図4 術後外観

症例2 示指〜環指 PIP 関節背側熱圧挫創．右小指切断 図5 ， 図6A, B ， 図7 ， 図8 ．

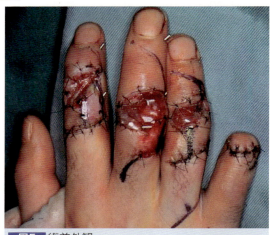

図5 術前外観

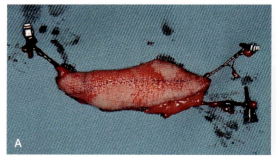
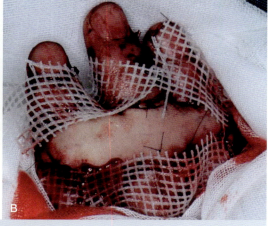

図6 2-7 cm の A-V 型静脈皮弁の挙上と移植後
A: 静脈皮弁の挙上　B: 静脈皮弁移植

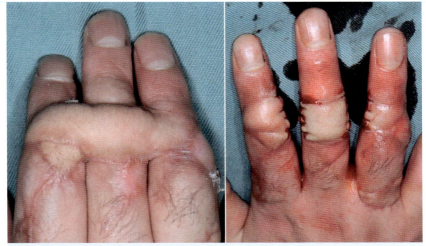

図7 合指分離

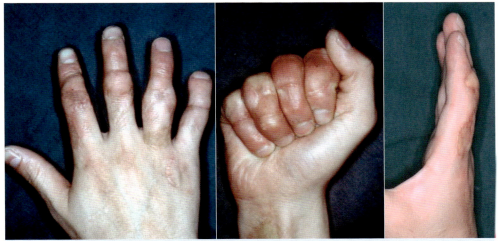

図8 術後外観．小指については足趾移植を行っている．

■ 文献

1) 石原 剛, 木下忠嗣, 田中敬子, 他. 静脈皮弁による QOL を考慮した皮膚悪性腫瘍再建. Skin Cancer. 1998; 13: 137-40.
2) Nakayama Y, Soeda S, Kasai Y. Flaps nourished by arterial inflow through the venous system: an experimental investigation. Plast Reconstr Surg. 1981; 67: 328-34.
3) 西源三郎, 柴田義守, 多湖教時, 他. Venous Flap による手指皮膚欠損の治療. 日本マイクロサージャリー学会誌. 1994; 7: 39-45.

CHAPTER 10: 血管柄付き骨・(筋)皮弁(マイクロサージャリー)―筋皮弁

178 VAF & V-NAF Flaps

中嶋らは四肢，頚部における皮静脈，皮神経の伴走動脈を栄養血管とする皮弁の概念を提唱し，VAF（venoadipofascial pedicled fasciocutaneou）flap，NAF（neuroadipofascial pedicled fasciocutaneous）flap，V-NAF（venoneuroadipofascial pedicled fasciocutaneous）flap と命名した．手足の太い皮静脈や皮神経は伴走血管を伴っており，皮静脈の伴走血管で栄養される皮弁が VAF flap であり，皮静脈と皮神経の伴走血管で栄養される皮弁が V-NAF flap である．

皮弁の特徴
1. 皮弁の血行が非常に安定している
2. 皮弁の茎は基本的には皮下組織であるため，主要動脈の犠牲がない
3. 皮弁の挙上が比較的容易である
4. マイクロサージャリーの技術（微小血管縫合）が不要である　　ことなどである．

手術適応
上・下肢ともに多くの部から皮弁挙上が可能であるが，本皮弁は，小伏在静脈や腓腹神経の VAF flap，V-NAF flap が主になされているので膝関節や下腿〜足部の皮膚欠損に対して用いられることが多い．

ここでは下腿の小伏在静脈や腓腹神経の伴走動脈を利用した VAF および V-NAF flaps について記載する．

▶下腿後面の解剖

下腿筋膜は分葉構造を示し，小伏在静脈や腓腹神経は分葉した筋膜により覆われる構造である ．

小伏在静脈は足背静脈網から外果とアキレス腱の中間を上行し，腓腹筋の2筋腹間の最下点に向けて直線状に上行する．

> **Tips コツ**
> 足関節を背屈すると腓腹筋の2つの筋膜を触れることができる．

小伏在静脈の走行中，下方3/4 では小伏在静脈は深筋膜を貫いて，上方1/4 では深筋膜下を走行する．一方，腓腹神経は下腿の下方1/2 では，浅層に向かい小伏在静脈とともに走行している．下腿1/2 では深筋膜を貫き深筋膜下に入り上行する 図2 ．

小伏在静脈の伴走動脈は medial または median superficial sural artery 由来であり，腓腹神経のそれは median superficial sural artery である．下腿上方1/2 では伴走動脈は各々異なる層を走行しているが，下腿1/2 の点で一緒となり，下腿下方1/2 では小伏在静脈の伴走動脈の2本のうち1本は腓腹神経の伴走血管ともなっている 図1 ．伴走動脈からは皮膚へ向かう多数の小さな枝が出ており，皮膚の血管網と交通している．これにより皮弁挙上が可能となる．

> **Tips コツ**
> これらの皮弁は基本的に有茎皮弁であり，その茎が遠位茎かあるいは近位茎によりいろんな皮弁の作成が可能である．その中で，臨床的に頻用されるのは皮弁の茎が小伏在静脈と腓腹神経である V-NAF flap か小伏在静脈のみである VAF flap である．

▶手術方法

頻用される皮弁は先にも記載しているが，皮弁の茎に小伏在静脈および腓腹神経の両方の伴走動脈を含める場合か小伏在静脈のみの伴走動脈を含める場合である．本

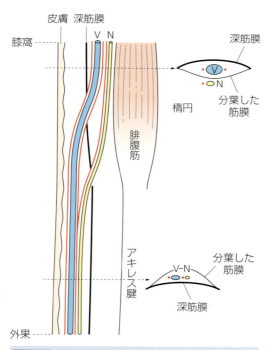

図1　下腿 sagittal plane における小伏在静脈，腓腹神経，深筋膜
V: 静脈，N: 神経

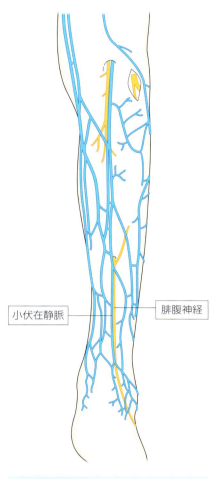

図2 下腿後面における小伏在静脈，腓腹神経

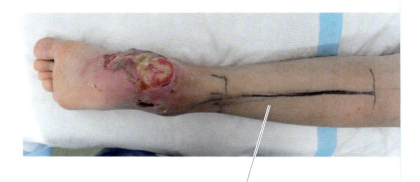

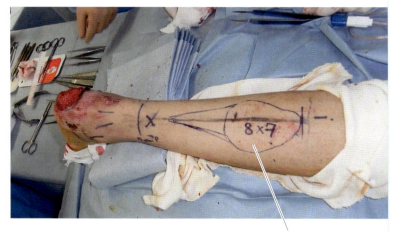

図3
A: 小伏在静脈の走行（踵部皮膚欠損例，症例供覧の項の症例2である）
B: 皮弁のデザイン．小伏在静脈が皮弁の中心を走行するようにデザインする．

項ではこれらについて記載する．

> **Tips コツ**
> 小伏在静脈および腓腹神経の両側を皮弁の栄養血管である伴走動脈が走行しているので静脈や神経の両側の脂肪筋膜組織を1cmずつ付着させて皮弁を挙上すれば，伴走動脈を温存することができる．

遠位茎皮弁の挙上

下腿下方と足部近位の再建に対しては，遠位茎で皮弁を作成することになる．皮弁の中心に小伏在静脈が走行するようにデザインする 図3A, B．皮切は皮弁近位端に切開を加え，深筋膜を確認し，この深筋膜下に走行する小伏在静脈を確認することができる．

> **Tips コツ**
> 小伏在静脈の位置が術前の位置と，ずれているようであれば，皮弁のデザインを修正する．

ここで小伏在静脈を結紮離断し，深部の筋膜を切開する．この筋膜下に腓腹神経が見えれば，この神経も切断し，神経を皮弁に含めながら遠位方向に皮弁を丁寧に剝

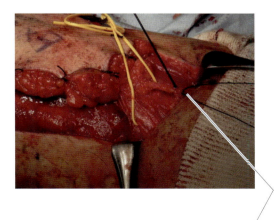

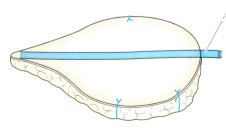

図4 VAF flapとして挙上した．

離挙上する．下腿1/2（茎）以下では皮弁（茎）は深筋膜下に剥離挙上していく．腓腹神経が腓腹筋内の奥深くにあるようであればここで腓腹神経を切断することになる．

> **Tips コツ**
> 皮弁茎基部の近くに腓骨動脈皮膚穿通枝が存在するが皮弁の移動に支障のない範囲でなるべく温存するようにする．

皮弁のデザインは tear drop 型である 図3A, B．

この症例では茎内に小伏在静脈のみが含まれるため VAF flap となる 図4．

近位茎皮弁の挙上

下腿上方，膝，大腿下方の再建に対しては近位茎に皮弁を作成する．

> **Tips コツ**
> 皮弁を深筋膜下で剥離挙上するとアキレス腱が露出し，植皮が困難となる．したがって，皮弁の挙上は深筋膜上で行う．

小伏在静脈および腓腹神経は下腿下方1/2では深筋膜上を走行しているので，皮弁遠位端の皮膚切開に続いて筋膜を切開し，小伏在静脈および腓腹神経を確認する．両者を切断し，その深部の厚い深筋膜直上で小伏在静脈および腓腹神経を裏から見ながら皮弁を挙上していけば，静脈や神経を損傷する危険はない 図5A．外側に拡張した皮膚の静脈還流は小伏在静脈へ還流されると考えられているので，大きく拡張するときは外側へが原則である 図5B．

▶症例供覧

本症例については帯広厚生病院 本宮真先生から提供していただいた．

症例1 75歳，男性．足関節外果部軟部組織壊死 図6-図9

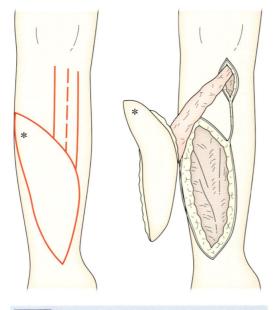

図5
A: 皮弁のデザイン
B: 近位茎皮弁の挙上

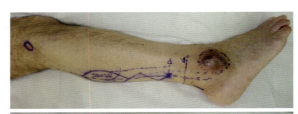

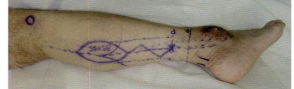

図7 皮弁のデザイン（V-NAF flap 遠位茎皮弁）

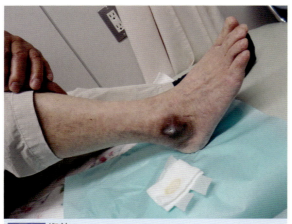

図6 術前

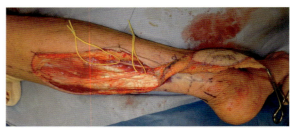

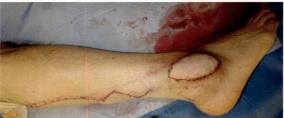

図8 V-NAF 皮弁により皮膚欠損部を被覆し，採皮部は直接縫合した

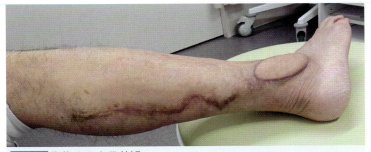

図9 術後 3.5 カ月外観

症例2 31歳，男性．踵骨開放骨折後皮膚欠損 図10-図14

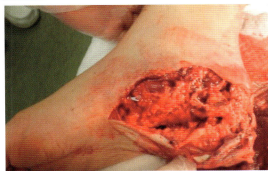
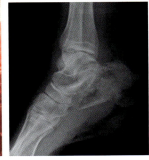

図10 受傷時

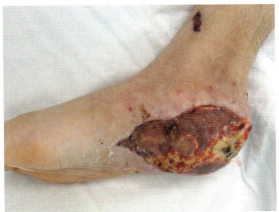
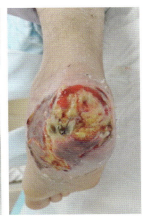

図11 受傷後6週．踵骨が一部露出しており，大きな皮膚欠損が存在する

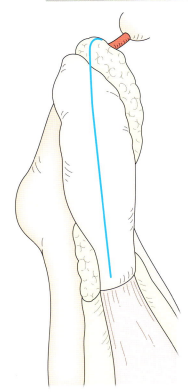

図12 皮弁の挙上
皮弁のデザインは 図3A, B 参照のこと

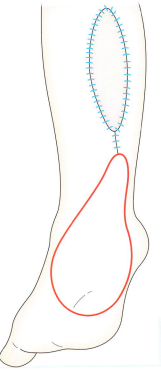

図13 皮弁により皮膚欠損部の被覆を行い，採皮部には植皮を行った．

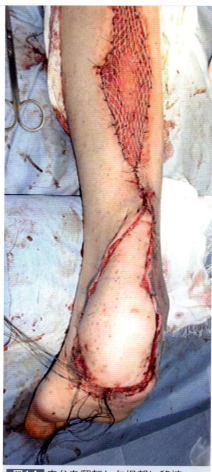

図14 皮弁を翻転し欠損部に移植

■文献

1) 今西宣晶, 中嶋英雄. VAF & V-NAF flaps. MB Orthop. 2008; 21: 82-6.
2) 普天間朝上, 岳原吾一, 伊佐智博, 他. VAF flap または V-NAF flap により被覆した下肢皮膚欠損例の検討. 整形外科と災害外科. 2008; 58: 6-9.
3) Nakajima H, Imanishi N, Fukuzumi S, et al. Accompanying arteries of the lesser saphenous vein and sural nerve: anatomic study and its clinical applications. Plast Reconstr Surg. 1999; 103: 104-20.

CHAPTER 10: 血管柄付き骨・（筋）皮弁（マイクロサージャリー）―足指移植

179 遊離足指および足指骨・軟部組織移植術

　遊離足指移植術は母指あるいは手指欠損症例に対する究極の手術ということができる．また足指そのものではなく爪，皮膚，関節など周囲の骨・軟部組織を移植する方法も好んで行われる．

> **雑談**
> 手術の前に術者は緊張するのが常であるが，その中でも遊離足指移植術は最も緊張する手術の一つと言える．

▶足指の動脈系

　母趾および第2足趾，足指周囲骨・軟部組織を栄養している動脈系には背側と底側の2つがある．一般的には背側が優位であり，これを利用することが多い．

1. 背側動脈系

　足背動脈（DPA）から第1背側中足動脈（FDMA）へ繋がる動脈系であり，足指および足指組織の主要な栄養動脈として頻用されている．FDMAは第1および第2中足骨間に存在する骨間筋との深さの関係でいろいろなレベルを走行し，筋肉，関節，中足骨などへ栄養枝を出すこととなる 図2,3,4．しかし，第1と第2中足骨頭の間の部ではほとんど常に深横中足靱帯（第1と第2中足骨頭を連結している）の表面に存在していることが特徴的である．

> **Tips コツ**
> このことは血管を同定する際に重要である．深横中足靱帯部でFDMAを見出して，近位へと追うことが可能となる．

2. 底側動脈系

　外側足底動脈からの足底動脈弓（plantar arch）と足底動脈の連合枝（communicating branch）である深足底動脈（deep plantar artery）を結ぶ部分から第1底側中足動脈（FPMA）が起きている．遠位に走行し深横中足靱帯の下（底側）を通って（丁度，FDMAの

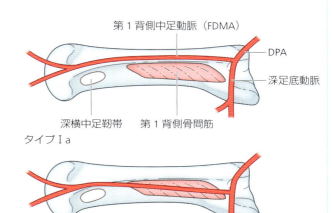

図2　FDMAの走行のタイプ分類（1）．FDMAが第1背側骨間筋の比較的表層を走行している．したがってFDMAの剥離は容易である

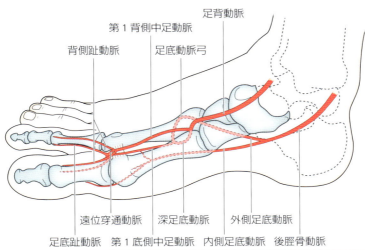

図1　足指への動脈系

深横中足靱帯を挟んで逆に存在する）2本の足底中足趾動脈に分かれ各指に至っている．

3. 背側と底側動脈系の連合枝

背側動脈系と底側動脈系の間には2本の交通枝で第1と第2中足骨間に存在している．近位では足背動脈と足底動脈弓の間の交通枝として深足底動脈（deep plantar artery）があり，遠位には深横中足靱帯の遠位に遠位穿通動脈（distal perforating artery）が存在する 図1．

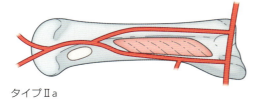

タイプⅡa

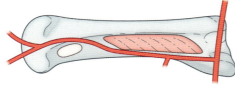

タイプⅡb

図3 FDMAの走行のタイプ分類（2）．FDMAは第1背側骨間筋の深部に存在しており，FPMAが主要な栄養血管となる

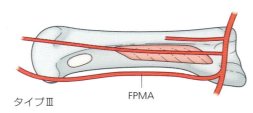

タイプⅢ　FPMA

図4 FDMAの走行のタイプ分類（3）．FDMAは欠損しFPMAのみが趾への血液供給をしている

4. 遠位穿通動脈（distal perforating artery）の変異

5つに分類することが可能である 図5．これらのうち Type D，E はほとんど存在していない．

Type A: FDMAから遠位穿通動脈が起始し，2本の底側趾動脈（PDA）へ分岐するものである．FPMA は 2 本の PDA の 1 本に合流している（46.5％）．

Type B: FDMA と FPMA がそれぞれ 2 本の背側趾動脈（DDA），PDA への分岐部の間に遠位穿通動脈が合流している（24.0％）．

Type C: FPMA が 2 本の PDA へ分岐し，これらのうち 1 本から遠位穿通動脈が合流している（14.5％）．

Type D: FDMA と FPMA がそれぞれ 2 本の DDA および PDA へ分岐後，これらの DDA と PDA の間に交通が存在する．指間部には明らかな遠位穿通枝が存在していない．

Type E: FDMA と FPMA の間および DDA と PDA の間に明らかな交通枝は存在していない．

▶足指の静脈系

足指の血液還流を司るのは FDMA あるいは FPMA の伴走静脈および表在性の足背静脈（近位では大および小伏在静脈と合流している）の2つである．しかし血管縫合を行うことを考えると後者の表在性足背静脈を用いることとしている．

▶遊離足指および足指骨・軟部組織移植術の特徴

1. 前足部と手指の形態上の類似性ゆえに手指の再建に足指は有力・有用なドナーとなる．
2. 2系の動脈系が存在する．背側の動脈系に多くの変

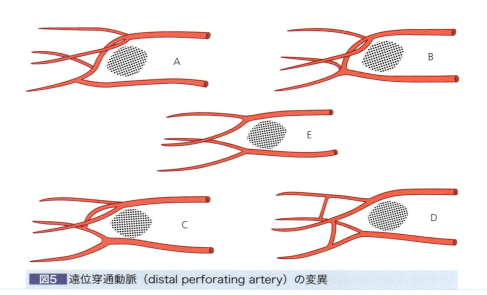

図5 遠位穿通動脈（distal perforating artery）の変異

異は存在するが，表在性であり，剥離が容易で，長い血管系を採取できる点も利点であり，手術の際は背側から侵入することが多い．
3. 表在性の静脈系は常に存在しており有用であり，趾動脈の伴走静脈はほとんど用いない．
4. FDMAが欠損あるいは非常に細い場合には，①深横中足靱帯を切離してFPMAおよびDPAを剥離し，動脈系としてDPAまで連続的に剥離するか，②第2足指の血管茎としてDPA-第2背側中足動脈を用いるか，③FPMAのみを血管茎として用いるかのいずれかを選択する．
5. 足指あるいは足指骨・軟部組織移植術の基本は遊離足指移植術であり，microsugery手技を用いて母指を再建するにはいろいろな方法がある．
   ①母趾移植: 2つの指節骨，大きな爪を有し正常母指に似ているが，大き過ぎる欠点がある．また母趾を失うことは整容的な問題があり，歩容異常を招来することもある．利点としては握力は第2足指と比べると圧倒的に力強い．本法は男性の肉体労働者に適応があると考えている．
   ②第2足指移植: 母趾と比べるとかなり小さいが，3つの指節骨を含んでいる．日本人のように足指の外見を重んじる社会においては母趾よりも第2足指移植が好まれる．私も母趾全てを用いた移植（部分的移植はあるが）の経験はなく第2足指を好んで用いている．
   ③Wrap-around flap transfer: 本法は健側とほとんど同じ大きさの母指を再建することができ，母趾あるいは第2足指移植術の欠点を補うものである．骨や腱などが存在している場合には本法は理想的である．MP関節の遠位での母指欠損の再建に対して本法は腸骨移植とともに適応される．ただし，IP関節は存在していない．合併症としては移植腸骨の吸収や骨折などが生じたり爪の発育障害が発生することがある．これらの諸問題を解決するために部分的あるいは全母趾末節骨を皮弁に加えることが最近好んで行われている．私も末節骨全てを皮弁に含め，そして基部の幅が正常母趾よりも広すぎるのでトリミングを行うこととしている．この方法の方が爪床を損傷することが少ないので爪の発育障害を防止することができ，採取した母趾の指尖部を母趾内側の残っている皮弁により被覆できるという利点もある．本法は骨の成長帯を含めることができないので小児には適応できない．
   ④First web skin flap: 組織量（皮弁の大きさ）に制限はあるが，指腹部と性状が酷似しており良好な知覚回復が期待でき，手指の皮膚被覆には理想的である．
   ⑤Vascularized toe-joint transfer: 本法については別項に記載しているので参照されたい．
   ⑥Double toes transfer: 第2足指と第3足指を一塊として手に移植することが可能である．全指が欠損しているような特殊な例に限られている．しかし，ドナーが第2と第3足指を失うという非常に整容的に問題があることより，私は1例にのみしか経験はないが，両足から第2足指を採取して2本の指を再建することとしている．

このほか，足指は爪，指腹部，骨，関節，成長帯，腱などいろいろな組織を含んでおり，これらを単独あるいは複合的に使用するいろいろな手術手技が報告されている．

本項目では遊離第2足指移植術，First web space skin flap，Wrap-around flapの手術手技について詳述する．Hemipulp flapについてはFirst web space skin flapとほぼ同様なのでここでは割愛する．

▶遊離第2足指移植術

母指へ移植する場合には反対側の第2足指を選択すべきである．知覚の回復もあるが，縫合する血管の位置による．母指の内転拘縮解除後の皮膚欠損の被覆のためには第2足指と母趾側外側の皮膚を用いる．この場合ももちろん反対側の第2足指を用いる．

皮切

足背部に大伏在静脈と足背静脈にゆるいS字状皮切を足関節遠位から第2中足骨骨頭まで加える．遠位は第1趾と第2趾間に加えた皮切を足底部に延長しMTP関節の中央部で合流し，第1と第2趾間の近位へと皮切を更に延長する 図6A ．足底に 図6B の皮切を加え，趾神経，趾屈筋腱の同定を行う．

手術に際してエスマルヒで虚血することなく静脈内に血液が残るように下肢を一定期間挙上して駆血帯に通気することとしている．

血管の剥離

背側中足静脈が第2足指の静脈還流を担う．第2足指背側に作成した三角皮弁の近位で背側中足静脈を同定し，さらに近位へと大伏在静脈を剥離する．隣接指への枝や深部静脈への交通枝を結紮した後，表在静脈系を分離する 図7 ．

斜走する短母趾伸筋腱を長母趾伸筋腱の外側で同定し，これを切離・翻転し足背動静脈および深腓骨神経を露出する 図8 ．血管を剥離し，第1-2中手骨間隙の近位でFDMAを同定する．FDMAが表在性で直径が1mm以上であれば，剥離を第1趾間まで進める 図9 ．

ここで適切な表在性FDMAがない場合やDPAあるいはFPMAから深部で分岐している場合，深横中足靱帯の表在性にFDMAが存在している第1と第2中足骨骨頭間の第1趾間へと剥離を進める．それから骨間筋を分けてFDMAを分離するために剥離を近位へと進める

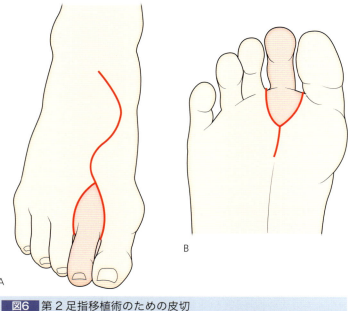

図6 第2足指移植術のための皮切
A: 背側　B: 底側

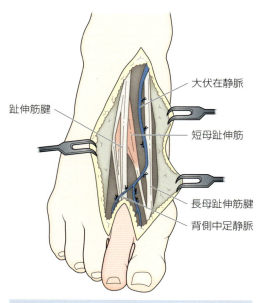

図7 背側中足静脈を同定して，大伏在静脈まで剥離して表在静脈系を分離する

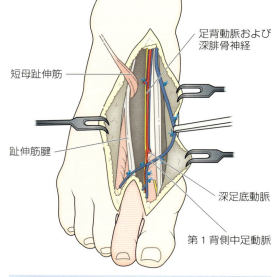

図8 FDMA および深腓骨神経を露出する

図10．

伸筋腱の切離
　第2足指の伸筋腱をできるだけ近位で（手指の伸筋腱と縫合できるように）切離する．母趾および第3足指を栄養している血管を結紮し，第2趾MTP関節の両側で深横中足靱帯を注意深く切離する 図10．

神経の剝離
　底側面の剝離に移る 図6B．底側趾神経を同定し，母趾と第3趾の外側および内側底側趾神経から引き裂くように分離する 図11．そして，可及的近位（足底中央部のことが多い）で両側趾神経を切離する．

> **Tips コツ**
>
> 趾神経は底側面の厚い脂肪組織の中に存在するので非常に同定が困難であることが多い．趾屈筋腱およびその腱鞘を見出してその両側に存在しているので同部を検索することが重要である．

屈筋腱の切離
　長趾伸筋腱および短趾伸筋腱を露出し，レシピエントで縫合するのに十分近位で切離する 図10．

趾の挙上
　血管系，神経，屈筋腱，伸筋腱など全ての軟部組織を損傷しないように十分に注意してMTP関節を関節離断

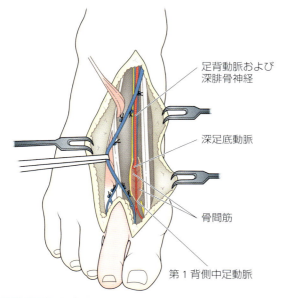

図9 FDMA を剥離して足指まで追う

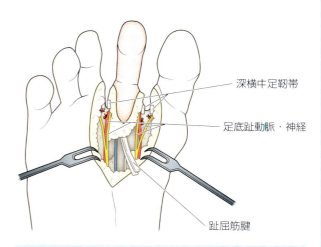

図11 第2足指の底側趾神経を隣接指の趾神経から引き裂くように分離する

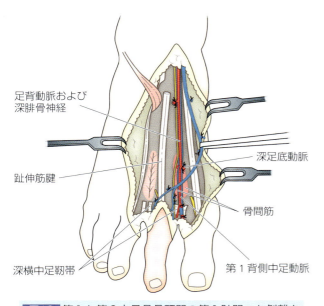

図10 第1と第2中足骨骨頭間の第1趾間へと剥離を進め，骨間筋を分けて FDMA を分離する

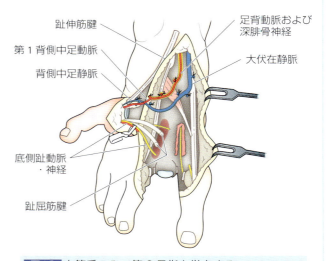

図12 血管系のみで第2足指を挙上する

する．これにより第2足指を DPA-FDMA の動脈系および大伏在静脈のみで連絡した第2足指を挙上したこととなる 図12．

創閉鎖

第2中足骨骨頭の軟骨を切除した後に創を閉鎖することとなるが，一般的には閉鎖はそれほど困難ではない．

▶症例供覧

症例1 28歳，男性．母指以外の全指切断例

術前外観 図13

第2足指を血管・神経系を付けたまま挙上した 図14

図15 は第2足指を free としたところである．

第2足指を遊離で小指基節骨基部に移植した 図16

症例2 45歳，男性．母指欠損例

術前外観 図17

足背部の血管系 図18

第2足指を血管系を付けたままで挙上した 図19

第2足指を遊離とした 図20

遊離第2足指移植術後の母指の外観 図21

図22 はドナーの状態である．

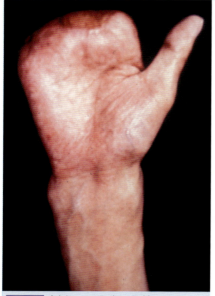

図13 症例1. 28歳, 男性. 母指以外の全指切断例. 術前外観

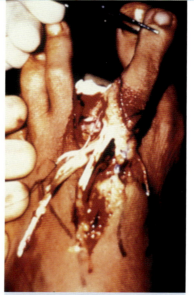

図14 第2足指を血管・神経系を付けたまま挙上した

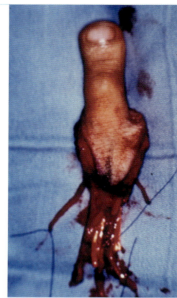

図15 第2足指をfreeとしたところである

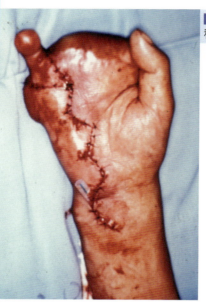

図16 第2足指を遊離で小指基節骨基部に移植した

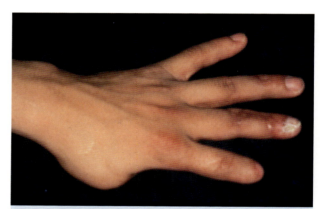

図17 症例2. 45歳, 男性. 母指欠損例. 術前外観

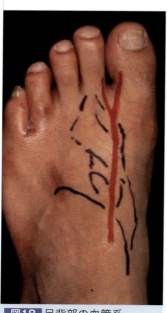

図18 足背部の血管系

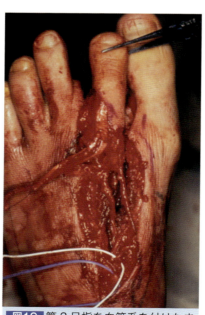

図19 第2足指を血管系を付けたまま挙上した

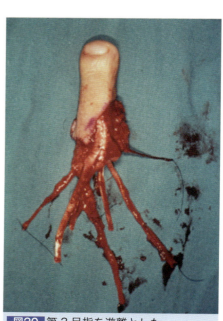

図20 第2足指を遊離とした

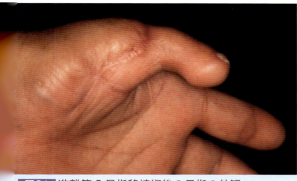
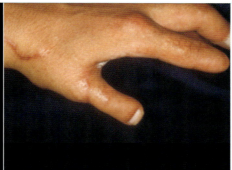

図21 遊離第2足指移植術後の母指の外観

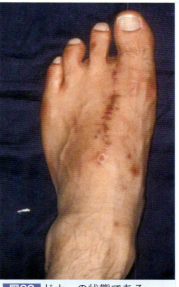

図22 ドナーの状態である

症例3 30歳，男性．全指切断例．Double toe-transfer例．図24〜26（本症例は新潟手の外科研究所病院吉津孝衛先生から提供していただきました）
術前外観 図23
術前作図 図24
第2，3足指を挙上した 図25
移植後 図26
後移植指の動き 図27

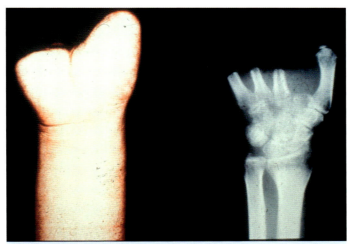

図23 術前外観

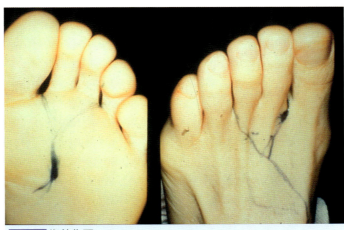

図24 術前作図

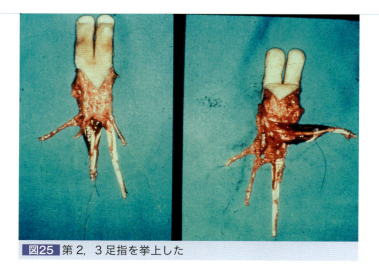

図25 第2, 3足指を挙上した

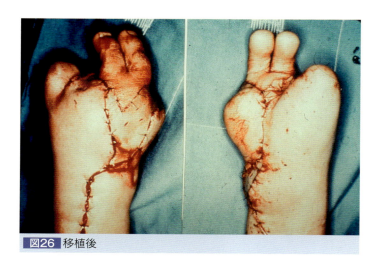

図26 移植後

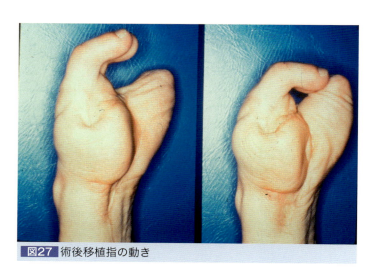

図27 術後移植指の動き

▶First web space skin flap 法

母趾の外側，第2足指の内側，第1趾間の背側，底側面を皮弁とする皮弁であり，皮弁の大きさとしては最大7×7 cm大となる 図28A, B．

皮弁を第1趾間に作成し，静脈系は大伏在静脈，動脈系はDPA-FDMAを足背に加えた皮切により同定・剥離する 図29．足底部に加えた皮切により総趾神経（母趾外側および第2足指内側を支配する）を同定し近位で切離する 図30．

皮弁を母趾と第2足指の筋膜上を剥離して血管・神経系のみを付けた形で挙上する 図31．

生じた皮膚欠損に対して，以前は直接，中間層（全層のこともある）植皮を行っていたが，皮膚生着がうまくいかないことも少なくないため，いったんは人工皮膚で被覆し，2週間後くらいに改めて皮膚移植を行うこととなる

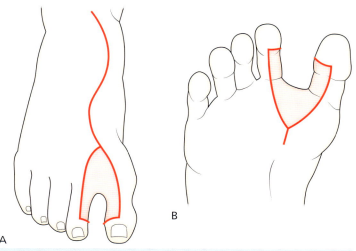

図28 First web space skin flap の皮弁のデザイン
A: 背側面　B: 底側面

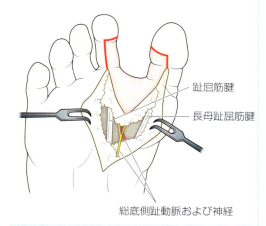

図30 足底部の皮切で総趾神経（母趾外側および第2足指内側を支配する）を同定し，近位で切離する

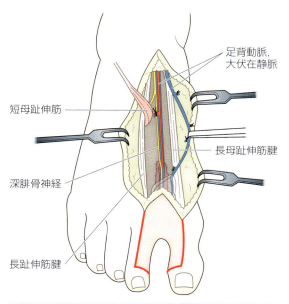

図29 DPA-FDMA 系および背側静脈系を同定・剥離する

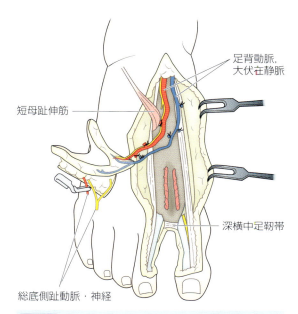

図31 First web space skin flap を血管系のみを付けた形で挙上する

している．
　Hemipulp skin flap の症例を提示する．

▶症例供覧

症例4　23歳，男性．母指指腹部損傷による異常知覚例．
術前の母指の外観 図32
術前の母指とドナーの足背の血管系 図33
Hemipulp skin flap を挙上した 図34
Hemipulp skin flap を母指指腹部に移植した 図35
図36 は術後母指外観であり，図37 はドナーの状態である．

▶Wrap-around flap 法

皮切・展開

　採取側は第2足指移植の場合と異なり同側母趾とする．健側母指の長さ，周径を測定しドナー母趾に皮弁を描く．内側縁（脛骨側）は母趾先端を覆うように皮切を加え，これを温存し，将来的に趾先端の保護を行う．ドナー母趾と母指の周径の差がこの内側皮弁の幅となるが，その基部は普通 1.0～1.5 cm である 図38A,B．母趾爪は母指よりも広いので爪および爪床の内側 1/3 部に皮切を加え，内側 1/3 の爪と爪床を切除することとなる．

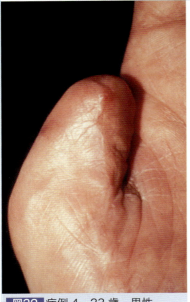

図32 症例4. 23歳, 男性. 母指指腹部損傷による異常知覚例. 術前外観

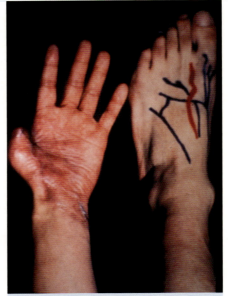

図33 術前の母指とドナーの足背の血管系

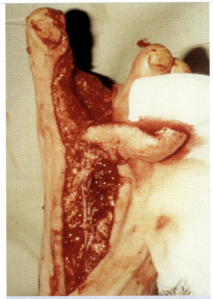

図34 Hemipulp skin flap を挙上した

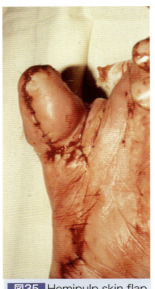

図35 Hemipulp skin flap を母指指腹部に移植した

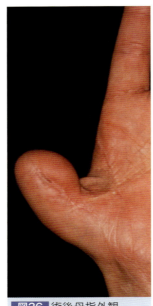

図36 術後母指外観

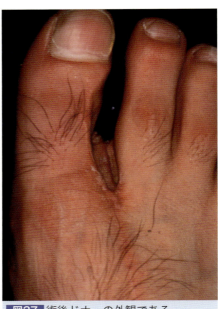

図37 術後ドナーの外観である

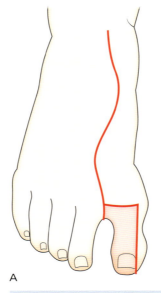
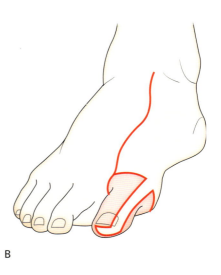

図38 Wrap-around flap の皮切デザイン
A: 背側面　B: 内側面

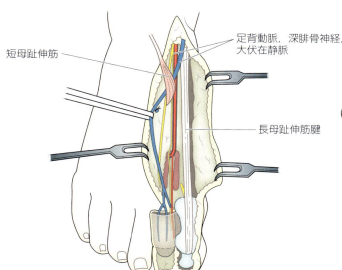

図39 伸筋腱のパラテノンを残すようにして趾背側上に皮弁を作製する

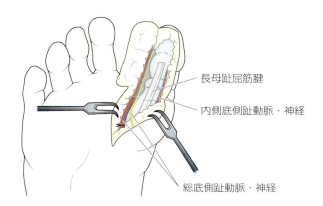

図40 底側面で内側底側趾動脈および神経を温存して屈筋腱上で剥離する

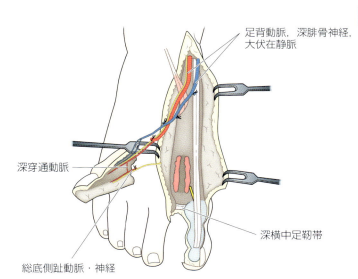

図41 動静脈系，神経を付けたまま wrap around flap を挙上する

足背に加えた皮切を通して，大伏在静脈，DPA-FDMA系，深腓骨神経を剥離・分離する．第2足指への枝を結紮する．伸筋腱のパラテノンを残すようにして趾背側上に皮弁を作製し，爪母を損傷しないように爪の下を剥離して挙上する 図39．

Tips コツ

伸筋腱のパラテノンと爪母を損傷しないように爪付き皮弁を挙上することが重要である．爪母を損傷しないために末節骨背側の薄い骨あるいは末節骨全てを付けて挙上すると爪母を損傷する危険が少なくなるので多用している．

次いで底側の処置に移る．母趾の指腹面を皮弁として挙上するための皮切を加える．内側皮切の底側面ニで内側足底趾動脈および神経を温存する．外側足底趾動脈および神経を剥離して，動脈を結紮し，第2足指の神経から神経を分離する．第1趾間に向かって皮弁の足底部を挙上する 図40．この際，皮弁内に外側足底趾神経血管束を含めるように慎重に行う．

第1趾間へと剥離を行うが，背側と底側動脈の交通枝である遠位穿通動脈を損傷しないように深横中足靱帯の遠位縁部の剥離には細心の注意を払って行うべきである．最終的に皮弁をDPA-FDMAおよび大伏在静脈を付けたのみで挙上する 図41．

▶症例供覧

症例5 50歳，男性．母指切断例．
術前の母指の外観 図42
Wrap-around skin flap のデザイン 図43A, B
術後母指外観 図44
術後ドナー外観 図45

▶Variation

前記しているが，移植骨の吸収および爪の萎縮などが術後合併症として発生することが多いので，母趾末節骨全てを wrap-aroud flap 内に加えることが最近行われており，私も多用している．しかし，末節骨基部は幅が広いので両端を切除することとなる 図46．本法は内側に作製した皮弁で趾先端を被いやすくなるという利点もある．

図47A, B が wrap-aroud した状態の新しい母指である．

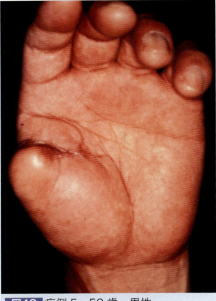

図42 症例5．50歳，男性．母指切断例．術前外観

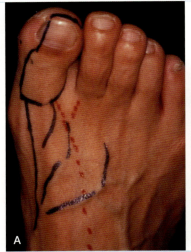
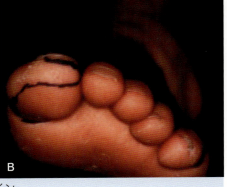

図43 Wrap-around flap のデザイン
A: 背側面　B: 趾腹面

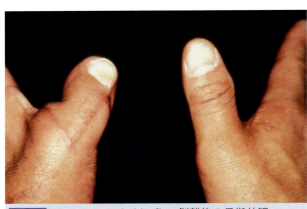

図44 Wrap-around skin flap 剝離後の母指外観

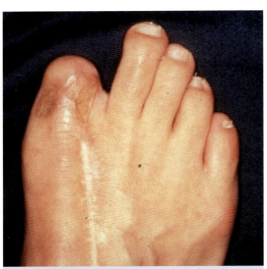

図45 術後ドナー外観である

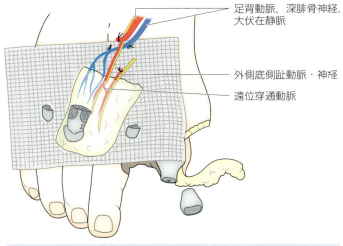

図46 Wrap-around flap に末節骨を付けて挙上する．その場合，末節骨の両端を切除してスリム化する

- 足背動脈，深腓骨神経，大伏在静脈
- 外側底側趾動脈・神経
- 遠位穿通動脈

図47 Wrap-around flap で末節骨を被った
A: 背側面　B: 側面（母指の橈側に該当する）

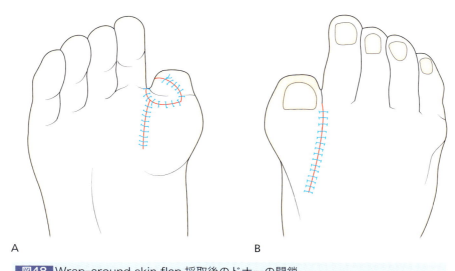

図48 Wrap-around skin flap 採取後のドナーの閉鎖
A: 底側面　B: 背側面

▶採取側母趾の閉鎖

末節骨が切除された後の基節骨頭部の関節軟骨を切除する．基節骨の先端と足底部にできた皮膚欠損を内側皮弁により被覆し，残りの部分は中間層植皮を行う **図48A, B**．First web space skin flap の項目でも記載しているが，中間層植皮の生着が難しいので，一旦，人工皮膚移植を行い，2週間後に改めて中間層移植を行うこととしている．

■文献

1) Chung KC, Wei FC. An outcome study of thumb reconstruction using microvascular toe transfer. J Hand Surg [Am]. 2000; 25: 651-8.
2) Foucher G, Moss LH. Microvascular second toe to finger transfer: a statistical analysis of 55 transfers. Br J Plast Surg. 1991; 44: 87-90.
3) Minami A, Usui M, Katoh H, et al. Thumb reconstruction by free sensory flaps from the foot using microsurgical techniques. J Hand Surg [Br]. 1984; 9: 239-44.
4) Morrison WA, O'Brien BM, MacLeod AM. Thumb reconstruction with a free neurovascular wrap-around flap from the big toe. J Hand Surg. 1988; 5: 675-85.
5) Wei FC, Silverman RT, Hsu WM. Retrograde dissection of the vascular pedicle in toe harvest. Plast Reconstr Surg. 1995; 96: 1211-4.

CHAPTER 10: 血管柄付き骨・(筋)皮弁(マイクロサージャリー)―足指移植

180 血管柄付き関節移植術

関節の特徴は関節軟骨が存在し，血流が途絶すると変性し，将来的に変形性関節症（OA）に陥ることとなることである．したがって，血管柄付きで関節を移植することにより永久的な関節の構築が可能となる．技術的なdemandは低くないが，有効な手術術式である．

血管柄付き関節移植術は手指MP関節に対して行うこともあるが，最近は手指PIP関節に対して足指PIP関節を移植することが主に行われている．したがって，本項でもPIP関節移植術について記載する．本項は遊離血管柄付き足指移植術 free vascularized toe transfer の手術手技の項も参照のこと．

▶関節移植術の特徴

1. 人工指関節の長期成績は安定していないので，血管柄付き足趾関節移植術は若い患者，とくに成長期にある小児例には唯一と思われる指関節再建法と言える．
2. ドナーとしては，足趾PIP関節，足趾MTP関節が考えられるが，私は第2足趾のPIP関節を好んで用いている．私には経験はないが，第1趾のMP関節は肘関節などの関節再建に使用している術者もいる．
3. 足趾PIP関節への血行は背側の背側中足動脈から分岐した背側趾動脈と，底側の底側中足動脈からの底側趾動脈からの分岐が互いに交通し，フレーム状に関節を囲み関節を栄養している 図1．一般的には優位の方の一方の中足動脈からの足趾動脈を動脈系として用い，静脈は皮下静脈を用いることとしている．

▶手術適応

PIP関節外傷性OA，関節欠損，感染性関節炎（感染が沈静化した），関節強直，強い関節変形に対して手術適応があると考えている．患者の年齢制限について論じる論文，つまり高齢者には適応がないとする意見も少なくないが，私は基本的には年齢には影響されないと考えている．成長帯の存在，つまり小児例であっても手術の禁忌ではない．もう1つの手術適応は先天性橈側列形成不全での母指形成不全例，Blauth Ⅲ型のCM関節（本手術については別項参照のこと）である．

▶術前準備

体位は仰臥位で手術を行う．第2足指から採取した移植足趾PIP関節の血管柄は脛骨側であるので，この血管を手掌の総指動脈に縫合するため，一般的には示指では反対側，小指では同側第2足指PIP関節を用いることとなる．中・環指では患側，反対側どちらでも使用可能である．

> **Tips コツ**
>
> 第1背側中足動脈（FDMA）の位置，第1背側骨間筋背側からの距離や欠損などを術前に知ることは術者については心構えの上からも重要である．ドプラー超音波検査で十分との意見はあるが，私は基本的には足指側面の血管造影を行い，位置を知ることとしている．この点に関しては遊離足指移植術の項も参照のこと 図2．

術前にX線上，患指のPIP関節および移植足指PIP関節の骨切り部位（基節骨頚部と中節骨基部）を決定して作図を行う．移植関節は本来の指の長さよりもきつくな

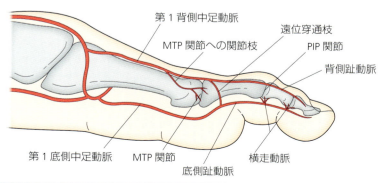

図1 足趾PIP関節への血行

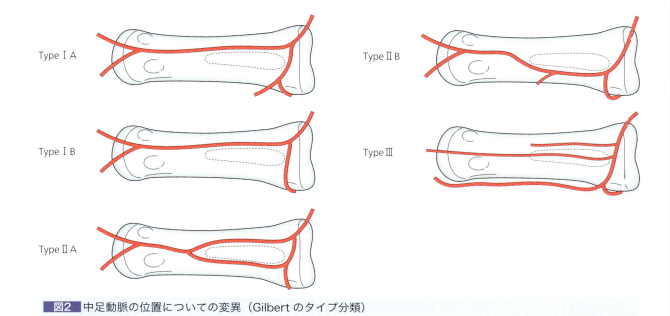

図2 中足動脈の位置についての変異（Gilbert のタイプ分類）

いように 5 mm 程度短めになるようにする．

▶手術手技

皮切
第 2 足趾 PIP 関節背側にモニター島状（紡錘状）皮弁を付ける皮切を加える．この島状皮弁の近位および遠位に静脈茎採取のために趾背面から足背に掛けて皮切を加える 図3．背側の皮切に加えて足底面の第 1-第 2 足指間に動脈茎〔第 1 底側中足動脈（FPMA）〕を追求する．

展開
まず最初に足趾 PIP 関節への動脈系，静脈系を同定して剝離する．

静脈の剝離
足趾静脈は PIP 関節背側に作製した島状皮弁の近位の皮下で背側の静脈を損傷しないように展開する．皮弁に入っている皮下静脈を用いることとする．関節の方に入る静脈は何本（2-3 本のことが多い）か存在するが，これらが合流して 1 本の静脈となることが多い 図4．

動脈の剝離
第 1 趾間で中足動脈からの足趾動脈の分岐部を最初に同定する．中足動脈が Gilbert のタイプ分類で背側型のⅠ型，中足骨間靱帯の背側あるいは骨間筋の底側を走るⅡ型，底側中足動脈として底側を走行するⅢ型のいずれかをここで確認する．第 1 趾間の背側および底側の皮切により第 1 趾間を十分に開いて中足動脈を近位に追って第 1 趾と第 2 趾に分岐する部で第 1 趾への足趾動脈を結紮する 図4．

静脈，動脈茎の長さは近位骨切り部からレシピエントの総指動脈までとすると約 5 cm で十分である．指動脈への縫合であるともう少し短くても問題ない．

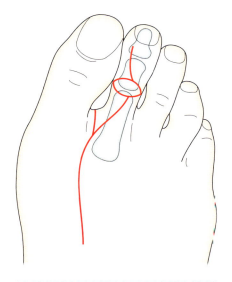

図3 皮切（背側面）

神経の剝離
趾神経は近位では固有趾動脈分岐部で切離して，細いナイロン糸で断端をマーキングする．動脈，静脈茎の長さは関節の近位骨切り部から 5 cm くらいである．神経は血管束とともに余り剝離せずに DIP 関節部で切離する．外側（腓骨側）神経血管束は中節骨や基節骨の横走動脈に留意し残す趾側（腓骨側）に含める 図5．

伸筋腱・屈筋腱腱剝離，移植関節の挙上
長趾伸筋腱は遠位部では骨切断部で切離する．近位部は基節骨近位部で切断する．

遠位部（中節骨）の骨切りを行った後，遠位から持ち上げるようにして屈筋腱の処置を行う 図6．当然であるが挙上した移植骨（関節）に神経血管束がついたままとする．底側部で靱帯性腱鞘を切離し長趾屈筋腱は温存して，短趾屈筋腱は付着部を残して滑走床を形成す

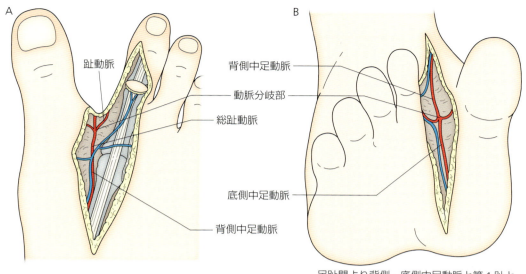

図4 皮下静脈・足趾動脈の剥離　A: 静脈の展開　B: 動脈の展開

足趾間より背側・底側中足動脈と第1趾と第2趾にゆく趾動脈の交差部を確認する

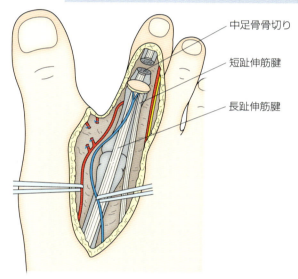

図5 神経血管束を足趾に含めて，母趾側は剥離・結紮する

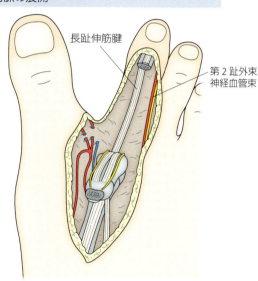

図6 中節骨の骨切りを行った後，遠位から持ち上げるようにして屈筋腱の処置を行う

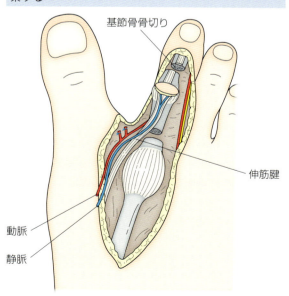

図7 神経血管束および趾伸筋腱を付けたまま趾PIP関節を挙上する

る．屈筋腱を含めて移植することは臨床的に少ないが，含めて移植する場合には長趾屈筋腱はもちろん腱鞘および短趾屈筋腱を含めて移植関節を採取する．

移植関節の近位である基節骨を骨切りすると足趾PIP関節を動静脈茎のみで連絡していることとなる．空気止血帯を解除しモニター皮弁の血行を確認する．血管の捻じれが生じやすいのでピオクタニンで印を付け動脈，静脈茎を切離し，関節を挙上する　図7．

レシピエント（手指）側の準備

手指のPIP関節の背側に中節部から基節部に縦切開を加える　図8．伸筋腱のcentral slip（中央索）は損傷されている場合が多いが，両側のlateral band（側索）は残存していることが多い．中央索は瘢痕のない部，一般的には近位骨切り部の遠位で切離する　図9．

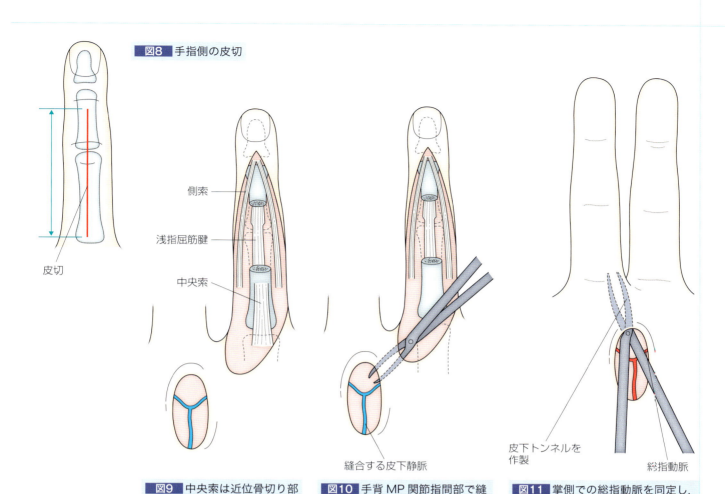

図8 手指側の皮切

図9 中央索は近位骨切り部近位で切離し側索は温存する

図10 手背MP関節指間部で縫合する皮下静脈を同定

図11 掌側での総指動脈を同定し，移植部までの皮下のトンネルを作製する

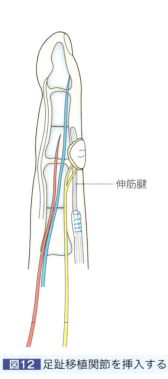

図12 足趾移植関節を挿入する

損傷された罹患指のPIP関節は掌側板とともに切除して，移植関節を骨欠損部に挿入することとなる．前述しているが，移植関節が長いとPIP関節が屈曲位傾向を呈

することが多いので移植関節より3〜5 mm長めに切除した方がよい．手背MP関節部での縦切開で縫合する皮下静脈を同定し，関節移植部との間に皮下トンネルを作製する 図10．掌側ではMP関節部にジグザグ切開を加えて総指動脈（遠位であれば指動脈レベルでも問題がない）を同定し，関節移植部から皮下のトンネルを作製しておく 図11．

移植（骨接合・腱縫合）

罹患指PIP関節に移植関節を挿入し 図12，遠位部（中節骨）をinterosseous wiringと斜めのK鋼線（1.0 mm径）により強固に骨固定を行う．近位側の骨接合は移植関節の挿入がきつくてPIP関節が屈曲傾向となることを防ぐため移植関節の長さ，あるいは基節骨の長さを最終的に調整する．移植関節の回旋に十分に注意して近位部（基節骨）も同様の方法で骨接合（内固定）を行う 図13．

 コツ

強固な骨接合を行うことは術後早期の運動を可能とするので，以前行っていた交差K鋼線固定によりも上記の方法あるいはtwo dimensional interosseous wiring（TDIW）を行うべきである．TDIWの具体的手術手技については別項を参照のこと．

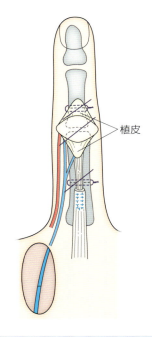

図13 K鋼線およびinterosseous wiringにて両端の骨接合を行う

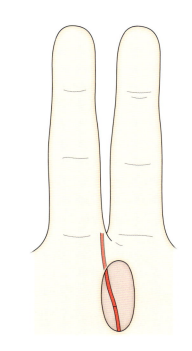

図14 掌側での動脈吻合を行う

両端の骨接合術に際して骨膜もできるだけ縫合する．伸筋腱はinterlacing suture（編み込み縫合）を用いて，強い緊張で完全伸展できるように縫合する．PIP関節を最大伸展位（0°伸展位）でK鋼線（1mm径）を用いて仮固定する．

 コツ

どうしてもPIP関節は術後屈曲変形を呈しやすいので，伸筋腱はかなり強い緊張でしっかりと縫合すべきである．

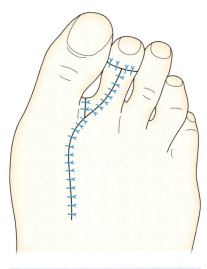

図15 創閉鎖

血管縫合

血管の表面につけたマーキングに注意して捻れを生じないようにすることは血管縫合を成功へと導くためにきわめて重要である．

移植関節の動脈および静脈を皮下トンネルを通して血管縫合部に出し，血管縫合を10-0または9-0ナイロン糸を用いて顕微鏡下に行う **図13** **図14** ．

創閉鎖

モニター皮弁に緊張が加わらないように適宜植皮を併用する **図13** ．レシピエント側の創閉鎖を行う **図15** ．

足趾の方は罹患指から摘出した基節骨を用いて1cm程度，他の指より短縮して再建する．したがって，術後第2足指は短くなる．

▶後療法

1-2週の外固定後，PIP関節を仮固定したK鋼線を抜去し，自動および愛護的他動可動域訓練を開始する．夜間伸展位保持の副子は術後4週は続行する．先にも記載しているが，術後，PIP関節はどうしても屈曲位（伸展制限）となりやすい傾向があるのでスプリントを用いてPIP関節を伸展する装具療法を術後6週まで積極的に行うこととする．

▶症例供覧

（ここで示す症例は新潟手の外科研究所　吉津孝衛先生，森谷浩治先生のご厚意でお借りした資料を提示させていただいた．）

症例 17歳，女性．小指不全切断例 **図16A, B** に対して血行再建を行い，小指は生着したがPIP関節は欠損したままであった **図17A, B** ．血行再建術後PIP関節再建術として第2足指PIP関節を用いた血管柄付き関節移植術を行った **図18A〜D** ．関節移植術術後トラブ

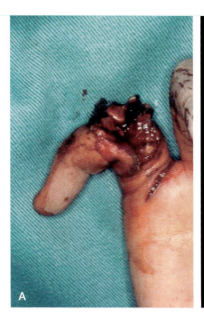
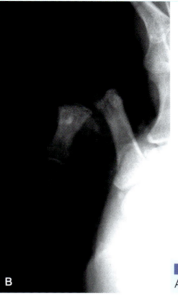

図16 17歳，女性．小指不全切断例
A: 受傷時の小指の状態　B: 受傷時のX-P

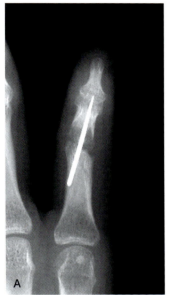
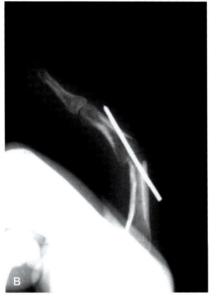

図17 血行再建術後X-P
A: 正面像：PIPは欠損している
B: 側面像

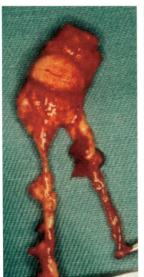
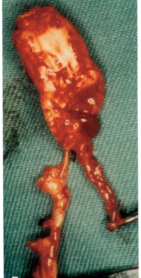
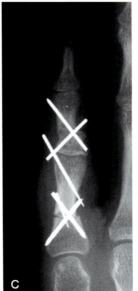
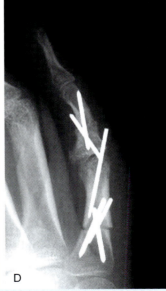

図18 第2足指PIP関節を血管柄として挙上したところ
A: 背側面　B: 底側面　C: 術後X-P（正面像）　D: 術後X-P（側面像）

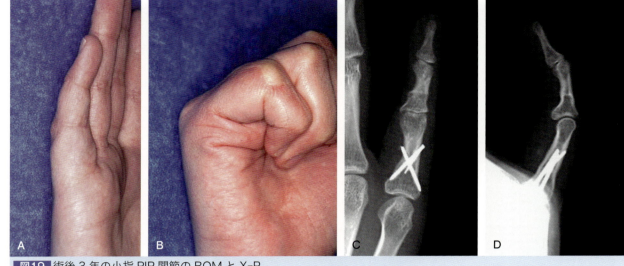

図19 術後3年の小指PIP関節のROMとX-P
A: 伸展　B: 屈曲　C: X-P（正面像）　D: X-P（側面像）

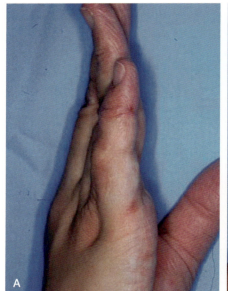
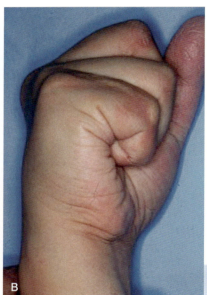

図20 術後12年後の小指PIP関節の
ROM　A: 伸展　B: 屈曲

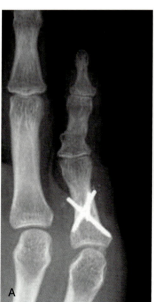
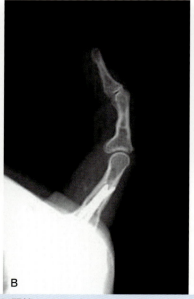
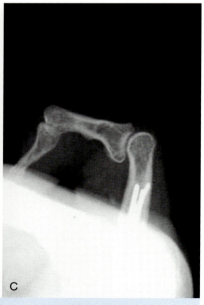

図21 術後12年後の小指PIP関節のX-P
A: 正面像　B: 側面像（伸展位）　C: 側面像（屈曲位）

ルなく生着した．術後3年の小指PIP関節のROMおよびX-Pでも良好な機能が獲得されていた 図19A-D ．また術後12年後の小指PIP関節もきわめて良好なROMが維持され 図20A, B ，関節の破壊も存在していなかった 図21A-C ．

■ 文献

1) Shibata M, Yoshizu T, Seki T, et al. Reconstruction of a congenital hypoplastic thumb with use of a free vascularized metatarsophalangeal joint. J Bone Joint Surg [Am]. 1998; 80: 1469-76.
2) Tsubokawa N, Yushizu T, Maki Y. Long-term results of free vascularized second toe joints transfers to finger proximal interphalangeal joints. J Hand Surg [Am]. 2003; 28: 443-7.
3) 坪川直人．関節移植術．In: 整形外科医のためのマイクロサージャリー．東京; メジカルビュー社; 2008. p.155-61.
4) 渡辺政則．微小血管吻合を用いる趾関節による置換の実験的および臨床的研究．日整会誌．1988; 62: 495-510.
5) Yoshizu T, Watanabe M, Tajima T. Experimental study and clinical application of free toe joint transplantation with vascular anastomosis. In: Tubiana R editor. In the Hand Ⅱ. Saunders; 1985. p.685-97.
6) 吉津孝衛．手への血管柄付趾関節移植の検討．関節外科．1993; 12: 63-75.

CHAPTER 10: 血管柄付き骨・(筋)皮弁(マイクロサージャリー)―区画症候群

181 上肢区画症候群(Compartment Syndrome)に対する筋膜切開術

　区画症候群は筋膜区画内の圧が高くなり，結果として区画内の筋肉への血流が減少することにより発症する．筋に続いて神経は阻血に最も感受性が高いが，筋は発症後6-8時間以内に不可逆性変化に至る．したがって，できるだけ早く罹患区画の筋膜切開術により筋膜区画内の圧を下げ，組織への血行を再開させることが重要である．

▶手術適応

1. 高度挫滅外傷，熱傷，高圧電撃創による区画症候群に対する筋膜切開術
2. 手関節より近位の筋肉成分を多く含む部の再接着術や血行再開後の予防的措置としての筋膜切開術

▶臨床所見・診断

　区画症候群は神経，筋肉および血管の阻血により発生する異常感覚，疼痛，麻痺，指を他動的に伸展した時の疼痛(passive finger extension test)，手指の蒼白，脈拍不触知などの症状を発現する．これらはいわゆる5P (pain, paresthesia, pallor, paralysis, pulselessness)とされている．しかし，これらの症状がすべて揃っていることはきわめてまれである．これら5Pの存在に加えて，最も有用な診断は先にも記載しているが，他動的に手指を伸展した時の前腕部の強い異常な疼痛である．このような症状を訴えた場合には区画症候群の存在を強く疑うべきである．

> **Tips コツ**
> 小児ではこのpassive finger extension testが有用である．

　臨床的に区画症候群が強く疑われた場合には，早期に手術(筋膜切開術)を行うべきであり，他の検査は不要である．しかし，万一，区画症候群の存在が曖昧な場合には区画内圧の測定を行うべきであろう．正常な組織内圧は8 mmHg以下であるが，30 mmHg以上であれば区画症候群を疑い，筋膜切開術をできればgolden hour (6-8時間)以内に行うべきである．組織内圧の測定値が20-30 mmHgの間にある場合には手術を行うべきかどうか迷うところである．頻回に組織内圧の測定を行うべきであるが，最終的な悲惨な病像を考えると疑わしきは罰するとした方が安全であると考えている．

外科解剖

　上肢の筋膜区画は上腕，前腕，手の3つの区画に分け

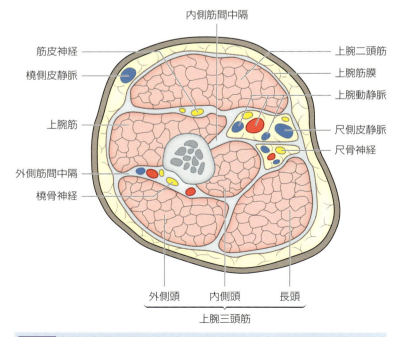

図1　上腕の筋膜区画

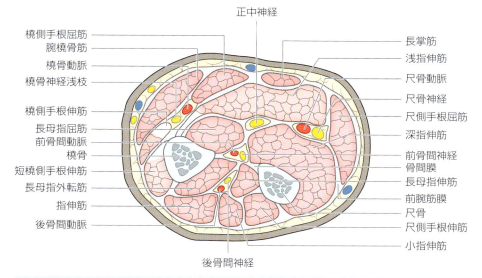

図2 前腕の筋膜区画

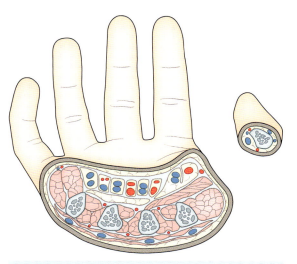

図3 手の筋膜区画

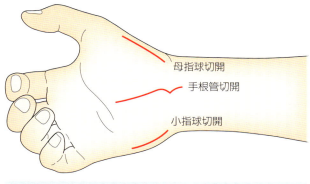

図4 手部掌側の切開線

ることができる 図1, 2, 3.

筋膜切開術

　筋膜切開術を major limb replantation 後に行う場合には駆血帯を使用しない方がいい．

手部に発生した区画症候群

▶1. 手根管開放術

皮切・展開（手根管症候群の項を参照のこと）
　手根管症候群に対すると同様の切開を加える 図4. 切開を深部まで進めて手掌腱膜を同定する．手根管症候群の場合と同様に手掌腱膜を縦に切開し，横手根靭帯を露出する．横手根靭帯の遠位縁を同定して，正中神経を保護しながら遠位から近位へと靭帯を切離する．

▶2. 母指球筋除圧術

皮切・展開
　母指球の橈側縁に切開を加える 図4. 切開を短母指外転筋（Abd PB）が露出するまで深く進める．Abd PB の筋膜を切離する．

▶3. 小指球筋除圧術

皮切・展開
　小指球の尺側縁に切開を加える 図4. 小指外転筋（Abd DM）の筋膜まで切開を深く進め，Abd DM の筋膜を切離する．

▶4. 背側手部区画の除圧術

皮切・展開
　背側については示指と環指中手骨の橈側縁と平行な2本の縦切開を加える 図5. 示指橈側の切開により第1と第2背側骨間筋と母指内転筋の除圧を行う．環指橈側の切開により第3と第4背側骨間筋の除圧を行う．

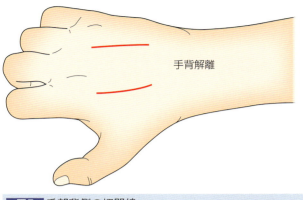

図5 手部背側の切開線

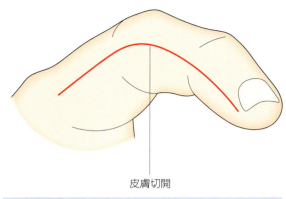

図6 指の除圧のための切開線

創閉鎖
正中神経および腱の上はできるだけ閉鎖するように努めるが，無理に創を閉鎖することにより除圧が不完全となることは厳に戒めなければならない．

後療法
Bulky dressing とし，手指の機能肢位にて副子固定する．

手指に発生した区画症候群

皮切・展開
手指の区画症候群の除圧は示指・中指の尺側，母指・環指・小指の橈側の側正中切開が用いられる．掌側の指神経血管束を中心に剝離を行う 図6 ．

前腕に発生した区画症候群

▶1．掌側前腕除圧術

皮切・展開
上腕骨内側上顆から近位手首皮線にかけてカーブ状の切開を用いる 図7 ．切開を深部まで進めて，前腕の深筋膜を切離する．橈側手根屈筋と長掌筋の間から深く入り，深層に存在する屈筋（方形回内筋，長母指屈筋，深指屈筋）を除圧する必要がある．

 コツ

筋肉の壊死は深部に存在する筋（例えば前腕掌側でいえば方形回内筋，長母指屈筋，深指屈筋）が侵される．

▶2．背側前腕除圧術

皮切・展開
上腕骨外側上顆の 3-4 cm 遠位から手関節背側の Lister 結節までの縦切開を用いる 図8 ．切開を進めて深筋膜を切離する．腕橈骨筋，長・短橈側手根伸筋に到達し筋膜を切離する．

▶3．2つの切開による前腕除圧術

皮切・展開
屈筋上の前腕掌橈側面上と伸筋の背尺側面上に2本の縦切開を加える 図9 ．切開を深く進めて深部屈筋群と表層の伸筋群の筋膜を切離して除圧する．

除圧後操作・閉創
筋膜切開に加えて要すれば壊死に陥っている筋肉のデブリドマン，動脈再建などを行う．1つあるいは2つの縫合により遠位掌側前腕で正中神経と橈側手根屈筋腱はできるだけ被覆する．

後療法
Bulky dressing として手関節および手指の機能肢位での副子固定を行う．

上腕に発生した区画症候群に対する除圧術

皮切・展開
前腕腋窩線から上腕骨内側上顆への内側切開により上

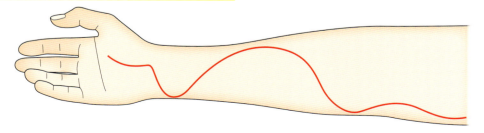

図7 前腕掌側の切開線

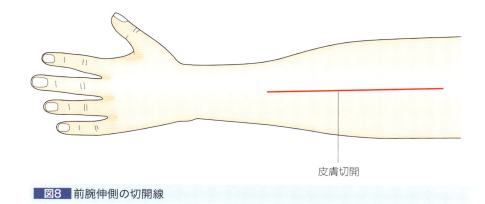

図8 前腕伸側の切開線

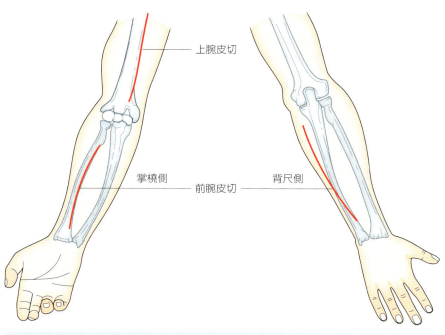

図9 前腕屈側と伸側の域の切開線と上腕の切開線

腕の前方と後方の区画に到達可能である 図9 ．切開を深部まで進め筋膜に到達し，最初に前方区画上の筋膜を除圧するために切離し，次いで後方へ皮弁を動かして後方区画を除圧する．

後療法

術後，患肢を挙上し腫脹を軽減し，静脈還流を促す．創を 24 時間以内に再検して，もし必要ならさらなるデブリドマンを行う．

創閉鎖はできれば術後 3-5 日以内に行うべきである．これ以上，待機すると一次的創閉鎖は困難となり，多くは皮膚移植を要することとなる．当然であるが創を開放したままとすると感染の危険が高くなる．

■ 文献

1) Bae DSm Kadiyala PK, Waters PM. Acute compartment syndrome in children: contemporary diagnosis, treatment, and outcome. J Pediatr Orthop. 2001; 21: 680-8.
2) Quellette EA, Kelly R. Compartment syndromes of the hand. J Bone Joint Surg [Am]. 1996; 78: 1515-22.
3) Regland R III, Moukoko D, Ezaki M, et al. Forearm compartment syndrome in the newborn: report of 24 cases. J Hand Surg [Am]. 2005; 30: 997-1003.

索引

あ

圧迫固定用スクリュー	63
阿部の分類	32, 34, 35
アルフェンス固定法	429
安定化術（尺骨遠位端に対して）	322

い

医原性神経障害	561
石黒法	428, 499
イソフラボン代謝産物	5
遺伝的素因	450
糸巻きリボン	40
医療用ヒル	740
イントリンシック タイトネス テスト	681
インプラント関節形成術	670
インプラント置換術	206
インプラントを用いたCM関節形成術	667

う

運動時痛	81
運動麻痺	620

え

腋窩神経	561, 568
腋窩ブロック	1
エクオール	5, 6
エストロゲン	5
エルボーバンド	102
遠位骨端線離開	21
遠位穿通動脈の変異	824
遠位橈尺関節	263
遠位橈尺関節障害	306, 648
遠位橈尺関節脱臼	76
遠位橈尺関節変形性関節症	482, 494
円回内筋	11
円回内筋 rerouting 手術	113

お

横支靭帯縫合術	678
黄色ブドウ球菌	465

か

回外筋	11
回外筋腱弓	138
外骨腫	405
外傷性肘関節靭帯損傷	118
回旋運動	14
回旋矯正骨切り術	687
外側顆偽関節	36
外側尺側側副靭帯	122
外側上顆炎手術	602
外側進入路	84
外側前腕皮神経	12
外側側副靭帯修復術（肘関節）	119
外側側副靭帯複合体	9
回内位変形	113
外反・内反ストレステスト	15
下顎再建	762
嗅ぎたばこ入れ（解剖学的）	142
鉤爪変形	546
鉤爪変形矯正術	543
鉤爪指	530
架橋移植（腱）	494
架橋移植術	499
肩関節固定術	574
肩関節周囲に発生した末梢神経障害	561
滑車切痕	51
滑車の位置	379
滑膜切除術（関節リウマチに対する）	641
可動域制限（肘関節）	81
化膿性関節炎	327
化膿性屈筋腱滑膜炎	465
下部頚椎症性神経根症	599
カラー皮切	580
ガングリオン	140, 374, 445
ガングリオン切除術	297
観血的整復＋K鋼線固定術	31
関節外靭帯再建術	336
関節鏡視下手術	266
関節固定術	336
関節リウマチ	266, 494
関節リウマチ手関節	183
関節リウマチ性手関節炎	653
感染性偽関節	743

き

偽関節（上腕骨遠位端骨折）	49
偽痛風	327
逆行性後骨間動脈皮弁	806
逆行性指動脈島状皮弁	439
胸郭出口症候群	599
鏡視下TFC（disc proper）の部分的切除術	264
鏡視下修復術	276
鏡視下手根管開放術	608, 614
矯正骨切り術（橈骨遠位端骨折変形治癒に対する）	155
棘窩切痕	563
巨大骨欠損性偽関節	743
近位手根列掌側回転型手根不安定症	239
近位手根列切除術	180
筋膜脂肪弁移植	692
筋膜切開術	844

く

区画症候群	465
屈筋腱滑液包	379
屈筋腱腱鞘滑膜切除	671
屈筋腱損傷	510
屈筋腱末梢断端	520
クロストリジウム属ヒストリチクス菌	457
クロム酸製縫合糸	727
グロムス腫瘍切除術	447

け

経腱鞘ブロック	3
脛骨骨髄炎	751
脛骨慢性骨髄炎	794
経中手骨ブロック	4
血管柄付き関節移植	706
血管柄付き関節移植術	836
血管柄付き筋膜脂肪弁移植	692
血管柄付き肩甲骨移植術	762
血管柄付き骨移植術	220, 256, 734
血管柄付き骨弁移植術	261
血管柄付き尺骨神経移植	558

血管柄付き腸骨移植術	754	コンパートメント症候群	163		206, 311, 312, 313, 318, 482
血管柄付き腓骨移植術	558, 742	**さ**		舟状月状骨間	231
血管柄付き腓腹神経	558	再灌流障害	735	舟状月状骨間解離	142, 190, 231, 236
血管柄付き腓腹神経移植術	558	再建術	239	舟状月状骨間靭帯再建術	236
月状骨三角骨間解離	311	鎖骨上窩ブロック	1	舟状月状骨進行性圧潰	180
月状骨脱臼	180	三角線維軟骨	263	舟状骨・大菱形骨・小菱形骨固定術	
月状骨摘出	656	三角線維軟骨複合体	276		190
月状骨摘出術	212	三角線維軟骨複合体損傷	142, 266	舟状骨偽関節	256, 261
月状三角骨間解離	142	三角線維軟骨複合体不全	142	舟状骨偽関節後関節症	294
月状三角骨間靭帯	239	**し**		舟状骨偽関節進行性圧潰	180
月状三角骨間靭帯損傷	311	自家移植	554	舟状骨結節部	479
腱移行術	499	指感染	465	舟状大菱形骨小菱形骨関節	475
腱弓切離術（Arcade of Frohse）	592	示指橈側外転再建術	540	手関節滑膜切除術	183, 495, 641
腱筋移行術	574	示指の母指化術	701	手関節鏡手技	266
肩甲回旋動脈	787	支靭帯再建術	683	手関節変形性関節症	190
肩甲骨固定術	567	指伸展機構	381	手根管開放術	845
腱交差症候群	484	指尖損傷	437	手根管症候群	5, 143, 487, 561, 604,
肩甲上神経	561, 563	指動脈交感神経切除術	462		614, 617
肩甲切痕	563	脂肪腫	138, 374	手根骨間固定術	180
肩甲皮弁	787	ジャージ損傷	514	手根骨間靭帯損傷	266
腱固定効果	496	斜角筋ブロック	1	手根中央関節の鏡視	269
腱鞘滑膜切除術	475	尺骨頭切除術	183	手指MP関節	405
腱剥離術	510	尺骨頭長軸脱臼＋骨間膜断裂	308	手指PIP関節脱臼骨折	415
腱付着部症	479	尺側手関節痛をきたす疾患	141	種子骨	405
腱膜切除術	452	尺側手根屈筋	11	手指手術麻酔手技	1
腱膜切離術	452	尺側手根屈筋腱	322	手指伸筋腱滑膜切除術	649
こ		尺側手根屈筋腱種子骨	303	手指伸筋腱皮下断裂	499
高位尺骨神経麻痺	530	尺側手根伸筋亜脱臼	481	腫瘍掻爬	442
高位正中・尺骨神経合併麻痺		尺側手根伸筋脱臼	481	循環障害	741
	542, 545	尺側側副靭帯損傷	366, 371	上位型腕神経叢麻痺	589
高位正中神経麻痺	525, 527	尺側列	398	上肢・下肢切断例	736
後外側回旋不安定性テスト	119	尺側列CM関節損傷	398	小指外転	530
抗凝固療法	735	尺側列CM関節脱臼骨折	398	小指外転変形に対する腱移行術	538
後骨間神経	634	尺骨遠位端切除術	648	小指球筋除圧術	845
後骨間神経切除	213	尺骨矯正・延長骨切り術	73, 74	上肢区画症候群	844
後骨間神経麻痺	70, 548	尺骨茎状突起骨折	159	掌尺側手関節痛をきたす疾患	142
後骨間動脈	806	尺骨鉤状突起骨折	131	掌側楔状開き骨切り術	155
交差点症候群	475	尺骨手根靭帯	263	掌側前腕除圧術	846
交差癒合（前腕骨骨折）	165	尺骨神経	13	掌側板関節形成術	420, 422
合指症分離手術	721	尺骨神経管	143	掌側板前進術	535, 682
酵素注射療法	457	尺骨神経管症候群	384	掌側プレート固定術	155
更年期女性	5	尺骨神経筋層下前方移行術	593	掌側ロッキングプレート固定術	
広背筋皮弁移植術	790	尺骨神経前方移行（所）術	592	（橈骨遠位端骨折に対する）	144
広範囲腱板断裂例	565	尺骨神経の絞扼	55	小伏在静脈	818
骨壊死	743	尺骨神経の知覚領域	632	静脈移植	630, 733
骨格	743	尺骨神経剥離術	92	静脈皮弁	814
骨穴作成と骨片の固定	110	尺骨神経皮下前方移行術	592	上腕外側皮弁移植術	796
骨端線早期閉鎖	36	尺骨神経ブロック	3	上腕筋	11
骨頭切除術（橈骨頭）	63	尺骨神経麻痺	49, 535, 540	上腕骨	7
骨軟骨腫	297	尺骨短縮骨切り術	283	上腕骨遠位1/3部骨折	548
骨肉腫	749	尺骨短縮術	79, 264	上腕骨遠位端骨折	40
骨盤再建	743	尺骨短縮術後抜釘術	290	上腕骨遠位端骨折AO分類	40, 42
コラゲナーゼ	451, 457	尺骨突き上げ症候群	142, 143, 156,	上腕骨遠位端の骨性部分	32
混合性結合織病	463			上腕骨外側顆骨折	21, 31
				上腕骨外側顆骨折分類	35

上腕骨外側上顆炎	101, 105, 479	
上腕骨顆上骨折	17	
上腕骨通顆偽関節	49	
上腕骨通顆骨折	46	
上腕骨内側上顆炎	105	
上腕骨内側上顆切除術＋神経剥離術	592	
上腕骨の解剖	7	
上腕三頭筋	11	
上腕二頭筋	10	
除神経術	294, 642	
伸筋腱滑膜切除術	648	
神経移植	628	
神経移植術	553, 554	
神経外神経剥離術	553	
神経管形成術	593	
神経再生誘導チューブ	634	
神経鞘腫	374	
神経鞘腫切除術	625	
神経束間神経剥離術	622	
神経束にくびれ	620	
神経断裂	579	
神経剥離術	553	
神経縫合術	553	
人工骨	443	
人工手関節置換術	640, 653	
人工神経	554, 634	
人工肘関節置換術	90	
人工的尺骨偽関節部	316	
人工橈骨頭置換術	65, 79	
深指屈筋腱側側腱移行術	539	
新鮮月状骨（周囲）脱臼骨折	225	
新鮮舟状骨骨折観血的内固定術	247	
新鮮肘関節靱帯損傷	122	
靱帯修復術	231	
靱帯修復術（肘関節）	125	
深腓骨神経	783	

す

髄内スクリュー固定法	52
ステロイド剤局注	484
ステロイド剤注射	476
ステロイド剤の腱鞘内注射	471
スワンネック変形	424

せ

正中神経	13
正中神経知覚枝の走行	632
正中神経の知覚領域	631
正中神経ブロック	2
正中神経麻痺	168
静的腱固定術	517
脊髄空洞症	525
脊髄誘発電位	571
切除術	433

切断指・肢の処置	737
切断指・肢の保存状況	736
切断指の再接着	736
尺橈側手関節痛をきたす疾患	142
前外側大腿皮弁	779
全型腕神経叢麻痺	587
全腱膜切除	452
前骨間神経麻痺	622
前骨間動脈	806
浅指屈筋	11
浅指屈筋腱腱移行術	536
浅指屈筋腱腱固定術	682
前斜走靱帯	127
全手関節固定術	197, 653
浅側頭動脈	808
穿通枝皮枝	779
先天性脛骨偽関節症	735, 743
先天性絞扼輪症候群	730
先天性橈尺骨癒合症	307, 687, 692
先天性母指形成不全	706
浅腓骨神経	782
前方支柱骨移植	743
前腕回外位拘縮	116
前腕回旋矯正骨切り術	687
前腕回内位拘縮	113
前腕骨	7
前腕骨切り術	206
前腕骨骨幹部骨折	162
前腕骨骨幹部骨折のAO分類	164
前腕除圧術	846
前腕双極損傷	76
前腕内側皮神経	634
前腕の回外位拘縮	116
前腕の骨折回旋矯正術	687

そ

爪下血腫	440
爪甲	440
爪甲の変形	433
総骨間動脈	806
総指伸筋	12
爪周囲炎	465
爪床損傷	440
副島法	350
側索移動術	683
足指骨・軟部組織移植術	823
足指爪床移植	441
側頭筋膜弁	808
足背動脈	782, 783
足背皮弁	782

た

ダートスロー運動	653
第1中手骨基部楔状骨切り術	336, 338

大小伏在静脈	782
大豆イソフラボン	6
体性感覚誘導電位	571
ダイゼイン	6
大腿筋膜張筋皮弁	779
大腿骨骨髄炎	751
大腿骨頭無腐性壊死症	754
対立機能再建術	543
大菱形骨全切除	342
大菱形骨半切除	342
田島法（橈骨神経麻痺に対する）	548
多発性神経線維腫	625
端側縫合	499
断端神経腫	628
短橈側手根伸筋	12
短橈側手根伸筋腱	102
弾発現象	471
短母指伸筋	12

ち

知覚神経移行術	631, 633
知覚神経活動電位	571
遅発性尺骨神経麻痺	31, 36, 81
中・環指皮膚性合指症	721
肘窩部軟部腫瘍	138
肘関節後外側回旋不安定症	122
肘関節拘縮	49
肘関節後方アプローチ	42
肘関節後方脱臼	21, 123
肘関節造影	118
肘関節陳旧性内側側副靱帯損傷	126
肘関節の骨格	8
肘筋	11
肘筋介在法	692
中指末節骨内軟骨腫	443
中手アーチ	530
中手骨骨頭引き寄せ法	727
中手骨骨頭部分的骨切り	715
肘頭骨折	51
肘頭の骨切り	44
肘頭を骨切りしない展開	46
肘部管症候群	105, 561, 592, 597
長胸神経	561, 566
腸骨移植＋K鋼線固定術	197
長掌筋	11
長掌筋腱挿入術（Kienböck病に対する）	212
長橈側手根伸筋	12
長母指外転筋	12
長母指外転筋腱前進術	338
長母指屈筋腱断裂	486
長母指伸筋	12, 490
長母指伸筋腱断裂	490
直視下関節デブリドマン（肘関節）	82
直接縫合	510

陳旧性腋窩神経麻痺例	790	
陳旧性屈筋腱損傷	510	
陳旧性月状骨周囲脱臼	180	
陳旧性肘後外側回旋不安定症	129	

つ

槌指	428
痛風	327
突き指	409
津下分類（Guyou 管症候群）	598
津下法（腱縫合法）	504
津下法（橈骨神経麻痺に対する）	548
爪損傷	440

て

低位尺骨神経麻痺	530
低位正中・尺骨神経合併麻痺	542, 543
低位正中神経麻痺	525
手くびブロック	1, 2
テニス肘	101
手の zone 分類	380
手の新鮮外傷	387
手の先天異常	685
手の先天異常分類	685
手袋状皮膚剥脱創	436

と

ド・ケルバン病	142, 475, 484
橈骨	63
橈骨・月状骨間固定術	180, 183
橈骨・舟状骨・月状骨間固定術	180
橈骨遠位端関節内骨折	266, 294
橈骨遠位端骨折	144, 158, 159, 490
橈骨遠位端骨折の AO 分類	146
橈骨遠位端変形治癒	155
橈骨茎状突起骨折	149
橈骨茎状突起切除術	170, 172
橈骨頸部骨端線損傷	60
橈骨楔状骨切り術	172
橈骨骨切り術	655, 692
橈骨手根関節固定術	180
橈骨手根関節の鏡視	267
橈骨神経	12
橈骨神経管開放術	601
橈骨神経管症候群	101
橈骨神経除圧術	102
橈骨神経深枝麻痺	138
橈骨神経浅枝損傷	476
橈骨神経浅枝の走行	632
橈骨神経浅枝ブロック	3
橈骨神経の知覚領域	632
橈骨神経麻痺	548
橈骨短縮骨切り術	206
橈骨短縮術	206
橈骨頭・頸部骨折の分類	61

橈骨頭頸部の内固定	134
橈骨頭骨折	76
橈骨頭部・頸部骨折	60
橈尺骨癒合症の分類	693
橈尺靱帯	263
豆状骨	303
豆状骨骨折	303
豆状三角関節	303
橈側手関節痛をきたす疾患	141
橈側手根屈筋	11
橈側前腕皮弁	806
橈側前腕皮弁移植術	800
橈側列形成不全	697
動的腱固定術	518
動脈硬化性手指の阻血性潰瘍	462
動脈縫合	737
ドケルバン病	5
徒手整復＋経皮的 K 鋼線固定術（上腕骨顆上骨折に対する）	17

な

内側（尺側）側副靱帯	9
内側上顆の骨切り（肘関節）	110
内側進入路（肘関節）	83
内側側副靱帯修復術（肘関節）	120
内軟骨腫	297, 442
内反肘変形矯正術	26

に

新潟手の外科研究所方式	506
尿酸結晶	327

ね

根引き抜き損傷	579
粘液嚢腫	433

の

脳性麻痺	113, 116

は

背側関節包固定術（手関節）	231, 232
背側楔状開き骨切り術（橈骨遠位端）	155
背側手部区画の除圧術	845
背側前腕除圧術	846
ハイドロキシアパタイト	443
白鳥の頸変形	681
橋渡し腱移植術	487
薄筋皮弁	775
抜釘術後の再骨折	290
ばね指	5, 362, 471
ハンセン病	525
パンタグラフ型骨性牽引	420
半有鉤骨関節形成術	421

ひ

皮下前方移行術（血管柄付き）（尺骨神経に対する）	593
皮下ブロック	3
引き抜き損傷	587
引き寄せ鋼線締結法（肘頭骨折に対する）	52
腓骨皮弁	558
肘屈曲機能再建	589
腓腹神経	634, 818
皮弁採取部の知覚障害	773
瘭疽	465, 467

ふ

フィブリン	557
フィンガートラップ牽引	163
複合性局所疼痛症候群	557
副神経	561
副神経移行	573
腹壁ヘルニア	754
部分尺骨神経・筋皮神経交叉縫合術	589, 591
部分尺骨神経移行	574
部分的 FPL 腱の EPL 腱への腱固定術	545
部分的腱膜切除術	452
部分的手関節固定術	190
部分的手根骨間固定術	206
プレート上の仮骨	291
分娩麻痺	113
分娩麻痺例	116

へ

変形性肘関節症	81

ほ

母指-示指間の指間形成	726
母指 CM 関節（変形性関節症）Eaton 分類	329
母指 CM 関節 OA	5
母指 CM 関節亜脱臼	336
母指 CM 関節形成術	667
母指 CM 関節固定術	545
母指 CM 関節脱臼骨折	356
母指 CM 関節変形性関節症	329, 338, 342, 350, 484
母指 IP 関節安定化術	530
母指 MP 関節尺側側副靱帯損傷	365
母指 MP 関節橈側側副靱帯（RCL）損傷	371
母指 MP 関節ロッキング	362
母指球筋除圧術	845
母指球筋の萎縮	617
母指球筋麻痺	525

母指屈曲再建術	545, 546	
母指スワンネック変形	666	
母指対立機能再建術	525, 617, 706	
母指多指症矯正手術	713	
母指中手骨基部	359	
母指低形成	701	
母指内転機能再建術	537	
母指ボタン穴変形	666	
ボタン穴変形	424	
ボタン穴変形（手指）	677	
ポリグラクチン910	718	

ま

末梢神経損傷	634
末梢神経麻痺	523
マレット指	428
マレット指の分類	428

む

ムチランス変形	666
無腐性壊死	36, 256

め

メニスカス類似体	263

や

山元テスト	26

ゆ

有茎血管柄付き骨移植	754
有茎組織移植術	733
有鉤骨鉤骨折	143, 300
有鉤骨鉤部偽関節	300
有痛性月状三角骨間解離	239
有頭骨・月状骨・三角骨・有鉤骨関節固定術	180
遊離移植腱	499
遊離筋肉移植術	587
遊離血管柄付き足指移植術	836
遊離腱移植術	514
遊離足指移植術	823
遊離第2足指移植術	825
遊離複合組織移植術	733
指屈曲再建術	545
指屈筋腱腱鞘炎	471
指切断	468

よ

吉津II法	521
吉津法（屈筋腱断裂に対する）	505
余剰指（母指多指症）	713
余剰指切除（母指多指症）	715

り

リウマチ	639
リウマチ性手関節症	494
リウマチ母指ボタン穴変形	662
離断性骨軟骨炎	82
リックサック麻痺	567
輪状靭帯再建術	74
輪状靭帯修復	65
鱗状配列	240

れ

裂手症	726

ろ

肋間神経	573
肋間神経移行術	584
ロッキング	405
ロッキングプレート（橈骨頭部変形に対する）	63

わ

ワーキングポータルの作製	269
腕神経叢	579
腕神経叢皮切	580
腕神経叢麻痺	558, 571, 584
腕橈骨筋	11

A

acute longitudinal radioulnar dissociation（ALRUD）	77, 308
Allen test	462, 800
ALRUDの分類	77
amplitude	523
anatomical snuff box	142
angular branch	762
anterolateral thigh flap	779
Apert症候群	721
arcade of Frohse	138
Atasoy分類	437
Atasoy法	438
Avulsion型	584
axillary block	1

B

Bauer法	721
Baumann angle	23
Bennett骨折	356, 357, 359
Beteman法	574
bicortical screw法	52
bipolar injury	76
Blauthの分類	706
blue spot	734
bone marrow edema syndrome	143
Bouchard結節	5
Boyd法	102
Boyes法	548
BrandのECRL腱移行術	543
Breen法	322
bridge tendon graft	487
BR腱のFPL腱への腱移行術	546
BRのFPL腱への移行術	528
Buck-Gramcko法	701
Bunnellの5大原則	523
Bunnell縫合	526
Burton法	336, 342, 346

C

Camitz法	617
Campbellの後方縦皮切	91
Carpal shift test	176
carpal tunnel syndrome	604
Carroll法	577
carrying angle	23
centro-centralization	630
Charcot-Marie-Tooth病	525
cherry red spots	734
Chevron骨切り	45
Chinese flap	800
Chow法	608
circle concept	123
circumflex scapular artery（CSA）	787
Cleary分類	687, 692
CMCタイトロープ	350
CM関節	398
CM関節脱臼骨折	398
CM関節の関節内骨折例	359
cold sensitivity test	447
Colton分類	51
compartment syndrome	844
complex elbow instability	131
complex regional pain syndrome	557
composite graft	437
compression-translation test	310, 311
Computer mouse syndrome	479
Coonrad-Morrey（C-M）型人工肘関節	90
cross finger flap法	439, 441, 814
cyclist's palsy	597

D

Darrach手術	183, 198, 322, 640, 644, 648
Darrach法	645
de Quervain病	142, 475, 484
Degloving injury	436
delayed primary suture	508
denervation	642
denervation手術	294
denervation操作	181
Dermatotenodesis	683
Dewar-Harris法	563

DIP 関節腱固定術	514	
DIP 関節構造	378	
DIP 関節固定術	514	
DIP 関節側正中切開	465	
direct transungual approach	447	
distal radioulnar ballottement test	310	
distal radioulnar joint ballottement test	310	
dorsal extension block splint	418	
double 3-dimensional mattress suture technique	273	
double free muscle transfer 法	574	
double lateral triangular flap	438	
double muscle transfer 法	587	
double strand with two needles	505	
double three-dimensional mattress suturing technique	271	
drammer's palsy	490	
DRUJ（遠位橈尺関節）の鏡視	270	
DRUJ 形成術	313	
DRUJ 疾患	308	
DTJ (double threaded screw of Japan) screw	222, 253	
Dupuytren 拘縮	450, 457	
Duran 法	507	

E

Eaton 分類	336
Eaton 法	336
Eckhardt 法	482
ECRB 腱	102
ECRL 腱の FDP 腱への腱移行術	545
Eden-Lange 法	563
EIP 腱と EDM 腱の各指への側索への移行術	546
El-Ahwany 分類	20
end-to-side suture	500
endoscopic carpal tunnel release（ECTR）	608, 614
Essex-Lopresti 骨折	76, 78, 308
extension block pin	418

F

fat pad sign	17, 19, 32
FDP 腱側側移行	528
FDP 腱側側移行術	534
fibro-osseous tunnel 再建術	482
Figgie のスコア	653
Finkelstein 試験	475
first web space skin flap 法	830
first-stage operation	511
fish mouth	740
fish tail 変形	36
flag flap	814

four-corner fusion	175, 176, 180
fovea sign	142, 276
Fowlers 分類	35
free vascularized toe transfer	836
fringe impingement test	101
Frohse のアーケード	601
Froment 徴候	531, 598
Froment 徴候矯正術	543
funicular orientation	555

G

Galeazzi 骨折	145, 165
Galveston type の副子固定	302
Gamekeeper's thumb	365, 366, 371, 666
Gilbert のタイプ分類	837
glomus 腫瘍切除術	447
gracilis musculo cutaneous flap	775
groin flap	771
Gustilo-Anderson 分類	387
Guyon 管	143, 597
Guyon 管症候群	143, 384

H

Heberden 結節	5, 433
hemiresection-interposition arthroplasty（HIA）法	318
Henry アプローチ	147, 156, 169
Henry の革ひも	602
Henry 法	563
Herbert 型スクリュー	222
Hintringer method	419
honeymoon palsy	548
Huber-Littler 法	706
hump-back 変形	256

I

Ilizarov 創外固定	697
Ilizarov 創外固定器	746, 747
Ilizarov 法	733
integrity of the muscles	523
Interference スクリュー	128
interlacing suture	500
intersection syndrome	475, 484
intratendinous tendon suture	504
intrinsic healing potential	503
intrinsic plus position	387
IP 関節固定術	662
Ishikawa 分類	437
isometric exercise	506

J

Jeffery 型損傷	51
Jobe 法	126
Joshi 法	438

K

Kanavel の 4 徴	465
Kaplan extensile lateral approach	131
Kaplan の approach	131
Kessler 変法	505
Kessler 法	505
Kienböck 病	143, 180, 183, 190, 204, 206, 266, 294
King 法	592
Kleinert 法	488, 506
knuckle pad	450
Kocher アプローチ	72, 120
Kocher 法	84
Kruckenberg 変形	670
Kudo elbow	90
Kulenkamph block	1
Kutler 法	438
K 鋼線刺入・固定	24
K 鋼線内固定	36

L

lateral elbow pain syndrome	101
lateral subperiosteal approach	447
lateral ulnar collateral ligament（LUCL）	122
LCLC	9
leash of Henry	602
Ledderhose 病	450
Leo Mayer 法	574, 578
Lichtman 分類	204
ligament reconstruction suspension arthroplasty（LRSA）	350
Lister 結節	141
locking finger の分類	405
long arm thumb-spica-cast 固定	253
Love's pin test	447
lunotriquetral ballottement test	311
lunotriquetral dissociation	142
lunotriquetral interosseous ligament（LTIL）	239
lunotriquetral shear test	311
lunotriquetral shuck test	311, 312

M

M（U）CL	9
Mason-Morrey 分類	61
Mayo Clinic 分類	52
McCash 法	454
MCR（midcarpal radial）関節の鏡視	269
MCU（midcarpal ulnar）関節の鏡視	269
Meyerding 分類	451

microsurgical reconstruction	388	
Milch 分類	33	
MINI-PLATE	283	
Mitek suture anchor	520	
Moberg 法	438	
modified extensile lateral approach	129	
modified lateral approach	129	
Monteggia equivalent lesion	71	
Monteggia 骨折	51, 69, 165	
Monteggia 骨折 Bado 分類	69	
motor neuron disease	599	
MP 関節安定化術	707	
MP 関節構造	377	
multiple muscle transfer 法	574	
multiple nerve transfer	588	
muscle strength	523	
M 波	571	

N

NAF (neuroadipofascial pedicled fasciocutaneous) flap	818
Nalebuff 分類	677, 681
neuralgic amyotrophy	620, 622
neuritis	620
Nirshl 法	602
no man's land	503, 510
no-reflow phenomenon	735
non-linked type	90

O

O'Driscoll 分類	131
Oberlin 法	574, 584, 589
occult ganglion	298
OCTR + 母指対立機能再建術	617
Ollier 病	442
open carpal tunnel release (OCTR)	614
open reduction and internal fixation (ORIF)	60, 62, 415
ORIF with pull-out wire 法	419
Osborne 靱帯	92

P

palmar flap	814
Pancoast 腫瘍	599
parallel M-line	399
paresthesis	625
passive flexion-active press and hold technique	506
perineural suture	591
Peyronie 病	450
Phalen test	143
piano key sign	142, 159, 310
piano key test	309
pillar pain	252
PIP 関節構造	378
PIP 関節人工指関節置換術	424
PIP 関節脱臼骨折	415
PIP 関節内背側脱臼骨折	421
PIP 関節の過伸展	409
pisiform boot test	310
pisiform grinding test	143
pisotriquetral ballottment test	303
pisotriquetral grind test	309, 310
plastic bowing	69
posterolateral rotatory instability test (PLRI テスト)	119, 122, 123
proximal row carpectomy (PRC)	180
pucker sign	26
pull-out wire 固定法	520
pull-out wire 法	510
Pulley 再建	513
Pulvertaft 法	514

Q

quadrilateral space	568

R

RA	494
radial styloidectomy	170, 176
radioulnar divergence	264
RA 手関節	318
replantation toxemia	736, 741
rerouting	115
retinacular ganglion	445
reversed cross-finger subcutaneous flap 法	439
ring injury	436
Riordan 法	548
Robertson の三方向牽引	418, 420
Roland 骨折	356, 359
rotation flap	814
Royle-Thompson 法	543
RSVP	387
Rupture 型	584

S

safe zone	60, 135
Sauvé-Kapandji (S-K) 手術	313, 322, 639
scalene block	1
scaphoid non-union advanced collapse (SNAC) wrist	175
scapholunate advanced collapse (SLAC) wrist	175
scapholunate dissociation (SLD)	142, 231, 236
scapholunate interosseous ligament (SLIL)	231
scaphotrapeziotrapezoidal (STT) fusion	190
scapular flap	787
second-stage operation	512
Sedel のゆるい Z 字状切開	580
Segmüller 法	438
self locking finger joint (SLFJ)	424
semi-linked type	90
Semmes-Weinstein monofilament test	604
Shepard 法	438
silicone rubber implant	65
silicone synovitis	65
silicone tendon spacer (Hunter tendon)	511
skier's thumb	366
Skoog が提唱した方法	452, 454
SLAC wrist stage 分類	175
SLAC (scapholunate advanced collapse) wrist	170, 172, 175
SLIL 再建術	237
SLIL 修復術	231
SNAC wrist stage 分類	175
SNAC (scaphoid non-union advanced collapse) wrist	175, 294
Spinner 法	482
Steindler's flexor plasty	584
Steindler 屈筋形成術	109
Steindler 法	578
Stellar optional plate	283
Stener's lesion	365, 371
Stiles-Bunnell 法	531
STT fusion	190
STT 関節固定術	190
Sunderland Ⅳ度	572
Sunderland の分類	553
supple joint	523
suspensionplasty	342, 667
swan neck 変形	424, 666
Swanson implant	662
Swanson の implant arthroplasty	670
Swanson の silastic implant arthroplasty	424

T

Tamai 分類	437
tear drop	17
tenodesis effect	496
tension band wiring 法	36, 52, 53
terrible triard	60
Terry Thomas sign	143
TFCC	276
TFCC 損傷	142, 143, 311, 482

TFCC 断裂	271
TFCC 断裂修復術	264
TFCC の尺骨小窩	276
Thenar flap 法	439
Thompson 法	336, 342, 346, 350
Thomsen test	101
three phase injection technique	312
Tilting angle	23
Tinel 徴候	143, 634
total wrist arthroplasty (TWA)	653
trans FCR approach	148
transverse interosseous loop technique (TILT) 法	510, 520
transverse rent	226
triangular fibrocartilage complex (TFCC)	142
triangular volar flap	438
tricortical bone	185
tricortical ilium	157
triple looped suture (TLS) 法	505, 521
triquetrohamate shear test	311
two dimensional interosseous wiring (TDIW) 法	737, 839
two point discrimination	604
two portal 法	608
two-stage tenoplasty	511

U

ulnar bow sign	70
ulnar grind test	311
ulnar tunnel syndrome	384
ulnocarpal stress test	311

V

V-NAF (venoneuroadipofascial pedicled fasciocutaneous) flap	818
V-Y flap	441
V-Y 法皮切	454
vacuum assisted closure	388
VAF (venoadipofascial pedicled fasciocutaneou) flap	818
venous flap	814
Viking disease	450
volar flap advancement 法	438
volar flexed intercalated segment instability (VISI)	239
volar V-Y "cup" flap 法	438
Volkmann 拘縮	17, 26, 387, 778, 790

W

Wagner アプローチ	336, 338
Wartenberg 兆候	538
Wassel 分類	713
Watson's maneuvor test	176
Whitman 法	567
working portal の作製	269
wrap-around flap 法	831
W 形成術	730

Z

Zancolli 法	116
zig-zag incision + V-Y 法	452
Zone I 深指屈筋腱 avulsion	514
Zone I 深指屈筋腱断裂	517
Zone II	503, 510
Zone II 新鮮屈筋腱損傷	503
Z 形成術	730

数字

1, 2-intercompartmental suprareti-nacular artery (1,2-ICSRA)	220
1, 2-intercompartmental suprareti-nacular artery 区画支帯上血管	257
1 背側中足動脈	782
2-strand 縫合	521
2 点識別能	604
8 字帯	159

著者紹介

三浪　明男（みなみ　あきお）
独立行政法人労働者健康安全機構　北海道せき損センター　院長

● **略歴**
　昭和22年（1947年）11月21日
　昭和47年　北海道大学医学部卒業・北海道大学医学部整形外科入局
　昭和52年　北海道大学医学部附属癌研究施設病理部門
　昭和55年　北海道大学医学部附属病院整形外科助手
　昭和57年　米国メーヨクリニック Orthopaedic Biomechanical Laboratory Research Fellow
　昭和61年　北海道大学医学部附属病院講師
　平成2年　北海道大学医学部助教授
　平成6年　北海道大学保健管理センター整形外科教授
　平成12年　北海道大学大学院医学研究科　高次診断治療学専攻　機能回復医学講座　整形外科学分野　教授
　平成19年　北海道大学大学院医学研究科　医学専攻　機能再生医学講座　整形外科学分野へ名称変更
　平成24年　独立行政法人労働者健康安全機構　北海道せき損センター　院長

● **学位**: 医学博士　北海道大学第2100号（昭和56年6月30日）

● **主な学会活動ほか**
　日本整形外科学会　元理事，元副理事長　名誉会員
　日本手外科学会　元理事長　名誉会員
　日本マイクロサージャリー学会　元理事　名誉会員
　日本関節病学会　元理事　名誉会員
　日本リウマチ学会　指導医　評議員
　北海道整形災害外科学会　名誉会員
　日本バイオマテリアル学会　評議員
　American Society for Surgery of the Hand　International member
　International Federation of Societies for Surgery of the Hand　Member
　American Society for Reconstructive Microsurgery　Corresponding member
　International Wrist Investigator's Workshop　Member
　Hand Surgery　Prior Editor-in-Chief
　Journal of Musculoskeletal Research　Editorial board
　The 5th Combined Meeting of the Japanese and American Societies for Surgery of the Hand　President
　平成20年　第81回日本整形外科学会学術総会　会長

● **専門分野**: 関節外科，手の外科，リウマチ手の外科，マイクロサージャリー，スポーツ手の外科，腫瘍免疫，生体力学

● **受賞歴**
　1．平成10年　日本手の外科学会優秀展示賞
　2．平成11年　American Society for Surgery of the Hand 1999 Poster Exhibit Award Best Layout and Presentation
　3．平成14年　上原記念生命科学財団研究奨励賞
　4．平成15年　大和証券ヘルス財団研究助成
　5．平成15年　整形災害外科学研究助成財団アルケア奨励賞
　6．平成16年　上原記念生命科学財団研究助成
　7．平成20年　北海道医師会賞，北海道知事賞
　8．平成20年　北海道科学技術賞
　9．平成20年　日本整形外科学会学会賞
　10．平成30年　Tajima Award（Asian-Pacific Federations of Societies for Surgery of the Hand）
　11．令和元年　Pioneer of Hand Surgery（International Federations of Societies for Surgery of the Hand）

● **著書・論文**（原著と症例報告をまとめました）
　著書　　34編（主著書: 13編）
　原著　　421編（主著書: 76編）

手の外科―私のアプローチ	©

| 発　行 | 2016 年 7 月 30 日　　1 版 1 刷 |
| | 2021 年 10 月 20 日　　2 版 1 刷 |

著　者　三　浪　明　男

発行者　株式会社　中 外 医 学 社
　　　　代表取締役　青　木　　滋

〒 162-0805　東京都新宿区矢来町 62
電　話　03-3268-2701（代）
振替口座　00190-1-98814 番

印刷/製本　三報社印刷（株）　　　　　　〈TO・SH〉
ISBN 978-4-498-05477-6　　　　　　　Printed in Japan

JCOPY　＜(社)出版者著作権管理機構 委託出版物＞

本書の無断複製は著作権法上での例外を除き禁じられています．
複製される場合は，そのつど事前に，(社)出版者著作権管理機構
（電話 03-5244-5088, FAX 03-5244-5089, e-mail: info@jcopy.
or.jp）の許諾を得てください．